Les accoucheuses
Tome III
d'Anne-Marie Sicotte
est le huit cent soixante-douzième ouvrage
publié chez
VLB ÉDITEUR.

La collection « Roman »
est dirigée par Jean-Yves Soucy.

VLB éditeur bénéficie du soutien de la Société de développement des entreprises culturelles du Québec (SODEC) pour son programme d'édition.

Gouvernement du Québec – Programme de crédit d'impôt pour l'édition de livres – Gestion SODEC.

Nous reconnaissons l'aide financière du gouvernement du Canada par l'entremise du Programme d'aide au développement de l'industrie de l'édition (PADIÉ) pour nos activités d'édition.

Nous remercions le Conseil des Arts du Canada de l'aide accordée à notre programme de publication.

LES ACCOUCHEUSES

La déroute

Et enfin pour Thérèse,
la fin... pour que
s'éveille la conquérante
en soi!

Anne-Marie Sicotte
mai 2009

De la même auteure

ROMANS

Les accoucheuses. T. II : *La révolte*, Montréal, VLB éditeur, coll. « Roman », 2007.

Les accoucheuses. T. I : *La fierté*, Montréal, VLB éditeur, coll. « Roman », 2006.

Les amours fragiles, Montréal, Libre expression, 2003.

ROMANS JEUNESSE

Le lutin dans la pomme, Laval, Trois, 2004.

BIOGRAPHIES

Marie Gérin-Lajoie : conquérante de la liberté, Montréal, Éditions du remue-ménage, 2005.

Gratien Gélinas : la ferveur et le doute, Québec Amérique, 1995 (t. I) et 1996 (t. II).

ÉTUDES HISTORIQUES

Les années pieuses, 1860-1970, Québec, Les Publications du Québec, coll. « Aux limites de la mémoire », 2007.

Femmes de lumière : les religieuses québécoises avant la Révolution tranquille, Montréal, Fides, 2007.

Quartiers ouvriers d'autrefois, 1850-1950, Québec, Les Publications du Québec, coll. « Aux limites de la mémoire », 2004.

De la vapeur au vélo : le guide du canal Lachine, Montréal, Association les Mil Lieues et Parcs Canada, 1986.

RÉCITS BIOGRAPHIQUES

Justine Lacoste-Beaubien : au secours des enfants malades, Montréal, XYZ, coll. « Les grandes figures », 2002.

Gratien Gélinas : du naïf Fridolin à l'ombrageux Tit-Coq, Montréal, XYZ, coll. « Les grandes figures », 2001.

NOUVELLES

Circonstances particulières (en collaboration), Québec, L'instant même, 1998.

Anne-Marie Sicotte

LES ACCOUCHEUSES

La déroute

roman

vlb éditeur
Une compagnie de Quebecor Media

VLB ÉDITEUR
Groupe Ville-Marie Littérature inc.
Une compagnie de Quebecor Media
1010, rue de La Gauchetière Est
Montréal (Québec) H2L 2N5
Tél. : 514 523-1182
Téléc. : 514 282-7530
Courriel : vml@sogides.com

Maquette de la couverture : Anne Bérubé
Illustration de la couverture : d'après Henri Jules Jean Geoffroy, *La Goutte de Lait de Belleville: la distribution de lait.*
Cartographie : Julie Benoit

Catalogage avant publication de Bibliothèque et Archives nationales du Québec et Bibliothèque et Archives Canada

Sicotte, Anne-Marie, 1962-
Les accoucheuses : roman
(Roman)
Sommaire : t. 1. La fierté – t. 2. La révolte – t. 3. La déroute.
ISBN 978-2-89005-951-1 (v. 1)
ISBN 978-2-89649-003-5 (v. 2)
ISBN 978-2-89649-044-8 (v. 3)
I. Titre. II. Titre : La fierté. III. Titre : La révolte. IV. Titre : La déroute.
PS8587.I238A64 2006 C843'.6
C2006-941109-3
PS9587.I238A64 2006

Pour en savoir davantage sur nos publications, visitez notre site : **www.edvlb.com**
Autres sites à visiter : www.edhexagone.com
• www.edtypo.com • www.edjour.com
• www.edhomme.com • www.edutilis.com

Dépôt légal : 3e trimestre 2008
Bibliothèque et Archives nationales du Québec, 2008
Bibliothèque et Archives Canada

ISBN 978-2-89649-044-8

DISTRIBUTEURS EXCLUSIFS :

Pour le Canada et les États-Unis :
MESSAGERIES ADP*
2315, rue de la Province
Longueuil, Québec J4G 1G4
Tél. : 450 640-1237
Télécopieur : 450 674-6237
* filiale du Groupe Sogides inc.,
filiale du Groupe Livre Quebecor Media inc.

Pour la France et les autres pays :
INTERFORUM editis
Immeuble Paryseine, 3, Allée de la Seine
94854 Ivry CEDEX
Tél. : 33 (0) 4 49 59 11 56/91
Télécopieur : 33 (0) 1 49 59 11 33
Service commandes France Métropolitaine
Tél. : 33 (0) 2 38 32 71 00
Télécopieur : 33 (0) 2 38 32 71 28
Internet : www.interforum.fr
Service commandes Export – DOM-TOM
Télécopieur : 33 (0) 2 38 32 78 86
Internet : www.interforum.fr
Courriel : cdes-export@interforum.fr

Pour la Suisse :
INTERFORUM editis SUISSE
Case postale 69 – CH 1701 Fribourg – Suisse
Tél. : 41 (0) 26 460 80 60
Télécopieur : 41 (0) 26 460 80 68
Internet : www.interforumsuisse.ch
Courriel : office@interforumsuisse.ch
Distributeur : OLF S.A.
ZI. 3, Corminboeuf
Case postale 1061 – CH 1701 Fribourg – Suisse
Commandes : Tél. : 41 (0) 26 467 53 33
Télécopieur : 41 (0) 26 467 54 66
Internet : www.olf.ch
Courriel : information@olf.ch

Pour la Belgique et le Luxembourg :
INTERFORUM editis BENELUX S.A.
Boulevard de l'Europe 117,
B-1301 Wavre – Belgique
Tél. : 32 (0) 10 42 03 20
Télécopieur : 32 (0) 10 41 20 24
Internet : www.interforum.be
Courriel : info@interforum.be

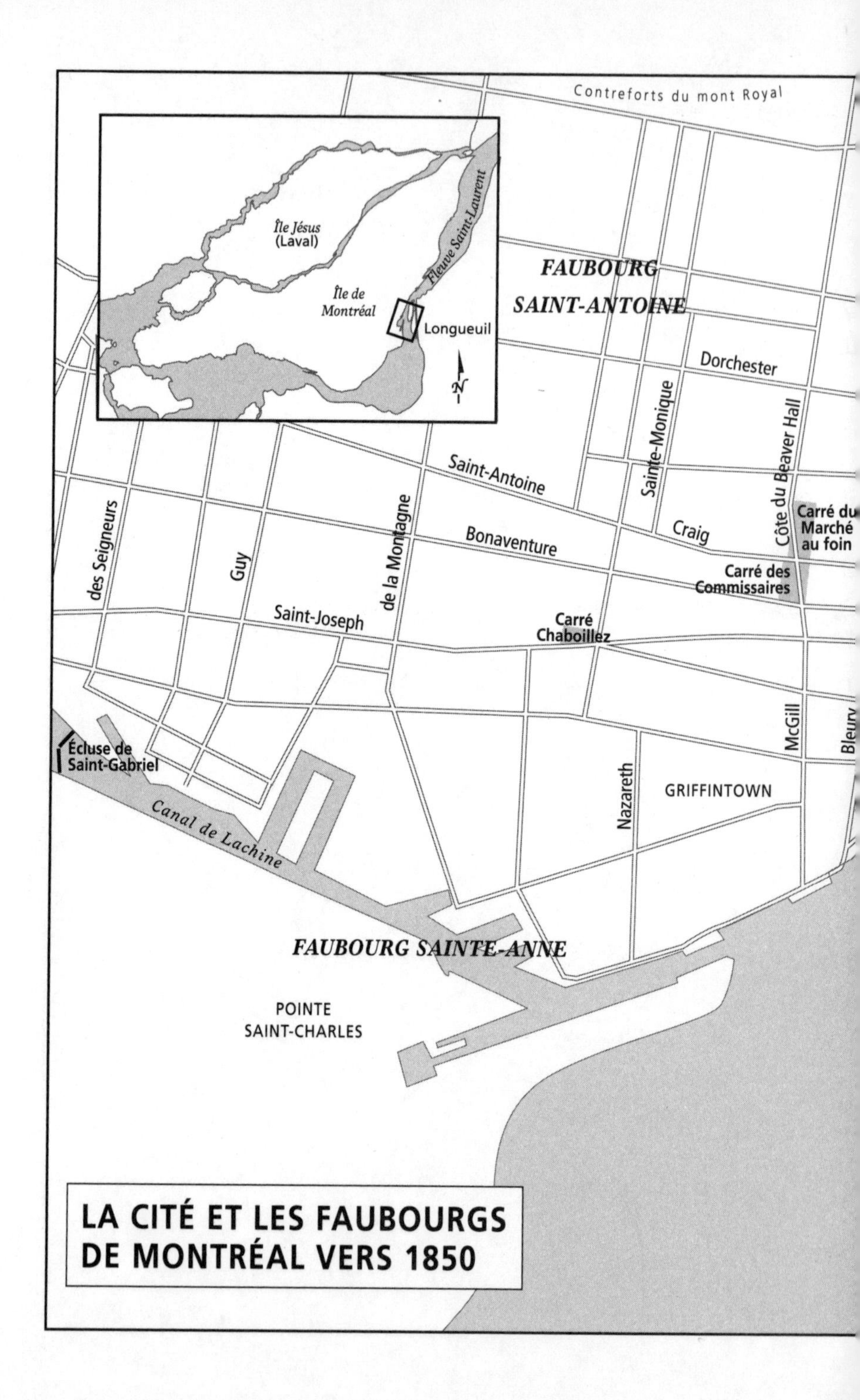

LA CITÉ ET LES FAUBOURGS
DE MONTRÉAL VERS 1850

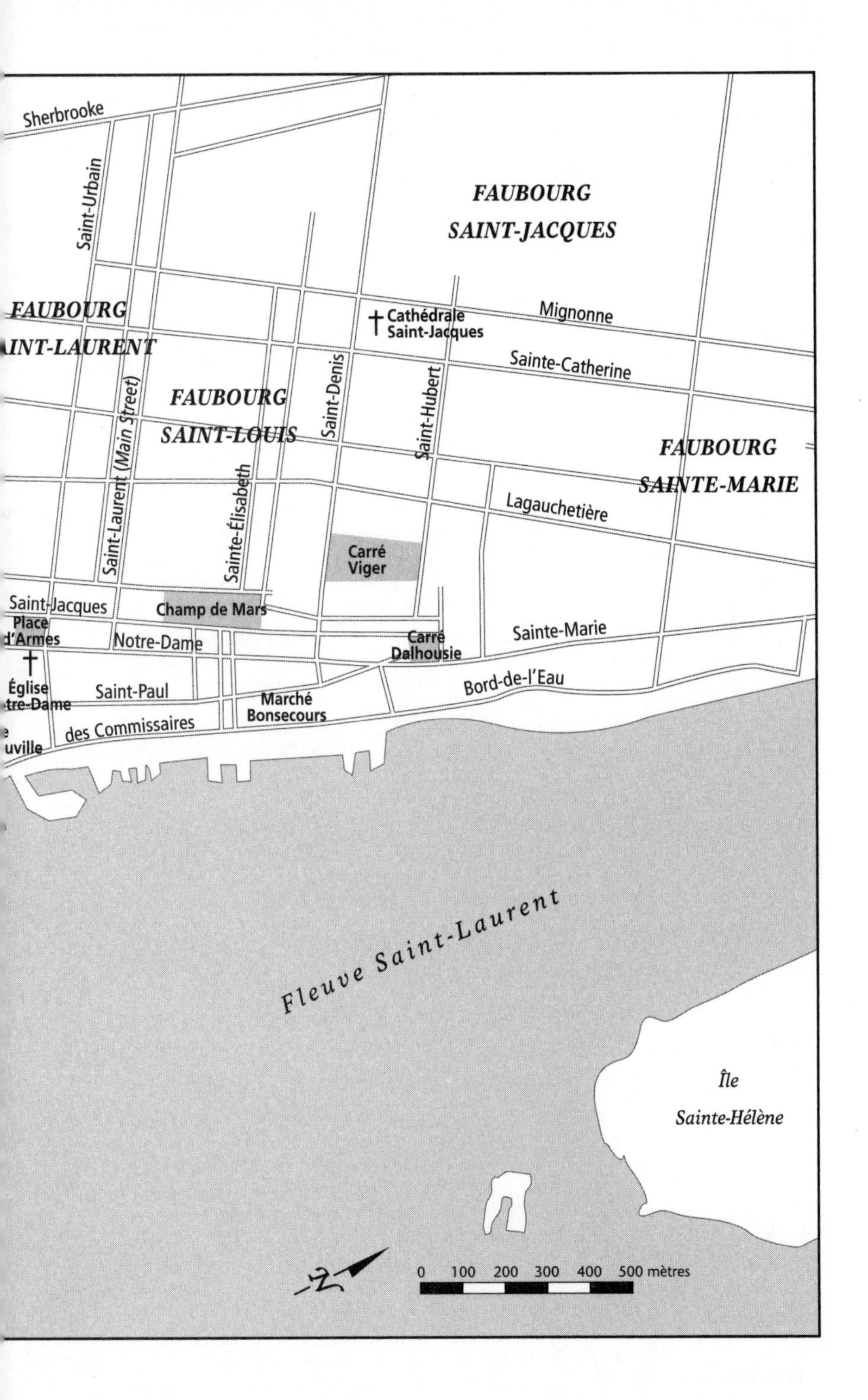
Sherbrooke
Saint-Urbain
FAUBOURG SAINT-JACQUES
Mignonne
Cathédrale Saint-Jacques
Sainte-Catherine
FAUBOURG SAINT-LOUIS
Saint-Denis
Saint-Hubert
Saint-Laurent (Main Street)
Sainte-Élisabeth
FAUBOURG SAINTE-MARIE
Lagauchetière
Carré Viger
Saint-Jacques
Champ de Mars
Place d'Armes
Notre-Dame
Carré Dalhousie
Sainte-Marie
Saint-Paul
Église
Bord-de-l'Eau
Marché Bonsecours
des Commissaires
Fleuve Saint-Laurent
Île Sainte-Hélène
0 100 200 300 400 500 mètres

Chapitre premier

Dès qu'elle met le nez hors de la grange, Flavie resserre son châle autour de ses épaules. Même si les journées sont encore magnifiques en cette mi-septembre 1853, une fraîcheur caractéristique monte du sol. Elle frotte ses mains ankylosées l'une contre l'autre. Cinq jours auparavant, elle a répondu à l'appel du responsable de la traite des vaches qui requérait des volontaires. Ses muscles s'en ressentent, mais elle n'en a cure, car elle jouit de cette tâche inhabituelle autant que de toutes celles qu'elle a expérimentées depuis son arrivée au sein de cette communauté utopiste américaine.

Flavie admire la contrée environnante dont chaque relief est souligné par le soleil levant, tout en marchant lentement sur le sentier qui la ramène au manoir appelé Mansion House. Situé sur un promontoire, il est flanqué d'une construction plus modeste, Children's House. Aux alentours se trouvent de vastes potagers, des champs et les bâtiments qui servent à loger les bêtes ou qui abritent des ateliers. Plus loin encore, coule The Creek, une rivière dont elle entend le bruit ténu à cette époque de l'année. Enfin, le restant des deux cent cinquante acres du domaine, situé dans le cœur de l'État de New York, est couvert de vallons boisés où le roux se mêle au vert.

Soudain, en provenance du bataillon des femmes qui accomplissent chaque dimanche l'indispensable blanchisserie, un joli chant couvre celui de la rivière. Comme tout le reste de la communauté, Flavie a été réveillée avant les premiers gazouillis d'oiseaux par cette chorale improvisée... Manifestement, au moins un homme a trouvé le courage de s'attaquer à cette besogne traditionnellement féminine. Au souper, ce soir, il aura droit à des félicitations publiques de la part des femmes!

Songeant que c'est aujourd'hui le jour du Seigneur et qu'en Bas-Canada une bonne partie de la population se tire du lit pour se préparer à la messe, Flavie offre un sourire réjoui aux volatiles qui valsent dans le ciel. Elle se régale encore de cette nouveauté qui témoigne de l'esprit d'indépendance des membres de cette Association d'Oneida: sous prétexte que chaque journée du calendrier est consacrée à la célébration de la foi, le dimanche ne sort pas de l'ordinaire, sauf peut-être pour laisser place à quelque amusement collectif en après-dînée.

Comme toutes celles qu'elle a vécues depuis son arrivée, à la fin de juillet, la journée s'annonce chargée! En cette période des récoltes, les corvées se succèdent sans trêve. Ce n'est pas pour déplaire à Flavie, bien au contraire: elle cherche toutes les occasions pour se dépenser physiquement, pour tomber d'épuisement dans son lit et dormir comme une bûche! Trop souvent, elle s'est couchée avec un tel poids à l'âme... Désespérée à l'idée d'avoir perdu l'estime de Bastien, elle se réveillait plusieurs fois pendant la nuit pour remâcher ses pensées... Pour endiguer la peine qui menaçait de la submerger, elle se haranguait avec force: ne lui a-t-il pas prouvé, à maintes reprises, qu'il ne méritait pas son amour? N'a-t-il pas agi en époux égocentrique et en homme insensible?

Oui, mais il y avait l'éclat de son œil bleu... leurs conversations animées et l'importance qu'il accordait à ses opinions... et ses traits altérés, comme magnifiés, quand il la désirait. Sa peau si douce... la manière dont il la touchait encore après leurs étreintes, même du bout d'un doigt ou d'un orteil… Encore aujourd'hui, Flavie se débat contre cet attachement insensé. Leur entente n'était que superficielle puisque leurs divergences ont pris toute la place ! Il aurait voulu son épouse malléable et accommodante, trop contente de lui fournir une trâlée d'enfants. Mais Flavie n'était pas faite ainsi, elle voulait essayer autre chose avant, devenir une accoucheuse experte, un médecin s'il le fallait !

Faisant une pause dans le sentier, elle jette un long regard circulaire, inspirant profondément cet air saturé d'odeurs végétales. Une coulée d'allégresse s'éparpille par tout son corps. Elle a trouvé une nouvelle famille, d'autres fous comme elle, insatisfaits du monde tel qu'il se bâtit et qui prennent les moyens pour le rendre meilleur ! Son impression initiale, franchement favorable, se voit confirmée à mesure que les semaines passent !

Avec une douce émotion, elle se remémore son arrivée. Ce jour-là, tandis qu'elle parcourait à pied les trois milles qui séparaient Mansion House du village, elle était mue par une intense curiosité au sujet de ce système qui semblait constituer un tel avancement pour la gent féminine. À sa grande surprise, le chemin était étonnamment encombré de piétons et d'attelages qui, tous, se dirigeaient vers l'entrée du domaine. Sans l'avoir planifié, elle se joignait à un large groupe d'habitants des environs qui répondaient à l'invitation des membres de la communauté d'Oneida pour une fête champêtre !

Elle a commencé par fuir toute présence humaine afin d'errer à sa guise sur les lieux, se repaissant de la beauté de ce coin de pays, admirative devant le mélange de prospérité et de simplicité qui se dégageait des installations. Lorsqu'elle a mis fin à son vagabondage, elle a eu son premier véritable choc, un mélange de surprise et de joie qui a envoyé un puissant frisson jusqu'à l'extrémité de ses membres. Une jeune femme de la communauté accueillait des personnes de sa connaissance. Une femme en *bloomer*! Parmi les dames en robe frôlant le sol, le contraste était saisissant! Aussitôt, Flavie a eu la vision réjouissante de Françoise Archambault, la vice-présidente de la Société compatissante, à sa fameuse et scandaleuse conférence.

Clouée sur place, Flavie a détaillé sans vergogne la tournure audacieuse, chemise grossière et jupe aux genoux, sous laquelle de longues et larges pantalettes descendaient jusqu'aux chevilles. Alors, elle a subi son deuxième choc en remarquant les jolies mèches qui s'échappaient du foulard qui lui ceignait la tête: ses cheveux étaient raccourcis jusqu'à sa nuque! Flavie a ressenti une telle allégresse qu'elle en a tremblé de tous ses membres. Marguerite n'avait pas menti! L'enthousiasme qui suintait de sa dernière missive était totalement justifié!

Il est de coutume de mettre sur le dos des femmes la moindre inconduite concernant le respect des règles de chasteté. Si un écart se produit, les femmes en sont les premières coupables! Or, le fondateur, John Humphrey Noyes, déclare le contraire. L'homme a un immense pouvoir sur sa compagne, y compris celui de la blesser, et tout mâle qui se respecte doit s'assurer de ne jamais causer de tort à une femme, moralement comme physiquement. Si une saine attitude devant la sexualité s'installait dans le cœur des hommes, tout serait gagné...

Selon Marguerite, un soir, il s'était incliné devant l'assemblée des femmes présentes, faisant vœu devant le Créateur de les traiter en toute justice.

Les hommes qui connaissent leurs vrais intérêts ne peuvent agir autrement, a-t-il ajouté. Toute satisfaction en amour est exclue, tant que les femmes vivent sous le règne de la peur. Pour aimer vraiment, elles doivent se débarrasser des embarras et des tourments. « Si, messieurs, vous réduisez vos femmes au rang d'es-

claves, c'est une bien pauvre nourriture amoureuse que vous aurez à vous mettre sous la dent. » N'est-ce pas incroyable, Flavie ? N'est-ce pas un homme qui a saisi l'essence du christianisme, qui a parfaitement intégré les notions de charité et de compassion, qui peut parler ainsi ?

Ces mots avaient été comme un baume sur les souffrances de Flavie. Luttant contre des larmes amères, secouée par les cahots du cheval de fer qui la menait dans ce paradis promis, elle avait tenu la lettre de son amie contre son cœur. Sitôt que sa présence a été acceptée à Oneida pour une période d'essai, elle s'est empressée de se coudre des pantalettes et de passer les ciseaux dans ses jupes. De ne plus sentir l'ourlet lui battre les mollets lui a procuré un immense sentiment de liberté ! À ses yeux, c'était comme un rituel de passage, le signe tangible d'une transition entre les mœurs d'un monde dégénéré et celles, beaucoup plus saines, d'une société utopiste.

Pour ses cheveux, par contre, elle n'y est pas encore parvenue. Non pas qu'elle y tienne tant ; contrairement à toutes ces dames qui ne les taillent jamais et qui les entretiennent comme la parure suprême, elle a pris l'habitude de les garder mi-longs et de les tresser le plus commodément possible. Ce qui, au dire de sa belle-mère Archange Renaud, faisait beaucoup trop commun… Mais une jupe se rallonge en quelques points de couture, tandis qu'une coupe courte dure plus d'une année !

Ce geste radical, symbole ultime de sa volonté de fusionner avec la communauté d'Oneida, Flavie ne peut encore se résoudre à le faire. Mais cela viendra très vite ! Son intense désarroi des premiers temps de son séjour à Oneida s'est peu à peu apaisé. Maintenant, évoquant l'image familière de son mari, elle ne ressent plus qu'un léger fourmillement au plexus solaire. Cette sérénité qui se dégage de la plupart des membres d'Oneida, cette certitude du droit chemin, elle veut la posséder !

Échappant à la fraîche matinée de fin d'été, Flavie pénètre à l'intérieur de Mansion House pour un rapide déjeuner. Le rez-de-chaussée est divisé en trois : un caveau à l'extrémité qui s'adosse à une élévation de terrain, la cuisine au centre et enfin la salle à manger, qui ne pourrait contenir tous les adultes si, d'aventure, ils décidaient de manger exactement en même temps ! Quelques enfants courent entre les tablées et Flavie évite adroitement l'un d'eux avant d'aller se servir au comptoir, régulièrement réapprovisionné par les préposées au service. Elle a fait partie de cette équipe pendant deux bonnes semaines... une équipe qui, malgré les nobles intentions des dirigeants concernant la mixité des tâches, demeure majoritairement féminine !

Elle scrute la salle à la recherche de Marguerite, mais son amie brille par son absence. Comme Flavie n'a pas encore développé une réelle intimité avec l'un ou l'autre des membres, elle finit par choisir deux couples attablés ensemble en compagnie desquels elle a travaillé à plusieurs reprises. Les quatre Américains l'accueillent avec bonhomie et une conversation légèrement contrainte s'engage aussitôt. À cause de la forte présence anglaise à Montréal et surtout des leçons de son vieil ami irlandais Daniel Hoyle, Flavie parle un anglais honorable, mâtiné d'un subtil accent qui fait la joie de ses auditeurs.

Depuis son arrivée, elle a pris conscience de la place qu'occupe la civilisation française dans l'imaginaire des Américains. La France suscite dédain ou admiration, rejet ou envie, mais elle ne laisse personne indifférent ! Les deux jeunes Canadiennes profitent, par ricochet, de cette fascination ; elles se voient parer d'une auréole d'exotisme qui les égaie fort.

L'un des voisins de Flavie, un homme avenant d'une quarantaine d'années nommé Stephen Waters, sort de la poche de sa veste un feuillet plié en quatre. Lui jetant un regard gêné, il bredouille :

– Puisque vous voilà, Miss Reenod… Auriez-vous la bonté de vérifier ma prononciation française ?

Les pommettes rouges de confusion, il se met à conjuguer au présent le verbe « savoir », et Flavie se mord les lèvres pour ne pas rire de son accent à couper au couteau. Marguerite vient de se promouvoir maîtresse de français ; deux fois par semaine, elle enseigne aux intéressés les rudiments de cette langue. Elle a fait imprimer sur la presse de la communauté quelques feuillets que les membres zélés exhibent ainsi à tout moment, dès qu'une pause le leur permet. Cette spontanéité dans l'apprentissage ne déplaît pas à Flavie, bien au contraire ! Tous ceux qui ont une compétence spéciale s'improvisent professeurs, ce qui permet à la jeune Montréaliste, quand elle en trouve le loisir, d'acquérir les bases de ce latin dont on lui a seriné l'importance pour des études avancées en médecine.

Dès que son vis-à-vis, les tempes moites, a fini sa lecture laborieuse, Flavie le corrige gentiment et lui fait répéter quelques sons, que les trois autres reprennent en chœur. Elle conclut la leçon en s'attachant à son propre nom. Leur démontrant à quel point son nom de famille est massacré, ce qui fait rire ces Yankees à gorge déployée, elle leur enjoint d'utiliser son prénom à l'avenir. Elle leur fait exercer le *a* et le *i* jusqu'à ce qu'ils prennent leur envol tout en psalmodiant son prénom comme un hymne à l'office… mais un hymne égrillard.

Suivant leur sortie du regard, Flavie constate que Stephen Waters, se retournant, lui adresse une salutation appuyée. Cette marque d'attention la déroute à tel point que, après un sourire mécanique, elle plonge le nez dans son assiette. Si Flavie n'a pas encore vraiment saisi toutes les subtilités du dogme du fondateur, John Humphrey Noyes, elle s'est fait un portrait précis de ses conséquences pratiques. Au sein de cette communauté, chaque personne a le droit d'aimer qui bon lui semble puisque cet amour rejaillit sur Dieu lui-même. Ce mépris de l'institution du mariage constitue l'aspect le plus intrigant de cette philosophie, celui qui suscite l'ire des dévots !

Pour certains, cette communauté est un antre de perversité, ce que Marguerite s'est empressée de contredire, dès son arrivée à Oneida, dans sa correspondance avec Flavie. Ce qu'elle écrivait alors s'est avéré. Les parties de plaisir sont reléguées bien loin dans l'échelle des valeurs. Le fait de mêler étroitement les sexes dans toutes les activités communautaires, même celles qui sont ordinairement considérées comme l'apanage de l'un ou l'autre, semble entraîner une sorte de désensibilisation, une accoutumance qui suscite une aisance naturelle entre hommes et femmes. Ce compagnonnage de bon aloi désamorce les tensions sexuelles exagérées, contrairement à la fausse pruderie qui marque les échanges entre mâles et femelles du monde extérieur !

De toute façon, Flavie se méfie comme de la peste des qu'en-dira-t-on et des ouï-dire. Elle sait, pour l'avoir personnellement vécu, qu'ils reposent généralement sur des faussetés ! De plus, elle n'a pas une très haute opinion de l'institution du mariage, dont la prétendue indestructibilité n'est que mascarade, puisqu'elle cache les comportements les plus divers… et les moins conformes aux enseignements de la religion catholique. Le mariage, en fait, ne sert-il pas qu'à enchaîner les femmes à leur rôle de procréatrices ? À satisfaire l'instinct dominateur des hommes ?

Ayant terminé son repas, Flavie est sur le point de se lever lorsque Marguerite fait irruption dans la salle à manger. Comme souvent, Flavie sourit devant le spectacle de son amie qui rayonne de bonheur à se retrouver, enfin, parmi ses semblables : des femmes encouragées à être actives dans tous les sens du terme! À Montréal, sa belle carrure et ses manières énergiques détonnaient parmi les demoiselles qui s'efforcent d'être à la mode en se donnant un air languissant et en se pâlissant le teint. Ce n'est plus le cas ici, à Oneida, où les femmes ne sont parées que de leurs atouts naturels!

Une vive excitation se lit sur ses pommettes empourprées et dans ses grands yeux sombres aux iris telles deux pierres précieuses dans un écrin de soie.

– Tu sais quoi, Flavie? C'est parfaitement vrai!

– Quoi donc?

– La continence! Je veux dire, Frank est capable de...

Elle rougit et, après avoir avalé sa salive, elle réussit à chuchoter:

– Il peut... Je veux dire, rester totalement maître de lui! Nous avons passé des heures ensemble, des heures délicieuses, et il a réussi à me combler sans... sans se permettre l'ultime frisson!

La veille au soir, Marguerite a ouvert ses bras à un Yankee de trente-sept ans, expert dans l'art de la continence instaurée en règle de vie par John Noyes.

– Jamais je n'aurais cru que c'était à ce point! Tu te rends compte de quelle avancée il s'agit? C'est le moyen idéal pour empêcher la famille!

À plusieurs reprises auparavant, au sein d'un petit groupe de jeunes femmes, elles ont causé de cette pratique à laquelle tous les mâles d'Oneida doivent s'astreindre, soit l'étreinte réservée. Les emportements sont toujours possibles, mais plus un homme s'y accoutume, mieux il sait reconnaître les signes menant à une perte de contrôle. Marguerite s'avouait extrêmement sceptique au sujet des aptitudes réelles des hommes, écoutant avec une moue d'incrédulité les récits de ses interlocutrices, dont celui de Flavie qui, malgré ses réticences à évoquer son passé, lui a révélé que Bastien s'était exercé amplement à acquérir cette maîtrise et qu'il était devenu d'une adresse étonnante.

Exaltée, Marguerite lui confie que son expérience a été extraordinaire et que, dans ces circonstances, elle se félicite d'avoir attendu ses vingt-six ans pour être déflorée ! Encore toute frémissante d'émoi, elle enchaîne avec une tirade fiévreuse :

– Father Noyes est un homme exceptionnel, Flavie ! Je le crois maintenant, qu'il est inspiré directement par Dieu lui-même, par un Dieu bienveillant et amoureux de sa création. J'avais encore un léger doute, mais il s'est totalement dissipé ! L'amour charnel permet de puiser directement à la source de cette joie associée à la présence du divin en chacun de nous... Je suis parfaitement d'accord avec ce que Noyes avance : la relation sexuelle est un sacrement, dans toute la pureté originelle de ce mot aujourd'hui dénaturé ! C'est le moyen idéal pour s'abreuver à la source de la puissance et de la grâce de Dieu. Je t'assure, Flavie, que je l'ai ressenti ! Je me suis véritablement unie au Créateur ! En tout cas, j'ai eu la certitude d'être un maillon de cette interminable chaîne entre Jésus lui-même et le plus incrédule des êtres vivants...

Incapable de contenir son enthousiasme, Marguerite répète qu'il ne faut pas confondre l'amour avec la lubricité, comme cela se fait couramment de par le vaste monde ; le premier est pur, dégagé de toute envie de possession, libéré de cette jalousie qui créé tant de désordres. Dans la Bible, Jésus lui-même bannit ce sentiment de possessivité lorsqu'il rappelle constamment à sa mère, la Vierge Marie, qu'il doit d'abord allégeance à une puissance qui dépasse les liens familiaux. En fait, selon Noyes, Jésus a été l'un des amants les plus ardents que l'histoire ait connus ! Il a vécu avec Marie de Béthanie un échange chaste mais puissant d'amour charnel, duquel a résulté la résurrection miraculeuse de Lazare, le frère de ladite dame. L'ascension de Jésus depuis la colline du village de Béthanie est même un symbole que son amour, plus puissant que la mort, fleurira de nouveau au paradis !

Flavie se permet une légère grimace goguenarde et Marguerite met abruptement fin à son flot de paroles. D'un geste preste, elle retire le triste foulard qui retient sa chevelure d'un châtain tirant sur le blond, encore luxuriante même si notablement raccourcie, et s'en sert pour s'éventer le visage. Flavie profite de ce silence pour glisser :

– Ton bonheur me ravit, ma belle amie. Mais je n'apprécie guère que tu en profites pour faire étalage devant moi, pauvre ignorante, de ta science théologique !

Après un éclat de rire allègre, Marguerite se lève d'un bond, souffle un baiser à sa consœur, puis disparaît aussi vite qu'elle est venue. Bien davantage rompue aux études théologiques et à ce langage abstrait, Marguerite semble avoir réussi à appréhender dans son ensemble le système de croyances élaboré par le fondateur. Elle a fait siennes les convictions de John Noyes et de ses disciples avec une ferveur surprenante ! L'âme à nu depuis son rejet de la religion catholique romaine et son excès de moralisme, elle ne trouvait son content parmi aucune des croyances chrétiennes, vieilles ou jeunes, officielles ou révolutionnaires. La foi de ce Yankee, se réjouit-elle fréquemment à voix haute, a comblé son besoin de se tourner vers la lumière et le bonheur de vivre.

Pour sa part, Flavie se sent retrouver une âme d'enfant devant les défis que lance à la compréhension humaine le système de Noyes, un échafaudage d'une complexité inouïe et dont les tenants et aboutissants sont soigneusement explicités par écrit. Comme pour n'importe quelle théorie scientifique digne d'un examen attentif, elle est avide de saisir cette matière à bras-le-corps ! Son entrée définitive dans cette communauté est conditionnelle à son acceptation totale des principes en vigueur… Mais il est fichtrement ardu de trouver du temps libre ! Pour patienter jusqu'à l'hiver, alors que tout le monde sera encabané, Flavie fait jouer à Marguerite, capable de tout expliquer avec art et simplicité, un rôle de tutrice.

Cependant, l'heure n'est pas aux dissertations philosophiques, mais au travail physique ! Elle va jeter un coup d'œil au tableau d'affichage où les maîtres et maîtresses d'œuvre affichent leurs besoins en personnel. Deux *bees* sont à l'horaire : l'un pour assembler les pages d'un opuscule et l'autre pour construire des fauteuils rustiques, conçus pour un usage extérieur, qui sont en train de gagner en popularité parmi la population environnante. Flavie hésite un moment, puis se décide pour la seconde corvée. Elle se sent plutôt indolente aujourd'hui, alors qu'elle a dû installer ses guenilles pour ses fleurs. Elle a l'impression que le parfum du bois lui sera moins offensant que l'odeur de l'encre !

C'est donc avec une agréable légèreté d'âme qu'elle se joint au bataillon hétéroclite de tâcherons, soit plusieurs hommes, y compris des adolescents, et quelques femmes, dont une très âgée. Elle adore cette simplicité. Elle n'a jamais vraiment compris pourquoi, dans le monde extérieur, il faut que les choses soient si compliquées, si contraintes ! Father Noyes est un dirigeant fièrement astucieux. Pour assurer l'enthousiasme au travail, il a fait de la mixité des sexes un commandement sacré, une vérité biblique !

Alors que partout ailleurs dans le monde occidental ce compagnonnage est très mal vu, lui en fait une condition d'une société saine et équilibrée. Ne serait-ce que pour cela, Flavie est envahie de reconnaissance envers le visionnaire. Il y a si longtemps qu'elle aspire à cette camaraderie ! D'accord, une telle familiarité peut susciter des relations privilégiées entre les sexes, mais à Oneida, c'est loin d'être mal vu…

À part ceux qui sont occupés à quelque tâche essentielle et celles qui sont en train de préparer les plus jeunes enfants de la communauté pour la nuit, tous les membres sont rassemblés dans la salle commune à l'étage, remplie à pleine capacité en cette soirée du début du mois d'octobre. Les voix sont moins feutrées et les gestes, moins retenus qu'à l'accoutumée. Pour la première fois depuis son arrivée, Flavie apercevra le fondateur de la communauté, qui réside généralement à Brooklyn. Elle s'est étonnée de cet éloignement physique du visionnaire, mais on lui a expliqué que la chose la plus importante au monde, pour lui, est de répandre sa parole grâce à l'imprimerie.

En fait, il se voit comme un intermédiaire pour offrir au Messie un puissant moyen de communication avec les humains. En compagnie de quelques dizaines de proches, il s'active à produire journaux, pamphlets et livres qui font la promotion de sa singulière philosophie religieuse. En fait, l'Association s'éparpille sur un vaste territoire grâce à des propriétés versées dans le tronc commun par des convertis. Le domaine d'Oneida est le plus populeux, une centaine d'individus, de même que le plus diversifié. En plus des activités agricoles allant des potagers aux arbres fruitiers, plusieurs moulins situés en bordure de la rivière tirent profit de l'énergie hydraulique non seulement pour moudre le grain, mais pour activer les machineries de diverses industries prometteuses.

La communauté d'Oneida finance les activités de Brooklyn, activités onéreuses s'il en est. Les Onéidiens font le sacrifice de l'aisance financière dans une bonne humeur alimentée par leur foi. À plus d'une reprise, Flavie a entendu dire que les coffres étaient à sec et qu'une dépense importante s'annonçait, mais qu'il suffisait d'avoir totalement confiance en la divine Providence pour que le problème se règle. En effet, la plupart du temps, un visiteur faisait un don ou une somme d'argent arrivait par courrier... En Flavie, une petite voix murmure que seule la loi des probabilités est en cause, mais il s'agit d'une pensée hérétique qu'elle chasse prestement!

L'arrivée imminente de Father Noyes n'est pas la seule source d'excitation: cette après-dînée, Miss Hawley a ressenti les premières douleurs de l'enfantement. C'est un événement rare ici, où les grossesses ne sont pas encouragées! À intervalles réguliers, une proche vient les tenir au courant des progrès. La délivrance est lente, mais sans complications, a cru comprendre Flavie. Elle aurait bien aimé être présente auprès de la parturiente, mais Marguerite a eu préséance.

Elle tressaille: de l'autre côté de la pièce, Stephen Waters, qui jusque-là avait le nez plongé dans un livre, lui adresse une moue de connivence accompagnée d'un signe de tête appuyé. Après un moment d'égarement, elle lui rend son salut avec gaucherie, ne pouvant s'empêcher, un court instant, de le caresser du regard. C'est un homme de haute taille et, malgré les tâches principalement agricoles dont il est responsable, au corps étonnamment délié. Ses cheveux blonds sont à peine mêlés de gris et ses traits fins lui donneraient l'air vaguement aristocratique si ce n'était sa peau tannée, marquée par la vie au grand air.

À l'évidence, elle lui est tombée dans l'œil et il ne se gêne pas pour le lui faire sentir. Il s'est arrangé à plusieurs reprises pour souper à ses côtés, la questionnant gentiment sur sa vie passée et son acclimatation à la vie communautaire, manifestant une vive curiosité envers la visiteuse en provenance du lointain Canada-Uni. De plus, il se retrouve à ses côtés aux moments où elle s'y attend le moins, lui offrant son aide d'un geste galant ou glissant à son oreille une phrase empreinte de chaleur… Mais peut-être se leurre-t-elle? Peut-être qu'il ne s'agit que de ce compagnonnage de bon aloi dont les Onéidiens sont friands…

– Notre Père nous fait attendre, n'est-ce pas?

Flavie sourit chaleureusement à la dame menue qui, tirant sa chaise, vient de s'approcher d'elle. C'est ainsi que tous surnomment John Noyes, *our Father*, l'élu par excellence, celui que Dieu a choisi pour le représenter parmi les humains. L'homme est encore pour elle un mystère, mais elle a compris que les membres de la communauté tirent leur paix intérieure de cette certitude : celle d'avoir placé leur sort entre les mains les plus habiles, celles d'un berger qui va infailliblement les conduire au royaume de Dieu, le *Kingdom of Heaven*. En fait, ils ont la conviction que ce paradis, ils l'habitent déjà, à Oneida...

Quelques mèches de ses cheveux blancs émergeant de son bonnet, Miss Worden se penche vers elle et murmure avec un sourire entendu :

– Ma chérie, ce bon Stephen vous dévore des yeux... Permettez-moi d'être franche. Est-ce que je me trompe ou vous n'y êtes pas insensible ?

Flavie se redresse sur son siège et, après un temps, elle répond avec honnêteté :

– En effet, il ne me déplaît pas le moins du monde.

– Je commence à avoir l'habitude de déchiffrer les intentions masculines et croyez-moi, Flavie, notre ami ne tardera pas à se manifester. Pour ma part, je ne vois aucun inconvénient à ce que vous partagiez une grande intimité et je suis sûre que plusieurs seront de mon avis. Stephen est un homme d'une grande sagesse et qui saura vous amener où vous souhaitez aller... à condition que vous lui fassiez confiance.

Égarée, Flavie fixe le visage ridé et bienveillant de son interlocutrice.

– C'est que je ne sais pas encore où je souhaite aller.

– Nous avons remarqué que vous ne ménagez pas les efforts pour vous imprégner de nos croyances et je suis persuadée que Stephen pourrait vous apporter une aide précieuse.

Miss Worden se penche vers elle, comme pour un aparté, et Flavie s'incline légèrement dans sa direction.

– Vous êtes mariée, nous le savons. Mais cet état, si on se fie à l'esprit français, ne devrait pas vous brider outre mesure...

L'esprit français ? Flavie fait une éloquente moue d'incompréhension et la dame poursuit, après un petit rire de gorge :

– Cet esprit français, j'avais l'habitude de le vilipender. Vous savez, nos pasteurs protestants sont inflexibles au sujet de quelques incontestables vérités. Ils prennent grand soin de nous en marteler l'esprit pendant toute notre enfance ! C'est en sol français, au moment de la révolution, qu'ils placent la source de tous nos maux actuels concernant l'incrédulité. Le peuple français, qui a chassé Dieu en même temps que le roi ! C'est à cette époque, dans les salons parisiens, que l'on a commencé à prétendre que le mariage était un apanage intolérable au sexe faible et que seule « l'union des âmes » devait être reconnue par les gens éclairés. Cette croyance s'est propagée à la vitesse de l'éclair dans les faubourgs, dans toutes les mansardes, et cette licence sans limite a fait prospérer la misère et le crime !

Réjouie par les yeux ronds de Flavie, Miss Worden glousse sans retenue. Lorsqu'elle réussit à se ressaisir, elle reprend, le ton exagérément doctoral :

– L'arbre de l'immoralité a poussé en France et tout ce qui se trouvait sous son ombrage empoisonné s'est transformé en un désert pour l'âme. Malheureusement, ces idées pernicieuses ont traversé l'Atlantique. Bien des gens, ici même, rejettent l'obligation de respecter les lois divines et les lois humaines qui en découlent, particulièrement en ce qui concerne l'inviolabilité de l'alliance matrimoniale !

Retrouvant sa voix chantante et sa contenance habituelle, la dame fait une grimace d'excuse avant de conclure :

– Tout ça pour dire, finalement, que votre esprit français devrait vous éviter les terreurs que nous, puritaines jusqu'au bout des ongles, nous avons vécues.

– Les terreurs ? Le mot me semble fort. De sérieuses réticences, je ne dis pas, mais…

– Je maintiens : les terreurs.

Toute trace de gaieté a disparu du visage de son interlocutrice et c'est avec une extrême gravité qu'elle dit à mi-voix, après avoir jeté un lent regard circulaire dans la pièce :

– À l'évidence, vous n'avez pas grandi dans une atmosphère dévote, dans laquelle les gestes extérieurs de piété sont mille fois plus importants que les pensées profondes et la réelle sainteté de l'âme. Nous, oui. Pour la plupart d'entre nous, il ne fallait pas dévier de la dignité puritaine, au risque d'être accusés de lèse-majesté ! Peu importe ce qui se passe à l'intérieur du foyer, tant que les apparences de respectabilité sont sauves.

Flavie retient un soupir d'exaspération. Contrairement à ce que semble croire la dame, le phénomène est exactement semblable en Bas-Canada ! Comme quoi les chrétiens du monde entier partagent la même éthique rigide…

– En Nouvelle-Angleterre, on célèbre la gloire de Dieu en rendant sa Création féconde. Le succès nous donne la certitude d'être les élus du Sauveur ! Notre prospérité est essentielle, obligatoire, puisqu'elle rend un hommage au Maître de toute chose.

– L'esprit inventif des Yankees est légendaire, confirme Flavie avec un sourire.

– Alors, tout ce qui met en péril cette fragile construction… tout ce qui menace de déséquilibrer l'ordre social, de compromettre le bonheur et la paix intérieure que nous sommes tous supposés ressentir, est mis sur le dos de Satan et de ses œuvres. Quand j'ai commencé à m'intéresser au perfectionnisme, il m'a fallu procéder à une véritable entreprise de démolition. Extirper de mon âme cette crainte terrible du Jugement dernier. Un processus douloureux, je vous assure.

Plongée dans d'amères pensées, Miss Worden se laisser aller contre son dossier. Flavie est sur le point de l'encourager à poursuivre par une question, mais la dame reprend, d'une voix égale, presque trop lisse :

– Pour nos maris, le système conjugal élaboré par Father Noyes, c'était de la petite bière. On sait à quel point la gent masculine s'en tire mieux que nous, en matière d'adultère... Mais pour nous, leurs épouses... Quelques-unes parmi nous en ont perdu la raison.

Envahie par de pénibles souvenirs, la frêle Américaine presse fortement ses lèvres l'une contre l'autre. Ébahie par cette affirmation, Flavie la retourne plusieurs fois dans sa tête avant de laisser tomber :

– Mais... nul n'est obligé de le pratiquer, n'est-ce pas ?

Miss Worden réagit par une réplique cinglante, accompagnée d'un sourire presque condescendant.

– Pour entrer dans cette Association, il faut accepter les principes religieux de Father Noyes dans leur entièreté. Le système conjugal en est la pierre angulaire. Bien entendu, chacun est libre de ses préférences. Mais si c'est une vie de moniale que l'on cherche, il faut s'adresser ailleurs. Voilà pourquoi, chère amie, je vous encourage à considérer avec soin l'offre de Stephen lorsque je vous la transmettrai.

– Vous ? s'étonne Flavie avec raideur. Il doit passer par vous ?

– Une dame est toujours libre de refuser, répond-elle plus gentiment. C'est plus facile ainsi. Cependant, si Stephen ne vous déplaît point, réfléchissez longuement avant de refuser. Il est membre de notre Association depuis longtemps et, à travers lui, vous pourriez vous abreuver à une source abondante d'édification – mais nous en reparlerons, Father Noyes fait son entrée !

Un murmure excité parcourt l'assemblée tandis qu'un homme dans la force de l'âge, mince et de taille moyenne, sanglé dans une banale redingote, progresse parmi la foule en serrant les mains tendues. Il est suivi de son épouse Harriet, une petite femme sans éclat, et de quelques personnes qui font partie de son cercle new-yorkais d'intimes. Il saisit un tabouret et s'installe au milieu de la salle commune. Un grand brouhaha s'ensuit puisque chacun traîne son siège pour prendre place face à lui, en plusieurs rangées concentriques, et Flavie se retrouve dans la dernière rangée.

Malgré tout, elle a une bonne vue de Noyes, un homme plutôt petit aux épaules étroites, âgé de quarante-deux ans. Plissant les yeux, elle examine son mince visage aux traits réguliers mais sans grâce particulière, un large front dégarni et des yeux pénétrants bien enfoncés dans leurs orbites, des lèvres minces et un collier de barbe brune. Ce soir, il arbore un ample sourire causé par l'imminente naissance, et au sujet de laquelle il bavarde pendant quelques minutes.

Quelqu'un se racle discrètement la gorge à la droite de Flavie qui, surprise, découvre la proximité de Stephen. Irritée par cette approche sournoise, elle le gratifie d'un imperceptible signe de tête avant de reporter son attention sur le conférencier. Le silence est impérativement absolu : affligé depuis quelques années de maux de gorge récurrents, Father Noyes refuse d'élever la voix et chacun doit tendre l'oreille pour saisir ses propos.

Si elle s'est habituée à l'accent yankee, le soliloque du fondateur exige d'elle une concentration accrue. Ce soir, ce dernier ressent le besoin de fortifier la résolution de ceux qui sont encore esclaves du tabac. Son ton s'est durci notablement et, d'un regard implacable, il fixe, les uns après les autres, les quelques hommes qui n'ont pas encore réussi à abandonner complètement l'habitude de chiquer, priser ou fumer la pipe.

Brièvement, il évoque le combat entrepris en 1851 contre ce qu'il qualifie de dévotion diabolique. Il y a peu encore, des crachoirs se trouvaient dans la plupart des pièces de Mansion House et plus de la moitié des hommes soumettaient leurs compagnes au spectacle peu ragoûtant de la chiquée et à l'odeur envahissante de la boucane des pipes.

– Si le Christ ne défend pas l'usage du tabac, il en prend possession au même titre que la nourriture ou la musique. Il ne faut donc dresser aucune barrière pour l'empêcher de nous aider à modifier un usage abusif. Le Sauveur nous a clairement indiqué qu'il était nécessaire d'abolir cet usage, puisqu'il s'agit d'une tentation du démon. Il nous a fallu placer notre sort entre les mains du Christ, avec une foi absolue !

Selon cette logique particulière du perfectionnisme que Flavie a encore de la difficulté à assimiler, l'acte de fumer est légitime, puisque ceux qui adoptent cette foi ne commettent plus de péchés, mais il n'est pas opportun pour autant. Noyes lui-même a réussi à se débarrasser entièrement de cette funeste habitude ; il est clair cependant que sa patience est à bout.

– L'emprise du tabac sur l'homme est beaucoup plus grande et plus subtile que celle du rhum, et c'est pourquoi la force de la loi ne peut rien contre elle. Lorsque des principes diaboliques sont intégrés aussi finement à l'existence des êtres, le processus de séparation exige un expert de la dissection… Seul le Christ est capable d'aider à vaincre cette dépendance.

Flavie ne peut s'empêcher de tiquer. *The process of separation requires nice dissection…* Des images de la dissection secrète de 1847 défilent dans sa tête et Bastien, alors naïf étudiant en médecine, l'envahit soudain de sa présence.

– Seule la révélation de la vérité peut nous libérer de nos chaînes. C'est à nous de décider de faire nôtre cette vérité absolue, de rejoindre cet idéal ! Notre cœur doit être réjoui par la grâce, et non par ce réconfort artificiel que procurent certaines séduisantes douceurs, les plus puissantes, comme nous le savons tous, étant l'opium et le tabac... Le moment critique que j'attendais est arrivé. Au printemps, j'ai insisté pour que chacun consulte l'esprit de la vérité et de la charité devant le regard de Dieu. Je me suis chargé de vous transmettre la cure du Christ, qui ne demande rien de plus que ce que notre cœur peut donner.

Même si John Noyes n'a pas haussé le ton, il imprime à son discours une grande force de frappe, y faisant se succéder les envolées énergiques et les phrases caressantes, les élans de colère et les moments de compassion. Habituée aux orateurs chevronnés par sa fréquentation des lectures publiques, Flavie apprécie à sa juste mesure sa parfaite maîtrise de cet art. Soudain, une vieille et corpulente femme surgit dans la pièce et tous les regards convergent vers elle. L'expression rayonnante, elle tient au creux de ses bras un paquet emmailloté au visage grimaçant, qu'elle soulève pour le présenter à l'assemblée.

Un mélange de murmures de satisfaction et d'exclamations de joie accueille son arrivée tandis que Noyes saute sur ses pieds pour aller flatter la joue du nouveau-né, et le trio est bientôt entouré de nombreuses personnes. Devant ce spectacle attendrissant, Flavie a ressenti un tel élan de bonheur qu'elle se tourne vers son voisin en s'exclamant :

– À Montréal, moi aussi, j'ai tenu quantité de bébés dans mes bras !

Le visage de Stephen se fend d'un large sourire de plaisir et Flavie, rosissant, réalise qu'elle s'est exprimée en français. Il réplique :

– Je n'ai rien compris, mais c'était très joli ! Ma foi, c'est parfaitement vrai que la langue française est chantante et poétique, bien plus que notre jargon ! Je dirais même qu'elle est sensuelle...

Devant son regard appuyé, Flavie se trouble encore davantage. Pour reprendre le contrôle de la situation, elle évoque précipitamment le métier qu'elle pratiquait. Il connaît déjà l'histoire, mais il l'écoute avec empressement, trop heureux d'être choisi comme confident. Encore émue par la fugace présence du nourrisson qui a déjà été ramené à sa mère, Flavie se laisse aller à lui confier à quel point elle s'ennuie de son travail et surtout de ce moment particulièrement attendrissant, celui d'approcher un être si neuf, d'une telle beauté. Stephen, qui est père de deux enfants, renchérit à son tour.

À ce moment, une femme plantureuse mais bien tournée vient prendre place à proximité, prêtant l'oreille avec un sourire gracieux à leur entretien. Flavie ne s'empêtre dans sa tirade qu'un très court moment. Elle s'est habituée à cette situation embarrassante, celle de voir l'un des membres d'un couple assister sans gêne apparente à la cour que fait son conjoint à une tierce personne. Après tout, la chose ne se produit-elle pas couramment dans le monde ordinaire ? Au vu et au su de tous, un homme convoite l'épouse d'un autre et sa légitime doit faire semblant de ne pas s'en apercevoir ! Par contre, au sein des fidèles de Noyes, les intentions ne sont pas dissimulées. L'hypocrisie est inconnue au bataillon... ou du moins, chacun la combat à l'aide de sa foi.

Dès que la conversation languit, Fanny Waters revient sur la question du tabac et de l'ultimatum que Noyes vient de lancer aux récalcitrants. Pendant quelques minutes, tous trois compatissent avec eux et particulièrement avec John Miller qui, tête baissée au milieu d'un petit groupe, est manifestement en train de fortifier sa résolution. Flavie ne peut s'empêcher de plaindre ce compagnon de la première heure qui, en pratique, gère la communauté et ses périlleuses finances, une tâche titanesque. Noyes ne semble pas s'apercevoir que son capitaine est en train de ruiner sa santé et il lui refuse même cette dernière faiblesse, cet ultime plaisir !

Le couple Waters la corrige avec une extrême bienveillance. Le salut de Miller et des quelques autres est à ce prix! Fanny poursuit:

– Father Noyes fait très attention de ne pas provoquer de réaction contraire, de ne pas infliger au système nerveux un choc grave. C'est à chacun de se persuader que Dieu peut effacer complètement le besoin. Ceux qui n'y sont pas encore parvenus, il faut bien l'avouer, sont ceux qui consomment le plus... Pour bien des hommes, le charme principal des repas ne se trouve ni dans les aliments ni dans la compagnie, mais dans la perspective de chiquer ensuite un morceau de choix.

Flavie sourit devant cette expression anglaise qu'elle a entendue à maintes reprises depuis sa jeunesse, «*a quid of fine cut*».

– C'est grâce aux journées de jeûne du printemps dernier, ajoute Stephen, que j'y suis parvenu. Après la première journée, j'ai repris mes vieilles habitudes, comme Noyes lui-même. Mais après la deuxième, je suis enfin devenu abstinent. Un matin, je suis resté près de mon lit et j'ai prié longtemps, en demandant au Sauveur de me libérer totalement du besoin. J'avais pris la résolution de ne pas manger avant que d'y parvenir. À neuf heures, j'avais réussi!

Flavie précise qu'elle n'a pas l'habitude de cette accoutumance, son père ne se permettant qu'une seule pipe, le soir en lisant son journal. Avec une moue d'étonnement, Miss Waters la talonne:

– Et votre mari? N'est-ce pas l'orgueil de tout homme du monde de posséder une élégante tabatière et d'en faire étalage?

Stephen attend la réponse de Flavie avec intérêt, à l'évidence content que le sujet de Bastien vienne sur le tapis. Combattant son malaise intérieur, elle risque:

– Pas dans son cas. Il est médecin, vous savez, et préoccupé autant de sa propre santé que de celle de ses patients.

Un silence s'ensuit et Flavie, constatant que le couple est suspendu à ses lèvres, s'oblige à poursuivre :

– Il m'a raconté sa première chique. Il avait quatorze ans et plusieurs de ses camarades du collège avaient déjà leurs propres tabatières. Ils trouvaient que ça faisait très masculin ! Bastien avait déjà pris quelques bouffées de pipe et il ne détestait pas. Mais la chique, par contre ! Il a haï le goût et le tabac l'a rendu horriblement malade. Il était étourdi, il tremblait, il a même vomi… Il s'est juré de ne plus jamais y toucher.

Réchauffée par le souvenir de Bastien en train de lui raconter cet épisode de sa jeunesse, Flavie reste les yeux dans le vague avant de conclure :

– La pipe, il a essayé encore, mais quand son père a senti l'odeur du tabac dans son haleine, il a piqué une telle colère que Bastien s'est découragé. Pour le sûr, mon beau-père est un homme pondéré aux emportements terrifiants !

– Il semble que vous l'appréciez beaucoup…

Troublée par la facilité avec laquelle Miss Waters lit sur son visage, Flavie laisse mourir la discussion pour décamper le plus tôt possible. Qu'est-ce qu'elle sait, cette commère, de sa belle-famille ? Rien du tout, et elle se permet pourtant des commentaires péremptoires ! À mesure que Flavie grimpe les marches qui mènent au dortoir, elle est envahie de remords. Elle qui ne peut supporter les secrets et les pudeurs de la société bourgeoise ! Les membres de la communauté d'Oneida n'ont pas la même conception de l'intimité que le reste du monde, et c'est loin de lui déplaire. Cependant, elle est censée ouvrir son cœur à chacun des fidèles de Noyes, même à ceux qui sont pour elle quasiment des étrangers, ce qui est encore ardu…

Le dortoir est plongé dans la pénombre et l'espace central, où sont disposés quelques sièges et tables, est désert. Silencieusement, Flavie soulève la toile qui isole les lits et la laisse retomber derrière elle, se retrouvant dans sa chambrette aux murs de coton. Du plancher jusqu'à deux pieds du plafond, l'espace privé est délimité uniquement par des cloisons en tissu, maintenues par des lattes de bois. La première fois qu'elle a pénétré dans le dortoir des femmes, elle n'en est tout bonnement pas revenue. Quelle était donc cette singulière communauté où l'on acceptait sans sourciller de camper ainsi, à l'intérieur?

À cause de l'agrément qu'en ont tiré les occupantes, ce qui avait d'abord été une solution temporaire a pris un caractère semi-permanent. À l'usage, Flavie a bien dû convenir de la logique de l'arrangement, qui exige une parfaite discrétion dans les allées et venues, ce à quoi chacune se plie aisément. Davantage d'espace ou d'intimité n'est nullement nécessaire. Lorsqu'un couple désire s'isoler, il choisit l'une des quelques chambres fermées situées sur ce même palier, de l'autre côté de l'escalier.

Flavie a donc l'usage exclusif d'un lit étroit, d'une table de chevet et d'un coffre pour ranger ses affaires; pour tout le reste, elle peut choisir entre l'espace central du dortoir, arrangé comme un salon confortable, ou la salle commune au premier. Aucun son ne lui parvient de la tente voisine et elle en conclut que Marguerite n'est pas encore revenue des quartiers de l'accouchée. Elle en est déçue, car elle aurait bien aimé entendre le récit de la délivrance!

Avec un soupir résigné, elle s'accroupit au-dessus de son pot de chambre, puis elle se lave sommairement à la cruche qui est posée sur la minuscule table. Enfin, elle revêt sa chemise de nuit et s'allonge sans défaire le lit. Le poêle, situé dans l'espace central, diffuse une chaleur suffisante. Par contre, cet hiver, l'a-t-on prévenue, elle aura besoin de plusieurs couvertures!

Elle ferme les yeux, réconfortée par le silence habité. C'est au moment du coucher qu'elle apprécie le plus cette sensation de vivre dans un cocon où les rumeurs d'un monde dépravé ne lui parviennent que de loin en loin. Ce ne sont plus les mœurs d'Oneida qu'elle trouve excentriques, mais celles de la société qu'elle a quittée, là où règnent vanité et concupiscence. Ici, le cours de la vie est d'une simplicité rassurante et les êtres ont appris à manifester sans honte leurs besoins élémentaires : aimer, créer, vénérer… Il y a bien encore quelques détails qui gênent Flavie aux entournures, mais elle est persuadée qu'ils s'inscrivent dans une sublime cohérence dont elle aura la révélation incessamment.

Chapitre II

Léonie contemple d'un œil rêveur le spectacle de la bise d'automne qui souffle et s'insinue dans le dédale des rues de la ville, faisant tournoyer feuilles mortes et poussière des chemins. Pendant que les Montréalistes engoncés dans leurs bougrines s'empressent vers leur destination, quelques enfants se laissent fouetter en riant par ces « sorcières », ainsi que toutes les vieilles personnes nomment encore ces tourbillons créés par le vent malicieux. En ce mitan de l'avant-midi, alors que partout les machines à vapeur crachent, les meules broient et les métiers à tisser cliquettent, le flot d'habitants s'est notablement clairsemé. Ne reste que le sillage d'une noire soutane par ici, celui de la robe délavée d'une servante par là…

Derrière Léonie, bien à l'abri à l'étage de la Société compatissante, une voix féminine enjouée mais perçante s'écrie :

– Gueusasse ! Ton petiot, Ambroisine, il est à la veille de t'époitrailler ! Quel gouliat ! Le laisse pas te dévorer ainsi ou ton homme aura plus rien à se mettre sous la dent !

Les six patientes du refuge éclatent de rire en chœur tandis que Léonie, souriante, se détourne de la fenêtre à carreaux. Assise dans son lit, la plantureuse Ambroisine offre la tétée à son fils, né deux jours plus tôt et qui manifeste un appétit à la hauteur de sa robuste constitution. Tout en lui maintenant la tête pour ne pas qu'il échappe le mamelon à cause de ses soubresauts, elle riposte gaiement :

– Étrive-moi autant que ça te chante, Noëlla, mais ma marmaille ne se retrouvera jamais en triste équipage ! Tant que j'ai du bon lait, je les gave, les uns après les autres !

Couchée sur le côté, la tête appuyée sur sa main, une troisième lance avec une grimace de dérision :

– Il mouille tant par chez toi que tu pourrais fournir toute la chambrée...

– La chose est entendue, affirme plus aigrement une quatrième, pareillement maigre derrière son ventre rebondi. Nous autres, on pourra pas s'écolleter de même. Notre lait, il sera foutrement moins... Comment ça se dit, madame l'accoucheuse ? Confortatif...

Un accès de colère fait voler en éclats la placidité d'Ambroisine :

– Plaignez-vous, espèces de bavasseuses, c'est tout ce que vous avez le cœur à faire ! Ça passe la grande journée à faire la planche alors que moi, j'ai trimé dur depuis mon arrivée icitte ! Vous autres, Lina pis Élise, paraît qu'il fallait vous refaire une santé !

– Ce qui est parfaitement vrai, intervient Léonie avec calme. Je n'aurais pas parié un louis sur une délivrance heureuse, vu l'état de fatigue de ces dames quand je les ai examinées. Vous le savez aussi bien que moi, n'est-ce pas ?

Penchée sur son fils, la mine encore outragée, la jeune mère grommelle indistinctement.

– C'est un triste coup du sort qui vous a obligée à vous réfugier ici. Votre logis réduit en cendres, l'atelier de votre mari aussi, et vos voisines guère mieux loties que vous...

D'un ample geste du bras, Léonie désigne ensuite Élise et Lina, qui la contemplent d'un air vaguement goguenard :

– Ces dames ont beau jouer les fanfaronnes, prétendre qu'elles adorent faire la créature...

Toutes deux bougent inconfortablement et échangent un regard. Malgré le malaise qui s'est installé aussitôt parmi les six patientes, Léonie poursuit sans se démonter :

– Oui, la créature, n'ayons pas peur des mots ! Où j'en étais ? Ah oui : pourrait-on dire, ces dames sont mal amanchées dans leurs affaires depuis des lustres !

Ne souhaitant pas que la leçon s'éternise, Élise tente une diversion :

– Mais où elle se cache, cette redingote de malheur ? La dix heures a sonné à l'église depuis belle lurette...

La jeune ébraillée fait allusion à la visite du Dr Nicolas Rousselle, annoncée pour ce matin. Lina renchérit :

– Je le fais assez souvent comme ça, attendre le bon vouloir d'un mâle...

Un nouvel éclat de rire détend l'atmosphère et Léonie renonce à faire davantage la leçon. Le retard du médecin visiteur commence à la préoccuper. Si Rousselle vient à peine une fois par mois, il est généralement ponctuel ! Comme il n'a plus de clientèle privée, se concentrant sur sa tâche de professeur à l'École de médecine et de chirurgie, une urgence ne peut être la cause de ce retard. Léonie ne pourra garder les patientes encore ainsi longtemps sans en subir les conséquences. L'oisiveté favorise les commérages et les asticotages...

Du rez-de-chaussée leur parviennent les bruits habituels : les allées et venues de Marie-Zoé, la garde-malade, et sa conversation avec Céleste d'Artien, conseillère et dame patronnesse bénévole. Au grand soulagement de Léonie, la porte d'entrée claque et Céleste, distinctement, souhaite la bienvenue au médecin, qui répond d'une voix beaucoup plus éteinte qu'à l'accoutumée.

Il monte ensuite l'escalier, une marche après l'autre, si lentement que les patientes et la maîtresse sage-femme échangent des regards interloqués. Enfin, sa tête dépasse le niveau du plancher et Léonie ne peut se retenir de se porter à sa rencontre. Son visage habituellement empourpré est d'une pâleur à faire peur et une fine sueur couvre ses tempes. Il ahane comme s'il avait couru depuis chez lui ! Ayant enfin émergé de l'escalier, il dépose sa valise et jette autour de lui un coup d'œil égaré. Très loin au-dessus de son front dégarni, ses cheveux gris sont plaqués sur son crâne ; ses paupières semblent encore plus lourdes que de coutume, ne laissant voir que la moitié des iris.

Les ailes de son nez mince et busqué frémissent tandis qu'il passe à plusieurs reprises sa langue sur ses lèvres charnues mais craquelées à force d'être sèches. Après avoir avalé sa salive, il finit par dire :

– Désolé. Depuis hier soir, j'ai comme une douleur à la poitrine, ici...

Nerveusement, il agrippe sa redingote à la hauteur de son cœur et esquisse un sourire qui ressemble à une grimace.

– Je n'ai guère dormi. Chaque mouvement me demande un tel effort... J'ai fait venir une calèche, pour ne pas conduire, mais j'ai trouvé le parcours diablement fatigant...

Incapable de réprimer un mouvement d'impatience, Léonie gronde :

– Vous auriez dû rester à vous reposer. Ce n'est pas sage, Nicolas, de vous déplacer dans cette circonstance.

– Une visite rapide, pour m'assurer que tout va bien, et je m'enfuis... Vous permettez que je m'assoie sur cette chaise ? Apportez-moi les dossiers...

Léonie lui obéit aussitôt, soulagée de pouvoir se détourner afin de masquer sa mauvaise humeur. Qu'il reparte au plus tôt s'enfouir dans son matelas de plume, c'est ce qu'elle souhaite avec ardeur ! À tout prendre, même si elle a bien de la misère à supporter son arrogance et sa condescendance, elle le préfère frais et dispos... Il souffle :

– J'aurai voulu ausculter Mlle Élise, mais si vous m'assurez que le progrès est net...

– Très net, affirme Léonie. À notre avis, sa bronchite est guérie. Bien entendu, il reste un sifflement...

– Et l'infection qui affligeait notre farouche Irlandaise?

L'attention générale se porte sur la patiente la plus reculée, une longue et maigre femme assise très droite sur son lit, et qui semble ne s'apercevoir de rien. Léonie tente d'accrocher son regard, mais en vain, et elle pousse un soupir:

– Sa jambe est moins rouge et enflée, mais c'est très difficile à dire. Même à Sally, elle ne parle presque pas.

– Madame!

La note d'alarme est vive dans le ton de voix d'Ambroisine. Comme mue par un ressort, Léonie pivote. Les dossiers tombent aux pieds de Nicolas Rousselle et les feuilles s'éparpillent tandis que, avec une lenteur fascinante, il renverse la tête vers l'arrière, les yeux exorbités, et tente de défaire de ses doigts tremblants les boutons de sa redingote. Léonie se précipite juste à temps pour l'empêcher de basculer par terre. Elle n'a pas besoin de crier à l'aide: à sa place, plusieurs patientes appellent à pleins poumons Marie-Zoé et Céleste, ce qui fait pleurer de frayeur le nouveau-né endormi contre le sein de sa mère.

De toutes ses forces, Léonie ralentit la chute du grand et lourd médecin, mais ne peut l'empêcher de frapper le sol avec un bruit sourd qui lui révulse les entrailles. Elle voit que, la bouche grande ouverte, il essaie désespérément d'aspirer une goulée d'air. Il semble y parvenir, puis il pousse un gémissement sonore en plaquant ses deux mains contre sa poitrine, comme s'il voulait y arracher quelque chose. Son inspiration suivante est un râle. Maîtrisant son affolement, Léonie repousse fébrilement ses mains pour tâcher de le libérer du carcan de ses vêtements.

La jeune garde-malade est la première à arriver à l'étage. Elle s'agenouille et seconde Léonie, qui jette:

– Une crise du cœur ! Dites à Céleste de quérir le médecin le plus proche.

– Dr Norris de la rue Saint-Paul ?

– Non : Vincelet ! Il est tout près d'ici, sur McGill, quasiment au prochain coin !

La dame patronnesse d'une soixantaine d'années, debout, essoufflée, à côté d'elles, ne se formalise pas de l'impatience de Léonie. Après un geste d'assentiment, elle emprunte de nouveau l'escalier, aussi vite que le lui permettent ses jambes. Léonie contemple avec désespoir l'homme agonisant. Que faire ? Lui masser la poitrine, lui faire boire un tonique ? Les deux, pourquoi pas ? Elle dénude prestement son torse gras et entreprend de le pétrir vigoureusement, tout en donnant ses instructions à Marie-Zoé pour la préparation du breuvage, et la garde-malade déboule les marches à son tour.

Dans la salle commune, le silence n'est rompu que par la respiration horriblement rauque de son ancien cavalier du temps qu'elle était fille. Malgré l'urgence de la situation, Léonie est envahie par un puissant sentiment d'étrangeté à palper ainsi cette poitrine large que, lors de leurs étreintes, elle ne pouvait se retenir de caresser… Alors, il avait les chairs fermes, les muscles se devinant sous la peau, le poil d'un séduisant brun doré. Jamais n'a-t-elle regretté, par la suite, de l'avoir éconduit ; mais à quelques occasions, elle s'est surprise à s'ennuyer de son ample gabarit…

Haletante, Marie-Zoé s'accroupit, une fiole à la main. Elles ne seront pas trop de deux pour soulever le haut du corps de Nicolas Rousselle : Léonie fait donc signe à Lina, la moins timorée des patientes, de venir les assister. Précédée de son gros ventre, elle obéit sans un mot et c'est à elle que revient la tâche de verser goutte à goutte le liquide dans la bouche du médecin qui réussit à avaler entre ses râles.

Soudain, le corps tout entier de Rousselle est soulevé par un spasme spectaculaire. Sa bouche s'ouvre démesurément, mais aucun son n'en sort, et ce silence est encore plus effrayant que le bruit de sa pénible respiration. Enfin, il s'affaisse, si mou et si lourd que Léonie et Marie-Zoé doivent le laisser choir par terre, où il repose dans une terrifiante immobilité. Hagarde, Léonie le parcourt des yeux à la recherche du moindre signe de vie, elle lui saisit le poignet pour déceler son pouls, mais elle en vient à l'horrible conclusion que, selon les apparences, Nicolas a rendu l'âme.

Quelqu'un gravit l'escalier quatre à quatre et le Dr Vincelet, rouge de s'être tant pressé, jaillit comme un diable sort de sa boîte. Aussitôt, Léonie et Marie-Zoé s'écartent pour le laisser travailler, mais à peine s'est-il mis en quête des signes vitaux qu'il tourne un regard affolé vers elles et balbutie :

– Bougre ! Se pourrait-il... ?

En un quasi-murmure, Léonie narre l'attaque foudroyante qui, en quelques minutes, a fauché l'homme de cinquante-deux ans. Le jeune médecin s'acharne à tenter de ranimer son confrère, mais c'est peine perdue et il finit par lui fermer les paupières d'un geste empreint de respect. La voix enrouée, Léonie dit à l'adresse de toutes les femmes présentes :

– Prenons un moment, mesdames, afin de recommander le défunt aux bonnes grâces du Créateur.

Chacune s'absorbe dans ses pensées. Une étrange mélopée s'élève et, malgré la gravité du moment, Léonie constate avec étonnement que l'Irlandaise, Jane Knork, semble la plus fervente de toutes. Mais sa distraction est de courte durée parce que ses jambes flageolent, et de toute urgence elle repère un siège pour s'y laisser choir. Tout son être se met à trembler sous le choc de cette mort subite tandis que, du coin de l'œil, elle voit tressauter les épaules de Marie-Zoé, agenouillée tête baissée. La garde-malade ne peut retenir ses sanglots à chaque décès dont elle est témoin et qui lui rappellent la disparition de sa fillette, trois ans plus tôt, dans l'incendie d'une partie du faubourg Sainte-Anne. Léonie est incapable de lui offrir le moindre réconfort, mais Élise va gentiment lui entourer les épaules de son bras.

Il faut un moment à Léonie pour réaliser que la prière de Jane, psalmodiée comme une poignante complainte, s'est muée en un gémissement de douleur. Tournant vivement la tête, elle constate que, toujours assise sur son lit, la jeune femme s'est penchée vers l'avant. Alertées, ses plus proches voisines viennent à elle et Noëlla s'exclame :

– Ma parole, madame Léonie ! On dirait que son bébé s'annonce !

Pendant un bref moment, Léonie se sent totalement dépourvue, comme si elle n'avait jamais accompagné une délivrance de sa vie. En même temps, un courant familier d'énergie parcourt son corps jusqu'à toutes ses extrémités et lui permet de dominer son émoi. De nouveau maîtresse d'elle-même, la sage-femme en chef de la Société compatissante se remet debout. Tout en marchant vers Jane, elle chasse de son esprit l'image éprouvante du cadavre de Nicolas Rousselle. Elle jette par-dessus son épaule, la voix encore mal assurée :

– Docteur, je vous laisse disposer du corps et prévenir la famille ? J'aurai plus important à faire…

– Bien entendu, madame Montreuil. Je me charge de tout.

Dans le regard de l'Irlandaise, qui s'est redressée à la fin de la contraction, se lit un immense effroi. C'est la première fois que s'évapore son apparente indifférence, mais Léonie aurait préféré, et de loin, un tout autre genre d'émotion… Avec un peu de chance, sa vulnérabilité croissante lui déliera la langue, ce qui permettra à Léonie de la seconder avec davantage d'empathie. Il faut beaucoup de tact avec une parturiente qui a conçu dans la souffrance…

Quelques heures plus tard, Léonie a appris que Jane est arrivée d'Irlande l'année précédente, que ses parents sont morts dans les mois qui ont suivi et qu'elle a vivoté en acceptant les emplois les plus dégradants... mais qu'elle ne s'est jamais abaissée à devenir fille publique, comme elle l'a précisé avec un sursaut de fierté ! Son bébé, a-t-elle fini par chuchoter, est le résultat d'un viol. Léonie a deviné qu'elle ignorait tout, jusqu'alors, des relations intimes avec les hommes. Quelle triste initiation ! Rien de mieux pour dégoûter une femme à jamais...

Surmontant son écœurement, Léonie l'a renseignée du mieux qu'elle pouvait sur le processus de l'enfantement, tout en surveillant avec attention son état de santé général. Dès le début, même si la dilatation du col est à peine commencée, Jane s'est plainte de douleurs vives, y compris à sa jambe malade. Préoccupée, Léonie est restée longtemps à ses côtés pour surveiller la progression des premières étapes de l'accouchement.

Enfin, elle la confie à Virginie, la plus avancée de ses élèves de l'École de sages-femmes qui, au nombre de quatre, ont été appelées sur les lieux. Au rez-de-chaussée, se laissant tomber dans l'un des fauteuils élimés du salon, elle demande à la cuisinière de lui remplir une écuelle dont elle déguste lentement le contenu, insensible au va-et-vient coutumier des patientes, de leurs visiteurs et du personnel. Elle est en train de se décider à aller prendre une bonne goulée d'air frais, malgré les occasionnelles « sorcières », lorsque la frêle et digne Marie-Zoé vient lui mettre une carte de visite sous le nez, la prévenant qu'un monsieur vient de faire son entrée et désire s'entretenir avec elle.

Léonie plisse les yeux pour déchiffrer le nom imprimé et elle ne peut retenir une profonde grimace devant l'épreuve qui l'attend. Peut-elle éconduire un fils éploré ? Tout son être se refuse à côtoyer cet arrogant personnage qui prenait un malin plaisir, en compagnie de quelques compères, à venir troubler l'ordre des conférences organisées par la Société compatissante ! Il est vrai que ces chahuteurs ont rapidement abandonné la partie… Se résignant à plonger, de nouveau, au cœur du navrant événement de ce matin, elle hoche la tête avec un vif soupir à l'intention de Marie-Zoé.

Elle s'est à peine remise debout qu'un homme de haute taille, tout de noir vêtu et haut-de-forme sous le bras, pénètre à grandes enjambées dans la pièce, puis la cherche du regard parmi la demi-douzaine de femmes présentes. Le bras tendu, Léonie va à la rencontre de Jacques Rousselle et tous deux échangent une molle poignée de main. Sans dire un mot, elle lui fait signe de la suivre jusque dans la petite pièce près de l'entrée qui lui sert de bureau.

Elle referme la porte derrière eux, puis elle prend place derrière son secrétaire, lui indiquant ensuite le siège en face d'elle. Tandis qu'il s'assoit, elle l'examine subrepticement. Il a subi un choc puissant et ses traits tirés comme ses paupières enflées attestent l'ampleur de son chagrin. Personne ne peut contester qu'il ait un visage intéressant : le nez aigu et la bouche gourmande de son père, mais de grands yeux largement écartés surmontés de fins sourcils, comme sa mère. C'est de Vénérande, également, que lui vient son abondante mais courte chevelure poivre et sel, qu'il peigne vers l'arrière, en ces élégantes ondulations à la mode.

Il est indéniable que, par la carrure, il ressemble à son père plus jeune. Mais déjà, à trente ans, Nicolas avait-il dissimulé sa vigueur naturelle sous un tel masque d'indolence ? Depuis leur rupture, alors qu'il était tout jeune homme, Léonie avait pris grand soin de l'éviter… du moins jusqu'à ce qu'il s'intéresse, comme elle, au sort de la Société compatissante de Montréal. Les bourgeois cultivent la langueur et la nonchalance, et ainsi qu'en témoignent ses manières recherchées, le Dr Jacques Rousselle ne fait pas exception.

Réalisant qu'elle doit lui manifester une certaine sympathie, Léonie s'éclaircit la voix avant de marmonner :

– Je suis désolée, monsieur, de la soudaine disparition de votre père… J'appréciais, il va sans dire, son professionnalisme.

– Je vous remercie, madame.

Léonie reste saisie. Elle avait oublié que sa voix est la copie conforme de celle de son père ! Un timbre chaud et puissant qui, a-t-on l'impression, franchirait aisément des dizaines de lieues et de hautes montagnes… À son corps défendant, elle se souvient des frissons que lui procurait cette musique envoûtante. Quand Nicolas lui murmurait des mots doux à l'oreille, elle se pâmait…

À l'évidence, le jeune homme doit maîtriser un accès d'émotion avant de poursuivre, les yeux humides :

– Je vous avoue que la commotion a été terrible, non seulement pour moi, mais aussi pour ma mère, que vous comptez parmi vos connaissances.

Léonie opine brièvement du bonnet. Mme Rousselle a siégé pendant plusieurs années au conseil d'administration de la Société compatissante, mais c'est un souvenir plutôt déplaisant.

– Vous lui transmettrez toutes mes condoléances, je vous prie.

– Avec grand plaisir.

Il est affligé d'une particularité qui, constate Léonie avec un soupçon d'amusement, le différencie de son père : il grasseye imperceptiblement. Elle devine qu'il a dû travailler sans relâche, pendant sa jeunesse, pour corriger ce défaut de prononciation des *r* qui fait si peu distingué…

– Je venais, madame, vous prier de me faire le récit des derniers instants de mon père. Je suis conscient de l'effort que je vous demande, mais vous devez savoir, compte tenu de votre vaste expérience, à quel point c'est important pour les proches.

Le plus gracieusement possible, Léonie s'exécute. Son ton neutre initial est prestement chassé par les émotions irrépressibles qui resurgissent bientôt au souvenir de la brutalité de l'événement et du fait que le gisant était un homme qu'elle a aimé... même si elle l'a détesté par la suite. Le fils est-il au courant de ce lien ? Bien sûr que non : un bourgeois de la trempe de Nicolas ne se serait pas laissé aller à de telles confidences ! Néanmoins, Léonie clôt son témoignage d'une voix mal assurée, les yeux baissés.

Quelques coups discrets sont frappés à la porte : à l'invitation de Léonie, Céleste d'Artien passe la tête par l'entrebâillement et, après un sourire d'excuse à l'adresse du médecin, elle prévient Léonie que sa présence est requise à l'étage, auprès de Jane. Aussitôt, Rousselle se lève et bafouille de vagues salutations avant se diriger vers la porte. Néanmoins, tout juste avant de prendre congé, il se retourne de nouveau, hésitant :

– Il me faut vous dire, madame... Je suis persuadé que vous devez avoir une très mauvaise opinion de moi, compte tenu de certains épisodes du passé.

Il se dresse de toute sa hauteur avec une fierté puérile.

– Je me donne le droit et le devoir de contester à loisir les opinions émises lorsque je le juge à propos.

Il la quitte après un brusque signe de tête. Extrêmement soulagée, Léonie prend le temps de laisser son émoi s'apaiser. Elle doit s'avouer qu'elle s'attendait à tout de la part de ce pédant, sauf à ces manières raffinées ! L'image floue qu'elle conservait de lui était celle d'un mufle. Encore pire, celle d'un taureau fonçant dans l'arène de la controverse, sans prendre garde de froisser des sensibilités !

Ce n'est que dans l'aube naissante du lendemain de cette journée d'octobre marquée par deux trépas, ceux de Nicolas Rousselle et d'un fœtus qui n'a même pas descellé les paupières, que Léonie prend enfin le chemin de son logis. Si la mère a été sauvée de justesse, sa vie ne tient qu'à un fil ! La maîtresse sage-femme est épuisée, mais elle se presse, car elle aimerait bien se confier à Simon avant qu'il ne parte pour l'école de la paroisse.

Lorsqu'elle pénètre dans la cuisine, il est en train de se raser, planté devant un tout petit miroir accroché au mur et tenant sous son menton, de la main gauche, un plat à barbe dans lequel il trempe son rasoir. Il dit placidement :

– Vingt-quatre heures en ligne… Je me suis ennuyé de toi, Léonie de mon cœur…

– Moi aussi, mon homme. Moi aussi…

Il la fixe alors, surpris par sa voix altérée, puis il abrège son rasage. Après avoir posé le plat sur la table, il s'éponge avec une serviette en grommelant :

– Qu'est-ce qu'il y a encore ? Dis-moi…

Pour ne pas alerter Cécile qui, à l'étage, prépare sa fillette pour la journée, elle lui annonce à mi-voix, avec une sorte de hargne, les deux récentes morts. Interloqué, son mari reste cloué sur place, avant de balbutier :

– Rousselle ? Nicolas Rousselle ? Son cœur a lâché ? Comme ça, devant toi ? Ma pauvre… Viens t'asseoir avant de tomber…

Léonie se laisse conduire jusqu'à la berçante placée près du poêle. Saisissant la main de Simon, elle la presse contre sa joue en fermant les yeux. Elle se sent comme une outre vide, comme un bout de bois charrié par le courant d'un ruisseau… Avec un hoquet qui ressemble autant à un rire qu'à un pleur, elle dit encore :

– Et ce n'est pas tout… À dix heures hier soir, deux admissions coup sur coup. Dont une ébraillée qui n'avait qu'une seule envie, frapper toutes les personnes présentes !

– Par la crosse de l'évêque ! Je t'emmène au lit sur-le-champ. Allez ouste, debout !

Dans l'escalier, ils croisent Cécile et sa petite Aurélie. Sollicitée par la fillette de deux ans, grand-mère Léonie ne peut faire autrement que de prendre un moment pour la gratifier d'une étreinte muette mais fervente. Parvenue dans sa chambre, Simon sur ses talons, elle se laisse aller à lui raconter quelques moments de la délivrance de Jane et de la mort de son poupon, tout en revêtant sa chemise de nuit et en dénouant ses cheveux. Lorsque Simon la borde, elle le prévient qu'elle ne dormira pas parce qu'elle est beaucoup trop énervée mais, la phrase à peine prononcée, elle sombre instantanément.

Lorsque Léonie redescend, en milieu d'après-dînée, il fait si sombre à cause des lourds nuages qui obstruent le ciel qu'elle se résigne à allumer quelques chandelles. Elle vaque à quelques tâches ménagères tout en songeant à Nicolas Rousselle. Ce n'est pas le médecin vieillissant qu'elle évoque, mais l'aimable et fougueux jeune homme qu'elle fréquentait dans le temps, à Longueuil. Elle n'avait pas encore dix-huit ans, mais l'accord charnel entre eux avait été immédiat. Pendant des mois, enivrée, elle avait fait semblant de ne pas voir la rudesse de son tempérament… S'immobilisant, Léonie clôt les paupières et fait un adieu définitif à son premier cavalier, dont elle gardera toujours, malgré les orages qui ont suivi, un plaisant souvenir.

Frappée par une évidence, elle ouvre brusquement les yeux. La Société compatissante est définitivement débarrassée d'un encombrant médecin, que seules les plus vaines dames patronnesses appréciaient ! Ni les sages-femmes, ni les patientes n'auront plus à supporter son arrogance, son air de supériorité et ses jugements péremptoires ! Une onde d'apaisement la parcourt tout entière, qui la fait frissonner tout en lui réchauffant le cœur. À l'intense sensation de détente qui l'inonde, elle réalise alors à quel point elle devait se faire violence pour accepter la proximité de Nicolas Rousselle. Mais cette épreuve est chose du passé ! Ravivée par l'allégresse qui court dans ses veines, Léonie esquisse des pas de danse, regrettant amèrement d'être seule et de ne pouvoir communiquer sa joie.

Qui prendra sa place comme médecin? Tout en évoquant les visages de tous les bonzes qu'elle connaît, Léonie retrouve le maintien qui sied à son âge. Elle ne peut retenir une moue obstinée: avant de leur imposer l'un d'entre eux, les conseillères devront lui marcher sur le corps! Mais qui, alors? L'autre médecin associé, Peter Wittymore, tiendra-t-il à y placer l'un de ses confrères? Léonie, qui apprécie le vieux praticien, n'y serait pas opposée, mais à condition qu'il discute de son choix avec les sages-femmes. Elle veut un médecin expérimenté mais encore jeune, et qui sache reconnaître la valeur du savoir de ses collègues féminines! Cette perle rare existe-t-elle quelque part dans la vaste cité?

Son exaltation se muant en consternation, Léonie se laisse choir sur l'une des chaises qui entourent la table. Mais oui, cette perle existe en la personne de son gendre, le Dr Bastien Renaud! Même s'il ne fêtera ses trente ans que l'année prochaine, il a acquis, depuis l'obtention de son diplôme, les qualités essentielles, selon Léonie, à tout bon praticien: audacieux ou circonspect quand la situation l'exige, très sensible et particulièrement attentif à ses patients et à leurs singularités. Sa réputation de médecin-accoucheur aux doigts de fée grandit à travers la ville et il n'est pas rare que Léonie surprenne d'excellents commentaires à son sujet!

Des images du mari de Flavie défilent derrière les yeux de Léonie. Fermant les paupières, elle s'octroie pendant un court moment le plaisir d'être en sa compagnie. Elle le revoit lui offrir un vif sourire, découvrant de belles dents irrégulières, elle s'attendrit devant l'éclat de ses iris d'un bleu sombre, elle retient le geste d'ébouriffer ses courts cheveux aux larges boucles… Elle s'ennuie presque autant de lui que de Flavie. Elle en était venue à le considérer avec une affection quasiment égale à celle qu'elle manifeste à Laurent, son propre fils!

Flavie a eu grand tort d'être aussi intransigeante envers Bastien, qui est resté dans l'ignorance concernant son enfant en devenir. Son intraitable de fille a craché sur sa chance d'avoir un compagnon qui comprenait intimement la nature de son travail et qui pouvait partager entièrement ses angoisses et ses joies. Orgueilleuse et butée, elle préfère demeurer parmi sa troupe d'hurluberlus américains à jouer les fermières, faisant fi de ses parents qui l'attendent en comptant les jours !

Le plus tourneboulé a été Simon, qui n'a pas vu venir ce coup de théâtre. Et le pire, c'est que Léonie est dans l'impossibilité d'en expliquer la cause première ! D'ailleurs, le comportement de Flavie en cette funeste journée de juillet lui est resté en travers de la gorge. L'obliger à la débarrasser de son enfant légitime ! Léonie se reproche amèrement de n'avoir pas su raisonner son aînée, de n'avoir pas tenté de lui faire comprendre que les désaccords, même vifs, sont rarement sérieux entre deux personnes qui s'estiment tant.

Elle s'en veut terriblement de n'avoir pas trouvé les mots pour rassurer Flavie, qui affirmait que Bastien n'avait que dédain pour elle. Mais les événements se sont enchaînés avec une telle rapidité ! Et Flavie était mue par un si puissant sentiment d'urgence que Léonie a été prise au dépourvu. Elle s'est laissé conduire par le flot de panique... Et depuis, tandis que les semaines et les mois s'égrènent, la belle assurance de ses parents se lézarde. Dire qu'ils étaient persuadés que leur fille ne resterait pas longtemps absente, qu'elle finirait par retomber sur ses pieds et par rentrer, repentante, à Montréal...

Tous deux ont pris soin de rendre visite à Bastien pour s'informer de sa version des faits et surtout pour vérifier qu'il n'était pas coupable de mauvais traitements. Leur gendre a prétendu que si Flavie était furieuse, c'est parce qu'il s'était opposé à ses prétentions concernant la pratique de la médecine. Très vite, il est sorti de ses gonds. Il a crié, les traits déformés par la hargne :

– Je n'ai rien fait pour mériter un tel sort. Rien ! Depuis notre mariage, je me désâme pour elle, pour le succès de notre association et de notre vie tout entière. Un succès dont elle se fout royalement ! Tout ce qui compte pour elle, c'est d'obtenir le titre de docteur ! J'ai l'impression de ramer dans une direction alors qu'elle se laisse dériver vers une autre. Elle repousse avec dédain tout ce que je tente de lui offrir. Une pratique stable, un foyer, ma famille... Elle n'en a que pour ce rêve absurde !

Inspirant profondément pour se dominer, il a réussi à proférer plus posément :

– Comme si c'était la panacée, devenir médecin ! Je suis parfaitement placé pour savoir que c'est, au contraire, le début des ennuis, des doutes et des remises en question. Ce n'est que le début d'un chemin semé d'embûches... Je donnerais dix années de ma vie pour bénéficier des conseils d'un maître. Je ne serai un vrai médecin qu'à la toute fin de mes jours ! Si je le deviens jamais...

Après une hésitation, Léonie a osé ramener la conversation sur le sujet du départ de Flavie. Elle a fait allusion au fait que leur fille, après avoir passé plusieurs semaines loin de son mari, venait de rentrer au bercail. Mais quelque chose l'a chamboulée... Sèchement, Bastien a laissé tomber :

– J'étais préoccupé par l'arrivée de Geoffroy. Ce serait suffisant pour se braquer ainsi ? Bistouri à ressort ! Je l'avais pourtant préparée à son arrivée. Depuis le mariage, je lui parlais de mes remords à ce sujet ! Elle n'en voulait rien entendre. Elle se cabrait à chaque fois ! On aurait dit qu'elle était insensible à mon trouble, que c'était à ce point insignifiant qu'il ne valait pas la peine d'en jaser une seule seconde !

Abruptement, Simon a mis un terme à cet entretien décousu et pénible. Sur le chemin du retour, il était secoué par une rage contenue devant ce coup de tête de leur fille, qui a pris la poudre d'escampette à cause d'une simple crise de couple. Il déblatérait contre elle, cette ambitieuse, cette vaniteuse, cette m'as-tu-vu ! Avant qu'il ne profère une grossièreté, Léonie lui a rabattu le caquet, et ils ont terminé le trajet dans un silence orageux. Depuis, Simon ne décolère pas. Même s'il reste muet comme une tombe, Léonie sait qu'il est incapable d'accepter le fait que, dans cette communauté libertaire, leur fille n'a aucune raison de dédaigner les mâles de son entourage.

Léonie se sent plonger dans un gouffre de malaise chaque fois qu'elle évoque cet aspect de la question. Intérieurement, elle peste contre son ombrageuse de fille. Elle-même n'a pas eu l'outrecuidance de batifoler avec un autre que son époux ! Cette clôture, elle n'a jamais songé à la franchir. *Jamais songé ?* Et lorsque, encore récemment, elle était tenaillée par des envies lubriques dues à son retour d'âge ? Lorsque, plus jeune, elle n'aurait pas détesté se venger de Simon, de ses indifférences et ses insouciances ? Même si Léonie tente de donner le bénéfice du doute à son aînée, même si elle tente de lui rester solidaire, elle aurait préféré que ce soit une autre qui mette en pratique les préceptes de cet inspiré !

Engoncé dans son ressentiment envers Flavie, cet entêté de Simon refuse même de donner signe de vie à sa fille. L'avant-veille au soir, Léonie a laissé à son intention un feuillet aux trois quarts rempli, posé sur un coin de la table. Rien n'a été déplacé, pas même la fiole d'encre et la plume ! Elle se penche pour relire la missive.

Montréal, 11 octobre 1853

Ma chère fille,

Je suis bien contente de ta dernière lettre, reçue quelques jours seulement après que tu l'as envoyée, et je m'empresse de te donner des nouvelles à mon tour. Ton père est en bonne santé. Il n'est pas très content de sa classe cette année, qui est particulièrement turbulente, mais je suis sûre qu'il en tirera le meilleur pos-

sible comme à l'accoutumée. Laurent et sa famille se portent également comme un charme. Cécile prépare son mariage avec fébrilité. Tu sais que Daniel est déménagé depuis cet été chez son frère et il trouve le temps trop long. Ils viendront habiter ici après la cérémonie, avec les deux enfants, le temps qu'ils se décident pour l'avenir. Daniel a bien envie d'aller s'installer dans les Townships où, dit-il, un homme entreprenant a sa chance…

Quant à moi, j'ai toujours beaucoup de travail et je dois souvent ces temps-ci faire appel à toute ma science. De plus en plus, les patientes de la Société vivent des grossesses difficiles, à risque comme disent les médecins, et leur délivrance est ardue. Ce qui était rare il y a quelques années le devient beaucoup moins ! La ville change et la clientèle aussi…

Dans l'espace laissé vide et dont Simon refuse de tirer parti, Léonie décrit très brièvement la disparition de Nicolas Rousselle, puis elle souffle sur l'encre avant de replier le feuillet. Tant de questions se pressent à ses lèvres, tant de pensées dérangeantes tourbillonnent dans son cerveau ! Dans ses lettres, Flavie s'en tient à un discours convenu, mais néanmoins intéressant, au sujet des mœurs curieuses des membres de la communauté d'Oneida. Parfois, ce silence fait littéralement bouillir Léonie de colère. Sa fille a mis sa vie sens dessus dessous et elle fait comme si de rien n'était !

Le bruit de la porte d'entrée qui s'ouvre tire Léonie de ses sombres pensées. Cécile a pris l'habitude de se réfugier chez sa belle-sœur Agathe ou chez une de ses vieilles amies quand sa mère a besoin de dormir. Ses joues tannées rougies par la fraîcheur de cette journée d'automne, Aurélie trotte jusqu'à Léonie, qui la saisit dans ses bras et la blottit contre son giron. Sa grand-mère est constamment émerveillée par la joliesse de son rond visage de métisse, pommettes hautes mais nez à l'arête longue et aiguë, cheveux foncés mais yeux d'un brun clair tirant sur le vert.

Léonie écoute son babillage pendant quelques minutes, jusqu'à ce que l'enfant gigote et dégringole de ses genoux pour aller fouiller dans son coffre à jouets placé dans un coin de la pièce. Mince silhouette sur laquelle se devinent à peine les formes féminines, Cécile se consacre à la préparation du souper. Se sentant observée, elle fait un doux sourire à l'intention de sa mère. L'amour de Daniel a chassé la mélancolie de son visage, qui luit maintenant d'un bonheur tranquille.

Parfois, songeant à sa cadette, Léonie se crispe intérieurement. Si Cécile révère Daniel, sa mère doute que ce sentiment soit réciproque. Le jeune Irlandais avait besoin d'une femme dans sa vie et il a jeté son dévolu sur celle qui s'offrait à lui, celle dont l'amour filial s'est opportunément mué en passion... Peut-on construire un couple solide sur de telles prémisses ? Léonie se reproche souvent d'être exagérément pessimiste, mais elle est incapable de faire autrement. Elle craint pour sa fille, si fragile et trop renfermée !

– Maman ? Tu sais, j'en parlais avec Agathe... Est-ce que je devrais inviter le mari de Flavie à mon mariage ? C'est que la question se pose...

Désarçonnée, Léonie fait une mine interloquée tout en s'installant commodément pour trancher des légumes.

– Après tout, maman, Flavie n'est pas séparée de lui et vous n'êtes pas non plus en chicane...

– Peut-être pas, réplique Léonie avec une grimace, mais je t'assure qu'il est à peine poli en ma présence ! Il ne tient pas du tout à nous fréquenter. Il ne s'est jamais donné la peine de débouler en bas de la côte, pas une seule fois ! Je le trouve plutôt blessant, si tu veux tout savoir.

– Si sa présence te déplaît...

– Enfin, pas vraiment, mais... Je veux dire, selon toute apparence, il nous aimait bien... Mais comme c'est là, je pourrais trépasser, et Simon aussi, qu'il n'en aurait cure !

Posant une marmite sur la table, Cécile fait une moue goguenarde.

– Mais non, il ne se fiche pas de vous ! Saintes babines, maman, il a été rejeté par Flavie comme une vieille chaussette !

Léonie grommelle entre ses dents tandis que Cécile, alertée par un bruit suspect, constate que sa fille s'est approchée subrepticement du poêle.

– Lilou ! On ne joue pas avec le tisonnier ! Remets-le à sa place, tout de suite !

Plutôt nonchalante sur le plan de la discipline, Cécile a bien dû convenir que les enfants doivent respecter quelques règles si les parents veulent bénéficier de certains moments de tranquillité. Simon a été très clair à cet égard : puisqu'elle demeurait dans leur maison, Aurélie serait élevée de la même manière que sa mère !

– Quand tu seras plus grande, ma Lilou, tu pourras ranimer le feu. Allez, dépose le tisonnier ou le grichou va t'emporter !

– Le grichou va t'emporter ! Ce n'est certainement pas de moi que tu as pris cette expression !

– C'est Agathe, réplique Cécile avec un sourire mutin. Elle dit que sa mère n'avait rien trouvé de plus efficace pour faire obéir sa marmaille.

– Je n'aime pas quand on fait peur aux enfants. Le croquemitaine, le bonhomme Sept heures, le grichou... On les manipule à coup de mensonges !

– Pour en revenir à Bastien... Sans doute qu'il refusera l'invitation, mais je crois qu'il serait séant de le mettre sur ma liste. Il pourrait s'offusquer d'un manque aux convenances !

– Lui ? s'esclaffe Léonie. La chose m'étonnerait fort ! Sa mère, par contre...

Pendant le silence qui suit, elle retrouve le fil de ses réflexions au sujet du remplacement de Nicolas Rousselle comme médecin résident à la Société compatissante. Oui, l'embauche de Bastien à sa place lui plairait diablement, mais acceptera-t-il ? Son ressentiment envers Flavie semble si aigu... De toute façon, avant de soumettre sa candidature, il faudra qu'elle lui en jase. Elle reste figée, le couteau dans les airs. Peut-être aura-t-il des nouvelles plus abondantes de Flavie ? Mais non : une épouse en fuite ne raconte pas sa vie dans les menus détails à celui qu'elle a délaissé !

Chapitre III

Les sobres funérailles de Nicolas Rousselle ont lieu deux jours après l'attaque fatale. Léonie espérait y croiser son gendre, mais le jeune médecin brille par son absence. Résignée à aller le relancer, il faut à Léonie plusieurs autres journées pour se décider. Chez lui ou à son cabinet du faubourg Saint-Antoine ? Préférant la deuxième option, elle hésite ensuite sur le meilleur moment de la journée. Avant ou après dîner ? La tenue d'un conseil d'administration, auquel Léonie est conviée, précipite son choix. Il est encore tôt mais, sans plus tergiverser, elle sonne la cloche de la clinique d'hydrothérapie avant de franchir le seuil.

La salle d'attente est déserte et Léonie prend le temps de la parcourir du regard. La porte du bureau de Bastien est légèrement entrouverte et une interpellation chaleureuse lui parvient :

– Je suis à vous dans quelques secondes, espérez-moi !

Réjouie par cette voix qui la ramène à une période plus heureuse, Léonie se laisse bercer par l'illusion que le différend entre Flavie et lui n'a jamais eu lieu... Lorsqu'il apparaît dans la salle d'attente, son sourire de bienvenue s'évanouit pour être remplacé par une expression froide et distante. Il s'arrête brusquement et reste cloué sur place, fixant sur elle un regard méfiant. Léonie est frappée par les changements subtils de sa personne : il a maigri et son teint n'est plus aussi florissant. Ses yeux sont soulignés par de profonds cernes… Mal à l'aise sous l'examen, il balbutie :

– C'est vous ? Je croyais… enfin, j'escomptais…

– Pardonnez mon arrivée impromptue. Je tenais à venir vous causer d'une éventualité que j'entrevois à la suite de la disparition du Dr Rousselle…

C'est au tour de Léonie de se troubler devant son expression dépourvue de tout sentiment amical. Il grommelle enfin :

– Je n'ai pas pu assister à ses obsèques. Une urgence. J'ai fait parvenir un mot à son épouse…

Un pesant silence s'installe, que Léonie rompt en faisant deux pas vers lui et en l'abordant avec franchise :

– Bastien… Je sais que vous avez de puissantes raisons de me retirer votre estime… mais ne pouvons-nous pas, tous les deux, établir un rapport professionnel courtois ? Si vous en êtes incapable, je préfère partir à l'instant.

Le jeune homme ouvre de grands yeux déconcertés, puis il lui adresse un léger signe de tête en répondant, avec difficulté :

– Je suis désolé, Léonie. J'accepte la leçon. Venez vous asseoir.

Elle refuse l'offre d'un geste, avant de lui demander de but en blanc si elle peut soumettre sa candidature comme médecin résident au conseil d'administration de la Société compatissante. Il reste estomaqué :

– Moi ? Vous avez songé… à moi ?

Léonie est sur le point d'énoncer toutes les bonnes raisons qui militent pour sa nomination lorsqu'il ajoute :

– Jamais je n'aurais cru… que vous envisageriez…

Il s'interrompt, incapable de poursuivre. Elle le fait à sa place :

– De collaborer avec vous ? Mais que croyez-vous ? Je vous considère comme l'un des meilleurs médecins-accoucheurs de la métropole, tenez-vous-le pour dit !

Il ne peut réprimer un faible sourire de gratitude, objectant néanmoins dans un quasi-chuchotement :

– J'avais l'impression que Flavie... se serait amèrement... plainte de moi devant vous.

Avec dignité, Léonie réplique :

– Je ne sais presque rien des raisons précises de son départ, à part l'arrivée de votre fils adoptif.

– Alors, vous savez l'essentiel.

– Vous croyez ? J'en doute fort. Le ressentiment qui animait Flavie... semblait enraciné fort creux.

Le jeune homme réagit par une mine si offusquée que Léonie s'oblige à faire diversion.

– À propos, comment se porte-t-il ?

– Ange ou démon, ce Geoffroy, je n'en sais rien moi-même.

Après quelques pas hésitants dans la pièce, les poings dans les poches de son pantalon, il s'anime enfin :

– D'abord, deux fièvres carabinées, coup sur coup, qui m'ont fait craindre pour sa vie. Ensuite, des gestes provocateurs... Sacrer, se mettre dans une colère noire pour des riens, briser des objets qui me sont chers... Le lendemain, il est tout miel ! Il met ma patience à rude épreuve.

– Pour le sûr, il vous jauge !

La repartie a jailli spontanément et Léonie en reste aussi surprise que son interlocuteur, qui répond :

– Si ce n'est que ça, je peux comprendre. Après tout, j'ai débarqué dans sa vie sans crier gare et je l'ai forcé à abandonner son foyer, même si ce n'était que l'hospice... Mais il donne souvent l'impression d'être méchant et d'avoir le cœur sec. Ma mère le trouve insupportable. Elle s'oblige à lui témoigner un peu d'affection, mais pardi, il n'est pas dupe ! Pauvre maman... Je lui ai imposé un petit-fils têtu, malin et méfiant au possible.

Réalisant qu'il s'est laissé amadouer jusqu'à ces confidences, il se raidit et se détourne. Après un temps, Léonie reprend :

– Alors, ma proposition ?

Il lui fait face, la bouche déformée par un rictus ironique.

– Même si je l'agréais, Léonie... Je n'ai pas la moindre chance ! C'est une chasse gardée des médecins engagés comme professeurs à l'École de médecine !

– À ce point ? s'étonne-t-elle. Je croyais pourtant que les qualifications personnelles...

– Comme vous êtes naïve... On obtient une telle position uniquement par la force de ses relations et, dans ce cas précis, je n'en ai aucune !

– Et le Dr Wittymore ? Et Sally, Magdeleine ?

Il hausse les épaules pour lui faire comprendre que ces trois personnes ne sont que des entités négligeables parmi ceux qui tirent les ficelles du pouvoir. Léonie doit se rendre à l'évidence : le comité consultatif de médecins aura quelqu'un à proposer. De même, sans doute, certaines dames du conseil... Néanmoins, il lui en coûte fort de confier cette question cruciale à leur bon vouloir, alors que l'avis des sages-femmes engagées par le conseil de la Société devrait avoir préséance !

– Je tiens à vanter mon choix, qui sera non seulement le mien, mais celui des trois autres praticiens.

L'expression de Bastien s'adoucit et il semble vouloir balbutier un remerciement mais, de nouveau, il se détourne et lance, par-dessus son épaule :

– À votre guise. Il y a longtemps que je n'ai plus peur du ridicule...

Comme cela semble la seule chose à faire, Léonie se décide à retracer son chemin vers la sortie. La main sur la poignée, elle lui jette un dernier regard et son cœur se serre devant la méfiance qui suinte par tous les pores de sa peau. Il la considère comme une ennemie... De justesse, elle se retient de le questionner au sujet de Flavie. Elle est sur le point de s'enfuir, complètement chamboulée, lorsqu'une autre porte s'ouvre brusquement pour laisser passer un jeune homme en chemise et salopette, qui s'exclame en la voyant :

– Madame Montreuil ! Il y a des siècles que je ne vous ai pas croisée ! Comment vous portez-vous ?

Le ton débonnaire d'Étienne L'Heureux donne à Léonie la force de répondre faiblement :

– Bien le bonjour, monsieur. Je quittais à l'instant...

Après un regard de reproche à son associé, le jeune médecin vient à elle.

– Je vous reconduis. Je serai ravi de prendre de vos nouvelles...

La saisissant par le coude, il lui fait franchir le seuil et referme soigneusement la porte de la clinique derrière eux. Léonie proteste :

– Vous êtes débougriné, monsieur, ce n'est pas prudent !

– Une minute seulement. J'ai pour mon dire qu'un peu de soutien ne vous ferait pas de tort.

Rassérénée par sa gentillesse, Léonie considère cet homme qu'elle connaît à peine, mais qui la surprend à chaque fois par sa simplicité et la qualité de sa présence. Elle glisse un regard affectueux sur son visage aux joues glabres, presque imberbes, et sur ses yeux doux ourlés de cils fournis. Il grommelle :

– À ce que je comprends, Bastien vous a reçue comme un chien dans un jeu de quilles...

– Il vous parle parfois de Flavie ? Que dit-il ?

– Presque rien, hélas. Il se ferme comme une huître dès que j'aborde le sujet. Je sais qu'elle lui écrit et qu'elle lui envoie même des gazettes et des pamphlets...

– À nous de même. Je lis tout, une somme assez considérable…

– Devant Bastien, je suis obligé de mettre les freins, glisse-t-il comme un secret, mais entre vous et moi, cette Flavie, quelle femme renversante ! S'offrir un séjour dans une communauté ! Et pas de celles auxquelles nous sommes habitués dans notre pieux Canada français. Une communauté utopiste ! Votre fille, elle ne fait rien comme tout le monde !

– Je ne vous le fais pas dire, ronchonne Léonie avec une vive grimace de déplaisir. Faut toujours que l'une ou l'autre de mes filles fournisse des munitions aux bavasseuses et aux bigots du voisinage. Après ma cadette fille-mère, voici mon aînée coupable de cocuage !

– C'est à ce point ? s'exclame Étienne après un rire aussitôt étouffé.

Fâchée par son propre mouvement d'humeur, Léonie s'empresse d'expliquer que, dans ses lettres, Flavie est très peu loquace au sujet des mœurs amoureuses à Oneida. Il semble que, contrairement au monde extérieur, ce ne soit pas l'une des préoccupations principales des membres de l'Association ! Cependant, elle a tenu à préciser que ce serait une erreur de considérer les membres de cette communauté comme des adeptes du *free love* tel qu'il se pratique ouvertement aux États-Unis.

– Et beaucoup plus secrètement à Montréal, ajoute Étienne, au sein de quelques cercles d'initiés.

– Les membres de l'Association ne sont pas des êtres libidineux qui laissent s'exprimer leurs bas instincts dans les bras de n'importe qui, poursuit Léonie farouchement. Ils sont des fidèles qui adorent le Créateur en vénérant toutes ses œuvres ! Mes mots sont bien pauvres pour vous expliquer cette vaste philosophie. Comment dire ? Le système conjugal que Noyes a élaboré, et qui intègre tout le monde dans un même ensemble, découle directement de sa lutte contre la nature égoïste de l'homme. Il nomme ce système *complex marriage*; Flavie et Marguerite ont traduit cette expression par « union hétérogène ». Selon lui, notre conception du mariage est le contraire de l'altruisme et du partage ; elle conduit à bien des misères.

– Surtout pour les femmes.

– Ce qui fait pousser des hauts cris à tous les bien-pensants, c'est que ce réformateur puise à même la Bible pour affirmer que le mariage *n'est pas* une institution chrétienne, mais diabolique ! L'instinct de possession, comme la jalousie, est en réalité une manifestation démoniaque !

Étienne pousse un léger sifflement.

– J'avoue que c'est un incroyable revers de situation ! Le monde chrétien est cimenté par l'observance d'un bouquet de lois séparant la moralité de l'immoralité. Celle de l'indissolubilité du mariage en est le fleuron !

Léonie est envahie par une brusque amertume. Elle aimerait tant que Simon l'accompagne dans cette patiente reconstitution, celle des coutumes d'une petite communauté utopiste installée en sol américain ! Flavie est généreuse dans ses envois et Léonie a compris qu'elle tient à leur communiquer ainsi ce qu'elle est encore incapable d'écrire. Mais son père refuse de l'entendre et Léonie souffre de devoir se taire en sa présence. Parfois, elle aimerait le secouer comme le vieux prunier qu'il est, engoncé dans une écorce épaisse faite d'un orgueil démesuré et d'un sens de l'honneur indigne de l'homme éclairé qu'il prétend être !

– Je ne sais pas comment il fait, marmonne Étienne en indiquant la clinique d'un geste de la tête. Malgré tous ses soucis, il reste à flot... Sa femme est partie, son pseudo-fils lui suce la sève, son travail va cahin-caha, mais il ne plie pas ! Je guette le jour où le plâtre va craqueler. Je crains de le ramasser en morceaux !

Il est pris d'un vif frisson qui, Léonie en est persuadée, n'est pas dû seulement à la bise, puis il fait un geste d'impuissance.

– Qui vivra verra... Elle va revenir bientôt, Flavie?

– Plus le temps passe, plus je crains...

Elle n'ose pas en dire davantage et le jeune médecin fronce exagérément les sourcils. Il recule enfin:

– Au revoir, chère madame. À la revoyure, j'espère!

Léonie tressaille: elle oubliait l'autre raison de sa visite à Bastien, contenue dans un faire-part bien enfoui au fond de la poche de sa bougrine! Avec précipitation, elle saisit la missive et la tend à son interlocuteur.

– Quelle étourdie je suis! Pourriez-vous remettre ceci à Bastien? Je sais qu'il refusera, mais après tout, il fait encore partie de la famille et il aurait pu être froissé de...

– Promis. Pardonnez-moi, mais le fond de l'air est encore frette, de si bonne heure!

Étienne se dépêche d'aller se mettre à l'abri à l'intérieur et Léonie reste de longues secondes à contempler la porte refermée, avant de se diriger vers le domicile de la première vice-présidente de la Société compatissante de Montréal, où un conseil d'administration est prévu pour dix heures. Depuis quelques mois, ces rencontres ont lieu chez Françoise Archambault, qui a aménagé en conséquence l'une des pièces à l'étage de sa maison pour en faire à la fois son bureau et une salle de réunion.

Françoise a proposé à Léonie, ainsi qu'à la présidente, d'arriver une demi-heure plus tôt, pour une trop rare rencontre amicale. Dès qu'elles sont assises dans le boudoir, Léonie note que Marie-Claire a encore engraissé. Est-ce parce qu'elle se console de ses malheurs en compagnie d'éclairs au chocolat ou parce que la situation s'est détendue entre son mari et elle? Sa voisine la couve d'un regard attendri. Les deux femmes ne pourraient être plus différentes. Toute en rondeurs, son visage telle une pleine lune, sa voix suave et flûtée, Marie-Claire est la féminité incarnée. Pour sa part, Françoise pourrait, de dos ou de loin, être confondue avec un homme si elle se vêtait d'une redingote! Ses manières sont plus viriles, son timbre est plus rauque et ses traits sont presque masculins, quoique adoucis par ses magnifiques yeux doux.

– Je voulais te dire, Léonie... J'ai fini par entendre la voix de la raison...

– ... qui n'est pas la mienne! proteste Françoise.

– Je renonce à me séparer de Richard.

D'abord décontenancée, Léonie est inondée d'un puissant sentiment de soulagement. Elle répugnait à voir son amie se présenter au tribunal, à voir des hommes rustres envahir son intimité! Le pire n'aurait pas été les ragots qui auraient circulé sur son compte, mais l'attitude cavalière des hommes de loi jugeant sa cause triviale, indigne de leur science! Bien davantage qu'à un homme dans la même situation, ils se seraient permis d'adresser des commentaires désobligeants à une épouse adultère... Ils sont nombreux, ceux qui ne se gênent pas pour porter un jugement parfois cruel sur des femmes dont ils ignorent tout. Il semble parfois à Léonie que le moindre des hommes se croit le propriétaire de toutes les femmes!

Léonie jette un regard circonspect à Marie-Claire avant de lui demander ce qui l'a fait changer d'idée. Avec un sourire coquin, cette dernière raconte alors que son frère, un avocat, qui avait accepté de s'occuper de sa cause, a si bien réussi à faire peur à Richard que ce dernier a changé son fusil d'épaule! Et pourtant, les augures lui étaient bien davantage favorables! Le cas de Marie-Claire, qui ne pouvait se plaindre de sévices intenses et réitérés, n'aurait sans doute pas fait broncher le juge.

Néanmoins, devant la menace d'une mauvaise publicité pour ses affaires et d'un verdict l'obligeant à verser une pension alimentaire, le notaire Garaut a enfin consenti à conclure une entente dans laquelle chaque partie soustrait ses avoirs, ainsi que sa personne, à l'usage de l'autre. S'il est encore uni devant l'Église, le couple est, dans les faits, proprement séparé, sauf en ce qui concerne le domicile conjugal dans lequel Richard est obligé d'abriter son épouse… et dont il ne peut faire usage pour loger sa maîtresse.

Assombrie, Marie-Claire ajoute qu'elle aurait préféré ne plus avoir de lien avec le père de ses enfants, mais que l'arrangement est néanmoins satisfaisant. Chacun habite ses appartements et se voit de loin en loin, comme les locataires d'un même immeuble… La situation n'est pas inusitée. Léonie a compris que Françoise aussi, en définitive, vit séparément d'un mari qui lui est devenu insupportable. Les époux de la bourgeoisie ont la chance d'avoir l'espace requis pour s'isoler l'un de l'autre !

À l'évidence, Françoise est contrariée par le compromis auquel Marie-Claire est parvenue et elle ne se gêne pas pour le lui faire savoir. Elle aurait préféré que son amie affronte le juge plutôt que de demeurer sous le joug d'un mari qui peut se transformer en tyran du jour au lendemain ! Léonie s'ébahit une nouvelle fois de la force de caractère de la vice-présidente de la Société compatissante, une femme entière qui refuse les faux-semblants et les atermoiements.

Impatientée par ses commentaires, Marie-Claire jette :

– Tu peux bien parler, tu vis la même chose que moi avec ton mari ! Et pourtant, tu restes avec lui !

– Ferdinand est doux comme un agneau ! Tandis que le tien… Il t'a volé, Marie-Claire !

– Il ne le fera plus. C'est un pleutre !

– Ce sont les plus dangereux, bougonne Françoise avec un regard en coin à Léonie. La peur fait commettre les pires bêtises.

– Je t'appellerai au secours…

Leurs regards se soudent. Devant l'onde de chaleur qui les unit si bellement, Léonie réprime un éclair de jalousie. Marie-Claire se secoue et tourne un visage malicieux vers Léonie en susurrant :

– Trêve d'asticotage. Nous avons un sujet beaucoup plus passionnant à nous mettre sous la dent, un sujet tellement plus neuf ! Des nouvelles fraîches de ta fille ?

Comme mue par un ressort, les traits animés, Françoise se penche vers l'avant, toute tendue vers Léonie :

– Depuis que vous m'avez prêté de la littérature, je me suis plongée dans l'univers de cet illuminé. C'est stupéfiant ! Il enterre son public lecteur sous sa prose !

– Selon Flavie, il accorde une importance capitale au fait de publiciser ses idées. Il juge que l'imprimerie est l'outil de l'avenir. Difficile de l'en blâmer. Un imprimé se diffuse largement !

– Je commence seulement à me familiariser avec ses idées, mais... je vous l'avoue, je les trouve infiniment séduisantes. Noyes a l'immense mérite, contrairement à quantité de théoriciens, d'avoir réussi à les incarner ! Son système de pensée, il est vécu au jour le jour par ses convertis. Il n'y a qu'aux États-Unis qu'on peut trouver cet esprit conquérant digne de Christophe Colomb ! Car si l'essentiel du territoire est défriché, il reste énormément à faire au sujet de nos conventions sociales.

Sautillante comme une couventine, la vice-présidente enchaîne sur le sujet de la vêture commode que les femmes ont adoptée progressivement. Les yeux ronds, le visage illuminé, elle déclare :

– Je l'ignorais quand j'ai porté ce vêtement pendant quelques mois, mais la dénommée Bloomer s'arroge une paternité – enfin, une maternité – qui ne lui appartient pas. Ce n'est pas elle qui a inventé le *bloomer*, mais les dames d'Oneida ! Quel prodige !

Si Françoise a porté publiquement le *bloomer* à quelques reprises, elle est revenue aux jupes sobres, fatiguée de se faire reluquer comme une bête de cirque. Baissant la voix, elle avoue encore :

– J'adore sa remise en question de l'institution du mariage. Alors que notre clergé en fait la cellule fondamentale de notre société, celle sur laquelle tout se bâtit, Noyes la qualifie d'antichrétienne ! N'est-ce pas d'un réjouissant ? Selon sa logique, le royaume des cieux est déjà implanté parmi les hommes, qui doivent donc vivre dans une communauté parfaite… Ma foi, on peut faire dire n'importe quoi aux textes sibyllins qui parsèment la Bible ! Mais si cela va dans le sens d'une plus grande liberté pour les femmes, je suis parfaitement d'accord !

Après une pause entendue, elle reprend :

– Entre vous et moi, ma chère, la terreur de l'adultère, c'est une souris qui accouche d'une montagne ! Qui peut affirmer avec une certitude absolue que l'inviolabilité du mariage ne découle pas de la même morale discutable imposée par des hommes d'Église frustrés et revanchards ? Lorsqu'on remet en question l'infaillibilité du dogme, il est aisé de se rendre jusque-là !

– Françoise a le don pour simplifier la pensée la plus complexe, remarque Marie-Claire en lui jetant un regard affectueux. En refusant l'accès à l'université aux femmes, le monde scientifique se prive d'un cerveau brillant !

Vingt minutes plus tard, elles sont sept femmes assises autour d'une table ovale, éclairées par la lueur grisâtre de cette matinée. Fouillant dans les papiers épars devant elle, Marie-Claire Garaut annonce enfin qu'un seul sujet de discussion est à l'ordre du jour, celui du remplacement du regretté Nicolas Rousselle. Deux propositions sont actuellement sur la table : celle des trois sages-femmes et de l'autre médecin résident de la Société compatissante, qui recommandent la nomination du

Dr Bastien Renaud, réputé médecin-accoucheur de la cité, et celle du bureau médical qui appuie le choix du Dr Jacques Rousselle, dont la jeune carrière est déjà couverte d'honneurs.

Léonie sursaute et ouvre de grands yeux. Qu'est-ce que c'est que cette folie ? Incrédule, elle proteste aussitôt :

– Jacques Rousselle ? À ma connaissance, jamais il ne s'est intéressé à notre refuge ! Je ne sais pas quelles sont ses qualifications, mais je doute fort qu'elles touchent au domaine des délivrances !

– Ce en quoi vous vous trompez, réplique Émérance Sanspitié, dont la haute taille est amplifiée par sa coiffure savamment étagée. M. Rousselle a joint au dossier une lettre dans laquelle il détaille ses compétences.

– Vous pouvez nous la résumer ? demande aimablement Marie-Claire.

Léonie envisage la dame sans aménité. Élue au conseil l'année précédente en remplacement de Vénérande Rousselle, Mme Sanspitié ne lui est pas particulièrement sympathique. Non seulement est-elle pincée de la racine de ses cheveux artificiellement roux jusqu'au bout de ses orteils coincés dans de fines chaussures, mais elle manifeste une dévotion indue pour les membres du bureau médical, quatre médecins rattachés à l'École de médecine et de chirurgie de Montréal. Pour un peu, elle vénérerait la plus banale tache d'encre maculant les avis écrits qu'ils font parvenir à ces dames !

Rosissant, Émérance leur résume le parcours de Jacques Rousselle, âgé de trente-deux ans et diplômé d'une prestigieuse école de médecine parisienne. Cette formation s'est ensuite enrichie d'un stage d'une année dans un hôpital de la capitale française. Depuis son retour, sept ans auparavant, il s'est associé à la pratique de son père qui lui a tout légué lorsqu'il s'est concentré sur son travail de professeur à l'École. En plus de s'occuper de sa clientèle privée, il a offert bénévolement ses services au sein de diverses institutions de charité, notamment à l'hospice où furent placés les orphelins à la suite de l'épidémie de typhus, en 1847. Enfin, l'École de médecine vient tout juste de le charger du cours intitulé « Principes et pratiques de chirurgie ».

– Une chaire qui est un pis-aller, glisse Léonie avec une fausse amabilité. En vérité, tout le monde le sait, c'est le poste du Dr Eugène-Hercule Trudel qu'il convoite.

Interrogée par la jeune Delphine Coallier, qui veut savoir ce que vient faire cet homme de l'art dans l'échange de vues, Léonie explique que c'est ce praticien qui a permis aux fondatrices des Sœurs de Miséricorde d'obtenir leur diplôme de sage-femme. Depuis, il enseigne l'art des accouchements aux novices de l'hospice Sainte-Pélagie, un refuge qui accueille les « filles tombées ».

Une autre conseillère récemment élue, Marie-Onésime Charbonneau, remet la discussion en selle :

– J'ai eu le plaisir de causer avec M. Rousselle fils dernièrement et il m'assurait qu'il a discuté à maintes reprises avec son père des cas qui le préoccupaient à notre refuge. Il prétend que plusieurs guérisons lui sont attribuables…

Soufflée par une telle prétention, Léonie s'exclame :

– Quel beau parleur ! J'en connais plusieurs comme lui, engoncés dans leur vanité !

– Je l'ai cru pourtant ! assure la même. Ne venez pas me faire accroire que vous ignorez le degré de science auquel sont parvenus plusieurs de nos jeunes praticiens qui ont étudié dans les vieux pays ! Ce n'était pas le cas de son père, qui a été formé sur le tas, comme bien d'autres !

– Chère amie, intervient Françoise jusque-là parfaitement immobile à la droite de Marie-Claire, vous avez tout à fait raison sur ce point. Seulement, il ne faut pas négliger l'avis de notre sage-femme en chef, qui peut juger de la compétence d'un médecin cent fois mieux que nous. Léonie, que pensez-vous de Jacques Rousselle ?

Étonnée par l'attitude réservée de la vice-présidente, Léonie scrute son visage impénétrable avant de répondre :

– Je le connais très peu comme praticien.

– Avez-vous entendu des rumeurs défavorables à son sujet ?

De plus en plus perplexe, Léonie ne peut se retenir :

– Mais enfin, Françoise ! Ce ne sont pas des rumeurs, mais des faits avérés ! Le Dr Rousselle s'est conduit avec malveillance lors de quelques conférences publiques et vous le savez aussi bien que moi ! Croyez-vous que j'ai la moindre envie de placer nos patientes entre les mains d'un tel personnage, qui nie aux *vraies* dames toute compétence professionnelle ? Qui considère celles qui se déclassent, dont les sages-femmes, quasiment comme des traînées ?

À ouïr ce dernier mot offensant, quelques dames bougent avec malaise. La seconde vice-présidente, Céleste d'Artien, intervient en lançant un regard de reproche à Léonie :

– Vous accordez trop d'importance à une peccadille. J'y étais, moi aussi, à la conférence de Françoise sur *Le féminisme à travers les âges*, et j'ai entendu les invectives de ces carabins. Un épisode amusant, sans plus !

Grâce à plusieurs discussions qu'elles ont eues ensemble, Léonie sait pertinemment que la première vice-présidente ne partage pas cet avis. Ce que ces malotrus osent clamer à voix haute, beaucoup de leurs semblables le pensent à des degrés divers. Leur despotisme, la gent féminine doit le dénoncer sans relâche ! À l'évidence, cependant, Françoise préfère ne pas se jeter dans la mêlée. Indignée par cette lâcheté, Léonie proteste encore :

– Je suis convaincue de l'ampleur de l'*inexpérience* de Rousselle auprès des accouchées. Il nous faut un médecin expert dans les accouchements périlleux, dans le maniement du forceps et des autres instruments.

Avec mauvaise foi, Émérance la coupe :

– Votre protégé, qui a trois ans *de moins* que M. Rousselle fils, ne me semble guère mieux équipé en cette matière.

– Vous faites erreur, réplique Léonie tranquillement. M. Renaud est un obstétricien chevronné que j'ai vu pratiquer à plusieurs reprises…

– C'est aussi un adepte d'une thérapeutique étrange qui fait bien rire quelques-unes de mes amies !

– L'hydrothérapie est une science, madame Sanspitié, qu'il importe de connaître dans ses détails avant que de la juger.

Se penchant vers ses voisines, la conseillère roule les yeux et dit à mi-voix, comme si elle révélait un secret :

– Il possède une clinique où, paraît-il, les règles élémentaires de décence ne sont pas souvent respectées !

Pâlissant sous l'outrage, Delphine se dresse de toute sa taille avant de répliquer :

– J'ai eu la chance de suivre l'un de ses traitements, madame, et je n'ai que des éloges à lui adresser ! Je vous prie de retirer immédiatement ces insinuations offensantes !

Céleste d'Artien intervient avec placidité :

– J'abonde en votre sens, mademoiselle. Permettez-moi de signaler, cependant, qu'il est possible de douter de votre impartialité, vu que votre frère et lui sont des amis intimes…

Fronçant ses yeux d'un bleu très pâle surmontés de superbes sourcils foncés, la sœur de Philippe Coallier réplique vertement :

– Moi de même, je ne parierais pas un sou sur l'impartialité d'aucune des dames présentes, parfois bien intentionnées mais trop souvent préoccupées par leurs réseaux de relations mondaines ! Il faut faire plaisir à untel, se ménager l'estime de l'autre…

– Cette discussion ne mène nulle part, s'impatiente Mme Charbonneau. N'estimez-vous pas qu'il est temps d'en arriver à un consensus ?

Léonie la regarde droit dans les yeux :

– J'aurais cru, madame, que vous seriez davantage intéressée à connaître les motivations des praticiennes de la Société compatissante concernant leur choix. Après tout, nous côtoyons les patientes tous les jours, n'est-ce pas ? Nous sommes des professionnelles ! Ne sommes-nous pas les plus aptes à décider du candidat qui conviendrait le mieux ? Quand il était étudiant, M. Renaud a appris sous ma supervision. À son retour de Boston, il a passé plusieurs mois supplémentaires avec nous pour raffiner son savoir. Depuis qu'il est licencié, il a acquis une telle dextérité, une sûreté de jugement…

– M. Renaud est votre gendre, susurre Mme Sanspitié. Qui plus est… son épouse est une dame dont la fréquentation n'est absolument pas recommandable. Une dame qui fait honte aux Canadiennes, qui salit outre-frontière notre réputation d'honnêteté et de dignité !

Assommée par ce coup bas, Léonie reste sans voix. Comme elle est tannée d'avoir à endurer ces péronnelles vieillissantes ! Elle veut quitter la réunion sur-le-champ, mais une réplique acerbe de Françoise l'interrompt dans son élan :

– À son époque, chère Émérance, n'était-il pas dit de Jésus qu'il était un fou furieux ? Il n'a eu, de son vivant, que bien peu de disciples. Pourtant, une Église puissante et un mode de vie ont été bâtis sur ses enseignements. Alors, comment balayer ce Noyes du revers de la main ?

Seul le silence lui répond. Après un temps, Delphine glisse :

– Il paraît que, selon les lois naturelles, quelques esprits particulièrement intuitifs peuvent ressentir les vibrations qui émanent de l'au-delà.

– Une âme pieuse comme vous, poursuit Françoise en fichant son regard dans celui de sa consœur rebelle, devrait être sensible au fait que, d'après ce visionnaire, le message chrétien fondamental, c'est que les humains qui vivent une conversion sont radicalement changés et qu'ils expérimentent une renaissance. Pour lui, Jésus est venu sur terre pour faire acte de purification, pour libérer les humains du péché.

– Nous sommes bien placées pour savoir, enchaîne Céleste, qu'il ne faut jamais porter un jugement sur les apparences. Notre travail de dame patronnesse auprès des filles tombées nous apprend cette précieuse leçon !

– Au moins, ajoute Marie-Claire avec une grimace éloquente, les réformateurs ont une puissante consolation : ils ne peuvent guère empirer les choses !

Devant ce feu nourri d'appuis, Léonie ne sait plus que faire, perchée sur le bout de sa chaise. Emprisonnant son regard dans le sien, Marie-Claire lui dit gentiment :

– Je crois, Léonie, que nous avons compris à quel point les capacités du Dr Renaud sont appréciées par ton équipe. Je ne doute pas un seul instant de votre sincérité à toutes. Malheureusement, la compétence n'est pas le seul facteur qui entre en ligne de compte…

Après un regard de sympathie à Léonie, Delphine grommelle entre ses dents :

– Ce qui pèse de tout son poids, c'est la supériorité que s'arrogent en ce domaine les membres du bureau médical.

Françoise intervient en disant d'un ton froid et uniforme :

– Depuis que nous avons accepté la formation de ce bureau, il nous faut suivre une certaine logique. Ces messieurs ont la prépondérance concernant les questions médicales, point à la ligne. Et la nomination d'un médecin résident, bien entendu, en fait éminemment partie. J'ai beaucoup hésité avant d'accepter de nous adjoindre ces messieurs et je vous ai prévenues qu'il nous faudrait désormais nous incliner devant leurs décisions. À mon sens, il nous est impossible de déroger à cette règle aujourd'hui.

Rebutée par la sécheresse de ces propos, Léonie l'affronte d'un regard défiant et, après un temps, la vice-présidente se mord la lèvre inférieure et détourne la tête. Un lourd silence s'installe alors, que Delphine Coallier rompt en répliquant :

– *Je* n'ai pas accepté la formation d'un bureau médical. C'est l'assemblée générale qui a tranché en sa faveur.

– Une conseillère est liée par les décisions démocratiques de l'assemblée. Si vous êtes incapable de faire contre mauvaise fortune bon cœur, il vous faut donner votre démission.

– Ce qui nous causerait un vif chagrin, s'empresse d'ajouter Marie-Claire avec un chaleureux sourire, pour atténuer la dureté de ton de Françoise.

– Je n'en ai aucune intention, la rassure Delphine. Cependant, si je comprends bien, nous discutons pour des prunes ? Les avis de ces illustrissimes ont force de loi ?

Avec patience, Marie-Claire rappelle que les autorités médicales de l'École de médecine et de chirurgie de Montréal ont réussi à introduire leurs étudiants auprès des femmes en couches tant à la Société compatissante, grâce à Nicolas Rousselle, qu'à la Maternité Sainte-Pélagie. Delphine s'emballe :

– C'est un fait très bien connu ! Rousselle père nous avait expliqué que l'accord de l'École avec notre refuge primait. Que celui avec Trudel ne servait qu'à constituer un déversoir temporaire pour le trop-plein d'étudiants...

– ... et que le conseil d'administration de l'École de médecine allait incessamment nous soumettre une proposition pour faire de notre organisme leur unique partenaire, conclut Françoise avec une grimace de dérision. Mais cette offre n'est jamais venue.

– Nous sommes restées très discrètes sur tout cela, articule Marie-Claire avec lassitude. Parmi nous, nous étions trois, en comptant Céleste, à savoir que...

Elle s'interrompt, puis se lance dans un exposé d'une voix monocorde. L'accord exclusif que Nicolas Rousselle leur a fait miroiter n'était que de la poudre aux yeux. Le médecin resplendissait d'une confiance qui ne reposait que sur des chimères. Le rejet de sa plainte officielle concernant une supposée erreur médicale de Léonie, laquelle aurait provoqué le décès de la pauvre veuve Victoire Réhaume, victime d'une hémorragie, n'a été que la première étape d'une lente déchéance.

Peu à peu, en présence des conseillères, l'homme s'est révélé tel qu'il était réellement et Françoise s'est mise à enquêter en catimini sur son cas. Elle a découvert que ces messieurs de l'École de médecine n'ont jamais eu l'intention de privilégier la Société compatissante : au contraire, cette dernière était considérée par eux comme un pis-aller ! Mais que faire ? Bouter Rousselle hors de leur organisme, au risque de se retrouver sans protecteur ? La Providence s'est chargée de décider à leur place...

Aux yeux de Léonie, la déchéance physique accélérée du médecin et son trépas acquièrent, dans cette optique, une tout autre dimension. Elle a la vision de son ancien prétendant complètement à plat, dénué de toute prestance, piteux comme un chien battu... Le fait est notoire : certains hommes dont la valeur, à leurs propres yeux, ne tient que dans l'image gonflée que les autres ont d'eux-mêmes, se retrouvent complètement démunis lorsque la réalité leur saute en plein visage.

Impérieuse, Françoise ajoute à la cantonade :

– Vous avez compris le nœud du problème, mesdames ? D'un côté, l'hospice Sainte-Pélagie, et de l'autre, la Société compatissante. Entre les deux, l'École de médecine qui ne peut guère continuer longtemps à s'écarteler ainsi. Le Dr Trudel pèse de tout son poids auprès de ses collègues pour assurer la suprématie de l'hospice. Mgr Bourget, vous vous en doutez bien, ne sera pas difficile à convaincre.

Le front barré d'un grand pli, Céleste précise que si le Dr Trudel, en 1850, a convaincu l'évêque de Montréal de la pertinence de faire admettre les étudiants à Sainte-Pélagie pour leurs stages pratiques, c'était avec la ferme intention de s'y installer à demeure. Titulaire de la chaire de clinique obstétricale à l'École de médecine et de chirurgie de Montréal, Eugène-Hercule Trudel a une énorme influence sur ses confrères et sur l'élite religieuse montréalaise. À chaque année qui passe, il a davantage d'étudiants qui sont prêts à débourser une bonne somme pour faire leur stage à Sainte-Pélagie. Ces jeunes hommes ont même cotisé pour se faire construire une maisonnette à proximité de la maternité !

Léonie en profite pour faire remarquer qu'une accoucheuse reconnue devrait être chargée de cette tâche d'éducation. Mais les accoucheuses ne sont pas, à l'inverse du Dr Trudel, d'anciennes camarades de classe de Mgr Bourget ! Elles n'ont pas leurs entrées à l'évêché…

– Nous avons appris récemment, termine Céleste, qu'il existait une certaine rivalité entre les deux médecins qui avaient, paraît-il, des caractères aux antipodes.

– Une *certaine* rivalité? ironise Françoise. Je parierais que Nicolas Rousselle ne pouvait pas sentir son confrère ! Il est apparu qu'il convoitait le poste qu'a obtenu Trudel à l'École de médecine… Notre organisme n'est qu'un pion dans une guerre intestine, mesdames !

Cette révélation plonge Léonie dans une vive stupéfaction. Elle savait son ancien prétendant tenaillé par une ambition démesurée, mais son aveuglement était donc sans bornes ? Pour faire croire au monde entier qu'il avait de l'envergure, il s'est embarqué dans cette galère… et il les a fait ramer à sa place ! Une fureur croissante chasse la confusion de Léonie. Le goujat ! Leur faire des accroires pour empêcher le fragile édifice de sa suffisance de s'écrouler…

– Il était notre unique allié parmi les membres du personnel enseignant de l'École de médecine, fait remarquer Marie-Claire sombrement.

– À part peut-être le Dr Lainier, ajoute Françoise, un homme qui déteste le grenouillage et qui se veut au-dessus de toutes les mesquines querelles de clochers… Bref, un homme qui nous est parfaitement inutile.

À l'évidence, Émérance, Marie-Onésime et Delphine tombent des nues. Un échange de vues contraint s'engage, mâtiné de reproches d'un côté et de justifications de l'autre, jusqu'à ce qu'une funeste conclusion s'en dégage : tenues à l'écart de l'officine du pouvoir, les dames patronnesses ont bien de la difficulté à séparer le bon grain de l'ivraie ! À moins de partager la couche de ceux qui tirent les ficelles, commente crûment Françoise, elles se font charroyer au gré des courants, sans savoir où ils les entraînent !

– Le tout est de comprendre dans quel esprit Jacques Rousselle convoite le poste de son père, dit enfin Marie-Onésime. Espère-t-il chausser les bottes paternelles et finir par chasser Trudel de son poste afin de s'en emparer ?

Léonie émet un sifflement sonore.

– Malgré leur proximité en âge, la pente sera raide à gravir ! Trudel a été formé par le célèbre Dr Kimber, avec qui il a été ensuite associé.

Après un regard circulaire dans lequel se lit une appréhension vive, Céleste d'Artien affirme qu'une épée de Damoclès pend maintenant au-dessus de leurs têtes. Après un petit rire de gorge, Marie-Onésime lance d'une voix moqueuse :

– Pff ! Cette épée de Damoclès ne m'impressionne guère ! Non mais, ce n'est pas sérieux ? Des bonnes sœurs qui jouent les matrones ! Entre vous et moi, je suis persuadée que ce sont, dans le fond, des dévergondées ! Des femmes qui recherchent des sensations fortes ! On a tort d'affirmer que le ridicule ne tue pas. Dans leur cas, je prédis qu'elles seront bientôt en totale débandade!

Seule Émérance glousse un assentiment qui se répercute sur les murs de la pièce. Se retenant à grand-peine de rabattre le caquet à ces deux têtes de linotte, Léonie jette un tel regard à Françoise que cette dernière se redresse pour prononcer une nécessaire admonestation:

– Ces propos irréfléchis ne sont pas tolérés parmi nous. Vous êtes mieux placées que quiconque, mesdames, pour savoir que les Sœurs de Miséricorde rendent un service essentiel et que, jusqu'à preuve du contraire – je dis bien *jusqu'à preuve du contraire* –, nous devons présumer de la pureté de leurs intentions. Est-ce clair?

Renversées par ce soufflet, les interpellées baissent les yeux et hochent imperceptiblement la tête. Marie-Claire renchérit plus gentiment:

– Les religieuses ont un appui de taille: notre évêque. Il se démène pour la survie de cette communauté, qu'il a mise au monde. Tandis que nous... Notre survie, mesdames, est plus aléatoire que jamais. La seule chose qui retient ces messieurs de l'École de choisir Sainte-Pélagie, c'est la réticence des sœurs quant à la présence des clercs étudiants.

– La compensation financière que verse l'École de médecine est un influx précieux d'argent qu'il serait catastrophique de perdre, enchaîne Françoise. Nos chances de conserver le soutien de ces messieurs diminuent de mois en mois et cette situation nous oblige à des compromis regrettables. La décision d'engager Rousselle en est un. Le jeune Dr Renaud ne nous serait d'aucun secours à l'heure actuelle. Par contre, Jacques Rousselle a une position d'influence à l'École de médecine, puisqu'il y enseigne. Il nous faut donc aller à l'inverse de ce que nous dicte notre cœur. Je suis sincèrement désolée, Léonie. Des objections?

Léonie s'adosse à son siège et fixe une gravure accrochée au mur. Rousselle père sera remplacé par Rousselle fils. Quelle niaiserie ! Au chevet des femmes en couches, rien ne peut se substituer à une longue pratique et des gestes pondérés. De par son association avec Flavie, de par le nombre élevé de patientes qu'il a suivies, et surtout de par son empathie innée, Bastien était celui qui répondait le mieux à ces exigences. Comme Léonie se fatigue d'avoir à gérer la présence, sur le plancher du refuge, de ces hommes de l'art qui en savent moins qu'elle et qui pourtant s'offusquent de voir leur opinion discutée !

Encore une fois, les sages-femmes devront se laisser malmener par une autorité parfois abusive, par un médecin qui dissimule un manque d'expérience derrière une science théorique péremptoire ! Évoquant l'affable Peter Wittymore, le second médecin associé de la Société compatissante, Léonie se détend légèrement. Tous ne sont pas de la même espèce que Nicolas Rousselle ! Qui sait, peut-être que le fils est doté de qualités – l'humilité, la délicatesse, la pondération – dont le père semblait ignorer l'existence ?

Léonie se réconforte encore davantage en songeant que la présence d'un médecin à la Société compatissante n'est requise qu'exceptionnellement, pour les rares cas que les sages-femmes ne parviennent pas à résoudre. De surcroît, Jacques Rousselle ne sera sans doute pas plus assidu que son père quant à ses visites régulières au chevet des patientes !

Le froid coupant qui descend du nord, le lendemain, n'empêche pas Léonie de remonter la rue Saint-Antoine pour mettre son gendre au courant de la décision du conseil d'administration. Elle sait que c'est puéril, que Bastien n'en attendait rien de toute façon et qu'il ne tient aucunement à la rencontrer de nouveau, mais elle est incapable de faire autrement : la décence lui commande de le renseigner de vive voix, de mettre fin à un espoir que peut-être, malgré lui, il cultivait, et qu'elle est coupable d'avoir fait germer…

Cette fois-ci, elle a choisi l'heure du dîner, et encore une fois, la chance l'accompagne : au moment où elle approche, Bastien émerge de la clinique, couvert de la tête aux mollets par une épaisse bougrine de laine et coiffé d'une tuque. En apercevant sa belle-mère, il fait une moue de contrariété et dès qu'il parvient à sa hauteur sur la chaussée, il jette :

– Dois-je poursuivre mon chemin, Léonie, ou vous êtes venue expressément pour me voir ?

Elle débite son boniment d'un trait. Il réplique :

– Vous êtes trop aimable, mais j'étais déjà au courant. M. Rousselle a pris soin d'en informer lui-même la communauté médicale tout entière.

Léonie reste déconfite puis, dans un sursaut de dignité, elle se dresse de toute sa taille.

– Fort bien. Je n'aurais pas dû me donner cette peine.

Il recule de deux pas tandis que son visage se couvre d'une expression mauvaise.

– Je n'assisterai pas au mariage de Cécile. Vous devez bien vous douter que la rue Saint-Joseph est le dernier endroit où j'ai envie d'aller… Léonie, j'apprécierais beaucoup ne plus avoir à craindre de me heurter à vous à chaque trois pas. J'apprécierais également que vous cessiez de vous préoccuper de mon avenir professionnel. Il y a certaines règles implicites parmi les hommes de l'art que manifestement vous ignorez…

Cette puissante rebuffade laisse Léonie clouée sur place. Une vive colère la fait ensuite frémir de la tête aux pieds et, avant qu'il ne se sauve, elle rétorque d'une voix chevrotante :

– J'ai le grand tort, monsieur, d'avoir encore de l'estime pour vous, mais je constate que vous faites tout votre possible pour détruire cette inclination. J'ai eu le tort, aussi, d'espérer par votre intermédiaire des nouvelles de ma fille. Là aussi, je vous ai mal jugé. Je ne vous importunerai plus. Adieu.

Sans chercher à voir l'effet de ses paroles sur le visage de son gendre, elle tourne les talons et s'éloigne aussi vite que lui permet l'état des chemins. Elle fulmine tant qu'elle doit dénouer le foulard qui enveloppe son cou. Le prétentieux ! Se peut-il vraiment qu'il traite sa belle-mère avec une telle condescendance, un tel mépris ? Des larmes de dépit lui viennent aux yeux, qu'elle essuie d'un geste rageur. En quelques secondes, son gendre vient de perdre la place de choix qu'il occupait dans ses pensées. Le Dr Renaud est un être égocentrique, incapable d'un attachement réel. Devant la moindre contrariété, il se ferme comme une huître, il se contrefiche de ceux qui l'aiment ! Léonie est déterminée à le chasser de son esprit à tout jamais.

Chapitre IV

Comme à chaque saison morte, l'enseignement religieux connaît un regain à Oneida. Chacun partage la conviction du fondateur selon laquelle, pour éviter de s'égarer, il faut constamment alimenter sa foi afin de la fortifier. Tous les soirs après souper, la collectivité se rassemble pour une leçon, qu'il s'agisse de l'approfondissement d'un passage de la Bible ou de la lecture à voix haute d'un texte écrit par leur pasteur, suivie d'une discussion.

Grâce à Marguerite, Flavie a fini par saisir un point fondamental de la doctrine du fondateur. Sidérée par cette relecture révolutionnaire des enseignements des apôtres, elle est portée, pendant plusieurs jours, par un sentiment d'extase. Elle a toujours ressenti un profond dégoût devant le plaisir morbide des prêtres catholiques à fouiller les âmes. Elle déteste cette obsession du mal ! Selon John Humphrey Noyes, les humains ne sont pas de misérables pécheurs attirés vers ce qui est vil, vers la mauvaiseté, mais des êtres au cœur pur et à la conscience sans tache, à qui Dieu a concédé une aptitude à la perfection. Le visionnaire est persuadé que chacun porte le Messie en lui et qu'il ne s'agit, pour être totalement bon, que de s'abandonner à son message d'amour.

Cette théorie hérétique semble à Flavie d'une souveraine fraîcheur. Depuis aussi longtemps qu'elle s'en souvienne, elle éprouve une méfiance instinctive devant les affirmations des prêtres selon lesquelles les humains doivent, pour accéder au paradis, vaincre leur nature fondamentalement pitoyable et leur propension à la médiocrité. À en croire Father Noyes, cette théologie du péché inévitable est contre-productive puisqu'elle empêche de croire en soi-même. Les menaces et les exhortations restent sans effet ; seule la certitude de la grâce mène à la sainteté.

Dieu a envoyé son Fils sur terre justement pour tirer l'humanité hors de l'abîme du péché. Ce dernier, d'après le fondateur, n'est pas une transgression de règles spécifiques, comme le croient les chrétiens, mais celle d'un code moral qui réprouve toute motivation égoïste. La vertu est donc, bien davantage qu'une conformité inflexible à un corps de lois, une obéissance au mandement d'amour total de Dieu. Ce qui n'exclut pas le besoin de s'improuver et de se sanctifier : la manifestation la plus éloquente d'une conversion à la philosophie de Noyes est le désir insatiable de grandir dans sa foi.

Chaudement vêtues, les jeunes accoucheuses ont pris l'habitude de s'offrir de courtes promenades pendant lesquelles Marguerite déploie ses talents d'institutrice, comme ce jour-là, malgré le ciel plombé et la bise qui dépouille les arbres de leurs dernières feuilles. Elles commencent par bavarder au sujet du climat de l'État de New York, presque aussi tempéré que celui de la vallée du fleuve Saint-Laurent, même s'il est situé au sud du Haut-Canada. L'automne a été bellement coloré et maintenant que novembre est advenu, le nordet souffle avec vigueur, charriant avec lui abats de pluie et vives froidures. Cette parenté est due au relief montagneux, leur a-t-on expliqué. Bientôt, au soulagement général, le sol se couvrira de la première neige…

La récente convertie s'enquiert ensuite avec entrain :

– Alors, qu'est-ce que nous étudions ? Tu as une préférence ? Peut-être qu'il y a encore un point de la philosophie du Père Noyes que tu veux approfondir ?

– Un point ? relève Flavie, avec un désespoir comique. Une douzaine, tu veux dire ! Enfin, Maggy, pour le sûr, tu fais semblant de comprendre ! Avoue-le ! Comme moi, tu es dépassée par les subtilités et les nuances…

Maggy, ainsi que tous la nomment ici, se contente d'un sourire à la fois goguenard et modeste. Ouvrant les mains, paume vers le ciel, Flavie dit plus sérieusement :

– Ce que je trouve très beau, c'est comment Father Noyes place Dieu au centre de tout. Je veux dire, littéralement au centre : selon lui, je porte Dieu en moi et donc je suis aussi digne et aussi précieuse que n'importe quel être humain et même n'importe quelle chose. Un arbre, une fraise…

– Lorsque tu deviendras sensible à sa présence en toi, lorsque chacun de tes actes et même chacune de tes pensées seront motivés par le désir d'aimer Dieu, alors tu seras croyante et tu seras sauvée.

– Je ne sais pas quand ça viendra, grommelle Flavie. Espère toujours… Je veux dire, je ne peux pas adopter une croyance que je ne comprends pas ! L'affaire du retour de Jésus parmi nous… Il serait revenu il y a presque deux mille ans ! Donc, nous sommes déjà tous sauvés ! Mais enfin, Maggy, on peut faire dire n'importe quoi à la Bible !

– Selon les apparences, on pourrait le croire… Father Noyes a senti le besoin de faire de sa religion un système théorique. Il lui fallait expliquer ses croyances aux théologiens. Si chaque être humain est déjà comblé par la grâce, s'il peut réussir avec l'aide de Dieu à vivre sans péché, il faut bien que Jésus soit déjà redescendu parmi nous !

Le credo de Father Noyes, que Flavie a réussi à saisir dans sa globalité, lui a procuré bien des jouissances. Elle n'en revient pas de voir à quel point il est possible de déconstruire un dogme millénaire tout en puisant uniquement dans les textes de la Bible ! Dans sa jeunesse, sitôt qu'il a décidé que la foi de ses semblables ne le satisfaisait plus, John Noyes a plongé dans les milliers de pages des Écritures comme dans un océan de savoir, persuadé que la clef de la félicité s'y trouvait, bien enfouie sous la vase. Il a acquis la conviction qu'il était le premier chrétien depuis les débuts de christianisme à déchiffrer le message biblique, inconnu jusqu'à présent !

Déjà membre d'un groupe de chrétiens se qualifiant de perfectionnistes, et dont la philosophie est fondée sur le postulat que l'être humain peut prétendre à la perfection sur terre s'il a placé son sort entre les mains de Dieu, John Noyes était à ce point troublé par la certitude, inculquée par le puritanisme yankee, d'être faillible et méprisable, qu'il a manqué en perdre la raison. Il a été sauvé par une force de volonté et par une capacité intellectuelle hors du commun... Personne n'en fait mystère et d'ailleurs tous ici, à des degrés divers, ont vécu le même enfer que le fondateur, soit l'impression que leur monde, frêle esquif ballotté sur la mer agitée de la modernité, était sur le point de basculer dans le chaos ! L'impression que nulle rationalité et même nulle foi ne réussiraient à combler l'immense vide intérieur qui s'ensuivrait...

À mesure que Flavie se familiarise avec les membres de la communauté et avec la profession de foi du fondateur, elle a l'intuition que ce chaos intérieur, cette impression envahissante d'être totalement inadéquat devant ce que les autres attendent de soi, se situe à la source du malaise. N'a-t-elle pas ressenti elle-même, au cours de la dernière année à Montréal, le même désarroi oppressant, le même sentiment tenace qu'elle ne serait jamais à la hauteur, quoi qu'elle fasse ? Jamais à la hauteur comme épouse d'un médecin et comme membre rapporté d'une illustre famille...

Avec un enthousiasme contagieux, Marguerite est en train d'expliquer que le second avènement du Christ, ce moment béni que les chrétiens du monde entier sont censés espérer avec impatience, il s'est produit il y a belle lurette, soit en l'an 70 après Jésus-Christ, au moment de la destruction de Jérusalem et du début de la dispersion des Juifs. À ce moment même, une résurrection est survenue, suivie d'un jugement, ce qui signifie le commencement du royaume de Dieu dans les cieux.

Persuadé que la résurrection finale approche à grands pas, Noyes s'est donné pour mission de fonder l'Église sur terre, tâchant de reproduire au sein de sa modeste Association la manière de vivre qui satisfait aux exigences divines. S'alimentant aux Écritures et à l'idéal communautaire des apôtres, il a donc établi le code de vie le plus apte à entraîner la sainteté telle qu'il la définit. Une vie où l'égocentrisme est considéré comme le pire péché à combattre, une société où tout est mis en commun et où le sentiment d'affection ne doit pas être centré sur une seule personne, au risque de susciter jalousie, mesquinerie et possessivité, mais s'étendre à tous, dans un flot sublime ! Dans ces conditions, les codes de lois sont superflus…

– Ce qui me paraît fort discutable, interrompt Flavie, les sourcils froncés. La porte est ouverte à de nombreux abus !

– Les opposants de Father Noyes s'en gargarisent, riposte Marguerite avec dédain, mais rien n'est plus faux. Si je reconnais l'emprise du Christ sur moi, si je m'abandonne à son pouvoir, je n'ai aucun besoin des lois. Elles sont conçues pour les dépravés, pour les pécheurs… La grâce permet une conduite irréprochable.

– Mais nos curés nous exhortent, eux aussi, à la nécessité de ce changement intérieur !

– Par la menace de sanctions. Par la peur de l'enfer. Father Noyes, lui, amène le Messie à l'intérieur de chacun de nous, à portée de main. Si tu savais le soulagement que j'ai ressenti quand j'ai finalement compris ! C'est d'une simplicité lumineuse.

– Une chose qui me paraît claire, c'est que, dans cette optique, la transgression des habituelles règles morales concernant l'indissolubilité du mariage se justifie amplement.

Elles échangent un sourire narquois. Father Noyes a trouvé dans les Écritures tout ce qu'il fallait pour faire voler en éclats cette prétendue loi divine, ce qui leur plaît infiniment! Dans la société bas-canadienne, les prudes comme les libertins font de la sexualité le centre de leurs préoccupations, tout en s'en prétendant souverainement détachés. Si la communauté d'Oneida séduit tant les deux jeunes femmes, c'est d'abord parce que les jeux amoureux y occupent leur juste place: tout bonnement le plus agréable des plaisirs.

Flavie dit benoîtement, avec un joyeux sourire:

– J'aime la manière de vivre ici. Ce qui est pratique, on l'adopte; ce qui est malcommode, on l'oublie. Pas de minauderies entre les sexes, mais seulement une franche camaraderie! Voilà qui fait parfaitement mon affaire. Il y a un travail urgent: pourquoi une dame ne s'y mettrait pas, si elle en a le goût? Donc... des études en science médicale semblent à notre portée comme jamais, ne crois-tu pas?

– Selon toute apparence, grommelle Marguerite, les hommes sont attachés aussi solidement qu'auparavant à leur trône.

– Nous avons tout de même éveillé quelques consciences!

– De bien maigres résultats. Tout le problème, Flavie, c'est que nous étions des femmes isolées qui tentaient de pénétrer une chasse gardée masculine. Il en aurait fallu dix, vingt comme nous pour lézarder le mur! Nous avons été inconscientes, n'est-ce pas? Et fièrement téméraires...

Flavie réprime un sourire. Il ne fallait pas avoir les couilles molles, comme dit parfois Simon vulgairement! Faisant brusquement halte, Marguerite se tourne vers sa compagne pour déclarer avec fièvre:

– J'ai fréquemment jonglé à tout ça. Nous avons offensé bien des susceptibilités ! Si c'était à refaire, j'agirais tout autrement. Je cultiverais un tout autre jardin ! Notre unique planche de salut, c'est encourager le regroupement de nos forces. Seule une association franche, comme un corps de métier, donnera aux sages-femmes la puissance de frappe qui leur fait cruellement défaut ! C'est ta mère qui avait raison.

Irritée par cette apparente volte-face, Flavie réplique :

– Mais tu déparles ! Tu te souviens ? Le cercle d'accoucheuses donnait la frousse aux collets montés, alors un corps de métier, tu imagines ? Le Collège des médecins nous vouerait aux gémonies ! Nous ne sommes pas de taille, Marguerite !

– N'empêche... Tous les principes de solidarité qui gouvernent les penseurs socialistes du siècle, nous avons négligé de les appliquer à notre propre cause.

Sans avoir l'air de remarquer l'expression butée de Flavie, elle enchaîne en parlant de la centaine de tentatives de vie communautaire faites depuis le début du siècle. Saint-Simon, Owen et Fourier avaient élaboré de séduisants systèmes théoriques, mais lorsqu'il s'est agi de les mettre en pratique, ce fut le chaos ! Tous ces utopistes avaient la conviction, selon leur théorie, qu'un mauvais environnement faisait naître la méchanceté chez l'homme, qu'il suffisait de modifier les structures sociales. Les réflexes égoïstes s'ancraient en réponse à un monde cruel !

– La durée de vie de l'Association fondée par Father Noyes les dépasse déjà ! déclare-t-elle triomphalement, comme si Flavie ne le savait pas. Seul un fondement religieux sincère semble avoir le pouvoir de faire échec à l'individualisme effréné de l'homme, à ce qu'on peut considérer comme une dépravation. Pensons aux Mormons, aux Shakers... Ce n'est pas la vie en communauté qui parfait l'humain, au dire de John Humphrey Noyes ; au contraire, seuls des humains parfaits peuvent vivre en harmonie. Seules la parole du Messie et la grâce de Dieu ont la puissance voulue pour contraindre l'homme à la bonté.

Même si Flavie doit reconnaître que les faits confirment ces propos, elle oppose à son interlocutrice une certaine défiance. Dès qu'elle aborde le sujet de leurs manigances passées, dès qu'elle s'enthousiasme pour l'idée que, s'il y a un endroit au monde où leur souhait risque de se réaliser, c'est bien ici, Marguerite fait montre d'une discrète réprobation. Au début, Flavie a cru que le choc de son arrivée en était la cause. Son amie, complètement déboussolée de la voir débarquer à l'improviste, s'est crue responsable de ses malheurs. N'était-ce pas elle qui, dès son retour de Paris, en 1850, leur avait mis cette folie en tête ?

Pendant les jours suivant son arrivée, Flavie s'est empressée de lui rappeler qu'elle est entrée dans la danse les yeux grands ouverts. Toutes deux, elles ont cru sincèrement qu'un médecin de leur connaissance les accepterait comme apprenties. Elles ont cru que leur époux ou leur fiancé aurait le courage de les faire cheminer à leur côté sur cette voie royale ! Néanmoins, persuadée d'avoir précipité son amie dans l'abîme, Marguerite s'est mise dans un état pitoyable d'agitation. Elle était prête à reprendre le train pour Montréal afin de tout expliquer au mari éconduit et de tenter de les réconcilier !

Flavie s'est donné beaucoup de peine pour lui faire comprendre que la question de son accession à la médecine n'a été qu'un élément déclencheur. Bastien voulait lui dicter sa conduite et elle ne l'a pas supporté. Au contraire, songe-t-elle encore une fois tandis qu'une goutte de pluie l'atteint au front, elle est ravie de s'être rendu compte de sa vraie nature avant d'avoir un nourrisson dans les bras ! À chaque fois, cette pensée lui perce le cœur d'un coup de couteau. De toute sa détermination morale, elle repousse cette souffrance jusqu'à l'enfermer derrière les portes épaisses d'un coffre-fort situé dans un minuscule recoin de son âme.

Malgré ses efforts, Marguerite reste ombrageuse à ce sujet, comme si un soupçon de culpabilité la hantait encore. Cette susceptibilité fait souffler en Flavie une bourrasque de froidure. Les atermoiements de Marguerite lui sont insupportables ! Elles n'ont pas fait tout ce boucan pour des prunes ? Flavie n'a pas sacrifié l'amour de son mari pour une niaiserie risible dont leurs contemporains avaient bien raison de se moquer ? C'était un combat inégal, mais un noble combat !

– Un jour, les écoles de médecine accueilleront les femmes, déclare Flavie avec opiniâtreté. Alors, l'humanité aura fait un grand bond en avant !

Interrompue dans son envolée oratoire sur l'idéal religieux comme unique moyen de réaliser une réforme morale, Marguerite fronce excessivement les sourcils. Elles échangent un regard contraint et Flavie bredouille :

– J'ai mis en jeu tout ce que je possédais. Il faut que nous deux, au moins... que nous deux, on sache que c'était la seule chose à faire.

Des images se succèdent dans son esprit : l'expression ravie de Joseph Lainier, le fiancé de Marguerite, le sourire accueillant de Marcel Provandier, la galerie de visages abasourdis dans l'amphithéâtre de l'École de médecine pendant que sa consœur disséquait... Mais surtout, ponctuant de façon grandiose ce panorama qui défile à toute vitesse, les pâleurs subites de Bastien, ses invectives de plus en plus dures et sa funeste gifle !

– Moi aussi, réplique Marguerite, j'y ai beaucoup perdu.

Flavie a cru déceler dans le ton de son amie une nuance de reproche... Désarçonnée par cet apparent manque de sympathie, elle préfère abandonner la partie. Marguerite en profite pour déclarer que l'humain est égocentrique de nature et que la vie en communauté utopiste n'est possible que si chaque participant est engagé dans un processus actif d'éradication de l'égoïsme, péché capital ! Sur ce, elle tourne le dos à sa consœur pour s'élancer vers Mansion House.

La suivant à quelque distance, Flavie est plongée dans ses pensées. Si elle voit juste, Marguerite ramène leurs agissements d'antan à une lubie égocentrique, tout à fait contraire aux valeurs fondamentales de la vie en communauté. C'est d'un ridicule consommé ! De quelle manière un accomplissement personnel de cette nature pourrait-il s'opposer au bien-être collectif? Au contraire, le second est une résultante du premier ! Elles ont voulu faire éclater les frontières de leur pratique pour être des praticiennes plus douées !

Observant la mince silhouette qui se presse devant l'ondée qui augmente en intensité, Flavie est envahie par l'attendrissement. À force de jongler avec une surabondance de préceptes et de mandements, la pauvre doit en perdre son latin ! Et puis, comme elle est devenue la sage-femme attitrée de la communauté, elle a le bonheur, contrairement à sa consœur, d'exercer encore son métier, même si fort rarement... Elle reviendra à la raison, Flavie en est persuadée. Bientôt, toutes deux monteront à l'assaut des autorités de l'Association des perfectionnistes d'Oneida !

Sans se soucier de la pluie, Flavie arrête un moment pour lever son visage vers le ciel. Une chose est sûre : pour asseoir les bases d'un nouveau style de vie, le fondateur a dû s'isoler en compagnie de ses fidèles, mais c'est une mesure temporaire. Tous les utopistes espèrent qu'un jour, après en avoir constaté le bien-fondé, leurs contemporains l'adopteront ! En vérité, la communauté est un laboratoire. Father Noyes affirme que le Messie est le plus convaincu des associationnistes et que la Bible est l'arme la plus puissante des socialistes !

Frappée par la justesse de cette assertion, Flavie a très envie de participer à cette aventure, qui la fait vibrer tout entière de joie. Elle veut être de cette avant-garde qui fait la démonstration que les principes altruistes peuvent présider à tous les échanges entre humains, que les passions humaines peuvent s'entrecroiser en harmonie, sans même la contrainte de la loi ! Ce modèle devrait s'étendre ensuite, du moins dans ses principes, au monde entier. Un changement dans les institutions ne peut que suivre une modification des mentalités, et pour cela, il faut replacer la confiance mutuelle à la base de tous les contacts humains !

Dans Mansion House, Flavie va s'installer dans la salle commune pour approfondir le credo de John Humphrey Noyes, un exercice dont elle émerge généralement assez confuse. C'est qu'il en a écrit, des choses, le bougre! Comment s'y retrouver dans ce fatras de déclarations, d'exposés théoriques, d'explications tarabiscotées? Le fondateur a établi son système théologique sur la conviction que Dieu, en tant qu'essence, était hermaphrodite. Incarné en Dieu le Père, il est devenu mâle, tandis que le Christ, son fils, s'est chargé des qualités morales féminines, tout en s'affublant d'une enveloppe charnelle d'homme. Tout cela parce que l'amour, dans son expression sexuelle, est la force qui faisait tourner le monde, et qu'elle doit donc s'exprimer jusque tout en haut...

Un mouvement à l'entrée de la pièce attire son regard. Stephen Waters, qui passait par là, vient de constater sa présence ; il tombe en arrêt, puis se décide à entrer et à franchir la distance qui les sépare. Elle observe son approche avec intérêt, notant sans déplaisir son embarras croissant. Il s'incline légèrement et Flavie lui fait signe de s'installer à ses côtés, dans la chaleur du bas soleil hivernal. Ils se sourient d'abord sans mot dire, puis il désigne le livre et s'enquiert de ses lectures. Elle lui confie la nature de ses pensées et il pouffe gaiement de rire.

– Bien peu d'entre nous savent expliquer le système de Father Noyes dans sa totalité. C'est d'une complexité confondante ! L'important, c'est notre manière de faire et notre manière d'être. Vous sentez-vous en confiance, Flavie, parmi nous ? Sentez-vous que la seule chose importante, c'est de bâtir entre nous la société idéale, qui fera de nous le peuple élu de Dieu ?

Toute frémissante intérieurement, Flavie répond par l'affirmative. Comme elle se sentirait comblée si l'Association d'Oneida réussissait à faire la preuve que les problèmes sociaux criants seront résolus par la coopération plutôt que par une polarisation extrême des classes, des sexes ou des factions politiques, comme à présent ! Stephen se penche vers elle et dit à mi-voix, ses yeux ardents fichés dans les siens :

– Me permettrez-vous une communion plus intime avec vous ? L'amour de Dieu est comme un fluide qu'il faut laisser s'épancher puisque ses propriétés nous connectent au monde spirituel…

Un fluide ? Flavie ignore si elle doit prendre ce mot dans son sens littéral, ce que Stephen confirme aussitôt en faisant référence à ce fluide comme l'Esprit saint qui sert de pont entre le visible et l'invisible. L'Esprit saint, selon Noyes, a toutes les propriétés d'un fluide vital, de ceux qui galvanisent, qui magnétisent, qui illuminent ; il en a même la substance concrète, matérielle.

Chassant d'un geste ces considérations théoriques, Stephen s'avance pour prendre délicatement la main de Flavie dans la sienne. C'est leur premier contact physique et Flavie reste figée, incertaine de ses sentiments. Son interlocuteur murmure :

– Je ne suis pas censé vous faire d'avances avant d'avoir parlé à Miss Worden. Je voulais simplement voir si… si mon contact ne vous répugnait pas.

Il baisse la tête pour attacher son regard à leurs deux mains jointes et le silence s'installe entre eux. Sa peau est douce; instinctivement, Flavie se met à la flatter. Il y a peu, elle a appris qu'il exerçait le métier de charpentier avant de se joindre à la communauté, mais que, pour l'instant, ses compétences ne sont pas sollicitées. Après un temps, il redresse le menton pour la considérer attentivement. À l'évidence, cet examen le rassure et il sourit, ce à quoi Flavie répond de même. Doucement, il retire sa main et la gratifie d'un clin d'œil, puis il saute sur ses pieds et s'éloigne à longues enjambées.

Plus tard pendant l'après-dînée, John Noyes arrive de Brooklyn pour un court séjour. Cependant, préoccupé par d'abondants détails à régler en compagnie de son bras droit, John Miller, il ne vient pas parmi eux. C'est un secret de Polichinelle que les finances de la communauté sont précaires. Ici, nécessité devient vertu: l'austérité à laquelle chacun doit s'astreindre convient parfaitement, affirme-t-on, à un idéal de renoncement aux vains plaisirs, certes moins prononcé que chez les catholiques, mais présent quand même. Le beurre et la viande se font rares au menu, mais Flavie n'a jamais vraiment apprécié les mets complexes et raffinés. En revanche, les produits des potagers et des vergers de la communauté, de même que le petit gibier et les poissons, sont abondamment utilisés.

Le lendemain matin, attablée avec un petit groupe de convertis, la jeune femme déjeune tout en participant distraitement à une discussion plutôt échevelée. Lorsque John Noyes fait son entrée en compagnie de son épouse Harriet et du couple Miller, un silence respectueux tombe dans la vaste pièce tandis que le quatuor prend place à une table isolée. Les conversations reprennent, mais Flavie continue d'observer le fondateur à la dérobée. Elle n'a pas encore eu d'entretien particulier avec lui; à son arrivée, c'est John Miller qui s'est entretenu avec elle de ses motivations.

Elle est curieuse de mieux connaître cette personnalité hors du commun, à qui certains reprocheraient une propension à l'instabilité psychologique et même au délire... Mais comment garder une contenance naturelle en présence d'un homme paré d'une telle auréole ? La tentation est grande de se mettre, pour le moins, sur son quant-à-soi... Elle a rapidement constaté à quel point Noyes bénéficiait d'un statut spécial. Seul le groupe initial de ses fidèles, devenus ses proches collaborateurs, l'aborde en toute simplicité. Pour les autres, il est un oracle, presque un dieu vivant, celui qui incarne le commandement suprême. Un nouveau Messie !

En apparence, tous, ici, sont convaincus que le Créateur l'a choisi pour mener son peuple jusqu'à Lui. Pesante responsabilité, ne peut s'empêcher de penser Flavie, pour un seul homme... La jeune accoucheuse doit se rendre à l'évidence : pour être confortable à Oneida, elle doit accepter cette autorité sans arrière-pensée, sans l'ombre d'un doute. Y parviendra-t-elle ? Cela exige de sa part une humilité qui ne lui est pas naturelle... Mais peut-être que la source de tous ses malheurs réside justement dans cet esprit indomptable ? Peut-être que si elle abdique, elle aussi jouira de ce bonheur ineffable qui semble l'apanage de ces convertis ? Un bonheur dont Marguerite semble maintenant pénétrée...

Presque malgré elle, Flavie jette un coup d'œil à son ancienne sœur d'armes qui discute avec animation au sein d'un groupe de jeunes femmes et de quelques hommes plus âgés, dont Frank Prindle, un homme au visage glabre, sauf pour un mince collier de barbe d'un brun roux qui va de l'une à l'autre de ses oreilles en passant par la pointe de son menton. Ses traits rudes sont agrémentés par un nez très droit et de grands yeux verts surmontés de fins sourcils. Lorsqu'on ajoute à cet ensemble une voix chaude et grave, Flavie doit bien admettre que l'homme a une réelle prestance et un charme incontestable, magnifié à l'instant même par l'ampleur de son désir pour Marguerite.

Au fil des mois, elle a pris conscience du réseau de relations amoureuses qui tisse sa toile entre les membres de la communauté. Très subtilement, entourant leurs gestes d'un soin extrême des convenances, mâles et femelles accordent leurs faveurs à quelques-uns de leurs proches, parfois deux en même temps, rarement trois... Flavie a appris à décoder les œillades voilées, les sourires esquissés et les émois discrets, de même que les allées et venues qu'elle surprend parfois vers les chambrettes.

En théorie, les couples ne doivent pas passer la nuit ensemble, mais ils peuvent se permettre jusqu'à plusieurs heures de tête-à-tête, selon l'intensité de leur passion. En théorie également, l'échange amoureux doit inclure tous les membres de l'Association, même ceux qui sont âgés ou défavorisés par la nature, mais Flavie a remarqué que les très jeunes femmes bénéficient d'un traitement de faveur. De par leur verdeur et leur beauté, elles s'attirent les regards non seulement des hommes plus matures, mais également de ceux qui entrent à peine dans l'adolescence.

Pour leur part, n'étant plus de la première jeunesse, Marguerite et Flavie suscitent moins de convoitise. De surcroît, cette dernière est encore une étrangère avec laquelle il faut agir avec une grande prudence! Néanmoins, elle reçoit une bonne partie de l'attention générale masculine, ce qui provoque en elle une tension grandissante, pas désagréable pour deux sous. Les hommes de cette communauté sont loin d'être vilains! Leur vigueur physique est manifeste et ils se sont peu à peu dépouillés de leur suffisance de propriétaires...

Flavie se lève et se dirige vers le corridor, mais Miss Worden l'aborde en lui signifiant que le maître horticulteur vient de la charger d'un message à son intention. Elle n'a pas besoin d'expliciter davantage; Flavie sent ses pommettes s'empourprer tandis qu'une agréable chaleur se répand dans ses veines. L'entremetteuse prend soin de lui rappeler son droit au refus, mais Flavie se jette à l'eau en donnant son accord d'une voix grêle.

Néanmoins, la vieille *demoiselle*, ainsi que toutes les femmes, même mariées, sont qualifiées à Oneida, n'en a pas fini avec la jeune Canadienne. Elle lui mentionne que la proposition de Stephen a été discutée en petit comité de sages, comme toutes les demandes d'intimité particulière le sont, et qu'il a été convenu qu'en effet Stephen serait apte à faire progresser Flavie sur la voie de la grâce. Elle doit donc s'abandonner à sa gouverne, le considérer comme un maître à penser, comme un guide spirituel.

Miss Worden lui demande si elle est au courant de la pratique de la continence mâle dans ses détails ; Flavie répond de manière si explicite que son interlocutrice se déclare satisfaite. Elle conclut en énumérant quelques règles de comportement amoureux : de la discrétion en tout, pas d'exclusivité malsaine, une affection qui doit rayonner sur tout un chacun... Father Noyes, ajoute Miss Worden, a défini l'étreinte sexuelle idéale comme une conversation tranquille qui peut être interrompue à tout moment, puis reprise à loisir. Sur ce, elle s'éloigne en trottinant. Une conversation tranquille ? Beurrée de sirop ! Vu sous cet angle, l'adultère est fièrement moins épeurant !

Prestement, Flavie endosse sa bougrine et chausse ses bottes, puis elle sort dans la froidure et emprunte le sentier bien piétiné qui mène au moulin hydraulique sis au bord de la rivière. En plus de contenir les traditionnelles meules pour moudre la farine, ce bâtiment abrite plusieurs industries : imprimerie, fabrication des fauteuils rustiques, confection des pièges pour la trappe, ébénisterie, assemblage de balais... Pour l'heure, Flavie se joint à un petit groupe de typographes, occupés à aligner les caractères de fonte de ce qui deviendra, une fois imprimé, *The Circular*, un papier-nouvelles qui paraît trois fois par semaine.

C'est une tâche dont la monotonie est allégée par des chants, par des mouvements de gymnastique qui deviennent une chorégraphie impromptue ou par la lecture commentée d'un passage de la Bible, comme ce matin, celui qui fait allusion au fait que les croyants mettent tout en commun, que tous ceux qui croient ne deviennent qu'une seule âme et que rien de ce qu'ils possèdent ne leur appartient en propre.

Habituellement, Flavie s'oblige à prêter attention à cette édifiante leçon mais, depuis la veille, son esprit est ailleurs, en compagnie de Stephen. Cependant, son intérêt renaît quand le vieil homme assis parmi eux abandonne la question des biens et du cheptel pour affirmer qu'il n'y a aucune différence intrinsèque entre la possession d'avoirs et celle de personnes, que l'Esprit qui a aboli l'exclusivisme économique ferait de même, dans des circonstances favorables, pour les femmes et les enfants. Donc, l'exclusivité du mariage sera abolie lorsque l'Église aura atteint l'état de béatitude, le royaume des cieux, comme elle est abolie ici, parmi ceux qui vivent selon les préceptes divins.

Mais l'ouvrage ne manque pas et l'orateur referme son livre pour prêter main-forte à la petite équipe. Flavie en est soulagée ; il est si facile de se laisser distraire et de faire des fautes d'orthographe ! Ce n'est que plus tard dans la journée, alors qu'elle a troqué le caractère d'imprimerie pour l'aiguille à coudre, que la jeune accoucheuse est mise au courant de l'événement qui se prépare pour ce soir. Profitant de la présence de Father Noyes, Miss Maggy fera sa confession ! Étreinte par une angoisse inexplicable, Flavie suspend tout geste. Pendant une fraction de seconde, elle l'imagine disparaissant dans un gouffre sans fond !

Elle se ressaisit aussitôt pour tâcher de se connecter à l'allégresse ambiante. Jusqu'au soir, elle se sent étrangement agitée et nerveuse, et c'est avec un profond soulagement que, parmi toute la communauté installée coude à coude dans la salle commune, elle voit Marguerite entrer dans la pièce et prendre place au centre, dans le tout petit espace circulaire créé par plusieurs enfants assis par terre.

Aussitôt, Flavie comprend que son amie ne se contentera pas d'une banale déclaration. Avec grand soin, Marguerite déplie deux feuillets de ses mains qui tremblent. Les pommettes aussi rouges que ce fruit et les yeux agrandis par l'exaltation, elle puise du courage dans les regards des personnes à proximité pour déclarer :

– Depuis mon arrivée, j'ai compris que Father Noyes possède Dieu dans son cœur. En fait, Dieu a choisi Father Noyes pour établir son royaume. L'Église d'Oneida est l'embryon de ce royaume qui va s'étendre à toute la planète. En suivant la trace des pas de Father Noyes, je rends grâce à Dieu.

Elle reprend son souffle et l'assemblée en profite pour applaudir. Avec un mince sourire, elle poursuit :

– Depuis mon arrivée, je me suis astreinte à devenir plus spirituelle. Ce fut une épreuve. Jusque-là, je me sentais pourtant une bonne catholique. Même si j'en étais venue à rejeter certaines prétentions dogmatiques de l'Église romaine, je me croyais davantage pénétrée des fondements de la spiritualité chrétienne, ceux que partagent toutes les dénominations sans distinction. Ceux que même les personnes éclairées sont incapables d'abandonner.

Marguerite relève la tête de son texte et ajoute avec un abandon touchant :

– Mais sans le savoir, j'étais déjà rendue plus loin sur le chemin de la véritable connaissance de Dieu. Plus loin et plus proche de vous… Je n'ai pas fait mystère auprès de vous de mes fiançailles avec un médecin et surtout de mon désir de m'associer avec lui *avant notre mariage* pour le partage du fluide vital. Je l'ignorais alors, mais j'étais animée par le même besoin que vous, celui de toucher à l'amour universel. Celui de m'inscrire dans un flot d'énergie collective, d'énergie surnaturelle.

Elle avoue alors que s'il lui fut aisé d'adopter les pratiques sanctifiantes en vigueur, ce le fut beaucoup moins de cesser d'analyser le pouvoir de Father Noyes, de réussir à s'abandonner à lui. Cette quête de spiritualité fut ardue jusqu'à ce que John Noyes lui-même lui rappelle qu'il suffisait de Lui préparer un foyer calme et angélique au centre de soi. Qu'il lui suffisait de plonger jusqu'à son propre cœur et s'y installer pour vivre, tout en recherchant Dieu par soi-même.

– Alors, poursuit Marguerite d'une voix vibrante, je me suis isolée pour me concentrer sur cet objet. J'ai commencé à voir les choses différemment… comme si des illuminations mentales m'amenaient à un niveau supérieur de conscience. C'est alors que je me suis soumise. J'ai discarté toutes les idées qui me troublaient jusqu'alors – des idées d'imposture, de clairvoyance, de spiritisme – pour accepter enfin qu'il existe une intelligence étrangère à nous et qui descend vers nous. La vie est un flot continu qui se modifie selon le processus de l'évolution ; il doit donc y avoir une jonction vitale entre tous ces changements infinitésimaux, une jonction qui préserve l'essence de la vie. L'existence de Dieu découle d'une loi naturelle qu'il m'est désormais impossible de nier.

Abruptement, elle se tait et un lourd silence plane sur l'assistance. Puis, peu à peu, des chuchotements abasourdis commentent cette confession inusitée… L'expression à la fois condescendante et réjouie, John Noyes progresse jusqu'à Marguerite. Il commence par lui donner l'accolade et pose un baiser sur chacune de ses joues, puis il s'écarte et lance à la cantonade :

– Quel esprit bondissant que celui de Miss Maggy, n'est-ce pas, chers amis ?

Un moment d'allégresse s'ensuit, pendant lequel Flavie scrute la maigre silhouette aux épaules tombantes du fondateur. Une arrogance perceptible suinte de lui, cependant tempérée par l'expression affectueuse de son visage. Prenant la jeune femme par les deux mains, il dit, goguenard :

– Savez-vous qu'en m'obéissant vous comblez le Créateur ?

Toute rougissante, Marguerite acquiesce vivement.

– Croyez-vous que ma doctrine représente l'ordonnance réelle des cieux et que l'amour et le désir d'unité qui sont requis constituent le miracle qui va confondre les infidèles ?

– Je remercie Dieu d'avoir lié ma prospérité à la vôtre, s'écrie Marguerite. Je ne pourrais atteindre un plus grand bonheur !

Un rugissement de joie collectif lui répond. Pendant un long moment, Marguerite est entourée, congratulée, embrassée. Soudain, dominant le tumulte, la voix étonnamment forte de John Noyes résonne :

– Eh bien, Miss Reenod, que pensez-vous de tout cela ?

Il faut de longues secondes à Flavie pour réaliser que ce nom prononcé avec un horrible accent yankee… ce nom est le sien ! Tous les regards convergent vers elle et un silence général se fait. Son premier réflexe est de chercher Marguerite des yeux pour trouver du réconfort dans la chaleur de son expression. Mais son amie, au contraire, imite en tout point la mine presque méfiante du fondateur ! Se secouant enfin, Flavie se campe sur ses pieds et, d'une voix mal assurée, elle répond avec une extrême lenteur :

– J'envie ma compatriote, Father Noyes, d'avoir trouvé la paix de l'âme.

En quelques foulées, l'homme s'approche d'elle. C'est la première fois qu'elle a le loisir de le contempler de si près.

En un éclair, elle enregistre la pomme d'Adam proéminente, le collier de barbe brune, le nez large et droit entouré de sillons qui descendent jusqu'à la commissure des lèvres minces, les joues creuses dont la peau semble rêche et, surtout, les grands yeux aux iris sombres, bien enfoncés dans leurs orbites et surmontés de sourcils en accents circonflexes.

Tendue comme un ressort, Flavie sent une sueur froide lui couvrir la nuque. Se pourrait-il qu'on la juge si peu méritante ? À travers un brouillard, elle l'entend dire :

– Ne vous inquiétez pas, gente dame. Vous êtes trop fraîchement arrivée parmi nous pour qu'une séance de remontrances soit utile. De plus, votre comportement est exemplaire à bien des égards.

Inondée de soulagement, Flavie disjoint ses doigts devenus blancs à force d'être pressés les uns contre les autres. Épisodiquement, une partie des membres de la communauté se réunit pour une critique sévère des faiblesses de l'un d'entre eux. C'est une réelle épreuve dont, paraît-il, on émerge grandi... Noyes s'est accoutumé à cette pratique alors qu'il était étudiant en théologie et il estime que c'est un excellent moyen pour aider les convertis à se perfectionner, à abandonner les us et coutumes de « l'ancien monde » afin d'acquérir ceux qui sont requis à Oneida.

– Cependant, nous avons jugé qu'il était temps de vérifier la force de votre engagement. Seule une totale sincérité apporte la liberté. C'est en proie à une crise conjugale que vous êtes arrivée parmi nous, Miss Reenod, et l'urgence n'est pas toujours la meilleure conseillère. Nous aimerions avoir de vous une première confession. Peut-être pas l'ultime confession, celle grâce à laquelle vous devenez membre à part entière de notre communauté, mais disons... un énoncé d'intentions. Vous savez que nous sommes extrêmement prudents concernant les admissions...

Pendant les premières années d'existence de la communauté, un plus grand laxisme régnait à cet égard, ce qui a entraîné un roulement élevé de membres. Le climat de stabilité et l'élévation spirituelle en ont souffert… Flavie admet humblement :

– Je suis consciente d'avoir été extrêmement privilégiée à mon arrivée, Father Noyes. Vous auriez fort bien pu me renvoyer en Canada…

– Si j'avais été présent, c'est sans doute ce que j'aurais fait. Mais notre cher John avait l'âme tendre, ce jour-là !

La boutade a été lancée avec froideur et personne n'ose sourire, surtout pas Flavie qui sait qu'il faut souvent aux candidats des années d'une correspondance assidue avec l'un des membres pour que leur demande soit prise en considération. Cependant, elle ne peut s'empêcher de préciser, tout en jetant un regard vers l'intéressé qui a la tête baissée et l'attitude repentante :

– Nous avons eu une très sérieuse conversation, Mr. Miller et moi. Il m'a posé de nombreuses questions sur ma vie et sur mes connaissances au sujet d'Oneida et de votre religion.

– Je suis parfaitement au courant. John s'est avoué impressionné par tout ce que vous saviez déjà à notre sujet.

– Vraiment ? s'étonne candidement Flavie. Pourtant, si je songe à tout ce qu'il me reste à apprendre…

– Cette attitude modeste vous fait honneur, mais ne vous diminuez pas. J'ai pu vérifier à mon tour comme vous étiez avancée dans votre connaissance des grandes erreurs de ce temps. Philosophiquement, vous avez compris à quel point le mode de vie en vogue est en train de conduire le monde à sa perte. Il était clair pour John et moi que vous avez fait beaucoup de chemin. Par ailleurs…

Noyes marque une pause et, sans la quitter des yeux, se gratte la barbe un moment. Puis, de la même voix calme qu'il prend bien garde d'élever, il reprend :

– Par ailleurs, nous avons été frappés par ce qui semble une parfaite sincérité, de même que par votre aisance à parler de vous-même, sans faux-fuyants, sans fausse pudeur. Ce sont deux attitudes essentielles, Miss Reenod, pour être acceptée parmi nous.

Flavie hoche faiblement la tête. Si elle est impressionnée par son discours, elle l'est encore davantage par l'intensité qui irradie de son être et qui se devine aussi, malgré le timbre contenu, dans ses propos. Elle a la sensation qu'il est impossible de cacher à cet homme quoi que ce soit d'essentiel et qu'il sait déchiffrer même les âmes les plus opaques. Ce qu'elle a cru percevoir à la lecture de ses textes lui apparaît clairement : John Noyes a réussi à comprendre l'être humain diablement mieux que la plupart de ses contemporains. Il faut dire qu'il a plongé bien creux en lui-même…

Subitement, Noyes l'interroge sur Bastien et, tout en se raidissant, Flavie répond que, puisqu'il ne donne pas suite à ses lettres, elle ignore totalement ce qu'il pense de son intention de se joindre à l'Association. Cependant, la perspective qu'il se convertisse à leurs idées semble tellement absurde à Flavie qu'elle ne peut retenir un mince sourire de dérision. Cette expression fugace n'échappe pas à son interlocuteur, qui l'interpelle d'un regard interrogateur. Elle précise hâtivement :

– Mon mari est un homme de valeur, dans ses idées comme dans ses actes. Mais il est fièrement moins préoccupé que moi par les idées socialisantes. Je ne crois pas qu'il partage mon désir de vivre dans une société communautaire telle que la vôtre.

– L'aimez-vous encore, Miss Reenod ?

Flavie tressaille comme si on venait de la piquer avec une aiguille. Une quasi-centaine de personnes boivent ses paroles et c'est également pour leur bénéfice qu'elle doit s'ouvrir le cœur! Elle doit rester ingénue, elle ne doit rien leur dissimuler d'important parce que l'un d'entre eux, à défaut de Noyes lui-même, s'en apercevra fatalement... De toute façon, cette antipathie viscérale pour la prétention et le mensonge, elle a l'impression de la ressentir elle-même, à des degrés divers, depuis toujours.

– Oui, d'une certaine manière, je l'aime encore. Il a été tendre envers moi, Father Noyes. Ce que j'ai aimé de lui demeure encore en lui.

Elle inspire profondément pour se donner du courage. Elle a la sensation que tout son être vibre littéralement d'émotion...

– Cependant, j'ai compris que... que je ne correspondais pas à qui il recherchait comme épouse. De même, il ne me convient pas... En fait, j'ai compris grâce à vous bien des choses sur la nature de l'amour. J'ai compris que l'amour des hommes ne sert qu'à vivre l'amour divin. C'est une philosophie qui me plaît infiniment. Le divin est en nous...

Flavie hésite un moment, puis elle envisage le fondateur avec franchise avant de poursuivre:

– Il y a longtemps que j'hésite sur la nature du divin. Plus jeune, je regardais les images de Dieu, dans les livres et sur les murs des églises, et je ne pouvais pas m'empêcher de le trouver bizarre... Ce Dieu représenté comme un patriarche à la barbe blanche, il ne me touchait pas. Il m'empêchait de comprendre que Dieu, en fait... je ne sais pas, Father Noyes, mais il me semble que le vrai Dieu, c'est la force de l'amour.

Attendri, le fondateur murmure avec gentillesse:

– Je comprends votre sentiment d'étrangeté...

– Selon vous, le fils de Dieu est déjà revenu sur terre pour nous sauver. J'essaie de me pénétrer de votre vénération pour le Messie. Ses enseignements me semblent très justes et j'essaie de les faire miens, mais sa personne... Sa personne qui vous semble si concrète, comme si vous l'aviez côtoyée vous-même...

– Si vous m'acceptiez comme son représentant, comme un intermédiaire entre son père et vous, ce serait déjà magnifique.

Soulagée d'un grand poids, Flavie considère John Noyes avec bonheur. En réaction, son expression s'adoucit considérablement et il lui sourit, des étoiles dans les yeux.

– À vous regarder, Miss Flavie, je sens que vous êtes bien proche d'atteindre à cette joie à laquelle nous aspirons tous ! Vous permettez que je vous appelle par votre prénom ?

Elle hoche la tête à plusieurs reprises, avec allégresse. Désireuse de préciser sa pensée, elle dit encore :

– Je partage sans réserve votre dédain de l'idolâtrie. Si vous saviez, Father Noyes, à quel point je suis révoltée par les pratiques barbares des hommes ! J'en voyais de belles, dans mon métier... J'essayais de comprendre ce qui pouvait engendrer une concupiscence si malsaine du mâle envers la femelle. J'ai la conviction que je suis en train de trouver la réponse parmi vous. J'ai la conviction, Father Noyes, que c'est parce que nous n'avons pas appris à aimer !

Une salve d'applaudissements spontanés répond à Flavie, à sa grande surprise, et elle en rougit jusqu'à la racine des cheveux. Réjoui, John Noyes se dandine et réplique enfin :

– Un système théologique, ça s'apprend. Je suis parfaitement conscient que le mien est complexe et dérangeant. Mais avant de nous rejoindre, vous portiez déjà en vous les germes de notre philosophie !

En provenance de la droite de Flavie, une voix féminine s'exclame :

– De la part d'une amie de Maggy, on ne pouvait s'attendre à moins !

Rosissant, Marguerite incline la tête en signe de déférence. C'est avec une gravité nouvelle que Noyes reprend :

– Vous avez passé plusieurs mois parmi nous. Il est plus que temps, maintenant, de vivre pleinement selon nos principes. De cette manière seulement, vous pourrez aspirer au titre de membre d'Oneida. Si votre mari était parmi vous, Flavie… seriez-vous capable de distribuer votre affection à tous ?

Devant le regard ardent de John Noyes, Flavie frissonne de la tête aux pieds, comme si elle coulait en eaux froides. Peut-il lire jusqu'au tréfonds de son être, comme elle en a l'impression très nette ? La bouche sèche, elle articule :

– Je ne sais pas encore. Je veux bien essayer. Je ne vous cacherai pas que ce qui m'effraie, Father Noyes, c'est la réaction de mon mari lorsqu'il viendra à… à entendre parler de ce qu'il interprétera comme une trahison, n'est-ce pas ? J'ai peur de sa colère, j'ai peur de sa déception et j'ai peur surtout du chagrin qu'il aura peut-être…

Envahie par un puissant désarroi, Flavie ne peut retenir les larmes qui se pressent sous ses paupières. Des paroles de réconfort lui parviennent de l'auditoire, tandis que Harriet Noyes et Charlotte Miller viennent l'entourer et lui prendre la main. L'expression fervente, l'épouse du fondateur bafouille, pleine de compassion :

– Pauvre amie, si belle et si douce… Comme vous êtes aimable de nous confier la source de vos tourments ! Vous nous donnez ainsi la chance de vous aider, de vous accompagner dans votre quête de Dieu.

– Votre sentiment de commisération pour votre mari est admirable, dit la seconde à son tour, mais il vous faut passer outre. Ne vous retenez pas sur la voie de la sainteté à cause de lui. Lorsque vous vous abandonnerez à vivre l'amour de Dieu dans toute sa plénitude, vous serez envahie par un tel sentiment d'exaltation que vos frayeurs de ce soir vous paraîtront bien négligeables !

La voix de Noyes s'élève de nouveau :

– Flavie, si votre mari était présent parmi nous... accepteriez-vous de bonne grâce de le voir aimer chacune des femmes présentes, en vous réjouissant de le savoir si heureux ?

Flavie reste sans voix. Elle n'avait pas songé à cette éventualité... Elle clôt les paupières un court instant, pour plonger au plus creux d'elle-même, et elle bégaye enfin :

– J'essaierais, Father Noyes. J'essaierais de toute mon âme, parce que c'est la plus belle façon d'aimer. J'aurais tant voulu qu'il m'aime sans entraves ! J'aurais voulu qu'il me préfère libre... Oui, Father Noyes, je veux apprendre à aimer de même.

Un silence respectueux lui fait écho. Les yeux baissés, ses mains bien au chaud dans celles des deux dames les plus puissantes de la communauté, Flavie n'ose pas bouger d'un pouce. Enfin, Harriet Noyes déclare gentiment :

– Chère amie, vous connaissez nos habitudes de compagnonnage. Selon le principe qu'il est nécessaire, pour s'élever, que le flot d'amour se déverse à partir de Dieu jusqu'au plus commun des mortels, il vous faut cultiver des amitiés qui comptent. Vous devez fréquenter ceux qui se tiennent en avant de vous, sur le chemin, et qui peuvent vous tendre la main pour vous aider à franchir les précipices. Notre bon Stephen fait partie de ceux-là, n'est-ce pas ?

Saisie par cette allusion si directe, Flavie ne peut néanmoins s'empêcher de le chercher des yeux. À quelques rangées de distance, il soutient posément son regard. La voix de l'épouse du fondateur, plus dure, résonne encore :

– N'allez pas croire qu'il s'agit d'un chemin aisé. Malgré toute votre bonne volonté, vous rencontrerez les mêmes écueils que nous. Le culte de l'idolâtrie est si bien ancré qu'il faut un incessant travail pour s'en débarrasser.

– Il faut surtout, enchaîne son époux, s'abandonner à la volonté de Dieu. Tous, ici, vous feront le même témoignage : c'est à partir du jour où l'on abdique totalement, où l'on se place entre les mains du Créateur, que les difficultés s'estompent. Il ne reste, alors, que la joie pure d'accomplir totalement Sa volonté. Vous verrez comme c'est grisant...

En Flavie, le démon du scepticisme s'éveille. *Sa* volonté? Comment le sait-il, que c'est *Sa* volonté? Comment Noyes peut-il réellement prétendre qu'il est le seul à avoir compris dans toute sa perfection les intentions du Créateur? Mais Flavie ne peut endurer ces dérangeantes pensées et elle se morigène aussitôt. Va-t-elle finir par comprendre que des événements extraordinaires surviennent parfois dans la grande marche de la planète? Que les esprits trop raisonnables restent insensibles aux réalités d'un monde invisible, celui des forces spirituelles en action? Si une seule personne peut faire pénétrer Flavie jusqu'au cœur de cette sphère fabuleuse où semble régner un incommensurable bonheur, c'est bien John Noyes...

Ce dernier gratifie Flavie d'une légère inclinaison du torse, puis il tourne les talons. Après une dernière pression de la main, les deux dames lui emboîtent le pas. Des conversations feutrées reprennent, mais Flavie sent bien que l'attention générale est encore tournée vers elle. Elle est épuisée et n'a qu'une seule envie, courir se cacher sous les couvertures de son lit, mais soudain Stephen, qui s'est approché, lui tend la main en bredouillant:

– Je vous reconduis à votre chambre?

Elle acquiesce d'un battement de cils. Avec hésitation, elle glisse ses doigts entre les siens et, ainsi liés, tous deux sortent de la pièce, tandis que l'attention générale revient vers Marguerite, la récente convertie. Une fois dans le corridor, elle murmure qu'elle est terriblement fatiguée et il répond qu'il s'en doutait et qu'il ne comptait pas la retenir plus de quelques minutes, le temps de commencer à faire connaissance. Obligeamment, elle le suit jusque dans un recoin sombre du rez-de-chaussée. Il tire le rideau d'une fenêtre et découvre, à travers les carreaux, un paysage pâle éclairé par une lune aux trois quarts pleine.

Pour Flavie, c'est comme si une bouffée d'air frais s'insinuait dans son esprit, chassant le terrible chaos qui y règne. Rassérénée, elle contemple sans mot dire le spectacle de la nuit automnale, respirant amplement pour se détendre. Elle tient toujours la main de son prétendant et, à son tour, elle étreint ses doigts un bref moment.

– Comment vous le saviez, Stephen, qu'il fallait m'emmener ici ?

Il sourit.

– Moi aussi, de telles épreuves, j'en ai traversé... C'est ici que je viens me réfugier quand j'ai besoin de calme. Parfois même, je prie en regardant le ciel. Je trouve ça inspirant...

À l'idée qu'elle va bientôt se glisser entre les bras de cet homme, Flavie se sent chavirer. Elle est prise d'un long frisson où l'impatience et l'appréhension s'entremêlent... Il faudra qu'elle l'écrive à Bastien. Elle est incapable d'accomplir un tel acte sans être parfaitement honnête avec lui. Entre eux, déjà, il y a eu trop de dissimulation... Sans réfléchir, elle confie cette pensée à Stephen qui, les yeux agrandis, l'écoute avec attention. Lorsqu'elle se tait, confuse, il réagit enfin :

– À votre guise, ma belle amie. Cependant, si vous espérez qu'il vous comprenne, vous serez déçue ! L'instinct de possession est l'un des plus forts chez le mâle. Peut-être même... le plus brutal d'entre tous. J'en sais quelque chose. J'ai sué comme un damné pour m'en délivrer...

La manière dont la nouvelle sera reçue, Flavie n'en a cure. Tout ce qui compte à ses yeux, c'est de ne pas vivre avec ce pesant secret, d'agir en pleine lumière, sans fausse honte. Dès sa première lettre à Bastien, elle était décidée à ne faire aucun geste important sans le tenir au courant. Elle n'attend rien de cette franchise, qui lui procure tout bonnement un intense soulagement, celui de fuir les zones d'ombre déjà trop nombreuses dans leur vie conjugale. Il pourra la haïr, mais au moins, il ne pourra lui reprocher, cette fois-ci, de lui jouer dans le dos.

Stephen lui propose de la raccompagner jusqu'au pied de l'escalier. Elle voit bien qu'il apprécierait, avant de quitter ce recoin, une preuve d'affection, même ténue. Jusqu'ici, elle n'a fait que recevoir ses avances… Un jour, mue par son ressentiment envers Bastien, elle est prête à sauter la clôture ; le lendemain, elle appréhende fort les conséquences de ce qui est vu par la morale dominante comme une trahison ! Elle rassemble tout son courage pour se hausser sur la pointe des pieds et pour poser ses lèvres sur sa joue, un peu longuement. Lorsqu'elle recule, elle soutient son regard ravi avant de chuchoter :

– Je vous trouve agréable, Stephen. J'espère que vous le savez…

Une fois dans le dortoir, elle se prépare pour la nuit en un temps record et disparaît enfin au creux de son lit comme si elle se glissait dans une tanière où ne peut pénétrer âme qui vive. La vie communautaire se révèle exaltante, mais une chance qu'existe cet espace privé de la nuit et du sommeil !

Chapitre V

Léonie jette un coup d'œil craintif à la nouveau-née emmaillotée qu'elle tient dans les bras. Quelques heures plus tôt, sitôt l'angélus sonné, Lina a expulsé une fillette, menue mais bien constituée. Comme de coutume pour une ébraillée, la jeune mère ne lui a même pas accordé un regard, et maintenant elle somnole, le visage tourné vers la fenêtre. Il est plus que temps de conduire l'enfant à l'église paroissiale pour un baptême rapide avant de trotter jusque chez les sœurs grises. Bientôt, le nourrisson délaissé réclamera le sein en vagissant à pleins poumons ! Rien de plus cruel que de faire retentir cet appel aux oreilles d'une mère qui s'oblige à l'indifférence.

La sage-femme en chef de la Société compatissante doit bien se rendre à l'évidence : il lui faudra elle-même effectuer cet éprouvant transport. Ces temps-ci, son tour revient plus souvent qu'autrement... Parmi les dames patronnesses, seules Delphine et Céleste ont réussi à s'endurcir suffisamment pour oser un tel voyage. À cette occasion seulement, Léonie regrette le départ de Vénérande Rousselle qui, si elle était devenue insupportable, prenait cependant les nouveau-nés en charge avec aplomb !

Son fardeau au creux du bras, Léonie descend l'escalier. Au rez-de-chaussée, Marie-Flonorine Martinbeau, la concierge, lui adresse un fugace sourire de réconfort avant de s'enfuir vers une autre extrémité de la maison. Les deux élèves sages-femmes comme les quatre étudiants en médecine présents à la délivrance ont disparu. Et Marie-Julienne ? Formée à l'École de sages-femmes, la jeune accoucheuse a remplacé aujourd'hui Magdeleine qui, en raison d'un rare concours de circonstances, a dû délaisser en catastrophe le chevet de Lina pour aller porter secours à sa nièce dont les douleurs devenaient anormalement aiguës. Si Lina s'était délivrée aisément, Mlle Jolicœur l'aurait accompagnée seule, mais ce ne fut pas le cas et Léonie a dû quitter le confort de sa cuisine et de ce dimanche paresseux.

Les traits encore placides, la petiote ouvre néanmoins toutes grandes ses paupières. Après une moue d'impatience, Léonie est sur le point d'appeler son ancienne élève à grands cris lorsqu'elle apparaît comme par enchantement à ses côtés. Sans un mot, Léonie lui fourre le bébé dans les bras avant de s'empresser de revêtir ses habits d'hiver. Les iris foncés de la jeune femme semblent s'assombrir encore davantage et elle marmonne, les yeux plissés jusqu'à ne former qu'une mince ligne :

– Vous voulez que... que je vienne avec vous ?

– Bien entendu. Il faut vous y accoutumer.

Souple et longiligne, Marie-Julienne a encore l'aspect d'une adolescente et Léonie, pour ne pas avoir de remords, évite consciencieusement de la regarder. Avec son aide, elle installe la nouveau-née chaudement couverte dans un châle épais noué en travers de son torse, ce qui libère ses mains. La délaissée pousse d'incertains vagissements, heureusement interrompus dès que les deux praticiennes se mettent en marche dans la vive froidure de ce début de décembre.

Après les premiers timides flocons et de fortes gelées, puis un redoux accompagné d'abats de pluie, une bordée de neige a enfin installé l'hiver et fait sortir les traîneaux des hangars ! Néanmoins, elles cheminent relativement aisément vers l'église Notre-Dame, à quelques rues de distance, silhouettes d'autant plus anonymes que la nuit vient tout juste de tomber et que les promeneurs sont rares. À mi-voix, Léonie glisse à l'adresse de Marie-Julienne :

– J'espère que la file sera courte devant les sacrés fonts... En cette période, il y a moins de naissances, n'est-ce pas ?

La jeune femme lui répond par une grimace. Quelques fois, il leur a fallu attendre des heures, en compagnie d'un bébé en colère, avant que leur tour ne vienne ! Ce temple est le seul de la vaste et peuplée paroisse de Montréal où les Canadiens catholiques peuvent venir solliciter le sacrement du baptême.

En cette heure creuse de la journée, avant les vêpres, l'église est relativement déserte. Quelques religieuses membres de la congrégation de Notre-Dame sont en prière et ne leur accordent pas un seul regard tandis qu'elles traversent la nef en entier pour rejoindre la sacristie. Ce qui n'était pas le cas autrefois, du moins quand l'enfant manifestait à grands cris son inconfort ! Léonie se souvient avec acuité de son premier baptême en tant que sage-femme engagée par la Société compatissante. C'était en mai 1846, deux mois après l'ouverture officielle du refuge. Quelques Montréalistes tardaient encore à s'habituer à cette réalité pour eux dérangeante, celle de la présence en leur ville de refuges dont les ébraillées constituent une part importante de la clientèle.

Or il semble que, pour certains, les filles publiques incarnent le diable en personne ! En cours de route, Léonie avait donc été la cible de regards ostensiblement méprisants. De plus, comme les cris du poupon rivalisaient avec les voix des chantres qui célébraient alors un office, les religieuses dans l'assistance avaient rougi de honte et l'une d'entre elles, au grand désarroi de Léonie, avait même pleuré... Elle ignorait par quel phénomène toutes ces personnes la connaissaient déjà de vue, mais le fait était là : malgré ses vêtements civils, plusieurs savaient qu'elle transportait « un enfant du péché ».

Mais cet opprobre est sans commune mesure avec celui qu'ont dû subir les pionnières en ce domaine parmi la population francophone de la métropole, les dames qui se sont rassemblées autour de la veuve Rosalie Jetté et qui ont revêtu l'habit religieux en 1848 pour se transformer en Sœurs de Miséricorde. À deux reprises, Léonie a assisté à un révoltant spectacle. Comme pour s'assurer de la véracité de leur existence, un homme bien mis s'est approché pour toucher l'habit d'une religieuse portant un nourrisson, puis il a échangé une moue goguenarde avec la dame qui l'accompagnait; une autre fois, trois individus se sont attachés aux pas d'une novice en rigolant et en poussant des cris plaintifs identiques à ceux d'un bébé naissant. Rouge de fureur, Léonie s'est retenue à grand-peine de les tancer vertement. Quelle insensibilité, quelle fatuité! Il ne s'agissait que de quelques actes isolés, mais qui mettaient à rude épreuve la modestie des religieuses.

Absorbée dans ses pensées, Léonie réalise au tout dernier moment que celles qui sont le sujet d'une si intense songerie se tiennent précisément devant elle, à la queue de la file devant les fonts baptismaux de la sacristie. Léonie reste saisie par la vue de ces deux silhouettes caractéristiques recouvertes de noir, puis elle s'éclaircit la voix avant de prononcer doucement:

– Bien le bonjour, mes sœurs. Votre voyage s'est effectué sans encombre aujourd'hui?

L'une d'entre elles se retourne d'un seul mouvement, révélant un visage illuminé par la joie. Abasourdie, Léonie reconnaît son ancienne élève, Catherine Ayotte. La pâleur de son étroit visage rivalise avec le bonnet tout blanc qu'elle porte, celui de novice. Toutes deux s'étreignent la main avec effusion, puis la jeune femme, devenue sœur Marie-des-Saints-Anges, répond finalement à la question de Léonie:

– Oui, grâce à Dieu. Je me suis fortifiée, comme à l'habitude, en m'imaginant que c'est le petit Jésus en personne que sœur de la Nativité porte, mais je crois que bientôt, nous serons devenues aussi peu remarquables dans le paysage qu'une carriole en hiver.

Léonie se rend alors compte que celle qui accompagne Catherine n'est nulle autre que Rosalie elle-même. La petite et solide dame n'a pas bronché et, après un temps, tout en secouant légèrement la nouveau-née pour éviter qu'elle ne pleure, Léonie l'interpelle avec gentillesse :

– Ma mère, il me fait grand plaisir de vous rencontrer. C'est une occasion si rare que je l'apprécie à sa juste valeur.

Enfin, la fondatrice de l'hospice Sainte-Pélagie se retourne lentement et, sous la coiffe noire éclairée d'un sobre bandeau blanc, elle la gratifie d'un regard spéculatif, étrangement détaché. Léonie observe un instant son large visage au nez épaté, ridé par l'âge et une vie de pauvreté, avant de décliner sa propre identité et de faire de même pour Marie-Julienne. Sœur de la Nativité leur adresse un pâle sourire et un courtois signe de tête. C'est une femme notoirement peu bavarde, en partie à cause de sa faible instruction, et qui s'absorbe généralement dans un intense dialogue intérieur avec le divin. Léonie tente néanmoins d'attirer son attention :

– Un grand calme règne ici astheure et nos petits protégés sont des anges de patience, n'est-ce pas, chère sœur ? De plus, les choses vont bon train et le saint baptême ne tardera pas.

Rosalie incline derechef la tête avec affabilité, avant de reporter son attention vers l'avant.

– La délivrance de tantôt a été ardue et nous sommes épuisées, explique Catherine avec lassitude.

Elle leur fait un récit effarant. Au moment de son entrée, un mois plus tôt, cette patiente était extrêmement agitée, brisant des objets, en volant d'autres, et sur le conseil de Mgr Bourget, les religieuses se résolurent à l'envoyer à la prison. Néanmoins, son terme survenu, il fallut bien la reprendre et dès son entrée, la veille au soir, elle se mit à rire et à se moquer à haute voix des prières qu'un prêtre récitait en compagnie d'une autre « pénitente », comme on nomme les parturientes à Sainte-Pélagie. Puisqu'elle serait peut-être appelée incessamment à paraître devant Dieu, on la prévint qu'elle avait tort d'agir ainsi, ce qui eut pour seul effet d'augmenter son tumulte intérieur, et elle finit par s'emparer de la bouteille d'eau bénite pour la jeter par la fenêtre.

Léonie ne peut retenir un vif mouvement de contrariété devant cette nouvelle preuve de la cruauté de cette idéologie centrée sur la peur du jugement de Dieu et de l'enfer, enseignée par les prêtres et reprise avec une ardeur missionnaire par les communautés religieuses féminines. Les bonnes sœurs ne peuvent supporter l'idée d'une vie et encore moins d'une mort en état de péché et elles font tout en leur pouvoir pour persuader les femmes en couches de la nécessité de la confession et du repentir.

Catherine clôt sa relation en expliquant que seule l'intensité de ses douleurs a su calmer la rébellion de la parturiente. Comme le poupon qui précède immédiatement les deux religieuses se met à protester contre les manipulations intempestives du célébrant, la conversation doit s'interrompre alors. Léonie réalise qu'il s'agit du nouveau curé de Notre-Dame de Montréal en personne, le sulpicien Mathurin Laugier. Décidément, c'est la journée des rencontres singulières !

Aux hurlements du baptisé font écho ceux de plusieurs autres nourrissons. Sans mot dire, Marie-Julienne retire le bébé des bras de Léonie et s'éloigne en le brassant vigoureusement, ce que fait également sœur de la Nativité de son côté. Léonie reste seule en compagnie de sœur Marie-des-Saints-Anges et s'enquiert avec courtoisie :

– J'espère de tout cœur, Catherine, que vous n'avez pas à endurer trop de privations ?

Les yeux de la jeune novice s'agrandissent démesurément sous l'effet d'un désarroi irrépressible, et Léonie se sent attirée dans un abîme, celui d'une âme en détresse. Bouleversée, elle ne peut s'empêcher d'aller lui effleurer la main, comme si elle voulait aider une enfant égarée dans une contrée hostile à retrouver son chemin. Avec un mélange de fermeté et de compassion, elle murmure :

– Épargnez-moi les réponses convenues dont les bonnes sœurs font grand usage. Personne ne me fera accroire que notre évêque n'a pas agi sur un coup de tête.

Faisant fi du plus élémentaire bon sens, Mgr Bourget a convaincu Rosalie d'ouvrir un refuge, puis de le transformer en communauté, en lui promettant que Dieu viendrait à son secours lorsque ce serait nécessaire ! Léonie s'échauffe : si l'évêque de Montréal n'est pas chiche de ses maigres deniers ou de ses dons matériels envers la jeune communauté, il a quand même précipité la création d'une fondation vouée à des années de misère. Il savait pertinemment que Rosalie, pauvre et illettrée, disposait de bien peu de ressources, dot ou relations bien placées !

Pendant les premières années d'existence des Sœurs de Miséricorde, bien des Canadiens ont cru à une farce, une mascarade. Jusque-là, des dames laïques s'occupaient des filles-mères qui allaient cogner aux portes des presbytères. Mais confier ces pécheresses à des religieuses ayant fait vœu de pureté et de chasteté ? Quelle outrecuidance ! C'était faire se voisiner anges et démones, c'était exposer des âmes pures aux tentations ! C'était même un encouragement au crime : ces filles devaient être laissées seules dans la rue, unique moyen de les corriger !

La voix rauque, gardant contenance au prix d'un effort manifeste, sœur Marie-des-Saints-Anges bégaye :

– Ces pauvres créatures subissaient un bien triste sort avant que Rosalie en prenne soin… Voilà la pensée qui fortifie mon courage. D'accord, c'est une rude existence. Néanmoins, nous avons un toit…

– Garni de trop peu de lits.

– … et toujours du pain à manger.

– Mais parfois rien d'autre!

Les lèvres de Catherine s'étirent en un pitoyable sourire.

– M. Rey, l'ancien confesseur, ne disait-il pas que fortifiées par l'amour de Dieu, les sœurs pouvaient se contenter de pain et de queues d'oignon?

Léonie fait une si éloquente mine agacée que son interlocutrice s'en amuse, redevenant la demoiselle enjouée qu'elle était pendant son séjour à l'École de sages-femmes. Mais cet éclair de gaieté est prestement chassé et elle redevient la digne novice qu'elle doit être. Elle laisse tomber comme un prêche:

– Sœur de la Nativité nous répète souvent que, pour suivre Jésus-Christ dans la conquête des âmes, il faut tout lui sacrifier. Il faut se quitter soi-même… Il faut prier nuit et jour, dit-elle, pour que Dieu nous accorde la grâce de s'occuper de ses intérêts, même si nous sommes calomniées et persécutées. Nous ne sommes que l'instrument pour assurer sa gloire. Dieu est toujours adorable et bon, et les difficultés sont la marque de ses œuvres.

La jeune femme, estime Léonie, témoigne d'un subtil manque de ferveur dans ses propos… Elle les récite trop benoîtement, sans enthousiasme. Ce qu'elle articule ensuite confirme l'intuition de sa vis-à-vis:

– Ce qui est le plus difficile… Je veux dire, en vérité, ce qui tourmente mon âme…

Elle sursaute et s'interrompt: M. Laugier vient de requérir leur présence au moyen d'un appel impatient. Dès que Rosalie parvient à sa hauteur, Léonie l'interpelle dans un chuchotement:

– Puis-je vous quémander un baptême de groupe ?

Sous l'effet de la surprise, la religieuse la fixe avec intensité, puis elle détourne les yeux avec son détachement coutumier et hoche simplement la tête. Devant Marie-Julienne et sœur de la Nativité placées côte à côte, chacune un bébé en pleurs dans les bras, le sulpicien hausse les sourcils et reste un moment désarçonné, puis il s'empresse d'accomplir la cérémonie tambour battant. Léonie l'observe entre ses cils. Elle ne l'avait pas encore contemplé de proche : âgé d'une quarantaine d'années, de forte stature et les joues pleines, il offre un contraste saisissant avec son prédécesseur, Philibert Chicoisneau, si maigre et si pâle qu'il semblait avoir la consistance d'un spectre !

Enfin, toutes quatre font demi-tour et se dirigent vers la porte d'un pas pressé. À la tête du petit cortège, Léonie entend alors une phrase chuchotée qui lui retourne les entrailles aussi sûrement qu'un dérangement de l'estomac :

– Ma chère, inclinons-nous avec respect au passage des putains du Seigneur…

Léonie s'arrête net, obligeant celles qui la suivent à faire de même, et elle lance un regard scandalisé à un bourgeois bien mis, adossé au mur près de la sortie et qui se penche vers sa voisine, une dame souriante vêtue avec recherche. Railleur, il détaille sans vergogne la mise des deux religieuses. Léonie sent une main dans son dos la pousser vers la porte, mais elle ne s'en préoccupe pas et elle apostrophe l'individu d'une voix claire :

– C'est à nous que vous vous adressez ainsi, monsieur ?

Interloqué, l'homme se redresse quelque peu avant de répondre :

– À vous ? À ce que je vois, vous vous sentez directement concernée…

Et il éclate d'un rire nerveux qu'il a grand-peine à maîtriser. Imperturbable, Léonie réplique, sans chercher à contrôler le timbre de sa voix :

– C'est que je vous ai mal ouï... Nous avez-vous traitées de putains, monsieur? De putains du Seigneur?

Toutes les conversations cessent sur-le-champ dans la pièce et même les pleurs des nourrissons, semble-t-il, diminuent en intensité. Fébrilement, Catherine chuchote à Léonie qu'il est inutile de faire de l'esclandre, que les sœurs de Miséricorde sont accoutumées aux insultes et qu'il serait séant de passer droit leur chemin. Léonie fait mine de ne pas l'entendre. Les poings serrés, elle fait un pas vers le malotru et le somme de répéter d'une voix claire ce qu'il a osé proférer entre ses dents. Bien entendu, il reste coi, toute trace d'hilarité disparue de son visage. Avec dureté, Léonie articule d'une voix qui porte:

– Sans ces charitables bonnes sœurs, ce nouveau-né aurait peut-être été abandonné dans la neige parce que sa mère, victime des abus des hommes, ne peut se passer de son gagne-pain.

– Condamné à trépasser sans avoir reçu la grâce du saint baptême!

– Un tel crime, monsieur, vous semble préférable?

Dans la sacristie règne un silence de mort, troué par quelques faibles vagissements et par la litanie de prières que marmonne sœur de la Nativité tout en tripotant le long chapelet qu'elle porte à la taille. Sans ciller, Léonie fixe le bourgeois défiant et mal à l'aise. Avec une moue méprisante, elle dit encore:

– Mon impression à moi, monsieur, c'est que ceux qui persiflent sont tenaillés par la crainte. Voulez-vous savoir laquelle? Je vous le donne en mille: celle de voir un secret révélé sur la place publique.

Toutes les personnes de l'auditoire sont suspendues à ses lèvres et Léonie ne se prive pas du plaisir de les faire attendre quelques secondes avant de conclure:

– La crainte d'entendre leur propre nom prononcé comme étant celui du père...

Des murmures outragés s'élèvent tandis que Marie-Julienne pouffe de rire derrière sa main. Léonie sait pertinemment que son insinuation est offensante et, après un salut bouffon à l'adresse de l'homme qui s'empourpre à vue d'œil, elle quitte la pièce avec une démarche de reine, ses trois compagnes sur ses talons. Elles traversent la nef à toute allure et se retrouvent sur le parvis. Par un accord tacite, elles se placent deux par deux pour prendre la direction de la rue des Enfants-Trouvés. Tandis que Marie-Julienne réussit de peine et de misère à dominer son fou rire nerveux, Léonie retrouve progressivement son calme. D'un ton coquin, elle glisse à sa voisine Rosalie :

– Veuillez me pardonner, madame la fondatrice, mais je n'ai pas fait vœu d'humilité. De tels comportements m'échauffent les sangs !

Rosalie reste muette et Léonie est sur le point de se résoudre à une promenade en silence lorsqu'elle entend :

– Madame l'accoucheuse, des échos de votre prompt caractère sont parvenus jusqu'à mes oreilles.

Le ton de sa consœur est bienveillant, quasiment amusé, et Léonie ose profiter de son avantage :

– C'est la présence de vos Madeleines qui vous cause de tels préjudices ?

Avec l'accord de l'évêque de Montréal, la communauté a prévu accueillir en son sein quelques-unes des pénitentes qui désirent y demeurer après leurs relevailles. Cette décision a causé bien des remous parmi les cercles dévots. Comment ces femmes souillées par une grossesse illégitime pouvaient-elles prétendre à l'état de pureté indispensable pour côtoyer si intimement celles qui ont pris le voile ?

– Dans la société, s'indigne à voix basse sœur Marie-des-Saints-Anges, presque tout le monde réprouve que des sœurs s'abaissent à donner des soins intimes à une femme.

Léonie fait une grimace éloquente. Ce sentiment ambiant de réprobation l'horripile. Les sœurs gèrent les hôtels-Dieu et les hôpitaux généraux depuis des temps immémoriaux et, jusqu'à maintenant, personne ne s'offusquait de les voir remplir ces « viles » fonctions que sont les soins des indigents et des déshérités ! L'époque et sa moralité spécieuse lui donnent de l'urticaire... tout comme l'attitude de Rosalie qui modèle son comportement sur celui du Christ chargé de sa croix. D'ailleurs, cette dernière réplique à sa jeune compagne en lui glissant un regard de reproche :

– Les mœurs de la belle société ne me préoccupent guère. Je me trouve contente d'obéir aux ordres du Seigneur et à son commandement de charité. Dieu le veut ainsi, que son saint nom soit béni.

– Nous gagnerions, ma sœur, à nous fréquenter davantage. Dans ce monde dirigé par les hommes, les sages-femmes doivent s'appuyer mutuellement.

À cause de la noirceur quasi totale et de la coiffe collée aux joues de son interlocutrice, Léonie est incapable de déchiffrer son expression. Elle répond cependant :

– Il y a des années, nous avons songé à faire appel à des accoucheuses pour nos pénitentes.

Elle ne dit rien de plus et c'est Catherine qui, derrière, précise sa pensée :

– Les religieuses ont cru que, pour ne pas faire connaître au dehors ce qui se passait entre les murs du refuge, il était plus sage d'apprendre l'art des accouchements et de prodiguer des soins elles-mêmes.

– Pour cela, relève Léonie avec amertume, vous avez choisi de faire appel aux services du Dr Trudel.

Rosalie pousse un soupir d'impuissance et sa réplique finit par jaillir avec une véhémence inusitée :

– Sa Grandeur voudrait même nous voir abandonner nos fonctions au profit des Madeleines !

– Les Madeleines ? répète Léonie avec stupéfaction. Mais elles n'ont aucune compétence pour ce faire !

Elle quémande des explications à Catherine, qui précise les intentions de leur bienfaiteur. Mgr Bourget estime que les Madeleines pourraient prononcer leurs vœux et revêtir l'habit, puis remplir l'office d'accoucheuses. Sœur de la Nativité, malgré tout ce qui lui en coûte, lui a fait part de son opposition à ce projet. Léonie ouvre de grands yeux. Rosalie *s'oppose* à la volonté de celui qui lui transmet la volonté même de Dieu ? La chose l'étonne prodigieusement. Il faut donc qu'elle tienne à son rôle de soignante comme à la prunelle de ses yeux… Dans un élan farouche de sa volonté, Rosalie s'écrie :

– Je fais œuvre de miséricorde et j'ai juré d'y consacrer toute ma vie. Sa Grandeur ne peut m'obliger à rompre cette promesse.

Elles sont parvenues devant la porte du couvent des sœurs grises et leur attention est requise par les formalités pour l'inscription de leurs minuscules protégés. Pendant tout ce temps, sœur de la Nativité prie sans relâche, la tête penchée, ses lèvres bougeant silencieusement. Aux côtés de Léonie, sœur Marie-des-Saints-Anges murmure :

– Elle consacre cet enfant à Marie, lui demandant de le faire périr plutôt que de le voir, un jour, offenser le bon Dieu mortellement.

Saisie, Léonie jette un vif coup d'œil à la jeune novice, qui n'ose affronter son regard. Après un temps, cette dernière fronce les sourcils et s'enquiert :

– Tout à l'heure… N'avez-vous pas qualifié Rosalie de fondatrice ?

Devant le signe d'assentiment de Léonie, elle ajoute avec assurance :

– Mais vous errez : c'est mère Sainte-Jeanne-de-Chantal, notre supérieure, qui est la fondatrice. D'ailleurs, elle a substantiellement doté notre institut…

– L'erreur est commune, l'interrompt Léonie, et j'ai compris depuis longtemps que Rosalie ne se donne pas la peine de la corriger.

L'heure du retour a sonné et elle glisse de justesse à Catherine :

– Ma porte vous est ouverte de nuit comme de jour...

Son ancienne élève tourne vers elle un visage presque terrorisé, avant de s'élancer à la suite de son aînée. Marie-Julienne et Léonie reprennent leur marche vers l'ouest. Cette dernière murmure en glissant son bras sous celui de sa jeune amie :

– J'ai l'estomac dans les talons, pas vous ?

Sa compagne réagit avec emportement, des larmes dans la voix :

– Vous voulez rire ? Nous venons de séparer une petiote de sa mère ! Je ne pourrai rien avaler de la soirée !

Avec commisération, Léonie presse son bras contre son flanc et demeure silencieuse un bon moment afin de lui laisser le loisir de s'apaiser. Elle marmonne enfin :

– Je vous reconduis. Une vieille peau comme moi ne risque rien, tandis qu'un joli minois comme vous... Dire que je regardais de haut cette pauvre Rosalie !

Sa curiosité aussitôt allumée, Marie-Julienne lui demande des précisions et Léonie se met à raconter que la foi naïve de Rosalie et surtout sa soumission totale à son évêque l'indisposaient, mais que la religieuse vient de remonter d'un cran dans son estime. Bien entendu, de par leurs styles de vie si différents, elles sont quasiment en opposition l'une avec l'autre. Cependant, pour la première fois, Léonie est frappée par le fait que Rosalie est, comme elle, une accoucheuse, peut-être moins savante, mais tout aussi compatissante... Un élan singulier d'affection lui réchauffe le cœur aussi sûrement que leurs amples enjambées et, dans sa tête, elle se met à composer la lettre dans laquelle elle détaillera pour Flavie cette journée vraiment particulière. Une missive qu'elle a déjà très hâte de glisser dans la fente dans la boîte à malle!

Marguerite relève la tête de son ouvrage de couture, cessant tout à coup son vigoureux bercement, et s'exclame:

– Bourget fait la preuve par neuf que le ridicule ne tue pas! Ce que ta mère raconte, c'est à tomber par terre!

Dans la salle commune de Mansion House, plusieurs personnes pouffent de rire et Flavie devine que la réplique de Marguerite, lancée en français d'une voix claironnante, est la cause de cet accès d'hilarité. Concentrée, elle poursuit cependant la lecture, modulant son timbre pour être entendue seulement de son amie:

Quand je songe à tout cela, je me dis qu'il y a une autre raison importante pour expliquer la réticence de la veuve Jetté devant l'intention de son évêque. Les Madeleines, ne l'oublions pas, sont des femmes qui ont vécu dans le vice. Rosalie craint de les mettre en contact avec le médecin et ses clercs étudiants, qui ne les traitent pas avec tout le respect qui leur est dû. Tu vois ce que je veux dire... La situation n'est guère simple, pour ne pas dire qu'elle est épineuse. J'ai toujours su qu'on ne pouvait concilier l'idéal de vie en communauté religieuse avec les exigences du métier de sage-femme. Et je ne suis pas la seule, mais pas pour les mêmes raisons que les autres. Moi j'estime que l'habit ne peut que nuire à notre nécessaire liberté de mouvement et de pensée. Eux (les prêtres, les dévots) ils estiment qu'une telle promiscuité ne convient pas à ce saint état. Ils ont peur des tentations du démon... À l'évidence, ces infortunées sœurs de Miséricorde ne pourront pas accoucher encore longtemps et ils sont nombreux à vouloir que ce soient les médecins qui les remplacent!

Essoufflée, Flavie laisse retomber ses bras sur ses cuisses et caresse le feuillet du regard. Comme elle se régale de la verve de sa mère ! Elle est ravie de constater que Léonie tenait à bavarder de tout cela avec elle, comme si souvent auparavant. Le cœur soudain étreint par l'émotion, Flavie songe que Montréal est à des centaines de lieues de distance et que, s'il devait arriver quelque malheur à ses parents… Elle repousse farouchement la puissante montée d'angoisse en prêtant attention à la voix de Marguerite :

– Courageuse Catherine… Que son père ait accepté qu'elle se joigne à cette communauté si mal vue, cela me surprend fort.

Évoquant l'allure du commerçant qu'elle a croisé à quelques reprises, Flavie répond :

– Maman disait que M. Ayotte était un homme dépareillé. Il accordait autant de prix au jugement de sa fille que si elle avait été un garçon.

Envieuse, Marguerite siffle doucement entre ses dents.

– Dans ce cas, tout s'explique… Parce que je t'assure que mon père à moi en aurait fait une syncope ! Je veux dire, une demoiselle peut être appelée à devenir dame de la Congrégation, ou même religieuse hospitalière, c'est de bon ton, mais sœur de Miséricorde ! Une communauté de femmes rustres et incultes, de femmes du peuple, indigne de notre position dans la société…

– Beurrée de sirop ! Si ton père est si sensible, prend garde ! Il risque l'embolie à chaque jour qui passe !

Marguerite fait une grimace de contrariété devant cette allusion au fait qu'en partant de Montréal elle a caché la vraie nature de l'Association des perfectionnistes d'Oneida et qu'elle n'a pas encore eu le courage de renseigner ses parents adéquatement. Elle court le risque de laisser à une autre personne le soin de les informer sur les mœurs démoniaques de la petite communauté ! Sauf qu'en leur apprenant la vérité elle en court un autre, encore plus grand à ses yeux : voir son père rappliquer séance tenante pour la tirer des griffes de ces dégénérés !

Prise entre le marteau et l'enclume, Marguerite tergiverse sans fin tout en sachant pertinemment qu'elle contrevient à l'un des principes sacrés de John Noyes, soit une parfaite limpidité en tout ! Le fondateur prêche par l'exemple en employant, dans plusieurs de ses écrits, un langage considéré comme extrêmement offensant par les prudes. En fait, se réjouissent souvent les deux jeunes femmes, il nomme un chat, un chat ! Mais dans les cercles où l'on n'ose plus dire à haute voix qu'un piano ou une table s'appuie sur des pattes, c'est d'une inconvenance rare !

Depuis quelques semaines, Flavie tente de convaincre sa consœur qu'il y aurait un moyen idéal de justifier sa présence ici aux yeux de ses parents : ramener sur le tapis la question des études en médecine. Nulle part ailleurs qu'au sein de ce groupement de convertis ne trouveront-elles l'appui nécessaire pour s'engager sur ce chemin tortueux mais néanmoins digne d'éloges ! Ses parents n'en sont-ils pas venus à appuyer ce choix, ou du moins à ne pas s'y opposer ? Voyant que leur fille lie son sort professionnel à son séjour à Oneida, M. et Mme Bourbonnière ne pourront que s'attendrir, que se dire que les êtres qui l'encouragent en ce sens ne sont pas si vils…

Flavie est consciente que le cheminement de sa pensée est tortueux, mais c'est le seul atout qu'elle a dans son jeu pour tenter de ranimer la flamme de son amie. Si Marguerite l'écoutait jusque-là avec bienveillance, ce n'est cependant plus le cas aujourd'hui. Elle la considère sans mot dire, et Flavie ressent un léger malaise devant son regard subitement froid et détaché. Elle est obligée de constater qu'une distance qui va croissant s'est installée entre elles… Cet éloignement est encore subtil, mais tangible, du moins lorsque Flavie tente d'amener son amie sur un terrain qu'elle ne souhaite pas fréquenter.

– C'était un combat de grande valeur que je souhaite pouvoir reprendre un jour, affirme-t-elle néanmoins. Pas toi ? L'éducation est si valorisée ici, et on nous encourage à braver les interdits ! Noyes l'a dit lui-même : il attend le jour où les femmes seront considérées partout comme les collaboratrices des hommes. Partout, dans toutes les sphères d'activité !

– J'en suis venue à remettre en question notre outrecuidance, réagit Marguerite avec raideur.

Flavie ouvre de grands yeux stupéfaits. Sa vis-à-vis reprend, fixant le mur :

– Oui, notre outrecuidance. La Bible enseigne que l'union physique et spirituelle de l'homme et de la femme est la plus désirable, la plus productive, la plus enrichissante. Father Noyes en fait même un principe cosmologique : deux énergies qui s'attirent et qui, par ce fait, en produisent bien davantage... Voilà pourquoi, selon lui, nous avons droit à notre place aux côtés des hommes. Voilà pourquoi, aussi, les manifestations de notre amour pour eux doivent être totalement libres, totalement assumées. Autrement, c'est une union stérile... Mais tout cela ne signifie pas que la femme est l'égale de l'homme, comme le prétendent certaines.

Celles qui affrontent ces messieurs dans un but de reconnaissance de leurs droits, poursuit-elle, renient leur féminité et vont à l'encontre du plan divin, qui est de faire se joindre les humains, dans un esprit de totale harmonie. En pratique, la communauté ne s'emploie-t-elle pas à élargir la place des femmes, et tout cela sans affrontement direct, contrairement au Women's Right Movement ? Les femmes d'Oneida ont acquis toutes les libertés possibles, toutes celles que les féministes exigent, sans pour cela déshonorer les principes divins transmis par l'apôtre Paul.

Flavie rétorque que personne, ici, ne s'indigne si certaines d'entre elles ont envie d'apprendre la géométrie ou de se fourrer le nez dans des entreprises traditionnellement masculines !

– C'est considéré bien davantage comme un jeu que comme une affaire sérieuse. À ce que je sache, Flavie, les hommes ne cuisinent pas, ne cousent pas, ne s'occupent pas des enfants ! C'est ici que la question des aptitudes naturelles entre en jeu.

Marguerite s'applique à étayer sa démonstration. Les femmes sont d'une habileté redoutable avec une aiguille, mais elles ont toute la misère du monde à concevoir le fonctionnement d'une machine à forger le métal. Pour que cette communauté fonctionne rondement, ne faut-il pas employer les énergies le plus intelligemment possible ?

– Sans doute, réplique Flavie avec obstination. Mais qui sait, dans cinq ou dix ans, peut-être que les rôles seront distribués très différemment ? Les membres de l'Association sont des êtres tout à fait pratiques : s'il n'y a aucune raison de se priver d'une compétence, pourquoi le feraient-ils ? Il s'agit d'élargir notre champ d'action selon nos affinités ! Enfin, Marguerite ! Je ne te reconnais plus !

– Father Noyes s'appuie principalement, dans sa réinterprétation des Écritures, sur l'Évangile selon saint Paul, qui est devenu son maître à penser. L'apôtre Paul a dit que l'homme reçoit l'inspiration de Dieu, tandis que la femme la reçoit de l'homme. Dans cette optique, les deux sexes ne sont pas égaux. Ils se complètent, comme deux parties d'un tout.

Avec une lenteur délibérée, elle se lève, son attention requise par celui qui approche, vêtu d'une salopette à bretelles et d'une veste en drap de laine sous laquelle se devine une chemise grossière. Frank Prindle fait un large sourire et, ses longues jambes étirées devant lui, il s'installe à proximité de

Marguerite, qui se rassoit. Elle s'attendrit à vue d'œil, se laissant emporter par la force de ce regard mâle vers un ailleurs qui semble infiniment séduisant.

Ennuyée, Flavie jette un regard circulaire dans la salle commune. En ce dimanche soir, trois femmes reprisent des vêtements tandis qu'un petit groupe d'enfants, accompagné d'une surveillante, s'astreint à fabriquer les chapeaux de paille dont les hommes auront besoin pour les travaux estivaux. Elle a envie de s'éloigner sur-le-champ, mais les convenances l'en empêchent et elle lance à l'adresse de Frank Prindle, avec effort :

– Hier, je suis allée admirer votre machine pour les pièges. Très belle œuvre d'art…

Il se rengorge et s'empresse de lui apprendre que les rouages sont maintenant parfaitement huilés. L'année précédente, les plus doués des hommes ont réussi à concevoir une machine-outil qui moule très précisément les mâchoires des pièges pour la trappe, lesquels sont de plus en plus populaires sur le marché. Comme s'il craignait que les jeunes Canadiennes ne soient pas au courant de l'histoire détaillée de la naissance de cette industrie, Frank se met à décrire l'empressement de l'un des premiers convertis et expert trappeur, Mr. Newhouse, à peaufiner un produit qui ne lui donnait pas entière satisfaction.

Depuis, l'homme s'était attelé à la tâche de fabriquer cet engin, mais de façon artisanale, pour répondre à la demande ; ce sont les jeunes hommes de l'Association, davantage à l'aise avec les machines modernes qui faisaient leur entrée dans les ateliers de production, qui ont mécanisé certaines étapes de production. Cette courte conversation s'est déjà assez étirée et Flavie se dresse sur ses jambes. Marguerite dit abruptement :

– Cette erreur passée, Flavie, cette monstrueuse erreur m'a fait repousser Joseph. Elle t'a fait repousser Bastien.

Un puissant trouble envahit l'interpellée. C'est ainsi chaque fois que le souvenir amer de sa dernière année de vie commune avec Bastien refait surface... Elle s'accroche à l'espoir que, bientôt, sa vie d'avant devienne floue et lointaine comme un paysage aperçu de la fenêtre d'un train !

– Quand tu te seras parfaitement imprégnée de la parole de Dieu, tu saisiras.

Le mouvement de retraite de Flavie est brièvement interrompu par un groupe de quatre jeunes filles rieuses. Ces proches amies de Marguerite lui confient qu'elles avaient l'intention de la rejoindre. Est-il trop tard ? Flavie le confirme et partage leur dépit pendant quelques minutes, avant de s'éloigner prestement. Il lui tarde maintenant de se retrouver seule dans sa chambrette et de se laisser peu à peu sombrer dans l'inconscience... À présent que Maggy embrasse joyeusement les mœurs d'Oneida, sa compagnie est assidûment convoitée. Puisqu'il faut ajouter désormais la cour assidue de Mr. Prindle, Flavie peut faire une croix sur une amitié privilégiée !

Cependant, depuis sa quasi-confession, Flavie a l'impression d'être enfin incluse dans le vaste réseau d'échanges établi entre les membres. Au cours des jours qui ont suivi, Flavie a constaté un changement d'attitude dans son entourage, ce qui lui fait réaliser qu'elle a franchi une nouvelle étape. Elle a reçu des preuves de confiance et plusieurs sont venus lui offrir des témoignages d'affection. Bien entendu, elle demeure un personnage secondaire, sans aucune espèce de responsabilité autre que d'effectuer le mieux possible le travail qui lui est confié, mais cette position lui convient parfaitement. Il lui en reste encore tant à assimiler !

Flavie se dirige vers la sortie en louvoyant entre les groupes. Elle ne peut s'empêcher de chercher Stephen Waters des yeux, même si elle sait très bien que ses obligations le retiennent ce soir à la Maison des enfants. Le baiser que Flavie a donné à Stephen a chassé d'un seul coup la majeure partie de ses appréhensions. Il a entrepris une cour assidue, et un agréable climat d'attente s'est installé entre eux.

Au début, elle ne pouvait s'empêcher de le comparer mentalement à Bastien, plus court de taille et plus costaud, bâti avec moins de finesse... Enfin, l'image de son mari a fini par se dissoudre et depuis, Stephen se tient glorieusement seul devant elle. Lorsqu'elle le croise, elle jette des regards franchement appréciateurs à sa silhouette, épaules solides et corps svelte, à ses traits fins et à sa resplendissante crinière blonde. Sa maturité se décèle aisément à cause des pattes d'oies qui soulignent ses yeux et des quelques rides qui creusent la peau tannée de son visage, mais plus Flavie le contemple, plus elle le trouve charmant!

Sa félicité serait parfaite s'il n'y avait pas Miss Waters qu'elle rencontre épisodiquement... Non que l'épouse de Stephen lui manifeste un quelconque ressentiment, mais Flavie a encore une certaine difficulté à croire qu'elle puisse accepter aussi gracieusement l'infidélité de son mari. Certes, elle profite de son côté des faveurs d'un tout jeune homme qu'elle initie aux secrets de l'étreinte réservée, mais ce détachement apparent est néanmoins troublant.

Le lendemain matin, au cours d'un déplacement entre deux bâtiments, Flavie tombe littéralement sur Stephen qui se dirigeait vers Mansion House, une caisse de bois dans les bras. Elle lui sourit largement:

– Quel gentil hasard! Je pensais justement à vous...

Plutôt que de réagir en badinant, il fixe sur elle un regard intense, quasiment affamé. Il murmure, le souffle court:

– Vous êtes pressée? Sinon, je vous enlève pour une courte promenade.

Flavie comprend aussitôt que Stephen ne peut plus tenir son désir en laisse et, avec gravité, elle acquiesce. Il dépose sa charge au pied d'un arbre et il l'entraîne sur l'un des nombreux sentiers, celui-là tracé jusqu'au cœur d'un bosquet de conifères. Flavie s'étonne d'y voir la neige abondamment piétinée, comme si c'était le lieu de rendez-vous de nombreux couples. Elle inspire brusquement : Stephen tente de détacher la ceinture de sa bougrine après avoir jeté ses mitaines sur le sol. Elle saisit ses mains entre les siennes pour l'immobiliser et, en même temps, tenir ses longs doigts au chaud. Elle le tire vers elle jusqu'à ce que leurs mains soient comprimées entre leurs corps et elle hausse son visage vers le sien pour poser sa joue contre la sienne.

Elle reste ainsi un moment sans bouger, les yeux fermés. La respiration de Stephen s'apaise légèrement, signe qu'il accepte le rythme tranquille que Flavie lui impose. Elle chuchote :

– Je suis mariée depuis quatre ans et demi. Je n'ai connu que lui. Oh ! avant, de petites amourettes, rien de plus…

Il grogne :

– Et ce mari, il vous comblait ?

Elle hoche vivement la tête.

– Tout ce temps sans enfants ?

– Lui aussi, il savait comment retenir sa semence.

Stephen écarquille les yeux et elle ajoute :

– Il lui a fallu quelques mois de pratique, bien entendu.

Il dégage ses mains de celles de Flavie et les glisse le long de son corps jusqu'à ses fesses, qu'il presse avec fermeté. Malgré l'épaisseur des vêtements entre eux, Flavie sent une vive chaleur la réchauffer, qui n'est pas due seulement à son ardeur à lui… Elle fiche son regard dans le sien, soudain avide de s'imprégner de la teinte exacte de ses iris d'un vert sombre, puis elle s'abandonne au chaste baiser qu'il lui vole. Son haleine est fraîche, sans relent de tabac, et Flavie en quémande un second, qu'il refuse cependant de prolonger outre mesure. Il bredouille plutôt, penaud :

– Moi, il m'a fallu des années d'entraînement. J'avais tendance à aller très vite… à peine quelques minutes. Bien entendu, ma femme, je l'ennuyais passablement… Depuis mes jeunes années, j'étais angoissé à l'idée de… de perdre trop vite ma semence. J'avais l'impression de manquer de virilité.

Il secoue ses épaules pour chasser ces sombres pensées et il conclut avec un attendrissant sourire :

– Alors, quand il m'a fallu apprendre à combler ma femme par d'autres moyens… c'était comme recommencer à neuf !

Il étreint Flavie et lui caresse le dos, murmurant encore à son oreille :

– Tu es la première que j'ai pu librement choisir. L'autre avant, la seule, elle m'a été plus ou moins imposée, pour vérifier mes capacités. Tu vois que tu n'as rien à craindre…

Même si, dans la langue anglaise, tutoiement et vouvoiement sont identiques, Flavie a senti la différence dans son timbre de voix. Pour confirmer leur intimité nouvelle, elle ne peut résister à l'envie de lui dire en français :

– Je commence à avoir fièrement hâte, moi aussi, de vérifier tes capacités…

Il a parfaitement saisi la note suggestive dans ses paroles et il vient poser ses lèvres sur les siennes, soufflant en même temps :

– Ça m'a frappé, dès que tu es arrivée… la note de sensualité dans la langue de Molière…

Elle glousse et ne peut s'empêcher de songer : « Et ma langue à moi, elle te plaît tout autant ? », puis ses idées s'éparpillent dans toutes les directions à cause de ce qu'il exige alors d'elle, un abandon total à son désir impérieux et à sa bouche avide. Soudain, Flavie n'a plus envie du tout de badiner et elle lutte contre une éruption d'émotions contradictoires. Elle est si triste que Bastien ait cessé de l'embrasser avec une telle fièvre, à mesure que leurs divergences d'opinions les braquaient l'un contre l'autre! Mais il ne mérite pas sa tristesse, il ne mérite plus qu'elle languisse pour lui. Elle l'a déjà trop fait! Elle a une envie féroce d'aventures et de dépaysement. Après avoir découvert une nouvelle contrée et une audacieuse philosophie de vie, elle brûle de plonger au cœur même de cet homme pour le plus grisant de tous les voyages!

Tandis que son désarroi reflue et que son goût de Stephen augmente, Flavie entoure sa taille pour le presser à son tour contre elle. Après quelques minutes de cette étreinte, ils se détachent enfin, enflammés et essoufflés, et se contemplent un long moment. Il bredouille enfin :

– Ce soir… Ce soir, tu viendras avec moi ?

Malgré la sensation d'égarement qui s'éveille en elle, malgré la crainte sourde que tout ce discours concernant l'habileté des mâles de la communauté à se contenir ne soit que vantardises et qu'elle risque une grossesse, Flavie fait signe que oui. Il la délivre à regret :

– Je suis attendu… Je pars le premier ? Je viendrai te chercher, après le souper.

Elle acquiesce encore. Il lui donne un rapide baiser, puis s'enfuit, prenant à peine le temps de ramasser ses mitaines. Flavie reste seule dans le bosquet de conifères, peu à peu consciente de quelques pépiements d'oiseaux et du vent léger qui fait chanter les aiguilles. Comment se fait-il que sa réticence à tromper Bastien cède si difficilement ? Comment se fait-il qu'elle se sente encore tant liée à lui, alors qu'il lui a donné maintes indications de son dédain ?

Malgré son scepticisme instinctif, a-t-elle été à ce point intoxiquée par les enseignements de l'Église, laquelle érige l'infidélité conjugale en péché capital ? Comme toute femme, elle s'est laissé séduire par la croyance sous-jacente que seul un beau mariage lui donnerait une quelconque valeur… Elle refuse d'être un bien qui se marchande avec une intensité renouvelée, et, mue par la force de sa résolution, elle retourne à Mansion House au moyen de longues enjambées vigoureuses.

Le reste de la journée se passe comme dans un rêve. Incapable de prononcer plus de trois mots de suite, Flavie se cantonne dans une stricte réserve et c'est avec un vif soulagement que, vers sept heures et demie du soir, elle bute enfin contre Stephen au détour d'un corridor. Il n'y a personne en vue et il s'empresse de l'embrasser avec fougue. Elle s'attendrit: il est frais rasé et fleure bon le savon. Il s'empare de sa main et l'entraîne à l'étage supérieur, dans une chambrette dont il ferme la porte à double tour après avoir allumé la chandelle.

Flavie note le lit trop juste pour deux, la table de chevet et la chaise, ainsi qu'une étroite fenêtre haut perchée. Il se laisse tomber assis sur le lit et, l'agrippant aux hanches, l'attire contre lui, entre ses jambes. Elle glisse ses mains dans ses cheveux fins et droits, puis les laisse couler entre ses doigts, comme de l'eau. Elle pose enfin les mains sur ses épaules. Elle n'y peut rien: une puissante angoisse est en train de l'inonder, lui serrant la gorge comme dans un étau. C'est avec un filet de voix qu'elle bégaye:

– Stephen… Tu es très plaisant mais… j'ai peur. Jamais je n'ai eu si peur…

Il réussit à articuler:

– Tu préfères une autre fois?

Elle hésite, puis secoue la tête en signe de dénégation.

– Est-ce qu'on peut… prendre notre temps? Est-ce qu'on peut faire comme si… comme si nous étions très jeunes tous les deux et qu'il fallait nous amadouer? Un peu ce soir, un peu plus demain…

Soulagé, il émet un rire bref et la presse contre lui.

– Mais bien entendu! Que croyais-tu, que j'allais te basculer sur le lit comme un soldat avec une putain?

Elle esquisse une moue dépitée qui le fait éclater de rire. Son hilarité est contagieuse et elle s'y laisse aller à son tour, ce qui a pour effet de faire refluer notablement son sentiment de détresse. Elle s'écrie :

– On croirait, à m'entendre, que je suis sur le point de commettre un crime !

Subitement sérieux, il renchérit :

– Pas étonnant, avec tout ce qu'on a voulu nous faire avaler ! C'est partout pareil avec la religion chrétienne : l'œuvre de chair est un acte lourd de conséquences, qui doit être enveloppé de mille précautions pour ne pas prendre l'allure de péché ! Mais Father Noyes affirme tout le contraire. Dieu a conçu les hommes et les femmes ainsi, pour se désirer, et il leur a offert cette joie pure, celle qui leur permet de toucher de près à l'amour sublime, le sien !

Tout en parcourant le visage de Stephen de ses doigts, Flavie répète en écho, en français :

– L'amour sublime… Peut-être, en effet, que tu me permettras d'atteindre la grâce. Peut-être qu'à travers toi je toucherai au divin… J'aimerais bien devenir aussi certaine que toi. Parce que toi, tu es sûr que Dieu t'habite, n'est-ce pas ?

S'il n'a pas compris chacun des mots, il semble avoir saisi le sens de ses propos, car il répond :

– Je t'aiderai, belle Flavie. Je t'aiderai à vénérer Dieu. Je serai ton guide.

Sa gravité indispose légèrement la jeune femme, qui réplique, avec un clin d'œil :

– Ce genre de prédication ne te déplaît pas, à ce que je vois…

Aussitôt, il entreprend de défaire, un à un, les boutons de son corsage. Soudain, pendant une fraction de seconde, Flavie imagine qu'il ne s'agit pas de ses doigts à lui, mais de ceux de Daniel, son ami irlandais, pour qui elle a ressenti, pendant une soirée, un intense désir… Cette évocation chasse les relents de malaise qui subsistaient en elle. L'adultère, elle a déjà manqué le commettre ! Le ressentiment qu'elle éprouvait alors contre Bastien, et qui lui donnait l'impression d'habiter une prison étroite, il ne s'est pas effacé, bien au contraire ! L'aversion a grandi, et encore grandi, jusqu'à se manifester dans toute son ampleur par une triste journée de juillet...

Stephen la débarrasse de son court vêtement. Elle ordonne gentiment :

– Recule un peu, pour être bien assis...

Sans comprendre, il obéit néanmoins et, soulevant légèrement sa jupe, Flavie s'assoit à califourchon sur lui. Leurs visages sont à la même hauteur et, dans un grognement de convoitise, Stephen glisse la main derrière sa tête et l'attire à lui.

Deux heures se sont écoulées lorsque, saoulés d'étreintes entrecoupées de brefs moments de conversation, tous deux conviennent de se séparer enfin pour la nuit. Ils ont le torse nu et, tendrement, ils s'aident l'un l'autre à se rhabiller. Debout face à face près de la porte, ils ne se résignent pourtant pas à se quitter. Agrippant la chemise de Stephen, Flavie se tient tout contre lui et elle l'envisage, un sourire lascif aux lèvres :

– Pour dire vrai, mon trésor... Pour dire vrai, je ne suis plus une jouvencelle.

Rieur, il en convient et elle ajoute :

– Alors... je ne sais pas si je vais pouvoir dormir. Je crois que je vais jongler à toi, allongé nu contre moi...

Jusque-là, il semblait craindre d'effaroucher sa compagne avec la preuve tangible de sa concupiscence, mais ce qu'évoque Flavie lui ôte toute inhibition et il l'embrasse en la tenant étroitement serrée pour lui faire sentir la dureté de son sexe. Si elle s'écoutait, elle le forcerait à s'allonger sur la couche et elle le chevaucherait sans retenue, mais elle juge plus sage de brider son appétit et d'agréer à sa proposition de le retrouver ici, le lendemain à la même heure, pour une rencontre qu'elle pressent impétueuse, portée à son quasi-paroxysme…

Chapitre VI

Les fêtes du Nouvel An 1854 ont déjà eu lieu depuis plusieurs semaines lorsque le Dr Jacques Rousselle daigne faire acte de présence à la Société compatissante. Son entrée dans le refuge bondé fait sensation. Il est vrai, comme Léonie doit en convenir, qu'il a du style : sous sa pelisse d'une superbe fourrure beige pâle, il porte une redingote en drap de laine extrêmement bien coupée. Alors que le père ne possédait plus beaucoup d'atouts pour séduire, le fils au port altier sait éveiller la convoitise féminine…

Après l'échange formel de salutations, Léonie s'empresse de lui présenter Sally Easton au moyen d'un bref résumé de ses compétences et de sa longue expérience. S'il est ennuyé par ce discours, Rousselle n'en laisse rien paraître et s'incline avec civilité devant la petite Écossaise aux cheveux gris. Il dit ensuite :

– Vous ne vous formaliserez pas, je l'espère, du temps qu'il m'a fallu pour honorer mon engagement auprès de votre clientèle. J'étais surchargé par les détails à régler non seulement au sujet de la succession de mon père, mais aussi des changements à ma pratique.

– Le Dr Wittymore a amplement suffi à la tâche pendant ce temps, déclare Léonie avec une fausse amabilité. Comme vous le constatez, la fonction de médecin résident sera bien peu exigeante.

– Nous verrons bien. Daignerez-vous me faire visiter les lieux ?

Léonie s'incline et bientôt, même les plus exigus placards n'ont plus de secrets pour lui. Contrairement à son père, Jacques Rousselle est doté d'un esprit curieux qui lui fait poser d'innombrables questions. Au hasard des rencontres, Léonie l'introduit auprès des membres du personnel sur place : d'abord la garde-malade Marie-Zoé, empourprée sous la coiffe blanche qui lui ceint les cheveux, puis Elmire, une jeune mariée qui vient offrir son temps pour effectuer de menues tâches, et enfin veuve Henriette Minville, la cuisinière.

Même Michael surgit inopinément de la cuisine au sous-sol, un baril sur l'épaule, et Léonie prend le temps de présenter au médecin leur messager et homme à tout faire. Pour meubler le silence qui s'ensuit, elle explique que la maison du jeune Irlandais et de ses parents avait été détruite par l'incendie du faubourg Griffintown, en 1850, de même que le bâtiment qui abritait alors le refuge. Quelques mois plus tard, la Société compatissante rouvrait ses portes dans l'immeuble actuel, rue Henry, et le salaire de Michael était si vital à son bien-être que la famille Tramper trouvait un havre à proximité.

À l'étage, Léonie laisse avec soulagement le jeune praticien errer à sa guise pour examiner les recoins de la vaste pièce et faire connaissance avec les onze femmes hébergées, dont les plus dégourdies s'enhardissent à lier conversation avec lui. Loin d'être rébarbatif à de tels contacts, Jacques Rousselle leur offre un sourire avenant et une oreille attentive. Léonie échange un regard entendu avec Sally. Tout médecin est précédé par sa réputation : célibataire, le fils de Nicolas est un noceur notoire, mais sa clientèle apprécie tant son professionnalisme qu'elle considère ses frasques avec indulgence.

À l'évidence, leur nouvel allié sait flatter la gent féminine et bientôt, le dortoir résonne de babillages parmi lesquels il semble à l'aise comme un poisson dans l'eau. Léonie réalise que, malgré l'atmosphère détendue, il ne néglige pas ses devoirs d'homme de l'art, prenant le temps de consulter les dossiers individuels de chacune des patientes. C'est ce moment que Léonie choisit pour attirer son attention sur l'une d'entre elles. Tous deux se rendent au pied d'un lit où repose une blanchisseuse, qui a son nourrisson au creux du bras. Le médecin la salue, lançant avec jovialité :

– Le magnifique poupon que voilà ! Vous en êtes très fière, j'en suis persuadé !

Mme Lagimonière rougit sans répondre. La maîtresse sage-femme raconte qu'une douzaine de jours auparavant, elle s'est délivrée avec aisance d'une petite fille, son premier enfant. Cependant, dès le lendemain, elle s'est mise à se plaindre de douleurs rhumatismales aux articulations, qui sont devenues plus aiguës au genou droit surtout, mais aussi dans les épaules et les plis des bras. Léonie interpelle la femme d'une trentaine d'années aux traits tirés :

– La veille de votre délivrance, vous laviez encore, n'est-ce pas ?

– Je n'ai guère le choix, madame l'accoucheuse, car mon mari n'a point d'ouvrage à la saison froide.

– Découvrez-nous votre genou, madame, je vous prie.

Elle s'exécute avec une extrême lenteur, ce pour quoi Léonie ne peut la blâmer puisqu'elle partage la méfiance généralisée des classes populaires envers les hommes de l'art. La partie du corps en question est rouge et très gonflée. Jacques Rousselle s'assoit au bord du lit et, d'un mouvement vif, y pose la main. Mme Lagimonière pousse un petit cri et il la délivre, marmonnant :

– Chaud et sensible à la pression... Sérosités hydropiques, sans doute... Les lochies ont eu leur cours régulier ?

– Oui, de même que l'affluence du lait aux mamelles.

– À mon sens, hydarthrose rhumatismale. J'ai vu de nombreux cas du genre quand j'étudiais à la Faculté de médecine de Paris. Cette affliction touche ceux qui sont en contact prolongé avec l'eau. Vous avez appliqué une cure ?

Après le geste de dénégation de Léonie, il pose un regard spéculatif sur le genou de la pauvre blanchisseuse, qui lance un regard suppliant à la maîtresse sage-femme. Cette dernière esquisse un sourire encourageant. Elle-même sent la tension monter en elle comme à l'approche d'un danger… Rousselle se décide :

– Poudre de Dover et julep au colchique.

Infiniment soulagée par cette posologie bénigne, Léonie objecte cependant :

– Deux préparations médicamenteuses, monsieur, c'est trop pour nos moyens.

Il l'envisage avec une stupéfaction teintée de commisération.

– Trop ? Vous n'êtes pas sérieuse ? Comment voulez-vous que je prenne adéquatement soin de votre clientèle si vous discutaillez de mes ordonnances au moindre prétexte ?

Léonie se raidit devant l'assaut, mais reste stoïque. Avec une grimace exaspérée, il jette :

– Laissez-moi voir… La poudre agit principalement comme sédatif, grâce à un mélange d'opium et d'ipécacuanha. C'est confortatif, mais la patiente peut s'en passer, tandis que la teinture de bulbes de colchique a un effet thérapeutique indéniable. Vous me suivez ?

– Tout à fait, monsieur.

Jacques Rousselle la considère sans dissimuler sa moue ironique. À l'évidence, il la croit ignare mais présomptueuse… Il se relève, saisit la main de la malade et l'effleure galamment de ses lèvres. Un murmure excité passe de l'une à l'autre des patientes, qui s'extasient devant ce geste inusité !

Le jeune médecin traverse la pièce en direction de l'escalier, tout en inclinant la tête vers la gauche et vers la droite en guise d'adieu. Il tombe en arrêt devant la trappe ouverte de l'escalier et, se tournant à demi vers Léonie qui le suit de près, il dit :

– Dans les salles d'hôpitaux, on rencontre constamment ce genre de cas : inflammations ou nécroses en surface, mais qui s'accompagnent de phénomènes qui laissent croire à une profonde altération dans l'économie. Le chirurgien a beau utiliser les moyens les plus radicaux pour guérir les plus graves afflictions de surface, y compris la funeste amputation, mais à quoi bon s'acharner s'il existe, cachées dans le corps, des altérations analogues ?

Léonie renchérit benoîtement :

– À mon sens, les interventions radicales sont une cause flagrante d'infections et de perturbations. S'il est impossible de modifier tout l'organisme, il vaut mieux laisser le malade vivre avec des infirmités quand sa vie n'est pas compromise. Une conduite opposée à ce principe est meurtrière.

Cette fois-ci, Rousselle ne peut plus prétendre que Léonie fait étalage d'une science qu'elle ne possède pas. Il reste interloqué, avant de se détourner pour dévaler l'escalier en grommelant. Léonie fait une pause afin de savourer son contentement. Non seulement vient-elle de faire comprendre à leur nouvel associé qu'on ne peut pas lui faire avaler n'importe quoi, mais elle a pris une première mesure de sa stature professionnelle, qui la porte à croire que le jeune médecin sera, fort heureusement, un praticien prudent et mesuré !

Dans tout ce brouhaha, Léonie oubliait que la direction de la Société compatissante a prévu une modeste réception en l'honneur de Rousselle ; sa surprise est donc vive lorsque, le suivant au rez-de-chaussée, elle y remarque un grand concours de monde. En plus des officières du conseil, le jeune médecin est entouré par deux collègues de l'École de médecine, ainsi que par le très poli Peter Wittymore qui, sans en avoir l'air, tient à se faire une opinion par lui-même des capacités de ce Canadien qu'il ne connaît ni d'Ève ni d'Adam. Léonie s'étonne souvent de la frontière invisible mais étanche qui semble séparer la majorité des hommes de l'art de culture anglaise de ceux de culture française!

Presque aussitôt, Léonie a un deuxième choc: les organisatrices ont invité les messieurs qui siègent au comité de financement. De l'autre côté de la petite foule, Édouard Renaud incline timidement la tête vers elle. Égarée, Léonie lui renvoie automatiquement son salut. Elle hésite sur le comportement à adopter, mais le beau-père de Flavie contourne les attroupements pour venir prestement à elle.

– Madame Montreuil, permettez-moi de vous offrir mes hommages. J'ai une vive affection pour votre mari et vous, que les circonstances m'interdisent d'honorer à sa juste valeur.

Émue malgré elle par sa poignée de main chaleureuse et par son expression légèrement suppliante, Léonie finit par balbutier:

– Vous êtes trop aimable, monsieur. Je ne sais que dire...

– Informez-moi de votre santé, l'encourage-t-il avec amabilité. Nous sommes des êtres civilisés et nous sommes capables de passer outre à la brouille qui sépare nos enfants. Du moins, je le présume?

Un échange courtois de propos s'ensuit. Au fil des phrases, Léonie retrouve son aplomb, reprenant contact avec le plaisir qu'elle a toujours éprouvé en compagnie de cet homme peu loquace mais affable, à l'esprit ouvert. Dans le climat de confiance qui s'installe peu à peu entre eux, ils ne peuvent faire autrement que d'aborder le sujet qui les hante. Après avoir inspiré profondément pour se donner du courage, Édouard Renaud bredouille le premier:

– Quelle tristesse, n'est-ce pas ? Pourtant, je croyais sincèrement que mon fils avait trouvé celle qui lui était parfaitement accordée...

– Tout ça, c'est si difficile à comprendre... Flavie ne m'a pas raconté grand-chose. Selon les apparences, on pourrait croire à un sérieux malentendu, mais rien qui justifie une fuite de l'autre côté de la ligne...

– Tout juste avant son départ, reprend M. Renaud avec agitation, elle m'a dit : « Je suis comme un animal sauvage. Quand j'ai mal, je me cache... » Ces paroles se sont imprimées en moi, même si jamais je n'aurais cru qu'il fallait leur donner un sens littéral. J'ai eu la preuve par mille que ma bru est une personne douée d'intelligence et de raison, mais surtout d'une vive susceptibilité qui la fait parfois réagir avec emportement !

– Par la juifresse, elle n'a plus quinze ans ! D'habitude, la maturité s'acquiert avec l'âge !

– J'ai le sentiment que... quelque chose de très important a échappé à Bastien. Un trait de sa personnalité qu'il a négligé... Flavie se contente de peu. Elle est facile à vivre, tant qu'on ne touche pas à sa corde sensible...

– Son ambition pour la médecine ?

– Non point... Bastien a certainement joué le rôle d'un éteignoir, mais j'ai l'intuition que... c'est quelque chose de plus vaste. Au-delà de sa fierté personnelle, il y a une... comment dire ? Une force vitale qui prend le pas sur tout. Qu'elle ne peut supporter de voir piétinée...

– La présence de Geoffroy a été un choc puissant.

Le père de Bastien fait une éloquente grimace d'assentiment. Se penchant vers son interlocutrice, il confie, avec un mélange d'exaspération et d'affection :

– C'est qu'il nous en fait voir de toutes les couleurs, le bougre ! Dire qu'Archange et moi, on se félicitait du fait qu'il semblait avoir passé une jeunesse paisible, libre de ces élans fiévreux et destructeurs qui ont troublé tant de ses camarades !

– La raison en est que vous avez exercé une influence salutaire, commente Léonie dans un élan de sincérité. Bien des parents ne réalisent pas à quels torts ils exposent leurs fils en les enfermant dans un séminaire, à la merci des austères religieux. J'ai parfois l'impression que l'âme tendre de ces enfants se recouvre d'un voile noir, d'une chape de mélancolie. Ça me vire les sens, pour le sûr !

Sous la montée de l'émotion, Léonie retrouve son langage des faubourgs mais, loin de s'en formaliser, M. Renaud lui presse la main un bref instant, les traits empreints de gravité :

– Vous dites si juste, chère amie, que je vous placerais sur-le-champ au gouvernement, comme surintendant à l'instruction publique, à régenter ces arrogants cols romains ! Pardi, la future élite de notre nation troquerait volontiers l'apprentissage du grec contre celui de l'anatomie féminine...

Réjouie par cette allusion grivoise et par leur familiarité retrouvée, Léonie rit de bon cœur et Édouard Renaud l'imite volontiers. Un moment d'embarras s'ensuit, qu'il rompt en laissant tomber :

– N'empêche... Ou bien je connais très mal Flavie, ou bien Geoffroy n'a été que la goutte qui a fait déborder le vase ! En tous les cas, elle était celle qui a manqué faire déborder le nôtre. À force de se méfier de nous, ce petit chenapan nous a fait tourner en bourrique ! Au point que pas plus tard qu'avant-hier, Archange s'est fâchée toute rouge. L'événement est rare comme de la merde de pape, croyez-moi sur parole ! Son fils unique, elle le cajole à outrance...

Dans un précieux moment de verve que Léonie apprécie à sa juste valeur, Édouard poursuit sur sa lancée en racontant que le jeune médecin a pris l'habitude de laisser traîner les lettres de Flavie sur un guéridon à l'intention de ses parents, dans le but évident de confier à son épouse en exil le soin de répondre à sa place à d'éventuelles questions. Eh bien ! Archange a saisi la récente missive qui y était déposée et, la chiffonnant comme une balle, elle l'a lancée à la poitrine de Bastien, avec une formidable précision ! Ensuite, elle a claironné que personne n'est capable de lire dans l'esprit d'autrui et que, s'il attend après son retour, il faut le lui écrire !

– Quel spectacle... Elle criait : « Tu l'attends, c'est prouvable comme un nez au milieu de la figure ! Et pourtant, tu n'as pas daigné tracer un traître mot à son intention, ce me semble ! » Dressé comme un coq sur ses ergots, Bastien a répliqué aussitôt : « Pour lui dire quoi ? La supplier à genoux de revenir ? Ç'aurait été un comble ! C'est elle qui a sacré son camp ! »

Après un profond soupir, Édouard ajoute plus posément :

– Il a admis qu'en effet, au début, il espérait la voir revenir d'un jour à l'autre. Puis les mois ont passé et il a réalisé qu'elle a trouvé un havre... loin de lui. Ce sont ses propres mots. Mais je ne peux me résoudre à accepter que... que le sentiment de Flavie pour Bastien a changé du tout au tout !

– Il y a des gens, murmure Léonie, qui préfèrent un large horizon à celui, beaucoup plus étroit, de l'amour.

Surprise par ses propres mots, elle reste coite, mais comme Édouard la dévisage avec intérêt, elle se résout à dévider le fil de sa pensée :

– Nous, les femmes... On veut nous faire croire que notre époux et notre famille sont notre seule raison de vivre. Beaucoup s'en contentent. Mais d'autres...

Après un éloquent silence, le père de Bastien hausse les épaules avec une indifférence feinte, puis il jette, un sourire en coin :

– Mais dites-moi… Vous avez compris quelque chose à cette audacieuse religion qui a suscité la fondation de cette secte?

Léonie répond que si un lettré comme lui a de la difficulté à s'y retrouver, une inculte comme elle est plongée dans le brouillard! Après s'être galamment récrié, il s'empresse de dire que, s'il se donne du mal pour en comprendre l'essence, c'est principalement afin d'en exposer les tenants et les aboutissants à Archange et à leur fille Julie, emplies d'un mélange de curiosité et d'effroi devant une si audacieuse croyance! Léonie l'encourage à déployer son savoir et M. Renaud affirme tout de go que ce prophète n'est pas le premier, loin s'en faut, à orienter la pratique chrétienne selon une vision éminemment personnelle. Les siècles précédents ont eu leur lot de réformateurs, dont quelques-uns ont acquis une immense notoriété, donnant naissance à des Églises réformées prospères.

Au début du XIXe siècle, le mouvement contestataire s'est accéléré en sol américain et plusieurs sectes chrétiennes ont vu le jour. Parmi elles, les millénaristes ont acquis une grande renommée… qui s'est rétrécie comme une peau de chagrin lorsqu'on a constaté que les prédictions du fondateur, selon lesquelles l'apocalypse aurait lieu en 1847, ne se réalisaient pas! Néanmoins, cette espérance du royaume de Dieu sur terre n'a pas disparu complètement, si l'on se fie aux prétentions de John Humphrey Noyes qui, cette année-là, a proclamé que c'était dans sa petite communauté, pénétrée des enseignements du Messie au point d'atteindre l'idéal biblique, que ce royaume s'incarnait désormais.

Avec une grimace, Léonie rétorque:

– Ces fantaisies dogmatiques me donnent le tournis…

– En tout cas, elles donnent de l'urticaire aux fidèles protestants! Je vous avoue, chère amie, que je m'amuse comme un petit fou. À la base du credo de ce Noyes, il y a la conviction que le second avènement de Jésus s'est produit il y a dix-huit siècles et que le jugement des âmes est déjà commencé. En laissant la Bible en héritage, le Messie escomptait que ses préceptes se répandraient peu à peu, tandis que lui établissait son royaume dans les cieux. Lorsque le fruit sera mûr, ce royaume descendra parmi nous – c'est-à-dire maintenant, au sein du groupe de fidèles de Noyes.

Léonie réagit par une moue si incrédule que son interlocuteur éclate de rire. Dès qu'il a repris son sérieux, il se penche vers elle pour lui confier :

– Vous avez raison : cette Bible supposément infaillible nous cause bien des maux de tête. Elle oblige à quelques excentricités théoriques ! J'ai le sentiment que ce prophète yankee a étudié les Écritures principalement pour confirmer ses convictions personnelles.

– Personne ne peut lui reprocher un défaut d'érudition, fait remarquer Léonie. Il paraît qu'il connaît le livre sacré comme le fond de sa poche. Selon Flavie, il est imbattable à un jeu que les membres de l'Association ont inventé…

Sa voix s'étrangle. Elle n'a plus aucune envie de badiner ; son angoisse au sujet du bien-être de sa fille la submerge tout entière. Ce voyant, Édouard Renaud devient très grave et se dépêche d'étreindre sa main entre les deux siennes. Il bredouille :

– Pauvre chère amie… Votre inquiétude est légitime, mais je vous supplie de garder confiance. Flavie est forte et pleine de ressources !

– Mais une femme seule court bien des dangers…

– Flavie n'est pas seule. Premièrement, il y a son amie Marguerite, n'est-ce pas ? Ensuite, elle se trouve au sein d'un groupe de gens intelligents. Ce ne sont pas tous des illuminés, loin de là ! Vous seriez surprise du degré de protection qu'apporte le groupe. Votre métier vous le confirme au centuple : les femmes les plus isolées sont les plus vulnérables !

– La chose est entendue, murmure Léonie, légèrement apaisée. Merci, Édouard. Vous me faites grand bien.

Il presse sa main, puis la libère et se redresse avec une moue contrite.

– Le temps file trop vite et des affaires pressantes me réclament. À la revoyure, chère amie, j'espère !

– Attendez !

Son interlocuteur interrompt brusquement son mouvement de retraite et la dévisage d'un air interrogateur. Léonie hésite un moment, puis elle plonge et demande, d'une voix blanche :

– Dites-moi… Bastien, il le sait que là-bas les lois canoniques du mariage ne sont pas respectées ?

– C'est l'aspect de la doctrine de Noyes qui est le mieux connu, jusqu'à être même traîné dans la boue, répond-il sobrement.

– Et… j'imagine que vous en concevez… une vive colère envers Flavie… et même un puissant dégoût…

– Il y a bien longtemps que j'ai pris le parti de ne plus juger personne, réplique-t-il avec énergie. Même nos hautains dévots, je tâche de leur manifester de la bienveillance. Non point que j'approuve leurs actes, mais si je me donne la liberté de vivre à ma guise… je dois l'accorder aux autres, n'est-ce pas ?

– Votre épouse ?

– Malgré ce que les apparences peuvent parfois porter à croire, Archange a le cœur infiniment bon, comme elle est dotée d'une superbe grandeur d'âme. Si elle se laisse aller à des jugements à l'emporte-pièce, elle affine prestement son opinion… Quant à Bastien, avant que vous ne me le demandiez : je suis dans l'ignorance. Remarquez, il est difficile pour un fils de confier de si intimes tourments à son père, mais il reste muet même auprès d'Archange. Cependant… en quelque sorte, ce silence me rassure. Il me prouve que Bastien ne prend pas les choses à la légère. Il me prouve – du moins, c'est ce que je veux me faire croire – qu'il s'agit d'un sujet encore trop éprouvant pour lui.

Pour Léonie, la tentation est irrésistible de relater à son interlocuteur ses deux dernières rencontres avec son fils, au sujet du poste de médecin associé de la Société compatissante. Elle atténue sciemment la dureté des paroles de Bastien à son égard, mais Édouard Renaud n'est pas dupe.

– Il a osé ? Le sacripant ! Je ne lui en ferai pas reproche parce que je ne veux surtout pas me l'aliéner, mais en temps normal, madame Montreuil, je vous assure que je lui aurais chauffé les oreilles ! Soyez indulgente, je vous prie, il n'est pas dans son état normal.

Léonie acquiesce avec un sourire ému, et elle le regarde s'éloigner. Non seulement cette rencontre la réconforte grandement, mais elle lui permet de tempérer, même d'un petit peu, le courroux qui s'empare d'elle chaque fois qu'elle songe à la fatuité du fils Renaud ! Après tout, Bastien bénéficie de quelques circonstances atténuantes...

Une réception tenue au mitan de la semaine et d'une journée de travail ne peut s'éterniser et la pièce s'est rapidement vidée. Observant les dernières personnes présentes, la maîtresse sage-femme n'est pas sans constater que la conseillère Delphine Coallier accorde une attention toute spéciale à Joseph Lainier, l'un des professeurs de l'École de médecine et de chirurgie, membre de leur bureau médical. Tous deux semblent avoir atteint un degré rare de complicité...

Pendant les premiers mois qui ont suivi la déconcertante volte-face de sa fiancée Marguerite, le médecin s'est isolé pour se guérir de son chagrin et de son désarroi. Lorsqu'il a émergé de sa retraite forcée, il s'est trouvé par hasard nez à nez avec l'une de ses connaissances, la vive et accorte Delphine... Le séduisant médecin, ses cheveux bruns grisonnants rejetés vers l'arrière, sourit de toutes ses fossettes à la jeune femme qui, comme un jeu, s'est emparée de la bougrine de son compagnon pour la lui présenter avec une galanterie affectée. Pour un peu, note Léonie, il se serait permis de lui voler un baiser avant de prendre son envol! Comme les hommes sont inconstants... Léonie se corrige prestement. À l'évidence, ce pauvre Joseph aurait le temps de sécher sur place avant le retour de Marguerite. Nul ne pourrait le blâmer de reporter ses affections sur une autre demoiselle, de surcroît leur Delphine si intelligente et si enjouée!

Dès que le dernier invité referme la porte du refuge derrière lui, Marie-Claire annonce à la cantonade:

– Mesdames du conseil? Quand les patientes seront installées en bas pour leur repas, réunion dans le salon. Il nous faut jaser d'une affaire sérieuse. Léonie? J'apprécierais que tu restes, toi aussi.

Dix minutes plus tard, six des conseillères ainsi que la sage-femme en chef sont assises en cercle. Avec une réticence évidente, Marie-Claire prend la parole:

– C'est notre amie Céleste qui a insisté pour discuter aujourd'hui de la question de l'Institut canadien.

Elle interpelle du regard la dame patronnesse dont les cheveux blancs semblent, ce midi, légers comme un nuage. Léonie s'oblige à être extrêmement attentive puisque tout ce qui concerne l'Institut, cette association culturelle libérale, la touche particulièrement, non seulement parce que Simon y est très attaché, mais parce qu'elle en est venue à la considérer comme le héraut de la liberté de conscience au Bas-Canada.

– Alors voilà, commence Céleste d'Artien d'une voix faible, vous savez que je rencontre à l'occasion notre évêque, qui m'est apparenté du côté de ma mère... Vous savez aussi que Mgr Bourget est ainsi fait que certains ne se gênent pas pour l'accuser d'intolérance et de fanatisme religieux...

Mmes Sanspitié et Charbonneau, qui considèrent leur chef spirituel comme un être infaillible à travers lequel Dieu lui-même s'exprime, murmurent leur désapprobation. Sans se démonter, Céleste poursuit :

– Eh bien, monseigneur a pris de longues minutes de son temps très précieux pour s'entretenir privément avec moi. Il a été très clair : l'Institut canadien est mené par des hérétiques et notre alliance avec lui risque de ternir notre réputation. Une réputation qui, selon lui, est déjà entachée... Il nous engage à mettre fin immédiatement à notre collaboration avec cet organisme.

– Ne vous avais-je pas prévenues ? lance Émérance, triomphante. Quand j'ai accepté la charge que vous m'avez proposée...

– Personne n'a oublié, la coupe Françoise sèchement. Vous avez souligné à gros traits le danger moral qui guette les Montréalistes qui se pressent à nos propres conférences comme aux lectures publiques de l'Institut. Vous avez presque exigé que nous abandonnions cette pratique sur-le-champ !

Rougissante, Émérance précise néanmoins avec dignité :

– Uniquement pour le bien de notre refuge ! C'est un secret de Polichinelle que monseigneur est irrité par l'esprit d'indépendance qui règne ici !

– La question des conférences est finalement venue entre nous, intervient Céleste d'un ton tranquille. Monseigneur a précisé qu'il n'avait pas eu la possibilité de s'en préoccuper depuis l'incendie de l'année dernière, mais que dès qu'il en aura le loisir...

Trop agitée pour rester assise, Françoise saute sur ses pieds et se met à marcher dans la pièce. Elle tient au programme de conférences de la Société compatissante comme à la prunelle de ses yeux ; c'est elle qui en a eu l'idée et qui, année après année, en planifie le contenu. Léonie suit des yeux sa silhouette filiforme aux épaules solides et aux hanches presque aussi étroites que celles d'un homme. Marie-Claire commente, en jetant un regard las à la vice-présidente :

– Nul doute que le jugement du tribunal divin sera sans pitié. Jusqu'à maintenant, nous avons réussi à louvoyer…

Marie-Onésime se penche, pleine d'ardeur :

– Ne voyez-vous pas, Marie-Claire, que la cause est désespérée ? Je comprends la noblesse de vos intentions, mais dans l'époque troublée où nous sommes, cela équivaut à fourbir les armes du démon ! L'Église romaine doit être comme une citadelle que chacun des fidèles érige de ses mains, pierre par pierre ! C'est à ce prix seulement qu'elle pourra résister aux assauts qui…

Delphine l'interrompt, goguenarde :

– Ce sermon nous est familier, chère amie, ne gaspillez pas ainsi votre salive.

– Vraiment ? Pourtant, je ne vous croise pas souvent à la messe !

La mine dédaigneuse, la jeune femme aux traits rehaussés de jolies taches de rousseur néglige de relever la remarque. La voix tremblante et l'expression sourcilleuse, Céleste jette :

– Ça me fend le cœur, combien nous nous disputons chaque fois qu'il est question de religion !

– Je ne vous le fais pas dire, renchérit Léonie avec un regard de reproche à l'adresse de Marie-Onésime. Personne ne devrait être obligé de se justifier. Le sujet de la foi et du salut est personnel.

– Mgr Bourget…

– … n'est pas de cet avis, vous ne m'apprenez rien. Il en fait une question d'ordre public, il veut rendre chaque Canadien aussi déterminé qu'un Croisé !

Delphine ajoute, moqueuse :

– Peut-être l'ignorez-vous, mais les croisades ont semé la haine et la discorde parmi les peuples.

Les mains ouvertes, Émérance tente une diversion :

– Au-delà de nos croyances personnelles qui, en effet, ne devraient pas être matière à discussion… la Société compatissante adopte une position qui constitue un affront à l'autorité légitime de l'évêque ! Vous devez en convenir !

– J'en conviens, articule Françoise d'une voix claire, debout dans le fond de la pièce. Jusqu'à présent, les conférences avaient l'aval du conseil d'administration et de l'assemblée générale. Les choses ont-elles changé ?

Elle promène un regard spéculatif sur chacune des conseillères. Après un temps, Céleste bredouille :

– Je vous ai soutenue jusqu'ici, Françoise. Mais depuis ma rencontre avec monseigneur… mon malaise grandit. J'estime que les conférences ne sont plus opportunes, qu'elles nuisent à notre mission plus qu'elles ne l'encouragent. Je propose d'y mettre un terme au printemps prochain, à la fin de la présente saison.

Marie-Onésime et Émérance approuvent bruyamment. Revenant à grandes enjambées vers le cercle qu'elles forment, Françoise dit péremptoirement :

– Je fais une contre-proposition. Nous mettons fin à notre collaboration avec l'Institut canadien en trouvant une nouvelle salle pour nos conférences.

– Insuffisant ! s'écrie Émérance d'une voix tonitruante, faisant sursauter ses compagnes. C'est le contenu même des conférences qui pose problème ! Trop souvent, la morale religieuse y est bafouée ! Monseigneur ne s'en contentera pas !

– Monseigneur a-t-il entretenu Céleste du contenu des conférences ? Non point : il a insisté sur l'Institut canadien. Est-ce que je me trompe ?

À contrecœur, Céleste grommelle un accord. Françoise se redresse et conclut d'un ton mesuré, mais implacable :

– Je trouve présomptueux de *présumer* l'avis de notre évêque. C'est nous donner une importance que nous n'avons pas. Il en a contre l'Institut ? Fort bien, nous allons déménager. Si, un jour, monseigneur nous dit clairement qu'il abhorre les conférences, nous aviserons.

– Je propose un vote sur la contre-proposition de Françoise, déclare Marie-Claire. Si elle est acceptée, celle de Céleste devient caduque. Sinon, nous la prendrons en considération. Notre décision devra être ratifiée par l'assemblée générale, comme vous ne l'ignorez pas.

– Je réclame un vote secret, annonce Delphine avec aplomb. De plus, je souhaite que la conseillère absente, Mme Grenelle, ait l'opportunité de se prononcer.

Léonie réprime un sourire. La manœuvre est habile, puisque la dame en question est gagnée d'avance aux forces progressistes. Néanmoins, considérant le changement d'allégeance de Céleste… Marie-Claire, Françoise, Delphine et Priscille d'un côté, contre Émérance, Marie-Onésime et Céleste. Partagé jusqu'alors en cinq contre deux, le conseil est maintenant à quatre contre trois. Il suffirait d'une secousse pour que tout bascule et que Bourget ait la haute main sur les destinées de leur organisme de charité !

Pressées de mettre fin à cette réunion déplaisante, les conseillères établissent à la hâte les modalités du vote et déposent leurs bulletins dans une boîte en fer-blanc. Émérance et Delphine sont chargées de se rendre à l'instant au chevet de Priscille Grenelle, retenue au lit par une indisposition, puis le dépouillage sera fait.

Sa présence requise par Marie-Zoé qui souhaite s'entretenir avec elle, Léonie lui accorde les dix minutes suivantes. Son esprit absorbé par le problème médical que la garde-malade vient de porter à son attention, Léonie se dirige à grandes enjambées vers la petite pièce, à droite du hall d'entrée, qui lui sert de bureau. Elle pousse la porte légèrement entrouverte… et reste clouée sur place, estomaquée, la poignée dans la main. Derrière le secrétaire, au fond, deux femmes sont étroitement pressées l'une contre l'autre, en train de s'embrasser passionnément. La plus grande a posé une main sur la croupe de l'autre, qui a noué ses bras autour de son cou.

Il faut plusieurs secondes à Marie-Claire pour prendre conscience de la présence de Léonie, plusieurs secondes qui semblent à cette dernière durer une éternité. Enfin, la présidente du conseil s'arrache des bras de Françoise et toutes deux fixent Léonie, qui détourne brusquement la tête, les émotions en bataille. Un lourd silence s'installe tandis qu'elle tente de donner un sens à la scène qu'elle a surprise. Marie-Claire et Françoise, des amantes, des *tribades*?

Léonie est envahie par une implacable colère doublée d'un sentiment viscéral de révulsion. Elle est sur le point de tourner les talons lorsque Françoise traverse la pièce et sort, prenant soin de refermer la porte après son départ. Léonie ne peut s'empêcher de relever la tête et de jeter un regard en coin à Marie-Claire. Complètement déconfite, son amie la considère avec une expression suppliante. Son visage est blanc comme neige, sauf un rond rouge sur chacune de ses joues. La voix rauque, elle balbutie :

– Je ne voulais pas t'offenser ainsi. Je t'assure que je ne voulais pas... Mais nous avons tellement peu l'occasion d'être seules toutes les deux !

Abasourdie par cette révélation d'une relation amoureuse dont elle ignorait totalement l'existence, choquée par l'idée d'une telle concupiscence charnelle, Léonie reste muette. Marie-Claire chuchote à toute vitesse, d'une voix vibrante :

– C'est tout nouveau, il y a un mois à peine... Tu le sais, nous étions devenues très amies, et je ne saurais dire comment ça s'est fait... En fait, il y a longtemps que Françoise est amoureuse de moi. Je crois que je le sentais, mais je n'osais pas y faire face... Parce que je t'assure que c'est bizarre, au début. Tellement bizarre...

Encore remplie d'indignation à la suite du spectacle inconvenant qui s'est étalé sous ses yeux, Léonie réussit à dire avec raideur :

– Ta vie privée ne me regarde pas, Marie-Claire. Tu es libre de tes choix. Mais je préférerais que tu… que tu fasses étalage de tes passions ailleurs.

Marie-Claire accuse le coup, incapable de retenir une légère grimace de souffrance. Elle articule faiblement :

– Ça ne se reproduira plus, Léonie. Prends-en ma parole.

Elle rassemble sa jupe d'un geste plein de dignité et, la tête haute, elle tourne les talons sans accorder à Léonie un seul regard. Consciente de l'avoir profondément offensée, peut-être même d'avoir irrémédiablement trahi son amitié, Léonie s'assoit pesamment sur un coin du secrétaire, les jambes coupées. Elle ferme les yeux un long moment pour laisser ses émotions se calmer. Elle est bien obligée de constater à quel point son rejet d'une relation… comment dit-on déjà ? Une relation saphique… Oui, son rejet d'une telle relation est instinctif et brutal. Elles n'ont pas le droit ! Toutes deux sont mariées ! À l'évidence mal mariées, mais quand même ! Et surtout, c'est tout à fait contraire à l'ordre naturel des choses. Toute personne normalement constituée *ne peut* ressentir un tel attrait !

Malgré son rejet viscéral des dogmes et des prescriptions de la hiérarchie catholique, Léonie n'est pas loin de croire, à défaut d'une autre explication, que le diable a pris possession de leurs âmes. Seules des natures dégénérées peuvent se laisser emporter de la sorte par des passions vicieuses ! Comment est-il possible d'embrasser ainsi une personne du même sexe, avec un désir si manifeste ? Elle savait qu'une telle inclination pouvait exister, mais jamais elle n'aurait cru Marie-Claire capable de s'y abandonner…

Seule dans l'entrée, enveloppée de son manteau de fourrure, Françoise attendait que Léonie émerge de la pièce. À son approche, elle lui dit à voix basse :

– Je vous prierais de ne pas ébruiter la relation dont vous venez de prendre connaissance.

Léonie acquiesce tout en endossant sa bougrine, et Françoise bredouille encore :

– La convoitise d'une femme pour une autre est considérée comme le dernier degré du vice dans lequel une créature humaine puisse tomber. Bien des gens n'hésiteraient pas à nous conduire devant le tribunal pour attentat grave aux mœurs.

Alarmée par cette perspective, Léonie jette un regard saisi sur son interlocutrice, qui fait une brève inclination de la tête avant de sortir. Arrivant à son tour à l'extérieur, Léonie arrache son bonnet de sa tête et ferme les yeux, heureuse de l'air glacial qui procure un réel soulagement à son esprit surchauffé. Puis, avec un soupir, elle s'en recoiffe prestement, sachant à quel point il est important pour la santé de conserver les extrémités du corps bien couvertes. C'est donc vrai, ce dont se plaignent les vieilles gens… Les mœurs changent à une vitesse affolante et ce qui semblait immuable hier, soit une vie paisible dans son village à faire produire la terre ou à façonner avec art des biens de consommation, est déjà dépassé. Non seulement ses dévergondées de filles courent le vaste monde, mais ses amies se vautrent dans… dans la débauche, voilà !

Léonie parvient enfin chez elle. Refermant la porte de la salle de classe, elle est saisie par la bonne odeur de pot-au-feu qui s'insinue dans les moindres recoins de la maison. Des voix d'enfants se font entendre et elle se détend aussitôt, enveloppée par cette atmosphère rassurante comme d'une couverture chaude. Ses deux petites-filles l'accueillent avec effusion et Léonie, malgré sa faim, leur consacre de longues minutes, écoutant patiemment leur babillage.

Finalement, Cécile lui sert d'autorité un bol qu'elle s'empresse de dévorer sous les regards réjouis de Lizzie et d'Aurélie. Quand la première a su que la fille de Cécile deviendrait sa sœur, elle a failli s'étouffer de bonheur et, depuis, il ne se passe pas une demi-journée sans que l'aînée explique à la cadette qu'elles sont maintenant unies à la vie, à la mort. Difficile de savoir ce qu'Aurélie comprend de tout cela, mais la vue de sa grande sœur rayonnante suffit à la rendre aussi allègre!

Dès le retour de Cécile de sa lointaine contrée, elles se sont adoptées mutuellement, conscientes d'être toutes deux pareillement singulières aux yeux du voisinage. Elles ne se ressemblent pourtant pas du tout. Lizzie, âgée de presque sept ans, est un parfait mélange des deux races: une peau couleur chocolat au lait, des traits vaguement négroïdes et des cheveux noirs et joliment frisés. De son côté, Aurélie, deux ans et demi, a hérité de la rondeur du visage et des yeux étirés s'appuyant sur des pommettes hautes et saillantes caractéristiques des peuplades amérindiennes. Par contre, sa peau est plutôt claire, son nez effilé comme celui de sa mère et ses yeux sont d'un brun clair tirant sur le vert. Elle refuse obstinément de se défaire du bandeau de cuir qui lui ceint le front, par-dessus ses légers cheveux bruns.

Au cours de ses allées et venues dans la cuisine, Cécile sifflote et sa mère coule vers elle un regard attendri. Si la perspective de ce mariage a rendu Léonie légèrement mal à l'aise, elle ne peut nier que l'arrimage entre ces deux êtres semble réussi. Elle craignait que l'attachement de Daniel soit moins profond que celui de Cécile, mais il est vrai que les liens peuvent fort bien se solidifier avec le temps. Tous deux ont vécu auparavant une autre relation amoureuse qui s'est mal terminée et, à l'évidence, tous deux étaient assoiffés de proximité et de caresses… Dès la sobre cérémonie terminée, à l'église paroissiale, ils n'avaient d'yeux que l'un pour l'autre. La nuit de festivités a dû leur paraître bien longue!

La jeune femme s'exclame gaiement:

– Nous irons chercher votre papa à l'école à la relevée, n'est-ce pas, mes biches adorées ? Un peu d'air froid nous fouettera les sangs !

Toutes deux approuvent avec effusion, puis Cécile ajoute malicieusement :

– En attendant, c'est l'heure de faire un somme. Venez, mes pouliches, vous serez gentilles de laisser votre maman fermer les yeux quelques minutes...

Léonie sourit devant ce prétexte éculé, mais généralement efficace, pour justifier cette pause qui fait regimber les enfants. Elle reçoit des baisers humides, mais ardents, et bientôt lui parviennent les bruits étouffés de sa fille cadette s'allongeant au milieu de son lit et des petiotes qui prennent place chacune contre son flanc. Le rituel est bien établi maintenant : Cécile et Lizzie feront semblant de dormir pour permettre à Aurélie de sombrer dans le sommeil. Si les conditions sont favorables, la petite roupillera pendant deux bonnes heures.

Pour sa part, après avoir nettoyé son bol, Léonie se laisse tomber dans la chaise berçante près du poêle, non sans avoir au préalable placé un coussin plat sur le siège. La tête appuyée au dossier et le cou soutenu par un vieux chandail de laine roulé, les pieds relevés sur un tabouret, elle ferme les yeux. Il n'y a pas deux journées par semaine au cours desquelles elle peut se permettre ce luxe, si jouissant en plein cœur de l'hiver... Les pensées traversent son esprit sans qu'elle cherche à les retenir et même des réminiscences de la scène dérangeante de ce midi, à la Société compatissante, ne réussissent pas à l'empêcher de partir à la dérive.

En fin d'après-dînée, Léonie a droit à une heure de solitude pendant laquelle elle compulse ses notes pour le cours qu'elle donnera le lendemain à ses élèves de l'École de sages-femmes. Elle feuillette ensuite l'un des quelques livres savants qu'elle a réussi à se procurer, celui de Marie-Anne Boivin intitulé *Mémorial de l'art des accouchements,* pour s'arrêter à la page 143 du premier tome où l'accoucheuse décrit de belle façon un accouchement spontané et régulier.

Encore une fois, Léonie ne peut se retenir de plonger dans cet ouvrage qui exerce sur elle une réelle fascination. Elle se délecte de la manière dont la Française insiste sur le toucher des os du crâne pour sentir très précisément la progression de l'expulsion : avant la flexion, puis après, puis le franchissement de l'orifice utérin, puis la rotation, puis le passage des tubérosités sciatiques...

Par hasard, Simon a rejoint sur la route du retour sa fille, son gendre et leurs enfants : c'est donc une joyeuse troupe qui fait irruption sur le coup de six heures. Dès qu'elle a ôté ses vêtements d'hiver, Cécile se précipite vers sa mère, un petit paquet long et plat, bien ficelé, à la main.

– Regarde, maman ! Je suis passée chez le maître de poste et j'y ai trouvé ceci qui m'attendait !

Elle lui place le colis sous les yeux comme pour avoir confirmation qu'elle n'a pas la berlue et que l'envoi lui est bien destiné. Après avoir lu l'adresse de la destinataire, Léonie déchiffre celle de l'expéditeur et son cœur fait une embardée dans sa poitrine.

– Eh oui, grommelle Simon, ce cher docteur s'est souvenu de notre existence !

Son mari fait mine d'être offusqué de cet éloignement, mais Léonie sait fort bien qu'il le considère d'abord et avant tout comme une pauvre victime des frasques de leur fille... Aurélie danse devant sa mère en tendant les bras vers le paquet et Cécile répond à sa muette supplique :

– Oui, ma biche, nous allons l'ouvrir ensemble. Ouste, dans la cuisine !

Bientôt, Léonie, sa fille et ses petites-filles sont attablées. C'est Lizzie qui a la responsabilité de dénouer les ficelles, sous les yeux avides de sa petite sœur. Les deux hommes feignent de n'y prêter guère attention, mais Léonie n'est pas dupe de leur manège et ne peut s'empêcher de guetter Daniel du coin de l'œil. Le grand et mince jeune homme à la couette blonde jette vers la scène des regards circonspects et, semble-t-il à Léonie, étrangement défiants...

Lizzie pousse un cri de triomphe: elle a vaincu les solides nœuds. Magnanime, elle laisse sa sœur déplier le papier, qui crisse bruyamment dans le pesant silence. Elle découvre non seulement une jolie boîte qui lui arrache des exclamations d'admiration, mais une petite enveloppe adressée à Cécile, qui s'empresse d'en extirper la carte de visite de Bastien, sur laquelle le jeune médecin a écrit: «Avec tous mes souhaits de bonheur.»

Cécile ouvre la boîte et découvre, dans un écrin de papier de soie, un bracelet fait d'un filament d'argent serti d'une pierre rouge lisse comme un galet. C'est un bijou trop sobre pour que le cadeau soit considéré comme inconvenant, mais d'un goût sûr et qui fait monter le feu aux joues de la jeune mariée. Sa tendre moitié bougonne:

– Une chance qu'il se démène, cet agrès-là, pour t'offrir la parure que tu mérites et que moi, je n'ai pas les moyens...

Le bracelet au poignet, Cécile se lève d'un bond, s'empresse d'aller à lui et de nouer ses bras autour de son cou, un large sourire aux lèvres.

– Ne gâche pas mon plaisir... qui est minuscule comparé à tous ceux qui me viennent de toi.

Simon pousse un sifflement coquin tandis que Daniel, légèrement rasséréné, dépose un baiser sonore sur le front de son épouse. Couvrant ses épaules de son bras, il ajoute ensuite à la cantonade, l'air goguenard:

– Combien vous pariez qu'il s'est contenté de piger dans le coffre des bijoux de famille?

Son beau-père pouffe de rire puis, les mains sur les hanches, il renchérit:

– Tant qu'à faire, dans ceux qu'il avait offerts à sa femme, peut-être ?

Les deux hommes sont hilares, mais Léonie s'écrie, furieuse :

– Cessez tous les deux ! C'est insultant pour Cécile ! Je veux dire, mon gendre me porte sur les nerfs par les temps qui courent, mais jamais il ne manquerait à ce point de considération !

Pour se faire pardonner, Daniel serre Cécile dans ses bras à l'étouffer et Lizzie, qui guettait cette ouverture, en profite pour retirer prestement le bracelet de son poignet et pour aller s'accroupir dans un recoin de la pièce. La petiote se précipite à ses côtés et, la mine extasiée, toutes deux contemplent le bijou en le retournant dans tous les sens. Cécile crie, faussement offusquée :

– Espèce de chapardeuse ! Dès que tu bouges de là, tu me le rapportes, c'est compris ?

Les yeux pleins de rêve, Lizzie fait un signe affirmatif. Daniel fait pivoter Cécile et la pousse vers l'escalier, en disant par-dessus son épaule :

– Trois minutes là-haut et on revient, c'est promis !

– Toi et moi, mon gendre, on n'a pas la même notion du temps !

Léonie remarque placidement :

– Si ça s'éternise, on cognera dans le plafond avec un manche à balai.

Elle s'approche de Simon, entoure sa taille de ses bras et pose la tête contre son épaule avec un soupir de contentement. Il murmure avec gentillesse :

– Longue journée ?

Elle se contente de frotter doucement sa joue contre le drap de sa chemise. Aujourd'hui, elle a pris conscience d'une réalité qui la pousse dans ses derniers retranchements… et elle ne peut même pas lui en glisser un mot ! Elle ne peut compter sur la grandeur d'âme de son mari concernant ce sujet sulfureux. Il existe un tout petit risque qu'il trahisse le secret… Elle est condamnée au silence. À dire vrai, il n'y a qu'un seul être humain dans le monde entier auquel elle oserait se confier : sa fille aînée. Mais il serait bien trop dangereux de tenter une telle conversation par lettre interposée ! Le chagrin de cette absence devient un fardeau qui pèse sur les épaules de Léonie, et elle cache son visage dans le creux du cou de Simon.

Chapitre VII

Le mois de février est abondamment ensoleillé dans l'État de New York, mais Flavie s'en aperçoit à peine, comme elle est aveugle à la beauté de la couverture de neige immaculée, au reflet magnifié par les rayons en rase-mottes. Elle observe le départ des équipées en raquettes, sans avoir aucunement le goût d'y prendre part ! Stephen occupe toutes ses pensées.

Lors de leur première rencontre dans une chambrette, Flavie était d'autant plus ravie qu'elle savait ses menstrues imminentes ; après tout, elle n'avait pas encore eu la preuve des capacités de son amant ! Mais pendant les deux heures qui ont suivi, ce dernier a su dissiper les derniers doutes de la jeune femme. Tout ce temps, il l'a saoulée de caresses et il a passé de longues périodes à la pénétrer langoureusement, selon un rythme changeant mais toujours sage. Une première fois, puis une seconde vers la fin de leur étreinte, Flavie s'est sentie transportée jusqu'au faîte de son plaisir. Quant à Stephen, apparemment content, il s'est benoîtement retiré d'elle lorsque la fatigue les a gagnés.

Depuis ce jour, ils se sont retrouvés à plusieurs reprises, et chaque fois, c'est sensiblement le même rituel. Bien entendu, dans un tel climat d'exacerbation du désir, Stephen profite de chaque moment de solitude à deux, de chaque rencontre fugace, pour l'honorer de ses attentions pressantes. Flavie ne peut s'empêcher, peu à peu, de le prendre en pitié.

Pendant combien de mois pourra-t-il être ainsi parfaitement continent ? Elle-même ne pourrait supporter si longtemps un tel état de tension, dont il faudrait qu'elle se décharge d'une manière ou d'une autre…

L'obligation d'une parfaite maîtrise comporte un autre inconvénient : Stephen ne peut laisser Flavie se servir de lui à sa guise. Elle en a l'indication un soir de février quand, assise à califourchon sur lui, elle saisit son membre pour le frotter contre elle, puis pour s'y empaler. Aussitôt, il la repousse et, l'obligeant à s'étendre sur le côté, il se place derrière elle, selon une position où lui seul impose la cadence. Flavie n'est pas contrariée outre mesure puisqu'il la comble avec art, mais elle ressent quand même une légère frustration, qu'elle finit par exprimer lorsqu'ils sont enfin calmement allongés l'un contre l'autre. Posant la joue sur son torse, elle frise du doigt les rares poils de sa poitrine, en disant :

– Tu es un as de la continence, mon trésor, et je jouis à chaque fois de la manière dont tu t'y prends. Cependant…

– Cependant ?

Elle ferme les yeux un bref instant. Comment lui confier que c'est lorsque Bastien est parvenu en même temps qu'elle au pic de la jouissance qu'elle a connu ses plus vives extases, celles qui faisaient vibrer ses nerfs jusqu'au bout de ses orteils ? Comment lui dépeindre la beauté glorieuse de ce moment d'incandescence ? Peut-être même ne l'a-t-il jamais vécu… Elle se contente de laisser tomber :

– De sentir l'autre se pâmer entre ses bras… C'est fièrement excitant, je t'assure.

– J'en conviens. Je t'ai vue plusieurs fois.

Elle considère son air mi-figue, mi-raisin avant de poursuivre, malicieuse :

– Ne me fais pas accroire que parfois, seul… Ne me fais pas accroire que tu pourras passer des années à te contrôler avec tant de superbe ? À te contrôler sans un quelconque exutoire…

L'air extrêmement sérieux, il place une main gentille mais ferme sur sa bouche. Après un silence, il dit enfin :

– Tu es une femme libre, Flavie, je l'ai vite compris. J'en suis heureux. J'apprécie également ton franc-parler. Néanmoins, il est des sujets… des sujets qu'il est inconvenant d'aborder.

– Même entre nous ? réplique-t-elle, heurtée.

– Même dans nos propres pensées.

Elle se redresse pour lui jeter un regard sourcilleux, puis elle se détache de lui et s'assoit dans le lit, ses bras entourant ses genoux relevés. Le regard fixé sur un point au mur, elle rétorque :

– Je croyais que Father Noyes vous avait délestés à jamais de l'esclavage du puritanisme ?

Elle fait allusion au fait que les premiers colons américains étaient des puritains, soit des fanatiques religieux qui avaient fui l'oppression des autorités de leur pays, la Grande-Bretagne.

– L'*esclavage* du puritanisme ? Tu sauras, ma chérie, que j'ai hérité de mes ancêtres certaines valeurs morales auxquelles je tiens mordicus. La sobriété, l'ardeur au travail, l'esprit de famille… Mais je conviens avec toi que notre esprit a été pollué par quelques hantises dignes d'un âge des ténèbres heureusement révolu. En effet, Father Noyes a commencé à faire le ménage. Il nous a fait comprendre que l'amour charnel est lumière du paradis plutôt que noirceur de l'enfer…

Il attire Flavie, qui se rallonge contre son flanc. Il murmure à son oreille :

– Tu es jeune et impétueuse. Généreuse. Passionnée. Cela compense largement ton défaut d'orgueil…

Elle veut riposter, mais Stephen lui ferme la bouche d'un baiser. Elle clôt les paupières et obéit à la pression de son amant qui l'oblige à se laisser aller sur la couche de tout son long. Sa main glisse jusqu'à ses jambes qu'il écarte et il la titille ainsi longuement, une main sur son sein, l'autre qu'il a insinuée dans sa fente humide… Flavie abdique totalement. Qu'il s'arrange avec sa propre satisfaction !

À intervalles réguliers, Stephen décrète une pause à leurs ébats pour faire œuvre d'édification. Encore une fois ce soir, avec prudence, il tente d'éclaircir un point sur lequel Flavie bute régulièrement : à Oneida comme ailleurs, les hommes s'arrogent le droit de décider pour tout le monde, un droit dont les femmes sont privées. Depuis la rebuffade de Marguerite, depuis qu'elle lui a lancé en plein visage plusieurs qualificatifs abusifs au sujet de leurs études de médecine, Flavie est plongée dans la plus grande perplexité. Des bribes de sa tirade rebondissent constamment dans la cervelle de la jeune accoucheuse : outrecuidance, aveuglement, monstrueuse erreur !

Lorsque Flavie croise sa consœur au détour d'un corridor ou qu'elle la côtoie pendant une corvée, elle ne peut s'empêcher d'espérer une rétractation, des regrets… Mais Marguerite reste muette et distante, sanglée dans ses toutes nouvelles certitudes, apparemment insensible au trouble qu'elle a causé. Flavie s'en est donc ouverte à Stephen qui, après l'avoir écoutée sans mot dire, lui a expliqué que grâce à Mr. Noyes, qui a rendu les volontés divines intelligibles, les femmes d'Oneida retrouvent leur place légitime non point en usurpant l'autorité de leurs compagnons, mais en s'appuyant sur eux.

Flavie tique sur le mot qu'il a employé pour désigner la gent masculine : « *their lords* ». Leurs seigneurs et maîtres. Pour être sûre d'avoir bien compris, elle demande :

– Les hommes se considèrent comme les *seigneurs* des femmes ?

– De la même manière que Dieu est le seigneur des hommes, ces derniers sont les seigneurs des femmes. Mais c'est un servage empreint de bonté, de mansuétude et surtout d'amour. L'amour de Dieu est une chaîne qui descend de lui jusqu'à la créature la plus informe.

Le désir, explique-t-il, est la manifestation par excellence de cet amour que l'humain doit cultiver en lui. En créant deux sexes différenciés, l'intention du Créateur était de favoriser une expression amoureuse d'une intensité impossible à atteindre autrement. Non seulement Father Noyes affirme-t-il qu'il est présomptueux de faire obstacle à cette volonté suprême, mais il soutient que cet amour même protège les femmes des abus. Ici, à Oneida, elles peuvent sans aucune crainte s'incliner devant une autorité qui ne peut être malsaine ni abusive, puisqu'elle émane directement de Dieu.

Les hommes qui s'abandonnent totalement à la grâce, et qui savent la faire rayonner dans tous les aspects de la vie, sont des maîtres spirituels de tout premier ordre puisqu'ils sont pénétrés de l'immense et inconditionnel amour divin. D'ailleurs, fait remarquer Stephen, plusieurs femmes mûres ont atteint ce degré de perfection et en font bénéficier les jeunes hommes! En quelque sorte, ces aînées sont à ce point imbues du principe mâle divin que, peu importe leur enveloppe charnelle, elles sont un moyen sûr d'élévation.

Flavie ne peut se leurrer davantage: les préjugés qu'elle a fuis à Montréal, elle les retrouve ici, à Oneida, dans ce texte des Écritures où l'apôtre Paul soumet les femmes au gouvernement de Dieu, qui a créé l'homme à son image pour en faire son principal représentant sur terre. Mais qui est-elle pour contester une tradition millénaire, un savoir cultivé avec soin, enrichi et commenté par des générations de théologiens? Qui est-elle pour contester le fait que l'énergie mâle doit dominer? Cette même énergie qu'elle sent parfois si souveraine en elle et qui lui donne envie de courir, de se battre, de voyager?

Dans le fond, Father Noyes a peut-être trouvé la meilleure solution: Dieu étant par essence hermaphrodite, il propose de gommer les différences si visibles entre les comportements masculin et féminin. Par la fusion des énergies, s'interpénétrer, s'enrichir, s'oublier ! Qui sait ce qu'il adviendra des membres de l'Association ? Qui sait à quel degré de raffinement et de perfection ils seront parvenus, lors du Jugement dernier ?

Le fondateur est formel : cette électricité qui passe entre deux êtres qui se désirent, il s'agit de l'amour du Créateur tel qu'il se propage à partir des cieux jusqu'à eux. C'est lorsque le compagnonnage charnel est cultivé que la lumière divine s'épanouit... Le Tout-Puissant a envoyé son fils sur terre pour libérer son peuple de ses péchés. Pour se placer sous la protection de Dieu, il suffit donc d'avoir la foi en son fils. Et cette foi, selon Mr. Noyes, consiste en une conviction intime que le Sauveur est en soi, qu'il a pris possession de soi.

Flavie se sent totalement à son aise parmi ces Yankees singuliers qui ont choisi de se constituer en parias. Elle exulte lorsqu'elle les entend critiquer les manies et les folies du vaste monde ! L'audacieuse conception des rapports amoureux, qu'elle est en train d'apprivoiser, lui plaît infiniment. Ici, les femmes refusent le pire esclavage qui soit, celui des liens du mariage, dans une atmosphère vivifiante de totale liberté ! Il ne lui reste qu'à chasser ses habitudes de rationalité et de scepticisme. D'accord, ce n'est pas une mince tâche, mais elle est persuadée qu'elle y parviendra, surtout avec l'aide de Stephen qui l'abreuve d'un si rafraîchissant discours, celui de l'abandon, de l'amour infini, des liens sacrés qui unissent tous les êtres et, surtout, de cette foi qui accomplit des miracles...

Flavie décide alors de se concentrer sur ce but : apercevoir la lumière divine en elle, puis la laisser grandir jusqu'à prendre toute la place. Résolue à embrasser dans leur entièreté les principes en vigueur dans la communauté, dont celui qui commande la fréquentation de plus « saints » que soi, Flavie se blottit entre les bras de Stephen, et c'est après une dernière étreinte empreinte de tendresse que tous deux se quittent enfin, à regret.

Pourtant, à l'étonnement de Flavie, Stephen se fait fuyant au cours des jours qui suivent. Si tous deux, en public, doivent observer une réserve de bon aloi, ils profitaient jusque-là de la moindre occasion, regard échangé ou frôlement au détour d'un corridor, pour se parler sans mots. Mais Stephen semble faire exprès pour l'éviter... Encore pire: le surlendemain, alors que Flavie en est encore à se demander ce qui se passe, ce n'est pas avec elle qu'il quitte la salle commune, mais avec sa propre épouse!

Un formidable éclair de jalousie la transperce de part en part. Le tonnerre serait tombé à ses pieds qu'elle n'en serait pas davantage ébranlée! Ce n'est pas elle qu'il va déshabiller, mais cette insignifiante qui, même en quinze ans de mariage, n'a pas su l'amener à une saine virilité! Son esprit hagard est envahi d'images de cette femme mûre et plutôt grasse livrée au désir de Stephen... Il la préfère maintenant à Flavie? Pour le sûr, il n'a pas apprécié son franc-parler de l'avant-veille! Il a jugé qu'elle était diablement péremptoire dans ses idées d'émancipation, ce qui est une terrible faute pour une femme! Il la trouve dangereuse pour la paix de son esprit...

Pendant la demi-heure qui suit, Flavie fait mine de s'intéresser au bavardage de Marguerite et de quelques compagnes, mais son cœur est en tumulte. Un moment, elle se reproche amèrement sa propre hardiesse qui frise l'inconscience pour, la minute d'après, au contraire, s'en féliciter sous prétexte qu'elle lui permet de démasquer les couards. Elle se désespère de faire fuir tous les mâles de son entourage... puis elle se congratule parce qu'elle a bien des choses plus importantes à faire que d'accorder ses faveurs à ces êtres insipides!

Lorsqu'elle se glisse entre ses draps, son trouble a enflé à un tel point qu'elle verse quelques larmes silencieuses. Le feu qui fait rage en elle s'alimente à d'anciennes douleurs encore vives.

À son corps défendant, elle revit quelques épisodes de l'escalade de tensions qui a creusé un si large fossé entre son mari et elle. Plusieurs visages finissent par se mêler en une sarabande sans fin de confiance trompée et d'espoirs déçus, non seulement celui de Bastien, mais celui de Stephen et même de Louis Cibert… Flavie dort très mal cette nuit-là, comme si une menace planait au-dessus d'elle.

Dès lors, elle ne peut plus ignorer l'atmosphère pesante qui règne à Oneida, due au spectre de la maladie et de la mort qui hante toute la communauté. John Noyes est à Brooklyn, à superviser l'impression de ses chères publications, mais des nouvelles de son état de santé précaire leur parviennent régulièrement. Sa gorge le fait sérieusement souffrir depuis plusieurs années et, périodiquement, il s'astreint à des jeûnes vocaux. Il a tenté diverses cures, dont une abstinence totale de viande, de café, de thé et de tabac, mais la guérison est lente à venir.

Le pire pour les membres d'Oneida, c'est la lente mais apparente dégénérescence de John Miller, cet homme discret qui se dévoue corps et âme pour la survie financière de l'Association et de toutes ses communautés. D'une maigreur impressionnante, il s'affaiblit peu à peu et son manque d'appétit n'est pas découragé puisque plusieurs estiment, à l'instar de John Noyes, que l'intempérance alimentaire est la source de bien des maladies.

Convertie aux enseignements du célèbre Sylvester Graham, toute la collectivité cultive la croyance que la modération et ultimement le jeûne sont des cures souveraines. Flavie n'est pas l'une des proches de John Miller, mais parfois, le voyant grignoter une seule tranche de pain complet et boire un verre d'eau avant d'attaquer sa journée de travail, elle brûle de lui mettre sous le nez une assiette copieusement garnie…

Un matin, elle s'en ouvre à Marguerite, qui prend le temps de lui répéter que les perfectionnistes d'Oneida font la guerre à tout ce qui peut polluer le corps et, par le fait même, provoquer un obscurcissement de l'esprit, puisque ce sont des perversions inventées par le diable pour accroître le tumulte intérieur et détourner les humains du sacré. Les aliments sont essentiels, mais il faut les consommer comme s'il s'agissait de la chair de Dieu, avec vénération !

Devant le silence sceptique de Flavie, sa vis-à-vis poursuit en lui décrivant les deux forces opposées à l'œuvre dans l'univers : l'Esprit divin, qui représente la puissance, la vie, la croissance, et l'Esprit malin, le parasite par excellence qui, trop souvent encore, corrompt les âmes, même ici, à Oneida ! Le démon cherche à détruire l'ordonnance divine et il faut donc s'en libérer. Les intestins encombrés de parasites sont la preuve, selon Father Noyes, d'un dérangement qui est loin d'être uniquement physique et qui se manifeste par un appétit glouton qu'il faut combattre par tous les moyens.

Marguerite conclut sobrement, en glissant un regard vers John Miller, attablé plus loin :

– Il y a quelques jours, il a subi une remontrance de la part de ses proches. On lui a conseillé de se libérer de l'influence spirituelle de la maladie. De porter son attention ailleurs, vers les autres. De s'accrocher au positif.

Tout en vidant son assiette, Marguerite évite soigneusement de croiser les yeux de sa compatriote, ce qui, ajouté à la teneur de son discours, agace Flavie au plus haut point. Se peut-il que Marguerite croie réellement ce qu'elle affirme ? Cette inextricable confusion entre maladie et démonisme, entre santé et divinité… Certes, la science ne comprend pas encore grand-chose aux maux physiques. Certes, le découragement moral pourrait avoir une influence plus importante qu'on ne se l'imagine. Mais de là à s'accrocher à cette équation simpliste, il y a tout un pas qu'une savante comme elle ne devrait pas franchir !

S'il est un terrain sur lequel Flavie a de la difficulté à suivre Marguerite, c'est sur celui de l'ascèse alimentaire. Elle n'a rien contre le régime en vigueur à Oneida, qui repose principalement sur les fruits du sol, sur des pains de toutes sortes et, à l'occasion, sur les produits de la pêche et de la trappe, mais elle a suffisamment discuté avec son mari de l'importance d'une alimentation variée pour être persuadée que, dans certains cas, comme celui de John Miller, la privation correspond à un suicide!

Mais aussitôt, le doute vient tempérer son jugement. Peut-être que la faiblesse croissante et les accès de fièvre et de migraine de Mr. Miller n'ont rien à voir avec le contenu de son assiette? Peut-être qu'au contraire ses forces vitales sont économisées de telle façon qu'il repousse une fin prévisible? Certains ascètes n'ont-ils pas atteint un âge vénérable? Les disciples de Noyes combattent toute forme de dépendance avec une telle persévérance! Comme si la clef du bonheur résidait dans un suprême détachement...

Le fondateur désire que chacun atteigne l'état bienheureux où l'on se délivre tout simplement du besoin comme d'une vieille bougrine. Cet état d'indifférence et d'absence de souffrance lui semble le paradis que chacun doit convoiter! Sur le point de porter sa tasse de café à sa bouche, Flavie surprend la mine réprobatrice de son amie. Après le tabac, la lutte s'est déplacée sur le terrain des drogues alimentaires! Par écrit interposé, John Noyes a fait savoir que les narcotiques et les stimulants sont de la même famille. Lorsque Dieu exige que ses brebis se délivrent de l'esclavage du tabac, il signifie implicitement toutes les substances propres à satisfaire les appétits sensuels de l'homme, qui excitent la chair mais noient l'esprit. Le Christ, lui, excite l'esprit jusqu'à ce qu'il subjugue et noie la chair!

Tout cela laisse Flavie plutôt perplexe et elle a de la difficulté à se priver de ce plaisir auquel elle s'est accoutumée chez les Renaud. Néanmoins, elle commence à faire figure d'exception puisque à peine une demi-douzaine de tasses trouvent maintenant preneur au déjeuner... Une semaine d'abstinence, cet hiver, s'est conclue par de nombreuses conversions! Marguerite elle-même, le dernier jour, a finalement réussi à passer par-dessus le manque qui l'obsédait, après avoir demandé à Dieu, dans une séance intensive de prière, de la rendre libre.

Flavie n'est pas dans une disposition d'esprit pour accepter de bonne grâce les admonestations muettes de son amie. Ces jours-ci, son sommeil est agité et sa tasse de café matinale est comme un baume! Elle grommelle plutôt:

– Il ne faudrait tout de même pas charrier. Ça crève les yeux que Mr. Miller est en train de se sacrifier pour la cause! Ses responsabilités sont écrasantes. Sur ses épaules repose tout le succès de l'entreprise!

– Nous savons tous pertinemment ce que nous devons à Mr. Miller, réplique Marguerite froidement. Je suis persuadée que Father Noyes en a conscience également. Mais le moyen de faire autrement? La diffusion de nos idées est vitale et doit primer n'importe quoi d'autre.

– Sauf que pour nourrir la gazette de Father Noyes, Mr. Miller se creuse la cervelle et travaille d'arrache-pied! Il passe son temps à chercher des débouchés pour les produits fabriqués ici.

– Avec un certain succès, je te ferai remarquer. Nos vendeurs itinérants font de bonnes affaires. Il paraît que les New-Yorkais craquent pour nos fauteuils rustiques. C'est ainsi: le péché est la cause immédiate de la maladie et, ultimement, du trépas. Prends garde, Flavie. Tu critiques trop.

Le ton de sa voix est tendu comme la corde d'un arc, et Flavie la considère avec ébahissement.

– Je fais mon possible pour t'amener sur le terrain de la vérité, continue Marguerite, mais je constate en toi une tendance vindicative qui me devient insupportable. La voie que propose Father Noyes est la seule qui mène à la sainteté, tiens-toi-le pour dit. Dorénavant, je préfère me concentrer sur ceux qui me propulsent vers le haut, et non pas sur celle qui me tire vers le bas.

Sur ce, elle se lève brusquement et s'éloigne. Désarçonnée, Flavie vide sa tasse de café d'un geste nerveux. Elle vient d'être littéralement jetée aux orties ! Sous le choc, elle reste tassée sur sa chaise pendant de longues minutes, valsant entre la rancœur et le désarroi. Est-ce que tout le monde, ici, pense de même ? Est-ce que l'élan d'affection qu'elle a senti après l'interrogatoire de Father Noyes est en train d'être remplacé par un dédain croissant ? L'attitude de Stephen, du moins, pourrait le laisser croire...

Misérable, Flavie se lève pesamment. Un éclair de douleur à la mâchoire lui rappelle qu'elle doit, de toute urgence, solliciter une consultation auprès du médecin yankee qui fait partie d'Oneida et dont les seuls services professionnels requis sont ceux de réparateur de dents.

Pendant tout le temps qu'elle est vissée sur la chaise, à se faire jouer dans la bouche, elle ne peut s'empêcher de se répéter avec ironie qu'elle est en train de commettre une hérésie, qu'elle devrait laisser la nature et le divin guérir son abcès ! Par quelle logique les membres de l'Association acceptent-ils de laisser un praticien soulager leurs maux de dents mais point leurs autres maux organiques ?

Plus tard, sa mauvaise humeur augmente encore lorsque, tout en s'escrimant sur un ouvrage de couture, Flavie doit écouter les conseils bien intentionnés de ses voisines, qui lui recommandent de traiter son mal buccal comme un problème principalement spirituel, de remettre sa dent entre les mains du Créateur et d'accepter son avis sur la meilleure marche à suivre vers la guérison. Cela donne envie à Flavie de faire revoler le pantalon qu'elle est en train de confectionner ! Chaque femme doit prendre en charge la garde-robe de l'un des hommes et sur les épaules de Flavie repose le sort vestimentaire d'un vieillard pour lequel elle n'a, du moins en cet instant précis, aucune espèce d'affection particulière.

Mais ces pensées impies lui mériteraient une sévère remontrance si elle les énonçait à voix haute ! L'amour dans son cœur doit s'étendre à tous et toutes, sans exception. La jalousie qu'elle éprouve envers Miss Waters, le manque qui l'obsède en l'absence de Stephen, ce sont des sentiments qui sont tenus ici pour anti-chrétiens et que l'on abhorre parce qu'ils sont la source de désordres et de discorde. Les âmes qui les abritent n'ont pas encore reçu la grâce, celle qui permet d'être considéré comme un membre à part entière ! Repentante, Flavie s'administre donc une vive réprimande tout en tâchant de regarder la pièce de vêtement avec sympathie, puisqu'elle ornera l'un de ses frères. Une brève période à la machine à coudre, cet engin fascinant qu'elle manœuvre encore avec peine, contribue à son apaisement...

Par une lumineuse après-dînée de mars, Léonie est en train de conclure la première partie de son enseignement, soit les accouchements qui ne nécessitent, de la part des praticiennes, que des interventions mineures. Debout entre les deux tables où sont installées ses élèves qui se font face, elle revient sur la nomenclature des positions du fœtus dans la matrice, soit une vingtaine rencontrées par la sage-femme française Marie-Louise Lachapelle dans sa pratique. Le sujet a déjà été abordé au cours des mois précédents, mais Léonie tient à répéter à ses élèves qu'il y a un réel danger à avaler toutes crues les théories fantaisistes de certains obstétriciens avides de gloire, qui multiplient les positions quasiment à l'infini.

– Je vous ai prévenues à quel point cette confusion pouvait conduire à poser un faux diagnostic. Par ailleurs,

Mme Lachapelle souligne un autre danger des nomenclatures purement théoriques qui se répètent et s'augmentent de livre en livre : c'est de faire croire que les positions sont fixes et invariables. La mobilité du fœtus due à la conformation ordinaire du bassin est une chose sur laquelle il faut insister sans relâche, comme j'ai tenté de le faire auprès de vous depuis le début de l'année.

Lorsqu'elle a la conviction d'avoir fait tout son possible pour convaincre ses jeunes auditrices, Léonie enchaîne avec une courte période de révision de l'anatomie, science exigeante mais fondamentale. Elle s'attache particulièrement, ce jour-là, à la configuration du bassin.

– Quatre ligaments méritent une attention particulière parce qu'ils servent essentiellement à circonscrire l'étendue du détroit périnéal et à en déterminer la forme. Attachés à la face spinale et à la partie inférieure du bord du sacrum, ces ligaments sont superposés et si intimement unis qu'ils paraissent confondus en une seule lame aponévrotique ; ils sont cependant très distincts par la direction de leurs fibres, ainsi que par leur terminaison à l'ischion.

Au début d'une session, Léonie prend bien garde à ne pas décourager ses élèves en les inondant de données médicales mais, semaine après semaine, elle élabore davantage. Parfois, elle s'ébahit de sa naïveté lors de ses débuts comme professeur et de tout ce qu'elle a appris par la suite en matière de pédagogie. Par chance, elle n'avait pas réellement prévu ce qui l'attendait, parce qu'elle n'aurait jamais osé se lancer dans cette aventure !

Il est tard et Léonie donne congé à ses neuf élèves avec un sourire affectueux. Comme elles sont courageuses et débrouillardes ! Si elles avaient conscience de l'énergie qu'elles lui insufflent, simplement grâce à leur avidité d'apprendre et à leur persévérance devant les difficultés ! Léonie en discute parfois avec Simon, qui lui a maintes fois confirmé que l'enseignement est une sorte de flux vital, un aller-retour entre élèves et instituteur dans une danse que chacune des deux parties mène tour à tour. Sans cet échange constant, un pédagogue s'épuiserait à sa tâche en l'espace d'un mois!

Si elle avait été meilleure enseignante, peut-être auraitelle pu éviter l'échec de quelques-unes de ses élèves? Léonie sait fort bien qu'elle a grandement tort de s'accabler de la sorte et que, ainsi que le déclare péremptoirement son mari, elle a fait son gros possible, mais n'aurait-elle pas dû se former à l'art pédagogique avant d'ouvrir son École de sages-femmes?

Lorsqu'elle s'est vidé le cœur auprès de Marguerite, l'année précédente, cette dernière a riposté que, selon elle, Léonie était bien plus humaine et charitable que la maîtresse sage-femme et ses aides de la Maternité de Paris! La jeune femme a eu la gentillesse de passer plusieurs après-dînées avec Léonie, lui décrivant en long et en large les méthodes d'apprentissage en vogue là-bas.

Léonie referme ses cahiers et ses livres, puis les remet à la place qu'ils occuperont jusqu'au prochain cours. À mesure qu'elle promène son regard dans la salle de classe qui n'a plus tellement à envier, paraît-il, à celles de l'École de médecine, Léonie se laisse inonder par une plaisante satisfaction. Pour la première fois depuis l'ouverture de son école, elle a le sentiment d'être parvenue au but qu'elle s'était fixé: non seulement offrir aux aspirantes accoucheuses une formation de haut calibre, échelonnée sur deux années dont la seconde est consacrée aux stages à la Société compatissante, mais devenir une tutrice experte, apte à saisir rapidement la personnalité de chacune de ses élèves pour tenter de s'y adapter et de lui offrir un réel soutien.

Ce qui ne veut pas dire que tout baigne... Léonie avait trouvé en Marguerite une assistante de qualité. Son départ précipité pour Oneida, au mois de mai dernier, l'a obligée à récupérer toute la tâche d'enseignement, qui, couplée à celle de maîtresse sage-femme de la Société compatissante, lui fait un horaire diablement chargé ! Léonie caresse le rêve de confier toute la matière théorique à une autre sage-femme. Elle souhaiterait se réserver uniquement la supervision des stages pratiques, pour lesquels une longue expérience des délivrances est indispensable. Mais qui pourrait la seconder ainsi ? Léonie ne connaît aucune sage-femme canadienne assez instruite et lettrée, ni assez habile dans cette fonction. Seule son ancienne élève Marie-Julienne Jolicœur lui semble posséder un tel potentiel, mais il lui faut encore se perfectionner.

La songerie de la maîtresse sage-femme est interrompue par des coups sonores à la porte d'entrée. Elle en reconnaît instantanément l'auteur : seul le messager de la Société compatissante la sollicite ainsi, à toute volée ! Malgré sa taille impressionnante, Michael Tramper a encore un cœur enfant et c'est avec un emportement mâtiné de naïveté qu'il lui fait comprendre que sa consœur Sally Easton a besoin des lumières de sa science.

Cette formulation polie arrache un sourire à Léonie. Elle ne peut imaginer une seule circonstance où Sally, bien davantage experte qu'elle, se retrouverait démunie ! Mais dans certains cas imprécis, il est parfois souhaitable de confronter son opinion à celle d'une collègue. Léonie rassemble ses énergies et, sans plus attendre, elle prend la route en compagnie de son protecteur, non sans avoir griffonné une note à l'intention de Cécile et de Daniel, partis au théâtre après avoir laissé les fillettes chez Lucy et Jeremy Hoyle.

À l'approche d'une délivrance, une atmosphère particulière règne au refuge, mélange d'énervement et de respect. L'attention générale est tournée vers ce qui se passe dans l'alcôve et chacune, employée comme patiente, contient sa voix et feutre ses gestes. À l'évidence, d'après les voix qui parviennent à Léonie en provenance de l'étage, la discussion y est particulièrement passionnée. Les échanges de points de vue sont fréquents entre les étudiants en médecine et les sages-femmes. De leur côté, les élèves de l'École de sages-femmes sont bien plus réservées, gardant leur opinion pour l'avenir...

Parmi la dizaine de jeunes gens faisant le pied de grue devant l'alcôve, Léonie reconnaît la haute silhouette du Dr Jacques Rousselle et elle ne peut cacher sa stupéfaction. La délivrance est-elle à ce point ardue, les événements se sont-ils à ce point précipités, qu'il ait été nécessaire de le faire mander ? Retrouvant son aplomb, elle gratifie tout ce beau monde, qui se tient coi, d'un simple signe de tête avant de pénétrer dans la petite pièce où Sally et la demoiselle patronnesse Delphine Coallier assistent une parturiente en train de haleter.

Après avoir accueilli Léonie d'un coup d'œil empreint de soulagement, Sally se concentre sur la femme en douleurs, habituellement d'un calme stoïque mais qui, ce soir, est incapable de retenir des cris plaintifs. Dès que la contraction se termine, Sally lui tapote la main et murmure quelques paroles rassurantes en anglais, puis elle se lève et vient à Léonie. Comme la patiente est une Irlandaise fraîchement débarquée, Sally ne prend nul soin de baisser sa voix :

– C'est bien ce que nous avions pressenti : une position des extrémités inférieures. Sans doute les fesses avec les lombes à gauche.

Plutôt maigre, sa matrice contenant une faible quantité d'eau, la parturiente offre un abdomen aisément déchiffrable et les sages-femmes ont cru distinguer, par palpation, la tête placée vers le haut et l'épaule formant une saillie appréciable. Si ces bosselures étaient nettement plus prononcées qu'en règle générale, le diagnostic restait cependant aléatoire, à confirmer par toucher vaginal au moment du déclenchement de l'accouchement.

– Comme les douleurs sont franches et que tout progresse normalement, je laisse agir la nature.

– Comme de coutume, renchérit Léonie en fronçant les sourcils. Mais alors, que fait Rousselle ici ?

Le flegme de Sally cède et, les sourcils froncés, la lippe dédaigneuse, elle jette :

– Il paraît qu'il a demandé à ses étudiants de le faire venir dès que la délivrance prend un caractère… complexe. Dès que ce n'est pas une position courante du vertex… bref, dès qu'il y a une susceptibilité de complications, il a exigé d'être présent.

Elle articule avec rancœur, mais d'une voix contenue :

– Depuis plus d'une heure, il est comme un tribun dans un cénacle, à évaluer tout ce qui pourrait tourner mal et la manière dont il faudrait alors intervenir ! Voilà pourquoi j'ai envoyé Michael chez vous, Léonie. Dans les circonstances, je ne peux pas discuter sereinement avec lui et avec tous ces blancs-becs qui ânonnent à sa suite !

À l'écoute des doléances de Sally, une colère froide envahit Léonie. Elle presse l'épaule de sa consœur, puis elle tourne résolument sur ses talons et sort de la pièce. Enfin, elle fait face à Jacques Rousselle, qui lui paraît tel un coq dressé sur ses ergots, prêt à bondir à la moindre provocation. Elle ordonne :

– Suivez-moi en bas, tout le monde. Il n'est pas séant de discuter ici. Avez-vous noté que deux lits, au moins, sont occupés par des patientes au repos absolu ?

– Il n'y a qu'à nous fournir un espace privé, réplique le médecin avec arrogance.

– Nous n'en avons pas les moyens. Descendons, je vous prie.

Si les demoiselles lui emboîtent prestement le pas, il faut aux clercs et à leur professeur un temps infini pour abdiquer devant la volonté de Léonie. Enfin, les membres du petit groupe se réunissent dans un coin du salon, la plupart debout puisque les patientes occupent les sièges et causent à bâtons rompus tout en reprisant. S'adressant directement à Rousselle, qui s'est placé derrière ses étudiants, Léonie s'enquiert sans aménité :

– Voulez-vous bien, docteur, me dire la cause de tout ce raffut ?

– Madame, il n'y a rien comme les leçons cliniques au chevet de la malade pour bonifier l'apprentissage.

– À ce que je sache, vous n'êtes pas le titulaire de la chaire d'obstétrique de l'École de médecine.

Il se raidit et riposte :

– Jamais vous ne croiserez ce sbire ici, et c'est tant mieux pour vous. Sa fréquentation n'est pas recommandable.

Il reprend, accompagnant son discours de gestes impérieux :

– J'ai pris la charge, avec le Dr Wittymore, des soins médicaux à prescrire à vos clientes. En tant que tel, je me donne le droit et même le devoir d'accompagner les étudiants ici lorsque je le juge à propos.

– C'est aux sages-femmes que cette tâche a été confiée, proteste aussitôt Léonie. *Nous* avons la responsabilité de l'apprentissage de ces messieurs et de ces demoiselles. Dès qu'ils mettent le pied dans le bâtiment, ils *nous* sont redevables.

– Vous ne dédaignerez pas, j'en suis persuadé, un allégement de votre tâche.

Léonie en a plus qu'assez de cet affrontement à distance, et elle fait trois pas dans sa direction. Les étudiants s'écartent et elle se plante devant lui, le corps bien droit et le menton altier, pour proférer :

– Ce que je dédaigne, par contre, c'est que vous veniez nous gratifier d'une opinion dont nous n'avons que faire. Dans le domaine des délivrances, monsieur, *nous* sommes de compétence supérieure, jusqu'à preuve du contraire.

Un silence de mort tombe sur le petit groupe. Léonie devine que Rousselle est estomaqué autant de ses propos que de son maintien, qui est tout le contraire de l'attitude servile que la bienséance exige des dames. Enfin, d'un ton suffisant, l'un des clercs intervient :

– Dans le domaine des délivrances naturelles, peut-être, mais dès lors qu'une complication survient…

Léonie se prépare à le contredire, mais une de ses élèves le fait à sa place :

– Monsieur, une présentation par le siège n'est une complication que dans certains cas bien précis. À moins de contre-indications, Mmes Lachapelle et Boivin préfèrent se garder de toute intervention. Leur avis est le plus précieux d'entre tous.

Rouge de confusion, la costaude demoiselle garde néanmoins la tête haute et le regard fixé sur son interlocuteur, qui se trouble et reste coi. S'adressant aux jeunes gens, Léonie ajoute :

– Mes consœurs et moi, nous avons accompagné au moins une centaine de telles délivrances. Elles se sont toutes, sauf cinq si je ne m'abuse, conclues avec succès.

– Sauf cinq ? relève Rousselle, acrimonieux. Je serais fort curieux, madame, de connaître le détail de ces cas.

– Trois dossiers sur cinq ont été détruits dans l'incendie de cinquante. Les deux autres sont ici, dans le classeur de mon bureau, à attendre votre bon vouloir.

– L'application du forceps aurait sans doute été fort pertinente.

– Je connais cet instrument et les blessures qu'il occasionne…

Il coupe court aux récriminations de Léonie :

– Le moment me semble bien choisi, madame Montreuil, pour vous mettre au courant de mes projets concernant la Société compatissante. Mon père vous avait habituée à davantage de laxisme… Pour ma part, à partir d'aujourd'hui, je compte faire une visite médicale de courtoisie à vos clientes une fois la semaine, dans le but de déceler des états pathologiques susceptibles d'entraîner des complications. De plus, comme vous avez pu le constater ce soir, je tiens à être prévenu du moindre cas intéressant pour, dans la mesure du possible, y porter attention, ne serait-ce que fort brièvement. Est-ce clair ?

Conclue par une question péremptoire, la tirade heurte Léonie de plein fouet. Tous deux s'affrontent d'un regard hostile, jusqu'à ce qu'elle bégaye enfin :

– À votre guise. Je m'attendais à une telle prétention de votre part, à cause de l'insolence dont vous avez fait étalage par le passé.

Elle s'éloigne à longues enjambées en direction de l'escalier, qu'elle emprunte avec une dignité qu'elle est loin de ressentir intérieurement. Furieuse et mortifiée, elle ne garde contenance qu'au prix d'un réel effort. Que peut-elle faire de plus pour contrer les visées de Jacques Rousselle ? Se plaindre au conseil d'administration ? Ces dames s'avouent fort ennuyées par ce qu'elles qualifient de querelles de clochers. L'affronter en duel ? Cette idée grotesque a le mérite de susciter chez Léonie un mince sourire de dérision...

La parturiente est sur le point d'entreprendre de prudentes poussées. Léonie réussit à mettre sa consœur, qui s'active consciencieusement, au courant des ambitions de Rousselle. L'Écossaise réagit par une moue de dédain fugace mais éloquente. La présence de Léonie n'étant plus requise, cette dernière redescend les marches sans accorder une parcelle d'attention au groupe qui discutaille dans le salon. Elle est en train d'enfiler sa bougrine de printemps lorsque Jacques Rousselle surgit à ses côtés :

– Il me faut savoir, madame Montreuil... Vous êtes au courant, je présume, de la grande marche du choléra ?

Ce mot honni résonne dans la pièce, suscitant un intense frisson qui descend le long de l'échine de Léonie. Ses gestes acquièrent une lenteur délibérée tandis que des visions reliées à l'éprouvante épidémie de l'année 1832 apparaissent dans son esprit. Cette année-là, ce mal inconnu mais dévastateur a plongé la population du Bas-Canada dans l'horreur. Le miasme est revenu à quelques reprises par la suite, mais jamais avec la même ampleur.

Renonçant à attacher le premier bouton, Léonie répond enfin avec franchise :

– Je vous l'avoue, monsieur le docteur, ce mot me cause grand-peur. Ma cadette n'avait pas un an lorsque... Bref, j'ai passé des mois à craindre pour la vie de mes enfants. J'ai vite remarqué que le mal s'attaquait davantage aux très vieux et aux très jeunes.

– Vous avez vu juste, admet Jacques Rousselle en tentant de dissimuler son étonnement. Et qu'avez-vous fait pour les protéger ?

– Rien d'autre que nous enfermer à double tour.

Un vif sentiment de tristesse et de regret envahit Léonie, qui ajoute sans le regarder :

– C'était cruel, n'est-ce pas ? Je savais que des voisins mouraient seuls... abandonnés de tous... Mais le moyen de faire autrement ? Les médecins se chicanaient concernant la nature épidémique de ce mal, mais toute personne sensée donnait le bénéfice du doute à cette théorie.

– Vingt ans et quelques plus tard, bougonne-t-il comme pour lui-même, les médecins se chicanent encore...

Il se secoue et dit gravement :

– Je ne voulais pas éveiller de mauvais souvenirs en abordant le sujet, mais plutôt discuter avec vous des mesures à prendre pour protéger la clientèle du refuge.

Effarée, Léonie plonge son regard dans celui de son interlocuteur. Toute trace de superbe l'a quitté, remplacée par ce qui apparaît comme un souci réel au sujet du bien-être de leurs protégées. Elle s'enquiert dans un murmure :

– C'est si préoccupant ?

– Vous permettez que je fasse quelques pas avec vous ? demande-t-il brusquement.

Elle est bien obligée d'acquiescer et tous deux se retrouvent à cheminer lentement sur le côté de la chaussée, dans une obscurité trouée par la lueur de quelques torches suspendues aux murs et de nombreux fanaux qui se balancent au bout des bras ou des perches. Il lui résume les faits : si le choléra commun sévit depuis des siècles dans le monde, le choléra-morbus, beaucoup plus virulent, a été documenté pour la première fois par les médecins occidentaux au début du présent siècle.

Selon les nombreux observateurs du phénomène, il est possible de tracer un portrait global de la progression du fléau, qui typiquement fait éruption d'abord dans les Indes pour, au cours des années suivantes, se déployer sur le reste de la planète. La première épidémie, de 1817 à 1825, n'a pas franchi l'immensité de l'Atlantique ; mais la seconde, née au Bengale en 1826, s'en est jouée, comme la troisième, au cours de la décennie 1840.

– Le morbus sévissait encore dans le monde civilisé qu'une quatrième attaque se préparait, vers 1849. Trois ans plus tard, l'épidémie était en Russie, et l'année d'après, c'est-à-dire l'année dernière, elle frappait l'Europe. Le nord de la Grande-Bretagne a été sévèrement touché l'automne dernier. Édimbourg, Glasgow... Vous savez ce que cela signifie. L'été sera chaud...

Il n'en dit pas davantage et Léonie est traversée d'un long frisson. Elle objecte cependant, d'une voix rauque :

– La médecine a fait de réelles avancées depuis vingt ans. Nous pouvons compter sur votre science, n'est-ce pas ?

Saisi par sa candeur, il l'envisage avec égarement, avant d'articuler :

– Les plus éclairés… je veux dire, ceux qui ne se contentent pas d'idées toutes faites, oui, ils ont fait des progrès. Je me targue d'en être. Tout a été essayé pour vaincre le miasme. L'arsenal pharmaceutique complet a été déployé. En vain, l'immense majorité du temps. Ceux de mes confrères dont j'estime la valeur en sont bien revenus. Seuls les sots s'acharnent à nier l'évidence, qui est la suivante : les hommes de l'art ont de faibles moyens à opposer au mal.

– C'est la croyance populaire, glisse Léonie avec un sourire contrit.

Il ne relève pas l'allusion, choisissant plutôt de lui préciser qu'il a pris soin de parcourir la littérature qu'il a pu dénicher au sujet du choléra-morbus, finalement assez considérable, et qu'il a fini par se faire une idée assez précise des moyens préventifs et curatifs à appliquer en cas d'épidémie. Cette idée, il l'a confrontée à l'opinion de ses confrères les plus estimables qui avaient frayé avec l'épidémie de 1849, et même parfois celles de 1834 et 1832, et il en est sorti réconforté.

– J'étais jeunot en quarante-neuf, ajoute-t-il, à peine rentré de la capitale française, et trop peu expérimenté pour voler de mes propres ailes. Ce n'est plus le cas aujourd'hui… Très bientôt, je vais proposer un plan de défense à ces dames du conseil de la Société. J'espère avoir votre appui…

Léonie hésite, puis répond enfin :

– Si ce plan a toutes les apparences du bon sens, monsieur Rousselle, je vous le donnerai volontiers.

Tous deux ont été si absorbés par la conversation qu'ils n'ont pas vu le paysage défiler. Lorsqu'elle fait un geste vague en direction de sa maison, il s'ébahit :

– Nous voilà chez vous ? Pardieu, le temps a filé comme l'éclair… À la revoyure, madame.

Il hésite à se pencher pour un baisemain et Léonie tend le bras vers lui pour le gratifier d'une franche poignée de main. Interloqué, il s'y soumet cependant, puis, moitié courant, il rebrousse chemin vers la cité.

À l'instigation pressante de Father Noyes, qui a envoyé une missive à cet effet de sa lointaine tanière de Brooklyn, la salle commune de Mansion House résonne, chaque soir, d'un *Bible Game*, ainsi que ces séances d'étude collective ont été nommées, selon la coutume de la communauté de faire en sorte de transformer chaque tâche en partie de plaisir. Un certain temps auparavant, marchant dans la rue, le fondateur a été frappé par la révélation qu'il devait, en relation avec ses problèmes de gorge, moins discourir devant ses semblables, mais davantage devant Dieu. Il demande donc à chacun de participer à cette cure.

Même si chacun est libre d'aller et venir à sa guise, Flavie est consciente de la pression de ses pairs. Il faut une excellente raison pour se dispenser d'aller à cette réunion et elle n'en a aucune, d'autant plus que Stephen y assiste également... même s'il veille à s'installer loin d'elle, généralement à proximité de son épouse. Cette situation plonge Flavie dans une telle confusion qu'elle n'ose même pas tenter d'accrocher son regard.

Un maître de lecture prend place au milieu du cercle et ouvre la Bible au hasard, s'aidant de la pointe d'un couteau. Il lit le premier passage qui tombe sous ses yeux, puis demande de quel livre il s'agit. Pour répondre correctement, il faut avoir étudié l'ouvrage en question, ce à quoi de nombreux membres, même les enfants, s'occupent avec diligence. « *Whoever abideth in him, sinneth not. Whosoever sinneth hath not seen him, neither known him.* » La citation est tellement connue qu'une fillette, toute rouge d'émotion, répond d'une voix claironnante !

Un soir, une dame d'une cinquantaine d'années interrompt la séance en laissant libre cours à son inquiétude devant les problèmes de santé qui affligent leurs guides, Mr. Noyes et Mr. Miller. Selon le principe établi parmi eux, à savoir que les deux principales hérésies à vaincre pour établir le royaume de Dieu sur terre sont le mariage et la mort, manifestations tangibles des efforts du démon pour détourner les humains de cette quête, comment justifier que le diable sévisse à ce point au sein de leur communauté, et précisément chez ceux qui s'approchent de plus près du divin ?

Des réponses convenues jaillissent : Dieu choisit qui vit et qui meurt, que Sa volonté soit faite... Lorsque la voix calme de John Miller s'élève, Flavie lui prête cependant une oreille beaucoup plus attentive. Le second de Noyes affirme que si les membres de la communauté refusent d'abandonner les us et coutumes du monde corrompu, la mort est certaine, mais que s'ils rejoignent les rangs de l'armée de la résurrection, chacun d'entre eux a un espoir de prospérer jusqu'à ce que leur dernier ennemi, c'est-à-dire la mort, soit vaincu.

Un homme âgé, proche collaborateur du fondateur, enchaîne en rappelant ce que leur maître à penser a écrit sur la question : c'est seulement lorsque le Messie aura une emprise totale sur les conditions de l'existence humaine que les corps seront exempts de maladies et sauvés de la mort. Ces conditions d'existence sont tributaires des lois, des coutumes et de l'organisation civile. L'immense majorité des humains, ployant sous un labeur excessif, ne peut que se laisser traîner jusqu'au trépas... Le Messie doit donc s'employer à réorganiser la société de fond en comble. Le jour où Dieu sera le seul juge, maître et roi, sera le jour où la maladie et la mort seront choses du passé.

Chaque fois qu'elle entend pareille assertion, Flavie se crispe intérieurement. Au début, elle croyait qu'il s'agissait de la pérennité de l'âme, de l'essence de chaque être, mais à force d'entendre leurs discours, elle en a conclu qu'il s'agissait également de leur chair. Vivre sainement et dans la joie pour éviter certaines maladies, peut-être ; mais comment se barder contre les épidémies et les infections ? Contre les faiblesses du vieil âge ? Croient-ils vraiment qu'ils *vaincront* la mort ?

À force de creuser la question, Flavie a fini par comprendre le cheminement de leur pensée. Les membres de cette Association ont proclamé, plusieurs années auparavant, que le royaume de Dieu était réalisé parmi eux, entre eux. Or, d'après les Écritures, le royaume de Dieu sur terre a comme but principal la vie éternelle. Pour y arriver, il faut se soumettre entièrement au Messie et à ses enseignements, selon une période de temps que Noyes ne calcule pas précisément, mais qui, a-t-il donné à entendre, pourrait être moindre qu'une durée de vie humaine… Donc, le crucial travail de sanctification est en cours.

Le plus important, convient-on alors en chœur, c'est de ne pas laisser le démon prendre possession de son âme au moyen de son arme la plus puissante pour effrayer les vivants : l'angoisse de cette mort qui n'est pourtant, somme toute, qu'un pont à franchir dans un long voyage vers le paradis ! La meilleure attitude à l'heure actuelle, c'est de cultiver la résignation et l'acceptation de la volonté divine, en se réjouissant cependant des sursis.

Se débattant contre un puissant scepticisme, Flavie laisse ses yeux errer sur l'assemblée, jusqu'à Stephen qui la gratifie d'un clin d'œil accompagné d'un sourire chaleureux. Stupéfaite et désorientée, elle reste figée, puis elle finit par baisser la tête en s'empourprant, obnubilée par sa seule pensée. Plusieurs minutes plus tard, lorsqu'elle ose glisser un regard dans sa direction, il a disparu !

Devant cette nouvelle rebuffade, sa gorge se noue et elle combat une farouche envie de pleurer. Dès que s'amorce le mouvement de retraite pour la nuit, Flavie saute sur ses pieds.

Elle est sur le point de sortir de la salle quand un homme l'arrête et lui dit, l'expression engageante :

– L'horizon se dégage, n'est-ce pas ? Les influences diaboliques ont été puissantes cet hiver, mais nous y avons résisté victorieusement !

Flavie l'envisage en tentant de dissimuler son ennui. Dexter Joslyn ne lui a jamais adressé la parole autrement qu'au cours d'un travail précis et pour des banalités... Âgé d'environ quarante-cinq ans, il est veuf et père de trois enfants. Elle s'oblige néanmoins à être aimable :

– Je suis encore novice, monsieur, alors éclairez-moi sur la nature de ces influences.

– Mais la guerre qui se prépare dans les Balkans, bien sûr ! La Russie a des prétentions voraces face à l'Empire ottoman. Le tsar a bafoué l'autorité du sultan en occupant quelques points de l'Empire et en attaquant une flotte turque. Les Européens doivent réagir ! Il est arrivé plusieurs fois à Father Noyes de jeter un coup d'œil sur *The Tribune* et de lire de mauvaises nouvelles qui lui obscurcissaient l'esprit et qui ranimaient le feu dans sa gorge. Tout cela sans parler du continent de glace qui recouvrait l'Amérique...

Flavie lui jette un regard si étonné qu'il précise aussitôt :

– L'hiver a empiété de plusieurs semaines sur le printemps et tous ceux qui sont susceptibles de consomption ont beaucoup souffert.

– Vraiment ? Je ne connais pas votre climat, qui me semblait tout ce qu'il y a de plus normal...

Un silence contraint tombe entre eux. Sous le regard de Flavie qui l'examine, il rougit légèrement et elle baisse enfin les yeux. Il inspire profondément avant de dire à mi-voix :

– Jusqu'ici, Miss Reenod, je me suis cantonné dans une prudente réserve. Non seulement envers vous, mais envers toutes les femmes. J'ai cru qu'il s'agissait de la plus sage conduite parce que je me méfiais des errements de mon cœur. Mais Father Noyes nous enjoint de faire circuler l'amour. Tout d'abord, je me suis rebellé contre son blâme, mais je l'ai considéré attentivement et j'ai fini par m'y soumettre. Trop d'hommes, moi le premier, préféraient la chasteté... Mais ainsi, je me privais de communion. Le corps du Christ est en chacun de nous pour être vénéré à chacun de nos entretiens ! J'aimerais bien avoir un échange privé avec vous et j'ose espérer que...

Il se trouble en se dandinant. Saisie par son audace, Flavie prend un moment avant de s'enquérir :

– Un échange privé ? Je veux être sûre de bien vous avoir entendu... Dans une chambrette, vous voulez dire ?

Il acquiesce d'une brève inclinaison de la tête. Une vague de dégoût traverse Flavie tout entière, qui s'oblige néanmoins à répondre courtoisement :

– Je vous remercie de votre intérêt, monsieur, et je n'y suis pas entièrement insensible. Cependant, je tiens à vous connaître davantage avant de m'engager...

Stephen apparaît à leurs côtés, ce qui réduit la jeune accoucheuse au silence. Avant de se tourner vers elle et de lui offrir son bras, il prend soin de foudroyer Mr. Joslyn du regard. Sans laisser à Flavie le temps de saluer son interlocuteur, il l'entraîne à grands pas jusqu'à son recoin de prédilection, comme de coutume désert et plongé dans la pénombre. Il grommelle :

– Le malotru... Les propositions ouvertes sont inconvenantes, il le sait pourtant ! Il doit passer par Miss Worden !

Flavie retient une réplique sarcastique. Ne l'a-t-il pas lui-même abordée avant pour s'éviter une trop cuisante humiliation ? Elle retire son bras et se détourne à moitié. Il prend garde de la toucher, mais s'approche si près de son dos qu'elle sent sa chaleur. Lorsqu'il se met à parler, son souffle caresse ses cheveux.

– Flavie, ma jolie… est-ce que tu es fâchée contre moi ?

D'un seul élan, elle lui fait face, les bras le long du corps et les poings serrés. Elle répond à voix basse, avec dérision :

– Point du tout ! Pourquoi je serais fâchée ? Tu me délaisses, mais je ne suis pas censée m'en faire, n'est-ce pas ? Je suis censée aimer tout le monde égal, comme toi, c'est-à-dire personne, en vérité !

Elle ne distingue de ses traits que le reflet de la lueur nocturne qui pénètre à travers les carreaux et qui souligne l'arête de son nez et le creux de sa joue. Cependant, la note de reproche est manifeste dans sa voix :

– Est-ce que je sens en toi le démon de la jalousie ? De l'idolâtrie ?

Décontenancée, elle reste immobile comme une statue, osant à peine respirer. Jalousie, ce mot honni ! Après un temps, elle laisse tomber faiblement :

– Je ne suis pas jalouse. Du moins, pas assez pour te vouloir du mal. Tu m'es trop précieux pour cela.

Il pousse un audible soupir de soulagement. À contrecœur, elle ajoute :

– La jalousie est le contraire de l'amour, je sais. La jalousie suscite de la méfiance, ce qui est le contraire d'une affection sincère !

– Si le Christ nous habite, si c'est lui que nous aimons à travers nos semblables, alors le goût de l'idolâtrie nous quitte à jamais.

– Facile à dire, grommelle-t-elle. J'y travaille, crois-moi. Je sais que… tu peux avoir envie de toucher au divin en compagnie d'autres que moi. Surtout en compagnie de ta femme, pour le sûr. Mais je vois aussi que depuis une grosse semaine… depuis que j'ai dit toutes ces choses que tu réprouves…

Sans crier gare, il la plaque contre lui et la presse jusqu'à lui couper le souffle. Ses bras ceinturent sa taille, il la ploie vers l'arrière et cherche sa bouche, dont il finit par s'emparer avec un gémissement de gourmandise. Devant cette preuve tangible de son désir et de son affection, Flavie devient molle comme une chiffe et une telle émotion l'envahit que des larmes s'accumulent dans ses yeux et finissent par déborder. Il interrompt alors son baiser fiévreux pour essuyer son visage de ses doigts tremblants. Il murmure :

– Ma chérie... Qu'est-ce que tu t'es imaginé ? J'ai été préoccupé par tant de choses... Mon fils a été malade, tu ne sais pas ? Et puis, j'avais tout plein de décisions à prendre pour la saison horticole...

– Ton fils ? répète Flavie en reniflant. Je l'ignorais... Comment va-t-il ?

– Nettement mieux. Fanny et moi, nous avons passé deux nuits à son chevet. Cette terrible consomption...

– La tuberculose est l'une des pires afflictions qui soit, renchérit-elle en toute hâte. La science médicale reste impuissante...

– Nous l'avons soumis à deux séances de remontrances pour l'aider à chasser l'esprit du mal. Je crois que la seconde a été décisive.

Envahie par un malaise subit, Flavie tourne vivement la tête vers le carré de la fenêtre. Comment peut-on *critiquer* un enfant malade ? Elle sait qu'il s'agit surtout d'un encouragement réitéré à ne pas se laisser abattre et à puiser dans l'amour de Dieu la force pour guérir. Elle sait aussi que l'optimisme, comme s'il stimulait les forces vitales, y est parfois pour beaucoup dans le rétablissement d'un souffrant. Mais certains miasmes ont une force singulière et se rient même de la santé la plus éclatante...

De la pulpe de ses pouces, Stephen effleure ses lèvres avec une telle douceur qu'elle en perd le fil de sa pensée. Après un moment d'égarement, elle fait un effort pour bredouiller :

– Toute la communauté, il me semble, n'a que la maladie et la mort en tête.

– Nous devons lutter contre une légitime anxiété, explique-t-il. Nous avons beaucoup d'estime pour John Miller... Il a mis sa vie en jeu pour nous. Il a affronté tous ceux qui ne voulaient pas nous laisser en paix.

Sa voix meurt et Flavie devine qu'il combat un accès de peine. Elle embrasse doucement le doigt qui s'appuie encore sur sa lèvre, avant de s'enquérir :

– Ils ont été nombreux ?

– Nos opposants ? Seuls quelques-uns étaient prêts à nous poursuivre en justice, mais une entreprise comme la nôtre frappe bien des imaginations.

– Pourtant, vos voisins vous apprécient...

– Eux, ils nous voient vivre. Ils constatent notre ardeur au travail, notre honnêteté, nos scrupules... En définitive, bien peu de chose nous sépare. Tandis que d'autres nous prennent pour des montres !

Il fait une pause, puis reprend :

– C'est grâce à Miller, et uniquement à lui, que nous existons encore en tant que communauté. Son sens des affaires nous sauve constamment de la ruine. Alors, de le savoir si malade... Et comme Father Noyes lutte, lui aussi, contre la consomption... Il nous faut beaucoup de foi en Dieu pour envisager sereinement l'avenir.

Frappée par ces touchantes paroles, Flavie reste coite un moment. Bien évidemment, Stephen est au courant de maintes choses qui échappent à une insignifiante comme elle... Mais elle tient à lui apporter tout le réconfort possible :

– Stephen, mon mari est médecin, je suis sage-femme... J'ai été témoin de quelques cas de consomption. C'est un mal qui fait grand-peur et qu'on évoque trop souvent sans raison. À mon avis, Father Noyes n'en souffre pas. C'est sa gorge qui est atteinte, pas ses poumons.

Comme si elles réagissaient à cette évocation, les mains de Stephen descendent caresser son cou. Il murmure :

– Tu crois ? C'est vrai qu'il a tant parlé dans sa vie... C'est vrai qu'il a combattu le démon grâce à son éloquence. N'importe quel homme en garderait des séquelles...

– Sans oublier le tabac et ses propriétés irritantes...

Posant une main dans son dos et l'autre sur sa poitrine, il se penche de nouveau pour l'embrasser. C'est dans cette position qu'il chuchote :

– J'ai beaucoup d'affection pour Fanny. Quand notre fils a commencé à se rétablir... j'ai eu envie de me réjouir en sa compagnie. Tous les deux, ensemble, nous avons remercié Dieu d'avoir conservé notre fils auprès de nous.

Flavie contient avec peine un tressaillement causé par, doit-elle admettre en son for intérieur, un éclair de jalousie ! Il ajoute encore :

– Ce n'est pas ce que je devrais dire. Je devrais dire : nous avons célébré une action de grâces, mon épouse et moi, en hommage à Dieu. Nous aurions fait de même si notre fils avait péri. Il faut se soumettre à sa volonté, qui est omnisciente en toute chose. Alors qu'il était sur la croix, le Christ a fait une glorieuse promesse : quiconque vit selon moi et croit en moi ne mourra jamais.

– Je te croyais irrité contre moi à cause de mon verbiage, dit-elle sur le même ton. Je veux dire, une semblable réaction aurait été bien compréhensible !

Toute grave, elle noue ses bras autour de son cou et s'abandonne contre lui pour souffler :

– S'il te plaît, Stephen, ne me laisse plus jamais dans le noir. Parle-moi. Ce qui t'arrive me touche. Ce n'est pas de la jalousie, je t'assure ! Tout bonnement savoir ce qui arrive à ceux qu'on aime...

– Pardonne-moi. J'ai manqué à mon devoir envers toi. J'ai cru que...

Il hésite, puis reprend :

– Father Noyes insiste beaucoup, ces jours-ci, sur la primauté de la prière. J'ai tenté de m'y conformer. J'ai cru qu'il serait préférable, pour notre bien-être à tous, de te mettre de côté. De me priver de toi, en somme. Mais quand je t'ai aperçue en compagnie de Dexter… Viens.

Dès qu'il a refermé la porte de la chambrette derrière eux, il l'enlace de nouveau et murmure avec fièvre :

– Tu occupais mon esprit, je peux te le garantir.

Elle lui tire la langue avec une telle moue de reproche qu'il éclate d'un rire sonore, puis son accès de gaieté s'évanouit, remplacé par une expression empreinte de désir. En un tournemain, tous deux se retrouvent nus et se laissent tomber sur la couche, étroitement accolés, pour une heure de délices. Malgré tout, pour la première fois, Flavie a l'impression que le fantôme d'une autre femme, celui de Fanny, rôde dans la pièce. Elle imagine son amant prodiguant les mêmes attentions à sa légitime et une sensation bizarre, un mélange d'émoi et de répulsion, lui noue les entrailles.

Chapitre VIII

Debout dans l'encadrement de la porte de la cuisine, Léonie admire les derniers rayons du soleil printanier sur le jardin tout en aspirant l'air du soir à pleins poumons. Depuis le début du mois d'avril, les Montréalistes se réjouissent de tous les signes tangibles de l'arrivée de la douce saison : une longue période de dégel qui a libéré les champs de leur couverture de neige, le retour des grives et des hirondelles et, surtout, la chaleur de l'astre solaire qui pénètre jusqu'aux âmes ! Les carrioles ont été rangées pour être remplacées par les cabrouets ; dans quelques jours, Léonie procédera aux premiers semis.

Après un léger coup à la porte d'en avant, celle dont Léonie attendait la visite pénètre enfin dans la salle de classe où Léonie vient la rejoindre. À caude de la mince et longue bougrine qui la recouvre, Marie-Thérèse Jorand ressemble furieusement à ces femmes maigres comme des échalotes dessinées par un caricaturiste français en vogue, qui les affuble de surcroît d'une tête démesurée aux traits grotesques. Elle et son mari, l'un des plus riches entrepreneurs du faubourg, un homme rond et court sur pattes, forment un couple plutôt amusant à voir déambuler !

– Vous ne m'avez pas espérée trop longuement, Léonie ? C'est que les chemins sont creusés de telles ornières !

La dame d'une quarantaine d'années a parfaitement surmonté le choc de l'ouverture de l'École de sages-femmes, qui a pignon sur la rue la plus passante du voisinage et qui s'annonce au moyen d'un panneau sans équivoque, suspendu au-dessus de la porte. Si elle a d'abord assimilé la classe à un lieu de perdition, elle a rapidement viré son capot de bord, au point d'accepter gracieusement l'offre que Léonie lui a faite : assumer la présidence du conseil d'administration de l'organisme, structure qui devenait indispensable pour assurer à l'école un roulement point trop chaotique.

Marie-Thérèse suspend sa bougrine à la patère et, après s'être débottée, elle glisse ses pieds dans l'une des paires de pantoufles tricotées mises à la disposition des visiteurs. Au moins une fois par semaine, Léonie remercie le ciel de s'être adjoint cette dame. Rebutée par les tensions quasi permanentes entre les conseillères de la Société compatissantes, elle s'est engagée dans ces démarches à contrecœur, mais aujourd'hui, elle réalise à quel point les conseillères abattent un travail formidable et à quel point, surtout, Marie-Thérèse était la personne toute désignée pour présider le petit groupe.

Dotée d'un sens pratique à toute épreuve, aussi à l'aise dans le voisinage qu'un poisson dans l'eau, Marie-Thérèse a tenu à décharger Léonie de tâches triviales pour lui permettre de se concentrer sur son enseignement. Appuyée par les deux autres membres du conseil, une vice-présidente et une secrétaire, elle a même pris en charge l'essentiel de l'administration de l'école.

Malgré la modestie qui sied au sexe féminin et encore davantage à celle dont l'époux est marguillier de la paroisse, Marie-Thérèse s'enorgueillit discrètement de son titre. Léonie a cru voir passer sur le visage de son alliée, lorsqu'elle a ouï sa proposition, une fugace expression de triomphe ! Depuis, elle a compris qu'elle était la première à lui avoir offert une de ces positions qui ne courent pas les rues et qui sont réservées à celles qui descendent d'anciennes illustres familles bourgeoises. Bien entendu, l'École de sages-femmes de Montréal est un établissement très modeste, mais il faut bien commencer quelque part!

Après avoir mouché son long nez, Marie-Thérèse prend place à l'une des tables en compagnie de Léonie. Elles ont, ensemble, quelques détails à régler, tel le contenu d'une correspondance avec la Société compatissante et l'École de médecine et de chirurgie. Enfin, elles s'attaquent au point crucial de leur rencontre informelle: le remplacement de Peter Wittymore en tant que professeur de médecine attaché à leur école. Comme Marie-Thérèse n'était pas encore en poste au moment des événements, Léonie lui explique qu'une dizaine de mois plus tôt le médecin associé de la Société compatissante a accepté de remplacer au pied levé son confrère décédé, Marcel Provandier. Après une hésitation, elle poursuit:

– Il faut que vous sachiez, Marie-Thérèse: pendant six mois, le Dr Wittymore m'a enseigné le maniement des fers.

– Les fers? Vous voulez dire, ce terrible outil...?

– Pas si terrible, chère amie, quand on sait l'utiliser. Jamais les médecins ne se serviraient du scalpel avant de s'être amplement pratiqué sur des cadavres, mais ils sont bien plus désinvoltes avec le forceps!

Marie-Thérèse fait une mine interloquée et Léonie ajoute:

– La comparaison vous semble boiteuse? Je vous assure pourtant que non! Ce sont deux instruments invasifs et le plus dommageable n'est pas nécessairement celui qu'on pense!

– Léonie «la flamme»! s'exclame alors son interlocutrice, l'affublant avec gaieté de ce surnom de son cru. Comme vous êtes édifiante! Et comme je jouis de votre caractère emporté!

L'accoucheuse se venge au moyen d'une grimace comique d'exaspération, avant de répliquer:

– Jouissez en paix, chère présidente, ce sera toujours ça de pris pour l'éternité ! Mais pour en revenir à ce cher Peter… Pendant que j'étais son élève, j'ai apprécié ses capacités et j'ai tout de suite songé à lui quand le Dr Provandier a trépassé. Sauf qu'il m'avait bien prévenue que c'était seulement en attendant…

La maîtresse sage-femme ne peut lui en vouloir : âgé de soixante-huit ans, se jugeant malhabile en français même si Léonie a tenté de le persuader du contraire, Peter Wittymore préfère se concentrer sur sa pratique privée et sur sa tâche de médecin associé de la Société compatissante.

– Vous avez un remplaçant en tête ?

Léonie est sur le point de faire un signe de dénégation quand un visage lui apparaît à l'esprit. Bastien, encore lui ! Elle a beau s'irriter contre elle-même, elle ne peut s'empêcher, pendant un bref moment, de convenir que, s'il lui semblait le candidat idéal comme médecin associé de la Société compatissante, il en va de même pour la position de professeur d'obstétrique ! En proie à un quasi-affolement, elle fait défiler une galerie de portraits dans sa tête, mais un seul revient la hanter. À la fois ulcérée et découragée, elle reste silencieuse devant ce problème insurmontable. Sauf son gendre, nul médecin ne lui semble digne d'enseigner la médecine à de futures sages-femmes.

Marie-Thérèse commente paisiblement :

– Je vois que vous songez à quelqu'un… Qui est-ce ?

– Mon gendre, le Dr Renaud. Mais il y a toutes sortes d'obstacles…

Marie-Thérèse hausse les sourcils. La nouvelle du départ de Flavie a fait le tour du voisinage, si ce n'est de la ville entière, et c'est d'un air entendu qu'elle hasarde :

– Il doit avoir une dent contre vous…

– C'est le moins qu'on puisse dire ! répond Léonie en poussant un profond soupir.

– Votre fille, il y a toute une escousse qu'elle a pris la poudre d'escampette ! Dire qu'elle est pourvue d'un si aimable mari... Fort bien, je ne le connais pas dans l'intimité, mais l'intérieur est-il tant en contradiction avec l'extérieur ?

Même si la gentille dame n'est pas la pire des commères, elle ne peut résister à la tentation d'assouvir sa curiosité ! Léonie fait appel à toute son indulgence. Ce n'est pas fréquent qu'une épouse de médecin se permette une telle audace ! Un jour, songe Léonie, elle se fera un malin plaisir de raconter à Flavie la commotion qu'elle a provoquée... Puisque ce qu'elle va confier à Marie-Thérèse sera ensuite déversé dans plusieurs autres oreilles, Léonie choisit soigneusement ses mots :

– Croyez-moi sur parole, ce n'est pas une banale chicane de ménage. Je suis prête à jurer sur la tête de ma défunte mère que ces deux-là s'aimaient. Mais Flavie déteste qu'on lui dise quoi faire. Vous le savez aussi bien que moi : c'est la première chose qu'on apprend aux femmes. On leur apprend à obéir sans discuter, même si l'ordre donné n'a aucun sens.

Un sourd ressentiment enfle en Léonie, et c'est d'une voix moins sûre qu'elle poursuit :

– Oui, la vie nous réserve de nombreuses vexations... Son mari s'opposait à ses ambitions et Flavie a fini par croire qu'il la dédaignait. C'est du moins ce que j'ai cru comprendre.

Prudemment, Marie-Thérèse objecte :

– Quel mari n'aurait pas fait de même, quand ces ambitions sont démesurées ? Quand elles frisent...

Elle ne peut se résoudre à continuer et, avec lassitude, Léonie le fait à sa place :

– L'hystérie ? Flavie n'est pas hystérique, loin de là ! Les pires qualificatifs, je les ai entendus à propos de ma fille, même celui-là ! C'est un mot... galvaudé, oui, qui veut dire n'importe quoi mais que dans le fond nul ne comprend réellement !

Léonie combat un intense désarroi qui lui noue la gorge et elle se penche vers Marie-Thérèse en articulant avec fièvre :

– Flavie n'a pas perdu l'esprit, pas plus qu'elle n'a le diable au corps ! Elle avait tout bonnement un gros chagrin…

– Pauvre enfant ! Elle souffrira beaucoup…

La phrase a été murmurée avec une réelle compassion. Léonie contemple les traits attendris de son interlocutrice, qui enchaîne :

– La place que le Créateur nous a réservée peut paraître étroite, mais je suis persuadée que nous n'avons pas grand-chose à envier aux hommes. Notre destin est si noble, Léonie, si sublime ! Car y a-t-il quelque chose de plus grisant que de peupler la terre de catholiques convaincus ?

Froidement, Léonie réplique :

– C'est exactement ce que je fais, et ce que Flavie fait, en étant sage-femme.

Son élan subitement coupé, Marie-Thérèse reste abasourdie, la bouche entrouverte. Léonie en profite :

– Mettons qu'une demoiselle ne trouve pas d'homme à marier, ou mettons qu'une dame risque sa vie lorsqu'elle enfante. Elles devraient gaspiller leurs talents à coudre des chasubles ?

– À ce que je sache, ni l'un ni l'autre de ces deux cas ne s'applique à votre fille.

Léonie ne peut rien opposer à cette évidence. Fatiguée d'argumenter, elle se laisse aller contre le dossier de sa chaise.

– Vous parlez juste, Marie-Thérèse, et je vous assure que j'ai reviré la situation dans ma tête dans tous les sens ! Ce qui a mené Flavie de l'autre côté de la ligne, ça me dépasse. J'ai beau partager son aspiration de devenir la meilleure accoucheuse possible, je trouve qu'elle devrait brider son impatience ! Ce n'est pas si difficile d'amadouer son homme, quand on prend le temps…

Mais vivre aux côtés d'un homme indifférent, poursuit-elle en son for intérieur, c'est une autre paire de manches! Parce que là était la source de la plus vive souffrance de Flavie, ainsi que l'a constaté Léonie le jour de l'avortement. Après un silence, Marie-Thérèse reprend avec raideur:

– À propos du remplaçant du Dr Wittymore... Les convenances ne nous obligent-elles pas à proposer ce poste à Jacques Rousselle?

La foudre tombant à ses pieds n'aurait pas sidéré Léonie davantage. Rousselle fils! Ce dandy maniéré! Après s'être introduit à la Société compatissante, il s'immiscerait dans son école? Jamais!

– Même si, chère Léonie, je ne connais pas les usages dans le monde médical, on pourrait le penser... Je crois que vous auriez avantage à faire de cet homme votre allié, à rapprocher ainsi deux organismes qui sont apparentés. Ne devriez-vous pas en discuter avec ces dames du conseil d'administration de votre Société?

Léonie reste impassible, mais les émotions s'entrechoquent en elle. La démarche lui semble aussi improbable que d'aller conférer avec le premier ministre du Canada-Uni en personne! Depuis qu'elle a surpris le baiser passionné entre Marie-Claire et Françoise, leurs rapports se sont considérablement refroidis. Lui tenant manifestement rigueur de sa réaction méprisante devant le spectacle de ses amours illicites, la première planifie ses visites au refuge pour éviter de se trouver en présence de son ancienne alliée, tandis que la seconde la traite avec un mélange de déférence et de sécheresse. De son côté, la maîtresse sage-femme vibre d'indignation chaque fois qu'elle songe à ce que sa vieille amie est devenue: une indécente qui se pâme dans les bras d'une autre!

– À ce que je vois, reprend sa vis-à-vis avec ironie, le temps vous manque et vous me sauriez gré de me charger de cette démarche à votre place. Après tout, il serait temps que je fasse leur connaissance. Je serai appelée à solliciter parfois leur collaboration…

– Marie-Thérèse… Bien des médecins, dont Jacques Rousselle, détestent mon école. Elle leur fait concurrence. Vous allez gaspiller votre précieux temps…

Plusieurs coups impatients retentissent à l'entrée, au moment même où le tintement lointain de l'église paroissiale indique six heures du soir. Avec une moue d'agacement, Léonie va entrebâiller la porte… et la surprise la cloue sur place. Encadré par deux jeunes vicaires, l'évêque de Montréal lui-même, Ignace Bourget, se tient bien droit devant elle. En une fraction de seconde, Léonie évalue sa tenue générale très sobre, soutane noire recouverte d'un manteau de la même couleur, pour enfin fixer son visage aux traits avenants surmonté d'une belle chevelure grisonnante peignée vers l'arrière.

Désorientée, elle ébauche une révérence qu'elle interrompt presque aussitôt pour faire pénétrer les trois visiteurs, puis refermer la porte derrière eux. L'ébahissement de Marie-Thérèse est si total qu'il en devient comique, mais elle se ressaisit et, davantage rompue aux usages en vigueur dans le monde du sacerdoce, elle se précipite vers le prélat, se courbe et saisit sa main baguée pour la baiser. Il la laisse faire tout en marmonnant benoîtement :

– Nous sommes venus en toute simplicité… Les gestes de déférence ne sont pas nécessaires, chère amie, Nous vous l'assurons.

L'épouse du marguillier balbutie :

– Quel honneur vous nous faites, Votre Grandeur ! Si nous avions su, nous vous aurions préparé un accueil beaucoup plus digne de l'importance que vous avez à nos yeux !

– Pour tout dire, voilà justement ce que Nous voulions éviter. Nous profitons d'une tournée impromptue dans le voisinage pour faire un arrêt à cette fameuse École de sages-femmes. Nous voulions sentir la place…

Ce disant, il jette un coup d'œil à Léonie, debout à quelque distance. Elle articule, avec un détachement calculé :

– Faites comme chez vous, monsieur l'évêque. Ouvrez les armoires, si ça vous chante. Il n'y a rien, ici, que je n'oserais déposer aux pieds de notre Créateur. Pour le sûr, Mme Jorand sera ravie de vous servir de guide. Moi, je dois vous fausser compagnie une minute ou deux.

Si Léonie a réellement besoin de s'isoler dans les latrines situées dans la cour arrière, elle n'est pas fâchée de ce court moment de répit, qu'elle allonge indûment. Lorsqu'elle rejoint enfin le petit groupe, en arrêt devant un court rayonnage de livres, monseigneur se tourne brusquement vers elle et lui lance avec irritation :

– À considérer les titres alignés, Nous avons de sérieux doutes sur l'innocence de certains auteurs…

Léonie n'a aucune envie de se lancer dans un échange de vues oiseux. Elle riposte donc, sans mettre de gants :

– Monsieur l'évêque, ma longue expérience m'a permis de comprendre que la perversité se trouve bien davantage dans l'esprit de ceux qui lisent que dans la plume de ceux qui écrivent.

Le prélat fronce dangereusement les sourcils et Marie-Thérèse, après un regard chargé de reproche en direction de Léonie, tente d'atténuer l'offense de ses propos :

– Soyez bien certain, Votre Grandeur, que nous, les membres du conseil d'administration, nous réprouvons la lecture d'un traité ou d'un pamphlet s'il est contraire à la foi et aux mœurs. Cependant, il nous a bien fallu nous rallier à l'opinion de madame la directrice de l'école, selon qui il est impossible de former des sages-femmes sans aborder des notions précises d'anatomie et de physiologie.

– L'étude de l'art des accouchements Nous paraît, en effet, furieusement incompatible avec la nécessaire délicatesse de la gent féminine.

– Celui qui surveille la vitalité de notre foi s'est-il plaint de quelque manquement ?

Léonie fait allusion au conseiller spirituel qui a la charge du sermon mensuel après les heures de classe et qui, de plus, est le confesseur attitré des élèves. Bourget néglige de répondre et laisse ses pas le conduire vers le centre de la pièce, où il dit pensivement :

– La seule science sublime et parfaite, c'est celle de la religion, celle de nos fins dernières. En un mot, celle de notre salut ! Combien d'entre nous ont étudié cette science salutaire autrement que d'une manière superficielle, spéculative et secondaire ? Pourquoi cette énorme différence entre nous et les êtres privés d'intelligence, si notre fin est la même ?

Ces propos laissent Léonie pantoise. Son évêque est-il en train d'affirmer que les humains devraient en rester au niveau des bêtes et que toute soif de connaissance autre que celle de Dieu devrait être réprouvée ? Il pivote vivement pour faire face à Léonie. Avec une subite douceur, il reprend :

– Pardonnez-moi. Nous avons le désir que tous évitent l'enfer. Cela Nous fait parfois oublier... Nous revenons souvent sur ces exhortations, dans nos retraites : entretenir dans notre cœur des sentiments d'affection et de charité pour ceux qui Nous font la plus forte opposition.

Déconcertée par cet accès d'humilité, Léonie finit par bredouiller :

– Vous me jetez dans ce sac ?

Il l'envisage tout d'abord sans mot dire. C'est la première fois qu'elle se trouve dans une telle situation en sa compagnie : quasiment seule, en tête-à-tête, sans protocole... Difficile, dans ces conditions, de ne voir que le tyran en lui. Si son visage buriné peut exprimer la plus solide détermination quand il s'agit de mettre ses projets à exécution, il ne reflète à l'instant même qu'une indulgente bienveillance. Voilà ce qui est le plus enrageant chez les gens de son espèce ! Ils ne veulent que le bien d'autrui... Ils croient que seule une union totale avec le Créateur, que seul un accomplissement perpétuel de sa volonté, est gage de bonheur ! Ils ont l'âme agitée s'ils ne réussissent pas à convaincre leurs proches de cette promesse de béatitude.

– Nous ne décelons pas en vous, madame Montreuil, le désir du Ciel et la crainte de l'Enfer.

– La vie est un bien triste voyage sur une terre de larmes, déclare Marie-Thérèse avec ferveur. Seules les splendeurs du Ciel peuvent nous consoler de ces longs jours d'exil.

Il la gratifie d'un léger sourire, puis il reporte son attention sur Léonie en glissant :

– Nous n'avons pas envie de vous lancer la pierre, parce que Nous avons compris que bien des simples fidèles sont plus touchés par Dieu que Nous. Nous avons en Nous un abîme de maux et la vie semble bien courte pour recevoir la grâce... Jeune, Nous aurions voulu mourir vite, mais c'était une illusion. Nous aurions été fort mal reçu de l'autre côté... Tout bonnement, Nous souhaitions venir vous rappeler aujourd'hui que le terme de toute action et de toute pensée se trouve dans le ciel. L'unique moyen de vivre selon la volonté de Dieu, c'est la prière, la vie d'oraison. Avoir toujours les yeux fixés sur Notre Seigneur.

À mesure qu'il égrenait ces derniers mots, les traits du prélat se sont durcis. Léonie connaît bien cette expression sévère qui confine à la rudesse. Elle l'a vue sur le visage de prêtres qui se donnent la mission de sauver des âmes jusqu'à la fin du monde et de mères supérieures qui se croient anges sur terre. L'ascèse leur dérange quelque peu l'esprit. Ils se font terriblement violence pour chasser les *horribles tentations sensuelles*, s'imposant de fréquenter en imagination les flammes de l'enfer et les cris affreux des damnés ! Le plaisir de vivre de ceux qui les entourent est un insupportable rappel de ce qu'ils ont sacrifié…

Léonie tressaille : la porte d'entrée s'ouvre toute grande pour laisser passer un Simon sifflotant. Constatant la présence de tout ce beau monde, il s'immobilise avant de lancer à la cantonade :

– Bien le bonsoir, mesdames et messieurs.

Quelques marmonnements lui répondent. L'envisageant, Bourget jette avec condescendance :

– Simon Montreuil, Nous présumons ?

– Soi-même, répond-il en marchant vers lui. Je suis ravi, monsieur l'évêque, de faire enfin votre connaissance.

Comme Léonie, Simon est allergique à l'emploi de titres du genre « Votre Grandeur », un langage aux relents d'un monarchisme qu'il déteste ! Le prélat réagit de façon prévisible en refusant ostensiblement la main tendue. Soudain très affairée, Marie-Thérèse s'incline à moitié vers lui en bredouillant :

– On m'attend à la maison, je n'ai que trop tardé. Je vous souhaite une excellente fin de soirée, monseigneur. À la revoyure, tout le monde.

– Nous comptons sur vous davantage à chaque jour qui passe, madame Jorand, pour faire régner ici une atmosphère de piété. C'est à cette seule condition que Nous avons accepté de vous laisser courir le risque du mépris.

Léonie réprime une grimace de mécontentement. Même si elle n'est pas encore accoutumée aux usages que Bourget favorise, elle aurait dû s'en douter ! La pieuse Marie-Thérèse ne pouvait accéder à sa proposition sans obtenir auparavant l'aval de l'autorité diocésaine… Un puissant malaise l'envahit à l'idée que celle qu'elle considère comme une alliée est peut-être en réalité une délatrice, une traîtresse ! Mais non, elle fabule : ce n'est pas un regard suspicieux que sa présidente lui glisse en partant, mais un demi-sourire d'encouragement.

– Le mépris ? Comme vous y allez fort, monsieur Bourget ! Ici, tout le monde respecte les convictions intimes de chacun, ainsi que la plus élémentaire charité le prescrit !

Simon s'est exclamé d'un ton débonnaire, comme s'il s'adressait à son cousin épicier, et ce refus d'un rapport de servilité réchauffe Léonie jusqu'au cœur. Elle est infiniment soulagée de l'arrivée de son mari, qui lui envoie un clin d'œil discret avant de faire racler les pattes des chaises.

– Prenez place, mes frères. Daignerez-vous accepter la tasse de thé que mon épouse se fera un plaisir de vous préparer ?

Seul l'évêque, tout en refusant le breuvage chaud, condescend à poser ses fesses sur le siège. Sans se départir de sa nonchalance, Simon se laisse tomber face à lui et se penche :

– Monsieur, votre présence me comble. Je peux enfin discuter avec vous de certaines choses outrancières qui se disent et qui, j'en suis persuadé, déforment votre pensée. Mais ne reste pas plantée là, ma femme, viens nous tenir compagnie !

Ainsi apostrophée, Léonie se résout à lui obéir. Intrigué malgré lui, le prélat relève :

– Des choses qui déforment Notre pensée ? À quoi faites-vous allusion ?

– Il paraît que vous êtes opposé à ce que des instituteurs enseignent aux filles. Cela peut se défendre. Je trouve que c'est une tempête dans un verre d'eau, mais après tout, il y a des hommes obsédés à la moralité douteuse ! De plus, le Bas-Canada compte bien assez d'institutrices compétentes pour prendre la relève.

– Nous songions justement à aborder ce délicat sujet au prochain concile provincial, articule Bourget très sèchement. Même si leur existence a été dénoncée par tout le clergé, il reste encore des écoles mixtes ! Dans une telle école, le danger de voir la foi et la piété dépérir est imminent !

– En réalité, enchaîne Simon sans se démonter, ce qui me dépasse, c'est le peu de crédit que vous accordez au sens commun de chacun. À entendre ce qui se dit au sujet de votre position concernant les dangers qui menacent notre moralité, on croirait que vous tenez chaque être humain pour susceptible d'apostasier au moindre prétexte ! Ne faites-vous donc aucunement confiance au sens critique et à la grandeur d'âme naturelle de vos ouailles ?

La question est ingénue et le prélat considère son interlocuteur un certain temps avant de répondre :

– Le démon a d'innombrables et puissants moyens de s'insinuer au cœur de chacun d'entre nous, monsieur l'instituteur. Mais savez-vous quel est le plus grand et le plus redoutable moyen que le démon utilise pour perdre les âmes ? Celui des mauvais livres et des mauvais journaux, qui gâtent l'esprit d'un peuple tout entier. Il est donc de Notre devoir de lui en inspirer une vive horreur.

– Gâter l'esprit d'un peuple ? Monsieur l'évêque, vous errez ! Au contraire, le tourbillon des idées modernes favorise une ouverture d'esprit qui fait honneur à un peuple ! Il en fait des citoyens éclairés et non pas des moutons, il en fait des hommes qui se tiennent debout et non pas des froussards !

– Cela suffit !

Subitement rouge de colère, l'évêque a tapé du poing sur la table. Aussi furibonds l'un que l'autre, les deux hommes se foudroient du regard. Léonie sent que Simon est sur le point de rabattre le caquet au prétentieux qui le rabroue aussi cavalièrement, mais ce dernier ne lui en laisse pas le temps :

– Avez-vous oublié la malheureuse expérience que l'on a qualifiée par la suite de « rébellions » ? Non, j'en suis persuadé, puisque vous faisiez partie de ces illuminés aux idées révolutionnaires ! Moi, j'abhorre les révolutions, j'en ai une sainte horreur ! Ce funeste esprit de révolte, il a contaminé tant d'esprits que j'ai bien cru notre pays perdu à jamais, livré aux passions les plus viles, plongé dans l'anarchie ! Depuis ce temps, monsieur, je ne peux supporter la présence de ces brandons de discorde dans mon diocèse !

Un lourd silence tombe, rompu seulement par la respiration précipitée d'Ignace Bourget qui, dans son emportement, a oublié d'utiliser le « Nous » protocolaire. Simon tourne la tête vers Léonie, lui adressant un regard interdit, puis il reporte son attention sur celui qui lui fait face.

– Dans ce cas, monsieur Bourget, articule-t-il calmement, je vous déclare la guerre. Je fais partie du bataillon de ceux qui croient, au contraire, que ces idées sont de celles qui élèvent l'homme et lui confèrent toute sa noblesse.

L'évêque se dresse en faisant basculer sa chaise avec fracas. Il ricane, le visage déformé :

– Pauvre fou ! N'avez-vous donc rien compris ? L'offensive est commencée depuis des lustres, depuis que j'ai accédé au trône épiscopal ! D'ailleurs, vos édifiants propos me le confirment : le clairon va encore sonner cet été, pendant le concile provincial. Mon intuition est devenue une conviction qui sera matière à un règlement disciplinaire !

Simon tique en entendant cette expression digne d'un général tyrannique, mais il se tient coi. Le prélat s'élance vers la porte, suivi par ses deux vicaires dont Léonie avait complètement oublié l'existence. À deux pas de la porte, il s'arrête brusquement et se retourne d'un mouvement délibéré, comme un acteur de théâtre qui souhaite accroître la tension qui règne sur la scène :

– Nous avons appris tout récemment, madame Montreuil, que la Société compatissante fournit des cadavres à l'École de médecine et de chirurgie. Vous pouvez imaginer l'ampleur de Notre courroux...

Il a parlé d'un ton très froid, mais Léonie envisage sans peine la scène et sa nuque se couvre de sueur.

– Les trépassées ont droit, monseigneur, à tous les égards de la religion.

Le regard quasi haineux d'Ignace Bourget s'attache à Léonie, qui en ressent un puissant malaise. Généralement, les hommes de robe font mine, en public, de ne pas vraiment voir les dames, prenant surtout garde de plonger leurs yeux dans les leurs... Mais en cet instant, Bourget ne dissimule d'aucune manière son envie furieuse de la crucifier sur place. Il tonne :

– Ne faites pas l'innocente ! Là où le bât blesse, madame, c'est que des demoiselles se mêlaient impunément à de jeunes messieurs, en un moment si... si... si redoutable pour la pureté !

Léonie ne peut le laisser proférer de telles inepties sans réagir.

– Vraiment ? Vous avez la mémoire sélective, monsieur l'évêque. Oubliez-vous ce qui se passe à l'hospice Sainte-Pélagie *en ce moment même* ? Oubliez-vous que des étudiants en médecine et des jeunes religieuses assistent *ensemble* des femmes en couches ?

Le prélat reste bouche bée, stupéfait de se faire tancer ainsi. Elle en profite :

– Malgré cela, jamais vous n'oseriez remettre en cause la vertu des religieuses, n'est-ce pas ? Je vous prierais donc de faire de même pour les élèves sages-femmes qui ont fréquenté les dissections de l'École de médecine. Leur idéal les plaçait au-dessus de tout soupçon.

Intérieurement, Léonie se félicite d'avoir mis fin à cette pratique au printemps précédent, à la suite des menaces à peine voilées de Nicolas Rousselle. Depuis, les médecins et leurs apprentis dissèquent uniquement entre eux. En contrepartie, l'École de médecine paie un fort prix les cadavres que lui fournit la Société compatissante ! Léonie s'attend à ce que Bourget proclame son intention d'interdire le trafic de sujets de dissection, mais il articule plutôt :

– Nous n'avons plus la moindre illusion au sujet de la vigueur de la foi catholique qui règne en ce lieu. Les preuves contraires s'accumulent. Après vous deux, votre fille… Votre fille qui non seulement a refusé de remplir son devoir d'épouse, mais dont les agissements constituent de véritables gifles aux convenances ! Son départ ne Nous peine pas le moins du monde. Au contraire, il débarrasse la colonie d'un exemple honteux ! Si jamais Nous croisons son infortuné mari, il Nous fera plaisir de lui signifier notre ouverture d'esprit concernant une annulation de cette union lamentable !

C'en est trop pour Simon, qui se lève d'un bond, les yeux agrandis et l'expression menaçante. Aussitôt, Léonie glisse sa main dans la sienne, qu'elle serre convulsivement. Un silence chargé de sous-entendus retombe dans la salle de classe. Le prélat recule et pose la main sur la poignée.

– Les jours de votre école, madame Montreuil, sont désormais comptés. Pour apprendre aux sages-femmes l'art des accouchements, nul besoin d'études avancées et de manuels savants.

– Selon cet ordre de pensée, proteste Léonie, nos bonnes religieuses qui soignent les malades, qui préparent les médicaments, qui accompagnent les délivrances, elles ne devraient jamais tenter de se perfectionner ?

– Ce sont des saintes, répond-il sèchement, qui ne chercheront jamais à accumuler des connaissances pour leur seul plaisir égoïste.

Les trois prêtres sortent et la porte claque à tel point que les carreaux des fenêtres en tremblent. Léonie bégaye :

– Je l'haïs, je l'exècre, je voudrais le voir réduit en bouillie pour les chats !

– Il ose, devant nous, faire un procès à Flavie ! Un procès ? En fait, c'est cent fois pire : quand je l'ouïs parler, il me fait songer à l'un de ces terribles inquisiteurs qui en ont tant condamné au bûcher !

Les jambes coupées par l'émotion, il se laisse retomber sur son siège et reste immobile, le regard fixe, la respiration pesante. Devant la menace contenue dans les jugements impitoyables de l'évêque, une lourdeur terrible est en train d'engourdir Léonie. Bourget va peser de tout son poids pour faire considérer sa salle de classe comme un lieu de perdition ! Il va tenter de convaincre ses ouailles que d'encourager un tel organisme, c'est faire la promotion de l'impiété, ce qui revient à trahir les générations précédentes qui ont fait des Canadiens un peuple libre ! Enfin, principalement libre de sa foi, mais c'est une nuance dont il ne convient pas de s'encombrer !

Léonie coule un regard de détresse vers Simon. D'un commun accord, ils accolent leurs chaises et toujours assis, ils s'enlacent avec ardeur. Léonie aspire à pleins poumons l'odeur de sa peau à la base du cou, comme pour chasser les odeurs d'encens et d'empois qui flottent encore dans la pièce. Après un temps, elle dépose sa tête contre son épaule et affirme d'une voix cassée :

– J'adore t'entendre déclamer. Je jouis fichtrement plus de tes sermons que des siens.

– Je l'escompte bien !

Il la saisit sous les bras et la repousse pour l'embrasser avec une touchante sollicitude. Il suggère ensuite, goguenard :

– On la ferme tout de suite, ton école ? Ça lui damerait le pion… Et puis, je pourrais t'avoir pour moi tout seul, fraîche et dispose à chaque jour que le bon Dieu amène.

– Alors je passerais mon temps à t'attendre et à maudire le sort qui conduirait à ma porte, chaque soir, un mari épuisé et distrait.

– Mouais, fait-il en lui volant de nouveau un baiser. À tout prendre, je te préfère trop occupée que mégère…

Elle sourit à ses yeux doux et frotte sa joue contre la sienne, toute rêche. La mansuétude des membres du clergé n'est que factice. Sous leur habit se cache une volonté d'acier, celle de faire plier l'échine des fidèles jusqu'à la prosternation complète, le front au sol ! Monseigneur a beau se frapper la poitrine pendant ses oraisons, qui sont notoirement nombreuses, et s'exhorter à l'indulgence, il n'empêche qu'il considère tout ce qui contrarie son ambitieux dessein comme une offense personnelle ! En fait, comme une offense au Créateur, ce qui est du pareil au même…

Chassant cet encombrant personnage de ses pensées, Léonie se laisse envelopper par la chaleur de Simon. Elle songe avec un frisson qu'il y a trente ans cette année ils se sont agenouillés devant l'autel. Celui qui était son promis a maintenant cinquante-cinq ans révolus. La fortune lui a souri puisque son attachement ne s'est pas mué en aversion ! Il faut qu'elle prenne soin de lui et qu'elle profite de chaque instant qu'il lui reste à vivre en sa compagnie… Elle insinue ses doigts dans la tignasse de Simon, où le blanc le dispute au gris. Il susurre :

– On fait la nique à Sa Grandeur ?

Léonie éclate d'un rire franc, presque surexcité. La proposition lui paraît extrêmement tentante ! Bien entendu, le prélat n'en saura miette, mais elle a une irrésistible envie de proclamer ainsi sa profonde révolte devant les abus d'autorité, qui viennent la contrarier dans ses entreprises. Cécile, son nouveau mari et leurs enfants soupent chez Jeremy, le frère de Daniel : tous deux sont parfaitement seuls. De toute façon, elle s'en contrefiche. Même si toute la rue vient contempler le spectacle, elle a l'intention de ne se priver d'aucune gourmandise, fût-elle la plus indécente qu'elle connaisse.

Glissant de sa chaise pour s'agenouiller sur le sol aux pieds de Léonie, Simon introduit ses mains sous sa jupe qu'il soulève à moitié, puis il promène ses doigts par-dessus le fin tissu des pantalettes jusqu'à la chemise, qu'il relève également. À la taille, il s'insinue sous la chemise maintenue serrée par le corsage et réussit à flatter le bas de son torse, de l'avant vers le dos, de ses mains posées à plat sur sa peau. Léonie clôt à moitié les paupières pour savourer la caresse qui, au gré de l'humeur de Simon, alterne entre effleurement et pétrissage.

Automatiquement, elle tend le bras vers la chandelle posée sur la table, près du mur, et vient près de tuer la flamme d'une pression des doigts... mais elle interrompt son geste au dernier moment. Ce n'est surtout pas ce soir qu'elle va se cacher ! Simon se remet debout d'un mouvement des reins et marche jusqu'à la porte d'entrée qu'il ferme à double tour, puis il revient vers son épouse et lui tend la main pour l'inviter à quitter son siège et à le suivre jusqu'à l'extrémité de l'une des deux tables, où il l'oblige à poser les fesses. Il bredouille avec un sourire :

– Ça fera changement avec les bosses de notre paillasse.

– Autant en profiter, ajoute-t-elle d'un ton suggestif, parce que bientôt nous serons trop vieux pour de pareilles folies...

– Trop vieux ? Je suis bien le dernier à qui tu ferais des accroires ! J'ai cru remarquer, ces derniers temps, que tu seras une joyeuse douairière...

Il fait allusion à l'ardeur renouvelée de Léonie depuis quelques années. Lorsqu'elle a fini par accepter cette conséquence inattendue de son retour d'âge imminent, elle s'est confiée à lui. Au gré de conversations successives, tous deux ont fini par convenir que les racontars au sujet de chaudes créatures ayant passé leur prime jeunesse s'ancraient dans la réalité. Les siècles précédents comptent leur lot de ces dames du monde aux liaisons multiples, auxquelles les bigots d'aujourd'hui ne peuvent même supporter de faire allusion!

Après avoir passé plus d'une vingtaine d'années, depuis la naissance de Cécile, à surveiller sa fertilité, Léonie profite maintenant de sa totale liberté. Parfois, elle est envahie d'une telle concupiscence qu'elle arraisonnerait le premier jeune mâle viril à croiser sa route et lui ordonnerait de la satisfaire en déployant toute sa puissance! Mais bien entendu, ce ne sont que de sauvages songeries qu'elle garde secrètes. Règle générale, elle se satisfait de Simon, qui sait compenser une toujours possible défaillance physique par cette inventivité qui ne s'acquiert qu'avec l'âge.

Simon achève de déboutonner le corsage de Léonie, qui s'en débarrasse prestement. Aussitôt, il va poser les mains sur sa poitrine libérée de son léger carcan. Il ne s'est jamais plaint de la petitesse de ses seins… lesquels, en contrepartie, ont eu l'amabilité de conserver une certaine part de leur galbe de jeunesse! Il ne s'est jamais plaint, non plus, de ses hanches point trop rondes. Et pourquoi l'aurait-il fait? Ne l'a-t-il pas convoitée ainsi dès le départ, longue et souple, femelle sous certains angles, adolescente sous d'autres? Ayant relevé la chemise de Léonie jusque sous son cou, Simon lui humecte la peau au point de jonction entre ses deux seins, et avec un soupir de bonheur, elle dépose les bras sur ses épaules.

Lui-même était bâti de la sorte: un gabarit prudent, mais quelques attributs d'une masculinité évidente, dont un visage aux traits accusés, des épaules musclées, des biceps saillants et un torse superbe… Elle ne peut retenir un sourire lascif en songeant à la preuve la plus éclatante de sa virilité, qu'elle a vue pour la première fois dans toute sa splendeur par une belle journée d'avril. Ils avaient pris prétexte du souffle printanier qui balayait la campagne pour s'épivarder dans un coin isolé du rang.

Adossés à un arbre, ils se sont laissé conduire par leur fièvre au point de ne plus supporter la moindre étoffe entre eux… Quel spectacle singulier lorsqu'il a baissé son pantalon et que son membre gonflé s'est si fièrement dressé ! Mais quel plaisir délicat lorsque, par la suite, il l'a fait glisser dans ce goulot étroit, tout juste en haut des cuisses jointes de Léonie, qui semble conçu exprès pour offrir aux amoureux un avant-goût du paradis promis…

Enfin rassasié de sa poitrine, il retrousse sa jupe et, prenant tout son temps, il fait choir ses pantalettes jusqu'à terre. À son tour, Léonie le délivre de son pantalon. Elle aimerait fort se mettre entièrement nue, mais il fait trop frais dans la pièce. Après un long baiser qui donne à Léonie une furieuse envie de dévorer son homme à belles dents, il la fait gentiment basculer vers l'arrière. Elle s'arc-boute sur la table de ses bras tendus et noue ses jambes autour de ses hanches. Il tâtonne pour s'insinuer en elle, mais sans succès, et il rigole :

– Défaut d'altitude… Je cours chez un voisin quérir l'*Encyclopédie* de Diderot ?

– Pour me la mettre sous le croupion ?

– Plutôt sous les quatre pattes de ta couche si confortable…

Tremblante d'impatience, Léonie réussit à se hausser contre lui, tandis qu'il la soutient de toute la force de ses bras. Il la pénètre enfin et siffle doucement :

– Saquerdié ! Je ne connais pas de nectar plus enivrant que le tien. Ni plus abondant, d'ailleurs… Tu fournirais une tablée entière, pour le sûr.

– Espèce de galapiat ! Que connais-tu des *autres* nectars ?

Lentement, Léonie se laisse retomber de tout son long sur la surface de bois patiné. En provenance du fanal d'un attelage sur le chemin, une lueur mouvante éclaire fugacement le plafond, et elle l'observe tout en s'abandonnant au rythme encore tranquille de son mari. Un intense frisson de perversité la parcourt tout entière. Quel lieu incongru et quelle position inhabituelle pour ces ébats dignes du pire des débauchés ! Dire qu'elle a attendu l'âge vénérable de cinquante-trois ans pour expérimenter cette exquise entorse aux convenances…

Elle tend les bras pour plaquer ses mains sur les cuisses nues de Simon, seul point de contact avec sa peau qui lui est accessible, et se met à les pétrir comme s'il s'agissait de glaise malléable. Après un temps, il se penche vers elle avec un grognement gourmand et l'oblige à remonter jusqu'à l'autre extrémité de la table. Il s'allonge enfin de tout son long sur elle, glissant les bras sous son torse. Tenant Léonie étroitement accolée contre lui, il la pénètre avec tant de vigueur qu'elle pousse un cri sourd.

Tant qu'à faire entorse aux convenances… Avec un sourire mutin, Léonie incite Simon à s'immobiliser et elle réussit à lui faire comprendre en peu de mots ce qu'elle désire. Après un grognement de légère contrariété, tous deux inversent la position et bientôt, agenouillée au-dessus de lui, Léonie pose les mains à plat sur sa poitrine et redresse le torse tout en se permettant de suaves glissements le long du pénis dressé. En un mouvement de fierté conquérante, elle lève la tête vers le ciel. À travers le plafond, elle a l'impression de se connecter, du regard, avec le firmament et avec Celui dont les hommes abusent avec tant d'impunité. En cet instant précis, elle veut croire de toutes ses forces que ses intuitions sont vraies, que le Tout-Puissant n'est que bonté et qu'il permet à toutes ses créatures, avec bienveillance, de profiter des plaisirs terrestres !

Peu après, elle s'allonge à moitié sur Simon, les jambes de chaque côté des siennes, et finit par oublier tout ce qui n'appartient pas à l'étroite bulle dans laquelle ils se sont glissés. Son envie de vengeance décuple tant son énergie que, dans cette position, pour la première fois de sa vie, Léonie les conduit tous deux jusqu'à une pâmoison ponctuée d'un double puissant gémissement.

Il faut de longues minutes à leurs souffles pour s'apaiser, tandis que leur parviennent, en provenance de la rue, éclats de voix et hennissements. Enfin, Léonie roule avec précaution sur le côté et s'assoit tant bien que mal sur le rebord de la table. Dehors, sur la galerie, le bois craque une fois, puis deux, bruits suivis par un son si discret qu'il leur faut un moment pour l'enregistrer. Vient-on de cogner à la porte? Alertée, Léonie se met debout. Tous deux sursautent: la personne qui se tient dehors utilise maintenant ses deux poings pour tambouriner, avec retenue toutefois, contre le panneau de bois.

Laissant libre cours à sa grogne au moyen d'un chapelet de jurons chuchotés, Simon déniche son pantalon, qu'il enfile prestement. Léonie murmure, se retenant de rire:

– Je ne peux me revêtir de même, il faut que je me débarbouille!

Simon crie pour le bénéfice de leur visiteur:

– Espérez-moi, j'arrive!

Il lui fourre ses pantalettes dans les mains et la pousse hors de la pièce, puis referme la porte entre eux. Léonie se rince vivement l'entrejambe à la débarbouillette, puis elle monte quérir une jupe. Enfin décemment couverte, elle redescend dans la cuisine, que Simon est en train d'éclairer. Il grommelle à son intention:

– C'est pour toi. Une bonne sœur. Il y a quelque chose à se mettre sous la dent?

Elle lui indique ce qu'elle a prévu pour le souper, puis elle l'embrasse avec gourmandise avant d'aller rejoindre la visiteuse assise à l'une des tables, précisément celle-là qui grinçait, peu de temps auparavant, au rythme de leur pas de valse... Sœur Marie-des-Saints-Anges se lève à son arrivée et l'envisage avec un air de chien battu. Instantanément dégrisée, Léonie accueille son ancienne élève en lui offrant ses deux mains à serrer. Elle coupe court à ses excuses en l'invitant à se rasseoir. La jeune novice débite alors d'une traite:

– Ma compagne et moi, nous répondons à un appel dans le voisinage, rue Chaboillez, et j'avais besoin de vos lumières.

En plus de gérer un hospice où elles accueillent surtout des femmes démunies, mais également quelques-unes bien dotées qui se terrent dans des chambres privées, les Sœurs de Misécorde offrent leurs services gratuits pour des accouchements à domicile. Léonie s'étonne: rue Chaboillez, n'est-ce pas à une grande distance de leur communauté, située faubourg Sainte-Marie? Catherine explique qu'il s'agit d'une dame du monde qui avait l'habitude de requérir les services de l'une d'entre elles avant sa prise de voile et qui a tant apprécié ses services qu'elle se refuse à tout changement. Elle leur a promis une coquette somme pour leurs services…

Avec un sourire légèrement railleur, Léonie grommelle:

– Vous êtes censée faire appel à un homme de l'art, comme votre Dr Trudel, aussitôt qu'une complication survient.

Farouchement, la jeune novice réplique:

– J'évite le voisinage de ces malotrus de clercs et même de leur maître!

Secouée par une agitation subite, elle justifie son éclair d'indignation en faisant à Léonie le récit haletant des comportements inconvenants de certains étudiants en médecine. Pendant son stage à la Société compatissante, elle s'est accoutumée à leur manque de courtoisie et à leurs allusions grivoises, de même qu'à leur brutalité dans le traitement des parturientes, mais depuis son entrée à l'hospice Sainte-Pélagie, sa coupe déborde. Est-ce parce qu'ils s'en permettent davantage en présence de religieuses? Est-ce parce que le Dr Trudel tient les rênes « plus lousses » que ne le faisait Nicolas Rousselle ? Toujours est-il que la désinvolture des étudiants atteint des sommets !

– Tout juste avant Pâques, ajoute Catherine fiévreusement, un étudiant a accouché une fille qu'il avait lui-même rendue grosse ! Vous imaginez le désordre dans la salle quand ça s'est su. Il paraît que bien des prêtres sont dégoûtés lorsqu'ils savent que ces jeunes hommes sont admis dans notre maison établie précisément pour sauver l'honneur des familles ! Il paraît que même M. Berthelet, notre bienfaiteur, regrette d'avoir contribué à l'établissement de notre œuvre !

Léonie ne peut que compatir aux sentiments de la jeune religieuse concernant les écarts de conduite des étudiants, qui font montre d'un manque total de délicatesse. Elle l'a constaté à plusieurs reprises sur le plancher de son propre refuge : quelques-uns de ces mâles semblent croire que les parturientes sont dénuées de toute sensibilité, autant physique que morale !

Sa visiteuse se ressaisit alors. Le temps file et si elle a osé venir la déranger, c'est pour solliciter son avis de professionnelle, non pas sur le cas qu'elle accompagne actuellement et qui progresse sans à-coups, mais sur un précédent s'étant terminé par la mort de l'enfant. Elle avait cru déceler la présence, chez la parturiente alors dans les douleurs, d'un prolapsus du cordon dans lequel la pulsation était cependant parfaitement perceptible. Néanmoins, une heure plus tard, c'est un moribond qui voyait la lumière du jour.

– Toute accoucheuse qui se respecte sait que la compression prolongée du cordon peut provoquer la mort du fœtus, bredouille Catherine, le rouge aux joues, mais c'était mon premier cas et… j'avais quelque peu oublié la marche à suivre…

Léonie saute sur ses pieds pour retirer des rayons de la bibliothèque l'ouvrage de Marie-Anne Boivin. Après lecture d'un passage et une courte discussion, elles conviennent du fait que Catherine aurait dû tenter la répulsion du cordon à l'intérieur de la matrice. Si la cliente a déjà enfanté et que le fœtus présente le sommet de sa tête, il est plus sage d'attendre une délivrance spontanée, mais dans tous les autres cas, il faut tenter une action, soit la répulsion, soit la version et l'accouchement par les pieds.

La maîtresse sage-femme gratifie la jeune novice, qui se sent coupable de négligence, d'un large sourire d'encouragement et de quelques paroles de réconfort. Enfin, sœur Marie-des-Saints-Anges se lève et rassemble les pans de son habit et de sa bougrine autour d'elle. Elle hésite pourtant et se mord les lèvres, puis se décide enfin :

– J'ai passé quelques nuits blanches, Léonie, à ruminer la révélation que vous m'avez faite...

Comme cette dernière hausse les sourcils d'étonnement, Catherine précise :

– Concernant la véritable fondatrice de notre communauté. Je n'en reviens tout bonnement pas... Toutes ces années, j'ai cru de bonne foi qu'il s'agissait de notre supérieure, mère Sainte-Jeanne-de-Chantal, qui fait comme si !

– Que voulez-vous dire ?

Catherine lutte un moment contre son aversion pour les ragots, puis elle lâche prise :

– Elle mène notre communauté d'une poigne de fer. On ne peut lui reprocher d'être une mauvaise administratrice, mais... pour tout vous dire, Léonie, sa condescendance envers sœur de la Nativité me fend le cœur ! Elle la traite comme une demeurée, comme une bonasse. Elle la désigne ouvertement comme « la folle » ! Elle lui coupe la parole, l'empêche de se joindre aux chants religieux et la prive même de la sainte communion pour des broutilles ! Notre supérieure n'a aucune pitié pour son manque d'instruction et de raffinement. Rosalie est pourtant d'une telle bonté d'âme... Avec nos pénitentes, jamais une remontrance, jamais un mouvement d'impatience, mais que des paroles charitables et édifiantes sur la nécessité du salut…

Navrée, Léonie enveloppe la main de Catherine entre les deux siennes et, après une légère pression sur ses doigts, elle renchérit :

– Toute sa vie, il me semble, Rosalie a cultivé la résignation.

S'il y a bien un aspect de la personnalité de la fondatrice des Sœurs de Miséricorde qui l'indispose, c'est bien celui-là. Rosalie est animée par un total et louable sentiment de compassion pour les âmes souffrantes, mais qui lui fait sacrifier tout profit personnel sur cette terre en échange de la promesse du paradis ! C'est ainsi, uniquement, qu'elle tente de consoler ses pénitentes : en les persuadant qu'une piété vertueuse et un respect total des commandements de l'Église sont la voie de la félicité. Léonie, elle, tente plutôt de susciter chez les clientes de son refuge un nécessaire respect d'elles-mêmes…

– Rosalie endure sans se plaindre le moindrement, dit Catherine après un interminable soupir. La pire des calamités pourrait survenir, mais puisque c'est la volonté de Dieu, il faut l'accepter avec une patience héroïque. Cette résignation entraîne des situations invivables. Avant-hier, j'ai enfin osé m'étonner devant sœur de la Nativité que son titre de fondatrice ne soit pas reconnu. Vous savez ce qu'elle m'a répondu ? « C'est notre évêque qui a tout fait. Je n'ai été que l'instrument du bon Dieu. »

– Ce qui est archifaux, affirme Léonie péremptoirement. Rosalie y a consacré sa vie entière. Pas monseigneur.

– Mère Sainte-Jeanne-de-Chantal, j'ai parfois envie de lui tordre le cou !

Apeurée par sa propre hargne, la jeune novice extirpe ses mains de l'emprise de Léonie et s'en couvre la bouche. Très calme soudain, elle murmure :

– Mes pauvres compagnes sont comme des oiseaux dans la tempête. Moi, j'ai appris le métier avant d'endosser l'habit, mais elles… J'essaie de m'inspirer du comportement de sœur de la Nativité. Elle a une confiance absolue. Elle se fait le relais des enseignements de Sa Grandeur : depuis que Jésus-Christ a divinisé les souffrances, elles sont devenues infiniment méritoires et aimables. Les épreuves conduisent à la gloire céleste. Elles suscitent la compassion de Dieu et prouvent que c'est lui seul qui fait toutes ces choses. Nous ne sommes que son instrument. Mais je dois m'enfuir. Merci pour tout, Léonie !

La robe noire virevolte et la porte se referme dans un claquement. Léonie reste un long moment à promener son regard sur les murs faiblement éclairés par la chandelle. Quelle journée ! Le colloque particulier avec sa présidente Marie-Thérèse Jorand, la visite impromptue de Mgr Bourget suivie de l'étreinte avec Simon, tout autant inopinée, et enfin la discussion avec sœur Marie-des-Saint-Anges… Ce mélange incessant de science obstétricale et d'admonestations religieuses, de gestes profanes et de pensées saintes, lui donne le tournis ! Mais elle a l'impression d'avoir, aujourd'hui, goûté à sa vie comme jamais.

Chapitre ix

Les toutes premières fleurs printanières déploient leurs corolles et Flavie a l'impression qu'elles le font principalement pour célébrer son plaisir de vivre. Ces délicates créatures sont animées, comme elle, d'une telle exubérance! Toute à sa joie de son union avec Stephen, Flavie associe l'élan de sève qui la parcourt tout entière au regain saisonnier, une splendide conjonction qui pare non seulement la nature, mais aussi son amant, d'une beauté à ses yeux tout à fait singulière.

Assise sur l'herbe fraîche, adossée à un arbre d'un âge vénérable, elle triture sa plume tout en contemplant le spectacle de la rivière impétueuse, gonflée par la fonte des neiges. Elle chasse une mouche obstinée avant de reporter son attention sur l'écritoire posée sur ses genoux relevés. Il y a des jours qu'elle tergiverse, mais si elle veut retrouver la paix du sommeil, il lui faut se résoudre à coucher sur le papier les phrases qu'elle compose et modifie sans relâche dans sa tête.

Depuis son arrivée à Oneida, elle a pris l'habitude de narrer à Bastien, par écrit, les principaux événements de son existence et les faits saillants de la vie en communauté, sans se censurer d'aucune manière. La missive qu'elle s'apprête à rédiger s'inscrit donc dans la logique de la démarche... Elle s'est juré d'être parfaitement honnête vis-à-vis de son mari. C'est une promesse qu'elle regrette amèrement à l'instant même, mais qu'elle n'a pas le choix de tenir...

Elle ignore pourquoi il lui est à ce point vital d'être limpide et ingénue. Est-ce parce qu'elle a encore un certain attachement pour lui? Une toute petite flamme qui se dresse parfois vers le ciel, ravivée par le souffle d'un souvenir émouvant ou d'une association d'idées incongrue. Une flamme qui n'a rien à voir avec les controversées études de médecine, les disputes, le dédain progressif, mais plutôt avec l'élan de tout son être qui l'a portée vers lui, une certaine après-dînée du printemps quarante-sept, et qui reste inaltéré…

Flavie s'en impatiente souvent, se reprochant d'avoir encore de l'affection pour un homme qui ne le mérite pas. Néanmoins, à d'autres moments, elle s'enorgueillit de cette grandeur d'âme et la tient pour preuve de son cheminement dans la doctrine de John Noyes, qui associe la détestation, sentiment honni, au démon. Non, elle ne peut haïr Bastien… sauf lorsqu'elle se remet en mémoire son accueil glacial de ce funeste matin de juillet, alors qu'elle revenait prendre place dans ses bras… qu'il a tenus obstinément clos. Alors, elle tremble d'une telle humiliation, elle fulmine d'une telle fureur qu'elle voudrait voir le sol s'ouvrir sous les pieds de Bastien et le précipiter dans les entrailles de la terre!

Un volatile émet un gazouillement sonore à proximité. Avec un tressaillement, la jeune accoucheuse revient à la réalité de cette missive qu'elle doit s'empresser d'écrire. Une chose est sûre: elle ne pourrait supporter qu'il apprenne son infidélité d'une autre bouche, une éventualité dont la probabilité augmente de jour en jour! Elle veut que ses propres mots, soigneusement choisis, le mettent au courant.

De toute façon, il n'ignore plus rien des mœurs en vigueur ici, n'est-ce pas? Mais ses lettres mensuelles restent sans écho, comme si son soliloque tombait dans le vide, dans le fossé de son indifférence… Décachette-t-il ses envois ou les jette-t-il intacts dans le poêle ronronnant? Cette inconnue la plonge dans un puissant sentiment de malaise. S'il est dans l'ignorance, elle s'apprête à lui infliger un sacré choc ! Mais par ailleurs, s'il ne lit pas ses lettres, elle se donne bien du souci pour rien…

Mortifiée, Flavie mordille l'extrémité de sa plume. En tout cas, elle a résolu de lui écrire, point à la ligne ! Mais comment peut-elle oser tracer, noir sur blanc, qu'elle a accepté l'étreinte d'un autre homme ? Bien entendu, Bastien ne ressent plus que du dédain pour elle, mais rien n'est plus aisément froissable, paraît-il, que l'honneur d'un époux ! L'instinct de propriété ne tolère pas le moindre affront.

Ici, on en fait des gorges chaudes, de cet amour ranci, irritable et possessif ! S'imaginant avoir un usage exclusif et indiscutable de son épouse, le mâle s'abîme inévitablement dans les affres de la jalousie. Quelques hommes en deviennent littéralement déments et finissent par harceler l'élue de leur cœur et par proférer des menaces contre leurs prétendus rivaux. Leur conscience est à ce point distordue que leur amour bafoué peut justifier un acte barbare, soit le meurtre ! Le pire, c'est que la société absout ce crime, non seulement en disculpant ce tyran, mais en louangeant l'intensité du sentiment qui a mené à une telle conduite. On honore un sentiment qui, pourtant, est cruel, égoïste et dangereux !

Certes, Bastien n'est pas d'une nature dangereusement vindicative, mais il la reniera ! Il la vouera aux enfers ! Flavie renverse la tête et ferme les yeux. La coupure définitive sera ainsi accomplie, proprement, irréversiblement… En fin de compte, ce sera un soulagement pour lui, n'est-ce pas ? Fortifiée par cette pensée, Flavie trempe de nouveau sa plume dans l'encrier posé par terre, puis elle écrit la date, le 2 mai 1854, en haut du feuillet. Elle trace ensuite : « Cher Bastien », puis elle reste immobile à contempler l'image formée par ces deux mots. Enfin, elle compose à toute vitesse :

Je choisis aujourd'hui de t'entretenir d'une réalité avec laquelle tu as pu te familiariser si tu as parcouru les littératures que je joins d'ordinaire à mes lettres : celle de l'union hétérogène, comme on nomme ici le système conjugal. Tel que je te connais, j'estime que tu n'as pas dû en être choqué outre mesure. Ici, la notion d'adultère n'a plus le même sens. Le seul péché, selon Father Noyes, c'est l'incroyance, qui nous rattache aux mondanités. Pour tout le reste, la foi nous donne bonne conscience, ce qui élimine la culpabilité.

Le seul adultère véritable aux yeux de Father Noyes, c'est celui qui renie le lien privilégié avec le Créateur. Une telle hérésie fait pleuvoir sur sa tête les épithètes méprisantes ! Partout, on prétend que les lois morales maintiennent la cohésion sociale et favorisent la prospérité des peuples qui se placent sous leur gouverne ; elles méritent donc un respect absolu.

Il est vrai que nul autre, avant Father Noyes, ne s'est permis un tel affront à l'autorité divine et à ses commandements indiscutables. Cependant, tu conviendras avec moi qu'une femme ne devrait jamais accorder ses faveurs par obligation, mais uniquement par choix. Dans bien des cas, le mariage s'associe à un acte de prostitution ! Father Noyes, dans sa remise en question d'un ordre établi qui n'a plus rien de moral, a élaboré un nouveau système dans lequel les rapports charnels sont un outil privilégié pour faire rayonner l'amour jusqu'à Dieu lui-même. Ce n'est pas de l'amour libre, loin de là, ni une permission pour se vautrer dans des frénésies de licence, mais au contraire une sorte de sanctification de cet acte qui engage chacun corps et âme ; une ode à la vie, pour tout dire. À ma grande surprise, j'ai moi-même ressenti

Flavie reste pétrifiée, la plume dans les airs. Elle vient de faire une allusion directe à son infidélité, à ce que les bien-pensants considèrent comme une trahison ! Égarée, elle relit sa prose à plusieurs reprises. Va-t-elle biffer la dernière phrase ?

Déchirer le feuillet et recommencer, de façon à aborder le sujet avec plus de circonlocutions ? Mais tout son être s'y refuse et elle sature sa plume d'encre avant d'entamer un nouveau paragraphe.

J'ai cédé à l'emportement... Je voulais te préparer bien davantage, mais je ne peux plus te cacher que moi de même, j'ai voulu goûter à ce qui semble susciter une réelle félicité. Je te supplie de me lire jusqu'au bout, de ne pas céder à cette colère que les hommes trompés éprouvent sans discernement, comme s'ils étaient des garçonnets de cinq ans et qu'on les privait d'un jouet dont ils croyaient avoir usage selon leur bon vouloir. Un jouet inanimé qu'ils peuvent manipuler à leur guise, et même démantibuler, sans que cela prête à conséquence... Je noircis peut-être la situation, mais je suis convaincue d'une chose : la plupart des époux exigent de leurs épouses qu'elles n'aient plus de volonté propre. Ils veulent la voir cheminer dans leurs traces, sans un mot de révolte !

Je n'ai aucune intention de te blesser en m'adonnant, moi aussi, à l'union hétérogène. Ni de te spolier. Un amour qui réclame, ce n'est pas du véritable amour. Un amour qui se donne à fond, qui remonte jusqu'à Dieu, suscite tout bonnement de la gratitude. Une femme n'est pas créée pour un usage personnel, mais pour croître en beauté et en spiritualité. Seul Dieu possède ; personne d'autre.

Envahie de félicité, Flavie relit ses dernières phrases. Cette pensée audacieuse la rejoint jusqu'au plus creux et la comble de joie ! Elle la portait à l'état d'intuition, mais ce qui se vit et s'écrit à Oneida lui a permis de se déployer totalement ! Flavie a réalisé que son malaise au sein de la société bas-canadienne, qui l'a poussée à poser des gestes difficiles à comprendre, venait précisément de son rejet viscéral d'une coutume généralisée, qui veut que les femmes fassent partie d'un bien commun que les hommes se partagent, quitte à se déclarer la guerre l'un à l'autre. Même les penseurs éclairés, même ceux qui se donnent la peine de concevoir de nouveaux systèmes sociaux, restent attachés à cette fausse certitude. Father Noyes, lui, a réussi à l'expulser au plus loin!

Galvanisée, Flavie écrit encore:

Cela ne regarde que moi, tu comprends? Puisque nous n'avons plus l'un pour l'autre cette affection des débuts de notre mariage, je me considère comme sans attaches.

Les entrailles soudain nouées, elle reporte son regard sur le mouvement de l'eau à ses pieds. C'est la première fois, dans ses lettres à Bastien, qu'elle ose aborder la question de leur différend. L'exercice lui semble si hasardeux, si compliqué, qu'elle préfère changer prestement de sujet.

Depuis quelques semaines, je suis en relation assidue avec l'un des membres de la communauté. Ce que je voulais dire plus haut, c'est que tout récemment j'ai éprouvé moi-même cet état de béatitude que Father Noyes nous enjoint de rechercher: j'ai eu l'impression de toucher aux étoiles, de toucher à l'essence divine de l'univers. Comme si je faisais partie d'un tout harmonieux hors duquel la vie perd tout son sens.

Flavie s'interrompt encore. Elle ne peut, sans faire montre d'une grossière indécence, s'aventurer plus avant dans la description de ce moment de béatitude, mais comme cette évocation la fait vibrer! C'était la veille au soir; tenant Stephen étroitement serré, elle s'est arquée sous lui, et ses spasmes ont semblé durer un temps infini; elle a eu l'impression de voguer dans l'espace, libérée de toute contrainte, envahie d'une joie pure… Se ressaisissant, elle se dépêche de conclure:

Je te le répète encore : je n'y peux rien si tu te sens lésé mais je ne souhaite te déposséder en rien. Je veux seulement profiter de toutes les occasions qui me sont offertes pour expérimenter une manière de bonifier mon passage sur cette planète, une manière qui rejette les faux-semblants et les menteries auxquelles nous avons été habitués. Ici, tout se fait ouvertement et voilà pourquoi je tenais à agir de même avec toi.

Devrait-elle aborder ici la question de son étreinte avec celui qui est devenu son beau-frère, le soir de l'émeute qui a ponctué le passage du prédicateur Gavazzi à Montréal ? Puisqu'elle prétend dédaigner tout mensonge, ce serait tout à fait logique. Mais ce serait également accorder une grande importance à ce qui ne fut qu'une passade, qu'un sursaut de sa vanité froissée. Ce serait courir le risque de voir s'ébruiter la chose et ainsi compliquer inutilement les rapports avec Cécile, Daniel et tous les autres membres de sa famille ! Ce bref moment de passion, Flavie choisit de l'entourer à jamais d'une chape de silence. Une femme a droit à son jardin secret…

Pour le sûr, tu finiras par reconnaître la valeur de ma démarche. Je te prie de ne pas hésiter à me faire part de tes réactions. Cela me plairait fièrement davantage que ton pesant mutisme…

Avec l'impression de porter un accablant fardeau sur ses épaules, Flavie signe de son prénom, puis elle plie soigneusement les feuillets et ramasse ses affaires. Ce n'est que lorsqu'elle a apposé un sceau et qu'elle a placé l'envoi sur la pile de courrier, au secrétariat de Mansion House, qu'elle respire à l'aise. Que peut-elle faire de plus pour convaincre Bastien de la valeur du mode de vie à Oneida et pour lui faire prendre conscience de ses réels avantages ? Father Noyes a déjà tout écrit… Elle aura beau se désâmer pour expliquer en long et en large, Bastien doit d'abord se débarrasser de ses œillères et cela, elle ne peut le faire pour lui!

Au cours des jours suivants, elle imagine le parcours de la lettre: en attelage, puis en train ou en bateau, et enfin l'attente chez le maître de poste, à Montréal... Pendant ce temps, elle est incapable d'envisager de s'abandonner à l'étreinte de Stephen qui, par une heureuse coïncidence, est tant occupé par son travail qu'il ne sollicite aucun moment en privé avec elle. Lorsque Flavie se persuade que Bastien a enfin reçu son envoi et que l'irréparable est commis, une bienfaisante paix intérieure l'envahit tout entière. Elle préfère nettement, à l'inconfort du mensonge, l'anxiété qui accompagne la vérité!

En cette période de regain printanier, une soif charnelle s'est installée, donnant lieu à une discrète frénésie amoureuse à laquelle il est difficile de rester insensible. Si John Miller, trop malade, n'affiche aucune liaison autre qu'avec sa légitime épouse, les autres hommes de son âge, ceux qui font partie du groupe de fondateurs de la communauté, ne se privent guère. Ils ont jeté leur dévolu sur quelques jeunes femmes qui papillonnent autour d'eux... Plutôt qu'une réserve toute monastique dont Father Noyes, paraît-il, a fait reproche, il règne maintenant une subtile atmosphère de tension sexuelle!

Si Father Noyes répète à qui veut l'entendre que seule la beauté intérieure compte et que chacun doit avoir l'occasion d'atteindre Dieu par rapports sexuels interposés, il apparaît clairement à Flavie qu'une certaine discrimination existe en ce domaine. Grâce au principe d'ascendance, qui encourage les novices à rechercher la compagnie des plus pieux, des plus saints, en somme, les hommes mûrs sont privilégiés, quelles que soient leur apparence et leur tournure de caractère.

Les laissés-pour-compte sont plus nombreux qu'un examen superficiel pourrait le laisser croire. Hormis par les mâles à peine pubères qu'elles ont la charge d'initier, les dames matures ne sont pas très convoitées, et surtout pas celles que l'âge a disgraciées. De leur côté, les jeunes hommes se lassent rapidement de ce passage obligé et peinent à masquer leur préférence pour les jouvencelles ! En ce glorieux mois de mai où la sève circule en abondance, Flavie est frappée par les œillades ardentes qu'échangent les jeunes couples et par les regards désapprobateurs de leurs aînés.

À sa grande surprise, même elle ne peut y échapper : un nommé Francis Sweet, âgé de tout juste dix-huit ans, se met à l'entourer d'une attention énamourée. Il accumule les prétextes maladroits pour prendre place à ses côtés à la moindre occasion, et chacune des gentillesses de Flavie fait flamber ses joues ! La jeune accoucheuse n'est pas insensible à ses charmes. Bien découpé, les traits avenants, Francis dégage une énergie mâle qui ferait, lui semble-t-il, craquer la plus prude ! Cependant, trop solidement reliée à Stephen, elle se garde de donner au jeune homme le moindre signe d'encouragement.

Par une soirée chaude et bourdonnante des sons de la nuit, une promenade indûment prolongée conduit Flavie et Stephen dans un coin de forêt au bord de la rivière, loin de Mansion House et de tout être humain. Leur conversation prend une allure passionnée lorsque Flavie en vient à confronter son amant, avec circonspection cependant, au sujet des postulats scientifiques qui sous-tendent la pratique de la continence, postulats exposés par Father Noyes dans ses écrits.

La pratique de la continence est une avancée décisive pour les femmes, assure-t-elle tout de go, et de surcroît, la science est source de bien des spéculations. Bien malin qui peut prétendre posséder la vérité, celle qui se révélera lorsqu'on réussira à déchiffrer les messages enfouis dans la matière ! Cependant, la communauté scientifique dénonce prudemment quelques notions à la mode qui ne reposent sur rien de concret, comme celle qui insiste sur les effets débilitants sur la santé masculine d'un gaspillage de la semence mâle!

Flavie est habitée par le besoin urgent de remettre en question les préjugés populaires à l'endroit de l'onanisme, qui serait un péché capital conduisant directement en enfer. Grâce aux confidences de Bastien, elle a réalisé l'ampleur de son sentiment de honte et de faiblesse lorsqu'il abdiquait, pendant sa jeunesse, devant l'envie du plaisir solitaire!

Pince-sans-rire, Stephen interjette alors:

– D'évoquer le souvenir de ton mari au moment précis où je te serre si fort dans mes bras, tu es d'une cruauté sans nom!

Avec malice, elle réplique:

– Je croyais que tu devais te réjouir de tous mes rapports avec le divin...

– Se réjouir, c'est beaucoup exiger. Je crois que seul Father Noyes en est capable. Moi, j'essaie de demeurer indifférent. C'est déjà ça!

Incapable d'accepter aveuglément les hypothèses du fondateur, qui ressent le besoin de tout expliquer au risque de commettre des erreurs grossières, Flavie refuse de se laisser distraire.

– À lire Father Noyes, on croirait qu'il confond l'Esprit saint avec le sperme. Ne me regarde pas comme ça, je t'assure que c'est vrai! Tous les deux sont une énergie vitale qui se promène d'un organe à l'autre et qui féconde le sang. C'est ce qu'il écrit: qui *féconde le sang*! Parce que ce qui anime l'économie humaine, ce qui lui donne la vie, c'est un fluide subtil qui s'apparente à l'électricité.

– Et pourquoi pas, madame la savante? Vous avez la science infuse? Vous avez pénétré les desseins du Grand Ordonnateur du monde?

Stephen l'a tancée avec légèreté, mais Flavie sent qu'elle s'aventure sur un chemin risqué. La croyance selon laquelle la semence mâle est un liquide inestimable, qu'il est hasardeux de gaspiller, est considérée par les membres de la communauté avec le plus grand sérieux. Le sperme non émis se transformerait littéralement en un fluide spirituel censé ravigoter tous les êtres vivants, un fluide sécrété par le sang! Flavie est incapable d'avaler cette énormité sans sourciller. Elle a voulu en jaser avec Marguerite, mais à la première allusion, cette dernière a pris la poudre d'escampette, prétextant une tâche urgente!

Flavie reprend, d'un ton farouche:

– On nous a appris à avoir certaines choses en horreur. On nous a appris qu'un homme se mettait en état de péché grave s'il portait sa propre main à son entrejambe. Mais moi, je dis... je dis que c'est un besoin naturel. Pourrait-on passer des lunes sans manger, sans boire? De même, on ne peut passer longtemps sans se rassasier de caresses. Ou sinon, on devient roide comme ces prêtres et ces religieuses qui sont obligés de se flageller pour brider leurs désirs. On devient frette comme glace.

Avec le reste du monde, elle consent à être conciliante. À se taire ou à louvoyer, si besoin est... Mais avec celui qui partage sa couche, elle veut pouvoir dire tout ce qui lui passe par la tête et faire tout ce dont elle a envie. Elle évoque le souvenir des deux hommes qui ont laissé une marque dans son âme: d'abord Louis Cibert, pendant quelques mois, et ensuite Bastien. À travers l'un et l'autre, elle a compris l'ampleur de son besoin d'intimité, non seulement par le corps à corps, mais également par le partage de sa vie intérieure.

– Je ne suis pas née de la dernière pluie. J'ai vu bien des choses et j'en ai lu beaucoup d'autres. J'ai aussi discuté, avec Bastien surtout...

Elle ravale la suite. Elle aimerait lui dire qu'elle ne conçoit qu'un seul empêchement à sa liberté de parole : la crainte de blesser autrui. Pour le reste... Il n'y a aucun sujet qui soit inconvenant tant qu'il contribue à perfectionner la connaissance de soi-même et du monde environnant.

Tout ce temps, son amant l'a écoutée avec de grands yeux, en retenant à moitié son souffle. Pour échapper aux reproches qu'elle anticipe, Flavie exprime le souhait de se baigner. Étonné, il ne s'y oppose pas, et la regarde s'accroupir et s'immerger, éclairée des seuls rayons de la demi-lune. Lorsqu'elle fait mine de s'éloigner, il pousse une telle exclamation de frayeur qu'elle suspend tout geste. Se penchant, il offre son bras tendu et lui ordonne de s'y accrocher. En riant, elle souligne qu'elle sait parfaitement nager, ce qui le laisse pantois. Tout à coup, la lumière se fait sur ce qui demeurait jusqu'alors, pour elle, un profond mystère : les hommes se baignent à leur guise, mais les femmes sont confinées à une crique dans laquelle elles osent à peine se tremper !

Transie par l'eau glaciale, Flavie se relève d'un bond et se précipite dans les bras de son amant. Le désir entre eux s'attise comme un feu d'étoupe. Tous deux se précipitent sur une couche constituée de leurs vêtements épars, pour imprimer un rythme haletant à leur copulation, un rythme à l'opposé de celui que Stephen choisit à l'accoutumée ! Flavie quémande un baiser, refusant de laisser leurs bouches se séparer même lorsqu'elle pousse un long cri sourd de pâmoison.

D'une torsion du corps, il met brusquement fin à sa chevauchée, mais ne peut se retenir d'éjaculer à l'air libre avec un gémissement étranglé. C'est alors que Flavie prend conscience de l'ampleur du risque qu'elle vient de courir. Si son amant ne s'était pas retiré à temps ? Il s'en est fallu de quelques secondes... Mortifiée, elle prétexte l'inconfort de sa position pour se libérer de son étreinte et pour se rhabiller après un bref lavage. Tout ce temps, Stephen reste sur son quant-à-soi et il ne tente même pas de lui prendre la main pour le chemin malaisé du retour.

Lorsqu'il veut la quitter sans même un chaste baiser, elle l'agrippe par le bras et l'oblige à lui faire face. Elle le gratifie d'un sourire mutin, même s'il fait trop noir pour qu'il le distingue, puis elle laisse tomber :

– D'accord, avec toi, je ne peux faire *exactement* tout ce dont j'ai envie. C'est un bien maigre prix à payer en contrepartie d'un précieux cadeau, soit ton souci de ne pas m'engrosser. Mais écoute-moi bien, monsieur le perfectionniste : si je veux te parler d'onanisme, je le ferai. Si je veux te dire que j'ai envie de t'accompagner jusqu'au bout de ton plaisir, je le ferai.

Il dégage son bras et saisit sa main d'une poigne de fer pour l'entraîner à toute allure vers Mansion House. Dès qu'il a déniché un endroit isolé à l'intérieur du bâtiment, il se campe devant elle. Malgré la pénombre, Flavie peut voir son expression outragée. Se penchant vers elle, il profère :

– J'ai été conduit sur une mauvaise pente. Cette perte de contrôle est le signe que le diable rôde, sous la forme d'un attachement malsain, d'une passion débridée !

Abruptement, il prétend que Flavie ne s'y prendrait pas autrement pour mettre un terme à leur idylle, pour faire cesser l'échange d'influences magnétiques et le dialogue des esprits ! Elle refuse de s'abandonner à sa volonté, de se laisser conduire par lui vers le chemin de la sanctification. À l'avenir, conclut-il, leurs entretiens auront lieu seulement dans une chambrette et ce sera *à lui* d'imprimer la cadence. Qu'elle se le tienne pour dit : tous les moyens artificiels pour empêcher la procréation, qu'elle connaît certainement vu son ascendance française, sont barbares parce qu'ils créent une usure prématurée de l'organe mâle !

Flavie ouvre de grands yeux surpris : elle n'avait encore jamais entendu cette expression plutôt rigolote, *french volup-*

tuaries, pour désigner la baudruche et les autres engins du genre! Le sens du discours de son amant l'atteint ensuite et, pivotant sur elle-même, elle s'enfuit vers les combles. Il la tient pour responsable de son manque de maîtrise, comme le font si promptement les mâles! Flavie abrège ses préparatifs pour se glisser sous ses couvertures, tremblante de colère. Une usure prématurée de l'organe mâle! C'est d'un ridicule consommé! Comme elle aimerait ériger un bûcher garni de tous ces livres écrits par des médecins pompeux, bien davantage chrétiens que scientifiques, qui s'empressent de diffuser leurs conseils à tout venant!

Les hommes sont odieusement pédants! Stephen Waters, John Noyes ou n'importe quel mâle du monde occidental, c'est du pareil au même: quelque chose leur fait honte dans leur nature, qu'ils associent à l'être brut que l'homme était naguère, avant que la civilisation ne vienne poncer les aspérités! Tous les messieurs qui ont du bien et une instruction minime rêvent de s'élever au-dessus de la masse où, selon eux, on se laisse mener par ses instincts. John Noyes l'a écrit noir sur blanc: la continence, synonyme de contrôle de soi, est une avancée décisive vers le raffinement, une victoire sur le sensualisme de bas étage. Comme le langage, apanage des humains, est la fonction *supérieure* de la bouche, la recherche d'un plaisir d'abord spirituel deviendra celle des organes sexuels, distinguant ainsi l'homme de la bête.

Le tourbillon de pensées dans l'esprit de Flavie s'apaise, pour laisser place à un réel désarroi. Stephen aussi veut la mener à sa guise… Mais peut-il faire autrement? Quel homme vigoureux pourrait contraindre à ce point la montée de son désir sans devoir museler sa partenaire? Il ne suffirait pourtant que d'un apprentissage de diverses techniques complémentaires pour régler à jamais tous les problèmes reliés à la spontanéité amoureuse. Une chaudrée de continence, saupoudrée de quelques baudruches, agrémentée d'un peu d'onanisme, et le tour serait joué… Cet art devrait être enseigné à tous les jeunes hommes sans exception. Bien des conséquences fâcheuses seraient évitées, à commencer par la surpopulation que craint l'érudit Malthus ! Oui, vraiment, les mâles aiment compliquer ce qui est si simple… et la palme du tarabiscotage revient aux mâles vêtus d'une soutane !

Au cours des jours suivants, Flavie guette les allées et venues de son amant, qui semble à ce point épuisé par ses longues journées qu'il dédaigne même les *Bible Games*. À son crédit, il n'est pas le seul ; cette période de l'année signifie une recrudescence d'activités pour la plupart des membres de la communauté. Les heures de sommeil en sont d'autant raccourcies…

Un soir, Flavie rencontre Stephen par hasard sur l'un des sentiers qui sillonnent le domaine ; faisant fi de la clarté qui règne encore, elle se jette à son cou et le gratifie d'un long baiser passionné. Il répond d'abord avec empressement, puis, craignant qu'on ne les aperçoive, il la détache de lui et glisse son bras sous le sien. Coquine, elle le presse tout en trottinant à ses côtés :

– Daigneras-tu, Stephen de mon cœur, m'accorder quelques minutes de ton précieux temps ? Non seulement je m'ennuie de toi, mais j'ai plein de choses à te raconter…

Il l'interrompt plutôt cavalièrement :

– Cela m'est impossible en ce moment. Les semis ne peuvent attendre.

Elle constate à quel point il a les traits tirés. Contrite, elle se hausse pour l'embrasser sur la joue.

– Je ne veux pas t'importuner, bredouille-t-elle. Est-ce que je peux te donner un coup de main ?

– J'ai tout le personnel qu'il me faut, je te remercie.

Un silence chargé tombe entre eux. Elle remarque qu'il fuit son regard et que la rencontre impromptue semble bien plus le gêner que lui plaire… Refroidie, elle s'écarte ostensiblement de lui mais ne peut se résoudre à le quitter. Pourquoi ne lui permet-il même pas de l'accompagner dans l'exécution de ses tâches, pour le seul plaisir de se côtoyer ? Elle murmure :

– Je croyais qu'il te conviendrait de te délasser en ma compagnie.

– Il ne me convient pas, réplique-t-il sèchement. Ne te prive pas, les prétendants abondent ces temps-ci…

Outrée, elle tombe en arrêt sur le sentier, tandis qu'il s'éloigne aussi vite que le lui permettent ses longues jambes. Stephen la rejette ! Épouvantée, Flavie lutte contre une vague de chagrin qui menace de l'engloutir. D'une voix tremblante, elle crie en français à la silhouette qui s'enfuit :

– Espèce de grichou !

– Miss Flavie ?

Elle tressaille vivement : Francis vient d'apparaître sur le sentier. Un sourire ravi aux lèvres, il remarque :

– J'ignore ce que vous avez dit précisément à Mr. Waters, mais ce n'était pas joli !

Instantanément conquise par sa gaieté, Flavie s'adoucit. Elle avait remarqué qu'il guettait ses déplacements, mais elle ne se doutait pas que c'était à ce point… Ce soir, cette vigilance ne l'indispose d'aucune manière. Impulsivement, elle lui propose une promenade et il saute sur l'occasion. En cours de route, des bruits suggestifs leur parviennent de quelques recoins sombres, gémissements presque inaudibles, soupirs d'extase… Le pauvre Francis devient de plus en plus agité et, brusquement, il s'immobilise et lui saisit un avant-bras dans lequel il enfonce ses ongles. D'une voix changée, il articule :

– Miss Flavie… Ou bien vous acceptez mes attentions ou bien vous me quittez à l'instant. Choisissez.

Elle murmure :

– Vous quitter ? J'en aurais une grosse peine…

Avec un grognement affamé, il l'attire contre lui. Sa fébrilité est telle qu'après quelques minutes de caresses fiévreuses il se laisse emporter, impuissant à se retenir, jusqu'au spasme final. Son souffle à peine retrouvé, il balbutie:

– Pardonne-moi... Il y a des semaines que tu occupes mes pensées et... Pardonne-moi, je t'en supplie. Pourtant, j'avais bien appris auprès d'Ellen...

– Ne t'en fais pas pour si peu, répond-elle d'un ton apaisant. Tu es si jeune... Viens là. Laisse-moi te sentir...

Dès lors, soir après soir, le jeune homme se laisse apprivoiser avec un abandon touchant, sans réussir toutefois à dominer l'émission de sa semence de façon convaincante. Si Flavie se refuse donc à la pénétration, elle se laisse savourer, bien à l'abri dans un endroit reculé. Par crainte des reproches, le jeune homme refuse de s'afficher ouvertement en sa compagnie. Flavie aurait bien aimé faire la nique à Stephen, mais elle jouit de l'aura de clandestinité qui les enveloppe.

Cette période bénie est brusquement interrompue par la fureur du ciel. Une tempête venue de l'est du continent, paraît-il, s'abat sur la contrée. La température dégringole jusqu'à approcher dangereusement du point de congélation et les éléments se déchaînent, balayant la campagne de vents violents accompagnés de trombes de pluies glaciales. Ce retour des ténèbres installe une pénible mélancolie parmi les membres de la communauté, dont le zèle rédempteur se ranime alors. Flavie se retrouve délaissée par ses deux amants: Stephen qui l'ignore et Francis qui ne peut l'entraîner dans une chambrette sans dévoiler publiquement la nature de leur lien.

La contrée est encore sous un ciel tourmenté lorsqu'on remet à Flavie une lettre à l'enveloppe élégante, dont elle reconnaît sur-le-champ la facture, avant même d'avoir aperçu le nom du correspondant. Le cœur battant la chamade, elle abandonne son ouvrage et court s'isoler dans un coin de la salle commune, quasi déserte à cette heure de la journée. Bastien l'a rédigée quatre jours auparavant, ainsi qu'en témoigne la date. Au premier coup d'œil, la tranquillité d'esprit de Flavie vole en éclats : la lettre s'amorce brutalement, sans même un prénom en guise de préambule, et elle se termine de la même manière, sans signature. L'écriture est particulièrement difficile à déchiffrer, mais dès que la jeune accoucheuse en a parcouru les premières lignes, elle doit se faire violence pour la lire jusqu'au bout.

L'orage qui sévit en moi est à l'image de celui qui, dehors, fait ployer les arbres. Comment oses-tu affirmer que je n'avais plus pour toi l'affection des débuts de notre mariage ? Que sais-tu de ce que je ressentais ? Obsédée par ton besoin de publicité, tu as cru ce que tu as bien voulu ! Tu as cru ce qui t'arrangeait ! C'est toi, en fait, qui ne m'aimes plus depuis longtemps, qui es prête à me sacrifier pour satisfaire tes ambitions ! Si au début tu as cru que je pouvais t'être utile, tu as vite déchanté, n'est-ce pas ? Comme je te mettais des bâtons dans les roues, tu m'as écarté sans pitié ! Tu es cruelle, le cœur sec et ce que tu me confies sur ta vie privée avec une détestable impudence me le confirme au centuple. J'ai senti derrière tes mots une telle volonté de m'affliger !

Je viens de faire les cent pas dans la pièce pour me calmer. Je te libère de toute promesse que tu m'as faite. Tes actes ne regardent plus que toi. De toute façon, je n'en veux rien savoir ! Si tu le souhaites, nous passerons devant la cour pour une séparation légale et je m'astreindrai à tout ce qui sera nécessaire.

Pendant un long moment, Flavie reste parfaitement immobile, frappée d'une immense stupéfaction. Ensuite, d'un geste délibéré, elle entreprend de plier le feuillet en deux, puis en quatre, en huit, et finalement elle le chiffonne entre ses deux mains ! Le cœur pesant comme une roche, la gorge serrée à étouffer, elle se dresse, incertaine, sur ses jambes.

Il faut qu'elle trouve Stephen ! Mais elle se souvient alors de la froideur de son amant à son égard et elle éclate en sanglots.

Presque aussitôt, elle entend qu'on trotte dans sa direction et elle devine que la très vieille dame, qui lisait à l'autre bout de la pièce, vient à son secours. Quelques minutes plus tard, Marguerite prend place à ses côtés et pose un bras réconfortant sur ses épaules. Secouée de hoquets, Flavie est bien incapable de parler ; elle lui tend donc la missive. Pendant le laps de temps qui suit, elle capte des frôlements dont elle ne peut déterminer la provenance. C'est seulement quand Marguerite entreprend de traduire la lettre en anglais, à voix haute, que, saisie, Flavie relève la tête et constate qu'une bonne douzaine de femmes les entourent. Ici, le goût du secret n'est pas toléré ! Elle contient à grand-peine son impulsion d'arracher le feuillet d'entre les mains de son amie.

Un profond silence accueille la lecture. Enfin, Mrs. Skinner, l'une des dames les plus importantes de la communauté, articule avec dédain :

– Cet homme est habité d'une terrible jalousie ! Vous constatez, mesdames, à quel point les mœurs du monde sont corrompues ?

– C'est proprement horrible, commente une autre. Il est totalement insensible à la noblesse de nos intentions et à notre quête de bonheur…

– Mon mari n'a rien compris du tout, bredouille Flavie. Il a tout reviré à l'envers !

Une discussion générale s'enclenche. On répète à Flavie qu'ils sont en nombre infime, ceux qui sont capables de dépasser les convenances et d'examiner une situation nouvelle sans être aveuglés par l'obstacle des préjugés. Plusieurs de ses interlocutrices racontent à quel point, pendant des années, elles ont été obnubilées par leurs propres réticences au sujet de l'union hétérogène. Seule une foi totale en Father Noyes et seul un abandon sans concession à la volonté de Dieu leur ont permis de vaincre leur timidité initiale. Aujourd'hui, elles bénissent ce culot et se disent amplement récompensées de leurs peines par l'amour divin qui les inonde !

Flavie est alors suffisamment réconfortée pour remercier ces dames de leur soutien et les prier de reprendre leur travail là où elles l'ont abandonné. Il ne reste plus que Marguerite, qui triture le feuillet froissé et qui s'insurge à voix basse :

– Une séparation légale. Le goujat ! Te mettre cette chose terrible sous le nez, comme ça, sec de même ! Ignore-t-il à quel point les épouses séparées sont déconsidérées ?

La perspective de cet opprobre laisse Flavie complètement indifférente, et il lui faut un bon moment pour en comprendre la raison. Montréal et le Bas-Canada lui semblent aussi lointains que l'Orient ! Désormais, sa patrie, c'est ici… Par un souverain processus de distanciation, sa tribu entière, même ses parents, a acquis une sorte d'immatérialité. Elle n'est pas loin de croire qu'en dehors d'Oneida plus rien de substantiel n'existe…

Rassérénée, elle se confie à Marguerite, qui la gratifie d'un sourire rayonnant et d'une accolade vigoureuse avant de retourner vaquer, à son tour, à ses occupations. Il semble que, pendant la journée, la communauté entière soit instruite du contenu de la missive ; Flavie reçoit plusieurs témoignages de sympathie, parfois ponctués de franches accolades. Dexter en profite sans vergogne…

Tout juste avant le souper, Stephen l'aborde. Nulle trace de morgue sur son visage, mais un souci manifeste pour son bien-être. Cependant, Flavie est épuisée par la bourrasque émotive du matin. N'aspirant qu'à un repas frugal et à la solitude de son lit, elle le considère sans mot dire, avec un détachement empreint de lassitude. Il finit par bégayer :

– J'ai entendu dire... C'est un mal pour un bien, n'est-ce pas ? La coupure sera nette et franche.

Devant son vague sourire d'assentiment, il reprend, encouragé :

– Si tu veux... Je suis tout à toi, ce soir.

Elle écarquille les yeux de surprise, puis riposte sèchement, en français :

– Tu vas me faire tourner en bourrique, espèce de sacripant !

Il rougit devant son ton vindicatif, puis il se dresse de toute sa taille. Drapé dans son bon droit, il la foudroie du regard avant de proférer :

– Je n'apprécie pas ton arrogance, Flavie, pas du tout. Les femmes sont des êtres malléables, perméables au mal comme au bien. Dieu demande aux hommes *d'abord* de recevoir sa grâce pour, ensuite, qu'ils la déversent sur leurs compagnes. Pour les femmes, les hommes sont un moyen de communication privilégié avec Lui.

Estomaquée, Flavie bredouille :

– C'est Father Noyes qui dit ça ?

– Pas Father Noyes : Dieu lui-même. Il a envoyé son Fils sur terre pour répandre la bonne nouvelle, qui a été consignée dans les Écritures.

Flavie articule dans sa langue maternelle :

– Tu m'as envoyée paître à deux reprises. La première fois, j'ai tâché de comprendre. Mais la deuxième, c'était de trop.

Et avant qu'il ne tente de la retenir, elle s'enfuit prestement. Après deux pas dans la salle à manger, l'odeur de nourriture lui soulève le cœur et elle tourne les talons pour courir se réfugier entre les pans de toile grossière. Stephen veut jouir de sa présence avec intensité, pour ensuite porter son attention ailleurs, là où elle est requise. Mais si elle a envie de passer du temps avec lui, dont elle apprécie foutrement la compagnie! Même ça, c'est trop? Oui, paraît-il... Selon Noyes, il ne faut pas se contenter d'un seul partenaire pour combler ses besoins affectifs. Même une très gentille exclusivité est contraire au plan divin, puisqu'elle n'exige plus aucun effort. L'accoutumance est contraire à la sanctification!

Mue par une vague réminiscence, Flavie fourrage dans son coffre. Elle met enfin la main sur l'imprimé qu'elle cherchait, daté de 1851, et finit par tomber sur le texte en question, signé John Noyes:

Nous serons satisfaits lorsque nous n'aurons plus besoin d'introduction pour entrer en relation intime avec quiconque fait partie de la famille de Dieu; entrer en relation pour une minute ou une journée, aimer dans une béatitude paradisiaque, puis ensuite se séparer de la personne pour l'éternité, sans l'ombre d'un regret. Comment pouvons-nous nous fondre avec nos semblables, jouir d'eux, si cet état de détachement est impossible à atteindre? Cet état est possible à atteindre, mais uniquement en aimant le Christ en eux. C'est le Messie que nous cherchons en chacun; ainsi, nous pouvons entrer en relation intime sans exiger une attention spéciale ni espérer quoi que ce soit pour l'avenir. Parce que la seule nécessaire camaraderie, celle avec le Christ, demeure pour l'éternité.

Quel parfait détachement... Aimer avec ardeur, puis passer à autre chose, sans regret... Comme cela doit être reposant! Chaque fois que Flavie est agitée par ses démons intérieurs, ceux qui lui font croire qu'elle n'arrivera jamais à dominer sa nature pour s'incliner devant l'autorité du fondateur, elle se raccroche à ce trésor qu'elle convoite, la paix de la certitude absolue qui semble procurer un véritable bonheur de vivre. Rien d'autre n'a d'importance que cette quête, que cette recherche consciencieuse à laquelle elle contraint son âme.

Chapitre x

De nombreux Montréalistes quittent brièvement leur travail dans l'après-dînée du vendredi 26 mai et font le pied de grue en plein milieu de la chaussée pour admirer une éclipse de soleil dont le zénith est prévu pour cinq heures vingt-six, ainsi que l'ont annoncé les papiers-nouvelles. Les deux pieds dans la boue du potager, Léonie s'octroie quelques pauses pour admirer la progression du phénomène céleste et pour constater avec étonnement le clair-obscur étrange dans lequel son environnement est progressivement plongé.

Néanmoins, le temps presse : depuis la tempête qui a soufflé, trois semaines auparavant, entraînant un froid glacial et une sévère gelée, elle s'active à réparer les torts. Ses semis précoces ont tous été perdus, de même que les poireaux trop hâtivement repiqués. Heureusement, seuls les deux premiers pouces de terre ont gelé, ce qui n'a fait que ralentir la croissance des bulbes ! Les dommages ont cependant été plus graves aux bourgeons des arbres et arbustes fruitiers ; une pénurie de fruits est à prévoir.

Hélée par une voix en provenance de la rue, Léonie se redresse. Un couple qui lui est vaguement familier se tient de l'autre côté de la clôture de perches. Elle va à sa rencontre et reconnaît aussitôt Hedwidge et Georges Bourbonnière, les parents de Marguerite. Empourpré, le bourgeois se confond en excuses, que Léonie ignore d'un haussement d'épaules. Elle les invite à la suivre dans la cour arrière, jusqu'au banc de bois sous les pommiers, tout en se décrassant sommairement les mains avec un vieux chiffon. Elle remarque, souriante :

– Vous avez laissé votre cab à la maison ? C'était plus prudent, vu la presse populaire qui encombre les chemins… C'est magnifique, n'est-ce pas ?

Le demi-jour donne au décor un aspect à la fois irréel et poétique, auquel le couple âgé semble totalement insensible. Bien que Léonie n'ait rencontré ces braves gens qu'à quelques reprises et toujours lors d'occasions officielles, elle constate sur-le-champ qu'ils ne sont pas dans leur état habituel. Rondouillet et court de jambes, sa couronne de cheveux blancs attachée en mince couette, M. Bourbonnière est presque verdâtre à force d'être pâle. Quant à son épouse, de haute taille, elle a le chignon en désordre et le front creusé d'inquiétude ; elle semble avoir vieilli de dix ans. Elle a perdu beaucoup de poids et ses cheveux, auparavant d'un magnifique mais artificiel blond cendré, ont retrouvé leur teinte argentée naturelle.

Georges Bourbonnière, qui préfère rester debout, presse Léonie de s'asseoir aux côtés de sa bourgeoise, ce à quoi elle finit par consentir. Le souffle court et les gestes amples, le père de Marguerite se lance dans un récit décousu. Il ne faut pas longtemps à son interlocutrice pour comprendre pourquoi il est totalement imperméable à la splendeur de l'éclipse. En fin d'avant-midi, au terme d'une cérémonie religieuse, son épouse et lui ont été abordés par l'évêque de Montréal en personne.

S'isolant en leur compagnie, ce dernier leur a demandé s'ils étaient au courant des pratiques immorales qui avaient cours à Oneida. Il n'a pas attendu leur réponse pour vitupérer contre l'hérétique prophète, à qui la variété des Églises protestantes n'a pas suffi. Dans son immense prétention, balayant du revers de la main les dogmes patiemment élaborés par les Pères de l'Église chrétienne, ce John Noyes s'est forgé sa propre superstition tout empreinte de paganisme ! S'il affirme s'amarrer solidement aux vertus chrétiennes, c'est tout le contraire, selon Mgr Bourget : il ne pourrait en être davantage éloigné que le plus creux de la nuit l'est du milieu du jour ! La philosophie de Noyes est une farce impie qui ose entremêler les mystères sublimes du christianisme avec l'impureté la plus crasse, la grâce divine avec la luxure !

Georges Bourbonnière baisse la voix :

– Selon lui, jamais le démon n'a réussi à se travestir de manière si réaliste en un ange de lumière. Il paraît qu'il est impossible de lire ses écrits sans rougir et qu'il est impossible d'en parler sans offenser les oreilles délicates ! Son esprit licencieux est digne d'une tenancière de maison déréglée, pas du fondateur d'une secte de dénomination chrétienne !

Une vague de colère monte à la tête de Léonie, qui le rabroue vertement :

– C'est vous qui blasphémez, monsieur ! Comment osez-vous insinuer que nos filles sont devenues des filles publiques ?

Comme s'il avait reçu une forte gifle, Georges Bourbonnière reste pétrifié. Son épouse finit par souffler :

– Ce sont les mots mêmes de Sa Grandeur…

– Sa Grandeur parle à travers sa capuche. Sa Grandeur est animée par le même sentiment d'outrage que tous ceux qui ont écrit contre John Noyes ! Dès que l'on remet en question le plus insignifiant dogme de l'Église, on commet un sacrilège !

– C'est loin d'être *insignifiant*, la contredit M. Bourbonnière, avec prudence cependant. Saviez-vous, madame, que ce fou furieux encourage ses initiés à délaisser la sacro-sainte institution du mariage ? Saviez-vous que les membres de cette communauté sont des adeptes du… du…

Le mot ne réussit pas à franchir ses lèvres et c'est son épouse qui bégaye à sa place :

– Du libertinage.

Secoué de tremblements, l'homme articule encore :

– Monseigneur a bien raison de nous reprocher notre naïveté. Il nous enjoint de faire revenir Margot, qui risque de voir son âme pervertie par les malversations du démon ! Et vous, madame, n'avez-vous aucun remords de laisser votre fille parmi ces hérétiques ?

La question est si impérieuse qu'elle en est blessante. Cependant, Léonie répond du ton le plus calme qu'elle peut commander :

– Ma fille est mariée, monsieur, et je n'ai aucun pouvoir sur elle.

– Justement ! clame aussitôt M. Bourbonnière qui va de long en large devant le banc. Nous venons tout juste de payer une visite au Dr Renaud afin de nous enquérir de son avis en cette matière. Je vous assure que je l'ai connu moins discourtois ! C'est à peine s'il a consenti à nous entretenir sur le pas de sa porte.

– Et quel est son avis ? lui demande Léonie avec impatience.

– Il n'a pas contredit Sa Grandeur.

De nouveau, Mme Bourbonnière précise, à voix très basse :

– Il prétend que le lien du mariage est rompu entre sa femme et lui. Qu'il ne lui reste plus qu'à obtenir les papiers nécessaires. Ensuite, il nous a fermé la porte au nez.

Sonnée comme si elle avait reçu un coup en plein ventre, Léonie reste sans voix. Il renierait Flavie ?

– Margot nous a bernés, gronde soudain M. Bourbonnière, le visage déformé par un rictus de colère. Elle nous a caché la vérité ! Comme elle en parlait, on aurait cru qu'elle se rendait dans un monastère !

Ayant retrouvé son aplomb, Léonie inspire profondément, puis elle se lève pour faire face à son interlocuteur. Elle accroche son regard tourmenté :

– Je vous prie de m'écouter à votre tour, monsieur, et sans faillir. Flavie m'a fait parvenir de la documentation en quantité. Elle m'écrit souvent. De plus, j'ai pu causer de tout cela avec une personne dont j'estime l'opinion…

À l'évocation de Françoise Archambault, la tribade, Léonie vibre d'un bref accès de fureur, qu'elle repousse cependant de toutes ses forces pour ne pas se laisser distraire.

– Selon moi, la communauté d'Oneida n'est pas peuplée d'êtres lubriques. Du moins, pas plus qu'ici. De plus, l'atmosphère chrétienne y paraît omniprésente. Cette affirmation vous semble risible ? Vous m'en reparlerez quand vous aurez lu tout ce que je vais vous prêter. Notre société est loin d'être parfaite, monsieur, et j'admire ceux qui tentent de la réformer. Peut-être commettent-ils des erreurs, mais je leur donne le bénéfice du doute.

M. Bourbonnière veut riposter, mais Léonie lève la main pour l'en empêcher.

– Marguerite ne pouvait faire autrement que vous cacher la vérité. Si vous avez le moindre respect pour elle, vous allez vous informer soigneusement avant de commettre un acte irréparable. Vous allez également vous rendre sur place. Votre fille vous a-t-elle invités pour un séjour parmi eux ?

Les deux époux hochent faiblement la tête.

– Flavie m'a fait la même offre. Je ne sais pas quand il me sera possible… Enfin, je vous encourage à vous y rendre dès cet été. En matière de mœurs, il ne faut pas seulement se fier à l'avis de M. Bourget. Si on l'écoutait, on serait tous des célibataires avec des ailes d'ange dans le dos. Avec ça, monsieur, on ne fait pas des enfants forts.

À dessein, Léonie a introduit une note grivoise dans sa tirade, et son interlocuteur ne peut retenir un mince sourire. Hedwidge Bourbonnière interpelle son mari :

– C'est une sage opinion, ne crois-tu pas ? Il faut que Margot ait l'opportunité de se défendre. Elle a eu tort de nous duper, mais je la connais trop bien pour croire qu'elle s'est précipitée dans le péché!

S'adressant ensuite à Léonie, elle ajoute:

– Georges était prêt à engager un avocat pour l'obliger à revenir!

– Un comportement tout à fait indigne de vous! se hâte de commenter Léonie. N'oubliez pas que votre fille est majeure et qu'elle peut choisir sa vie. Vous n'êtes pas esclave des préjugés, monsieur Bourbonnière, et c'est tout à votre honneur. Déjà, vous avez accepté pour votre fille un destin hors du commun! Une formation de sage-femme, un perfectionnement à la Maternité de Paris... C'est admirable!

– Cessez ces flatteries, grommelle-t-il, néanmoins ramolli. Quand je vois où ça l'a menée... J'aurais dû la marier à ses dix-huit ans, point à la ligne!

Lorsqu'elle se retrouve seule, une dizaine de minutes plus tard, Léonie va s'accroupir à proximité du potager. Saisissant une pleine poignée de terre, elle la triture, les yeux fixés sur le mince ver de terre qui s'y tortille, puis elle la lance avec force. Cette entente manifeste entre sa fille et son mari, elle ne tenait donc qu'à un fil? Flavie est partie depuis dix mois, dix longs mois! Pourtant, Bastien ne l'a ni violentée, ni battue, ni négligée! Il ne lui pardonnera jamais...

Elle s'oblige à reprendre son ouvrage. Comme elle est fatiguée de ces incessants questionnements! Son besoin pressant de jaser de toute cette affaire avec Simon est contrarié par leur fils Laurent qui, tout excité, a intercepté son père en pleine rue pour bavarder avec lui de l'occultation passagère de l'astre solaire, maintenant terminée. Léonie ignore si c'est parce que son travail à la Commission géologique l'oblige à s'intéresser au sous-sol terrestre, mais leur fils a développé une réelle passion pour l'astronomie. En compagnie des Sénéchal et d'un attroupement de voisins, Simon et elle ont observé le passage d'une comète qui, le 3 avril dernier, est descendue du zénith vers l'horizon, traînant dans son sillage une longue queue. Grâce à Laurent, ils ont tous été édifiés sur la nature de ce phénomène !

Enfin, Simon laisse son fils aîné en compagnie de Daniel et Cécile pour rejoindre Léonie sur la galerie, où elle s'empresse de raconter la visite du couple Bourbonnière, ce qui l'assombrit considérablement. Léonie a décidé que les atermoiements ne devaient plus avoir cours entre eux et qu'il était temps que Simon dépasse son sentiment de rancœur envers leur aînée. Elle se résout à bredouiller :

– Je sais que tu juges notre fille durement. Je sais que tu lui en veux de son coup de tête. Mais je t'en conjure : ne te laisse pas aveugler par ton orgueil. Je te connais trop bien pour savoir que cette conduite n'est pas digne de toi. N'as-tu pas à cœur de bien connaître une situation avant que de trancher ?

Avec une moue à la fois espiègle et repentante, il riposte :

– J'ai sur la conscience un péché à te confesser : les gazettes envoyées par ma fauvette, je les ai lues jusqu'à les savoir par cœur...

Il courbe comiquement l'échine sous le regard exagérément furibond de Léonie, avant d'ouvrir enfin les vannes et de se lancer dans un discours qu'il ressasse sans doute en son for intérieur depuis des mois : le fragile édifice théologique érigé par John Humphrey Noyes ! Léonie constate que la philosophie religieuse du Yankee, en tant que tentative extrême pour ordonner une prétendue science qui ne repose que sur un corpus de textes sibyllins, le fascine au plus haut point !

À fréquenter les écrits de ce singulier prophète à la jeunesse baignée par un idéal religieux sévère, Simon a cru déceler chez lui des élans irréconciliables avec le dogme chrétien, qui fait de tout concupiscent un pécheur invétéré. Sa personnalité lui a interdit les louvoiements de conscience que les humains se permettent d'ordinaire. Un si intense chaos intérieur s'est ensuivi chez Noyes que le seul antidote à la folie fut un nouvel ordonnancement du monde !

Cela suffirait, s'insurge Léonie, pour entraîner un homme à créer une nouvelle doctrine chrétienne, se mettant ainsi à dos presque toute la communauté des dévots ? Simon répond en affirmant que l'épopée du christianisme est une histoire de combat, non seulement par les armes, mais aussi surtout par les idées : des volontés de réforme suivies par la désintégration des Églises officielles, puis le surgissement de nouvelles sous l'impulsion, parfois, d'un seul individu !

Galvanisé par l'obstacle du large fossé entre les préceptes de l'Église protestante et une conviction morale personnelle, John Noyes s'est astreint à un exercice héroïque. Il a défié une doctrine deux fois millénaire, celle du péché, en écrivant sa propre histoire du salut à partir de la Genèse, une histoire complexe qui se déroule selon plusieurs étapes conduisant à la sainteté, puis à la résurrection finale du groupe de ceux ayant compris le message crucial des Écritures. Il a ensuite prétendu que lui seul a su déchiffrer la Bible, et que ses disciples doivent donc le considérer comme le représentant de Dieu sur terre.

– Le plus bel exemple de despotisme, conclut Simon en accrochant le regard de Léonie, qui puisse exister sur cette planète…

Son mari se tait ensuite, mais Léonie devine qu'il songe à la même chose qu'elle, soit au danger que Flavie court. La plupart des gens poussent à l'extrême le raisonnement de cette secte qui défie les lois civiles. Ceux qui commettent impunément l'adultère ne pourraient-ils pas se rendre jusqu'au vol ou au meurtre, sans que leur droiture morale en souffre ? Mais de la part d'un groupe si fondamentalement chrétien, Léonie balaie cette éventualité, à l'instar de son mari, du revers de la main. Non, ce qui les préoccupe bien davantage, c'est un péril plus subtil, celui d'un endoctrinement qui anéantit tout sens critique!

Simon passe un moment interminable à observer les jeux de ses deux petites-filles sur l'espace de terrain qui sépare la maison de la rue Saint-Joseph. Lorsqu'elle n'en peut plus, Léonie bredouille, d'une voix grêle:

– Tu crois que... cet hurluberlu manipule ses fidèles à volonté? Qu'il profite d'eux pour satisfaire ses besoins pervers?

Son mari n'ose pas encore la regarder, mais elle voit à quel point il a pâli.

– Délibérément? Je ne crois pas, répond-il enfin. À mon sens, il croit en lui-même comme personne d'autre. Et puis, il exprime les choses, même les plus offensantes, avec une telle ingénuité... D'ailleurs, je ne vois pas grand-chose de pervers dans sa doctrine morale. Rien de pire, en tout cas, que dans notre belle société. Ici, pour profiter des femmes à notre goût, on a instauré le mariage, tout en se permettant d'innombrables écarts. Là-bas, dans le même dessein, on proclame la liberté universelle! Disons que c'est fièrement moins hypocrite...

Léonie se penche pour lui serrer fortement l'avant-bras.

– Je suis si contente de jaser avec toi!

– Moi de même, grommelle-t-il avec chaleur, la contemplant enfin. Je m'excuse de mon long silence.

Elle esquisse un sourire de reconnaissance, tandis que la mine de Simon s'assombrit considérablement.

– Il m'a fallu toute une escousse pour digérer! C'est que... pour tout te dire... j'aimerais tant la revoir...

Ses traits se sont décomposés sous l'effet de la tristesse. Bouleversée, Léonie joint ses mains aux siennes. Elle réussit à chuchoter:

– Il faut le lui écrire… Il faut lui dire que notre porte lui est grande ouverte, quoi qu'il arrive. Parce que je crains fort que toutes les autres resteront closes…

Saisi, Simon l'envisage avec égarement.

– Toutes les autres? Tu veux dire… Même celle de sa belle-famille?

Elle répond d'abord par un minuscule hochement de tête, puis elle rassemble son courage pour répéter ce que Bastien a osé dire aux parents de Marguerite. Le trouble de Simon se transforme peu à peu en une expression obstinée.

– Par la crosse de l'évêque! Ce blanc-bec a les couilles fichtrement molles! Même pas un sursaut de dignité! Est-ce qu'il déteste notre Flavie à ce point, pour ne pas s'intéresser à son sort? Il la laisse traînasser parmi ces hurluberlus… Plutôt que de se garrocher là-bas, il laisse une pauvre créature sans défense, celle à qui il a juré protection, se damner sans vergogne!

– Ma foi, un sens de l'honneur fort mal placé! renchérit Léonie, pince-sans-rire. Tout ce qui l'obsède, c'est sa vanité de cocu! Est-ce qu'on rejette une épouse pour si peu?

– Si tous les maris faisaient de même, le Bas-Canada serait peuplé de solitaires!

Sérieuse soudain, Léonie murmure:

– Il n'a pas su voir la détresse de Flavie. Moi, je l'ai constatée…

Simon lui jette un étrange regard, avant d'abandonner la main de son épouse et de se dresser d'un seul élan, en proférant:

– Si ce prétentieux fait un si grave affront à notre honneur, il aura affaire à moi! Les Renaud vont voir de quel bois je me chauffe… Saquerdié! Ça se croit supérieur au commun des mortels!

Le cœur tout ramolli de tendresse, Léonie adresse à son homme un immense sourire de gratitude. Il n'interdira pas leur porte à sa fille pécheresse. La chose aurait été surprenante mais possible ! Les mâles perdent toute mesure lorsque leur fierté personnelle est en jeu ! Leur fierté de propriétaire, de protecteur du sexe faible... Mais Simon a compris que Flavie n'est coupable que d'un seul méfait : celui de posséder une nature rétive, incapable de compromission. D'accord, ce trait de personnalité la porte aux excès, et les jours qui ont précédé son départ de Montréal n'ont été qu'un enchaînement d'excès ! Mais si Bastien aime Flavie... s'il l'aime vraiment... alors il finira par voir clair. Du moins, c'est à cet espoir insensé, et qui s'amenuise de mois en mois, que Léonie s'accroche.

Simultanément, deux missives en provenance du Canada-Uni parviennent à Oneida. La première, très volumineuse, est pour Marguerite. Sa mère relate les épreuves que son mari et elle viennent de vivre concernant le choix de leur fille, exigeant d'elle un récit véridique de son mode de vie. Aussitôt, en proie à une vive inquiétude à l'idée des conséquences d'une possible réaction de son père devant l'outrage, la jeune femme consulte quelques dames de son entourage, qui l'informent de la position de la communauté à cet égard, soit une attitude de conciliation totale. Dans le passé, quelques-uns ont failli faire éclater la communauté lorsqu'ils ont voulu récupérer leurs filles converties au credo de Father Noyes... Aussitôt, Marguerite se met à couvrir un nombre incalculable de feuillets de son écriture serrée.

La seconde missive, une enveloppe large et épaisse, est adressée à Flavie. Son cœur bondit quand elle voit le nom de l'expéditeur : son beau-père ! Elle évoque mentalement sa silhouette massive, sa chevelure ondulée maintenant presque blanche, son visage aux traits rudes, mais qui se couvrait parfois d'une expression d'une douceur inouïe... Elle a deviné que son beau-père était un homme extrêmement sensible, mais qu'il avait dû enfouir cette particularité, si peu prisée pour un mâle, dans le fin fond de son être.

Les mains qui tremblent à la fois d'impatience et d'appréhension, Flavie se décide à ouvrir l'enveloppe, d'où elle tire une bonne pile de papiers-nouvelles montréalais. Édouard lui fait ce généreux cadeau ? Émue, Flavie prend le temps d'en feuilleter quelques pages, avant de les mettre de côté pour se plonger dans une lecture beaucoup plus urgente, celle des feuillets manuscrits qui se sont échappés de l'enveloppe.

Édouard Renaud raconte qu'il s'est enfin décidé à prendre la plume parce qu'il n'en pouvait plus d'être sans nouvelles de sa bru. Sur plusieurs paragraphes, il la renseigne ensuite au sujet de la destinée des occupants de la maisonnée, évoquant même les plaisantes noces de sa fille Julie, l'automne précédent. Il s'épanche au sujet de ses affaires, qui ont repris du poil de la bête mais qui commencent à le tanner « fièrement ». Il a dépassé la soixantaine et il aspire maintenant à une existence paisible…

Son ton se fait subitement grave lorsqu'il en arrive à l'essentiel de sa relation, soit le comportement inquiétant de son fils depuis la tempête de mai.

Jusqu'alors, Bastien se contentait de laisser vos lettres à notre disposition. Mais cette fois-là, il l'a gardée pour lui et pendant plusieurs jours, il est entré dans une colère terrible… oh ! il n'a rien cassé, il se maîtrisait, mais c'était d'autant plus impressionnant que c'était tout intérieur ! Dès qu'il rentrait de la clinique, il s'enfermait dans ses quartiers, refusant de manger quoi que ce soit. Il a même délaissé Geoffroy, c'est vous dire… Enfin, de but en blanc, il nous a annoncé que vous n'étiez plus sa femme et que nous devions considérer le lien matrimonial comme rompu entre vous deux. J'ai cru comprendre que c'est vous qui avez fait le premier pas en ce sens. Vous dire notre émoi… Archange a manqué avoir une faiblesse. Depuis, impossible d'avoir une discussion avec Bastien : il s'est mué en courant d'air. Je le soupçonnais de rechercher les plaisirs faciles ; en effet, Étienne me l'a confirmé lorsque je l'ai approché.

Irritée, Flavie a une terrible envie de jeter les feuillets dans la rivière. Elle en a plus qu'assez d'entendre parler de la fureur de son mari. Elle se l'imagine parfaitement ! Ce qui se passe chez les Renaud, elle s'en fiche. C'est ici que son existence se déroulera désormais, et personne ne pourra la faire changer d'idée. Cependant, par respect pour son beau-père, elle s'oblige à poursuivre sa lecture.

Je suis extrêmement triste de la tournure des événements. Vous me voyez si anxieux, Flavie... De toutes les raisons qui militent en faveur de votre retour parmi nous, celle du plaisir que j'avais à vous côtoyer vient en tête de liste. Archange, elle aussi, vous espère. Même si elle a parfois de la difficulté à vous suivre, elle vous apprécie, et beaucoup plus qu'elle ne consent à le dire ! Elle n'est pas née de la dernière pluie : même si le phénomène n'est pas claironné sur les toits, les épouses en fuite sont monnaie courante parce que c'est souvent de cette seule manière que le mari, engoncé dans son bon droit, consent enfin à réagir, à prendre acte d'un réel malentendu. Je parle d'expérience. Peu de temps après notre mariage, Archange est retournée chez sa mère. Heureusement, notre différend n'était pas majeur, mais il a nécessité de sérieux ajustements de part et d'autre.

Nous vous aimons, Flavie, parce que rien dans vos intentions n'est vil ou bas ou calculé. Bien entendu, les premiers mois après votre départ, Archange fulminait contre vous. Votre cas est diantrement compliqué, du fait de la communauté dans laquelle vous êtes réfugiée... Devenir membre de l'Association d'Oneida, c'est comme crier à la face du monde : je refuse toutes les conven-

tions sociales, y compris ce mari avec qui je suis liée devant Dieu, et je me considère totalement libre de vivre à ma guise!

Il faut dire qu'Archange s'est rangée dans votre camp concernant le coup pendable de Bastien. Non pas que nous aurions refusé à notre fils l'adoption de Geoffroy, mais il s'est comporté en rustre envers tous les membres de son entourage, vous la première! Clairement, pour qu'il se conduise ainsi, quelque chose ne tournait pas rond, et vous l'avez signifié haut et fort. De plus, vos ambitions personnelles ont manifestement déplu à Bastien, qui vous a peut-être brimée d'une manière cavalière. Archange est assez magnanime pour en convenir, même si elle conçoit mal qu'une dame possède à un tel degré ce trait de personnalité singulier, l'amour des études savantes. Bref, sa rogne s'en est allée comme une crue printanière s'amenuise… d'autant plus que Bastien démontre une immense mauvaise foi dans toute cette affaire. Il ne fait strictement rien pour calmer notre angoisse, sauf mettre vos lettres à notre disposition. Il se dérobe à nos questions, à nos inquiétudes légitimes!

Vous avez eu une sacrée chance de tomber sur moi comme beau-père. Bien d'autres auraient offert à leur fils le Grand Tour d'Europe plutôt que de le placer dans les bras d'une originale comme vous! Mais j'étais désargenté au moment de votre union… Blague à part, vous avez compris depuis belle lurette que j'ai applaudi à tout rompre le choix de Bastien. J'ai été ravi de constater que mon héritier avait su, comme moi, distinguer l'essentiel dans le fatras de mirlifichures dont on encombre ces dames. Je suis en accord avec vous, qui cherchez sans relâche un sens à notre bref passage sur terre. Vous qui cherchez la voie du bonheur, non pas seulement le vôtre, mais celui de tous. Et je suis persuadé, vous entendez? je suis persuadé que Bastien est du même avis. Actuellement, il est fourvoyé sur un chemin de traverse, mais il a les idées notablement plus larges que les apparences pourraient le laisser croire.

Mon interrogation lancinante se résume à ceci, Flavie: est-ce que vous avez trouvé le paradis promis à Oneida? Est-ce que vous comptez y passer le restant de vos jours ? Est-ce que votre estime pour Bastien, qui était prouvable, s'en est allée comme feuille dans le vent ?

La lettre se termine ainsi, avec ces trois questions qui font frissonner Flavie de la tête aux pieds. Vivement, elle replie les feuillets sans prendre garde de les froisser, et elle s'élance afin d'aller quérir son écritoire pour répondre immédiatement, par l'affirmative, à son beau-père. Il veut une réponse franche ? Il l'aura ! Mais après trois pas, elle ralentit considérablement son allure, jusqu'à s'immobiliser dans un chambranle de porte tandis qu'une sourde détresse l'envahit. Ce ne seront pas des réponses franches. Le paradis promis ? Peut-être. Y passer le restant de ses jours ? Cette perspective la fait trembler d'appréhension et d'euphorie tout à la fois.

Quant à son sentiment pour Bastien... Il est ambigu, changeant comme la couleur du ciel, selon son état d'âme... La plupart du temps, elle évite d'y penser. Comme depuis le début, la simplicité de la vie quotidienne sur le domaine d'Oneida, de même que celle qui entoure les rapports humains, lui procure de vives satisfactions. De surcroît, elle se laisse enivrer par sa relation charnelle avec Francis Sweet, qui est d'un emportement rafraîchissant ! Leurs fréquentations encore secrètes sont entièrement dominées par la passion débridée du fringant jeune homme.

Mais il y a des éléments irritants, des lubies collectives qui plongent Flavie dans une gêne notable, comme celle qui sous-tend l'événement qui a lieu le soir même, dans la salle commune. L'un des proches de Noyes, après avoir froissé entre ses mains le papier-nouvelles qu'il tenait jusqu'alors, le projette dans les airs. Dès qu'il retombe, un jeune homme le gratifie d'un coup de pied. La boule de papier rebondit vers deux dames qui se disputent en riant pour la renvoyer... Aussitôt, un mot d'ordre circule gaiement parmi la cinquantaine de personnes présentes : rassembler illico toutes les gazettes qui traînent dans Mansion House pour une partie improvisée de balle au sol.

Ennuyée, Flavie reste sans réaction, jusqu'à ce qu'une de ses jeunes amies lui rappelle qu'elle a sous son lit quelques journaux du Canada-Uni... ceux qu'elle a reçus d'Édouard Renaud le matin même ! On la talonne jusqu'à ce qu'elle se résigne à monter à l'étage pour les quérir. Dès son retour dans la salle commune, on les lui arrache littéralement des mains pour les transformer en projectiles. Flavie ne peut rester à l'écart de l'agitation collective sans s'attirer des regards suspicieux, et elle se lance donc dans la mêlée, plutôt amusante, en fin de compte.

Même les vieilles personnes se déchaînent, jouissant visiblement des contacts physiques impromptus... Francis en profite pour frôler Flavie plus souvent qu'à son tour et elle rit sans retenue de ce qui lui rappelle les périodes de jeux de sa jeunesse, d'autant plus que les enfants, fort sages jusque-là, viennent de se transformer en galopins hurlants ! Dix minutes plus tard, la chaleur printanière force les participants à déclarer forfait et plusieurs s'exclament à voix haute sur le soulagement que leur a procuré cette séance libératrice.

Pour le bénéfice de tous ceux qui n'étaient pas encore membres, John Miller raconte que, deux années auparavant, alors que la bataille contre la consomption était à son paroxysme, le fondateur faisait une découverte inattendue : la lecture du *New York Tribune* semblait aggraver l'inflammation de sa gorge et de ses poumons ! Estomaqué, Father Noyes a répété l'expérience quelques jours plus tard, et le lien de cause à effet s'est encore davantage précisé. Il en a conclu que le vaste monde exhalait, grâce à la circulation des gazettes, le souffle âcre de son égoïsme, source de toutes les maladies et œuvre du diable lui-même ! Si Dieu a promis à Noyes et à ses fidèles de les rendre insensibles au mal et à la mort, il était plus sage de ne pas tenter le Créateur et de cesser cette plongée dans l'enfer...

Envahie de sentiments ambivalents, Flavie vient s'asseoir sur le rebord de la fenêtre aux battants ouverts. Elle s'émerveille constamment de la faculté des Onéidiens de transformer une corvée en un moment de rigolade. Aucune fausse dignité ici, de celle qui est si chère aux bourgeois : chacun se permet de faire le fou lorsque l'occasion le permet. Danses et chorales improvisées allègent les travaux longs et monotones ; de plus, les membres de la communauté, les deux sexes confondus, s'adonnent à plusieurs sports collectifs. De cela, Flavie est ravie.

Néanmoins, estiment-ils vraiment qu'en quelque sorte les papiers-nouvelles sont contagieux ? D'accord, tous sont profondément convaincus qu'un esprit pessimiste attire le malheur et Flavie n'est pas loin de penser, elle aussi, qu'une personne fragile peut dépérir de tristesse si elle lit trop de mauvaises nouvelles. Et Dieu sait qu'il y en a, comme cette guerre en Crimée, une obscure presqu'île baignée par la mer Noire, en Ukraine ! Flavie ne comprend goutte à ce conflit où s'entrecroisent possession des lieux saints et ambition russe démesurée, mais elle sait qu'une coalition formée par la Turquie, la France et la Grande-Bretagne prépare un débarquement pour reprendre le territoire conquis par la Russie.

Cela justifierait cet épisode d'hystérie collective ? Déboussolée, Flavie étreint ses mains derrière son dos. Ses camarades croient dur comme fer à l'existence physique d'un démon, source tangible de toutes les misères, mais elle ne peut s'y résoudre. Pour elle, le diable n'est pas davantage incarné que Dieu et ses acolytes ! Son intellect lui commande de se méfier de tout ce qui est affirmation invérifiable, et celle-là n'est-elle pas la plus grandiose de toutes ? De même, elle n'accorde qu'une vague créance au système théorique élaboré par Noyes pour expliquer la maladie et la mort. Les principes curatifs qu'il professe dérivent d'une pensée bien plus religieuse que scientifique !

Il y a pire encore : de vieilles croyances superstitieuses, quasiment occultes, sont encore bien vivantes à Oneida. On lui a raconté qu'une chambre, dans laquelle plusieurs personnes « dérangées » s'étaient succédé, avait été exorcisée parce que d'aucuns étaient persuadés que des esprits malins la hantaient. À preuve, celles et ceux qui y dormaient avaient le sommeil agité et peuplé de rêves étranges… Flavie ressent un réel malaise quand la foi de ses camarades confine ainsi à l'hallucination collective, à une apparente bêtise.

Il semble qu'elle soit toute fin seule dans ce cas… Marguerite s'est jointe à la partie de balle improvisée avec un entrain contagieux. Leurs rapports ne sont plus qu'épisodiques, toujours superficiels… Incapable de faire les choses à moitié, sa compatriote est devenue l'une des plus ferventes adeptes de John Noyes, et la moindre remise en question lui est intolérable.

L'âme de Flavie pèse lourd… Toute femme normalement constituée, semble-t-il, ne peut que souhaiter un destin domestique. À Oneida, on soulage la gent féminine des pires esclavages, enfants en trop grand nombre et maris tyranniques, ce qui est déjà un immense pas en avant, n'est-ce pas ? Si Father Noyes lui-même, cet érudit, croit qu'une femme médecin est un être hybride constituant une grave offense envers le Créateur, c'est probablement la vérité. Peut-être que Flavie est une anomalie de la nature et que son désir de faire sien un savoir masculin la transforme en bête de cirque ?

Après tout, Marguerite a abandonné cette quête qui a pourtant occupé plusieurs années de leur existence, et qui a indigné tous les bien-pensants de Montréal… et sans doute de la colonie entière. Devenue l'accoucheuse attitrée de la communauté, elle n'en demande pas davantage, se contentant avec bonheur de faire partie du bataillon de fourmis travailleuses qui érigeront la société idyllique. Or il est très difficile à Flavie d'éteindre sa flamme intérieure. L'ascétisme qu'on exige d'elle lui semble surhumain...

Le lendemain, Flavie reçoit un autre choc, qui vient lézarder encore davantage la tranquillité d'esprit qu'elle croyait, à peine un mois plus tôt, avoir acquise pour tout de bon. Une lettre écrite par Simon! Son père s'informe avec gentillesse de sa santé, puis il poursuit en lui révélant son sentiment d'inquiétude au sujet des événements qui ont conduit à son exil, un sentiment *légitime*, comme il tient à préciser, et qui le hante. Il avait l'impression que Bastien prenait soin d'elle, que la famille Renaud était accueillante et que sa fille, somme toute, avait tout pour être heureuse... A-t-il eu tort? Sans le savoir, a-t-il confié Flavie à des sans-dessein, ou pire, à des gens qui ont abusé d'elle, d'une manière ou d'une autre?

Il conclut en lui demandant si elle pourra bientôt quitter sa famille d'adoption pendant quelques semaines pour venir visiter l'autre, sa famille d'origine, qui l'attend impatiemment... Simon lui pardonne enfin! Seule sous un arbre, Flavie ne peut retenir des larmes de joie. Dès que le pic de son émoi est passé, elle court comme un cabri jusqu'à l'intérieur de Mansion House. Lorsqu'elle finit par mettre la main sur l'un des hommes qui composent le comité des sages, elle lui explique, d'une voix haletante, qu'il serait fort à propos qu'elle retourne en Bas-Canada pour un bref séjour. Or elle n'a pas un sou vaillant! La communauté pourrait-elle lui procurer la somme?

L'homme réagit par quelques questions. S'agit-il d'une mortalité? D'une matière cruciale qui ne peut être réglée autrement? Devant ses réponses négatives, il se rembrunit considérablement. Il lui fait savoir qu'il mettra, tout à l'heure, sa requête devant le conseil, mais qu'elle ne doit pas se bercer d'illusions: les coffres sont vides. S'il fallait accéder aux demandes du tout-venant, la communauté serait acculée à la faillite ! Ne pourrait-elle pas emprunter l'argent à un membre de sa famille ?

Tandis qu'il s'éloigne, Flavie reste clouée sur place, extrêmement mortifiée. Emprunter l'argent ? Elle ne va certes pas s'abaisser à quêter à son père ! Quant à Bastien… Sa fierté le lui interdit. Après l'affront qu'elle lui a fait ! Mais il a une dette envers elle… Une dette ? Les maris n'ont jamais de dettes envers leurs épouses. Ce qui est à madame est à monsieur… même si l'inverse n'est pas tout à fait vrai ! Frustrée dans son envie, aussi pressante que subite, de revoir sa famille et son pays, Flavie se retient tout juste de pleurer.

Les deux femmes avancent rapidement sur le chemin poussiéreux. C'est Léonie qui, la démarche vigoureuse, impose le rythme ; Marie-Thérèse Jorand s'essouffle à ses côtés. Du coin de l'œil, la praticienne aperçoit leur reflet dans une devanture de commerce, deux silhouettes longilignes à la tournure sobre, surmontées d'un large couvre-chef pour se protéger des rayons ardents du soleil de juin. Cette similitude ne déride Léonie qu'un très court instant. Sur ordre de Mgr Bourget, elles doivent s'empresser vers les quartiers temporaires de l'évêché, à l'Asile de la Providence, et cette obligation la met de fort mauvaise humeur.

Même si leur évêque n'a pas précisé l'objet de leur rencontre, Léonie se doute bien que les foudres épiscopales vont s'abattre sur son école. Depuis deux jours, alors que lui parvenait la requête de monseigneur, elle a très mal dormi… Selon le principe que deux brebis sont moins vulnérables qu'une seule pour approcher de la tanière d'un loup, Léonie a sollicité la présence de la présidente du conseil de l'École de sages-femmes. Bien entendu, ce n'est pas de cette manière qu'elle lui a présenté la chose ! Elle a surtout insisté sur le fait que Marie-Thérèse est à l'aise au sein des cercles catholiques et qu'elle en connaît les us et coutumes sur le bout des doigts.

Après avoir annoncé leur arrivée, les deux femmes prennent place dans le parloir, et Léonie extirpe de son cabas un livre savant. Pas question qu'elle gaspille un temps précieux à contempler des peintures illustrant des scènes sacrées ! C'est avec un plaisir pervers qu'elle se plonge dans un précis de physiologie aux croquis explicites… Mais l'évêque ne les fait pas attendre outre mesure, et toutes deux se retrouvent dans un petit salon meublé de façon spartiate.

Suivi du vicaire comme de son ombre, le prélat fait son entrée. Négligeant de leur offrir un siège, il reste planté en plein milieu de la pièce et déclare de but en blanc qu'il ne peut plus tolérer la présence de l'École de sages-femmes dans son diocèse ; il exige que l'institution ferme définitivement ses portes à la fin de l'année scolaire, en décembre prochain. Comme si tout était dit, Mgr Bourget pivote et amorce un mouvement de retraite vers la sortie.

Galvanisée par ces affronts successifs, Léonie s'écrie :

– Une petite minute, monsieur l'évêque ! Vous n'allez pas vous enfuir comme ça ? De quel droit osez-vous me *sommer* de quelque chose ? Êtes-vous mon premier ministre ? Mon député à la Législature ? Mon mari ? De toute façon, je ne concède cette autorité sur moi à personne ! Alors, monsieur ?

Estomaquée de l'audace de Léonie, Marie-Thérèse envisage sa compagne avec des yeux ronds, avant de bégayer à l'adresse du prélat, qui leur tourne le dos :

– Les paroles de Mme Montreuil dépassent sa pensée, pour le sûr, mais convenez avec nous, Votre Grandeur, que la nouvelle que vous nous annoncez est plutôt choquante. Nous ne pouvons concevoir les raisons d'une telle sévérité !

Brusquement, l'homme de robe fait volte-face, la soutane virevoltante. Il leur oppose un visage aux traits déformés par une froide colère, et Marie-Thérèse ne peut retenir un mouvement de recul. Il rassemble néanmoins quelques bribes de gentillesse pour dire à son intention :

– Cette dureté de cœur ne vous concerne d'aucune manière, madame.

– Je me suis engagée auprès de Mme Montreuil en toute bonne foi, Votre Grandeur, et même si je n'approuve pas toujours sa… ses… Enfin, je n'ai strictement rien à lui reprocher concernant le respect des bienséances. Notre confesseur a-t-il une opinion différente ?

Se tournant à moitié vers sa présidente, Léonie laisse tomber dédaigneusement :

– Vous gaspillez votre salive, Marie-Thérèse. Ni monsieur l'évêque ni notre chapelain ne peuvent nous blâmer en rien, question grivoise ou geste déplacé… On ne peut en dire autant des étudiants en médecine qui font leur stage à l'hospice Sainte-Pélagie, n'est-ce pas ?

Directement interpellé par Léonie, le chef du diocèse reste sans réaction ; seuls ses sourcils qui se froncent trahissent son déplaisir. Elle réitère sèchement :

– Vous n'avez pas répondu à ma question. De quel droit vous me commandez de mettre la clef dans la porte de mon école ?

Il réplique d'un ton fortement sarcastique :

– La réponse est tant prouvable que de vous la donner, ce serait faire injure à votre intelligence.

– Vous êtes trop aimable, raille-t-elle, mais j'apprécierais quand même des éclaircissements. Vous et moi, nous n'avons pas le même mode de pensée… Mais laissez-moi oser une explication. Voyons voir… Dieu est l'auteur des lois morales, le seul détenteur de la vérité, et il vous transmet ses instructions par pape interposé. Donc, le pape vous a signifié qu'il a reçu un message du ciel concernant mon école ?

Léonie entend Marie-Thérèse murmurer son prénom d'un ton navré, mais elle ne lui prête aucune attention. Elle est envahie par une telle envie de provocation ! Sa coupe déborde. Les non-dits, les atermoiements, les allusions outrancières, tout cela lui est insupportable ! Elle ne peut plus tolérer, sans réagir, l'omnipotence de la hiérarchie catholique romaine, cette omnipotence qu'elle subit depuis sa naissance à son corps défendant !

Le prélat articule avec commisération :

– Pauvre pécheresse... Le démon a pris possession de votre âme et vous pousse au blasphème !

Il se signe avec ostentation. Léonie riposte :

– Elles sont claires comme de l'eau de roche, les vraies raisons de votre acharnement contre ma petite école. Vous vous êtes juré d'anéantir toute liberté d'action au Bas-Canada, et vous vous attaquez d'abord aux plus faibles, point à la ligne !

L'homme de robe foudroie Léonie du regard, mais il garde contenance. Elle serre les poings pour jeter, avec emportement :

– Je vais la fermer, mon école ! Je vais la fermer, parce qu'il ne se trouvera quasiment personne pour résister au vent de terreur que vous ferez souffler sur la cité, advenant un refus ! Mais sachez-le, monsieur Bourget : c'est une perte inestimable pour le bien-être des femmes en couches. Sachez aussi...

Le ton de sa voix baisse de plusieurs crans, comme si elle se parlait à elle-même :

– Sachez que les damnés ne seront pas ceux que vous croyez.

Brusquement, le prélat tend un index vengeur vers elle, tout en s'écriant avec hargne :

– Ces horreurs devront être regrettées en confession ! Ceux qui insultent Notre Seigneur doivent faire une sévère pénitence avant de recevoir l'absolution !

Léonie reste de marbre. Le visage déformé par un rictus rageur, Mgr Bourget tonne encore :

– Tout ce que vous effleurez se retrouve souillé, madame l'accoucheuse ! Même ce refuge que vous dirigez, et dont la seule existence constitue un affront à l'intégrité de nos valeurs morales !

– Les valeurs morales ont bon dos, grommelle-t-elle distinctement. Malgré les plaintes répétées des Sœurs de Miséricorde, malgré l'opprobre dont elles sont victimes, vous persistez à leur imposer le lourd fardeau des étudiants en médecine. Il serait bien plus logique de regrouper tous les clercs à la Société compatissante, où les laïques sont supérieurement armées pour imposer de strictes règles de décorum. Pourtant, vous vous y refusez. N'est-ce pas étrange ?

Marie-Thérèse intervient :

– Vous errez, Léonie. C'est du sort de votre école que nous discutons aujourd'hui…

– C'est du pareil au même. Ignorez-vous, monsieur l'évêque, que l'amour du métier constitue la plus sûre parade contre le vice ? Voilà où je voulais en venir. Mes élèves sont entourées par un bastion de vertu imprenable, celui de leur soif de savoir.

– Rien de comparable à l'idéal des religieuses, en vérité. C'est une insulte que de l'insinuer !

Le prélat a parlé comme s'il crachait. Il est en proie à la fureur, à tel point qu'il cache derrière son dos ses mains tremblantes. Il reprend d'un ton d'autant plus terrible qu'il est soigneusement maîtrisé :

– Les Sœurs de Miséricorde font un travail exemplaire et Nous leur accordons notre entière confiance. Ce n'est pas le cas de votre refuge à propos duquel circulent des rumeurs d'immoralité, en premier lieu sur le Dr Rousselle. Même s'il fait ses Pâques, Nous ne sommes pas sans savoir que c'est un habitudinaire de la pire espèce.

Léonie ne peut retenir une légère grimace. Elle déteste quand vie privée et vie publique se confondent ainsi, la première déteignant sur la seconde… C'est une grossière erreur que les dévots commettent allègrement. Ce que fait leur médecin associé de son temps libre, Léonie n'en a cure. Tout ce qui lui importe, c'est que, malgré son caractère soupe au lait, il semble un praticien intègre ; au courant de la science moderne, mais modéré dans ses actes. Elle est sur le point de souligner ce fait à son interlocuteur, mais il ne lui en laisse pas le temps.

– Le Dr Trudel, lui, est un saint homme. Bénévolement, il a appris aux fondatrices les rudiments de l'art des accouchements. Il continue à leur enseigner encore. S'il Nous assure que les stages d'étudiants à l'hospice sont un mal nécessaire, Nous le croyons sur parole. Et s'il exige de Nous une représentation auprès de ces messieurs de l'École de médecine, Nous obéirons.

La menace est à peine voilée. Incapable d'en supporter davantage, Léonie recule vers la porte de sortie. Voyant que sa compagne reste clouée sur place, elle l'apostrophe :

– Accourez, Marie-Thérèse, nous avons à discuter !

Subjuguée, cette dernière ose une ébauche de révérence avant d'emboîter le pas à Léonie. Elles se retrouvent à l'air libre en un temps record, et Léonie consent à ralentir l'allure seulement lorsqu'elles se sont notablement éloignées. Apercevant une fontaine publique, elle s'y dirige brusquement et s'assoit sur le muret de pierre. Elle desserre le nœud de son chapeau, qu'elle laisse retomber dans son dos, avant de faire couler de minces filets d'eau fraîche sur sa nuque et dans son cou. Avisant enfin Marie-Thérèse, elle grommelle à son intention :

– Par la juifresse, ne restez pas plantée là ! Posez une fesse, vous êtes toute rouge…

L'interpellée acquiesce à contrecœur, mais sa tentative de protestation est tuée dans l'œuf par Léonie.

– Épargnez-moi les remontrances. Je sais que toute démarche de conciliation auprès de monseigneur est maintenant hors de question. Je m'en contrefiche. Monseigneur avait déjà son idée toute faite, et rien n'aurait pu l'en faire changer. Mon école était vouée à la ruine, Marie-Thérèse.

Abasourdie, sa compagne reste la bouche grande ouverte, avant de réussir enfin à bafouiller :

– Vous êtes… vous êtes… phénoménale, le mot n'est pas trop fort !

Après un profond soupir, Léonie murmure, en pressant ses deux mains contre son cœur :

– Mon Dieu à moi… Il est ici, en dedans, bien à l'abri. Nulle part ailleurs. Si vous saviez, Marie-Thérèse… La morale, si importante pour la religion catholique, est une construction des hommes. Nulle part dans la Bible on ne la retrouve ainsi formulée. Chère amie, allez-vous me dénoncer au confessionnal si je vous confie le fond de ma pensée ?

Désarçonnée par le durcissement de ton de Léonie, Marie-Thérèse prend un moment avant de répliquer :

– Il est des secrets, même offensants, que l'amitié interdit de révéler.

– Un jour, j'ai pris conscience d'une pseudo-vérité qui m'a sidérée. Un jour, Marie-Thérèse, j'ai réalisé que pour les hommes d'Église… pour eux, la vie spirituelle d'un fœtus est mille fois plus précieuse que la vie terrestre de sa mère. J'étais très jeune alors, en apprentissage auprès de ma tante Sophronie, mais vous dire dans quelles affres j'ai été alors plongée… Dieu pouvait-il être un tel bourreau ? Les bébés à naître s'étaient-ils rendus coupables d'un si grand crime, d'une offense si terrible que Dieu leur refusait la cohabitation avec lui au paradis s'ils n'étaient pas lavés par le baptême ? Dieu *exigeait* le sacrifice ultime de la mère, sans quoi son enfant serait éternellement damné ? C'est ce que les théologiens prêchent en leur âme et conscience… mais que je ne peux croire sans perdre toute estime pour le genre humain et pour son Créateur !

Prise d'un long frisson provoqué par cette puissante vague d'angoisse, toujours prête à surgir à la moindre occasion, Léonie laisse passer un temps avant de reprendre :

– Quand on se met à démêler l'écheveau pour départager ce qui est d'essence divine et ce qui est invention humaine... le dogme en prend pour son rhume, je vous assure !

Elle lance un sourire contrit à sa compagne, puis conclut :

– Dès à présent, je vous rends votre liberté, Marie-Thérèse. Je conçois votre réticence à vous acoquiner avec une hérétique comme moi.

Elle clôt les paupières. Son émotion qui reflue la laisse comme ankylosée... Après un long moment, elle ouvre les yeux, pour constater que sa présidente n'a pas bougé. Elle hausse les sourcils et murmure :

– Je m'étonne fort de vous trouver encore à mes côtés.

Marie-Thérèse se permet une éloquente moue de dérision.

– Vous êtes très distrayante, vous en conviendrez !

Elle se trouble et se mordille les lèvres, avant de poursuivre :

– Plus sérieusement... Le mal, le péché... C'est plus compliqué que ça en a l'air, n'est-ce pas ? De vous fréquenter, ça remet les choses en perspective.

– Mon cab est à votre disposition, belles dames, si vos pattes ne vous supportent plus guère !

Toutes deux sursautent et se retournent. Un cheval vient de plonger la tête dans l'eau de la fontaine, et son propriétaire leur désigne le cabrouet qui y est attelé. Fort dignement, elles se relèvent, époussettent leurs jupes et déclinent avec courtoisie l'offre du conducteur, avant de reprendre la route du faubourg Sainte-Anne. Léonie sent que son âme vacille au bord d'un précipice, celui du découragement et de l'affliction. C'en est bel et bien fini de cette école qu'elle portait à bout de bras, au risque de se donner un tour de reins ! C'en est bel et bien fini de ses ambitions professionnelles pour les sages-femmes...

À cette idée, Léonie sent ses entrailles brûler comme sous l'effet d'un tord-boyaux. Elle y a cru pourtant, de toute la force de son amour pour le métier. Elle a même cru voir, tout au bout de la route, un paysage à la fois flou et magnifique ! Il n'y avait que deux autres de ses proches qu'un tel panorama semblait ravir : Flavie et Marguerite. Mais elles ont fui l'étouffante colonie... Le rouge monte aux joues de Léonie, et d'une voix étranglée, elle bredouille à l'intention de Marie-Thérèse :

– Vous avez dû bien vous gausser, à l'époque, quand j'ai fait étalage de mes visées prétentieuses : une corporation professionnelle et une faculté d'université pour les accoucheuses...

Sa compagne tourne vers elle un regard empreint de commisération, puis elle glisse son bras sous le sien.

– Pas moi, en tout cas. D'autres s'en sont permis... Mais moi... Moi, Léonie, j'ai été touchée au cœur. C'est ce qui m'a permis de vous conserver mon amitié malgré nos divergences d'opinions.

Marie-Thérèse serre très fort contre son flanc le bras de Léonie, qui en tire un puissant réconfort. L'épouse du marguillier murmure encore :

– Vous avez cru en nous, les femmes. Il y en a si peu comme vous... À votre contact, j'ai senti mon existence s'ouvrir... se déployer comme une fleur au soleil. Vous m'avez fait un cadeau et je m'en souviendrai jusqu'à mon dernier souffle.

Bouleversée par cette confidence qui agit sur son âme comme un baume, Léonie échange avec Marie-Thérèse un regard grave, et se permet de se reposer sur l'appui inattendu que lui offre sa voisine grâce non seulement à son bras, mais à un flot de sympathie synonyme d'une amitié sincère. Ce soir-là, dans l'intimité de leur chambre, elle rapporte à Simon les dures phrases lancées à la face de l'évêque de Montréal. Son mari jubile et s'effraie tout à la fois, ce qui fait dire à Léonie que les audaces que les hommes s'autorisent, ils les refusent bizarrement au « sexe faible » !

Simon l'enlace par-derrière, chuchotant à son oreille :

– C'est prodigieux, mais à chacune de tes rencontres avec Sa Grandeur, je sens en moi une étrange montée de fièvre... Tu crois que je devrais aller m'en confesser à lui ?

Léonie est prise d'un tel fou rire qu'elle doit s'accrocher aux bras de son homme pour ne pas tomber. Il en profite pour entreprendre de la dévêtir, tandis qu'elle parvient à articuler :

– Il serait bien trop content de t'imposer une pénitence impitoyable... Pas de commerce charnel avec ton épouse pendant une décennie, au moins !

Cette éventualité lui semble à ce point horrible que, prise d'un long frisson, elle pirouette dans ses bras afin de se blottir contre lui. Elle respire son odeur à fond avant de bredouiller :

– Je t'adore. C'est toi que j'adore, nul autre.

Il fige et l'écarte de lui pour la considérer avec un bonheur grave. Léonie ne lui laisse pas le temps de souffler mot : elle lui scelle la bouche d'un baiser exalté, aussi éloquent que la plus ardente déclaration d'amour. Mais son insouciance est de courte durée : toute la nuit, elle subit le contrecoup de la perte imminente de son école. Passant d'amers regrets en ruades de révolte, elle manque de faire volte-face, préférant risquer le courroux de monseigneur plutôt que de courber l'échine ! Seule une intense discussion avec Simon et Laurent, le lendemain, la dissuade de se braquer ainsi. Elle n'a rien à en tirer, selon eux, rien qu'une fort mauvaise publicité !

Ignace Bourget est comme la capitale fortifiée d'un empire et elle, comme une minuscule colonie qui voit la flotte de guerre approcher de ses rives…

Un échec si cuisant lui donne envie de tout lâcher. De sacrer là les confesseurs, les médecins, les dames patronnesses et même ses timorées consœurs, qui baissent trop souvent la tête en signe de soumission ! De sacrer là les femmes en couches. Non, pas les femmes en couches… Lorsque Léonie songe à ces pauvres souffrantes, elle voudrait les placer toutes à l'abri dans son cœur. Elle se bat pour elles seules ! Ce n'est pas parce que l'École de sages-femmes disparaît que tout est perdu. Il lui faut continuer à leur prodiguer ses soins, à se perfectionner, à devenir meilleure.

Chapitre XI

À une semaine du solstice d'été, ce moment qui signifie l'exode des bourgeoises vers la campagne, les conseillères de la Société compatissante se réunissent pour une dernière assemblée. L'ordre du jour est extrêmement chargé, d'autant plus que deux points cruciaux s'y sont ajoutés. Les participants sont à ce point nombreux que Françoise a dû se résoudre à ouvrir son salon double, celui qui sert dans les grandes occasions. Fort heureusement, toutes les ouvertures sont béantes, ce qui crée un salutaire courant d'air.

Sauf Françoise qui préfère conserver sa liberté de mouvement, les dames du conseil occupent tous les sièges disponibles. Derrière ce premier cercle, les personnes concernées par cette réunion se sont installées le plus confortablement possible, les fesses posées contre le rebord d'une table ou le dos appuyé au mur : les trois sages-femmes et les deux médecins associés, un membre supplémentaire du bureau médical, Joseph Lainier, ainsi que la présidente du conseil d'administration de l'École de sages-femmes, Marie-Thérèse Jorand. Tout ce beau monde bigarré attend patiemment que la réunion débute.

Peu à peu, le puissant malaise ressenti par Léonie à l'idée de côtoyer le couple formé par Marie-Claire et Françoise s'amenuise. Parfois, lorsqu'elle songe à cette troublante relation illicite, des images si choquantes envahissent son esprit ! Alors, Léonie n'est pas loin de croire que son ancienne amie et son… Chaque fois, elle est obligée de serrer les dents pour obliger ce mot à se matérialiser : *son amante* ! Alors, les deux femmes deviennent moins qu'humaines, faisant partie d'une espèce d'êtres dénaturés, dénués de tout sens moral… Mais pour l'instant, jetant des regards en coin aux deux conseillères préoccupées, Léonie doit bien constater qu'elles paraissent on ne peut plus normales.

Un bruissement à proximité tire Léonie de sa songerie : profitant de ce moment de calme, Joseph Lainier vient de se glisser à son côté. La gêne qui s'était installée entre eux, à la suite du départ de Marguerite, est aujourd'hui totalement dissipée ! En quelques phrases, le Dr Lainier informe Léonie de ses projets d'avenir : après avoir glissé la bague au doigt de Delphine, à l'automne, tous deux déménageront probablement à Québec. Le praticien a été pressenti par quelques-uns de ceux qui s'y dépensent pour la mise sur pied d'une faculté universitaire de médecine… On lui offrirait un poste de professeur à la mesure de ses ambitions et Lainier s'avoue tenté. Léonie le félicite, tout en déplorant avec une parfaite sincérité ce qui sera une perte non seulement pour la gent médicale montréalaise, mais pour leur refuge et son bureau de médecins rattachés à l'École de médecine.

Le silence est réclamé, et Marie-Claire ouvre la réunion. Le premier point, celui des mesures préventives à prendre en cas d'épidémie de choléra, plonge la majorité des dames dans l'hébétude. Jacques Rousselle prend la parole, pressant l'élément féminin de l'auditoire de ne pas se bercer d'illusions : pendant l'hiver, plusieurs cas de choléra-morbus ont été signalés dans les ports de New York et de La Nouvelle-Orléans. Selon une logique plusieurs fois vérifiée, la maladie va profiter des premiers jours de chaleur estivale pour se répandre sur tout le continent.

Personne ne le contredisant sur ce point, le jeune médecin enchaîne sur le sujet du mode de propagation de cette funeste affection. Léonie sent Joseph Lainier se tendre comme la corde d'un arc; elle s'empresse de jeter un coup d'œil vers Peter Wittymore, debout de l'autre côté de la pièce, et note son expression extrêmement concentrée. Elle connaît les inimitiés qui existent entre hommes de l'art par rapport à la nature contagieuse du choléra. Manifestement, Rousselle use d'un langage prudent pour ne pas froisser la susceptibilité de ses confrères plus âgés!

– Mon but n'est pas de débattre de la pertinence des théories en vigueur, mais plutôt de prévoir le pire pour diminuer au possible les risques de contamination des patientes du refuge. On peut croire que les germes sont de nature miasmatique, atmosphérique ou même humorale; cela se défend aisément. Néanmoins, la thèse de la contagiosité du choléra-morbus a un nombre croissant d'adeptes et je suis d'avis qu'il faut en tenir compte en dressant la liste des mesures de sécurité à adopter.

Sur ce, il interpelle du regard Peter Wittymore, qui se redresse, interloqué. Le ton légèrement traînant, celui-ci finit par bougonner:

– Cela va de soi. Quand on parcourt la littérature accumulée par nos confrères européens qui ont soigneusement étudié le parcours du choléra depuis les premières épidémies en Orient… on ne peut qu'être frappé du bien-fondé de la théorie du contact. C'est l'être humain qui, de toute évidence, est le plus puissant vecteur de la maladie.

Léonie n'en croit pas ses oreilles. Se pourrait-il qu'enfin le scepticisme des hommes de l'art cède devant les preuves qui s'accumulent? Elle n'avait quasiment rien à reprocher à ce collègue d'un âge certain, sauf cet aveuglement commun à presque tous ceux de sa génération… Françoise interjette, goguenarde:

– Quelqu'un en doute encore parmi les hommes de science? Il n'y a qu'à se promener parmi ceux qui ont vu le miasme de près pour se faire une idée juste du phénomène. Ceux-là, ils ont compris depuis longtemps que le contact, comme vous dites, rend malade…

– Peut-être qu'une atmosphère humide favorise le développement du germe, intervient Lainier, pressé de mettre son grain de sel dans la discussion, mais ce que vous affirmez, monsieur Rousselle, est indiscutable. L'isolement des personnes atteintes et quelques mesures d'hygiène de base devraient être placés en tête de liste des barrières à opposer à la propagation du germe. Qu'en pensez-vous, mesdames les accoucheuses ?

Surprises d'être ainsi interpellées, aucune des trois ne réagit immédiatement. La première, Magdeleine Parrant, répond enfin, avec déférence :

– Quant à moi, j'en connais si peu sur le sujet que je vous laisse entière autorité en la matière.

– J'apprécie votre souci des patientes, réagit Sally à son tour, et surtout votre refus de ces controverses oiseuses qui font le bonheur des pédants.

Joseph Lainier émet un grognement appréciateur. Léonie devine que des échanges virils de vues ont bel et bien eu lieu !

– Nous n'avons aucun contrôle sur les immondices qui encombrent parfois nos chemins, poursuit Sally, ni sur la touffeur du jour, ni sur l'air ambiant. Par contre, nous pouvons acquérir quelques habitudes, qui nous donneront la satisfaction d'avoir tout tenté pour protéger la santé de nos clientes.

– Je seconde ! s'exclame Delphine, manifestement impressionnée par l'assurance tranquille de l'Écossaise.

Plusieurs regards convergent vers Léonie, qui s'éclaircit la voix avant de prendre la parole à son tour, légèrement ironique :

– Les quelques dames qui ne nous suivent pas dans notre pratique, à la Société, pourraient croire que ces habitudes nous sont encore étrangères. Je tiens cependant à préciser que nous, les sages-femmes, nous avons adopté maints comportements élémentaires de propreté. Nous ne sommes sûres de rien, mais nous croyons plus sage de tenir compte des avertissements de certains hommes de l'art des vieux pays.

– Une prudence qui vous honore, complimente Joseph Lainier en esquissant un salut à son intention.

Léonie envisage Jacques Rousselle, placé à quelques pas d'elle, et l'interpelle :

– J'en profite pour vous répéter, ainsi qu'à M. Wittymore, à quel point nous serions soulagées que soit mis en vigueur un protocole d'hygiène pour tous ceux qui approchent les femmes en couches, apprentis y compris.

– Il est d'ailleurs plus que temps, renchérit Rousselle péremptoirement, qu'un tel protocole soit rédigé. Tous les établissements modernes s'y astreignent. C'est une mesure dont on calcule mal les effets, mais qui a le mérite de réduire sensiblement les facteurs de risques.

– Une hypothèse, riposte Wittymore, que la pratique ne vérifie aucunement.

Le foudroyant du regard, Rousselle assène :

– Toutes les hypothèses qui contribuent à protéger la santé des patients devraient devenir normatives, à moins de preuves du contraire.

– Le protocole qui servira pour le choléra pourrait devenir la norme, suggère Lainier avec vigueur. Nous saisirons le bureau médical de cette question, n'est-ce pas, cher collègue ?

Le jeune médecin hoche la tête avec un air résolu. Abasourdie, Léonie contemple successivement les trois praticiens. Des années de pressions auprès de Peter Wittymore et de Rousselle père n'ont abouti qu'à leur faire perdre leur patience. Il suffit qu'un jeunot comme Rousselle fils se pointe, bardé de son orgueil de savant, et les aînés s'inclinent devant son autorité ! À la fois jalouse et admirative, Léonie le couve des yeux et il intercepte son regard. Elle ne peut s'empêcher de lui adresser un large sourire d'assentiment, qui le fait s'empourprer à la fois de fierté et de confusion.

Se levant à demi, Marie-Claire fait un geste dans sa direction.

– Venez au milieu de nous, monsieur, et informez-nous dès maintenant de tout ce qu'il ne faut pas faire.

Accédant à sa demande, Rousselle se place au centre du premier cercle et, s'appuyant parfois sur l'avis de ses confrères, il décrit les principaux symptômes liés au choléra. Un sentiment d'effroi gagne peu à peu les conseillères présentes. En quête de réconfort, Delphine se tourne fréquemment pour croiser le regard de Joseph, qui est lui-même fort troublé par les risques qu'affrontera sa promise !

Émérance Sanspitié bredouille faiblement :

– Monsieur, vous me glacez le sang !

Marie-Onésime Charbonneau se couvre les oreilles de ses mains, tout en jetant d'une voix aiguë :

– Vous ne devriez pas nous édifier ainsi ! N'est-il point vrai que la peur, cette peur naturelle devant un tel fléau, nous rend susceptibles de la contracter ?

Dès lors, se relayant, elles s'exclament à qui mieux mieux et se mettent à exiger des médecins un remède infaillible contre cette faiblesse généralisée du système nerveux, conséquence d'une frayeur incontrôlable. Même si elles n'osent pas renchérir, Magdeleine et Marie-Thérèse sont de plus en plus agitées. Excédée, Françoise accourt auprès de Jacques Rousselle, toujours debout en plein milieu du salon, et lève les bras pour réclamer le silence.

– Mesdames, du calme ! Vous plongez ces messieurs dans l'embarras !

Léonie en profite pour faire un pas vers l'avant et déclarer d'une voix forte :

– Je suis soulagée que ce sujet important soit venu sur le tapis. Je ne connais pas l'impact de cette peur bleue, comme on l'appelle parfois, sur l'économie humaine…

– Dans le cas précis du choléra-morbus, l'interrompt Jacques Rousselle avec fermeté, on peut le qualifier de négligeable.

– … mais ce que je tenais à vous dire, mesdames, c'est qu'il ne sert à rien de venir accompagner les femmes en couches si vous tremblez littéralement dans vos pantalettes.

Plusieurs dames se formalisent de cette formule osée, mais Léonie poursuit sans se démonter :

– Ce dont les parturientes ont besoin, de même que nous, les accoucheuses, c'est d'un soutien qui ne fléchit pas. Je préfère que vous restiez chez vous plutôt que de nous encombrer de vos alarmes.

– N'en ayez pas honte, s'empresse d'ajouter Marie-Claire, en promenant sur les conseillères un regard indulgent. Certaines ont l'âme mieux trempée que d'autres devant la maladie. C'est une particularité pour laquelle il est inutile de se faire des reproches.

Soutenant qu'il est de première importance d'apaiser ces dames, Jacques Rousselle affirme que les appréhensions seront chose du passé lorsqu'il aura fait la liste des précautions élémentaires à prendre pour se protéger du choléra. Le germe est virulent entre le début de la période d'incubation et un adoucissement des symptômes, une fois la maladie déclarée; il est vital d'appliquer scrupuleusement quelques règles d'hygiène personnelle et de se méfier de tous les effets personnels des malades. Si ces principes de bases sont respectés, prétend-il, les soignants sont protégés.

Un silence extrêmement sceptique accueille son exposé. Les fausses certitudes du corps médical sont tournées en dérision depuis belle lurette ! Devant un miasme aussi retors qu'un rat en quête de nourriture, chacun se fie à sa propre expérience. La meilleure mesure de protection, c'est la fuite ou, sinon, l'isolement complet… Conscient du malaise, Rousselle ajoute avec un sourire compréhensif :

– Bien entendu, la plupart de ces dames préféreront une retraite prudente à la campagne. Je vous encourage à précipiter votre départ. Dès maintenant, si vous le pouvez.

Faisant fi du murmure excité qui s'éparpille de l'une à l'autre, Rousselle accroche le regard de Marie-Claire pour conclure :

– Je convie le personnel soignant, celui qui restera sur place cet été, à une réunion au refuge. Nous conviendrons ensemble du protocole d'hygiène, des achats de médicaments et de la marche à suivre si une cliente est prise de la maladie.

La présidente remercie le médecin avec effusion, puis elle déclare que ce point est réglé et qu'il est temps d'attaquer le suivant. Néanmoins, elle doit patienter plusieurs minutes avant que ses consœurs ne retrouvent un semblant de calme. Elle annonce alors qu'une proposition visant à instaurer un programme de formation à la Société compatissante vient de leur être soumise.

À l'invitation de la présidente, Jacques Rousselle avance de nouveau au milieu du cercle sous le regard ébahi de Léonie. Prenant soin de ne pas croiser le regard de la maîtresse sage-femme, il explique : puisque l'École de sages-femmes est vouée à une disparition imminente et que le programme des conférences parrainées par la Société compatissante se trouve dans un cul-de-sac, il a cru qu'il serait pertinent d'offrir une solution mitoyenne. En bref, il s'agit, pour la Société, de prendre la responsabilité de la formation des accoucheuses, tout en l'élargissant pour inclure certaines matières abordées jusque-là dans les conférences. Leur refuge deviendrait ainsi une maternité en miniature, selon le modèle européen si parfaitement constitué.

Un pli obstiné lui barrant le front, Françoise est la première à rompre le silence qui suit, pour lui rappeler qu'elle n'a aucune intention d'abandonner les conférences, pour lesquelles les recherches d'un nouveau local vont bon train. Rousselle riposte négligemment :

– Et où le dénicherez-vous, si ce n'est du côté des protestants ? Loin de votre clientèle ?

Marie-Onésime saute sur l'occasion. Le verbe acrimonieux et les mains virevoltantes, elle souligne que les conférences sont tout à fait en dehors du mandat d'action tel que le définit la constitution de leur organisme. Par contre, la formation des praticiennes, dont l'évêque ne peut sous-estimer l'importance, n'est pas remise en question. Plutôt d'accord avec elle, Céleste d'Artien et Delphine affirment qu'il serait aisé de concevoir un programme de formation, modeste pour débuter, qui s'adresserait aux sages-femmes déjà en activité. L'année suivante, si tout va bien, il serait possible d'élargir l'offre aux aspirantes dans le métier.

Deux conseillères affichent un évident scepticisme. Un tel affront irritera Mgr Bourget au plus haut point… S'il s'oppose à l'École de sages-femmes, c'est qu'il a ses raisons, contre lesquelles il serait maladroit de s'élever, comme il serait présomptueux de remettre en question la sagacité du représentant de Dieu sur terre. S'il juge que la morale est offensée, n'en sera-t-il pas de même n'importe où ailleurs ?

Léonie se résout à faire valoir qu'à son avis, c'est bien davantage pour la punir de son esprit d'indépendance que le prélat intervient ainsi. Une discussion générale s'ensuit, pendant laquelle Léonie réfléchit à l'initiative surprenante de Jacques Rousselle. Dans quel dessein agit-il de même ? À première vue, il semble que ce soit non seulement pour accroître son prestige personnel, mais aussi pour augmenter le rayonnement de la Société compatissante. Se pourrait-il donc qu'il se pose en digne successeur de son père ? Ne reste qu'à espérer que, contrairement à lui, il a de meilleurs atouts dans son jeu…

Plus détendue, Léonie intervient encore :

– Vous n'êtes pas sans savoir que quelques curés financent le séjour de leurs paroissiennes dans mon école. Ces messieurs m'ont répété à quel point ils en étaient ravis ! Selon toute vraisemblance, monseigneur n'a pas songé au chagrin qu'il leur causerait… Je crois qu'il ne sera pas insensible à cet argument.

– Voire ! grommelle Delphine. N'y a-t-il pas une communauté religieuse toute désignée pour elles, et qui manque cruellement de postulantes ?

Léonie retient de justesse une grimace de dérision. S'inclinant devant l'évidence, la présidente commande le silence avant de déclarer :

– Je constate que le vote est inutile. En majorité, le conseil d'administration est d'avis qu'il faut troquer nos réputées conférences contre la proposition actuellement sur la table.

Amère, Françoise s'écrie :

– Un recul définitif, mesdames, pour la liberté de discussion !

L'écho de ses paroles se répercute dans le pesant silence. Léonie prend conscience de la cruelle réalité : les conférences ouvraient, sur le savoir humain, une fenêtre dont les volets viennent de se refermer définitivement. Comme elle jouissait de voir l'une de ses semblables debout sur l'estrade, professant avec certes moins d'assurance que tous ces doctes mâles qui ne craignent pas de faire résonner leur voix, mais professant tout de même ! L'histoire oubliera le rôle que la dame patronnesse Françoise Archambault a joué dans l'avancement des femmes, mais elle-même s'en souviendra jusqu'à la fin de ses jours.

Léonie détourne avec précipitation le regard affectueux qu'elle posait sur la vice-présidente qui, surprise mais émue, le lui rendait bien… Après un temps, d'une voix mal assurée, Marie-Onésime se propose pour aller rencontrer Bourget et pour lui soumettre ce plan. Sarcastique, Delphine lance :

– Vous lui direz que nous envisageons sérieusement de déménager nos pénates au Lying-In s'il ne s'incline pas devant notre volonté !

La plaisanterie tombe à plat. Marie-Claire fait enfin signe aux sages-femmes ainsi qu'à Marie-Thérèse Jorand que leur présence n'est plus requise, et toutes quatre quittent la réunion. Malgré l'atmosphère lourde et humide, heureusement rafraîchie par un crachin, Léonie n'est pas fâchée de se retrouver à cheminer aux côtés de sa présidente, pour jongler à son aise à ce revirement inattendu de la situation. Du jour au lendemain, elle se retrouve dépossédée de son école… mais à la tête, en compagnie d'un médecin, d'un programme de formation pour les accoucheuses sous les auspices de la Société compatissante.

Cependant, ces changements ne se réaliseront pas en claquant des doigts ! D'ici la fin de l'année, elle aura encore fort à faire pour mener la dernière cohorte de l'École de sages-femmes jusqu'à l'obtention du diplôme. Elle ose à peine se l'avouer mais, en son for intérieur, elle n'est pas marrie de déposer les armes. Pour la direction de son école, elle espérait ardemment une relève… qui brille néanmoins par son absence. Dans ces conditions… Exaltée par le nouveau défi qui l'attend, elle pose un pied devant l'autre sans prendre garde aux immondices qui encombrent les chemins.

Le choléra monte à l'assaut du monde civilisé encore plus vite que prévu. Les premiers navires océaniques sont déjà ancrés à la Grosse-Île ; la nouvelle parvient à Montréal que, parmi les passagers de l'un d'entre eux, le *Glenmanna*, quarante-cinq ont perdu la vie. Le médecin rapporteur a pris soin d'éviter le mot « choléra », préférant imputer ces décès à la rougeole et aux diarrhées, mais bien peu sont dupes.

Une dizaine de jours plus tard, les premiers cas sont officiellement déclarés à Québec. Ce sont les marins et les immigrants qui pâtissent le plus, ce qui cause déjà un vif souci, mais chacun sait que la population locale ne s'en tirera pas indemne! Cécile et Daniel remettent en question leur projet de partir en exploration dans les Eastern Townships dès la fin des classes, mais Simon ne veut rien entendre. La fermeture prématurée de l'école où enseigne Daniel précipite les événements: trente-six heures plus tard, le jeune couple et les deux fillettes prennent leur envol afin de sonder les perspectives d'emploi et les capacités d'accueil de cette région de colonisation. Léonie les abjure d'attendre le recul de l'épidémie pour revenir!

De son côté, Laurent a loué une modeste maison de campagne pour Agathe, grosse de cinq mois, pour leur petit Sylvain, âgé d'un an et demi, et enfin pour sa belle-mère Léocadie. Un matin de très bonne heure, il attelle la charrette et, après des adieux poignants à Cléophas et aux Montreuil, le visage désolé d'Agathe disparaît derrière un nuage de poussière. Simon presse le bras de Cléophas, qui lui offre en retour un sourire courageux. Ce ne sont pas ceux qui restent qui sont plongés dans l'angoisse, mais ceux qui partent en laissant des êtres aimés au cœur de la tourmente.

Le voisinage se dépeuple à vue d'œil. Si les plus fortunés ont déjà plié bagage, bien des manœuvres prennent la résolution de retourner dans leur lointaine paroisse, et une bonne partie des échoppes gardent volets clos. Néanmoins, l'ambiance générale reste bonne. Rien de comparable à la panique des premières épidémies! Puisque les rassemblements humains sont à proscrire, l'école de la paroisse cesse bientôt ses activités. Dès que les demoiselles de la campagne sont rappelées dans leur paroisse par leurs parents inquiets, Léonie prend une semblable décision.

Comme par le passé, Simon voit d'un très mauvais œil le fait que Léonie se mêle aux patientes du refuge. Elle a beau lui rappeler que le typhus de 1847 et le choléra de 1849 n'ont pas pénétré en ses murs, rien n'y fait : il rouspète à chacun des départs de son épouse vers les abords de la cité. Si elle s'efforce de lui opposer un visage insouciant, elle est plutôt inquiète en son for intérieur. Jacques Rousselle leur a répété que les déjections des malades étaient susceptibles de transporter la maladie et qu'il fallait donc se laver les mains au savon fort après un contact. Le moindre objet souillé, que ce soit par une seule goutte, devait donc être manipulé avec un soin extrême avant son nettoyage. Comment ne pas reculer instinctivement devant les abondants fluides qu'une femme expulse en même temps que son enfant ?

Néanmoins, en l'espace de quelques semaines, le refuge se vide. Les accouchées s'empressent de déguerpir dès que leurs faibles jambes les portent ! Bientôt, il ne reste plus que deux filles publiques tombées dans la plus totale déchéance et qui ont eu à choisir, comme lieu d'accouchement, entre un fossé et le refuge. Selon cette sagesse populaire parfois infiniment plus sensée que celle des érudits, toutes les autres préfèrent fuir ce lieu où il est impossible d'éviter la promiscuité.

Accroupie dans la terre noire, Flavie est en train d'effectuer un dernier semis de concombres. Le rang s'étire sous ses yeux, interminable ; à intervalles réguliers, elle sème trois ou quatre graines en butte. Il fait très chaud, les mouches noires bourdonnent et l'odeur de fumier est pénétrante, mais Flavie n'en a cure, trop heureuse d'échapper à l'atmosphère étouffante qui règne à l'intérieur de Mansion House depuis le décès de John Miller, dix jours auparavant.

Le pire est cependant passé ; le chagrin collectif s'est atténué et chacun vaque à ses occupations dans une sorte de grisaille perpétuelle, mélange de gestes feutrés et de chuchotements. Non seulement les membres de l'Association ont perdu un compagnon qui leur était cher, mais ils luttent intérieurement pour donner une signification à cette disparition, qui contredit un aspect important du credo de leur fondateur, selon lequel la mort constitue une punition pour ses propres péchés ou ceux de l'Église... En théorie, si le royaume des cieux s'est installé à Oneida, la vie éternelle devrait leur être acquise ! Le croyant étant délivré de l'emprise du démon, du péché et des lois naturelles, seul le Christ a le pouvoir de décider s'il trépassera de manière coutumière ou s'il passera intact, en vie, dans le royaume des cieux.

Flavie se garde bien de se mêler à cette controverse, que Father Noyes finit par écarter en affirmant que Mr. Miller, qui a littéralement sacrifié sa vie à leur cause, a disparu comme un bon soldat et un martyr du Christ. Leur frère les attend dans l'autre monde, qui est en définitive une branche de leur Association, et si le Christ juge plus sage d'y envoyer certains convertis, c'est selon un dessein impénétrable, mais qu'il faut révérer... Après tout, leur ami est maintenant en compagnie du Créateur. Malgré leur perte personnelle, cela mérite chants et danses plutôt que pleurs et cris de désespoir !

Les membres les plus sages vont de l'un à l'autre, encourageant chacun à profiter des circonstances pour briser l'esprit malfaisant qui demeure encore en eux, celui qui concentre l'affection sur une seule personne plutôt que sur toutes. Chacun doit plonger en lui-même, seul, pour rejoindre Dieu ! Peu à peu, les affligés reprennent espoir, s'accrochant à ce qui a été gagné depuis la fondation, soit une liberté presque totale face aux drogues et aux vices du monde extérieur. Une période d'action de grâces s'ensuit, pendant laquelle on s'empresse de remercier Dieu et l'action vivifiante de son fils, ce qui suscite un regain de foi malgré l'ambiance lugubre.

John Noyes a dû tout laisser en plan, à Brooklyn, mais il se fait rare, occupé de l'aube au crépuscule à régler des questions pressantes concernant la bonne marche de la communauté. Mr. Miller avait réussi à garder l'entreprise à flot, tout en mettant l'emphase sur les principaux écueils financiers qui la minaient ; Father Noyes et ses aides doivent maintenant prendre les décisions qui s'imposent pour que, enfin, la survie soit assurée. Mais Flavie n'est pas inquiète outre mesure. Les femmes se communiquent entre elles, en chuchotant, les nouvelles les plus importantes au sujet de la suite des choses. Il semble que la fermeture de quelques communautés satellites, puis la concentration des activités ici, à Oneida, soient envisagées.

Pour Flavie, la mort de Miller est d'une rare éloquence, et il lui paraît impossible que le fondateur n'en soit pas frappé. En son for intérieur, il doit être en train de convenir qu'il n'est pas juste de sacrifier la vie d'un compagnon si précieux à ses idéaux, fussent-ils d'une importance vitale pour le salut collectif... Elle trouve regrettable que personne ne lui ait demandé son avis concernant l'état de santé de John Miller. Dans toute la communauté, Marguerite et elle étaient les mieux placées pour en juger !

D'accord, certains principes guident les actes des Onéidiens en ce domaine : pratiquer l'ascétisme, se purifier, manger sainement et, surtout, s'abîmer dans d'intenses conversations avec Dieu. Mais au-delà des principes, un examen soigné et objectif de la condition du malade est le premier geste à faire pour tout praticien qui se respecte ! Flavie a voulu faire part de sa préoccupation à quelques dames, de même qu'offrir ses compétences en la matière. On lui a opposé moues effarées et sourires incrédules... L'une a même riposté sans ménagement que ce serait outrepasser la position que Dieu lui-même a assignée aux êtres humains en général et aux femmes en particulier !

En ces temps difficiles, ce serait trop bête que l'Association se prive de son expérience ! Le choléra commence à faire des ravages dans plusieurs ports du pays, et elle en connaît quelque peu le processus. Au terme du rang de concombres, Flavie se redresse, exhalant un soupir de soulagement. Elle parcourt du regard la campagne luxuriante et les bâtiments qui la parsèment. Pourquoi laisser un germe mortel semer la désolation en ces lieux idylliques ? Pourquoi le laisser détruire cette belle harmonie, alors qu'on peut tenter de s'en prémunir ?

Mue par sa détermination, Flavie entreprend avec un entrain renouvelé sa dernière tâche harassante, soit arroser ses semis en puisant à la citerne d'eau de pluie. Dès que possible, elle s'entretiendra avec John Noyes. Comme pour se faire pardonner ce qui pourrait être interprété comme une hérésie, elle ressent le besoin de signifier encore plus concrètement son appartenance à la communauté, et elle demande à l'une de ses compagnes de lui couper enfin les cheveux. Si elle se soumet à l'opération la gorge serrée, son émoi se transforme rapidement en allégresse. Quel plaisir de se sentir si allégée, si rafraîchie ! Quel plaisir de passer ses mains dans de courtes mèches qui volent au vent !

C'est le lendemain, au déjeuner, que Flavie saute sur l'occasion : le fondateur est assis à table avec, comme seule compagnie, trois dames qu'elle connaît bien. Avant d'aller prendre place avec eux, elle inspire profondément pour calmer son cœur qui bat la chamade. Elle s'attire des œillades surprises, mais elle tâche d'en faire fi. Profitant du silence contraint qui s'est installé entre eux, elle fixe le fondateur en bredouillant à toute vitesse :

– Pardonnez mon intrusion, Father Noyes, mais je souhaite discuter avec vous d'un sujet préoccupant : le choléra. D'après moi, il faudrait convenir de quelques mesures sanitaires pour que l'Association soit totalement épargnée…

L'affirmation est péremptoire et Flavie en a des sueurs froides, mais elle a cru qu'il lui fallait mobiliser ainsi l'attention de son interlocuteur. Pari gagné : une expression à la fois agacée et intéressée sur le visage, le fondateur lui enjoint mollement de poursuivre. Elle prend soin de souligner son accord de principe avec Sylvester Graham et les penseurs de cet acabit, tout en ajoutant que, parfois, une action curative réfléchie fait le plus grand bien. Elle se targue de posséder un certain savoir en science médicale, alimenté par son compagnonnage avec son mari et d'abondantes lectures, dont elle souhaiterait faire bénéficier la communauté tout entière.

Sans reprendre son souffle, Flavie en vient aux conclusions auxquelles Bastien et elle en sont arrivés concernant ces épidémies tragiques. S'il est périlleux de donner un dénominateur commun au choléra, au typhus et même à la peste, vu l'extrême variabilité des symptômes, les observateurs attentifs sont néanmoins en mesure de tirer des enseignements de la grande marche des fléaux, et donc de proposer des moyens précis pour en restreindre la portée.

– L'opinion la plus sensée en cette matière, Father Noyes, et qui a cours depuis plusieurs années parmi la gent médicale, c'est celle-ci : le morbus n'est pas une émanation de gaz, mais un organisme vivant minuscule, d'une espèce encore non classifiée. Le mécanisme de transmission est clairement identifié : d'abord par contact avec une personne infectée et aussi, paraît-il, avec ses vêtements ou même tout objet usuel qui aurait été touché dans les jours précédents…

– Dans les jours précédents ? fait-il, avec un sursaut. Qu'est-ce que c'est que cette fantaisie ?

– Plusieurs Anglais éminents en sont convaincus, se hâte-t-elle de poursuivre. Je comprends votre scepticisme, Father Noyes… On peut reprocher bien des choses à la classe des médecins et des hommes de science en général. Ils appuient leur autorité sur un savoir qui repose souvent sur du vent ! Mais le choléra virulent a frappé à plusieurs reprises, et ils ont vu la maladie de près. Ce siècle leur sera reconnaissant de cet héritage : rassembler minutieusement des centaines de témoignages, pour en dégager les préceptes qui s'imposent. Pour se délivrer de la peur, Father Noyes ! Cette peur qui nous saisit tous devant l'inconnu, devant l'impondérable !

Un pesant silence accueille ces paroles. Déconcertée par l'intensité du regard que Noyes pose sur elle, et qui lui donne l'impression qu'il fouille dans le tréfonds même de son être, Flavie réussit malgré tout à ajouter :

– Mon mari et moi, nous avons lu plusieurs études au sujet du choléra endémique. Après de telles lectures, le doute n'est plus permis. On ne peut même pas accuser ces médecins de vouloir vendre leurs remèdes, comme cela se fait trop souvent : ils n'escomptent aucun gain personnel, sauf peut-être en siégeant à un bureau de santé !

– En ce domaine, belle dame, nous sommes obligés de vous accorder une confiance aveugle ! Votre mari était donc un homme si savant ?

Peu encline à jaser de lui, Flavie répond brièvement :

– L'érudition, monsieur, est la fille de la curiosité...

Noyes éclate d'un rire excessif.

– Très juste, et j'en sais quelque chose ! Il ne me déplairait pas de rencontrer un jour celui qui fut pour vous un si bon maître.

Irritée d'être assimilée à une élève docile alors que c'était souvent elle qui engageait les lectures et les discussions, Flavie ne peut s'empêcher de faire étalage de son intérêt pour la science médicale et de ses tentatives pour élargir son savoir. Énervée par le regard pénétrant du fondateur, elle s'échauffe et ajoute qu'un jour, quand elle sera parfaitement intégrée à la communauté, elle demandera au conseil des sages de soutenir son désir de fréquenter une faculté de médecine !

Un murmure d'effroi s'élève de la bonne douzaine d'auditeurs qui se sont rassemblés pour ouïr le débat. Les sourcils exagérément froncés, John Noyes se penche vers elle par-dessus la table. Il profère, détachant chaque syllabe :

– Je serais fort surpris, Miss Reenod, qu'une telle initiative corresponde aux desseins de Dieu. Il vous demande de vous dépouiller et de remettre entre ses mains omniscientes votre destin personnel, au moyen d'un dialogue constant avec lui. Si Dieu est l'amant le plus fidèle, il est aussi le médecin des âmes et des corps. Interrogez nos compagnons, Miss Reenod : tous, ils vous diront qu'une foi inébranlable a restauré puissamment leur santé défaillante. La vie éternelle est en train de bouter la maladie hors de ces murs !

Flavie en rougit jusqu'aux oreilles. Totalement déconfite et les idées en déroute, elle est incapable de réagir. Venant à son secours, une dame dit gravement :

– L'intervention de notre jeune amie me semble providentielle.

Étonnée, la jeune accoucheuse relève la tête pour considérer Charlotte, veuve de John Miller, mais également sœur du fondateur, qui ajoute encore :

– Ne sommes-nous pas en réflexion intense au sujet de l'avenir de l'Association ? N'est-ce pas un signe tangible qu'il nous faut nous replier ici, en toute sécurité, pour rassembler nos forces devant l'adversité ?

Elle intercepte le regard de Flavie.

– Si je comprends bien, vous suggérez de rappeler nos vendeurs itinérants et de nous priver de main-d'œuvre supplémentaire ?

– Si la communauté peut se le permettre, se hâte de répondre Flavie, je crois que ce serait le plus sage. D'accord, nous sommes loin des grands centres, mais les contacts s'accélèrent ! Il serait plausible que le choléra vienne jusqu'ici en sautant d'une personne à l'autre. La gare est proche qui nous relie à la métropole !

– La question mérite une sérieuse réflexion. Ce sont ceux de Brooklyn qui courent actuellement les plus sérieux risques…

– Depuis l'automne dernier, New York reçoit régulièrement des immigrants infectés, ajoute Flavie. Les grandes chaleurs s'installent. La suite est prévisible…

Un murmure d'approbation lui fait écho, mais Noyes se lève en faisant racler sa chaise. Il s'incline imperceptiblement devant Flavie, puis il s'éloigne à longues enjambées. Loin de se disperser, le petit groupe prend place autour de la table, sauf Stephen, dont elle n'avait pas remarqué la présence et qui s'éloigne à son tour. Mais elle n'a pas le temps de penser à lui puisqu'on l'interroge au sujet du choléra. Elle se fait une légitime fierté de répondre au meilleur de ses connaissances.

Une heure plus tard, l'assemblée se disperse enfin. Assoiffée d'avoir tant parlé, Flavie avale enfin une grande rasade de café refroidi. Est-ce d'avoir tant creusé le sujet ? C'est l'âme oppressée, grommelant contre ce foutu miasme, qu'elle se lève de table et qu'elle se met en quête d'une tâche à effectuer. En ce moment précis, les membres de sa famille sont-ils en train de lutter contre la maladie ? Le choléra rampe-t-il d'une rue des faubourgs à l'autre, comme un serpent invisible et monstrueux ?

Sa position d'experte procure à Flavie un nécessaire dérivatif à son anxiété face à ce qui se passe en Canada. Ni Marguerite ni elle n'ont eu la moindre nouvelle de leurs proches, et ce silence commence à être alarmant. De par sa position de soignante, Léonie est particulièrement exposée… Se reprochant amèrement de ne pas avoir davantage discuté de la nature de cette affection avec sa mère, Flavie prend soin de lui écrire une longue lettre de recommandations. Et Bastien ? Aura-t-il refusé de quitter la ville afin d'offrir ses services aux malades ? Malgré elle, chaque fois qu'elle y pense, Flavie est parcourue d'un puissant frisson d'angoisse.

Au sortir de la salle commune, elle tombe sur Stephen, qui l'attendait manifestement. Elle lève vers lui des yeux égarés. Le front barré d'une ride profonde, il lui jette un regard incisif, puis il déclare, d'une voix contenue :

– Je viens te donner un conseil amical, Flavie. Tu joues avec le feu. Nous sommes six, pour le moins, au courant de votre relation privilégiée, à Francis et toi. Qu'est-ce que tu t'imaginais ? Vos fréquentations *ne pouvaient pas* passer inaperçues.

Elle l'envisage avec surprise. Elle aimerait rétorquer que ses fréquentations ne le regardent pas, mais un tel argument n'a pas cours ici ! Malgré son sentiment de malaise, elle toise Stephen froidement, avant de répliquer enfin :

– Passer inaperçue, ça m'était plus ou moins égal. C'était pour lui. Je voulais qu'il profite de mon savoir pendant tout le temps nécessaire. C'est plaisant, être tutrice en choses de l'amour.

Il tique devant son ton narquois, puis il rétorque durement :

– Eh bien, j'espère que tu as profité de lui tout ton saoul, parce que tu peux d'ores et déjà lui dire adieu. Compte-toi chanceuse si tu évites une séance de remontrances. À l'accoutumée, les relations privilégiées doivent être approuvées en comité !

Oppressée par la hargne qui suinte de tous les pores de la peau de celui qui fut son amant, Flavie s'écrie :

– Cette discussion me dérange, Stephen Waters, et je te prie d'y mettre un terme sur-le-champ ! Je bavarde de ces choses avec mes amis, pas avec mes ennemis ! Parce que c'est ce que tu es devenu : mon ennemi ! Il s'est passé quelque chose que tu n'as même pas daigné m'expliquer et depuis, tu ne me supportes plus ! Alors, je ne vois pas ce que tu fais ici. Décanille !

Elle a jeté ce dernier ordre en français, mais son bras tendu ne laisse planer aucun doute. Le visage de Stephen se défait alors sous l'effet d'une puissante montée d'émotion et il vient emprisonner cette main qui indiquait le fond du corridor, pour la rabaisser vers le sol. Détournant le visage, il lutte un moment pour reprendre contenance. Enfin, il murmure:

– Pardonne-moi. J'ai été méchant… Je me croyais fort, Flavie, et brave, mais mon âme est encore assaillie par le doute. Lors de notre dernière rencontre, j'ai eu peur… de t'aimer trop.

Fronçant les sourcils, elle questionne:

– Trop? Tu veux dire… à l'exclusion des autres femmes?

– Je t'ai raconté à quel point j'ai ramé pour réussir à dominer ma virilité. Mais avec toi…

La dernière fois, il s'en est fallu de peu pour que leur étreinte ne redevienne un vulgaire coït, source d'une éventuelle grossesse… L'évocation de ce qui est pourtant, pour Flavie, un réel moment de passion, provoque un éclair d'appétit au creux de son ventre. Il y a si longtemps qu'en sa compagnie un homme ne s'est pas abandonné à sa fulgurante jouissance, son corps étroitement joint au sien!

– J'étais mortifié, Flavie, et aussi, à vrai dire, plutôt fâché contre toi qui m'entraînais sur cette pente…

Flavie fait un pas vers l'arrière en retirant sa main de celle de Stephen. La vive affection qu'elle avait pour lui s'est éteinte à jamais. Elle ne veut plus aucun commerce avec cet homme à l'esprit tortueux, qui joue au chat et à la souris avec elle! Elle veut des relations claires comme de l'eau de source, dans lesquelles il n'y a pas l'ombre d'un malentendu…

– Moi, je veux seulement… que les choses soient simples, tu comprends?

Il fait une grimace de dérision, puis fixe sur elle de grands yeux ardents:

– Ici, rien n'est simple. Elles le paraissent peut-être, de l'extérieur, mais quand on s'y plonge… Les exigences de

Father Noyes, elles me poussent dans mes plus intimes retranchements. Elles me forcent à me dépouiller de toute fierté personnelle. Elles me forcent à m'agenouiller devant le Créateur avec une âme d'enfant, une âme vierge, prête à être modelée selon sa volonté... C'est un immense travail sur soi.

– Je sais, murmure-t-elle. C'est l'ultime épreuve qui m'attend.

Toute chamboulée, elle avance sa main pour lui caresser délicatement la joue. Il s'en empare et presse brièvement sa paume contre ses lèvres, en fermant les paupières.

– Et devant une créature lumineuse comme toi, j'ai tendance à retomber dans mes vieilles habitudes. Celle de l'idolâtrie. Celle de l'exclusivité.

Après un silence, il libère la main de Flavie avant de poursuivre :

– Pour Father Noyes, l'union hétérogène, c'est relativement aisé. J'ai compris il y a longtemps que ce système, il l'a bâti à son image... Noyes se méfie des rapprochements affectifs. Il déteste embarquer dans une relation qu'il ne peut diriger à sa guise... surtout depuis la mort tragique de Mary Cragin, celle qu'il avait choisie pour régner à ses côtés. Alors, de butiner de fleur en fleur, sans en désirer une plus que l'autre, cela lui va comme un gant.

Flavie envisage son interlocuteur d'un air hagard. Son ton est d'une déroutante dureté, d'une sécheresse blessante ! Avec une moue désolée, il souffle :

– Mais je t'accable, pardonne-moi. Ce n'est vraiment pas le moment pour t'entretenir de toutes ces choses... Je voulais tout bonnement te faire savoir, Flavie, que j'aimerais te retrouver comme avant. Mon jeûne ne m'a pas délivré du besoin de toi...

Égarée, Flavie recule encore. Elle ne sait pas, elle ne sait plus... Lentement, elle secoue la tête, puis elle s'éloigne précipitamment de lui. Elle s'empresse de sortir à l'air frais, odorant après la pluie. Courant presque, elle remonte le cours de la rivière jusqu'à une crique qu'elle connaît bien. Elle retire promptement ses vêtements, puis elle se lance dans l'eau froide. Elle ressent soudain un tel besoin de solitude et de purification ! Comme elle tirerait agrément de s'installer dans la fameuse tente à suer des Sauvages pour se laisser emporter dans une transe hors du temps... Les caresses de Stephen et de Francis ont laissé sur son corps des traces de boue qu'elle a envie de récurer, des marques dont elle se sent souillée ! C'est toute seule qu'elle va demeurer à présent, pour rentrer en elle-même et y rester jusqu'à ce qu'elle trouve la lumière...

Le soir même, coïncidence frappante, Father Noyes déclare, devant la communauté rassemblée, qu'en matière amoureuse ceux qui ont parfaitement intégré les exigences de leur maître à penser sont bien peu nombreux. Plusieurs mâles ont encore bien des difficultés à offrir une totale liberté à leur épouse ! De plus, des couples quasi exclusifs se forment parmi les jeunes. Il annonce donc la décision du conseil des sages, soit d'imposer une période de jeûne conjugal d'une semaine, pendant laquelle tous les membres doivent s'abstenir d'un contact privilégié avec une personne convoitée. C'est la manière habituelle du fondateur de souligner un problème, dans ce cas-ci les affections particulières, et d'en faire prendre conscience à tous. Il a agi ainsi pour le tabac, le café, la viande, le beurre...

Chapitre XII

Léonie se sent comme dans une bulle hors du temps. Ni Simon ni elle ne sont trop inquiets ; rares sont les personnes touchées par le choléra dans cette partie du faubourg. D'après la rumeur et ce qui s'écrit dans les papiers-nouvelles, elle a l'impression que la désolation sera moins importante que prévu. De plus, presque tous ceux qui lui sont chers ont pris la poudre d'escampette. Même Flavie est en sûreté dans sa communauté utopiste…

Mais l'est-elle vraiment ? Léonie ne peut se défaire d'une inquiétude à son sujet. Elle s'effraie à l'idée que son impulsive fille aînée, alarmée par le danger que court sa famille, se précipite vers Montréal. Pour sa part, Léonie aurait bien de la misère à rester si éloignée de ses proches en cette époque troublée ! Mais c'est par lettre que Flavie vient enfin s'enquérir de leur état de santé. Un jour, Simon rapporte une missive, manifestement écrite en urgence, dans laquelle la jeune accoucheuse envoie aux orties son habituel ton protocolaire. Après une introduction au sujet des règles de prévention, elle s'emballe :

Mon très cher papa, je suis fièrement contente d'avoir reçu un mot de toi ! Ça me prouve que j'ai encore une petite place dans ton cœur, ce qui me fait un gros, gros velours. C'est vrai que je ne t'ai pas confié grand-chose au sujet de mes tourments. J'avais trop peur de recevoir rebuffades et moqueries de ta part… Ne proteste pas ! Est-ce que toi aussi, tu ne m'aurais pas seriné la même rengaine ? Ma fille, cesse de vouloir forcer le destin ! Contente-toi de ton beau mariage, de tes futurs beaux enfants et d'une modeste pratique. Endosse la vêture d'un comportement humble, comme il sied aux dames qui ont de la classe ! Et surtout, endosse la vêture d'une épouse conciliante. Parce que ton mari, de toute façon, il t'obligera à voir comme lui. C'est si déshonorant que d'avoir une épouse critiqueuse... La bourgeoisie, c'est le royaume des apparences. Et l'apparence la plus cruciale, c'est celle qui fait du mari le maître de la maisonnée, point à la ligne !

Simon interrompt sa lecture à voix haute pour jeter un œil interloqué à Léonie. Cette dernière réagit par une moue réjouie.

– Elle n'a rien perdu de sa verve ! Tu avoueras qu'elle a fichûment raison...

Il lui adresse un air mi-figue, mi-raisin, avant de reprendre :

L'été passé, j'étais « dans l'inquilibre », comme aurait dit mémère. Tu te souviens ? Elle marmonnait toujours cette expression quand elle hésitait entre deux choses ou qu'elle devait prendre une décision qui lui coûtait... C'était pareil pour moi. Et je crois que je le suis encore... Dès que je repense à tout ça, j'en ai des papillons dans l'estomac et la bouche toute sèche. Je voudrais venir me cacher dans tes bras, papa... me bercer avec toi, comme quand j'étais petite... C'est peut-être ce que j'aurais dû faire avant de me garrocher dans le train. Je t'aurais dit que Bastien, il n'était plus le même : il me faisait peur.

J'ai découvert une communauté fascinante, mais je commence à croire que les apparences sont trompeuses et que la liberté dont jouissent les femmes à Oneida est toute relative. Dans une moindre mesure qu'ailleurs, on cultive pour elles un idéal d'effacement. Elles sont principalement les compagnes des hommes, leur soutien et leur havre peut-être, mais toujours en relation subordonnée avec eux… On en fait des êtres respectés, mais sans grande envergure ! C'est donc dans l'ordre des choses ? Parce qu'elles portent les enfants, les femmes sont inférieures de constitution ? Elles sont vouées à une vie domestique ? Comment ça se fait que j'ai tant de misère à me rentrer ça dans la tête ?

J'aurais des tonnes de choses à vous dire, mais je dois abréger parce que la malle part bientôt. Pour plusieurs raisons, dont le choléra, je ne peux venir vous visiter pour l'instant. À ma suggestion, Father Noyes a fait transmettre l'ordre aux vendeurs itinérants de rentrer au bercail pour l'été. Ceux qui restent encore à Brooklyn ont la possibilité de se replier ici si le danger devient imminent. Enfin, il a évacué tout le personnel qui n'est pas indispensable à la bonne marche de l'entreprise. Oneida est devenue une communauté quasiment cloîtrée, vivant en autarcie. Loin d'être morose, l'atmosphère est plutôt gaie : tous sont ravis de se retrouver en famille et les corvées sont effectuées avec enthousiasme !

J'ai le statut de conseillère officielle de la communauté en matière de santé publique ! Quand des nouvelles préoccupantes nous parviennent du vaste monde, je suis appelée à les commenter du haut de ma science ! J'ai le bonheur de relayer des informations rassurantes : toutes proportions gardées, le choléra est beaucoup moins dévastateur que lors de l'épidémie de 1849. C'est pareil par chez vous ? Je réitère ma propre invitation. Il serait édifiant, pour vous, de constater les us et coutumes en vigueur ! C'est une promesse ? À la fin de l'été, dès que l'épidémie sera passée, je vous attends pour un court séjour.

Simon laisse retomber ses bras, et s'absorbe dans une intense songerie. Léonie tâche de la respecter le plus longtemps possible, mais à la fin, elle n'y tient plus :

– Flavie n'est pas en si triste équipage… À l'évidence, ni maltraitée ni retenue contre son gré !

Son mari acquiesce benoîtement, se risquant à ajouter :

– Quand on est homme, on oublie... que notre femme se place sous une autorité arbitraire. La nôtre. On exige d'elle ce qu'on serait bien incapable d'accepter pour soi-même...

Sur-le-champ, Léonie s'installe pour répondre à Flavie. À sa grande honte, il y a des mois qu'elle n'a pas pris la plume... Elle la met au fait de sa situation actuelle. Jeffrey, le fils de Sally Easton, a tant tarabusté sa mère qu'elle a fini par céder : elle s'est réfugiée chez une parente de la campagne. Heureusement pour Léonie, la solide Magdeleine sera fidèle à son poste dès son retour de vacances, à la fin du mois de juillet ! Marie-Zoé reste sur place, indifférente à son sort, et Françoise la seconde. Toutes les autres dames se sont envolées, même Marie-Claire qui a dû se résoudre à suivre sa fille Suzanne en villégiature. Léonie a entendu dire entre les branches que la jeune Mme Cibert est très agitée par les temps qui courent, et que la raison n'en est pas la menace du choléra.

Léonie cesse d'aligner les mots pour contempler un point indéfini sur le mur de la salle de classe, où elle s'est installée. Tout à coup, elle est emplie d'admiration pour le zèle tranquille et pour la bonne humeur communicative de celles qui président aux destinées du refuge, soit Marie-Claire et Françoise. Parfois, comme à l'instant même, elle est frappée par tout ce qu'elle leur doit. Sans leur esprit d'entreprise et leur persévérance, le refuge n'aurait même pas duré une saison ! Sans elles, Léonie n'aurait jamais vu son destin s'épanouir de si belle façon...

Non, il n'y avait pas que Marguerite et Flavie qui appuyaient ses ambitions de professionnaliser les accoucheuses. Il y avait Marie-Claire, mais surtout l'indomptable Françoise, qui possède l'âme la mieux trempée à mille lieues à la ronde ! Soudain, Léonie réussit à réparer le portrait de cette femme d'exception, jusque-là déchiré en deux dans son esprit. Son choix amoureux n'est ni une anomalie de la nature ni une dégoûtante perversion morale, mais une attitude conséquente à tout ce qu'elle prône et même tout ce qu'elle *est*, jusque dans ses forces vives ! Comment une femme si libre d'esprit, si exigeante pour autrui, pourrait-elle se contenter de peu ? Comment pourrait-elle accepter les compromis dégradants auxquels toute personne du « sexe faible » doit s'astreindre pour s'adapter à ce monde cruellement masculin ?

Réfugié sur la galerie pour prendre le frais, Simon entre brusquement dans la pièce, laissant la porte d'entrée grande ouverte derrière lui.

– Une visite pour toi, ma femme !

Avec un soupir, elle dépose sa plume et referme le couvercle de la bouteille d'encre. Sûrement une voisine qui doit avoir grand besoin d'un conseil médical ! Se levant, elle se remémore les conseils de prudence de Jacques Rousselle : toujours se laver les mains après chaque contact avec une personne examinée, même bien portante... Son attention est attirée par la progression de Simon à travers la pièce. Il se traîne les pieds, une main sur l'abdomen, et Léonie l'interpelle :

– Un malaise ?

– Mon déjeuner passe mal, grommelle-t-il. Je vais me bercer au ras du poêle.

Léonie oublie Simon dès que, une fois dehors, elle aperçoit sœur Marie-des-Saints-Anges, adossée aux montants de la balustrade, couverte de sa lourde robe de religieuse. Son ancienne élève repousse d'un grand geste toute tentative d'approche de Léonie et avec un faible sourire, la maîtresse sage-femme marmonne :

– On se reprendra plus tard pour les effusions, n'est-ce pas ?

En guise de préambule, Catherine s'excuse abondamment de cette visite impromptue. Son père était indisposé et elle a passé la journée en sa compagnie pour s'assurer qu'il ne s'agissait pas du funeste choléra, mais tout bonnement d'un innocent dérangement. En quittant son domicile, elle avait la ferme intention de retourner directement à la communauté, mais une force supérieure lui a fait traverser la ville entière jusqu'ici…

Toutes deux se sont installées sur des chaises berçantes, à bonne distance l'une de l'autre, et Catherine fait une pause en contemplant un cheval au poitrail puissant qui tire un attelage. Le temps est radieux ; la jeune novice, le visage empourpré, souffre visiblement de la chaleur. Une tenace odeur de sueur émane d'elle… Mais Léonie devine que sa mine pitoyable n'est pas due seulement à ce manque de confort. Sa respiration oppressée est si bruyante qu'il serait possible de soupçonner une affection des poumons.

D'un geste nerveux et irrépressible, elle passe son doigt entre la peau moite de son cou et la collerette qui l'enserre. Elle murmure qu'elle ne voit pas avec qui d'autre elle pourrait discuter de ce qui en est venu à la hanter ! Son angoisse est palpable, et même la pudeur extrême qui accompagne l'état de religieuse ne peut empêcher les mots de se bousculer dans sa bouche.

Elle avait de si nobles idéaux, avoue-t-elle soudain, en se joignant à cette communauté ! Elle croyait sincèrement que Dieu lui-même lui commandait ce sacrifice. Elle croyait qu'en portant la vertu de charité jusqu'à son paroxysme elle se purifierait, elle deviendrait un ange de bonté ! Forte de cette conviction, elle a discuté pendant des mois avec son père pour lui faire sinon partager, du moins admettre son exaltation ! Mais en réalité… Catherine s'effraie et se tait subitement, ses yeux humides grands ouverts et fixant un point indéfini.

– N'ayez aucune crainte avec moi, glisse Léonie. Je serai muette comme une tombe.

Ce détachement que Rosalie cultive concernant les besoins de sa propre personne, et qui est le modèle à suivre pour les postulantes, Catherine s'avoue incapable de l'atteindre. La déchirure initiale s'est produite quand elle a pris conscience du rôle de sœur de la Nativité dans l'histoire de la jeune communauté. Si elle en est la fondatrice, si elle a sué sang et eau pour mettre cette communauté charitable sur pied, il faut lui donner le premier rang ! Ce n'est pas parce que l'arrogante mère Sainte-Jeanne-de-Chantal a généreusement doté la communauté et qu'elle a une belle instruction qu'elle a le droit de régenter ses compagnes à outrance ! Elle semble même prendre plaisir à rabaisser l'humble Rosalie qui, persuadée que tout cela lui sera remis au ciel, se contente de tendre l'autre joue…

– Le seul ange de bonté qui pare notre communauté, c'est elle ! Ça me révolte de la voir maltraitée ainsi. Je sais qu'elle est comme insensible à la cruauté d'autrui. Elle est *ailleurs*, Rosalie, dans le monde des songes. Oh ! elle se dépense sans compter, mais je sens très bien que sa conversation avec le Créateur est la seule qui compte vraiment… N'empêche, Léonie, c'est d'une criante injustice et ça me démange de rétablir les faits !

Léonie prend bien garde d'interrompre sa vis-à-vis, dont les phrases coulent maintenant comme une rivière impétueuse au printemps. S'il n'y avait eu que cet abus irritant, poursuit Catherine, elle aurait pu passer outre. Mais l'attitude résignée de Rosalie a un deuxième effet pervers qui, celui-là, l'anime de sentiments vindicatifs. Il s'agit de la présence de ces grossiers personnages que sont les étudiants en médecine et leurs maîtres. Mois après mois, les jeunes religieuses comme les Madeleines, ces anciennes patientes demeurées sur place, doivent à leur corps défendant côtoyer ces mâles arrogants. Elles doivent supporter ce climat malsain, elles doivent faire commerce avec ceux par qui le malheur arrive !

Sœur Marie-des-Saints-Anges ne décolère pas, révoltée par cet état de fait, et soudain, emportée par l'ampleur de sa peine, elle se met à sangloter à coup de plaintes sourdes. Elle ne peut accepter l'indifférence de leur évêque dans toute cette affaire. Il est sourd aux plaintes, non pas celles de sœur de la Nativité qui est bien incapable d'accabler ainsi celui qu'elle vénère, mais celles d'un tas de personnes qui sont témoins de ces problèmes! Certains étudiants considèrent que les pénitentes sont des traînées, qui doivent être traitées comme telles. Ils les bourrassent de leurs mots et de leurs gestes, comme si elles n'avaient pas de sensibilité. Catherine a vu l'un d'entre eux, indifférent à ses admonestations, procéder à un examen interne si long que la patiente a manqué s'évanouir!

D'une voix brisée, elle bégaye, les poings serrés contre son giron:

– J'ai la rage au cœur, Léonie, j'ai l'âme en feu! Ça me ronge l'intérieur. Suivre les cours du Dr Trudel, accompagner les patientes, subir les grossièretés des clercs, et à travers tout cela…

La jeune novice se mord les lèvres, et Léonie termine à sa place:

– À travers tout cela, conserver une âme sans tache, une innocence angélique.

Catherine tourne vers son interlocutrice des yeux agrandis, presque fous, qui font tressaillir Léonie d'appréhension.

– Dans ce climat, oublier que nous sommes faites de chair et de sang!

Elle se lève d'un bond et fait quelques pas rapides sur la galerie, puis elle revient vers Léonie pour jeter, dans un murmure:

– Tout nous ramène à ce que nous devons fuir. Tout nous ramène aux rapports charnels… Je ne suis pas entrée en religion parce que j'avais la haine des hommes!

Et voilà le nœud du problème, songe Léonie avec amertume. Cette plongée dans un tourbillon sensoriel… Le portrait que la frêle religieuse dresse de la vie en communauté, à la fois édifiant et troublant, la confirme dans son opinion que l'état de religieuse est incompatible avec la nécessaire liberté de mouvements d'une accoucheuse.

– Le spectacle que j'ai journellement sous les yeux devrait pourtant me dégoûter, me détourner à tout jamais de la vie terrestre. Je veux dire, ce sont des femmes abusées, exploitées, vilipendées !

– Toutes ?

La lueur implacable dans le regard de Catherine vacille alors jusqu'à s'éteindre, pour la laisser comme transie, plongée dans la plus complète incertitude.

– Non, Léonie, pas toutes… Certaines ont réellement aimé…

Maudissant le miasme qui l'empêche d'approcher la jeune novice à sa guise, Léonie se lève et écarte les bras avec un pauvre sourire.

– Vous me connaissez, douce Catherine… Ne vous indignez pas si je vous conjure de ne pas vous laisser enterrer vivante. Cette vie n'est pas faite pour vous ! Les exigences de Rosalie sont inhumaines… Vous l'avez dit vous-même : Rosalie n'est déjà plus de ce monde !

Sœur Marie-des-Saints-Anges se frotte le haut de la poitrine comme si elle voulait déchirer son habit. Accablée par son tourment intérieur, elle murmure :

– J'ai tout essayé. Je me suis abîmée dans les saints exercices, même en travaillant. J'ai tenté de me recueillir, puis de m'élever au ciel pour me prosterner au pied du trône du Père éternel. J'ai laissé mon âme errer dans cette cour céleste, avec la Bienheureuse Vierge, avec les anges et les saints… Mais je n'ai pas pu accueillir la lumière. Je voudrais tant, Léonie ! Je voudrais me persuader que je suis sur la terre pour me sauver en servant Dieu ! Je voudrais arracher de mon cœur cette voix qui me nargue, qui me provoque, qui me détourne de la contemplation de ma fin dernière !

Emprisonnant son regard dans le sien, Léonie objecte avec intensité :

– Les dévots disent que cette voix, c'est celle du démon. Vous m'avez entendue, Catherine ? Mais je n'en crois pas une miette. C'est votre propre voix, Catherine, qui vous dit de prendre garde. Qui vous dit que le Créateur n'exige de ses créatures que ce qu'elles peuvent donner ! Vous m'entendez, Catherine ? Uniquement ce qu'elles peuvent donner !

Traversée d'un brusque accès de mauvaise humeur, elle grommelle :

– Non mais, je vous jure ! Les douleurs de l'enfantement, ce n'est pas déjà un réel don de soi ? Les maladies, la pauvreté, le travail incessant ? Notre croix, elle est déjà suffisamment lourde ! Le Créateur, il nous a donné quelques compensations pour nos souffrances. Il n'est pas encore né, celui qui va me faire avaler le contraire !

La jeune novice jette sur elle un regard éberlué.

– Vos phrases me font un tel bien ! bredouille-t-elle. Elles m'apaisent... Je n'en pouvais plus. J'écoutais sœur de la Nativité et j'avais envie de me frapper la tête sur les murs !

– Par la juifresse ! Ma petite, il était temps que vous preniez un grand bol d'air !

Son ancienne élève laisse son regard errer sur le paysage environnant, plongée dans le silence. Après un temps, elle murmure, avec une expression farouche :

– Retourner chez mon père la queue entre les jambes, après l'avoir tant tourmenté ? Ma fierté me l'interdit !

– Une fierté fort mal placée ! riposte Léonie sans ménagement, comme avec une élève indisciplinée. Faites-moi grâce, Catherine, de ces scrupules ridicules. Ne vous plongez pas dans une existence de malheur pour si peu ! Je connais à peine votre père, mais j'ai pris depuis longtemps la mesure de sa largeur d'esprit !

La jeune novice se dégonfle à vue d'œil. Misérable, l'âme écartelée, elle reste coite, tandis que Léonie dit plus gentiment :

– Nul ne peut en vouloir à une demoiselle d'hésiter avant de faire un choix de vie définitif. Au contraire, c'est tout à votre honneur que de creuser la question !

– Il me plaisait tant de contribuer au succès de cette œuvre si nécessaire. Je me disais : je peux les guider dans l'apprentissage du métier, avec tout ce que j'ai appris à l'École de sages-femmes. Je me disais : aucune d'entre elles n'est à même de rédiger les chroniques de la communauté, mais moi, sitôt que j'aurai prononcé mes vœux définitifs, je le ferai !

– Vous trouverez d'aussi nobles défis ailleurs... Qui sait, dans une autre communauté ?

Ce disant, Léonie n'a pu retenir une moue d'aversion, et sœur Marie-des-Saints-Anges éclate d'un rire frais, libérateur. Les yeux brillants, elle s'exclame :

– On dirait que tout le fiel est en train de s'écouler hors de moi ! Je n'en dormais plus, Léonie. Je n'en mangeais plus ! Ce qui faisait bien l'affaire des autres, d'ailleurs... Les pauvres... Si peu à manger, et pourtant se priver pour le bien-être des pénitentes...

Mues par une force souveraine, ses mains amorcent un mouvement vers la coiffe qui lui enserre étroitement le visage. Ce geste est interrompu à mi-chemin lorsqu'elle se met à supplier :

– Vous viendrez chez mon père avec moi, Léonie ? Je vous en prie ! Vous, vous saurez parfaitement lui expliquer les tenants et les aboutissants de toute l'affaire...

Léonie ne peut retenir un bref éclat de rire.

– On croirait que vous m'engagez comme avocat ! D'accord, je prendrai soin de défendre votre cause... Quand vous serez prête, vous me ferez signe.

L'expression déterminée et concentrée tout à la fois, Catherine se met à tripoter sa coiffe. À la stupéfaction de Léonie, elle se l'arrache quasiment de la tête. Les yeux fermés, elle jouit de sa libération tandis que Léonie, médusée, contemple les blonds cheveux coupés aux épaules et tirés en arrière. Sans ouvrir les paupières, elle ôte lentement les pinces qui les plaquaient sur son crâne et elle y passe la main pour les ébouriffer. Son visage aigu acquiert ainsi une singulière beauté, comme si ses joues creuses devenaient miraculeusement plus charnues et que ses cernes s'estompaient... Elle ouvre les yeux et gratifie Léonie d'un sourire lumineux en s'écriant :

– Une autre communauté ? J'ai maintenant trop de répugnance pour l'odeur de sainteté...

– Vous êtes forte ! s'exclame Léonie. Vous arrivez ici comme un oisillon perdu et vous repartez comme une pouliche fringante !

– C'était comme un ouragan entre ma tête et mon cœur, explique-t-elle brusquement, la mine assombrie. Pour ne pas me laisser emporter, je me raccrochais aux souvenirs que j'avais de vous. Étrange, n'est-ce pas ? Je vous voyais en train d'enseigner... de jaser... de rire... et vous étiez comme la corde qui me retenait à la terre ferme.

Léonie la gratifie d'un sourire ému, auquel elle répond de même. Après un temps, elle inspire à fond avant de s'ébrouer.

– Ma dot, je leur en fais don. Papa ne m'en voudra pas... Mon bois de lit et mon matelas aussi, de même que les couvre-pieds, les serviettes et les draps... le traversin aussi et la catalogne à plancher... le bénitier de faïence... Mon mantelet, par contre, je le garde. Le coffre de bois aussi, il me vient de ma mère.

Elle lisse ses cheveux pour, malgré ce qu'il lui en coûte, replacer la coiffe sur sa tête. Une religieuse à la tête nue s'attirerait une attention déplacée ! Elle s'extasie encore :

– Je pourrai me lever aussi tard que je voudrai. Oh ! Léonie, à l'idée de retrouver ma chambrette, je crois que je vais m'évanouir de joie ! Me lever à quatre heures et demie du matin, c'était bien pire que de me priver de souper !

– Par la juifresse ! Et le coucher était quand ?

– À la neuf. Ça, c'était quand on pouvait dormir…

Soudain, elle s'immobilise et un air préoccupé remplace son expression ravie.

– J'allais oublier ! Je suis venue vous avertir. J'ai surpris un entretien entre le Dr Trudel et notre évêque. Le docteur ne supporte plus la concurrence que lui fait son confrère Rousselle. Monseigneur est de connivence avec lui. Il a des mots très durs envers la Société compatissante.

D'abord désarçonnée par ce retournement dans la conversation, Léonie finit par retrouver ses esprits pour répliquer avec nonchalance :

– Si vous saviez, ma pauvre ! Ce n'est guère un secret…

– Ce qui était surprenant, c'était l'attitude du docteur. Lui qui est le calme même… Vous le connaissez ?

– De vue seulement. Je ne lui ai jamais causé.

– Il semblait hors de lui. Il accablait le Dr Rousselle…

– Cette guerre de maternités est ridicule, bougonne Léonie. Cette guerre de médecins, plutôt ! Une guéguerre de pouvoir, oui…

Catherine hoche la tête et se lève.

– Sur ce, je vous quitte. D'après vous, est-ce que je devrais reprendre mes trois plats en fer-blanc ? Mes six grandes cuillères ? Non, vraiment : on a tout ce qu'il faut chez nous. Tandis que la douzaine d'assiettes de faïence, je crois que c'est un trésor de famille, même si elles sont diablement ébréchées. Le chaudron de fer, je ne saurais qu'en faire…

La litanie de Catherine cesse abruptement et ses yeux s'écarquillent. Un bruit étrange fait se retourner Léonie d'un seul mouvement vers la porte d'entrée. Accroché de ses deux mains au chambranle, Simon a le visage blême et les tempes couvertes de sueur. Il pose sur Léonie un œil hagard et balbutie :

– Ça ne va pas. Je crève de chaud…

– De chaud ? Qu'est-ce que tu me chantes là ?

Sans rien ajouter, il retourne à l'intérieur de la maison. Après avoir échangé un regard surpris avec Catherine, Léonie lui emboîte le pas. Elle découvre Simon dans la cuisine, affalé dans la berçante, la tête renversée contre le dossier. Sa chemise est déjà mouillée à plusieurs endroits et sa peau a pris une teinte rougeaude, presque brune. Léonie pose la main sur son front et tressaille : il est glacé ! Il lève un regard anxieux vers elle, en murmurant :

– Le feu… le feu me retourne les entrailles. J'ai des crampes terribles…

Accablée par un terrible pressentiment, Léonie tente frénétiquement de se remettre en mémoire la description qu'a donnée Jacques Rousselle de l'attaque de choléra. Il ne lui faut même pas une minute pour se convaincre que le cas de Simon correspond aux symptômes initiaux du mal, et un éclair d'effroi la paralyse. L'expression « choléra-morbus » se répercute dans son cerveau comme le son d'un clairon qui encourage l'assaut désespéré de soldats montant au front pour une bataille perdue d'avance !

Ramenée à la réalité par le bruit de la respiration effrayée de Catherine qui l'a suivie, Léonie pivote brusquement vers elle et lui intime, d'une voix blanche :

– Reculez-vous ! Au moins jusqu'à la classe !

La jeune novice obéit et se place dans le chambranle. Léonie marmonne :

– Quelques verges, selon Rousselle, quelques verges suffisent pour annuler les risques de contagion…

– Vous aurez besoin de moi, laisse tomber Catherine. J'attends.

Léonie se précipite vers un plat en étain posé sur une étagère et se dépêche de le déposer sur les genoux de Simon. En même temps, elle lance par-dessus son épaule :

– J'ai besoin d'eau, de beaucoup d'eau. Les seaux sont dans l'appentis... Et du bois, aussi...

Catherine disparaît. Quatre à quatre, Léonie grimpe à l'étage et redescend chargée de deux pots de chambre. Alors se manifeste le plus terrible symptôme, qui lui révulse les entrailles presque autant que si elle-même était victime de ce funeste dérangement : Simon se met à vomir dans le plat. Léonie s'agenouille devant lui pour, les bras tendus, soutenir son torse. Elle prend à peine le temps de constater que le repas de Simon, pourtant avalé plusieurs heures plus tôt, ressort quasiment intact : elle saute sur ses pieds pour quérir une vieille couverture, qu'elle étend au sol, à proximité du poêle.

Hagard, Simon obéit à son ordre : il se laisse tomber à genoux sur la couche improvisée, puis s'allonge sur le dos. Léonie dit, avec un pâle sourire :

– Reste parfaitement immobile. Rousselle a été formel : la quiétude la plus totale est nécessaire.

Il grommelle en haletant :

– Enlève-moi ça. C'est insupportable...

Ses doigts tripotent les boutons de sa chemise, et Léonie les repousse, pour faire béer son col le plus possible. Il se tourne ensuite vers le plat, posé à côté de lui, et vomit encore. Léonie lui offre de se rincer la bouche, puis elle le persuade de relever légèrement les hanches du sol pour qu'elle puisse le débarrasser de son pantalon et de son caleçon court. Elle balbutie :

– La diarrhée s'en vient.

Il lui jette un œil égaré, puis il marmonne, son timbre de voix changé d'une manière qu'elle ne peut définir :

– Le morbus ?

Elle bat des cils. Après une moue de vive contrariété, Simon s'exclame :

– Écarte-toi ! Ne me touche pas !

Elle jette à toute vitesse :

– Je sais quoi faire. Me laver les mains à répétition. Ne pas les porter à ma bouche. Brûler ton linge.

Il fait une grimace tourmentée, souverainement incrédule. Elle songe que les pots de chambre seront complètement inutiles et qu'il lui faut se munir d'une ample provision de guenilles pour éponger ce qui s'en vient… La porte qui donne sur la cour arrière s'ouvre à la volée, et Catherine entre, un seau au bout de chaque bras. Elle veut s'approcher, mais Léonie lui fait signe de les déposer là où elle se trouve. Elle obéit, puis ressort en catastrophe.

Pendant les minutes qui suivent, Léonie se livre à une activité frénétique : quérir des langes, verser de l'eau dans une grande marmite, rallumer le feu éteint depuis la veille au soir… Elle tente de faire la sourde oreille aux plaintes de Simon, en proie à de douloureuses crampes. Dès que Catherine remet le pied dans la cuisine, chargée d'une brassée de bûches, elle lui demande de courir immédiatement alerter le Dr Rousselle, soit à son domicile, soit à l'École de médecine.

– Et si je ne peux mettre le grappin dessus ? Dois-je en quérir un autre ?

Un autre ? Des visages défilent dans le cerveau surchauffé de Léonie jusqu'à ce qu'elle en accroche un au passage. Étienne L'Heureux ! L'hydrothérapie semble particulièrement appropriée à l'attaque cholérique. Elle se serait résignée à faire appel à Bastien si aucun autre candidat n'était aussi valable, mais pourquoi pas Étienne ? Catherine prend son envol et Léonie se retrouve seule avec son mari. Deux victimes sur trois, se souvient-elle, en réchappent. Simon est vigoureux, n'a-t-il pas toutes les chances de s'en tirer ?

Il murmure qu'il a soif, et Léonie lui offre un broc d'eau, qu'il boit goulûment. Mais le récipient est rapidement écarté parce que, après un gémissement d'alerte, Simon ne peut empêcher une violente diarrhée de s'échapper hors de lui, accompagnée d'un râle de souffrance. Léonie entend jaillir une telle quantité de matières fécales qu'elle en tremble de consternation, mais toute son attention est requise par le nettoyage qui s'ensuit. Elle transporte les langes souillés dehors et les laisse tomber dans un troisième seau que Catherine a déposé près de la porte.

Peu après, Simon vomit de nouveau, mais cette fois-ci, un fluide aqueux d'un gris blanchâtre, comme un gruau très clair, sans odeur. Pendant la période qui suit, c'est la principale occupation de son pauvre mari : expulser de son corps une quantité de liquide qu'elle n'aurait jamais crue possible. Patiemment, elle le soutient et le nettoie, prenant soin, à chaque fois, de se laver les mains et les avant-bras au savon fort.

La brutalité de l'attaque terrifie Léonie. Ce ne sont pas tant la diarrhée et les vomissements qui l'épouvantent, puisqu'ils sont considérés par la plupart comme d'un caractère bénin : l'organisme lutte pour se débarrasser de son assaillant. Ce ne sont pas tant, non plus, les gémissements de Simon devenus presque continuels qui l'effraient ; elle sait que les spasmes intestinaux causent de vives douleurs. Le pire, ce sont les changements physiques qui progressent à vue d'œil et qui sont la preuve éclatante d'un choléra virulent.

Les lamentations croissantes de Simon, qui se plaint de crampes aux extrémités, sont maintenant chuchotées d'une voix enrouée, presque sépulcrale, qui semble à Léonie venir d'outre-tombe. Ses doigts crispés au-dessus de ses entrailles semblent avoir diminué notablement d'épaisseur, et la peau est ratatinée. Les liquides expulsés sont froids, comme s'ils provenaient d'un mort-vivant… De toutes ses forces, Léonie lutte contre la panique qui veut l'emporter. Elle rumine les explications de Rousselle : « Il a été constaté que la température interne du patient chute de manière considérable. Est-ce à cause du ralentissement et même de l'arrêt complet de la circulation sanguine ? Les esprits sont divisés à ce sujet. »

La température corporelle chute bien en dessous de la température ambiante, ce que ne fait jamais un cadavre ! Léonie s'accroche à cette bouée pour se convaincre que Simon n'est pas littéralement en train d'expirer sous ses yeux... Sa demande à boire s'est transformée en litanie.

– De l'eau, ma femme, s'il te plaît, de l'eau ! Je meurs de soif, je t'en prie...

Il semble à Léonie que le besoin de son mari est si pressant qu'elle ne pourra jamais lui en fournir assez... Simon devient de plus en plus agité, remuant constamment sur son lit de fortune sans raison apparente, et Léonie se ronge les sangs tout en essayant de le maintenir en place, de le convaincre de reposer sans bouger. Une heure ne s'est-elle pas écoulée depuis le départ de Catherine ? Mentalement, elle fait claquer un fouet dans les airs pour l'inciter à accélérer la cadence...

Elle cherche le pouls de Simon, qu'elle est incapable de percevoir au poignet. Nul besoin de pousser l'investigation : elle devine que le cœur bat encore régulièrement, mais faiblement, et que la circulation du sang se concentre dans les organes vitaux. La sueur abondante qui mouillait son corps a séché. La terrible, l'horrifiante évidence l'inonde. Simon risque de trépasser à brève échéance si rien n'est tenté, si son organisme assoiffé continue à refuser l'eau qu'il ingurgite pourtant sans relâche...

Il soutient avoir envie d'uriner, mais rien ne sort. Cinq minutes plus tard, il se plaint encore d'un pressant besoin, mais de nouveau en vain, et Léonie lui intime d'une voix tremblante de ne plus s'en faire à ce sujet. Pour meubler l'éprouvante attente, elle raconte à voix haute que le désir d'uriner se manifeste constamment chez les patients mâles et qu'il faut quasi certainement en attribuer la cause à une compression de la vessie par les muscles abdominaux violemment contractés.

– Comme la morphologie de cet organe est différente chez les deux sexes, cela expliquerait pourquoi seuls les hommes ressentent cet effet…

Fascinée et repoussée tout à la fois, Léonie se tait pour fixer le visage de Simon. Ses globes oculaires semblent s'être enfoncés plus profondément dans leurs orbites, soulignées par des cernes livides qui tranchent avec la coloration bronzée, presque bleutée, de sa peau. L'expression « une peur bleue » se répercute à l'infini dans le cerveau enfiévré de Léonie. L'humour noir est l'arme du désespoir et bien des gens, en 1832, s'en sont servis pour ne pas périr d'effroi…

– Léonie ?

– Venez ! crie-t-elle de toute la force de ses poumons. Nous sommes ici !

Sa valise à la main, Jacques Rousselle entre à vive allure dans la pièce. Il est échevelé et débraillé, mais, au grand soulagement de Léonie, il a l'œil clair et le teint relativement frais. Il jette :

– Ma mère m'a envoyé un messager.

Vénérande ? Elle est demeurée en ville ? Léonie sent une sueur froide lui couvrir la nuque. Catherine a abandonné le sort de Simon entre les mains de cette harpie ? Laissant tomber bruyamment sa valise, le jeune médecin s'empresse auprès de Simon, tout en obligeant Léonie à lui décrire le cours de la maladie. Le récit décousu terminé, il palpe minutieusement Simon. Ayant soulevé la chemise, il reste ébahi et murmure, comme pour lui-même :

– L'estomac… Je ne l'ai jamais vu si rentré… Voyez, Léonie, à quel point les muscles abdominaux font saillie entre les tendons. Le ventre tout entier est comme aspiré vers l'intérieur. Incroyable ! Et les yeux... Même la plus vive douleur ne lui ferait pas verser une seule larme.

– Un peu d'eau, docteur, s'il vous plaît.

Rousselle fait signe à Léonie d'acquiescer à cette demande, et Simon se soulève sur ses coudes tandis qu'elle fait couler de l'eau dans sa bouche. Il se recouche... pour se contorsionner aussitôt afin de vomir dans le plat. Agenouillé, le jeune médecin suit le malade du regard, avant de dire posément, à mi-voix :

– Ma foi, une attaque sévère. D'après votre récit... Le moment propice du traitement est tout proche.

– Tout proche ? s'écrie Léonie. Par la juifresse, docteur ! Il faut le lui administrer sur-le-champ !

– C'est une arme à double tranchant, Léonie. Judicieusement administré, ce médicament peut faire des merveilles. Mais employé à tort et à travers, il peut entraîner le trépas. C'est une substance naturelle vieille comme le monde, mais dont la plupart de mes pairs ignorent les pouvoirs mystérieux.

– Laquelle ?

– De l'opium pur. Un grain. C'est tout juste assez pour calmer l'irritabilité de l'estomac.

Léonie envisage le praticien avec désarroi.

– Mais si j'avais su... j'aurais pu en conserver ici, dans ma pharmacie !

– L'opium agit d'une manière abstruse qui en confond plusieurs...

Elle riposte, tranchante :

– Alors que *vous* possédez la lumière ?

– Disons que j'ai croisé quelques praticiens qui m'ont transmis leur science. Écoutez-moi, Léonie. Contrairement aux apparences, votre mari ne s'en tire pas trop mal. J'ai eu vent de morts foudroyantes, en dix ou quinze minutes.

Pourquoi ? Parce que ces personnes n'ont pas entrepris l'indispensable processus d'évacuation. Le choléra provoque une réaction brutale de purge de l'organisme, et votre mari a assez de forces vitales pour y obéir. Mon rôle à moi est de déterminer le moment le plus propice, c'est-à-dire lorsque la purge devient dangereuse pour la survie, pour administrer un calmant.

Effarée, Léonie scrute son interlocuteur du regard. Son flegme est-il réel ou découle-t-il d'une seconde nature, celle qui se développe chez tout praticien désireux d'impressionner favorablement sa clientèle ? Quoi qu'il en soit, cet exposé l'apaise légèrement. Simon n'est donc pas aussi mal en point qu'il y paraît... De fait, malgré ses geignements presque ininterrompus, il semble avoir conservé toutes ses facultés intellectuelles : son regard clair et perçant suit leurs moindres gestes, comme il semble comprendre leurs propos.

C'est pour l'édification du malade que Rousselle, pendant que Léonie vaque à des tâches urgentes de nettoyage, se met à narrer d'un ton plaisant les cas incroyables de morts subites dues au choléra. Officiers à cheval ou fantassins en marche forcée, jeunes filles assises en train de broder ou conducteurs de charrette, tous semblaient abattus comme un arbre sous les coups de hache...

Tandis que Léonie rince les langes dans un seau d'eau, des bruits résonnent dans l'entrée. Catherine fait irruption dans la pièce, puis s'arrête brusquement, et enfin s'écarte pour laisser passer Bastien Renaud, vêtu à la diable d'un pantalon et d'une chemise entrouverte. Le jeune médecin au teint blême tombe en arrêt devant le spectacle de Simon allongé demandant à boire. Il laisse ensuite son regard dériver jusqu'à Léonie, et il bafouille d'une voix blanche, une expression de supplication sur les traits :

– Quand j'ai finalement compris ce que Catherine nous annonçait... à l'idée que Simon était en danger... je me suis affolé. Vous permettez que je reste, Léonie ?

– À la clinique, on nous renvoyait chez un certain M. Philippe Coallier, précise Catherine. Le D[r] L'Heureux *et* le Dr Renaud s'y trouvaient.

Très émue, Léonie fait un léger signe d'assentiment, et Bastien la gratifie d'un sourire empreint de soulagement. Enfin, les deux praticiens s'affrontent d'un regard neutre, puis Bastien s'approche, ses yeux fixés sur le malade. Il s'enquiert, dominant son tourment par un effort visible :

– Votre pronostic, monsieur Rousselle ?

– J'attends que les évacuations aient à peu près cessé pour administrer le remède.

– Lequel ?

Son interlocuteur émet un rire bref.

– N'ayez crainte. Ni émétique, ni purgatif, si astringent… De l'opium.

– Sous quelle forme ?

– Tel que la nature l'a élaboré.

Manifestement surpris, Bastien lance un regard acéré à son confrère, qui fait une moue narquoise en ajoutant :

– Je connais votre antipathie pour les médicaments, monsieur Renaud. Dans bien des cas, je la partage. Les pharmaciens ont le don de tripoter inutilement des substances pourtant parfaites. Et pourquoi ? Pour céder à la mode de la nouveauté. Pour séduire les esprits faibles…

Son gendre a alors un geste qui fait monter des larmes aux yeux de Léonie : il s'accroupit et place fraternellement sa main sur l'épaule de Simon. Déconcerté, ce dernier en oublie de manifester son malaise, et un silence bienfaisant s'installe dans la pièce. Un bruit discret à l'entrée de la pièce fait enfin réagir Bastien, qui se retourne à moitié pour envisager Catherine, plantée là, raide comme une statue. Il s'exclame, navré :

– Ma pauvre demoiselle ! Je vous avais oubliée… Philippe est encore là, j'espère ?

– Il attend dehors.

– Demandez-lui de vous reconduire.

Il porte son regard vers Léonie et s'enquiert :

– Si je reste à vos côtés, Léonie, j'imagine que vous n'avez plus besoin d'elle ?

Elle abonde en son sens :

– Vous m'avez été d'un précieux secours, Catherine, mais je suis bien entourée maintenant…

– Dites à Philippe que je reste ici, conclut le nouvel arrivant. Il peut retourner ensuite à son logis. Et remerciez-le de ma part.

La jeune novice part sans bruit. Léonie s'occupe de Simon assoiffé, et leur gendre se relève pour, sans un mot, voir à l'éclairage de la pièce en train de s'assombrir. Il se charge ensuite du réapprovisionnement en eau, ce qui réconforte Léonie au plus haut point. Lorsque les langes sous Simon s'imbibent une nouvelle fois, il lui propose de nettoyer le malade à sa place. C'est une offre trop généreuse pour qu'elle l'accepte sans protester, mais il fait fi de ses objections et s'active auprès de son beau-père avec un naturel parfait. Elle peut concevoir la blessure à l'orgueil de Simon, mais l'aide de Bastien la soulage tant qu'elle se contente de s'asseoir, drainée de son énergie, à leurs côtés.

Sans doute pour distraire l'attention de son beau-père, Bastien discutaille avec son collègue, assis à table à quelques pas.

– D'accord, les maladies infectieuses échappent à toute nosologie. Toutefois… J'ai fini par me faire du choléra l'opinion suivante : lorsque la phase algique est bien amorcée, comme il semble ici, il est inutile de vouloir influer sur la suite des événements. La phase de réaction s'établit, ou pas, sans que les traitements aient une quelconque influence sur elle. Au contraire, à lire les témoignages de quelques confrères, j'ai eu la nette impression que leur arsenal thérapeutique contrecarre une issue heureuse…

– On pourrait parfois le penser, répond Rousselle avec prudence. Mais dans le cas qui nous concerne, je suis convaincu que la guérison ne peut être confiée aux forces seules du malade. Les symptômes sont trop affirmés au chapitre de la circulation sanguine, des crampes et de l'aspect général du patient.

– J'ai moins d'expérience que vous en ce domaine, mais votre hypothèse se défend aisément.

Simon pousse un profond soupir, suivi d'un grognement presque inaudible, et son gendre fronce les sourcils.

– Bistouri à ressort ! J'ai reçu un souffle si frais...

Il se penche et place sa joue devant la bouche de Simon. Rousselle déclare avec gravité :

– Prenez garde, collègue. Chacun sait que le miasme est transporté de l'un à l'autre par l'air ambiant...

– L'air n'a pas été réchauffé par son passage dans les poumons. Comment expliquer ce phénomène ?

– Il a été prouvé que les composantes chimiques de l'air n'étaient pas altérées dans l'organisme d'un cholérique. Les poumons n'en retirent aucune parcelle d'oxygène ni ne lui transfèrent de l'acide carbonique.

Les deux hommes échangent un long regard. Si celui de Rousselle est à peine spéculatif, celui de Bastien est proprement effaré, presque émerveillé... Enfin, le premier juge que le moment est venu : il dissout l'opium dans un fond de cordial, avant de faire boire Simon. Pour diminuer l'anxiété de l'attente, les deux hommes de l'art se lancent dans une discussion à mi-voix au sujet des abus de certains de leurs confrères qui, armés de leurs cahiers de symptômes et de traitements correspondants, se lancent à l'attaque de la moindre affection, feignant de ne pas se laisser ébranler par le choc entre les dogmes et la réalité.

Le choléra n'est-il pas une maladie ? Le patient vomit : un carminatif est prescrit. Le patient a de la diarrhée ? C'est un astringent dont il a besoin! Puisque le cœur bat faiblement, pourquoi ne pas y ajouter des stimulants, et pour combattre le froid, des applications de chaleur? Enfin, selon la théorie qui dit que deux maladies ne peuvent exister simultanément, le calomel est idéal pour provoquer une réaction excitante!

– Ce qui m'horripile le plus chez les médecins, grommelle Léonie pendant une pause dans la conversation, c'est leur faculté d'argumentation. Cet art de la rhétorique leur permet de venir à bout de toutes les contradictions!

Même Simon rigole, ce qui nourrit la bonne humeur ambiante. Contrairement aux apparences, les deux jeunes praticiens ont leur attention fixée sur le malade qui, à leur soulagement, n'a pas régurgité le médicament. Rousselle fait boire à Simon une petite quantité d'une boisson sucrée additionnée d'acide tartrique, qu'il a fait préparer par Bastien. Une demi-heure plus tard, Léonie doit se rendre à l'évidence: son cher mari semble tiré d'affaire. Il repose calmement tout en s'hydratant consciencieusement, et son état général s'est amélioré du côté de la circulation sanguine et du pouls. Ses crampes se sont amenuisées au point qu'il les supporte sans desserrer les lèvres!

Tout en s'activant dans la pièce, Bastien sifflote tandis que Rousselle, notablement plus détendu, a repris place sur une chaise. Périodiquement, il jette néanmoins à Simon un regard scrutateur. Enfin, Bastien offre à son collègue de prendre la relève. Hésitant, ce dernier envisage Léonie.

– Qu'en pensez-vous? Pour tout vous dire, je présidais à une délivrance...

– Par la juifresse! s'exclame Léonie. Je vous donne votre congé! Je suis sûre que Bastien saura quoi faire.

– L'important, c'est que monsieur repose le plus tranquillement possible, et qu'il boive un peu à la fois. Si vous croyez nécessaire de vider les intestins d'un restant de matière diarrhéique, utilisez l'huile de ricin ou la teinture de rhubarbe. D'ici une heure ou deux, vous pourrez l'installer à l'étage en prenant soin d'éviter les secousses.

Il se dresse sur ses jambes et rassemble quelques affaires éparses, tout en ajoutant :

– La période de réaction me semble bien installée, mais des complications sont à prévoir. Le froid peut revenir, la respiration rester précipitée et la diarrhée s'accroître, et plusieurs malades tombent dans un état comateux. Parfois encore, la réaction est si puissante qu'une cardialgie se déclare, avec délire ou congestion cérébrale en prime !

Après une grimace contrite, il conclut :

– La constitution de monsieur ne me semble guère propice à ces difficultés.

Après leur avoir laissé l'adresse du logis où il prévoit passer la nuit, après avoir repoussé les remerciements de Léonie d'un vague geste de la main, Jacques Rousselle s'enfuit. Sans regarder son gendre, elle l'interpelle doucement :

– D'après vous… l'opium a été l'élément décisif ?

– Je croirais. Ce Rousselle est un médecin avisé… Je ne suis pas fâché de l'avoir vu à l'œuvre et de pouvoir constater par moi-même que sa réputation n'est pas surfaite.

Le jeune homme vient s'asseoir à califourchon sur une chaise et, l'expression narquoise, il poursuit :

– Ça compense pour quelques vices de caractère ! Pour être franc… j'ai le pressentiment que ma méthode n'aurait pas réussi à sauver Simon. Je vous assure qu'il n'était pas loin de l'état catatonique ! Quoique… Quand on stimule les forces vives du malade, les résultats sont parfois confondants. Voilà un cas, Léonie, où il m'est impossible de trancher. Il aurait fallu que Simon ait un jumeau aussi malade que lui, et que les deux thérapeutiques soient expérimentées simultanément…

Le silence s'installe dans la pièce et Léonie revient s'agenouiller près de Simon. La main posée sur son avant-bras, elle lui caresse légèrement la peau. Simon accroche son regard et lui envoie un clin d'œil complice, ce qui la fait sourire faiblement. Brisée de fatigue, elle s'absorbe dans un dialogue muet avec son mari au cours duquel maints messages d'amour sont échangés...

Deux heures plus tard, après avoir couvert Simon d'une longue chemise propre, Bastien soutient son beau-père au cours de lente montée de l'escalier. Le jeune médecin s'arroge le premier tour de garde, pressant Léonie d'aller dormir dans la pièce d'en face. Lorsque, bien après le mitan de la nuit, il accepte d'aller s'étendre, elle ne peut faire autrement que de constater sa répugnance à franchir le seuil de ce qui fut la chambre de jeune fille de Flavie...

Assise à la tête du lit, sa main dans celle de son mari qui se réveille, Léonie admire l'arrivée de l'aube. Elle savoure de tout son être la tiédeur qui irradie de son homme et qui lui confirme que la vie reprend ses droits! Périodiquement, à défaut de pouvoir s'allonger contre lui et de le prendre dans ses bras, elle serre très fort ses doigts. Le soleil inonde la chambre lorsque Bastien fait son entrée, le visage encore ensommeillé. Elle dit à mi-voix:

– Je crois, docteur, que vous pourriez prendre congé...

Il fait quelques pas dans la pièce.

– Bientôt. Je veux être parfaitement certain...

Tandis qu'il vient reprendre le pouls du malade, elle peut se permettre, pour la première fois depuis son arrivée, de l'examiner plus ou moins franchement. Elle constate tout de suite ce que sa mise décontractée ne peut cacher: il a encore maigri. Se souvenant du rondouillard apprenti qu'il était à ses débuts, elle retient un sourire. A-t-il noyé sa déconvenue conjugale au sein de son groupe de raquetteurs? La chose serait plausible, puisque sa minceur, loin d'être maladive, révèle au contraire une plaisante vigueur physique.

Il se trouble devant cet examen, mais Léonie n'en a cure. Son mari bien vif à ses côtés, elle flotte dans une telle bulle de félicité… Elle réalise que les traits du visage de son gendre étaient en train de s'effacer de sa mémoire. Elle avait oublié qu'il avait les iris d'une si agréable couleur, un bleu presque turquoise, et la lèvre inférieure notablement plus charnue que la supérieure…

Sans oser défier le regard pénétrant de sa belle-mère, il serre toutefois les dents, faisant jouer les muscles de sa mâchoire. Pour briser le pesant silence, il dit enfin :

– Est-ce que votre mari a eu un contact récent avec un malade ? Je veux dire, un contact très récent, dans les heures précédentes.

Léonie réfléchit un long moment.

– Il n'a pas bougé de la maison et il n'a rencontré personne depuis la veille en après-dînée. Donc… une journée et demie avant.

– Qui donc a-t-il côtoyé ? J'aimerais faire une investigation…

Plutôt surprise, Léonie se creuse néanmoins la cervelle pour lui être agréable. Au terme de sa relation, il hoche la tête en guise de remerciement et se prépare à se relever lorsque Simon émet, la bouche pâteuse et le débit lent :

– Je vous croyais, docteur, totalement désintéressé de mon insignifiante personne…

– Cessez de m'appeler ainsi, rétorque-t-il avec rancœur. Avez-vous pris grand soin d'effacer mon prénom de votre mémoire ?

Devant le regard fixe et apparemment impassible de son beau-père, il a un mouvement de recul, contrecarré par Simon qui, avec une vivacité surprenante, lui agrippe le poignet.

– Holà, docteur… Vous n'allez pas ajouter l'insulte à l'injure ? J'estime que nous avons un urgent besoin d'un échange de vues. Vous ne refuserez pas ce caprice à un miraculé…

À moitié redressé, Bastien semble paré à défendre chèrement sa liberté, malgré les égards dus à un malade. Léonie intervient :

– Nous avons eu beaucoup de chagrin de vous perdre en même temps que Flavie. Vous le savez, à quel point vous étiez cher à notre cœur…

Saisi, il l'envisage avec égarement. Elle lui offre un sourire tendre à peine esquissé, dans lequel elle ose laisser libre cours à l'affection filiale qu'elle a dû refouler jusqu'à présent. Le jeune homme se détend notablement, avant de souffler :

– Du chagrin ? Je vous imaginais montés contre moi…

– Je ne crois pas vous avoir manifesté quoi que ce soit d'approchant, réplique-t-elle avec dignité. Je n'aurais aucunement pu prévoir le dénouement de l'été dernier. Jusque-là, je n'avais aucun reproche à vous faire. Sauf… sauf peut-être… cette pédanterie mâle à laquelle bien peu échappent…

Vaincu, il se rassoit, et Simon le délivre. Grommelant qu'il est malaisé de jaser en position couchée, il se soulève et appuie son dos contre la tête de lit. Après avoir bu quelques gorgées d'eau, il reprend :

– Dites-moi, jeune blanc-bec… Ça ne vous fait pas un pli sur la différence, le sort de Flavie ?

Ouvrant de grands yeux, Léonie se mord l'intérieur des joues. Le péril auquel Simon vient d'échapper lui donne toutes les audaces ! Bastien acceptera-t-il ce soufflet sans se raidir à outrance ? Blêmissant, ce dernier balbutie :

– Le sort de… ? Mais elle l'a choisi librement !

– Elle a cru trouver moins pire là-bas. Si elle s'était trompée ? Je n'en reviens pas : vous semblez vous soucier d'elle comme de votre première chemise !

Le jeune homme reste sans réaction, et de nouveau, mais avec douceur, Simon lui prend le poignet, glissant ses doigts sous la manche de chemise, à même la peau. Son souffle s'est appesanti, mais Léonie comprend qu'une vive émotion, plutôt que le choléra, en est la cause. Il articule avec humilité, son regard ardent rivé sur son gendre :

– Hier soir, Bastien, vous m'avez soigné comme si vous aviez encore un peu de considération pour moi. J'étais dans un état pitoyable, mais votre résolution n'a pas vacillé. J'en suis tout retourné... Le sort qui vous a précipité à mon chevet n'est pas si funeste, puisqu'il me permet de vous poser la question qui me hante... et que mon orgueil m'aurait défendu de poser en d'autres circonstances. Est-ce vrai que... vous avez perdu toute estime pour Flavie au point de vouloir vous séparer d'elle ?

Incapable d'en supporter davantage, Bastien arrache son bras de l'étreinte de Simon et saute sur ses pieds. Cependant, son mouvement de fuite cesse abruptement, et il reste debout à mi-chemin entre le lit et la porte, le dos tourné. Ses épaules se soulèvent au rythme de sa respiration d'abord saccadée, mais qui s'apaise peu à peu. Tendue comme un ressort, Léonie n'a que le temps d'échanger un coup d'œil alarmé avec son mari ; leur gendre pivote sur ses talons pour leur faire face.

Toute trace d'outrage a disparu de son visage, remplacée par une expression à la fois railleuse et attendrie. Les sous-entendus de Simon se sont frayé un chemin jusqu'à son âme. Il comprend que le malade a abdiqué toute fierté pour se laisser soigner par lui, malgré la brouille et les malentendus. Il comprend qu'il se trouve ainsi en dette. Comme remboursement, Simon exige de lui qu'il s'ouvre le cœur...

– Vous êtes un fin renard, marmonne-t-il, de faire appel ainsi à mon sens de l'honneur.

Réchauffée jusqu'au tréfonds de son être, Léonie sourit largement. Qu'il est plaisant de retrouver Bastien tel qu'il fut si souvent en leur compagnie, moqueur et respectueux tout à la fois, mais toujours si chaleureux !

– Dans mon temps, grommelle Simon, quand on était cocu, on ne faisait pas le coq vaniteux. Du moins, si on aimait sa femme… On acceptait la dure leçon et on s'empressait de tenter de la reconquérir.

Bastien ne peut retenir un sourire goguenard. Empoignant la chaise droite, il s'y installe à califourchon, à proximité du lit. Croisant ses bras sur le haut du dossier, il y appuie la tête un instant, leur cachant son visage. Au moment où les clochers sonnent huit heures du matin, il se redresse enfin de tout son corps, l'expression tourmentée.

– Hier soir, quand Catherine… Pauvre elle, si intimidée par… enfin, par tous ces yeux rivés sur elle… Tout d'un coup, je me suis senti sous le jet d'une fontaine par un jour de canicule. J'ai eu l'impression d'être lavé de toute la rancune accumulée. C'était mon sentiment d'affection qui revenait, cette vive estime que j'ai pour vous et que j'avais enterrée très creux. J'ai l'impression que mon cœur… s'est libéré d'une gangue d'aigreur. Je n'ai plus d'hostilité. Je me sens revivre…

Évitant de les regarder, il s'interrompt et serre les lèvres, avant de jeter avec fièvre :

– Mais jusqu'à hier soir… jusqu'à hier soir, oui, j'étais paré à me séparer de Flavie. Parce que Flavie m'a trahi.

Il se lève d'un seul mouvement, pour se mettre à arpenter la pièce dans un va-et-vient fébrile.

– Un beau soir, j'ai trouvé une lettre chez le maître de poste. Une lettre dont chaque mot m'a transpercé le cœur ! Elle m'annonçait froidement, en me priant de ne pas m'énerver, qu'elle avait décidé de… de suivre la coutume de cette communauté de dégénérés ! Non mais, vous imaginez ? Elle prenait un malin plaisir à me faire offense ! Flavie a déserté notre maison sans même un avertissement et elle a ensuite l'outrecuidance…

Léonie l'interrompt sèchement :

– Sans un avertissement ? Vous vous gaussez, monsieur le docteur !

Sans relever la remarque empreinte de raideur, il poursuit, la voix tremblante :

– Vous voulez savoir si je l'aimais encore ? Pendant des mois, chaque soir en me couchant, je me suis imaginé qu'elle était dans le train en direction de Montréal. Je me voyais l'accueillir à la gare…

Il se secoue tandis que son visage devient dur et figé, comme raidi par une bise d'hiver.

– Mais elle a choisi une autre vie. Et moi, j'ai choisi de me l'arracher du cœur !

D'une voix douce mais obstinée, Léonie reprend :

– Je l'ai vue, Flavie, la veille de son départ. Je crois que je l'ai bien mieux regardée que vous. Elle était agitée et malheureuse comme un oisillon tombé du nid. Elle m'a dit : « Il ne m'aime plus. Je m'en vais. » Elle m'a dit qu'elle était revenue vers vous avec confiance et que vous étiez resté frette comme glace. Ce sont ses propres mots. Elle a dit qu'elle aurait été parée à s'occuper de votre fils adoptif, mais que sans la force de votre amour, elle s'en sentait incapable. Elle a dit qu'elle avait perdu sa place dans votre cœur et que jamais elle ne supporterait de vivre avec un homme qui la dédaignait !

Les yeux écarquillés, le teint blême, Bastien l'envisage d'un air égaré. Enfin, il s'écrie en écartant largement les bras :

– Moi, la dédaigner ? Mais c'est archifaux ! Qu'est-ce qu'elle vous a chanté là ?

– Fouillez dans votre mémoire, riposte Léonie sans ménagement. Flavie avait ses raisons pour s'imaginer tout cela…

De plus en plus agité, Bastien bégaye :

– Frette comme glace… Comment a-t-elle pu me croire frette comme glace ?

– J'ai beaucoup pensé à Flavie ces dernières semaines, glisse soudain Simon.

La douceur de son ton force l'attention des deux autres.

– J'ai fini par me débarrasser de ma colère et j'ai pensé à ma fille. Je la comprends si bien, dans le fond... Je n'avais pas vu à quel point... nous sommes tricotés pareil, elle et moi. J'étais trompé par son enveloppe de femme. Mais sous cette enveloppe, il y a une âme comme la mienne, qui tolère mal les chaînes.

Leur gendre s'écrie :

– Vous me reprochez de l'avoir enchaînée ainsi ? Mais je n'avais pas le choix de le faire, c'était pour son bien ! Je savais mieux qu'elle...

Il s'interrompt, frappé par le caractère suffisant de son propre discours. Tranquillement, Simon reprend :

– Personne ne sait mieux que nous-mêmes. Personne ne voit comme elle et moi, nous voyons. Elle et moi, nous avons une telle soif de vérité... Je ne m'en vante pas, Bastien. C'est parfois un tel fardeau à porter dans notre époque si mièvre ! J'essaie seulement de vous faire comprendre que cette quête, elle nous gouverne. C'est même notre raison de vivre, à Flavie et à moi. Je veux dire... Même ma femme et même mes enfants, ils viennent un cran tout juste en dessous.

Sans quitter son gendre des yeux, Simon tend la main à Léonie qui, secouée, la presse contre son cœur.

– Moi, Bastien... Moi, j'avais l'idéal de réformer le monde par l'instruction. J'avais l'idéal de répandre les lumières du savoir. Je croyais dur comme fer que le bonheur universel était à ce prix. Seule une instruction poussée ferait des hommes – et des femmes – des citoyens à part entière, aptes à exercer leurs droits civiques, à faire respecter la justice et l'harmonie. J'y crois encore, mais personne ne m'écoute. En haut lieu, on se contrefiche de former des citoyens. On veut former des catholiques obéissants, point à la ligne. Vous savez quoi, Bastien ? J'essaie de donner le change, mais dans le fond de moi, la flamme est morte. Je vais mourir désabusé.

Subitement, le jeune médecin vient s'asseoir sur le bord du lit, pour tendre le bras vers son beau-père, qui s'y accroche. Les yeux brouillés par les larmes, Léonie s'attache au spectacle infiniment rassurant de cette paire de mains d'hommes aux veines saillantes, étroitement jointes comme si la plus lisse voulait sauver l'autre, ravinée, de la noyade. La voix rauque, Simon bredouille encore :

– Flavie, elle est comme moi. J'ai eu grand tort de rabaisser son idéal parce qu'elle porte la jupe. Flavie subit le mépris comme une blessure. Elle ne comprend pas pourquoi les autres lui mettent des bâtons dans les roues. Cette soif de connaissances ne devrait-elle pas primer tout le reste ? Pour elle comme pour moi, le bonheur universel est à ce prix... Bastien, est-ce que vous voyez à quel point votre manque d'encouragement – et même les rebuffades, sans doute – ont dû lui meurtrir le cœur ?

– Dans mon cœur à moi, souffle le jeune homme, chacune de vos phrases est comme un coup de couteau.

– Vous avez aimé Flavie pour sa fougue, pour sa joie de vivre et pour bien des choses qui ne me regardent pas. Est-ce que je me trompe ? Alors, vous ne pouvez pas mépriser d'un côté ce que vous adorez de l'autre.

Éblouie par cette compréhension si large, Léonie cesse un moment de respirer. Comme c'est vrai ! L'énergie souveraine de Flavie la façonne en entier, dans toutes les facettes de sa personnalité... Mais Simon n'a pas terminé :

– La leçon est valable aussi pour moi. À partir de maintenant, je vais défendre ma fille jusqu'à mon dernier souffle. Mais ensuite, quand je ne serai plus de ce monde ?

Après avoir dévisagé son beau-père un instant, Bastien laisse ses yeux dériver vers Léonie. Une grande fragilité et une vive incertitude se lisent sur son visage... Simon murmure qu'il a soif, et c'est le jeune médecin qui, défaisant le nœud de leurs mains, répond à sa demande. Il gronde ensuite :

– Si vous étiez n'importe quel autre de mes patients, Simon, je vous interdirais de vous agiter ainsi.

– Cause toujours, mon lapin... Il me reste deux choses à dire. Un : vous allez envoyer à votre épouse un télégramme pour lui ordonner de ne pas bouger d'où elle est avant la fin de l'épidémie. Si vous connaissez ma fille comme moi, vous serez convaincu de l'urgence d'un tel acte ! Deux : si vous avez encore une miette de sentiment pour elle, il vous faut aller la visiter. D'accord, elle est partie trop abruptement, mais elle ne l'a pas fait sans raisons valables. Est-ce que j'ai tort, monsieur le docteur ?

L'interpellé répond dans un chuchotement :

– Sans doute que non...

– D'accord, elle vous trompe, mais ce n'est pas nécessairement par manque d'amour qu'on agit de même !

Léonie s'empresse d'ajouter :

– Si vous écartez un instant les pans de votre orgueil mâle, Bastien... vous verrez qu'on peut agir ainsi pour mille et une raisons.

– À défaut, j'irai moi-même lui rendre visite, parole de Simon Montreuil ! Maintenant, foutez le camp. J'ai envie d'être seul avec cette dame ci-présente.

Le ton faussement bougon fait sourire Bastien malgré lui. Il grommelle :

– Je reviendrai. D'ici là, je suis à votre disposition si votre état de santé vous alarme.

Simon fait mine de chasser un importun du revers de la main, et le jeune médecin tourne les talons. Sa fuite est cependant interrompue par Léonie, qui lance en rosissant :

– Pour moi, Bastien, vous êtes comme un fils. Quand vous reviendrez, il me plairait de vous offrir une tasse de thé...

Il hoche presque imperceptiblement la tête avant de disparaître et de dévaler l'escalier. Alors, Simon se coule dans le lit et tire Léonie à sa suite, pour la gratifier d'une puissante étreinte qui lui coupe quasiment le souffle. Il chuchote à son oreille :

– J'ai un peu exagéré. Tu comptes autant que mon idéal.

– Ne prends pas cette peine. C'est dans l'ordre des choses : les hommes ont un idéal, les femmes ont un homme, auxquels les uns comme les autres doivent tout sacrifier…

– Est-ce que j'ouïs un léger sarcasme dans ta voix ?

– Mais non, tu fabules… Par la juifresse, repose-toi !

Le silence s'installe enfin et, après un soupir, Simon ferme les yeux. Léonie se dégage ensuite, parce qu'une telle proximité est dangereuse pour elle, puis elle se laisse emporter sur la mer de sa fatigue tandis que des réminiscences de l'échange avec Bastien voguent dans son esprit. Il ira, n'est-ce pas ? Il ira la retrouver là-bas… Il comprendra qu'elle ne l'a pas trompé par défaut d'amour. Il comprendra qu'il a eu tort de transformer sa propre souffrance en animosité…

Chapitre XIII

Le soir du dernier jour de jeûne conjugal, qui a été respecté scrupuleusement, Flavie est abordée par Miss Worden, qui lui donne l'ordre de la suivre. Elle lui obéit, le cœur battant la chamade, et peu après, elle pénètre à sa suite dans une petite pièce, celle qui sert de réception et de secrétariat. Cinq personnes y sont assises en cercle : non seulement John Noyes, mais sa sœur Charlotte et son épouse Harriet, ainsi qu'un homme âgé dont elle ne connaît pas le nom, et finalement Francis, cramoisi et défiant. Miss Worden s'assoit à côté de ce dernier, indiquant à Flavie le siège à sa gauche.

Harriet Noyes prend la parole, plutôt aimablement :

– Vous êtes parmi nous, Miss Reenod, depuis presque une année complète. S'il y a certainement des subtilités doctrinaires qui vous échappent encore, celle qui concerne les relations particulières devrait vous être, à présent, parfaitement intelligible. Vous *devez* donc savoir que le secret n'est pas toléré en cette matière.

– Mais ce n'était pas une relation particulière ! s'écrie Flavie. Entre nous, il n'y a eu aucun échange de fluide ! C'était tout bonnement… une fréquentation innocente qui ne portait pas à conséquence !

Miss Worden intervient pour rappeler à Flavie, avec patience, que toutes les amitiés comptent puisqu'un jeune est particulièrement susceptible de se laisser emporter par l'ardeur d'une passion exclusive. Voilà pourquoi il est d'une importance capitale que les adolescents vivent leurs premières expériences sexuelles en compagnie de femmes qui savent conduire leurs partenaires sur la voie de la continence et du détachement. Irritée, Flavie rétorque :

– C'est exactement ce qui s'est passé entre Francis et moi. Je suis notablement plus âgée que lui, n'est-ce pas ? De plus, j'ai pour mon dire que le seul chemin valable vers une maîtrise de soi, pour un homme, c'est de s'y exercer sans contrainte. Comme il y avait un réel danger de concevoir, nous en sommes restés aux préliminaires. Celle qui prendra ma place n'aura pas grand effort à fournir.

Francis lui jette un regard outragé et, malgré sa tristesse de lui infliger cette peine, Flavie le lui renvoie sans faillir. Elle préfère qu'il la croie indifférente. Ce sera plus facile, pour lui, d'accepter les remontrances et de faire une croix sur leur intimité... Visiblement emplis de confusion, les membres du petit groupe ne réagissent pas à ses propos. Seul John Noyes a gardé contenance, posant sur la jeune accoucheuse un regard spéculatif. C'est alors qu'il déclare abruptement :

– Vous êtes remerciée de votre dévouement, Miss Reenod. Néanmoins, il y a un aspect crucial de la question qui vous a échappé. Les relations amoureuses servent, en premier lieu, au progrès des individus, mais surtout à celui de la communauté. Comment donc s'assurer d'un progrès continu en cette matière ? En privilégiant les relations avec plus spirituel que soi. Si Francis nous avait consultés, jamais nous ne lui aurions conseillé votre compagnonnage. Vous êtes très loin de la sainteté, Miss Reenod, et il ne semble pas que votre séjour parmi nous ait une influence décisive sur ce fait.

La critique est sévère et Flavie se crispe intérieurement. En même temps, elle a envie de riposter qu'elle s'en contrefiche, de sa sainteté personnelle ; ce qu'elle cherche, c'est tout simplement une communauté totalement respectueuse de tous ceux qui la composent ! Mais sachant qu'une telle assertion offenserait souverainement Father Noyes, elle réfléchit soigneusement pour préparer sa défense, qu'elle commence à débiter d'une voix grêle :

– Votre reproche me semble injustifié, Father Noyes. Je me suis coulée dans vos us et coutumes…

– Mes reproches sont *toujours* justifiés, jette-t-il en la fusillant du regard.

Son épouse intervient :

– Croyez-en notre longue expérience, Miss Reenod. Les arrivants doivent se dépouiller de quelques travers comme la nervosité exagérée, l'inconsistance et, surtout, leur esprit têtu. Autrement, l'harmonie est impossible à atteindre. Si vous faites l'essentiel du chemin vers nous, si vous ouvrez la porte au jugement divin, le processus sera beaucoup moins douloureux.

– Il ne suffit pas d'accepter nos mœurs pour être touché par la grâce, enchaîne Noyes. Ce qu'on fait ne compte pas pour grand-chose ; par contre, la manière de le faire est fondamentale. Êtes-vous libérée de tout doute, Miss Reenod ? *Do you walk in the Spirit?*

The Spirit : l'Esprit saint tel que Noyes le conçoit, tel que Noyes veut le voir accepté en entier, sans contestation ! Flavie réalise alors ce que son interlocuteur recherche quand il semble scruter l'âme de ses yeux si pénétrants. Une humilité totale, une abdication de toute volonté personnelle ! Il décèle tout de suite le soupçon d'amour-propre, le restant d'arrogance… Égarée, elle s'accroche à l'intensité de la flamme dans ses yeux pour murmurer :

– Presque, Father Noyes. Pas tout à fait, mais presque…

– Je vous offre un entretien privilégié avec moi.

Les entrailles de Flavie se révulsent, mais elle reste impassible. De sa voix calme et suave, le prophète lui remet en mémoire les principes cruciaux de sa philosophie. Les relations sexuelles entre deux personnes de sexe opposé constituent le meilleur moyen de faire circuler cette vie qui vient de Dieu, et dont les principes masculin et féminin se sont retrouvés en Adam et Ève. Dans le couple originel, l'un réfléchissait l'amour de Dieu en l'autre, l'encourageant à s'exciter, à grandir… Seule cette vitalité parfaite peut mener à la victoire finale, soit la vie éternelle. L'imposition des mains et la cérémonie du baptême, si importantes à l'époque de Jésus, signifient que l'Esprit saint lui-même se transfère entre les vivants par contact charnel. Plus intime sera le contact, plus énergique sera l'effet ; ainsi, les rapports sexuels sont la source la plus intense de transmission des principes divins.

Flavie avale sa salive avec difficulté. En compagnie de ce Yankee qui ne lui plaît en rien, peau contre peau, sexe contre… Elle a la liberté de refuser n'importe quel mâle dans le groupe, sauf le prophète qui, aux yeux de tous, offre un contact supérieur, une voie directe vers le Très-Haut ! Le visage impénétrable, son interlocuteur ajoute :

– Tandis que vous étiez vautrée dans la fange, je recevais des révélations de Dieu, de celles qui s'imposent à tous les esprits, même les plus rationnels. Ces révélations procurent un bonheur éternel, Miss Reenod, parce qu'elles sont la vérité même. Si vous me permettez, je vous mettrai en contact avec cette joie. Après le jeûne et mon séjour à Wallingford, qui durera un bon moment, je vous prouverai que je suis le champion de la liberté, et non pas celui qui la foule aux pieds, comme vous le pensez encore, vaniteuse que vous êtes… Quant à vous, Francis…

L'interpellé courbe l'échine, mais Noyes se tait subitement, et l'homme âgé prend la relève pour rappeler que si la pratique des relations ascendantes est valable aussi pour les jeunes hommes trop ardents, le meilleur moyen vraiment efficace de se policer soi-même, c'est d'acquérir une maîtrise complète de cette passion barbare en y résistant héroïquement. Pendant ce discours, Noyes garde des yeux hautains fixés sur Flavie, qui rougit en se souvenant de son affirmation contraire, une dizaine de minutes plus tôt.

Le fondateur conclut d'un ton très doux :

– Francis, je vous ai vu en train d'étudier avec Miss Miller… Puisqu'il y a déjà un mariage des cœurs entre vous deux…

Le jeune homme glisse un œil vers Charlotte et bat imperceptiblement des cils. Flavie devine que les deux douzaines d'années qui les séparent doivent lui sembler un gouffre ! Mais il s'y fera sans peine. La veuve est encore accorte ; de plus, l'uniformité dans la vêture féminine gomme les disparités. Miss Worden signifie à Flavie que l'entretien est terminé, et la jeune femme se glisse hors de la pièce. Ce n'est pas dans le dortoir qu'elle se rend, mais dehors, pour une longue promenade dans le soir qui tombe, en solitaire, sur le chemin qui mène au plus proche village.

Peut-être que Father Noyes a raison et qu'elle sentira une réelle félicité en sa compagnie ? Peut-être qu'il s'agira, en effet, du moment qui la convertira pour tout de bon, sans plus l'ombre d'un doute ? Vue sous cet angle, l'intimité avec Noyes lui fait beaucoup moins peur. Elle veut bien passer par son corps pour prendre contact avec son esprit, avec l'amour universel qui la comblera… Comme Flavie aimerait que les tergiversations qui l'encombrent disparaissent par magie ! Elle voudrait voguer en eaux calmes.

C'est un fait : elle est vaniteuse, encore drapée dans une fausse dignité. Elle ne peut embrasser à moitié, comme elle l'a fait jusqu'à maintenant, les principes vénérés par les membres de l'Association. Avec Noyes, c'est tout ou rien. Elle doit lui accorder une confiance absolue, ou alors sacrer son camp ! Après tout, il prend soin d'initier lui-même la plupart des jeunes filles, qui semblent s'en porter plutôt bien, contrairement à toutes ces récentes épousées qui ont le malheur de partager leur lit avec une brute…

Quelques jours plus tard, on apporte un télégramme à Flavie. C'est la première fois de sa vie qu'elle en reçoit, et une vive appréhension la saisit tout entière. Quel événement terrible est donc survenu pour qu'une telle missive soit nécessaire ? Elle interroge du regard le messager, qui répond par un geste d'ignorance. Autour d'elle, un pesant silence s'est installé. Enfin, les mains tremblantes et la gorge nouée, Flavie se résout à lire les quelques phrases.

Une souveraine détente l'inonde et elle se met à rire de manière irrépressible. Lorsqu'elle réussit à s'apaiser, elle explique à la cantonade que, tout bonnement, son mari lui demande de ne pas bouger d'ici tant que l'épidémie de choléra en sera à un stade virulent. Elle s'écrie, hilare :

– Il en fait un ordre ! Quel coquin ! Mais pour qui se prend-il ?

Laissant son entourage gloser sur l'événement, Flavie s'absorbe dans la contemplation du feuillet froissé, comme s'il pouvait lui donner la justification de cet étrange message. Bastien lui conserve donc une certaine estime ? Ce sera toujours ça de pris… Son courroux de mari trompé lui était particulièrement difficile à admettre ! À la fin du télégramme, il indique qu'une lettre suit, et Flavie est envahie par une impatience croissante à mesure que les jours passent. Cependant, la missive suivante est… pour Marguerite ! À leur tour, Hedwidge et Georges, qui ont déserté Montréal pour une paroisse reculée, pressent leur fille de rester planquée dans la campagne profonde américaine. Ils font allusion, mais vaguement, à leurs inquiétudes au sujet de la santé morale de Marguerite : le péril physique auquel est confronté tout l'Occident est bien davantage préoccupant.

Désolée par l'insomnie provoquée par l'attente de la lettre de Bastien, Flavie se laisse tomber en bas du lit pour un moment de prière, un matin à l'aube. Elle refuse la génuflexion, trop symbolique de la religion catholique, préférant s'asseoir par terre à l'indienne, adossée contre le sommier de son lit. Tandis que lui parvient la rumeur du remue-ménage matinal, elle ferme les yeux et s'abîme dans une songerie éparpillée, puis de plus en plus concentrée, au sujet de ses manies de sceptique et d'envieuse dont il lui faut absolument se débarrasser si elle veut vivre en paix à Oneida.

Une heure plus tard, elle en émerge sans la grâce de la révélation, mais rassérénée. Si elle n'a pu se résoudre à s'adresser directement à Dieu, elle a l'impression d'avoir conversé avec un double d'elle-même, plus serein et plus sage. Elle a pris une importante résolution : elle laisse le soin à Father Noyes, et à lui seul, de la faire cheminer vers la sainteté. Il lui a offert son concours ; elle l'accepte sans réserve.

Le cœur apaisé, Flavie tressaille à peine lorsqu'on lui remet, ce jour-là, la lettre tant attendue. Bastien a utilisé son papier à lettres de praticien et il a tracé, sur l'enveloppe, le nom et l'adresse de la destinataire avec un soin particulier, disciplinant sa calligraphie fantaisiste. À l'étonnement de la jeune accoucheuse, les feuillets sont nombreux, couverts de son écriture large, mais si serrée que certaines lettres se chevauchent d'une ligne à l'autre.

Son mari commence sa missive en déclinant son prénom à elle, ce qui est déjà un progrès notable par rapport à sa lettre abrupte du printemps. Il aligne quelques phrases d'une politesse convenue, pour faire ensuite une relation qui donne des sueurs froides à Flavie : celle de la maladie de Simon et de son rétablissement. Vissée sur sa chaise par une épouvante rétrospective, elle presse le feuillet contre son cœur. Elle est passée à un cheveu de perdre son père ! Son cher, si cher père...

Elle essuie les larmes qui débordent de ses yeux. Mais Simon a vaincu le miasme. Il est indestructible ! Transportée d'allégresse, Flavie rit silencieusement, les paupières closes pour mieux contempler dans sa mémoire les traits du visage aimé. Comme elle voudrait le prendre dans ses bras, le cajoler, l'asticoter ! Dès que la quarantaine sera levée, elle se dépêchera d'organiser la visite de ses parents. Elle ne pourra guère attendre plus longtemps !

Elle se replonge dans sa lecture. Bastien lui répète, en gros, le message que contenait le télégramme, puis il lui précise que sa propre famille est en sûreté, même Geoffroy qui a suivi Archange à Vaudreuil. Le jeune médecin enchaîne sur le besoin qu'il a ressenti de rattraper le temps perdu au sujet du mode de vie des perfectionnistes d'Oneida, et il a donc dévoré l'impressionnante documentation accumulée. Il en a tiré un réel profit, prétend-il, puisque John Noyes dénonce des torts indubitables. Sa manière de réhabiliter l'humain par rapport au divin, d'insister sur l'élévation au lieu de la déchéance, d'affirmer que la spiritualité et la corporalité ne sont pas antinomiques mais conciliables, tout cela lui plaît énormément.

Par ailleurs, il a trouvé fort instructive sa dénonciation de l'instinct de propriété des hommes par rapport aux femmes et des vices qui s'ensuivent. Même le moins susceptible des mâles, ajoute-t-il, peut se réformer en cette matière ! De même, la simplification des rapports entre les sexes lui semble une entreprise louable. Les interdits contemporains reposent justement sur ce sacro-saint honneur des maris et sur leur crainte exagérée de l'adultère !

Enfin, Bastien avoue s'être régalé, en compagnie de son grand ami Philippe Coallier, de toutes les références à la science du magnétisme qui émaillent les textes du fondateur. Quand il fait allusion à la croyance de Noyes selon laquelle le Messie exerce un contrôle total sur les fidèles, selon cette dynamique démontrée par le médecin allemand Mesmer d'après qui il existe un fluide animal qui permet de diriger les êtres à distance, Flavie croit déceler une pointe d'ironie. Néanmoins, son mari développe sa pensée avec un apparent sérieux :

En effet, si un aimant dégage une force invisible assez puissante pour imprimer sa volonté à un objet situé à distance, pourquoi l'esprit ne générerait-il pas un genre de force électrique qui peut agir sur les personnes à proximité, au point d'influer sur leurs pensées et leurs actions ? Après tout, plusieurs expériences ont prouvé qu'une personne peut projeter son esprit dans un autre jusqu'à le faire obéir en tous points. Ainsi donc, ceux d'Oneida sont pourvus d'une aura spirituelle qui met leur conscience en contact avec celle des autres. Quel sentiment exaltant dois-tu ressentir d'être au milieu d'un tel chassé-croisé d'énergie en mouvement !

Sans le savoir, Bastien la conforte dans sa décision d'accepter l'éventuel « tutorat » de John Noyes. Le magnétisme spirituel du fondateur la mènera, sans l'ombre d'un doute, dans le paradis d'une conviction inébranlable ! La vie, ici, est la plus douce, la plus revigorante d'entre toutes… Exaltée, Flavie parcourt les dernières lignes de la missive, au ton plus grave malgré les apparences.

Je regrette l'excès auquel je me suis laissé aller. J'ai compris une chose : je suis plongé dans les plus épaisses ténèbres te concernant, et la seule personne qui peut me renseigner à ce sujet, c'est toi-même. N'hésite pas à me raconter des bribes supplémentaires de ta nouvelle vie. Je ne grimperai plus dans les rideaux, c'est promis. J'ai dépassé le stade de la jalousie primaire. Paraît-il que l'infidélité des épouses, il ne faut pas la prendre au premier degré : il faut comprendre cette gifle en plein visage comme un gentil soufflet, comme un chuchotement à l'oreille. « Mon mari, comme tu n'as pas su entendre ce que je t'ai répété ad nauseam, je me permets de t'infliger une cruelle leçon… » Bon, je caricature un peu, mais c'est pour te dire que nos parents à nous deux, du haut de leur sagesse, m'ont mis un peu de plomb dans la cervelle… et un peu, beaucoup, fièrement de tolérance dans le cœur. J'ose ajouter que si tu as envie de me parler au sujet de notre vie passée, eh bien, ne te gêne surtout pas.

Remplie d'allégresse, Flavie relit ce paragraphe. Elle a l'impression que c'est son frère qui lui écrit, ou son meilleur ami, avec une tendresse et une mansuétude qu'elle n'aurait jamais crues possibles. Bastien lui a pardonné ! Il a compris que le véritable amour dépassait l'instinct de possession ! Elle entreprend sa journée avec un entrain qui balaie toute morosité sur son passage.

Chaque jour qui s'écoule après l'attaque de choléra dont Simon a été victime plonge Léonie dans un grand bonheur, celui de le voir récupérer de belle façon. Aux yeux des gens du voisinage, il a acquis une stature de survivant. Ses allées et venues sont observées avec respect et ses discours sont écoutés avec une quasi-déférence, ce qui l'amuse fort et ne le flatte pas qu'un peu. Si le choléra sévit à Montréal de sa manière habituelle, avec des pics de mortalité suivis d'un relâchement, la plupart des décès sont confinés au sein des groupes les plus vulnérables.

La détermination de la novice Catherine Ayotte ne vacille pas d'un iota et, cinq jours après leur entretien, Léonie reçoit un message lui proposant une rencontre afin d'annoncer sa décision à son père. Un sourire indulgent aux lèvres, Léonie paraphe le bas de la missive, et le jeune garçon repart au galop, son ardeur fouettée par la tranche de gâteau offerte. C'est ainsi que deux jours plus tard, Léonie rejoint la jeune femme à quelques encablures du domicile paternel situé rue Dorchester, entre Sanguinet et Saint-Denis.

Pendant leur courte marche, la future professe raconte à Léonie, pour tromper sa nervosité, que leur maison, à l'instar de tout le secteur, a été complètement rasée par l'incendie de l'été 1852. Elle était alors à la campagne, chez sa tante, mais la perte de tous ses biens personnels, y compris son journal intime et sa correspondance, a fouetté une résolution encore hésitante. Délivrée du poids du passé, l'âme comme mise à nu, la jeune femme a cru voir dans cette calamité un signe de Dieu...

Elle tombe en arrêt et ajoute :

– Pour tout dire, sans l'incendie, je crois que je n'aurais jamais tiré un consentement de papa. Vous savez qu'il y a tout perdu ? Non seulement notre maison, mais sa cour à bois... D'accord, il avait de bonnes assurances, mais c'est tout un raidillon à remonter pour un homme, même énergique comme lui. J'ai osé profiter de son désarroi...

Elle fait une grimace mi-contrite, mi-orgueilleuse avant de se remettre en route. Pendant le silence qui suit, Léonie observe ce qui est encore un étrange paysage à ses yeux : les belles et neuves demeures en pierre accolées en rangées à la mode de la *terrace*. Elles ont fière allure avec leurs devantures ouvragées... Tout juste avant de pénétrer chez M. Ayotte, Léonie chuchote à sa compagne :

– Il sera là, vous en êtes sûre ?

– Je lui ai donné rendez-vous.

Catherine tire le cordon de la sonnette, puis, sans attendre, pénètre dans la maison, Léonie sur ses talons. À la seconde même, un homme de haute taille, le visage illuminé et les yeux agrandis par le plaisir, apparaît dans le hall d'entrée. Dès qu'il aperçoit la maîtresse sage-femme, il interrompt brusquement son élan vers sa fille. Cette dernière s'empresse de balbutier des présentations et Alexis Ayotte s'incline sèchement en guise de salutation. L'atmosphère tendue met Léonie extrêmement mal à l'aise, et elle cherche le regard du père de Catherine avant de bafouiller :

– Je vois que votre fille ne vous a pas prévenu de ma présence. Veuillez excuser mon intrusion, monsieur. Même si, à mon sens, c'est une très bonne nouvelle qu'elle est venue vous annoncer, elle tenait à ce que vous entendiez mes explications.

– Vous vous fréquentez donc? réussit-il à émettre d'une voix rauque d'étonnement.

Catherine glisse son bras sous le sien et l'entraîne vers l'intérieur de la maison, tout en intimant à Léonie, d'un geste de la tête, de les suivre. D'un ton qu'elle souhaite badin, elle narre leurs rencontres au cours de la dernière année, d'abord devant les fonts baptismaux, puis à l'École de sages-femmes pour une discussion professionnelle et enfin, tout dernièrement, alors que Catherine avait grand besoin d'un soutien moral… Pivotant à moitié vers Léonie, la jeune novice lui lance:

– Je ne vous ai pas raconté les détails de mon expédition pour dénicher le Dr L'Heureux. Chez ce Philippe Coallier, une fête pleine d'entrain battait son plein. Mon arrivée a fait sensation, je vous assure…

Elle s'interrompt, mais Léonie comprend, à l'expression de son visage, que les invités y avaient les yeux à la perdition de leur âme! Elle ne peut s'empêcher de s'enquérir:

– Et… le Dr Renaud?

Après avoir forcé son père à prendre place en plein centre d'un long sofa, Catherine se tourne vers Léonie et jette à toute vitesse:

– Il avait une jolie dame sur les genoux.

Léonie retient tout juste une grimace. Comme si de rien n'était, Catherine s'assoit gracieusement à côté de son père déconfit et saisit sa large main entre les siennes toutes menues, rougies et crevassées. Faisant manifestement un effort sur lui-même, Alexis Ayotte s'enquiert poliment auprès de Léonie de la bonne marche de son école. Après un coup d'œil navré à l'adresse de Catherine, elle répond par la triste vérité, soit que l'école fermera à la fin de la présente année. Pendant le quart d'heure qui suit, une conversation animée sur ce sujet les occupe, alimentée par l'indignation de la jeune novice devant cette perte. Son père, dont le regard compatissant est éloquent, pose quelques questions qui font comprendre à Léonie qu'il regrette sincèrement cet abus de pouvoir.

Mais bientôt, il serre les mains de sa fille et s'exclame :

– Tu sais, fillette chérie, que j'ai déserté mon ouvrage pour te contenter ? Il ne faudrait pas abuser ! Tout de même, ta présence me procure un sacré réconfort…

Prenant Léonie à témoin, il ajoute, avec une grimace :

– Leurs moments de liberté sont si rares !

Inspirant profondément, une Catherine aux joues subitement pâlies laisse tomber :

– Justement, papa, je voulais te dire astheure…

Incapable de poursuivre, elle lance un appel muet à Léonie, qui vient à son secours après lui avoir adressé une gentille moue de reproche.

– Votre fille craint votre courroux, monsieur. Elle craint que vous ne la confondiez avec une girouette qui vire sous le vent, une girouette… surmontée d'une tête de linotte ! Catherine s'est rendu compte que la vie de religieuse ne lui convenait pas et elle vient aujourd'hui…

Un rugissement lui coupe la parole. Tout rouge soudain, Alexis Ayotte considère Léonie avec stupeur, en tonnant :

– Coton de blé d'Inde ! Farine du diable ! Qu'est-ce que j'ai ouï ?

Se tournant vers sa fille, il arrache sa main des siennes pour lui saisir les épaules. Catherine crie presque :

– C'est vrai, papa ! Je veux revenir à la maison ! Est-ce que tu veux bien ?

À présent blême comme un spectre, il bafouille, tandis qu'une vive allégresse anime son visage :

– Si je veux bien ? Si je veux bien ! Tu as si peu de foi en ton père ? Mais c'est mon rêve le plus cher, que tu reviennes !

J'en avais le pesant, de ta vie là-bas, parmi ces bigotes, ces hypocrites…

Les traits de Catherine se décomposent. Elle proteste, dans un chuchotement :

– Ne médis pas, pour l'amour du ciel. Elles ont tant de mérite !

Elle éclate bruyamment en sanglots, enfouissant son visage dans ses mains. Son père la gratifie d'une étreinte puissante, et Léonie se lève sur la pointe des pieds pour quitter la pièce. Dans le corridor qui aboutit à la cuisine située tout au fond, elle croise une domestique d'un certain âge, bien habillée mais fort agitée, qu'elle s'empresse de rassurer en quelques mots. Ravie à l'idée que la demoiselle est sur le point de réintégrer son logis, la dame s'éloigne en trottinant.

Léonie fait les cent pas, notant au passage que la maison, bien entretenue, distille cependant un air de désolation et d'ennui… Dix minutes plus tard, Catherine vient la chercher, les yeux rougis, mais le visage apaisé. Elle lance gaiement :

– Pourriez-vous tenir compagnie à mon père ? Je suis à vous dans quelques instants !

Et sans attendre la réponse, elle grimpe quatre à quatre le bel escalier à la rampe sculptée qui mène à l'étage. Avec un soupir résigné, Léonie revient lentement vers le salon. M. Ayotte se tient debout près de la vaste fenêtre aux battants ouverts, qui donne sur la rue Dorchester, et se sert d'un livre pour s'éventer le visage à toute allure. Il accueille Léonie avec un large sourire :

– Ma fille a fait monter en moi tout un jet de *steam* !

Elle ne sait que répondre et se contente d'une œillade sympathique. Sa sobre redingote déboutonnée révèle, malgré une taille à peine épaissie, une belle prestance. Ses cheveux blonds mêlés de blanc se dégarnissent aux tempes, mais il lui reste encore une belle crinière qui frisotte dans son cou. Il frotte son nez qu'il a légèrement croche, résultat sans doute d'une bagarre de jeunesse, en bredouillant :

– Mais je manque à mes devoirs d'hôte. Je peux vous offrir un breuvage ? Une douceur ?

Léonie secoue la tête. Il articule encore :

– Est-ce qu'il me faut comprendre que je vous dois une fière chandelle ?

Elle hausse gentiment les épaules.

– Catherine avait besoin d'une pichenette ! Ça s'adonne que c'est moi qui la lui ai donnée.

– Mouais... Pour moi, vous êtes fichtrement modeste. Enfin... Cette journée sera à marquer d'une pierre blanche, madame Léonie. Elle deviendra la fête nationale de la famille Ayotte ! Depuis qu'elle avait pris le voile, j'étais comme dans un cauchemar. Je souffrais à l'idée de la savoir enterrée vivante...

Ses traits fins trahissent une ardente sensibilité. Léonie l'envisage avec amabilité, avant de laisser tomber :

– La réalité est complexe. Ce qui nous révolte semble légitime à d'autres...

– Farine du diable ! Le rôle de défenderesse des calotins ne vous sied point, je vous assure !

Léonie pouffe de rire et son interlocuteur, bonasse, rigole en écho. Subitement, ses traits se figent, et Léonie pivote pour constater la cause de son ébahissement. Catherine s'est changée en un temps record et c'est vêtue d'une simple robe d'un bleu turquoise qu'elle s'avance, rouge d'embarras. Son rapide coup de brosse n'a pas réussi à redonner du volume à sa chevelure, mais la transformation est splendide et émouvante. Alexis tend le bras vers sa fille, qui s'empresse de venir glisser sa main dans la sienne. D'une voix enrouée par l'émotion, il s'exclame :

– Notre Renée se fera un tel plaisir de te mitonner de délicieux petits plats ! Déjà que tu n'étais pas charnue en partant...

Catherine se précipite dans les bras de son père, qui la serre à l'étouffer. Léonie ne peut résister au plaisir de lancer à la volée :

– Misère ! Ces deux-là ont du rattrapage à faire !

Tous deux se séparent en riant. Léonie en profite pour annoncer son départ, mais ce n'est que cinq grosses minutes plus tard, après avoir écouté le bourgeois et sa fille se confondre en remerciements, qu'elle réussit à prendre son envol.

Le cœur léger, elle se hâte vers la rue Saint-Joseph. Lorsqu'elle traverse le fin rideau qui tient lieu de porte d'entrée pendant les chaleurs de l'été, elle constate immédiatement la présence d'une valise familière de médecin. Depuis le matin du grand déboutonnage, ce n'est rien de moins que la troisième visite de Bastien, qui a retrouvé avec une aisance déconcertante le chemin du faubourg ! Il semble à Léonie que le dérangement provoqué par le départ de Flavie n'a jamais eu lieu et que le jeune médecin n'a cessé de les réjouir de sa présence à intervalles réguliers... Mais non, pendant une année presque complète, il leur a tourné dédaigneusement le dos !

Simon annonce à son épouse qu'une lettre en provenance des Eastern Townships sommeillait au bureau de poste. Léonie tend une main avide, et il tire de la poche de son pantalon un feuillet tout froissé, qu'elle déchiffre en même temps que son mari brosse un portrait sommaire, pour le bénéfice de Bastien, de la situation de Daniel et de Cécile. Les nouvelles sont loin d'être mauvaises : le jeune couple a la possibilité de s'établir dans deux localités différentes.

Daniel est particulièrement intéressé par une position de maître de poste dans un village en pleine expansion, et dès que ce choix sera confirmé, il fera l'acquisition d'une propriété dans le village. Si les conditions de vie dans cette région de colonisation sont différentes au possible de celles de Montréal, les deux jeunes gens semblent égayés par l'atmosphère de liberté qui y règne. Pour le meilleur et pour le pire, ces sociétés en friche ne sont pas encore régentées par une morale contraignante!

Après quelques minutes de bavardage, le jeune médecin annonce à ses beaux-parents, de but en blanc, qu'il vient de vendre ses parts de la clinique au profit d'Isidore Dugué, un ancien camarade d'études. Ce dernier est venu soumettre aux deux associés le projet d'augmenter les chances de survie de leur établissement d'hydrothérapie en y jouxtant un bain public divisé en deux sections, l'une pour les classes populaires et l'autre, plus luxueuse, pour les bien nantis. Cette perspective audacieuse a immédiatement séduit Étienne, qui s'est lancé avec enthousiasme dans la préparation d'un plan d'affaires.

– Pour moi aussi, poursuit Bastien en les envisageant tour à tour, Isidore tombait pile, mais pour une tout autre raison. Je jonglais avec l'idée de quitter… J'ai fini par comprendre qu'une telle entreprise, c'est trop pour mes frêles épaules. Je veux dire… je n'ai pas l'âme suffisamment trempée.

– Bref, vous n'êtes pas une machine à engranger du blé, grommelle Simon, ce qui est tout à votre honneur.

Avec un mince sourire, leur gendre ajoute:

– Ma force, c'est l'obstétrique. Il m'a fallu toute une escousse pour l'admettre, je sais! Mais disons que… j'avais la vue courte.

Léonie hésite un moment avant d'oser affirmer:

– Flavie me l'a répété plusieurs fois: bien avant le début de votre association, vous aviez déjà la sensibilité au bout des doigts.

– C'est ce qu'elle prétendait, grommelle-t-il, mais j'en doute fort. Son rôle d'institutrice a été… capital.

Gêné, il détourne la tête dans un pesant silence. Léonie échange un regard avec Simon, avant de demander, avec un entrain forcé:

– Vous allez donc installer votre office ailleurs ?

Il se décide à leur faire face, les traits empreints d'incertitude :

– Je me disais… Dans le faubourg, ici, estimez-vous qu'il y aurait un besoin ? Ce n'est pas très loin de chez moi, et puis je commence à bien connaître le voisinage…

Le cœur de Léonie fait une embardée, et instinctivement, elle porte ses mains à sa poitrine. Les yeux agrandis, Simon émet prudemment :

– Ce n'est pas ici que vous trouverez le pactole…

– Je m'en contrefiche. J'ai décidé une fois pour toutes que l'existence d'un bourgeois, ce n'était pas mon lot. C'est Geoffroy qui…

Il cherche ses mots un long moment, avant de réussir à poursuivre :

– Vous allez me croire fou, mais… Je veux dire, on pourrait penser que le cadeau le plus précieux que je pourrais faire à Geoffroy, c'est une vie de pacha, n'est-ce pas ? La richesse après six pénibles années d'indigence… Mais un jour, j'ai eu l'intuition qu'au contraire je mettais sa santé morale en péril. Comme si un tel décalage risquait de… Je ne trouve pas mes mots… Je l'ai vu réagir durement au choc de l'adoption. Parfois, j'ai vu dans ses yeux une lueur de… de démence, le mot n'est pas trop fort, quand il était témoin d'un luxe qui lui paraissait inouï. Sa vie a été virée à l'envers, et il me l'a signifié cent fois plutôt qu'une. J'ai fini par remercier le ciel de l'absence de Flavie. Je m'en serais voulu de lui infliger une telle épreuve…

– Surtout dans son…

Léonie ravale le reste de sa phrase, et s'en étouffe presque. Une vive chaleur lui monte à la tête, et elle s'éloigne pour aller caler un gobelet d'eau fraîche. Elle l'a échappé belle ! Le secret a failli glisser de sa bouche… Mécontente, elle se promet de faire un nœud solide dans son esprit pour écarter tout risque de récidive. Quand même, cette tache sur sa conscience commence à l'encombrer!

– C'est étrange, commente Simon. On pourrait penser que les enfants adoptés sont infiniment soulagés et qu'ils en conservent une reconnaissance éternelle à leurs nouveaux parents, du moins quand ils sont tirés d'une situation invivable!

– L'hospice, c'était sa famille. Une piètre famille, mais la seule qu'il connaissait. Pendant des mois, il a refusé le moindre geste d'affection… sauf de Lucie, notre domestique. Une chance qu'elle était là! Il reconnaissait une parenté de langage et de mœurs… C'est elle qui, en tout premier, l'a apprivoisé. C'est elle qui a trouvé la clef de son cœur… Il m'a fallu beaucoup d'humilité pour l'admettre. Je croyais naïvement qu'il m'accepterait comme père au bout de trois jours!

Il pousse un profond soupir, puis se secoue et redresse le torse.

– Mais le jour où il a accepté de s'asseoir avec moi dans la berçante, j'ai compris que la partie était gagnée. J'avais décidé d'être plus roué que lui: j'ai prétendu que c'était moi qui avais mal… Vous savez quoi, Léonie? J'ai réalisé qu'il n'avait quasiment jamais été touché à l'hospice. Jamais cajolé, jamais bercé!

Sous la force de son indignation, il saute sur ses pieds et fait quelques pas agités dans la pièce. Enfin, il s'immobilise.

– Après moi, il a accepté ses grands-parents, puis sa tante… La transformation a été quasi miraculeuse. C'est maman qui a insisté pour le prendre avec elle, cet été. Ils sont devenus comme les deux doigts de la main!

Il sourit avec bonheur, et Léonie se retient d'aller lui donner l'accolade.

– C'était la plus sage décision à prendre, conclut-il. Il me fallait l'éloigner de la ville. En plus, pour être honnête, j'avais besoin d'un peu de temps à moi.

Il se trouble, mais n'en dit pas plus. Léonie songe à la confidence toute récente de Catherine, et les mots s'échappent de sa bouche :

– La vengeance est douce aux cœurs offensés.

Les yeux de Bastien s'agrandissent et il fixe Léonie sans ciller pendant un long moment, avant de répliquer, avec prudence :

– La vengeance ? Peut-être... Mais aussi, le goût de rire et de m'amuser... Trêve de bavardage, je vous laisse. Mais avant, il me faut vous dire : j'ai envoyé le télégramme à Flavie, de même qu'une lettre. Ça vous va ?

En chœur avec Simon, Léonie hoche vigoureusement la tête, tout en espérant une suite... qui ne vient pas. Le jeune homme offre sa main à son beau-père, qui la serre d'un air égaré, puis il vient à Léonie pour déposer un baiser hésitant sur sa joue. Avant de disparaître, il lance :

– Je me ferai rare dans le quartier pour un petit mois. Je vais rejoindre maman et Geoffroy à la campagne... À la revoyure !

Son départ laisse Léonie tout étourdie. Enfin, elle jette un coup d'œil à Simon, qui hausse les sourcils en guise de réponse. Ce n'est pas demain la veille que leur gendre traversera la ligne du 45... Simon fait une grimace de regret, et Léonie se détourne pour vaquer à ses occupations. Dès que son mari pourra affronter la route, tous deux iront en vacances à Lévis, chez le frère de Simon, qui s'est démené pour leur faire accepter son invitation. Ils reviendront ensuite à Montréal, et ce sera le moment d'aborder Oneida, en espérant une réponse favorable. D'ores et déjà, elle trace le parcours imaginaire de leur odyssée en cheval de fer...

Chapitre XIV

L'été file et chaque dimanche, Flavie s'étonne de la vitesse à laquelle les sept jours précédents ont passé. D'une corvée pour nettoyer un marais à la récolte de fourrage, d'un pique-nique qui réunit toute la communauté à la cueillette des fruits et légumes de saison, les occupations ne manquent pas! Flavie se régale de ce rythme à la fois intense et nonchalant, de ce domaine luxuriant qu'elle explore dès qu'elle en a le loisir et enfin de ces Yankees sobres et industrieux, mais qui ne détestent pas une franche rigolade!

Le mitan de l'été est une période fort occupée pour la jeune accoucheuse, qui accepte enfin de se joindre à la petite équipe féminine qui prend soin du groupe des plus jeunes enfants. Si elle hésitait tant, c'est qu'elle a vite compris qu'il s'agissait d'un quasi-esclavage, du lever au coucher! Mais elle s'amuse beaucoup à faire partie de cette société parallèle. Nuits en dortoir, journées occupées par des jeux intérieurs et extérieurs, un apprentissage scolaire et certains travaux faciles: voilà comment est organisée l'existence de ces turbulents. Bien entendu, une sérieuse instruction religieuse s'y ajoute, mais ces enfants ont un tel espace de liberté qu'ils acceptent cette contrainte avec bonne humeur. Flavie s'émerveille de toutes les possibilités que leur offre la collectivité, et surtout de l'absence de règles absurdes sur ce qu'il est séant de faire!

Un seul aspect de ce système, l'obligation des mères à réprimer leurs élans maternels, la met mal à l'aise. Elle avait cru sentir des tensions à ce sujet, mais c'est ici qu'elles lui paraissent prouvables... Dès qu'un enfant est sevré, entre un et deux ans, il est intégré aux jeunes. Si ses parents conservent un attachement particulier pour lui, s'ils peuvent encore en prendre soin et le faire parfois dormir avec eux, une relation trop exclusive n'est pas tolérée.

Pour John Noyes, il est vital que les enfants soient élevés selon les principes de vie en groupe, comme il est vital que la notion de famille soit élargie à l'ensemble de la communauté. Dans sa chair, Flavie comprend le tourment que vivent les mères, qui sont heureusement en nombre infime. Les membres d'Oneida sont parcimonieux, question descendance ! La dernière chose que Noyes souhaite, c'est que ses brebis procréent à tort et à travers. Mais que l'enfant soit la conséquence d'un défaut de continence ou qu'il ait été engendré avant l'arrivée de ses parents au sein de l'Association, le problème est le même : la mère doit taire son instinct de protection, d'autant plus puissant que l'enfant est jeune, pour accepter de remettre son sort entre d'autres mains. De disposer en contrepartie de plus de temps libre n'y change rien ! La plupart des mères croient, à tort ou à raison, que personne ne comprend mieux leur enfant qu'elles-mêmes et qu'il souffrira fatalement de cet éloignement.

Après trois semaines d'effervescence, une nouvelle rotation des équipes a lieu et Flavie se retrouve au service à la cuisine, un travail monotone mais moins exigeant. Tandis que le mois d'août s'égrène, répandant sur la campagne son parfum capiteux, Flavie est toujours en attente de la révélation, ce moment où elle parlera au « nous » plutôt qu'au « je », un changement capital censé la transformer de la tête aux pieds. En ce sens, la prolongation du séjour de Father Noyes à Wallingford, où il réfléchit sur le sort de la communauté, commence à lui peser outrageusement !

Depuis que leur maître à penser a proposé son soutien actif à Flavie, la situation de la jeune accoucheuse a changé subtilement, mais nettement. Les jeunes femmes, Marguerite y compris, l'intègrent spontanément dans leurs réunions, et quelques-unes se sont confiées au sujet de leur apprentissage amoureux dans les bras du fondateur. Celles qui ne ressentaient aucun élan charnel envers cet homme ont tremblé d'appréhension, mais la réalité fut beaucoup plus douce que prévu: un apprivoisement serein des attouchements, une défloration délicate...

Ensuite, chacun partait de son côté, à moins qu'un désir particulièrement intense ne se manifeste. Father Noyes tient à ce que des hommes mûrs soient les initiateurs des jouvencelles. Tout d'abord pour prévenir les éventuelles grossesses, mais aussi pour faire pénétrer les demoiselles dans un univers sensuel négligé ailleurs! Si Noyes s'est dévoué plus souvent qu'à son tour, ce n'est pas par excès de lubricité, mais parce que les candidats ne se bousculaient pas au portillon. Ces messieurs craignaient de ne pas être à la hauteur!

Depuis quelques années, cependant, l'offre est plus diversifiée. Une prénommée Emily, âgée de quinze ans à peine, raconte en rougissant qu'elle vient tout juste de perdre sa virginité en compagnie de Stephen Waters. Tandis que ses camarades la pressent de fournir des détails, Flavie sent au cœur un pincement de regret. Il n'y a pas à dire, Stephen était son préféré...

Aussitôt, elle se barde contre l'attendrissement. Father Noyes lui dirait que Stephen la tirait vers le bas au lieu de la propulser vers le haut! Il lui dirait de se méfier de la passion de cet homme encore habité par le démon de l'exclusivité et de la jalousie. N'empêche que Flavie commence à trouver que son jeûne affectif s'étire indûment. Elle s'est promis de le respecter pour se joindre au fondateur avec une âme vierge, mais elle s'ennuie de l'ivresse des sens!

Tout au cours de la saison estivale, la vie en communauté lui offre des instants d'une joie sans mélange. L'éveil musical des membres est encouragé, et à certains moments de la journée, des mélodies tirées de flûtes ou de violons s'élèvent dans un recoin de Mansion House ou sous l'ombrage d'un arbre à proximité. Souvent, des voix s'y joignent… Comment, lorsque les notes de musique se mêlent à la brise, ne pas être plongé dans un véritable envoûtement ?

Dans le courant du mois, une proposition inattendue parvient aux dirigeants de la communauté. Des Sauvages, membres de la tribu habitant à proximité, ont tant apprécié leur visite pendant une fête champêtre qu'ils offrent de venir présenter un concert de musique vocale pour les remercier de leur accueil. Le groupe, formé de trois hommes et de deux femmes, se nomme The Indian Vocalists et il se produit partout au pays ; son passage à New York a été fort remarqué.

Après avoir consulté le fondateur par courrier, le conseil des sages accepte et en profite pour lever la quarantaine décidée cinq semaines plus tôt. Les activités normales peuvent reprendre comme de coutume ! Deux jours plus tard, entre six et sept heures du soir, environ dix-huit Amérindiens font leur entrée sur le site. Ils prennent place à une extrémité de la salle commune, tandis que tous les membres de l'Association, avec les enfants assis par terre au centre, leur font face.

Le quintette vocal commence son récital. Dès les premières harmonies, Flavie se sent propulsée dans un monde enchanté. Son répertoire est principalement composé d'hymnes religieux que les chanteurs rendent avec une grande beauté ; mais lorsqu'ils interprètent des chants en langue amérindienne ou qu'ils entonnent une chanson profane qui parle de ces temps anciens – *long, long ago* – où leur peuple chassait le cerf et où les flèches fendaient l'azur comme des aigles en vol, Flavie est saisie d'une vive émotion. Ce sont les fils et les filles d'un peuple ayant perdu sa liberté qui font cet éloquent témoignage, avec une ardeur grave mais vibrante, comme s'ils avaient l'âme dans la gorge !

À intervalles réguliers, les membres de l'Association, y compris les enfants, chantent à leur tour. Enfin, une fois le concert terminé, toute l'assemblée se rend à la salle à manger pour un souper à la mode de la communauté. Le repas est précédé par l'hymne fétiche des membres, *Let us go, brothers, go*, et conclu par un chant populaire américain traduit en langue amérindienne. Tout juste avant que ceux d'Oneida se séparent pour la nuit, plusieurs tiennent à partager avec les autres leur bonheur d'avoir vécu un tel moment et, surtout, leur certitude que seule la vie communautaire peut leur faire ce cadeau ! Une action de grâces au Créateur s'ensuit, à laquelle Flavie participe avec ferveur.

Trois jours plus tard, un John Noyes fringant et détendu fait un retour remarqué. Flavie ne le voit que de loin et elle doute qu'il réussisse à la caser dans son horaire avant plusieurs jours ! Le soir même, il réunit toute la communauté pour faire le point au sujet de l'avenir. Cette période de méditation lui a fait comprendre qu'il ne servait à rien de vouloir convertir le monde entier si la cellule de base n'était pas financièrement solide et parfaitement soudée. Une concentration des activités aura lieu, proclame-t-il donc, et le domaine d'Oneida en deviendra le cœur ! Un tonnerre d'applaudissements accueille cette nouvelle.

Cette nuit-là, Flavie met de longues heures à s'endormir. Une étrange sensation irrite ses nerfs, un mélange d'impatience et de frayeur, de convoitise et de répugnance… Sa rencontre avec Father Noyes a acquis une importance démesurée, accrue par l'attente, contre laquelle elle tente de lutter, mais en vain… Il semble à Flavie que toute sa vie se retrouve concentrée dans ce moment d'intimité, qu'elle touche presque du doigt ! En même temps, elle combat un vif sentiment de frustration. Le fondateur n'a même pas daigné lui glisser un regard de connivence, un sourire entendu!

Elle se lève à la barre du jour, l'humeur maussade. Sitôt son déjeuner avalé, elle se dirige vers le groupe qui s'active déjà dans le potager, profitant de la fraîcheur du matin. En chemin, elle croise Philena Hawley, sa fillette dans les bras. Flavie adresse un chaleureux sourire à la jeune mère, à qui elle a prodigué quelques conseils d'allaitement. Elle a même soigné discrètement, par des cataplasmes de feuilles de chou, un engorgement sérieux à son sein gauche. Même si Marguerite est la sage-femme en titre de la communauté, Philena a préféré se confier à Flavie, avec un abandon qui l'a touchée au cœur.

La petite demoiselle gazouille, mais sa mère a le front creusé d'un grand pli. La jeune accoucheuse s'informe de sa santé, et Philena répond avec brusquerie que sa fille refuse d'être déposée par terre pour laisser sa mère travailler. À l'évidence, Philena a les nerfs à fleur de peau. Flavie a constaté à quel point elle est sujette à d'importantes variations d'humeur. Un jour, elle adore sa fille au point d'en être bêtifiante, et le surlendemain, elle la jetterait quasiment par-dessus bord!

Le spectacle de l'enjouée petite Louisa fait monter une bouffée d'émotion à la tête de Flavie. Son besoin subit de presser cette enfant contre elle, de la cajoler, de mordiller ses joues rebondies, lui donne presque envie de pleurer! Flavie tend les bras vers la fillette, qui se débat pour se libérer de l'emprise de sa mère. Le transfert effectué, Flavie s'éloigne en égayant son précieux fardeau par une démarche sautillante.

Il fait trop beau pour aller s'enfermer à l'intérieur, et elle choisit de s'installer à l'ombre d'un orme, le bébé de dix mois sur ses genoux. Toutes deux s'amusent un long moment en se faisant des grimaces et des mines, puis Flavie, béate, laisse le bout de chou repousser le foulard de sa tête et jouer dans ses cheveux. Lorsqu'elle se lasse, Flavie la dépose par terre, à plat ventre sur son châle. Petite Louisa jubile et se dresse sur ses bras tendus, puis se laisse retomber, les poings en l'air, en arquant le dos. Bientôt, elle tente de saisir tout ce qui se trouve à sa portée, puis elle se met à quatre pattes, se balançant de l'avant vers l'arrière, s'essayant à avancer…

Une autre demi-heure passe ainsi, que la jeune femme voudrait allonger indéfiniment tant elle apprécie la présence toute simple du bébé. Elle voudrait courir se cacher, avec elle, à l'autre bout du monde… Cependant, Louisa se met à couiner et Flavie la retourne sur le dos pour se pencher sur elle et la couvrir de baisers gourmands. Enfin, la perchant contre son épaule, Flavie se remet debout pour une promenade sur le chemin dans le dessein de l'endormir.

À peine a-t-elle fait quelques pas dans la direction opposée à Mansion House qu'elle plisse les yeux. Au loin, une silhouette masculine avance à longues et calmes enjambées. Un visiteur ? Ce n'est pourtant pas dimanche, jour où la communauté accueille habituellement, en dehors des périodes d'épidémie de choléra, plusieurs dizaines de curieux… Flavie est sur le point de prendre un sentier de traverse lorsqu'un détail de l'homme attire son attention. Elle ne saurait dire ce qui, dans sa démarche ou son allure, lui semble familier…

Un tel tressaillement la secoue que la petiote, le visage calé dans son cou et les yeux mi-clos, réagit par un grognement d'étonnement. Flavie a cru reconnaître… Non, ce n'est pas possible ? Chargé de deux besaces qu'il porte croisées et qui battent ses flancs, armé d'un long et solide bâton, le marcheur a la tête couverte d'un chapeau de paille à large bord dont l'ombrage dissimule son visage, sauf le menton orné d'une courte barbe d'un brun très clair. Il est mince et de taille moyenne, vêtu d'une chemise et d'un pantalon à bretelles, et son rythme paisible mais vigoureux trahit une longue habitude de la randonnée.

Flavie est incapable de distinguer ses traits, mais pourtant... Elle a la berlue, pour le sûr ! Que diable son mari ferait-il ici, à des centaines de lieues du Canada-Uni ? La jeune femme reste clouée sur place. Au même moment, ralentissant son allure, le marcheur se débarrasse de ses besaces, qu'il dépose sur le bas-côté. De même, il lâche son bâton pour, enfin, porter la main à son chapeau et le retirer, découvrant une chevelure mordorée dont les boucles s'élancent dans toutes les directions.

Flavie pousse un cri étranglé et, sous le choc, elle chancelle. Ce voyant, Bastien fonce vers elle. Il la saisit par les bras pour la maintenir solidement. Son visage est altéré par un intense souci tandis qu'il balbutie, d'une voix reconnaissable entre toutes :

– Ça va ? Je suis désolé... Viens t'asseoir dans l'herbe.

Farouchement, elle secoue la tête et fait un vif mouvement pour se dégager de son emprise. Il la libère, reculant d'un pas. Le cœur battant la chamade, les jambes flageolantes, elle serre le bébé contre sa poitrine. Il lui faut d'interminables secondes pour se décider à envisager de nouveau celui qui lui fait face, la respiration oppressée. Elle laisse son regard errer sur les yeux embués, à l'iris d'un bleu si profond... Elle s'enquiert, dans un souffle :

– C'est toi, Bastien ?

– C'est moi, répond-il, le timbre éraillé par l'émotion. Oh ! Flavie... Je suis tellement soulagé de te revoir...

Incapable de réprimer l'élan de son être, il ouvre les bras, et, tout aussi impuissante à résister à cet appel, elle s'y précipite. Il la presse à lui couper le souffle, et elle frémit de bonheur sous cette étreinte avide qu'elle lui rendrait avec autant d'ardeur n'eût été le bébé entre eux... Jusque-là endormie, Louisa proteste en geignant, et Flavie prend conscience de l'incongruité de la situation. Pour elle, Bastien n'est guère plus qu'un étranger... Empourprée et confuse, elle se dégage et fait quelques pas en arrière, secouant légèrement la petiote, qui replonge aussitôt dans le sommeil. Son sentiment d'exaltation s'évanouit aussi vite qu'il était apparu, remplacé par un embarras qui enfle démesurément.

Le jeune médecin reste planté là, promenant sur son épouse rebelle un regard à la fois défiant et anxieux. Flavie lutte contre le trouble qui menace de l'engloutir. Celui qui fut son mari n'est maintenant plus qu'un homme parmi d'autres! Peu à peu, le vif tourment de son âme est remplacé par un détachement bienfaisant. Suffisamment apaisée, elle réussit à gratifier enfin le survenant d'une œillade de bienvenue. Il bafouille:

– Je ne voudrais pas t'incommoder... Je repars, si tu veux.

– Tu arrives du village?

Il acquiesce, l'angoisse encore gravée sur ses traits. Elle ajoute:

– Je ne suis pas fâchée de te voir, au contraire. Nous sommes encore... un peu amis, n'est-ce pas?

– Pour le moins, grommelle-t-il. Je sais que tu as pu en douter à un certain moment, mais... tu peux comprendre ma réaction...

Elle riposte gaiement:

– Tu as l'esprit notablement plus large, il me semblait bien!

Il reste silencieux et elle frissonne de désespoir. Il ne faut pas qu'il soit sombre, il ne faut pas qu'il se tienne ainsi, désolé, au bord de l'abîme! Il lui faut être frivole et rieur, sans quoi elle n'a qu'une seule et irrépressible envie: fuir! Elle bredouille:

– Je t'en supplie, Bastien... Tu es venu pour faire la paix? Pour nous délivrer d'un triste passé?

Il la contemple un moment avec effarement et murmure enfin:

– Certes…

– Alors, ne fais pas grise mine ! Je t'offre de prendre connaissance de ma nouvelle vie. Tu verras, c'est plutôt joyeux ! Comme ça, tu repartiras le cœur léger.

Un soupçon lui vient et elle fronce les sourcils avant d'ajouter :

– À moins que tu sois venu m'annoncer une mauvaise nouvelle ?

– Aucunement, se hâte-t-il de répondre. Ton père est parfaitement rétabli et nul récent malheur n'est survenu.

– Comment vont les choses à Montréal ? Est-ce que le choléra… ?

– Le pire a eu lieu en juillet, mais avec moins d'intensité qu'on aurait pu le craindre. Malgré l'augmentation de la population, les décès restent stables si on compare avec les épidémies précédentes. C'est plutôt bon signe.

Un ange passe tandis que Flavie est propulsée cinq ans en arrière, en 1849, l'été précédant leur mariage. La métropole du Canada-Uni souffrait sous les assauts du choléra, mais elle n'avait pas conscience du péril, protégée par l'enchantement de ses retrouvailles avec Bastien… Le jeune homme s'empourpre légèrement et elle réalise qu'il songe exactement à la même chose. Il s'empresse de reprendre :

– D'autant plus que nous avons un été chaud. Des chaleurs extrêmes. La campagne est comme un désert.

Faisant visiblement un effort sur lui-même, il conclut d'un ton badin :

– Et qui est cette charmante enfant qui dort si benoîtement ?

Flavie le renseigne tandis qu'il retourne vers son bagage pour s'en charger de nouveau. Côte à côte, tous deux marchent ensuite en silence jusqu'à ce qu'elle se mette à lui décrire le domaine, les bâtiments et la nature environnante. Elle va ensuite rendre la fillette à sa mère, et lorsqu'elle revient, il s'est assis dans l'herbe, ses bras ceinturant ses genoux relevés, la tête penchée. Elle hésite à interrompre ce moment de repos dont il a sûrement grand besoin, mais il se redresse à son approche pourtant discrète.

Elle frémit devant ses traits détendus, si agréables qu'ils provoquent en elle un puissant branle-bas d'émotions. Après tout, le mâle qui lui plaisait tant n'a pas disparu par enchantement… Mais il suffit à la jeune accoucheuse de ranimer dans sa tête le souvenir de ses remarques acérées, de ses impatiences, de sa gifle et de bien d'autres détails pour que son mari perde instantanément tous ses charmes.

Elle l'interroge sur le temps dont il dispose, et il finit par dire que, s'il lui est possible de séjourner une semaine à Oneida, la chose lui conviendrait. Elle manque de défaillir. Elle voulait lui offrir deux ou trois jours tout au plus ! À proximité de Mansion House, ils croisent un homme affairé qui ne leur accorde qu'un regard distrait, puis quelques dames qui, elles, s'immobilisent à la vue de l'étranger. Avec courtoisie, Flavie les présente mutuellement, puis elle entraîne Bastien à sa suite puisqu'il leur faut trouver Father Noyes de toute urgence pour demander une permission de séjour.

Dès qu'ils se sont éloignés, le jeune homme murmure :

– Et tes cheveux ? As-tu cédé à la mode locale ?

Sans un mot, elle fait glisser de sa tête le foulard qui masquait sa chevelure, dont les mèches les plus longues lui chatouillent le cou. Les yeux de son mari s'arrondissent démesurément devant la coupe masculine et il retient le geste d'y porter la main. Fichant son regard droit devant lui, il laisse tomber narquoisement :

– Je ne suis pas opposé aux arguments en faveur d'une courte chevelure, mais quand j'ai lu qu'il leur a fallu la permission de l'apôtre Paul pour tenter l'expérience…

Flavie fait une grimace de contrariété, mais reste coite. Ce maître à penser exige, dans la Bible, que les femmes portent une longue chevelure. Il paraît que le débat fut ardu mais, après une analyse approfondie du texte, on conclut que la raison de ce mandement était la pudeur : les cheveux dissimulaient les formes féminines ! L'habitude de les remonter en chignon contrevenait donc à ce précepte, et c'est la robe qui prenait la place du manteau capillaire.

À l'intérieur du bâtiment, le jeune médecin accepte un verre d'eau, mais refuse d'un geste toute offre de nourriture. Il dépose ses bagages dans un coin de la salle commune, et tous deux, taciturnes et contraints, partent à la recherche du fondateur, qu'ils dénichent à l'imprimerie en train de corriger des épreuves. C'est la première fois que Flavie se trouve à proximité de lui depuis leur entretien de juillet, et elle sent un profond malaise l'envahir.

De son côté, Noyes accorde une oreille fort distraite à son interlocutrice bafouillante, jusqu'à ce qu'elle décline l'identité de son compagnon. Aussitôt, plusieurs personnes relèvent la tête, ébahies, et dévisagent Bastien, qui se tient droit comme un piquet, les traits sans expression. Noyes enlève ses lunettes avant de se laisser aller vers l'arrière sur son siège :

– Tiens... Quelle visite inattendue, Mr. Reenod !

Comprenant que Noyes attend une explication, Bastien dit enfin :

– J'ai profité de mes vacances pour traverser la ligne. J'aurais dû prévenir, mais... j'avais trop peur d'un refus de ma femme, j'imagine...

Il se permet un faible sourire malicieux, et Noyes n'est pas insensible à cette allusion. Il riposte gaiement :

– Le chef du ménage a parfois de la difficulté à faire valoir son autorité ! Mais dites-moi...

Son visage se durcit, et il questionne sèchement :

– Qu'est-ce qui me prouve que vous ne transportez pas le choléra avec vous ? En ces temps difficiles, vous nous faites courir un risque sérieux ! Y avez-vous même songé ?

Bastien pâlit sous l'affront, mais il réagit avec calme.

– Bien entendu, monsieur. Je suis médecin, Flavie a dû vous le dire ? Je ne suis pas infecté, j'en suis persuadé. Depuis trois semaines, je n'ai été en contact avec aucun malade…

– Qu'en savez-vous ? Même les vêtements et la literie qui ont appartenu à des pestiférés peuvent être source de contamination ! Votre épouse a pris grand soin de nous informer de ces dangers…

Son regard toujours fixé sur le visage de Noyes, le jeune homme réplique, sans perdre son sang-froid :

– C'est tout à l'honneur de Flavie. Mais permettez-moi de nuancer ces propos : il y a une limite à cette chaîne de transmission. S'il n'y en avait pas, tous les humains succomberaient à brève échéance. Il est possible d'être infecté par contact direct avec un malade ou avec certaines de ses possessions. Ni plus, ni moins.

De nouveau, l'humeur de Noyes change du tout au tout : un large sourire éclaire son visage et il saute sur ses pieds en tendant le bras vers Bastien. Après un moment de stupeur, ce dernier serre vigoureusement la main offerte. Le fondateur s'exclame :

– C'est un plaisir de vous recevoir, Mr. Reenod. Grâce à vous, nous avons pu prendre les précautions nécessaires pour nous mettre à l'abri de l'épidémie !

Bastien hausse les sourcils, et Flavie grommelle dans leur langue maternelle :

– Je leur ai fait mes recommandations, et tout le monde s'épate devant le fait que tu m'as si bien renseignée…

Il ne peut retenir une moue narquoise, et elle se caparaçonne aussitôt contre l'attendrissement que suscite cette expression familière. Noyes les invite à le suivre. Tout en marchant, il explique qu'une conversation privée avec leur visiteur s'impose. Il envisage franchement Bastien :

– Je veux savoir quels sont les sentiments qui vous animent, Mr. Reenod. Je vous préviens : les intentions belliqueuses ne sont pas tolérées ici, d'aucune manière. Nous vous reverrons plus tard, Miss Flavie.

Elle glisse, en français encore :

– Je serai à ma chambre, en haut.

Son mari a tout juste le temps de hocher la tête, et les deux hommes disparaissent. La jeune femme monte à l'étage et se laisse tomber sur sa couche. La vaste pièce est déserte à cette heure, et une faible brise fait frissonner les murs de toile qui séparent les chambrettes. Flavie replie son bras sur ses yeux fermés. Elle en pleurerait de désappointement ! Cette visite inattendue l'enrage et la plonge dans la confusion la plus totale. Elle ramène à la surface des douleurs enfouies, des réminiscences choquantes, des émotions contradictoires... Flavie se sent poussée dans ses derniers retranchements, quasiment violentée, et si elle pouvait, elle hurlerait son dépit à la face du ciel.

Néanmoins, peu à peu, son bouleversement diminue en intensité. Le face-à-face devait survenir tôt ou tard. Elle aurait préféré le repousser encore de quelques mois, peut-être même d'une année entière, mais Bastien a choisi cet instant précis. Sans doute transporte-t-il sur lui les papiers de séparation. Sans doute a-t-il rencontré une dame plus accorte... Si un second mariage catholique lui est interdit, plusieurs solutions de rechange existent ! Mais peu lui chaut ce que son mari décide de faire avec sa vie. Cette dernière lui appartient désormais, et de même, il n'a plus aucun droit de regard sur la sienne. Tous deux sont libres. Elle a pris la décision de demeurer à Oneida jusqu'à la fin de ses jours. C'est son nid à présent, son antre.

Rassérénée par son soliloque intérieur, Flavie déplace son bras et ouvre les yeux, résolue à subir la présence de Bastien comme un mal inévitable. Tous deux signeront un traité de paix, puis il retournera à Montréal.

– Flavie ?

Elle se redresse hâtivement, en criant :

– Par ici !

Lorsqu'elle sort de son réduit, elle l'aperçoit près de la porte d'entrée, considérant le décor inusité d'un air interloqué. Elle se dirige vers le centre de la pièce, où sont placés quelques fauteuils, et lui fait signe de la rejoindre. Pas question de le faire pénétrer dans l'intimité de sa chambre ! Tous deux s'installent, et le jeune médecin pousse un profond soupir.

– Je crois que j'ai passé l'examen... Un interrogatoire de Noyes, ce n'est pas une sinécure ! J'ai réussi à le convaincre de la pureté de mes intentions. Comme tu as dit, Flavie. Faire la paix.

Elle s'enquiert des péripéties de son voyage jusqu'ici, et il s'empresse de la satisfaire. Enfin, elle se lève, un sourire aux lèvres :

– Trêve de bavardage ! L'ouvrage m'appelle.

– Moi de même, renchérit-il avec une grimace. Noyes m'a bien spécifié que je devais mériter le gîte et le couvert !

– *Father* Noyes, le corrige-t-elle avec sérieux. On ne l'appelle pas autrement, ici.

Il lui jette un regard indéchiffrable, avant de marmotter :

– Comme tu veux. Father Noyes ce doit être, Father Noyes ce sera.

Pendant la demi-heure qui suit, Flavie explique sommairement à son mari ce qu'il doit savoir du fonctionnement de la communauté, puis ils cassent la croûte à la cafétéria. Bien entendu, la surprenante nouvelle a déjà fait le tour de la communauté, et nombreux sont ceux et celles qui s'efforcent d'apercevoir l'allure du survenant. Encore sous le choc, Marguerite surgit bientôt, et les deux jeunes gens se donnent une franche accolade. Jusque-là malaisée, la conversation acquiert une belle aisance tandis que Flavie se contente d'écouter Bastien répondre d'abondance aux nombreuses questions de la jeune femme au sujet du cours des choses dans la colonie.

En vue de confier Bastien aux bons soins de l'un de ces messieurs, Flavie fait des yeux le tour de la salle. Lorsqu'elle croise le regard de Stephen, assis à l'autre extrémité, elle passe hâtivement, puis se ravise et l'examine plus ou moins ouvertement. Pourquoi pas lui ? Il est sûrement débordé, ces temps-ci, par les tâches agricoles. La tête penchée sur son assiette, il se laisse observer avec un abandon qui, ne peut-elle s'empêcher de constater, est tout à fait délibéré… Enfin, il vient emprisonner son regard dans le sien, et malgré la distance, elle a l'impression d'y lire une invite. Il ne l'a pas oubliée, malgré sa nouvelle conquête ?

Flavie se tourne vers ses compatriotes, interrompant leur conversation pour mettre fin au repas. Avec une démarche altière, Bastien sur ses talons, elle se dirige vers Stephen, qui accepte de prendre le jeune médecin sous son aile pour l'après-dînée. Sans un mot d'adieu, elle s'enfuit et passe le reste de la journée dans le potager, puis dans la cuisine, parfaitement consciente d'être la cible de l'attention générale. Plusieurs femmes tentent de lier conversation au sujet du plaisant docteur, mais elle repousse ces indiscrètes en se disant bouleversée et en quémandant du temps pour retrouver son aplomb. Elle voudrait chasser Bastien de son esprit, même pour quelques minutes à la fois, mais tout un chacun le lui remet constamment sous les yeux !

Elle est ravie d'être, ce soir-là, affectée au service du repas ; elle se contente donc d'échanger avec Bastien quelques regards impassibles. Manifestement, il sait que tous surveillent leurs faits et gestes et il observe donc un strict décorum en sa présence. De toute façon, son attention est requise par le groupe qui l'entoure, formé en majeure partie par les commis voyageurs qui prennent des nouvelles du monde extérieur, puisqu'ils en ont été coupés pendant le choléra. Elle l'entend rire sans retenue lorsque l'un de ses interlocuteurs affirme, d'une voix de stentor, qu'il préfère par-dessus tout l'atmosphère vivifiante qui règne à Oneida, même s'il est privé d'un salaire de huit dollars par jour et de *roast-beef* comme souper !

Flavie est en train de s'occuper du dessert lorsqu'elle voit John Noyes ravir Bastien à ses compagnons pour l'entraîner hors de la pièce. Ce n'est que plus tard, lorsque la cuisine est fermée, qu'elle part à sa recherche, pour le retrouver dans la salle commune. Assis au centre de la pièce face à John Noyes, il est en plein milieu d'une envolée oratoire au sujet de la valeur de sa thérapeutique, l'hydrothérapie, comparée aux principes de Sylvester Graham. Ils sont au moins une cinquantaine à faire cercle autour d'eux et à écouter avec une attention passionnée.

Le feu aux joues et les cheveux en broussaille, Bastien s'est pris au jeu proposé par Noyes. Cependant, ce sont des redites pour elle, et lorsque la joute verbale s'attaque au sujet de la médecine en général et des abus dont se rendent coupables les praticiens, elle déclare forfait et va se réfugier dans le fond de la pièce, près d'une fenêtre grande ouverte. Marguerite ne tarde pas à l'y rejoindre. Elle bougonne :

– Rien de neuf sous le soleil, n'est-ce pas ?

Elle s'enquiert de son état d'esprit et Flavie, la gorge soudainement serrée, finit par murmurer qu'elle va bien et qu'il lui faut simplement du temps pour s'apprivoiser avec la présence de Bastien. Sa compatriote s'éloigne après une pression de la main. Flavie reporte son attention sur la nuit vibrante qui est en train de tomber, pleine de toutes les odeurs capiteuses de la fin de l'été, jusqu'à ce que Stephen s'approche à son tour, les mains plongées dans les poches de son pantalon, s'efforçant de paraître dégagé. Flavie admire le courage dont il fait preuve pour vaincre sa gêne. La dernière fois, elle l'a proprement envoyé paître!

Un pli sur le front, il prend de ses nouvelles. Son souci évident l'émeut à tel point qu'elle tend le bras vers lui et s'agrippe à sa main, la serrant de toutes ses forces, incapable de parler. Il finit par souffler:

– J'ai peur qu'il réussisse à t'emmener... Je t'aime très fort, Flavie. Je sais que toi, tu m'as oublié, mais je tenais à te le dire... Je t'aime autant qu'un homme peut aimer une femme à Oneida. Quand j'ai su l'identité de notre visiteur du jour, j'ai vécu un tel orage... Je voudrais que tu me laisses t'aimer et qu'en même temps j'apprenne à ne pas t'aimer trop.

Elle ouvre la bouche, mais il pose un doigt léger sur ses lèvres.

– Chut... Une autre fois.

Il veut s'en aller, mais elle refuse de lâcher sa main. Elle chuchote à toute vitesse:

– Stephen, ta subite froideur, elle m'a brisé le cœur.

Il accuse le coup et la fixe avec souffrance, puis Flavie le délivre et il s'enfuit. Épuisée, elle s'assoit sur le large rebord de fenêtre, immobile comme une statue, insensible à la conversation entre Noyes et Bastien, qui vient de se conclure dans un brouhaha. Le jeune médecin vient prendre place à ses côtés, en maugréant:

– Je ne tiens plus debout. Bistouri à ressort! Ce Noyes – pardon, Father Noyes – est un redoutable *debater*! Il m'aurait aplati comme une crêpe si j'avais mal possédé mon sujet. Déjà que l'autre hurluberlu m'a fait trimer comme une bête toute l'après-dînée...

Flavie esquisse un faible sourire. Le silence s'étire jusqu'à ce qu'il marmonne, lui jetant un regard en coin:

– Tu n'es guère jasante... Ma visite te déplaît, n'est-ce pas?

Elle rassemble ses faibles énergies pour répliquer :

– C'est sans importance. Tu avais sûrement de bonnes raisons pour venir me voir. On causera de tout ça un autre jour, tu veux bien ? Je n'ai plus toute ma tête…

– Tu t'en vas rejoindre ton amant ?

Désarçonnée, elle reste clouée sur place, les yeux rivés sur ses traits déformés par une expression mauvaise. Cet accablement est chassé par une puissante vague d'indignation, et elle se dresse sur ses jambes pour l'affronter :

– Si tu es venu ici pour me faire la morale, tu peux décaniller au plus sacrant, Bastien Renaud ! Je t'interdis la moindre allusion déplacée à ce sujet !

– Mille excuses, balbutie-t-il, tout déconfit. Calme-toi. Je retire mes propos.

Elle trouve encore la force de proférer :

– La seule chose que je désire à l'instant présent, c'est dormir ! Sacre-moi patience !

Tremblant de tous ses membres, elle traverse hâtivement la salle et monte à l'étage, indifférente aux regards préoccupés qui la suivent. Elle néglige tous ses préparatifs, sauf l'arrêt au pot de chambre, pour s'affaler sur sa couche comme au terme d'une chute jusqu'au fond d'un ravin, telle une gisante.

Au cours des deux jours suivants, c'est à peine si Flavie croise Bastien, qui est très affairé. Il participe à la corvée pour confectionner les vastes sacs qui servent à recevoir la farine une fois moulue, puis il donne un coup de main au responsable de la cordonnerie. Enfin, Flavie l'aperçoit en train de préparer le chou pour la choucroute, le visage réjoui par la conversation avec les dames qui l'entourent.

En soirée, il se mêle aux activités, écoutant avec sérieux le *Bible Game* qui engage un petit groupe ou observant avec intérêt une partie d'échecs en cours. Bien entendu, il a beau protester qu'il est un très mauvais joueur, il ne faut pas longtemps pour qu'on l'installe à une table. Il n'exagérait en rien :

lorsque sonne le couvre-feu, il a eu le temps de se faire battre à deux reprises ! Après un très bref coup d'œil à Flavie, qui s'est occupée pendant tout ce temps à lire et à jaser dans un coin de la pièce, il disparaît vers le dortoir des hommes célibataires, situé sous les combles.

Le lendemain, il se joint à ceux et surtout celles qui font sécher les prunes en vue de les entreposer pour l'hiver. En fin d'après-dînée, plusieurs membres de la communauté se regroupent à l'extérieur, sur la pelouse, pour une partie de ce baseball de plus en plus populaire en sol américain. Les dames ont été initiées à ce sport dès le début de la belle saison, et Bastien semble s'amuser comme un petit fou. À l'évidence, le spectacle inusité des femmes qui courent vers l'un des coussins ou qui tentent de frapper la balle avec une batte lui plaît au plus haut point ! Ce soir-là encore, le jeune médecin regagne sa paillasse sans avoir échangé plus de trois mots avec son épouse.

Remise de ses émotions et accoutumée à sa proximité, Flavie est envahie d'une impatience croissante. N'ont-ils pas, tous deux, quelques affaires capitales à régler ? Elle aimerait bien résoudre ces questions importantes. L'arrivée de Bastien a mis en attente son besoin d'intimité avec le fondateur. Tromper son mari sous son nez ? Le saut semble à Flavie outrageusement compliqué. Elle a l'impression de se tenir à une croisée de chemins et que sa vie tout entière est en suspens. Son choix va décider du reste de son existence…

Au mitan du troisième jour, voyant Bastien assis à table en compagnie de deux compères, Flavie saisit l'occasion offerte. Les hommes finissent par les laisser en tête-à-tête, et elle lance, narquoise :

– Et alors, quelles sont tes impressions ? Tu as pu étudier extensivement les mœurs de cette communauté étrange…

– Étrange et attirante, pour le moins ! J'adore la liberté qui règne dans les rapports entre les sexes. C'est rafraîchissant au possible !

Désarçonnée par son expression à la fois allumée et railleuse, elle riposte enfin, plus aigrement qu'elle ne l'aurait souhaité :

– On peut admirer, mais pas toucher ! Pour profiter des avantages du système, il faut être membre en règle de la communauté.

– Membre en règle… Ça veut dire quoi, au juste ?

– Remettre ses avoirs à la société qui la chapeaute. Exactement comme dans nos communautés religieuses.

– Et si la personne décide de quitter ?

– Habituellement, répond Flavie avec une sérénité qu'elle est loin de ressentir, on s'entend à l'amiable.

– Je suis perplexe. J'ai eu beau t'entourer d'une surveillance discrète, je n'ai vu aucun quidam te tourner autour…

Démontée par cette insinuation inattendue, Flavie reste sans voix. Elle juge ensuite qu'il est grand temps de plonger. D'une voix sans timbre, elle lui résume froidement la situation : le compagnonnage avec Stephen l'hiver dernier, ensuite l'éloignement comblé par Francis, puis sa période de solitude. La bouche entrouverte, le regard anxieux fixé sur elle, il l'écoute sans l'interrompre. Lorsqu'elle se tait, ayant jugé préférable de ne pas faire allusion à Father Noyes, un bref silence se fait. Compatissante, elle s'empresse d'ajouter :

– Il faut que tu comprennes que cette intimité n'a pas le même sens ici que chez nous. Ici, c'est l'exclusivité qui est considérée comme un péché ! L'amour doit être distribué généreusement parce que c'est le moyen par excellence pour toucher à la grâce.

– Stephen… J'en connais un, celui qui s'occupe d'agriculture.

Devant le regard inquisiteur de Bastien, elle bat des cils presque imperceptiblement. Il ouvre de grands yeux, puis détourne précipitamment la tête en s'adossant à sa chaise, les bras croisés sur sa poitrine. Il reste si longtemps perdu dans ses pensées que Flavie, très mal à l'aise, se décide à laisser tomber :

– J'imagine que… que tu as apporté les papiers ?

Il revient à elle avec lenteur, comme s'il émergeait d'un rêve. Il répète sèchement :

– Les papiers ? De quoi veux-tu parler ?

– Eh bien…

Elle est envahie par un trouble si puissant que, pour ne pas s'enfuir en courant, elle se retient des deux mains au rebord de la table. Ce qu'il est cruel, la laisser se dépatouiller dans ce bourbier sans lui porter secours ! Cette pensée lui donne du courage, et elle jette en toute hâte :

– Dans ta lettre, tu disais… que tu étais paré à signer tout ce qui était nécessaire pour…

Vaincue, elle fait une moue de désespoir. Après un silence, il articule d'une voix blanche :

– Pour une séparation ? J'étais fâché, Flavie, c'est le moins qu'on puisse dire. Tu peux comprendre, n'est-ce pas ?

Elle hoche la tête. Il poursuit :

– Mais toi, j'imagine que… tu préférerais te séparer de moi ?

Ces derniers mots provoquent en Flavie une douleur vive, comme s'ils étaient aussi tranchants qu'une fine lame. Elle reprend contenance, avant de répondre :

– C'est-à-dire que… ce serait plus simple, non ? Tu serais libre…

– Ne me fais pas accroire que c'est mon bonheur futur que tu as en tête, dit-il avec hargne. Ne me fais pas accroire que ce n'est pas *pour toi* que tu le veux !

Blessée, elle reste un moment sans réaction avant de répliquer avec détresse :

– Mais moi, ça ne change rien à ma vie ! Je peux passer mon existence entière ici même si…

– Ton existence entière ?

Il la considère avec surprise et douleur, comme si elle l'avait frappé. Elle murmure :

– Je me sens chez moi, ici. Je me sens la bienvenue…

Elle ne dit rien de plus, mais elle voit qu'il a saisi son allusion à son malaise croissant pendant leur dernière année de vie commune. Brusquement, il repousse sa chaise dans un raclement et, dressé devant elle, il rétorque :

– Ton Father Noyes aussi, il m'a fait valoir qu'il était plus que temps de tirer les choses au clair entre nous deux. J'ai senti qu'il se méfiait comme de la peste des pères ou des maris outragés ! Il a dû en voir des vertes et des pas mûres… Tu sauras que je n'ai apporté aucun papier, mais que je commence à diablement le regretter !

Sur ce, il la quitte en courant presque. Mortifiée, Flavie le regarde franchir le seuil et disparaître. Il n'a donc pas l'intention de se libérer de son engagement ? Mais alors, pourquoi est-il venu ? Confuse et inquiète, elle envisage avec découragement le reste du séjour de Bastien. À l'évidence, leurs rapports seront beaucoup plus compliqués qu'elle ne l'avait cru au premier abord ! Pourront-ils se séparer en bons amis, heureux de savoir l'autre en pays accueillant, comme elle le souhaite tant ?

Dès lors, Flavie se prépare à croiser un Bastien en rogne, mais c'est un jeune médecin détendu qui l'invite à prendre place à ses côtés pour le déjeuner, le lendemain matin. Elle le dévisage : il s'est débarrassé de sa barbe, et la peau mise à nu est beaucoup plus pâle que le reste du visage. En apparence insensible à son effet, il s'engage avec elle dans une conversation courtoise, presque mondaine. Une première question de Flavie au sujet de sa clinique lui fait narrer les principales péripéties d'affaires de la dernière année et la décision qu'il a prise de vendre ses parts à Isidore Dugué. Cette annonce stupéfie Flavie, à tel point qu'elle peine à trouver ses mots.

– Tu… tu as vendu à Isidore ? À lui, entre tous ?

Après une grimace, il répond :

– Je n'avais guère le choix... J'ai eu beau semer des graines un peu partout, c'est seulement dans sa cervelle à lui que le terreau s'est révélé fertile.

Il rit brièvement :

– Ce cher Isidore ne jure plus que par les tables tournantes. Par je ne sais trop quel phénomène mystérieux, ces adeptes du spiritisme craquent pour l'hydrothérapie ! Je louerai leurs installations, si nécessaire.

– Mais ta clinique... tu y tenais tant !

– Tu penses ? Disons que j'ai cru que c'était mon seul choix pour faire bonne impression sur la clientèle. J'ai maintenant le goût de... retrouver ma liberté.

Une vague d'embarras lui empourpre les joues, et il ajoute tout bas :

– Tes prêts, Flavie... Enfin, ton premier prêt et mon emprunt subséquent... celui que je n'ai pas osé te demander et dont je tiens à m'excuser sincèrement auprès de toi... eh bien, toute la somme est dans ton compte de banque, à attendre ton bon vouloir.

Elle fait un très léger signe de tête, avant de s'enquérir encore :

– Mais alors, que vas-tu faire ?

– Après les vacances ? J'hésite encore. M'ouvrir un office dans un faubourg, sans doute. Quelque chose de beaucoup plus simple.

– Dans un faubourg, tu peineras à joindre les deux bouts.

Il réplique avec impatience :

– Tes parents m'ont servi le même avertissement. Bistouri à ressort ! Si je voulais m'enrichir, ce n'est pas cette voie que je choisirais !

– Ce n'est pas l'avis de plusieurs de tes collègues, le rabroue-t-elle froidement. J'en connais pas mal qui sont médecins dans le but de faire fortune !

Penaud, il fait une moue d'assentiment, et elle le presse de lui raconter en détail l'épreuve qu'a vécue Simon. Son mari s'exécute avec générosité, concluant :

– À vrai dire, j'ai joué le rôle d'une garde-malade. Celui qui a guéri ton père, c'est Jacques Rousselle.

Devant l'air abasourdi de Flavie, il prend le temps d'éclaircir le rôle du nouveau médecin associé de la Société compatissante dans la guérison de Simon.

– Quel homme énigmatique, tout de même… Il représente le meilleur et le pire à la fois. C'est un médecin très calé au point de vue des nouveautés, mais prudent : à ce chapitre, on ne peut qu'être épaté de sa manière de manipuler la science. D'un autre côté, il est suffisant au possible !

– Et même brutal ! renchérit-elle impulsivement.

Dans l'entourage de sa mère rôde un homme dangereux. Elle le savait pourtant, Léonie lui a raconté son engagement dans les grandes lignes, mais soudain, elle s'en veut terriblement de ne pas être là pour la protéger. Tant de malheurs pourraient survenir, et la menace que représente ce Rousselle est l'une des pires !

– Brutal ? relève Bastien en fronçant les sourcils. Que sais-tu de lui ?

Confuse, elle hésite un long moment, puis elle se résout à débiter d'un trait :

– Je ne te l'ai jamais dit, mais un soir, en revenant d'une conférence, Jacques Rousselle m'a suivie.

Elle lui décrit l'incident. Il fulmine :

– Jolie prétentieuse ? Il t'a traitée de jolie prétentieuse ? Le saligaud ! Je vais l'avoir à l'œil, celui-là ! Flavie, tu aurais dû me le dire sur-le-champ ! Se pourrait-il qu'il soit… ?

Il s'interrompt, l'expression profondément contrariée, et s'agite sur son siège. Flavie repousse cette allusion outrancière du revers de la main.

– Intéressé par moi ? J'en doute fort ! Il a voulu m'intimider, point à la ligne. Peut-être qu'il agit de même avec plusieurs dames téméraires ! Et tu conviendras que j'étais la plus téméraire d'entre toutes.

– Mouais… N'empêche, à mon avis, il dédaigne les douairières ! Les rumeurs sur sa vie privée sont éloquentes à ce sujet.

Flavie n'a aucune envie de discutailler sur cet aspect du triste personnage. Bastien s'absorbe un moment dans une contemplation intense de ses mains jointes, puis demande avec brusquerie :

– Comme ça, tu as trouvé ton content, ici ?

– La vie est très plaisante, répond-elle prestement. Tu as pu constater l'atmosphère conviviale…

– Et ton métier ?

Les idées en fuite, elle reste muette, puis elle finit par laisser tomber :

– Je suis contente de participer à la construction d'une société meilleure. Pour ça, il faut parfois… faire des sacrifices. Ici, j'ai l'impression d'être un maillon vital d'une longue chaîne de solidarité ! Notre monde s'en va en déroute, mais en Canada, personne ne semble s'en apercevoir ! L'anarchie n'est pas où les bien-pensants la voient. Elle n'est pas dans le socialisme, mais dans le capitalisme sauvage, dans l'exploitation de l'homme par l'homme ! Même toi, tu ne voulais rien entendre…

Il fronce les sourcils à cette allusion, mais il se tient coi et l'encourage d'un geste à poursuivre. Elle saute à pieds joints dans la brèche ouverte. Un intense besoin de lui dire ses quatre vérités la tenaille ! Car s'il discutait gentiment avec elle des réalités qui la préoccupaient, quand il s'agissait d'agir, plus rien n'avait d'importance que *sa* réputation, *sa* pratique, *sa* famille !

– Mes lubies t'ont égayé jusqu'à ce qu'elles prennent une tournure menaçante. Comme tous les autres, tu t'es marié pour t'assurer d'une descendance, point à la ligne. Tu ne m'as pas choisie par amour, mais par intérêt! Tu m'as choisie par concupiscence, dans tous les sens du terme!

– Tu le crois vraiment, en ton âme et conscience?

Sa tranquille repartie, empreinte d'un chagrin manifeste, réduit Flavie au silence. Elle se débat contre l'envie de le prendre dans ses bras pour le consoler... Après un temps, il poursuit, la voix éraillée:

– Si je faisais partie de cette communauté... et si je venais te proposer une communication spirituelle intense, comme vous dites ici... est-ce que tu me repousserais? Est-ce que ton inclination pour moi, Flavie, elle s'est muée en aversion?

Sa réponse négative, elle a envie de la crier à pleins poumons, mais elle se contient et répond faiblement:

– Si tu étais capable de... de te conformer aux usages... et de me considérer avec... avec un regard neuf...

Elle détourne les yeux, incapable de supporter la vue de son expression presque suppliante, dénuée de toute fierté. Elle a l'impression que son être entier est secoué par un tumulte, celui de la chicane entre sa fierté d'épouse offensée et sa vive amitié pour lui, qui sourd comme un filet d'eau d'une paroi rocheuse. Le tumulte de la chicane entre sa rage d'avoir été brouscaillée par un mari abusif et son appétence charnelle, qu'elle ne peut nier! Quel est donc ce message qu'il vient de lui envoyer?

Soudain, elle désire ardemment qu'il continue sur sa lancée, mais, à son grand désappointement, il change de sujet pour, d'un ton neutre, aborder l'attitude générale de John Noyes, telle qu'on peut la deviner dans ses écrits, face aux découvertes scientifiques. Selon le fondateur, enchaîne Bastien avec un tremblotement dans la voix, seule la Bible contient la vérité absolue. Les savants commettent un vol qualifié! Tenter d'usurper cette connaissance, qui n'appartient qu'au Créateur, aurait même été le péché originel d'Adam et Ève !

– Dans ces conditions, Flavie, toute curiosité est répréhensible ?

Aussitôt, l'interpellée souligne à quel point l'éducation est valorisée à Oneida, à quel point l'appétit du savoir est encouragé, mais cette défense lui paraît si insignifiante qu'elle laisse sa phrase inachevée. Bastien a parfaitement raison : les jeux de l'esprit ont une limite précise, celle qu'impose l'apôtre Paul selon qui le Christ cache des trésors de sagesse et de connaissance. Ce que la science a de bon, c'est le Messie qui l'enseigne au monde !

Avec agitation, Bastien s'emploie alors à faire la démonstration qu'en matière de science il ne peut y avoir deux poids, deux mesures. On ne peut s'intéresser à la géologie en amateur, pour repousser finalement les conclusions qui s'imposent, soit les hypothèses des géologues concernant l'âge vénérable de la Terre ! Flavie ne peut le laisser critiquer ainsi le fondateur. À mi-voix, elle finit par expliquer :

– En fait, selon Father Noyes, il ne faut pas interpréter la Bible au sens littéral. La Genèse, pour lui, c'est un récit poétique d'une sublime vérité. Il ne faut pas la confronter à une critique intellectuelle froide, à une pseudo-logique scientifique, mais aux enseignements de l'Esprit saint.

– Plaisante défaite, grommelle Bastien, ironique. Par quel miracle Moïse est-il au courant des commencements du monde ? Comment peut-il parler d'une création sur sept jours quand on sait que la Terre vit depuis des temps immémoriaux ? Comment peut-il affirmer que le Soleil a été créé pour illuminer notre planète, quand on sait que les astres sont indépendants les uns des autres ? Questions négligeables, selon le prophète Noyes, et chicanes de clochers ! Les mystères de la vie doivent rester inexpliqués ! Cette crédulité ne te ressemble pas, Flavie. Tu as fièrement changé…

Désarçonnée par cette remarque, elle le considère avec effarement. D'un geste inattendu, il vient poser sa main sur la sienne, ce qui la fait tressaillir vivement. C'est leur premier contact physique depuis son arrivée...

– Je croyais que ton but dans la vie, c'était de cultiver la plus grande indépendance d'esprit possible ? Je croyais que c'était l'unique moyen, le moyen le plus sûr, de faire échec aux a priori ?

Il libère sa main, ce qui la laisse orpheline.

– Selon ton prophète encore, le cœur abrite l'âme ; il est donc l'organe par excellence de la vie, autant physique que spirituelle. Qui plus est, là se situent aussi la volonté et la conscience, comme les cinq sens, l'énergie nerveuse, l'intellect, la musculature ! Toi qui connais l'anatomie mieux que quiconque ici, comment peux-tu admettre une telle affirmation sans broncher ?

Elle ouvre la bouche pour protester, mais sa mine soucieuse la désarme et elle s'entend dire :

– Disputer avec Father Noyes sur n'importe quel sujet, même sur les découvertes de Copernic ou d'Aristote, ça revient à discuter son autorité. C'est impensable.

Comme si tout était dit, le jeune médecin s'adosse à sa chaise avec un air satisfait. Davantage pour lui-même, il laisse tomber, tout en parcourant la pièce des yeux :

– Si j'en ai l'occasion, *je* ne me priverai pas de causer avec lui de la condition immortelle des humains. Elle m'a fait rigoler, cette profession de foi du fondateur, qui prétend être libéré de la mort. Il s'affirme à ce point fusionné au Christ qu'il serait parvenu à une semblable émancipation du trépas, *autant dans le corps que dans l'âme* !

Il a mordu dans chacune des syllabes des derniers mots, et le regard dont il enveloppe Flavie s'est durci considérablement. Se penchant de nouveau vers elle, il assène :

– C'est de la bouillie pour les chats, Flavie. Un salmigondis de bouffon ! Cet homme veut vous faire avaler des couleuvres. Cet homme est d'une vanité ! C'est s'arroger un bien trop grand pouvoir sur les destinées d'autrui. Ça me donne le pesant, que tu places ton sort entre ses mains ! Quand même, Flavie ! Ne me fais pas accroire que tu gobes ces énormités ?

Il la considère avec un pli d'inquiétude entre les sourcils. Rebutée par cette admonestation, Flavie se dresse d'un seul mouvement, en balbutiant :

– On m'attend à l'imprimerie... Je suis désolée de t'avoir retenu si longtemps.

– Pas de quoi, réplique-t-il posément. J'ai bien aimé discuter avec toi. Ça me rappelle une agréable période de ma vie.

Incapable de supporter cette allusion à des temps plus heureux ni d'affronter son regard quémandeur, elle s'enfuit sans demander son reste. C'est ma foi vrai : Bastien et elle s'amusaient comme des petits fous à bavarder des sujets les plus divers, futiles ou graves, simplement pour le plaisir de croiser le fer et de se coucher moins sots. Dans tout le branlebas qui est venu après, elle l'avait quasiment oublié...

Chapitre XV

Pendant les heures qui suivent, Flavie a beau s'immerger totalement dans son travail, elle ne peut faire fi de l'extrême désarroi dans lequel l'ont jetée les critiques mordantes de Bastien. Comme si, en formulant ses propres objections à voix haute, il avait encouragé sa petite voix intérieure, celle qui la nargue depuis longtemps, celle qui dépouille John Noyes de son aura de visionnaire, d'inspiré, pour en faire un simple illuminé qui se prend pour le nombril du monde… Sa valse-hésitation l'irrite à tel point qu'elle fait tout son possible, une fois dégagée de ses obligations, pour éviter la proximité de son mari.

Ce soir-là, quittant la discussion théologique qui attire plusieurs dizaines d'auditeurs, elle prend la direction de l'étage après s'être assurée que Bastien n'est pas dans les parages. C'est à mi-chemin dans l'escalier qu'elle croise Stephen qui descendait, et qui lui bloque le passage avec un sourire charmeur.

– Ma chérie… J'attends un signe de toi avec impatience.

Elle en est surtout contrariée. Dans un chuchotement irrité, elle invoque le premier prétexte qui lui vient à l'esprit :

– Tant qu'il est là, je ne peux pas te faire signe !

Il hausse les sourcils.

– Et pourquoi donc ? N'est-il pas au courant de tout ?

– Oui, mais…

Il la saisit par le poignet, et Flavie le dévisage, égarée, notant sa pâleur subite et ses yeux largement écarquillés.

– Tu ne vois pas que c'est une épreuve que le Créateur t'envoie ? Qu'il exige de toi une renonciation totale et parfaite au lien conjugal ? C'est seulement si tu t'abandonnes dans mes bras *en présence de ton mari* que tu vaincras les habitudes corrompues du monde. Le doute ne sera plus possible, ni pour toi ni pour Father Noyes. Je t'assure qu'il te poussera des ailes, ma chérie, des ailes d'ange.

Un pas résonne plus bas, et Stephen se raidit. La jeune accoucheuse ne peut croire que le hasard fait survenir ce qu'elle redoute au plus haut point, mais une voix arrogante lance derrière elle, en français :

– Des ennuis, Flavie ?

Stephen libère son poignet, et elle descend d'une marche. Une main, celle de Bastien, se pose dans son dos, à sa taille, pour lui offrir son appui. Elle adresse un mince sourire à Stephen en bredouillant :

– Bonne nuit. Nous en reparlerons demain.

Il incline presque imperceptiblement la tête avant de les contourner pour poursuivre son chemin, le regard fixé droit devant. Après un temps, Bastien murmure :

– On monte ?

Flavie obéit et tous deux se retrouvent sur le palier. Elle reste plantée là, hagarde, tandis que les paroles de Stephen se répercutent dans sa tête comme une menace.

– J'ai cru sentir qu'il t'importunait…

Sans répondre, elle hausse les épaules. Bastien reprend :

– Je te cherchais. J'espérais pouvoir bavarder un moment avec toi…

– J'ai la tête ailleurs, murmure-t-elle. Je ne serais pas de bonne compagnie.

Le visage soudain contracté, il ne peut s'empêcher d'insinuer :

– Si ce n'est pas Stephen qui t'attend, c'est peut-être un autre ?

Elle lui donne une vive bourrade à l'épaule, laissant ainsi éclater son sentiment d'outrage. Ils s'affrontent du regard, puis elle débite d'une seule traite :

– Toi, Bastien Renaud, tu serais peut-être capable de me faire la nique avec une autre à ton bras, mais pas moi !

Après un adieu glacial, elle se précipite vers le dortoir des femmes, où elle sait qu'il n'osera pas la suivre. Elle passe une nuit extrêmement agitée, et à chacun de ses réveils, elle maudit le jour où le « plaisant docteur », comme l'appellent quelques demoiselles excitées, a traversé la ligne. Elle a l'impression que le brouillard s'est épaissi au point qu'elle court le risque de se fracasser corps et âme sur des rochers !

Au matin, elle sort du lit de fort mauvaise humeur, parée à tirer sur tout ce qui bouge, mais le premier ennemi qui se pointe est une gentille fillette qui lui remet un feuillet plié en deux. Désarmée, Flavie lui pose un baiser plein de remords sur la joue, puis elle s'assoit sur la plus haute marche de l'escalier afin de prendre connaissance du message paraphé par Bastien. Elle suspend sa respiration en déchiffrant les mots hâtivement tracés :

Pour me délivrer des phrases qui tournoient dans ma tête, je saisis ma plume afin de te dire que non, moi non plus jamais je ne t'offenserais par le spectacle d'une autre femme à mon bras. J'espère que ce sont des paroles en l'air que tu m'as lancées et que tu ne me juges pas si vil. Je te promets de t'épargner dorénavant toute allusion mesquine. Dans le fond, ce sont des choses de peu d'importance. Ce qui me tient à cœur maintenant, c'est que tu me parles de toi et de ce que tu as vécu avant de quitter Montréal. D'après ta mère, tu étais très troublée et je n'ai pas su le voir. Je t'en supplie, éclaire-moi !

La réaction de Flavie est involontaire et brutale : une crampe douloureuse à l'abdomen lui coupe le souffle. Pétrifiée, respirant par petits coups, elle attend qu'elle disparaisse. Tout son être se rebelle à l'idée de replonger dans une situation qu'elle a fuie parce qu'elle lui était devenue intolérable. Bastien ne peut avoir été à ce point aveugle ? Comme il est cruel d'exiger qu'elle s'immole ainsi ! Révoltée, elle retourne précipitamment à sa chambre et s'équipe pour une longue promenade dans les bois.

Elle réussit à s'éloigner de Mansion House sans adresser la parole à quiconque. Pendant des heures, sans relâche, elle arpente les sentiers de la forêt, s'arrêtant à peine pour boire à l'eau des ruisseaux. Elle ne revient dans la civilisation qu'en milieu d'après-dînée, fourbue et affamée. Une fois rassasiée, elle va s'allonger sous un arbre, à l'écart, où elle dort jusqu'à ce que tombe la fraîcheur de cette soirée de septembre.

À pas lents, elle pénètre dans Mansion House. À la mine circonspecte des gens qui la croisent et à leur silence gêné, elle devine que son absence a été remarquée. Dénuée de tout appétit, elle se dirige vers la salle commune, déserte à l'heure du souper. Enroulée dans son châle, elle s'assoit sur un rebord de fenêtre, le plus loin possible de l'entrée, pour contempler la nature illuminée par les rayons du soleil couchant.

Se dressant soudain devant elle, Bastien grommelle :

– Tu m'as donné la frousse. Où étais-tu passée ?

– En promenade.

– Sans avertir personne ?

– Exactement, réplique-t-elle en le défiant du regard. Je suis libre de mes actes.

Avec moins d'aplomb, il s'enquiert :

– La messagère t'a trouvée ?

Elle opine du bonnet, mais reste coite. À son tour, il se résout à poser une fesse sur le rebord de la fenêtre, tandis qu'elle réalise que la salle s'est peuplée comme à l'accoutumée. Cela ne l'incommode nullement, pas plus que la proximité de

Bastien, puisqu'elle se sent ailleurs, à des lieues de distance. Il respecte si longtemps son silence qu'elle tressaille lorsqu'il jette, d'une voix nerveuse mais contenue :

– Je suis venu ici avec la ferme intention d'aborder certaines choses avec toi. Autrefois, tu m'as reproché… quelques moments de faiblesse. Tu n'avais pas entièrement tort. Ce que je veux savoir, c'est très simple : pourquoi es-tu partie ? Est-ce que vraiment tu croyais que… que j'étais devenu frette comme glace à ton égard ?

Quelle candeur dans le ton de sa voix ! Touchée au plus creux, mais prodigieusement mal à l'aise, Flavie tremble de tous ses membres. Elle voudrait tant se soustraire à cette détresse qui se déploie en elle à la moindre occasion ! Elle chuchote :

– C'est dur pour moi… si dur de parler de tout ça.

– Je t'en supplie… Fais-le pour moi, parce que, autrement, je suis perdu.

Comment ignorer cet appel sans avoir un cœur de pierre ? Inspirant profondément pour se donner du courage, elle réussit à souffler :

– C'est une accumulation de défaites. Bien certainement, tu le sais aussi bien que moi ? Ton mépris parce que je voulais étudier…

– Mon mépris ? s'exclame-t-il, effaré. Moi, te mépriser ?

– Tu t'es servi de moi ! riposte-t-elle vivement. Je t'ai montré tout ce que je savais et tu as refusé de faire de même ! C'était comme une claque en pleine face !

Le rouge lui monte aux joues comme si la gifle venait tout juste de retentir. Elle enchaîne, bafouillant :

– Justement, la gifle… J'ai eu de la misère à l'avaler, celle-là. Et ta visite à Provandier… C'était indigne de toi, Bastien Renaud ! C'était me considérer comme une écervelée !

– Ce que tu n'es pas du tout, j'en conviens sans peine. Tu m'as bien mal compris…

Vibrante de colère et de désarroi, elle le rabroue :

– Oh non ! J'ai parfaitement saisi tes messages, au contraire ! J'ai parfaitement saisi que tu me jugeais indigne de ta science ! Encore pire, tu me considérais comme une vulgaire capricieuse incapable de saisir la portée de ses actes ! Mais je le voyais, à quel point je dérangeais tout le monde. Ça me faisait mal, vraiment très mal ! J'aurais tant voulu que tu me soutiennes. Avec ton aide, j'aurais surmonté bien des difficultés... Mais non, il a fallu que tu en remettes, que tu me rabâches toutes tes objections ! Ça me fendait le cœur. Comme si tu me croyais trop bête et trop innocente...

Elle ne peut retenir les larmes, qui se mettent à glisser, abondantes, sur ses joues. Il laisse tomber d'une voix rauque :

– Ton goût d'étudier la science médicale... comme il est souverain...

– Je veux me perfectionner. Pourquoi ce serait interdit à une femme ? Pourquoi il faut que les autres décident de ce que je suis capable de faire ? Je t'en ai causé souvent, Bastien. Ma vie, je veux la consacrer à ce qui est bon et beau. Il me faut *agir*. Un mari, d'accord. Des enfants, pourquoi pas ? Mais tout cela, ce n'est pas un but dans la vie. Je sais que je suis différente des autres et des fois ça me donne envie de vomir, mais si je ne peux pas me vouer à une cause qui me transporte, à laquelle je peux consacrer ce que j'ai de plus... de plus précieux et de plus vif, à quoi bon ? Je n'ai pas été mise sur terre pour jouer le rôle d'une poule pondeuse, tout de même !

– Bien sûr que non, répond-il d'un ton apaisant. Ne t'emporte pas tant.

Une sensation d'affolement, le même que celui qui lui a fait perdre la tête en ce jour funeste de l'arrivée de Geoffroy chez les Renaud, se met à tournoyer en Flavie, qui ne peut retenir un gémissement ponctué d'un sanglot. Elle réussit néanmoins à balbutier :

– Quand je suis revenue... quand je suis revenue, tu n'en avais que pour ton fils et... tu m'as dit que tu ne voulais pas d'autre enfant et que... plus rien n'avait d'importance que lui...

Incapable de poursuivre, pleurant toutes les larmes de son corps, elle dissimule son visage derrière sa main libre. D'un ton navré, Bastien répète son prénom à plusieurs reprises, puis il l'attire avec précaution contre lui et la soutient en silence pendant un long moment. Tandis que s'épanche le plus gros de son chagrin, elle songe au geste meurtrier qu'elle a posé et dont, un jour, il lui faudra bien se confesser... Mais pas maintenant, surtout pas maintenant. Cet acte lui apparaîtrait répugnant !

Le jeune homme murmure, d'une voix blanche :

– J'ai été dur, ce jour-là. J'en ai pris conscience... Pardonne-moi, Flavie. J'aurais dû t'accueillir à bras ouverts mais j'étais... j'étais amer de bien des choses, tu vois ? Je crois que j'étais surtout amer de moi-même. Je n'avais pas réussi ce que tout homme respectable doit réussir. J'avais une pratique bringuebalante et une famille démantibulée... Je me suis accroché à Geoffroy comme à une bouée. Je n'avais pas vu que ma bouée la plus solide, c'était toi.

Au même moment, le niveau sonore dans la pièce baisse notablement. Alertée, Flavie distingue, du coin de l'œil, l'approche d'un homme de taille moyenne. Avec un reniflement, elle se dégage de l'étreinte de Bastien et recule d'un pas tout en essuyant fiévreusement les larmes qui s'attardaient sur ses joues. John Humphrey Noyes se plante devant eux, et Bastien foudroie l'impudent du regard. Ce duel semble durer une éternité ; le fondateur laisse enfin tomber :

– Je n'ai rien compris à votre échange, mais je crois que Miss Reenod vient de vous signifier votre congé, n'est-ce pas, *mister doctor* ?

– Grossière erreur, réplique Bastien vertement. Nous nous sommes expliqués sur quelques points qui ne vous concernent en rien, *mister preacher*.

– Ce qui touche Miss Reenod m'intéresse fort, au contraire. Vous a-t-elle fait savoir que nous avions rendez-vous, elle et moi ? Je crois que le moment est fort opportun pour un entretien privilégié.

Flavie se sent blêmir. Stephen s'est ouvert de son échec d'hier soir devant Father Noyes, qui a résolu de prendre les choses en main ! Toute la communauté lui lance un ultimatum. Pour être définitivement acceptée, il faut qu'elle prouve son attachement à leurs croyances. Toute superbe envolée, Bastien la fixe avec affolement. Pâle comme un spectre, il bredouille, d'une voix éteinte :

– Lui aussi, il... ?

– Pas encore, fait-elle à toute vitesse. Mais c'était prévu...

Mr. Noyes tend la main vers elle. Loin d'être amical, ce geste semble à Flavie chargé de menaces, comme s'il tenait un couteau au bout de son bras ! Elle reste clouée au sol, la tête baissée, les émotions en bataille, se faisant violence pour ne pas se réfugier entre les bras protecteurs de son époux. Enfin, elle murmure, en français :

– Je n'ai pas le choix. Il faut que je leur prouve que... Je ne voulais pas, je t'assure !

– Mais rien ne t'y oblige ! Tu es libre !

Elle risque un œil vers lui. Ses traits sont contractés sous l'effet du chagrin, ce qui l'égare encore davantage.

– Pas ce soir. Ce soir, je dois...

– J'ai cru comprendre un mot crucial, *mister doctor*, interjette John Noyes avec suavité. Il s'agit de « libre ». De quelle liberté voulez-vous parler, au juste ?

Très lentement, avec des gestes délibérés, Bastien se met debout, puis croise ses bras sur sa poitrine. Ainsi campé en face du fondateur, il répond d'une voix claironnante :

– De la liberté individuelle, *mister preacher*. Celle qui fait de chaque être humain un être pensant, apte à porter un jugement éclairé sur toute chose.

– Une telle doctrine suscite l'anarchie, réplique aussitôt son interlocuteur, parce qu'elle est contraire aux plans du Créateur. Si Dieu est un despote, c'est le plus tendre et le plus aimant qui puisse exister, et le seul moyen d'atteindre au bonheur…

– C'est de remettre son destin, complète Bastien, qui vibre d'une rage contenue, entre les mains de celui qui a reçu la commission de mener son peuple. Vous, en l'occurrence.

– Dieu m'a choisi. Il a senti mon habileté. Il m'a fait cadeau d'un pouvoir qui s'exprime par une ascendance irrésistible sur ce qui est inférieur.

Le jeune médecin inspire brusquement, puis franchit d'un pas l'espace qui le séparait de son vis-à-vis. Les poings serrés contre son corps, plantant son regard vindicatif dans celui de l'autre, il reprend d'un ton railleur :

– Une ascendance irrésistible, vraiment ? Vous n'entretenez aucun doute sur votre pouvoir d'attraction, n'est-ce pas, *mister preacher* ? Au point de faire rouler toutes les dames accortes sur votre couche ?

Noyes recule soudainement, pointant vers lui un index vengeur.

– Vous partez demain matin ! Nous ne tolérons pas, ici, une telle arrogance !

Le fondateur pivote vivement vers Flavie pour lui tendre la main. Telle une automate, elle noue ses doigts aux siens. Avec un sourire victorieux à son adresse, il débite aimablement :

– Le mal vous tourmente encore, un esprit malin qui se rebelle contre les influences bénéfiques. Vous abritez quelqu'un qui recherche l'obscurité et la satisfaction égoïste ! Voilà pourquoi vous souffrez : le bien et le mal entrent en collision. Ces deux forces dépassent notre entendement. Il est d'une excessive prétention de croire échapper à cette guerre par le seul pouvoir de la volonté! Suivez-moi.

Flavie lui obéit, et tous deux ont traversé la moitié de la pièce lorsque le cri étranglé de Bastien leur parvient:

– Ma mie! Ressaisis-toi!

Le tendre qualificatif est, pour Flavie, comme un coup au ventre. Tandis que le fondateur la conduit au pas de charge, elle n'a qu'une seule pensée: Bastien avait une telle peine! Il la fixait avec des yeux si tristes, si désolés… Ce n'était pas un mari jaloux ou dépité qui l'implorait du regard, mais un amoureux éconduit. Se pourrait-il qu'il ait encore une certaine estime pour elle? Se pourrait-il qu'il… qu'il la désire encore? Qu'il l'aime encore? Sa réaction ne peut s'expliquer uniquement par la jalousie ou la possessivité conjugale!

Dans la chambre, John Noyes se déshabille, lui enjoignant de faire de même, ce à quoi elle se soumet tout en prenant garde de poser ses yeux sur lui. Tous deux s'allongent côte à côte. Sous ses caresses lascives, Flavie reste de marbre, obnubilée par une sensation d'écœurement. Ce mâle en chaleur lui donne envie de vomir! Son esprit s'envole vers Bastien, dont elle imagine les tourments. Nul n'avait le droit de lui infliger une si cuisante humiliation! Elle ne peut ignorer l'espoir que l'affliction apparente de Bastien fait naître dans son cœur. Serait-il venu pour lui proposer de rentrer à Montréal avec lui? Non, pour le sûr: cinq jours ont passé depuis son arrivée et il n'y a fait aucunement allusion. Mais alors?

Évitant de regarder celui qui la frôle de sa peau nue, elle subit ses attouchements comme un mal nécessaire. Lorsque le fondateur entreprend de la féliciter pour le courage qu'elle vient de manifester face à son mari et qu'il évoque le départ imminent d'un Bastien piteux, la queue entre les jambes, elle se retient pour ne pas le griffer sauvagement. Il ajoute, grandiloquent :

– Nous aurons de longs mois pour parfaire votre éducation. Lorsque la pratique de l'union hétérogène est si bien intégrée, tout le reste vient quasiment naturellement. Seul un petit détail gêne encore aux entournures, mais je suis persuadé que nous en viendrons aisément à bout.

Étonnée, Flavie en profite pour se dégager à moitié et l'encourage à préciser sa pensée. Rieur, il évoque ses ambitions prétentieuses au sujet de l'apprentissage de la médecine, lui révélant à quel point ce féminisme déplacé l'indispose. Le souhait de Flavie dénote un esprit égoïste, affirme-t-il, qui va à l'encontre du bien-être de la communauté ! Dieu a assigné une place bien précise à la gent féminine, une place fort large certes, mais qui n'inclut pas ces fonctions... intensément masculines, pour le moins.

Le coude appuyé sur le lit, sa tête reposant dans sa main, le fondateur entreprend d'édifier la jeune accoucheuse au sujet de l'absolue nécessité, pour les femmes, de remettre leur sort entre les mains de ceux qui mènent la destinée de l'Association d'Oneida. Puisque Dieu a une nature masculine, c'est aux mâles qu'il transmet sa bonté intrinsèque ; ces derniers sont le réceptacle idéal du fluide de l'Esprit saint, qui coule en eux comme le sang dans les veines. Les femelles, de leur côté, ne sont que des récipients neutres où germent les graines, bonnes ou mauvaises, selon qu'elles ont pris Dieu ou Satan comme époux !

– Voilà pourquoi nos compagnes, malgré toute l'estime dont elles jouissent, doivent se contenter d'une position subordonnée dans l'échelle du pouvoir. C'est dans l'ordre des choses : personne ne peut rien changer à ce principe souverain de transmission du bien, de Dieu à l'homme, puis à la femme. Pour vous, Miss Reenod, le seul moyen de cultiver la sainteté, c'est de fréquenter assidûment ceux qui connaissent le chemin vers la lumière.

Les œillères de Flavie disparaissent comme par enchantement. Le fondateur se fout de l'émancipation des femmes comme de sa première chemise ! Même celui qui a osé remettre en question les plus fondamentales conventions sociales, même cet esprit moderne ne peut considérer les femmes comme des êtres indépendants ! Il les veut soumises et subordonnées. Brusquement, une route se dessine très clairement devant les yeux de Flavie, celle de sa vie à Oneida, dans l'enclos du domaine et de l'espace circonscrit que l'apôtre Paul a prévu pour les femmes. Les mois et les années s'étirent à l'infini, encombrés de tâches variées mais toujours prévisibles…

Elle presse avec force ses paupières l'une contre l'autre, puis elle sursaute : des lèvres minces se posent sur les siennes. Elle détourne la tête, poussant un gémissement de répulsion. Tous ses sens se rebiffent contre cette violence, muselant la voix de la raison qui, sournoisement, lui ordonnait jusque-là de l'accepter ! Éperdue d'anxiété, Flavie roule hors de la portée du fondateur. Un instinct souverain lui commande de se sauver à toute allure ! Elle saute sur ses pieds et entreprend de se vêtir en toute hâte.

– Lorsque vous abdiquerez devant Dieu, vous ressentirez un bonheur ineffable, dit encore John Noyes, d'une voix impérieuse. Dieu ne cherche pas à réprimer l'initiative personnelle, mais à faire cadeau d'une incommensurable liberté, celle qui affranchit de cette souffrance diabolique engendrée par l'égocentrisme.

En train de boutonner son corsage, Flavie ralentit son geste, jusqu'à le suspendre entièrement. Délibérément, elle pose les yeux sur l'homme allongé nu sur la couche, vigoureux mais si maigre que ses os saillent, et sa panique reflue progressivement. Il ne peut la soumettre de force. Plus jamais elle ne laissera quiconque pénétrer son intimité contre son gré ! Très lentement, elle articule :

– Ce n'est pas à un être suprême que je me fie pour m'indiquer le dessein supérieur de la vie. Surtout pas à un mortel qui se croit investi de la mission de conduire la multitude comme un troupeau.

Pour assurer sa pensée, elle a parlé en français, mais elle s'empresse de traduire sa tirade pour le bénéfice de son auditeur, qui s'est assis lentement, couvrant sa nudité avec le drap. Des papillons d'allégresse dans l'estomac, elle ajoute, d'un ton rêveur :

– Si je me sens parfaitement bien aux côtés d'un seul homme, pourquoi je devrais combattre cet attachement ? Ce n'est pas de la jalousie ni de la possessivité, mais le désir de me rassasier de bonheur.

Sans plus attendre, elle sort de la pièce, sourde à la voix caressante de John Noyes qui la presse de rester en sa compagnie. Adossée à la porte refermée, les jambes flageolantes, elle reprend son souffle. Une seule certitude s'impose à elle : il lui faut expliquer à Bastien les raisons de son comportement offensant, de toute urgence !

Dans ce but, elle arpente Mansion House maintenant plongée dans l'obscurité, mais à son grand désarroi, son mari demeure introuvable. La nuit est déjà avancée lorsqu'elle se résigne à se laisser tomber sur son lit. Oscillant d'une angoisse intense à un esprit de rébellion qui frise la mutinerie, elle passe une nuit extrêmement éprouvante. Elle ne se sent plus à sa place parmi ces illuminés, dans ce paradis trompeur. L'a-t-elle jamais été ? Elle a cru que sa propre volonté correspondrait à celle de la société idéale imaginée par le fondateur, mais elle n'avait pas réalisé qu'il lui fallait abdiquer toute fierté personnelle, toute liberté de penser. Toute liberté d'aimer…

Mais est-ce vraiment de l'amour, ce sentiment diffus qui est, pour Noyes, le sommet de l'attachement ? Aimer tout le monde, n'est-ce pas comme n'aimer personne ? Car cette passion qu'elle a ressentie pour Bastien, il lui serait impossible de la reproduire à l'infini, d'en combler chaque homme croisant sa route. Ce n'était pas une passion destructrice, contrairement à ce que Noyes veut faire avaler à ses disciples, mais une passion qui portait à vouloir le bien ! Elle ne voulait faire de mal à personne, et surtout pas à Bastien… C'est d'ailleurs pour cette raison précise qu'elle est partie : parce qu'elle lui faisait grandement tort.

Flavie se recroqueville dans son lit. Cette pensée la déchire littéralement en deux ! La douleur qui s'ensuit, elle l'a fuie avec acharnement pendant tout son séjour à Oneida, mais cette nuit, elle n'a plus la force de la repousser. Elle a infligé des blessures à l'homme qu'elle aimait. Au début, c'était sans le vouloir, mais à la fin… À la fin, elle a rué comme un cheval fou, sans réfléchir aux conséquences de ses actes. Oui, le sentiment amoureux est une arme à double tranchant…

Au plus creux de la nuit, lorsque l'intensité de sa souffrance s'est émoussée, elle roule sur le dos, les yeux grands ouverts dans l'obscurité, anéantie par la certitude d'un incommensurable gâchis. Elle n'avait rien compris à ce regroupement de perfectionnistes. Ou du moins, elle n'en avait pas compris l'essence, le fondement. Comment a-t-elle pu se leurrer si longtemps ? Il faut dire que la vie communautaire lui procurait maintes douceurs… Elle s'est attachée à l'apparence des choses, comme toujours. Une apparence qui lui a fait imaginer une mansuétude qui, en réalité, n'existait pas.

C'est donc sans espoir. Elle pourrait faire trois fois le tour du globe, elle pourrait consacrer sa vie à la recherche de la société idéale : ce serait en vain. Les mâles ont façonné le monde selon leurs besoins, et ce n'est pas demain la veille que la révolution aura lieu ! À cause de sa soif inextinguible de connaissances et de son envie de faire valoir ses talents comme bon lui semble, Flavie se sent comme une bizarrerie de la nature. Marguerite l'a bien compris : nulle société au monde ne tolérera autant d'excentricité. Nul homme au monde n'acceptera à ses côtés un être si difforme !

Elle qui croyait faire partie d'un immense réseau d'êtres humains dont l'unique atout, pour prospérer, c'est la force de l'engagement solidaire... Ce désir de travailler au bien commun donnait une justification à ses actes, il motivait le déploiement total de ses forces vives, sans l'obstacle du jugement préconçu, de l'idée reçue. Mais s'il existe quelqu'un, sur cette planète, qui partage cette conviction, il n'habite pas l'Amérique !

Quelle ironie... Elle a fait tout ce chemin pour se retrouver acculée à ce mur infranchissable, celui de l'universalité des préjugés. Elle a fait tout ce chemin pour revenir à la case départ, soit son goût de prendre soin de ses semblables, de devenir une sage-femme avisée afin d'offrir à ses patientes le cadeau du bien-être. Connaître sa science sur le bout de ses doigts et la partager avec générosité... Discuter, confronter son savoir, l'enrichir...

Elle se voit trottant sur les chemins de Montréal, armée de sa mallette d'accoucheuse, et elle se cramponne à cette image qui adoucit le chagrin suscité par sa déconvenue. Aux yeux de tous, elle restera une accoucheuse sans envergure, au mieux une garde-malade fidèle, bras droit obéissant du médecin tout-puissant. Il faudra bien qu'elle s'en contente. Si elle peut gagner sa vie en offrant ses services de sage-femme, son honneur sera sauf... son honneur, de même que son bonheur de vivre.

Tout juste avant l'aube, au moment où l'oiseau le plus matinal fait entendre son gazouillis, Flavie sort à pas de loup du dortoir. Pour se libérer du poids qui comprime sa poitrine, il lui faut parler à Bastien. S'il décidait de filer à l'anglaise, sans même un adieu ? Cette éventualité lui est intolérable ! À l'approche de l'escalier, elle réprime un cri. Une silhouette est assise à l'indienne, le dos contre le mur.

– C'est toi, Flavie?

La question chuchotée fait bondir son cœur de soulagement. Elle entend Bastien se déplier péniblement. Avec une immense gratitude, elle agrippe sa main qui frôle la sienne. Sans un mot, il l'entraîne à l'extérieur, dans la fraîcheur de l'aube naissante, comme s'il voulait l'arracher à un lieu hostile. Il avance d'un pas pressé, et comprenant qu'il souhaite les dissimuler aux regards, elle indique d'un geste un sentier qui conduit à un boisé. Là, il lâche sa main et se tourne vers elle, puis retire sa veste et la lui offre. Frissonnante, elle l'endosse sur-le-champ.

Le jour s'éclaire suffisamment pour qu'elle constate ses traits tirés et sa chevelure en bataille. Il bredouille:

– Tu vas bien?

Elle acquiesce d'un vif mouvement de la tête, puis elle se résout à préciser, d'une voix sans timbre:

– Je ne suis pas restée longtemps avec lui. Le temps de discutailler un peu…

– Il voulait te mettre à l'épreuve, profère-t-il avec difficulté. C'était clair comme de l'eau de roche. Tu n'as pas échoué, je t'en félicite.

Sa rancune manifeste fait un tel plaisir à Flavie qu'elle se retient à grand-peine de sourire. Elle s'empresse néanmoins d'ajouter:

– C'était cruel. Je n'avais aucune intention de… de te faire un tel affront.

Fichant son regard dans le sien, il hausse les épaules avec une feinte désinvolture.

– J'ai déjà tout vu et tout vécu.

Confondue par cette repartie, elle ouvre de grands yeux. Tout vu et tout vécu… comme s'il avait été là en personne? Comme s'il l'avait espionnée depuis la toute première approche de Stephen, grinçant des dents à chaque fois ? Flavie est frappée par l'évidence : à son corps défendant, Bastien a assisté à chacun de ses ébats. Par la force de son imagination, il s'est transporté à côté d'eux, où qu'ils se trouvent, et il a été le témoin impuissant de leurs caresses, de leurs chevauchées, de leurs pâmoisons ! Elle oscille entre une vive contrariété et un bonheur pervers...

Après avoir inspiré profondément, elle détourne la tête pour laisser tomber :

– Cette nuit, j'ai... j'ai fini par voir que... Tu sais, Father Noyes, il insiste beaucoup sur le détachement en toutes choses, dans toutes les parties de la vie. Tout à coup, ça m'a frappée... C'est pareil avec nos curés ! Il ne faut s'attacher à rien, parce que rien n'a d'importance, sauf la vie éternelle. Noyes, il enrobe mieux cette exigence, il laisse du lousse, mais dans le fond, ça revient au même ! C'est la même méfiance, la même crainte de la damnation !

– La même chrétienté, conclut benoîtement Bastien.

Avec un emportement subit, elle jette :

– Plus jamais je ne me laisserai tripoter par ce grichou.

La respiration oppressée, il la considère attentivement avant de répliquer :

– Je croyais que c'était un passage obligé...

– C'est un peu de ma faute, grommelle-t-elle. Je n'ai pas courbé l'échine à son goût... Sinon, je crois qu'il aurait laissé à d'autres le soin de m'édifier.

– D'autres... comme ce Stephen ?

– Par exemple.

– Tu l'aimes ?

Planté à trois pieds d'elle, il est tendu comme un ressort, l'expression faussement désinvolte. Elle répond avec sincérité :

– Je l'appréciais fièrement. De là à dire que je l'aimais... comme j'ai pu aimer auparavant... il y a une marge.

Un silence chargé tombe entre eux, qu'il finit par briser en déclarant d'une voix rauque :

– Hier soir... Hier soir, j'allais te dire quelque chose d'important quand ce fendant est survenu. Enfin, quelque chose d'important pour moi. Je t'assure que j'ai failli sacrer le camp cette nuit, mais je m'en serais voulu... Il faut que tu saches à quel point je m'en veux de... de la manière dont ça s'est terminé entre nous. Je voudrais effacer des grands pans de notre passé commun pour reprendre à neuf.

Bien certainement, il a dit cela pour le principe ? Il ne peut vouloir encore d'elle... L'adoption de Geoffroy a été le funeste déclencheur d'une réaction en chaîne. Il a fallu ce coup de poing pour qu'elle voie la réalité en face, pour qu'elle réalise que la chaleur du foyer s'était éteinte, faute de combustible... Mais l'expression de Bastien est empreinte d'un tel regret qu'elle en tremble sur ses jambes. Après une grimace de doute, elle bredouille :

– Sûrement que tu me trouves foutrement compliquée et difficile, et que tu préférerais une autre épouse...

– Si c'était à refaire, je t'accepterais comme apprentie en médecine et en obstétrique.

Soufflée, Flavie fixe sur lui des yeux ronds. Il poursuit, fébrile :

– Tu ne me crois pas ? C'est pourtant la vérité pure. J'ai une dette d'apprentissage envers toi et c'est le seul moyen pour m'en acquitter.

– Tu me laisserais apprendre tout ce que j'ai envie de savoir ?

– Je serais comme un grand livre ouvert. Je veux que tu saches, Flavie... Si je t'ai donné l'impression de me servir de toi... Je suis un homme bien imparfait et j'ai pu te décevoir de plusieurs manières, mais je refuse de passer pour un profiteur. J'ai cru que tu me faisais cadeau de ton savoir, sans arrière-pensée.

– J'ai cru que tu aurais fait de même, réplique-t-elle, butée.

– C'est vrai que ma limite a été assez rapidement atteinte, convient-il avec effort. Tu en connais beaucoup, toi, des médecins du Bas-Canada qui auraient relevé le défi ? À part un ancêtre comme Provandier ou un original comme Étienne, qui transforme tout en occasion de s'amuser ? Oui, Étienne aurait bien joui d'être ton maître, mais pas une seconde il n'aurait songé aux conséquences de son acte. Moi, j'y songeais peut-être trop, mais j'avais l'impression de te jeter en pâture aux loups. Pas l'impression, Flavie, la certitude ! Si j'appréhendais un contrecoup pour ma pratique... je ne pouvais tolérer l'idée de te voir frayer avec mes confrères.

– À cause de ma vertu ? riposte-t-elle, sarcastique.

– Peut-être un peu, répond-il avec lassitude. Mais surtout parce que les hommes agissent en rapaces. La médecine est une occasion d'affaires, ne l'oublie jamais, et quand il est question d'argent... Mais je me répète. On a déjà causé de tout ça. Flavie...

La jeune accoucheuse serre très étroitement les pans de la veste autour d'elle. Son ton a changé subitement, pour prendre une inflexion de tendresse qui la bouleverse.

– Tu me manques. Je m'ennuie si terriblement de te tenir dans mes bras... Après tout ce que je t'ai fait vivre, je comprends que tu ne ressentes plus la même chose, mais je ne pouvais pas partir sans te le dire. J'ai beaucoup réfléchi... j'ai tenté de me mettre dans ta peau, sans préjugé, sans m'offusquer de ta nature indomptable. Parce que tu as une nature indomptable que je dois chérir telle quelle. C'est la seule façon de t'aimer vraiment...

Elle reste clouée sur place, hésitant à croire que ses oreilles ne lui mentent pas. Bastien vient de lui offrir une somptueuse déclaration d'amour ! Malgré sa gêne, il ne dérobe pas à son regard ses yeux qui brillent d'une lueur ardente et son visage aux traits altérés. En proie à une violente montée d'émotion, Flavie chancelle et doit se retenir en se cramponnant à son bras. Il se hâte d'ajouter :

– J'ai grand-peur que ton sentiment pour moi soit chose du passé... mais au moins, j'aurai fait ce qu'il fallait pour reprendre la route la tête haute, sans m'enfarger dans mon remords.

Encore terrassée par la stupeur, elle balbutie :

– J'ai cru sincèrement que tu... que je n'étais plus rien pour toi.

Il fait une grimace désolée, puis il soulève délicatement sa main qui s'appuyait à son bras pour la porter à sa bouche afin d'y déposer un baiser délicat, empreint de ferveur. Un puissant frisson parcourt Flavie de sa nuque jusqu'à ses talons, et elle détourne brusquement la tête pour fixer du regard le feuillage qui bruit dans la brise matinale. À son corps défendant, elle se sent entraînée par un courant tumultueux et inexorable auquel elle ne peut résister. Elle est en train de retomber amoureuse de son mari, selon un élan souverain de son être qui ressemble étrangement au coup de foudre qu'elle a ressenti pour le plaisant étudiant qu'il était, sept années auparavant !

Peu à peu, une onde de joie se diffuse dans tout son corps. Luttant contre cette allégresse, elle reporte enfin les yeux sur lui... et reçoit comme un coup au ventre le spectacle de sa nouvelle et troublante maturité. À la fois fragile et serein, il est magnifique, adorable ! Elle le dévore du regard, et il clôt les paupières en ronchonnant, avec un pauvre sourire :

– Bistouri à ressort ! Tu m'infliges une vraie torture...

Au prix d'un effort considérable, elle oppose à son amollissement intérieur une sévère froideur. Elle refuse de se laisser emporter une seconde fois par le torrent impétueux qui coule en elle ! Alors, elle était jeune, candide et affamée de l'ardeur masculine. Aujourd'hui, tout a changé. L'homme en qui elle a cru a déçu ses espoirs... Il s'est révélé sans grand courage, sans ambition réelle ! Elle murmure, contemplant le paysage environnant :

– J'aurais tant voulu que ce beau rêve devienne réalité ! Parce que c'était un beau rêve, Bastien. J'étais fière de faire partie de cette association communautaire où l'on cultive une telle joie de vivre ! Ici, la pudeur n'est pas tape-à-l'œil, elle est placée très exactement où elle doit l'être. Ici, les rapports sont si simples...

– Mais viciés à la base, rétorque-t-il farouchement. Viciés, parce que d'une certaine manière, poussés à l'extrême ! Pourquoi ton prophète a-t-il besoin d'une telle preuve de loyauté, jusqu'à régenter dans le détail les rapports amoureux ? Je vais te le dire : parce que ce genre d'homme ne supporte pas la compétition. Ce genre d'homme a besoin de dominer. J'en connais quelques-uns, Flavie, et ils me répugnent. Ils doivent piétiner les autres pour survivre. J'en avais des sueurs froides, quand je lisais ses écrits !

Flavie serre les lèvres en une moue courroucée devant ce jugement péremptoire, mais elle ne trouve rien à répondre. Il n'a pas tort, et elle non plus. La réalité des choses se voit sous de nombreux angles différents... Elle bégaye, la gorge nouée :

– Je voudrais tant que la souffrance disparaisse. Je voudrais tant que la quantité de bonheur sur terre dépasse celle du malheur ! Mais ce que Father Noyes exige de moi... Je veux dire, pourquoi il serait impossible de toucher au divin à travers un seul être ?

Puisqu'elle s'appuie toujours à son bras, elle ne peut faire autrement que de percevoir son sursaut d'émotion. Intimidée, elle se détache de lui tandis qu'il balbutie, les deux mains ouvertes :

– Flavie, ma toute belle... C'est un peu pour te tirer des griffes de cet hurluberlu que je suis venu te visiter, avec l'encouragement de tes parents. Mais c'est surtout qu'il me fallait à tout prix te parler ! Je crois que ma vie même en dépendait. Il me fallait te voir, m'assurer que tu te portais bien… À la fin, quand j'ai réussi à assimiler cette orgie de littérature… quand j'ai compris la quasi-obligation dans laquelle vous êtes, vous les femmes, d'accéder aux demandes de chaque homme… alors là, j'ai sauté dans le train.

– Une femme a toujours le droit de refuser ! proteste-t-elle vivement.

Pourtant, là encore, il n'a pas tort ! La dépendance morale dans laquelle est placée la gent féminine, le principe d'ascendance… Mortifiée, elle détourne la tête en poussant un profond soupir d'exaspération.

– Je suis venu t'offrir de rentrer avec moi. De revenir vivre avec moi. Je respecterai ta décision, bien entendu, mais… j'aurais la mort dans l'âme si je devais te laisser entre les griffes de ce profiteur.

Lentement, elle reporte ses yeux sur lui, pour se raidir aussitôt. Son regard luit d'un appel infiniment séduisant, et elle doit rassembler tout son courage pour lui résister ! Elle se redresse pour riposter, avec fierté :

– J'ai déjà conçu le projet de rentrer au Bas-Canada. Cette nuit, c'est devenu une certitude…

Il réagit par un sourire lumineux, qui anéantit en elle toute velléité d'indépendance. Après un moment d'hésitation, elle s'enquiert :

– Tu as dit que… que tu m'enseignerais le forceps ?

– Juré craché. Nous referons équipe et plus jamais je ne craindrai d'affirmer que mon épouse est une véritable praticienne, dans tous les sens du terme.

– Et tes confrères ?

– Ils s'habitueront.

Son expression se durcit, et il ajoute :

– C'est tout ce que je peux pour toi. Je ne peux pas t'ouvrir les portes de l'École de médecine ni te permettre un autre maître que moi. Tu sauras t'en contenter ?

Elle laisse son regard errer sur son visage soudain défiant. Il ignore que la veille au soir, l'espoir chimérique de son épouse fugueuse a volé en éclats. Elle a déjà compris qu'elle sera médecin en catimini, sans diplôme ni reconnaissance publique. Elle sera médecin dans le secret de son cœur… Elle murmure :

– Je songeais déjà à… à reprendre mon métier comme avant, quand je faisais équipe avec Marie-Barbe.

Comme avant leur mariage… Bastien recule d'un pas, comme pour éviter un coup. D'une voix blanche, il articule :

– Ce sera comme tu voudras. Mais… tu auras besoin d'un accoucheur pour t'assister.

– Si je sais utiliser les instruments, je pourrai me débrouiller la plupart du temps.

Il reste coi. A-t-il compris où elle veut en venir ? Embarrassée, elle baisse les yeux un moment, puis elle tente de préciser sa pensée :

– Car tu m'enseigneras, même si… même si…

– Même si tu restes loin de moi ? jette-t-il avec rudesse. Tu me demandes de devenir mon apprentie, même si ce ne sont que des liens professionnels qui nous unissent ?

Elle hoche la tête, étrangement fascinée par son expression choquée. Il se détourne, et le silence tombe entre eux. Une vive frayeur l'étreint. Il va refuser… Il va se draper dans sa dignité offensée et lui retirer son appui !

– Tu es dure, bégaye-t-il enfin. Tu exiges de moi un sacrifice que… j'ai bien de la misère à faire. Je voulais que tu redeviennes ma femme. Je voulais goûter à… à…

Il serre les lèvres et les poings en même temps, puis soudain, il l'envisage fixement.

– D'accord. Je te promets de te prendre en apprentissage. Ça te va ?

Elle en frémit de soulagement.

– Sur ton honneur ?

– Sur mon honneur, affirme-t-il, le regard franc. Tu fixes les conditions.

Transportée de joie, elle franchit d'une foulée l'espace qui les sépare, pour le gratifier d'une accolade. Elle voudrait le couvrir de baisers ! Il inspire brusquement, tendu comme une barre de fer, les bras pendants. Envahie de confusion, Flavie hésite cependant à se détacher de lui tant elle le trouve confortable… Enfin, elle recule de trois pas, sans oser le regarder. Son cœur bat la chamade, et, tandis que les souvenirs déferlent, elle vibre de tout son corps.

Il était si aimable… Il se laissait goûter avec ravissement. Jamais elle n'a eu l'impression d'être, à ses yeux, inconvenante ou débauchée : il a tout accepté d'elle. À ce titre, leur entente était quasiment parfaite. Le défi qu'elle lui a lancé, les premiers temps de leurs fréquentations, il l'a relevé sans flancher. Plutôt que de s'accrocher à ses convictions de jeune mâle, il a préféré l'accueillir à bras ouverts. Et pourtant, les esprits sont tant pollués au sujet des mœurs ! Si ce n'est la famille, du moins est-ce le séminaire ou le groupe d'amis qui distillent des idées préconçues sur le comportement féminin acceptable…

Les dames disposent d'une bien mince marge de manœuvre et courent à leur perte au moindre faux pas. Oui, Bastien a démontré une singulière vaillance en acceptant de la suivre dans ces sables mouvants. Comment a-t-elle pu oublier la valeur de ce cadeau ? Comment a-t-elle pu le juger si durement, alors qu'il lui donnait la preuve de sa grandeur d'âme ? La preuve de son amour… Un amour qui la nourrissait et l'enrichissait. La passion de Bastien était un cri d'affection, une boisson fortifiante ! Songeant aux phrases de Noyes pour décrire le coït, Flavie est prise d'un long frisson. L'épuisement, le dégoût de soi et de l'autre... À l'en croire, l'orgasme n'est que source de désenchantement! Mais c'était exactement le contraire qui se produisait lorsqu'elle baisait Bastien: elle se sentait régénérée! La pâmoison d'un amoureux, c'est un magnifique spectacle...

– Je peux te raccompagner à Montréal, propose-t-il de but en blanc. À vrai dire, je préférerais faire la route avec toi. Je peux aller m'installer au village. Quelques jours, une semaine... Je ne pourrais guère rester plus longtemps.

Il attend un acquiescement qui ne vient pas. Écartelée entre une prudence de bon aloi et un désir grandissant, Flavie le considère sans mot dire. Si son mari n'a pas l'étoffe d'un don Quichotte, paré à défendre ses principes jusqu'à son dernier souffle, il a fait montre de hardiesse autant dans ses rapports intimes avec elle que dans son choix de profession. Ne menait-il pas son propre combat, un combat à petite échelle certes, mais valeureux? Après avoir choisi une branche moins valorisée de la médecine, il s'est mis à guerroyer contre les préjugés ambiants!

De même, sa récente décision de délaisser la clinique d'hydrothérapie a dû lui demander beaucoup de cran. Sa clinique était la seule de ce genre dans toute la ville, peut-être la colonie entière, et il l'a défendue âprement, réagissant avec stoïcisme aux commentaires malicieux de ses confrères! S'il a échoué, ce n'est pas faute d'avoir essayé. Son rêve à lui aussi s'est brisé au mur de la réalité. Au mur de la médecine du profit... Dans la vie, ce n'est pas à coups de poing que Bastien fait son chemin, ni au moyen de coups de gueule, mais avec une persévérance discrète, avec obstination...

– Ça ne se peut pas, bredouille-t-elle hâtivement. On ne peut pas reprendre notre... notre mariage comme si de rien n'était, comme si cette année de séparation n'avait pas existé?

Ouvrant grands les yeux devant cette réaction inespérée, il réplique avec fièvre :

– J'ai appris de mes erreurs, crois-moi. Tu m'as mis à rude épreuve ! Je suis passé par toute la gamme des sentiments. Un jour, je te raconterai... Ce qui est important, c'est que j'ai vu clair. J'ai vu que tout m'était indifférent, sauf toi.

Il s'empourpre et ajoute, avec hésitation :

– Sauf toi et Geoffroy.

Elle ne peut réprimer un sourire. Craint-il qu'elle ne l'oblige à choisir entre son fils adoptif et son épouse ? Elle laisse tomber :

– C'est me donner un bien trop grand pouvoir...

– Je te connais assez pour savoir que tu n'en abuseras pas.

Ils s'affrontent du regard comme deux âmes se cherchent. Le visage de Bastien se décompose subitement et, avec une moue implorante, il s'écrie, pressant convulsivement sa main qu'il est venu chercher :

– Qu'est-ce que je peux dire de plus ? Je voudrais tant que tu retrouves ta confiance en moi ! Je voudrais te promettre de ne plus jamais te faire de mal mais, malgré toutes mes bonnes résolutions, ce serait une promesse d'ivrogne et tu le sais fort bien. C'est possible que je te blesse et je m'en excuse d'avance, ta sensibilité n'est pas la mienne, et si je n'arrive pas à m'en pénétrer aussi parfaitement que possible, tu pourras me faire grise mine pendant aussi longtemps...

D'un seul mouvement, elle vient se coller contre lui pour lui clore le bec en posant sa bouche sur la sienne, à lèvres fermées. Il vacille sous le choc, et presque aussitôt, elle s'arrache à lui pour bafouiller :

– Moi aussi, j'ai parfois été brusque. Je m'en excuse.

– Tu as bien moins à te reprocher que moi, souffle-t-il, les yeux brillants d'exaltation. Il fallait que je vienne te voir, que je te prouve un attachement qui a trop balancé par le passé. Tu avais bien raison de me qualifier de lâche.

Flavie veut protester, mais il poursuit, fébrile :

– Ce n'est pas que je ne t'aimais pas ! Au contraire, j'ai réalisé que… que le seul endroit au monde où je me sens vraiment bien, c'est à côté de toi. S'il m'a fallu autant de temps pour l'admettre, c'est que… Sais-tu à quel point tu m'as poussé dans mes derniers retranchements, Flavie Montreuil ?

Surprise par son ton subitement vindicatif et par l'emploi de son nom de jeune fille, elle fait un signe prudent de déni.

– Sais-tu que tu es diablement exigeante ? Sais-tu que, devant l'ampleur de ton orgueil, un autre homme se serait enfui en courant pour ne plus jamais revenir ?

Sous l'affront, elle est devenue toute pâle. Avec une grimace désolée, il l'enveloppe de ses bras et murmure, apaisant :

– Je dis des bêtises. Ce sont des restants de fâcherie… Je ne sais aucunement ce qu'un autre homme aurait fait, mais je sais que moi, j'ai eu de la misère à réconcilier ton tribord mâle avec ton bâbord femelle. Je trouvais que le navire avait une allure bancale… Il ne s'accordait pas aux images de goélettes racées qu'on trouve dans les livres. Chut ! Ne proteste pas… Ne me rabâche pas ce que j'aurais dû savoir tout au long et que tu me répètes depuis des lustres. Nulle créature terrestre ne correspond parfaitement aux descriptions prétendument savantes qu'on trouve dans les traités scientifiques…

Flavie se dégage pour, les sourcils froncés, poser sur lui un regard rétif. Il ose un léger sourire, avant de conclure :

– Même les érudits et les théologiens ignorent tout de la plus fabuleuse des créatures.

Il lui tend une main conciliatrice, qu'elle est fortement tentée de saisir, mais quelque chose la retient. Après un temps, elle bredouille, laissant dériver ses yeux au loin :

– Je ne savais pas qu'on pouvait… s'énamourer deux fois de… la même personne. Quand tu es parti pour Boston, j'ai fait tout mon possible pour t'oublier. J'ai cru que j'avais réussi, mais je me trompais. Dès que tu es réapparu, tu m'as capturé dans tes filets… Quand je suis venue ici, j'ai étouffé mon sentiment. Là encore, j'ai cru que tu avais perdu tout pouvoir sur moi. Et pourtant, je me retrouve ce matin…

Elle se retrouve attirée vers lui comme un morceau de ferraille vers un aimant. Ses camarades yankees ont quelque peu raison d'apparenter la force d'attraction entre deux humains à des phénomènes magnétiques… Envisageant brusquement le jeune médecin, elle articule avec désespoir :

– À chaque fois, j'ai le cœur fendu en deux. Ta profession de foi, est-ce qu'elle est sincère ? Est-ce que dans six mois ou dans un an, tu me rabroueras encore ? Tu me diras que je te blesse, que je chagrine ta mère, que je fais honte à la famille Renaud ? Parce que dans ce cas, je préfère rester loin de toi. Je me contenterai d'un amour tiède ou même de rien du tout ! N'importe quoi, plutôt que de souffrir autant. Je resterai vertueuse jusqu'à mon dernier souffle, s'il le faut !

Pâle comme la mort, il vient agripper un pan de sa jupe, comme s'il craignait qu'elle ne détale à la façon d'un animal effrayé. La voix éraillée, il réplique :

– Il m'a fallu du temps pour apprécier la force de ton engagement. J'étais ébloui par ta passion, mais… ta passion n'est pas que physique, elle est… spirituelle et morale. Ta promesse envers moi a une valeur absolue. Ce que je t'offrais n'était pas de même qualité. Encore une fois, je te répète que j'ai changé. J'ai plongé en moi et j'ai fini par me retrouver avec une certitude : je tiens à toi comme à la prunelle de mes yeux et je vais tenter de me montrer à ta hauteur. Je vais tenter de ne plus jamais atermoyer au sujet de ce qui est important, et la chose la plus importante au monde, mon adorable chat sauvage, c'est ta joie…

De nouveau, elle en perd le souffle. Quelle offrande somptueuse que cet aveu exprimé par un Bastien rougissant ! Il lâche son vêtement pour lui tendre sa main.

– Ta mère sera déçue si je reviens, souffle-t-elle.

– Déçue que je ramène mon épouse au bercail ? Bien sûr que non ! Nous avons beaucoup parlé de toi, au début de mes vacances. Dans le fond, elle t'apprécie énormément. Quant à papa, tu connais son opinion sur toi. S'il n'était pas mon père, je serais jaloux !

– Ce que je préférerais, c'est de vivre avec toi dans une petite maison du faubourg, avec mes parents peut-être, et que l'on reprenne notre association et que tu me montres tout ce que tu sais.

– J'aimerais la même chose, mais avec en plus... peut-être... des enfants à nous ?

Flavie ne peut retenir un sourire attendri, auquel il répond de même. Lentement, avec une précaution infinie, elle glisse ses doigts contre les siens, puis elle s'immobilise :

– Je ne suis pas faite pour une vie confortable et sans souci. J'étais séduite par ce que tu m'offrais, mais dans le fond...

– Tu t'ennuies du voisinage de la rue Saint-Joseph.

– Je m'ennuie de... du sans-gêne. De la simplicité. Tu comprends ? Non pas que tes parents soient si guindés, mais... c'est la façon de vivre des bourgeois qui est encombrée de tant de futilités...

Il s'enquiert, frémissant d'une appréhension tangible :

– Et tu m'aimeras même quand je n'aurai plus de jolies choses à t'offrir ?

Elle insinue ses doigts entre les siens, et leurs mains s'étreignent vigoureusement. Un éclair la transperce de part en part, suivi par un éblouissement, celui de sa félicité ! De toute évidence, pendant une année entière, elle a lutté pour repousser au corps à corps un tendre assaillant ! Plongeant son regard dans le sien, elle répond avec candeur :

– Tu ne sais pas ? C'est tout nu que je te préfère…

Il ouvre des yeux ronds, puis ses traits se décomposent tandis qu'il attire Flavie à lui, enfouissant son visage dans ses cheveux. Il respire par petits coups, luttant contre une montée d'émotion qui menace de le submerger. Une vive exaltation la transporte comme la crête des vagues d'une grande marée. Si elle doit laisser mourir le rêve qu'elle chérissait, ce que Bastien lui offre est d'une valeur inestimable ! Il lui propose non seulement de partager son savoir, mais de dévoiler jusqu'au plus intime de son être. Il s'abandonne sans restriction…

Comment a-t-elle pu le perdre de vue, lui, son pays de liberté ? L'agrippant aux épaules, elle va chuchoter à son oreille, la voix rauque de chagrin :

– Je ne te quitterai plus jamais. Si je suis partie, c'est seulement parce que… parce que le Bastien que j'aime, il se dérobait à moi. Ne dis plus jamais que tu es lâche. Ce n'est pas vrai et je m'en veux salement de l'avoir cru ! Tu es doux et généreux, mon cœur… mon ange… mon ange à moi.

Il frotte une joue humide contre sa tempe. Après un temps, il réussit à dire :

– Je suis parti, tu as fait de même… Nous sommes quittes ?

– J'affronterai ton courroux, affirme-t-elle, avec le courage d'un amiral devant la flotte ennemie.

– Pour ma part, je n'oublierai pas à quel point tu as l'épiderme sensible. La couenne dure et l'épiderme sensible : une excellente description de ma favorite…

Enfin, il lui fait face, et elle va poser ses lèvres sur ses joues râpeuses où sèchent encore quelques larmes, puis au bord de ses yeux pleins d'eau. Jamais elle ne l'a senti aussi vulnérable, comme dépouillé de tout ce qui pouvait faire obstacle à un don total de lui-même. Il lui offre un amour pur et ingénu, presque la candeur de l'enfance… Envoûtée par ce cadeau prodigieux, elle va boire goulûment à sa bouche comme à une fontaine de Jouvence.

Bientôt emportés par leur passion mutuelle, tous deux vacillent sur leurs jambes amollies par un mélange de lassitude et de convoitise.

Le jeune médecin attire Flavie vers le sol frais. Assis étroitement enlacés, ils s'offrent un baiser aussi ardent qu'interminable. Enfin, craignant de perdre la tête, Flavie met fin à ce moment de grâce. Il se rebiffe, mais elle le repousse et susurre, avec une moue contrainte :

– Pas ici, mon ange... Quand nous serons seuls, loin...

– Alors, partons tout de suite.

Elle sourit tendrement. Il murmure :

– Je suis content comme un ivrogne qui rompt une promesse d'abstinence. Je suis saoul.

Il la presse contre lui, mais sans exigence. Enchantée par l'odeur de la peau de son cou, elle ferme les yeux et bredouille :

– Donne-moi deux heures...

Un silence apaisant succède à la valse endiablée de leur discussion. Flavie se sent à la fois fourbue et ravigotée par la chaleur qui semble irradier du cœur de son homme, ce qui suscite chez elle, en contrepartie, un véritable flot de tendresse. Pour elle, cet échange continuel d'amour fervent est aussi éloquent que la plus enflammée des déclarations.

Elle prend conscience de la beauté poignante des environs, et son cœur se gonfle de chagrin.

– J'étais bien ici, dans cet éden, balbutie-t-elle. Dans ce *paradisus ante peccatum*...

– Le paradis d'avant la chute, rigole-t-il. Pas mal ! Je vois que tu n'as pas perdu ton temps... Moi, avec toi si proche, je me crois *in hortus deliciarum*.

Elle se dégage à moitié de son étreinte pour répliquer, pompeuse :

– Je consens, monsieur, à habiter un jardin des délices en votre compagnie !

Après un éclat de rire, elle se réfugie de nouveau dans sa chaleur. Ainsi pelotonnée, elle chuchote :

– *Te amo, o mi angeli.*

Il pousse un gémissement sourd et vient lui voler un baiser qui peu à peu, sous la force de leur désir mutuel, se transforme en un enlacement goulu. Elle y met bientôt fin pour sauter sur ses pieds. Il n'y a pas de temps à perdre…

Chapitre XVI

Les négociations de départ sont fort brèves avec le fondateur de la communauté utopiste d'Oneida, hautain et suprêmement distant. Lui jetant un regard dégoulinant de mépris, John Humphrey Noyes prend la peine de proférer encore :

– Vous avez eu tout le loisir de vous approprier la vérité. Pourtant, Miss Reenod, vous péchez par orgueil. Vous êtes donc une dépravée devant Dieu.

Bastien, qui ne lâche pas Flavie d'une semelle, l'oblige à quitter la pièce en toute hâte. Elle prend le temps de faire ses adieux à toutes les personnes qui ont occupé un coin de son cœur, mais l'accueil qui lui est réservé est glacial, y compris de la part de Marguerite qui se cantonne dans une stricte réserve. Quant à Stephen, il la fuit avec persévérance, et la jeune accoucheuse choisit de ne pas insister.

Son désarroi est prestement chassé lorsque Bastien l'entraîne dans sa chambrette pour faire son bagage. Dix minutes plus tard, le couple s'engage sur la route. Il tombe maintenant un crachin sur la campagne, mais c'est d'un cœur léger que Flavie attaque la première lieue, coude à coude avec son homme, qui a accédé à sa demande de franchir sans hâte la distance qui les sépare du Bas-Canada. De vraies vacances ! Avec lui à ses côtés, elle a envie de conquérir le monde entier !

Ils sont presque parvenus au village lorsqu'un fiacre, la capote baissée, s'immobilise à une encablure après les avoir croisés, ce qui leur fait faire volte-face. La portière s'ouvre et le crâne dégarni d'un homme rondouillard en émerge. Il examine le couple tombé en arrêt, puis il lance :

– Madame et monsieur Renaud ? Est-ce bien vous ?

– Beurrée de sirop ! s'exclame Flavie à voix basse. Le père de Marguerite en personne !

Tous deux acceptent l'invitation de monter quelques minutes dans la voiture, à l'abri, où Hedwidge Bourbonnière les gratifie d'un sourire égaré. Après avoir posé ses fesses sur la banquette opposée, Flavie dit, en se donnant une tape sur le front :

– Avec tout ce qui vient de se passer, j'avais oublié votre arrivée imminente !

À l'évidence, ces vieilles gens sont fort anxieuses à la perspective de débarquer dans une contrée livrée aux forces du mal. Tout en les informant de son départ, Flavie tâche de les réconforter de son mieux. À quatre reprises au moins, elle répète qu'ils ont très bien fait de venir visiter leur fille et que c'est seulement ainsi que leurs craintes se dissiperont !

Mais le couple est impatient de prendre son envol, et après les salutations reconnaissantes de leurs hôtes, Flavie et Bastien reprennent leur route. Écoutant l'attelage s'éloigner, la jeune femme est prise d'un frisson. Qu'adviendra-t-il du lien qui unit Marguerite à ses proches ? Car l'une des conditions de l'acceptation de nouveaux membres par l'Association, c'est de rompre les contacts avec les incroyants… Le scepticisme mine les forces spirituelles, selon John Noyes, puisqu'il suscite des conflits intérieurs qui infligent de sérieuses blessures !

Tandis qu'ils arpentent la contrée d'un pas régulier, un vif émoi s'empare de Flavie. Un violent trouble l'envahit à l'idée de se retrouver tout à l'heure dans une chambre, seule avec son mari ! Après un casse-croûte qu'ils avalent en trois bouchées, ils se dénichent un coin de prairie isolé pour la sieste, sous l'abri d'un petit bâtiment à moitié écroulé. Sitôt allongée, Flavie se glisse entre les bras d'un amant fougueux, et c'est à grand-peine que l'un et l'autre réussissent à différer l'envie qui les taraude.

Finalement, en fin de journée, ils font halte dans un hameau doté d'une pittoresque auberge et se retrouvent dans une chambre percée d'une seule étroite fenêtre au battant entrouvert. Bientôt, ils se tiennent nus l'un devant l'autre, se buvant des yeux. Elle prend note de la rondeur émouvante de ses épaules, du galbe suggestif des pectoraux qui se devinent sous la toison douce comme du duvet… et surtout, du magnifique organe mâle qui se dresse comme pour aller plus vite à sa rencontre, et qu'elle vient comprimer de toute la force de son corps tendu contre le sien !

Elle voudrait avoir dix bras pour l'enrober de toutes parts et autant de bouches pour le goûter partout. Son désir de fusion est si total qu'elle se laisse aussitôt aller à la renverse sur leur couche. Tout en suivant son mouvement, il balbutie :

– Je dois quérir… dans mon bagage…

Rebutée par l'utilisation de la baudruche, elle secoue farouchement la tête, et Bastien fronce les sourcils en la regardant intensément. Elle chuchote une supplication, et un sourire extatique illumine ses traits. Avec une douceur infinie, ses yeux fichés sur les siens, il s'insinue en elle, la saisissant à bras-le-corps pour être étroitement accolé à elle. Son visage se défait, et il murmure :

– Tant de fois j'ai rêvé… j'ai rêvé ce moment…

Bouleversée, débordante d'un amour palpitant, elle l'embrasse goulûment. Elle a l'impression grisante de percevoir tout ce qu'il ressent, de prévoir très exactement tout ce qu'il souhaite, de ne faire qu'un avec lui et même d'être lui. Ce rythme accordé à merveille les conduit à un accouplement preste, puis à une jouissance explosive et simultanée.

Tandis que leurs respirations s'apaisent, ils demeurent soudés l'un à l'autre pendant de longues minutes. Enfin, se redressant pour la contempler, il grommelle :

– Pff... Un record : moins de dix minutes !

Elle pouffe de rire, ce qui le chatouille tant qu'il s'empresse de se désunir d'elle et de rouler sur le dos. Tout en prenant connaissance du décor simple de la pièce, Flavie se pelotonne confortablement contre lui et clôt les paupières, tout entière occupée à savourer son bonheur d'être. Elle avait oublié à quel point le contentement des sens la laisse repue et sereine... mais jamais autant qu'à présent, alors que son cœur gonflé d'amour lui semble paré à éclater. Son mari la flatte avec langueur, murmurant :

– Ces Yankees ne t'ont pas trop maganée... à part de t'avoir fait beaucoup travailler, à ce que je vois. Tu as perdu quelques rondeurs...

Il suit du doigt la cicatrice mince comme un fil qui descend de sa joue gauche jusque dans son cou.

– Je m'ennuyais même de cette parure unique, ce n'est pas peu dire...

Elle grogne et le mordille à la commissure des lèvres. Imperturbable, il fait remonter sa main jusqu'à ses cheveux, qu'il ébouriffe :

– Et cette chevelure, pas désagréable pour deux sous ! Tu feras sensation en posant le pied sur le débarcadère. Surtout si tu gardes ta jupe courte !

– Si ça ne te dérange pas, j'aimerais m'arrêter dans une boutique en chemin. Je ne tiens pas à me faire tant remarquer.

– Je suis votre chevalier servant, madame.

Elle le sent se raidir brusquement contre elle, comme si ses propres paroles faisaient remonter un souvenir pénible. Elle inspecte ses traits, notant son expression maintenant soucieuse et empreinte de malaise. Il fait une grimace impuissante :

– Autant te le dire tout de suite parce que tu le sauras tôt ou tard... Il y a eu trop de témoins. Quand la religieuse envoyée par ta mère m'a trouvé chez Philippe Coallier... enfin, dans le but de quérir Étienne... eh bien, j'étais en compagnie d'une dame.

Flavie accuse le coup, et ses doigts qui caressaient sa poitrine s'immobilisent. Après un temps, elle débloque sa respiration pour émettre, d'une voix chevrotante :

– Je suis très mal placée pour te faire une crise de jalousie, mais... mais j'aurais préféré que tu attendes pour m'annoncer cette nouvelle !

Extrêmement contrariée, elle quitte son flanc et roule sur elle-même afin de s'asseoir, les jambes pendantes au bord du lit. Par-derrière, il glisse son bras autour d'elle pour la maintenir en place. Elle sent son souffle dans son dos lorsqu'il dit :

– C'était une amie de Delphine. Une demoiselle fort accorte qui profite de tout ce que la vie peut offrir. Ça s'adonne que je suis passé sous son nez... Je ne dis pas qu'elle m'a tordu un bras, mais... après toi, comment est-ce que j'aurais pu m'en contenter ?

– Cesse de faire ton beau parleur !

– Elle se donnait volontiers, mais elle ne prenait guère. Elle jouissait comme on apprécie une truffe en chocolat, en roulant vaguement des yeux...

Tentant d'imaginer la scène, Flavie ne peut s'empêcher de rire. Bastien se redresse pour venir se coller de tout son long à son dos et pour soupeser un sein dans sa main chaude. Il reste silencieux un moment, avant de reprendre :

– Après trois fois, j'étais écœuré. Si on m'avait promis mille louis, j'aurais peut-être consenti à la baiser encore... mais uniquement dans le but de contribuer à une œuvre de charité.

Incommodée par la liberté dont il use dans ses propos, Flavie reste immobile, se retenant de ployer sous son poids.

Elle finit par comprendre que, par ce ton à la fois nonchalant et égrillard, il souhaite vider un abcès qui aurait risqué de croître... mais peut-être aussi lui rendre la monnaie de sa pièce? C'est de bonne guerre, et elle riposte, d'un ton bougon:

– Rouler des yeux... Je fais ça, moi aussi?

– Peut-être... mais c'est accompagné d'une telle pâmoison que ça passe inaperçu.

Il émet un rire bref:

– Tu aurais dû voir la mine de cette pauvre sœur Marie-des-Saints-Anges quand Philippe l'a fait entrer dans le salon...

– Qui?

Réalisant qu'il ne lui a pas raconté ce détail, il prend le temps de lui révéler l'identité de la jeune messagère, avant d'ajouter, en rigolant:

– Pour moi, l'air embaumait encore des relents de notre conversation! Tu ne devineras jamais ce qui nous allumait tant: un opuscule écrit par un érudit du siècle dernier et intitulé *L'art de péter*.

– *L'art de*... Mais tu te gausses!

– Pas le moins du monde! C'est une merveille, je te le garantis! Ce gentilhomme a pris à rebrousse-poil toutes les dissertations sérieuses et pseudo-scientifiques dont raffolaient les pédants. Il a écrit un traité complètement farfelu sur un sujet éminemment trivial... Péter est une chose utile, selon lui, et il faut le faire selon les règles et avec goût. Si les pets ne trouvent pas de sortie, ils attaquent le cerveau par une prodigieuse quantité de vapeurs qui rendent l'homme mélancolique et frénétique et ils l'accablent de plusieurs maladies très fâcheuses, dont des fluxions qui se forment par « la distillation des fumées de ces météores sinistres »...

Incrédule, Flavie se tourne à demi pour apercevoir le visage hilare de Bastien. Il la gratifie d'un baiser gourmand, avant de conclure avec jubilation:

– J'adore ces parodies du discours médical!

Légèrement radoucie, Flavie lui adresse d'une grimace à la fois enjouée et indignée. Le bras de Bastien s'enroule autour d'elle comme une liane, et il dépose son menton dans le creux de son cou, frottant sa joue contre la sienne. Sa respiration s'est appesantie et Flavie reste immobile, sentant son trouble puissant. Il balbutie enfin:

– C'était une vengeance mesquine. Je parle de la demoiselle que j'ai tenue sur mes genoux. Mais tu sais ce qui m'a fait le plus mal, dans ta lettre? Je n'étais pas surpris outre mesure d'être cocu. Il m'avait suffi de m'intéresser un tant soit peu à la philosophie de ton prophète de malheur pour en saisir les conséquences pratiques... Non, ce qui m'a transpercé le cœur, Flavie... c'est que tu semblais dire que... tu avais ressenti dans les bras d'un autre... dans les bras de ce Stephen... une ivresse que moi, je n'avais jamais pu te procurer.

Estomaquée, elle proteste aussitôt:

– J'ai écrit ça?

– Enfin, c'est ce que j'ai cru comprendre. Diras-tu que j'avais la vue brouillée?

Son espoir manifeste d'être contredit émeut Flavie au plus haut point. Elle se remémore à toute vitesse cet accouplement au bord de la rivière, puis elle articule, la gorge nouée:

– Je ne sais plus, mais... une chose est certaine, mon ange. Ce moment-là, il n'allait pas à la cheville de ce que je viens tout juste d'éprouver avec toi.

Il se détend aussitôt, tout en murmurant avec contrition:

– Tu n'as pas à te justifier. J'ai abordé le sujet pour te faire sentir à quel point la rancune m'a mené... au plus creux d'une sombre forêt. J'ai revécu en pensée toute notre histoire. Au début, c'était pour chercher des arguments contre toi... mais ça n'a pas duré. C'est avec une adorable Flavie que j'ai refait connaissance, une femme qui était le sel de mon existence. Et puis un jour, sans le savoir, ma mère a donné un sérieux coup de pouce à ta cause...

Il décrit alors une scène inimaginable pour Flavie, compte tenu de la personnalité de la dame en question : une harangue d'Archange à son fils, un véritable coup de semonce lors duquel elle s'est vidé le cœur, tout juste avant de partir en vacances.

– Il faut dire que j'avais un peu abusé de leur hospitalité, reconnaît-il, le ton piteux. Je le méritais amplement... C'est elle qui m'a rappelé que moi, comme un malappris, je suis parti un an à Boston. D'accord, je ne t'avais pas encore glissé la bague au doigt, mais...

– ... mais c'était tout comme, conclut Flavie gravement.

– Voilà. À l'époque, je n'avais pas vu que... ta foi en moi était à ce point... que tu as souffert autant que moi, j'ai souffert de ton départ et de ta vie ici. J'ai dû admettre que c'est moi qui, le premier, t'ai trahie. Pourtant, tu m'as pardonné. Et moi, j'avais le culot de t'accabler ?

Elle l'enlace, pour se laisser guider dans une position plus commode, soit assise à califourchon sur lui. Dans un chuchotement, il déclare, avec ferveur :

– Je bénis le ciel du soufflet que m'a donné ton père.

Flavie se met à frémir sous la violence d'une onde de choc qui enfle à toute allure en elle. Bastien n'a pas cessé de fréquenter les malades pendant son absence : il aurait donc pu contracter un mal funeste ! Il n'a pas cessé ses allées et venues dans la cité, ce qui l'exposait à de multiples dangers : périr dans un incendie, être renversé par un cabrouet, passer à travers la glace du fleuve, recevoir une brique sur la tête ! La souffrance atteint Flavie comme un coup d'épée dans les entrailles, et elle se recroqueville instinctivement. Au moment où elle a quitté sa ville natale, un an plus tôt, elle a cru que le monde cessait de tourner... Elle s'est enfermée dans une bulle, et pendant ce temps, Bastien aurait pu disparaître à jamais !

Sentant son émoi, il l'agrippe afin d'appuyer sa joue sur le haut de son torse.

– Simon est redevenu alerte comme un jouvenceau, chuchote-t-il, j'en suis persuadé.

– Ce n'est pas ça, bafouille-t-elle. C'est que tu… tu aurais pu… tous les jours, tu prends des risques… encore davantage avec le choléra… et j'étais si loin. S'il t'était arrivé quelque chose…

Il la fixe de ses yeux écarquillés, puis il réplique, avec une feinte désinvolture :

– Nous avons joué avec le feu, ma toute belle. Nous avons tenté le diable, mais il nous a laissé un sursis. Je suis bien mieux armé contre lui, maintenant. J'ai appris l'art de péter, et il paraît que le démon déteste le tintamarre des ventosités !

Flavie rit à travers les larmes qui débordent de ses yeux, et qu'il lèche comme un chiot enjoué. Comme elle aime cet homme ! En fait, en cet instant précis, elle l'adore… Elle le lui souffle à l'oreille, et il la contemple avec un mélange de satisfaction et de scepticisme.

– Ça ne durera pas. J'ai trop de défauts… Mais je ne suis pas contre d'en profiter pendant que ça passe. Est-ce que tu remarques que ma vigueur est revenue ? Je sais que c'est l'heure du souper, mais que dirais-tu de m'adorer concrètement ?

– Faire l'adoration… comme c'est joli…

– Rudement poétique, convient-il en l'entraînant à s'allonger sur la couche.

Il prend place à ses côtés et se dresse sur un coude pour, dans la lumière feutrée du couchant, la parcourir du regard. Encore frémissante de la vague de terreur qui vient tout juste de la traverser, elle ferme les yeux… et ne peut s'empêcher de tressaillir de bonheur lorsque deux lèvres chaudes viennent englober les siennes. Elle répond à ce baiser avec un abandon total, avec une confiance infinie… Il se redresse ensuite pour aller poser sa langue entre ses seins, sur la plaque dure de l'os. Avec une formidable lenteur, il fait glisser sa main libre jusqu'à son entrejambe. Pour étouffer son gémissement, Flavie tourne la tête et saisit la chair de son bras entre ses dents. Elle se sent déjà propulsée au cœur d'un autre univers, mise en orbite du corps céleste le plus attirant qui soit…

Fermant la porte d'entrée derrière son visiteur, Léonie s'amuse de son expression faussement détachée tandis qu'il ne peut s'empêcher d'examiner la salle de classe. Elle lance, narquoise :

– Vous avez de la chance : entre deux semestres, je réussis à dépoussiérer !

Jacques Rousselle répond par une moue goguenarde, avant d'obéir à Léonie qui lui indique une chaise en face d'elle, de l'autre côté de la table, à proximité de la fenêtre au battant largement ouvert. La chaleur de ce début de septembre est néanmoins accablante, même en cette fin d'avant-midi, et Léonie adresse au jeune médecin un regard plein de commisération :

– Débougrinez-vous, monsieur. À ce temps-ci, les redingotes sont mauvaises pour la santé ! Elles font bouillir les humeurs…

Il ne se le fait pas dire deux fois, révélant une magnifique chemise aux manches bouffantes. Il grommelle :

– À ce que je vois, vous êtes dans une forme éblouissante !

– Trois semaines de vacances à la campagne m'ont fait le plus grand bien ! À Simon aussi, d'ailleurs.

– Votre mari a retrouvé son allant ?

– Pour tout dire, ses forces semblent décuplées ! Manifestement, il s'est purgé de quelques lourdeurs. Le teint frais, une vigueur de jeune homme…

Il hausse les sourcils devant le ton aimablement grivois, ce qui réjouit Léonie encore davantage. Elle n'exagère pas : depuis qu'il a échappé au trépas, Simon ne se prive d'aucun des plaisirs de vivre qui sont à sa portée… et les étreintes avec son épouse sont placées tout en haut de sa liste ! Le récit de leurs ébats en plein cœur de la nature sauvage ferait rougir même un libertin aguerri.

Rousselle se racle la gorge et suggère d'aborder tout de suite le sujet de leur rencontre, soit le cours qu'ils donneront tous les deux à la Société compatissante à partir de février prochain. Ils doivent en tracer les grandes lignes, non seulement en ce qui concerne la clientèle visée et l'horaire, mais également en ce qui concerne le contenu. Dès le début, le jeune médecin dirige la discussion, alignant un ordre du jour, puis, après l'assentiment de Léonie, attaquant chacun des points à fond de train. Même si elle n'est pas fâchée de lui laisser les rênes de la discussion, la maîtresse sage-femme doit brider sa fougue, lui rappelant en riant qu'elle est plus âgée que lui et que sa pensée ne galope pas au même rythme…

Compte tenu des récriminations des curés qui envoyaient leurs jeunes paroissiennes étudier à l'École de sages-femmes, Mgr Bourget a rapidement accepté la solution de rechange humblement proposée par la conseillère Marie-Onésime Charbonneau. S'il est impossible d'offrir une formation d'envergure, Rousselle propose deux sessions intensives d'un mois, au printemps et à l'automne, un mélange de cours théoriques et de stages pratiques offerts aux demoiselles de la campagne et donnant accès à un diplôme.

Par ailleurs, à chaque semestre, un cours magistral par semaine sera à l'horaire pour les praticiens de tout acabit. Enfin, il serait possible de prévoir des conférences scientifiques mensuelles ouvertes à tous. Après avoir mûrement réfléchi, Léonie convient du bien-fondé de cette proposition, même si elle réalise que sa clientèle pour les stages ne sera plus formée que des clercs en médecine, à l'exception des deux mois pendant lesquels les campagnardes seront présentes. Car le cours qui s'adressera aux Montréalistes est dénué de toute formation pratique...

À voix haute, elle exprime ses regrets, affirmant sans ambages à son interlocuteur que, contrairement à ce que leur évêque semble croire, la présence d'aspirantes accoucheuses auprès des étudiants suscite chez ces derniers non seulement un esprit sérieux, mais un souci d'émulation qui semble leur faire cruellement défaut sous d'autres cieux! Rousselle saisit immédiatement cette allusion à l'hospice Sainte-Pélagie et il hoche gravement la tête. Après un temps, Léonie ose le presser davantage:

– Vous me détromperez peut-être, monsieur, mais... j'ai l'impression que la Société compatissante est en train de perdre tous ses appuis parmi les bienfaiteurs de l'École de médecine et de chirurgie. J'ai l'impression que les jours de notre alliance sont comptés...

Il se permet un sourire indulgent, avant de répliquer:

– Je vais vous répondre ce que je me tue à répéter à ces dames du conseil, qui me harcèlent de leurs questions. Jusqu'à présent, les médecins affiliés à l'École de médecine se refusaient à quelque action concertée que ce soit. Trudel et ses partisans se sont introduits chez les Sœurs de Miséricorde, tandis que mon père faisait de même à la Société compatissante. Mon ambition à moi, c'est de convaincre mes confrères de deux choses. Un: il est stupide de courir deux lièvres à la fois. Deux: les conditions offertes par la Société compatissante surpassent, et de beaucoup, celles en vigueur chez les timorées religieuses. La qualité du savoir médical de l'équipe soignante, par exemple...

Sceptique, Léonie se récrie: leur refuge pourrait offrir la lune que la plupart des messieurs en seraient insatisfaits. L'avantage des Sœurs de Miséricorde, celui avec lequel la Société ne peut rivaliser, c'est l'esprit d'obéissance qu'on y cultive et qui convient parfaitement aux prétentions masculines! Rousselle ne peut retenir un sourire railleur, tout en grommelant:

– Je ne vous le fais pas dire. Votre tendance à discutailler agace les nerfs...

– Je vous suggère de vous y faire promptement, réplique Léonie solennellement, parce que je n'en changerai pas. D'ailleurs...

Elle hésite, mais ne peut laisser passer une si belle occasion.

– D'ailleurs, monsieur le docteur, vous me voyez plutôt perplexe. J'ai de la misère à réconcilier deux aspects de vous. D'un côté, l'homme de l'art pondéré dont j'admire le professionnalisme... et de l'autre, le petit garçon trop gâté qui refuse de s'incliner devant l'évidence.

Outré par l'audace de son interlocutrice, Rousselle la dévisage. Posément, Léonie soutient son regard jusqu'à ce qu'il exhale un bruyant soupir, avant de rétorquer, la voix vibrante d'indignation:

– L'évidence? Mais quelle évidence? Celle qui veut faire des dames les égales des hommes? Ce n'est pas une évidence, mais une hypothèse qu'il est aisé de démolir! Ne m'entraînez pas sur cette voie, Léonie, parce que vous y perdrez des plumes!

– Peut-être. Vous maniez la rhétorique bien mieux que moi. Cependant... Quand on étudie les sciences humaines, on ne peut faire autrement que d'être frappé par une chose. Ce que l'on tenait pour acquis, ce que l'on croyait de toutes ses forces, n'est qu'un échafaudage qui ne résiste pas à la force de l'examen. Donc, n'en va-t-il pas de même des préjugés sur la nature féminine ? Ne doit-on pas les examiner honnêtement…

– Ce ne sont pas des préjugés, la coupe-t-il avec une fureur contenue, mais des prescriptions divines.

Elle le considère attentivement, puis s'encourage à poursuivre, après une pause :

– Vous me surprenez. Plusieurs philosophes ont démontré que les dogmes sont une construction humaine, donc susceptibles d'être revus et corrigés. De votre part, je m'attendrais à…

– Ce que Jésus et ses apôtres ont prêché, ce ne sont pas des dogmes, mais la vérité émanant de Dieu le Père lui-même !

Son ton menaçant réduit Léonie au silence. Elle ne le contredira pas, même si elle pourrait lui faire remarquer, à l'instar de quelques-uns qui ont livré leurs pensées par écrit à ce sujet, que la Bible a été maintes fois traduite et, par le fait même, modifiée dans le sens des idées préconçues. Elle ne le contredira pas davantage parce qu'elle se rend bien compte, devant le spectacle de sa mine décomposée par la colère et par un ressentiment presque palpable, que ce n'est plus à l'intelligence et au sens commun de cet homme de l'art qu'elle s'adresse, mais à un recoin caché de son être. Un recoin dans lequel se dissimulent de sombres émotions, si virulentes qu'elles pourraient en devenir incontrôlables…

Tranquillement, elle propose de revenir au vif du sujet, puis elle enchaîne sur le contenu du cours que tous deux assumeront dès l'année prochaine. Si leur échange de propos demeure à la limite du courtois, de singulières dissensions naissent en rapport avec leur place respective dans l'enseignement théorique. Léonie réalise que Rousselle comptait ne lui en laisser qu'une petite part, accaparant pour lui-même l'essentiel des notions d'obstétrique. Elle y est farouchement opposée : l'art des accouchements, elle le possède sur le bout des doigts, et ses années d'enseignement à l'École de sages-femmes la qualifient pour transmettre cette matière!

Finalement, ils en viennent à un compromis, néanmoins insatisfaisant pour Léonie, qui sera obligée de couvrir en accéléré les rudiments du métier. Si Rousselle accepte de se réserver uniquement les cas problématiques, il élargit singulièrement l'éventail de ces derniers! Il se réserve les sièges, les cas d'inertie, les hémorragies; c'est tout juste s'il accepte de laisser à sa consœur, non sans avoir rechigné, les délivrances par les pieds.

Frémissante de colère, Léonie conclut l'entretien dès que possible, claquant sans ménagement la porte derrière le hautain personnage. Pour se calmer, elle se livre à un impétueux va-et-vient dans la salle de classe. Toute son allégresse à relever ce nouveau défi, et qui tempérait son chagrin de la perte imminente de son école, vient de fondre comme neige au soleil. Elle se retrouve devant l'implacable réalité: pour les hommes de l'art, elle appartient à la catégorie des guérisseuses au savoir uniquement empirique, indigne d'une quelconque tribune! Pour les mâles qui gouvernent ce monde, elle est tout juste bonne à se faire mener par le bout du nez!

Chargé de la locomotive et des trois premiers wagons du Montreal & New York Railroad, le transbordeur s'éloigne du quai. Épatés, le Dr Renaud et son épouse observent la manœuvre de ce navire aux formes inusitées. Mis en service l'été précédent sur le Saint-Laurent, il suscite encore de nombreuses exclamations d'étonnement! Rapidement, les jeunes gens s'arrachent à ce spectacle pour une courte promenade avant de traverser le fleuve, sorte de pèlerinage vers un lieu qu'ils ont appris à aimer lors de leurs séjours chez Catherine, la sœur de Léonie, dans la belle campagne de Longueuil.

Après un bon moment de marche, tous deux arrivent en vue d'un géant centenaire, un immense peuplier aux branches largement étalées, dont le tronc fait environ dix pieds de diamètre. Les jeunes gens s'y accotent, enlacés, admirant en silence le paysage champêtre et le clocher de l'église du village, au loin. C'est grand-père Jean-Baptiste qui leur a raconté sa jolie histoire : il a été planté en 1743 par un cultivateur nommé Dubuc, en l'honneur du mariage de sa fille avec un jeune notaire français tout juste débarqué.

Enfin, les yeux mi-clos, Flavie lève son visage vers son mari, quêtant un baiser qu'il s'empresse de lui donner. Elle n'a pas besoin de lui dire à quel point elle se sent fébrile et déboussolée à l'idée de mettre le pied dans sa ville, dans sa rue, dans sa maison : lui-même a manifestement l'estomac noué... Dans cette étreinte qui se prolonge, dans les gestes amoureux dont il la comble, Flavie puise un courage dont elle a bien besoin.

Avant de quitter l'ombrage de cet arbre vénérable, aux racines qui plongent jusqu'au temps lointain de la Nouvelle-France, Flavie ramasse quelques feuilles roussies balayées par la brise d'automne. Pendant le retour vers le débarcadère, elle les garde dans sa main, humant leur odeur pénétrante... Le jeune couple monte à bord de l'un des traditionnels vapeurs qui font la navette entre les deux rives.

Tandis qu'ils voguent lentement, Flavie admire le panorama familier mais toujours émouvant de la métropole blottie aux pieds du mont Royal. Si, au centre, plusieurs clochers de tailles différentes brisent la ligne horizontale de la vieille ville, ce sont les cheminées et les grues qui jouent ce rôle de part et d'autre, dans les faubourgs Sainte-Marie et Sainte-Anne... Une masse étrange attire son regard, du côté de la Pointe-Saint-Charles, et elle demande des explications à Bastien, qui l'identifie comme la culée du futur pont Victoria.

Il en profite pour la renseigner au sujet de la progression de ce chantier héroïque. Au cours du dernier hiver, l'ingénieur en chef et responsable de la main-d'œuvre, le Britannique James Hodges, a été vu à maintes reprises en train d'arpenter le fleuve gelé. Accompagné de son équipe, il effectuait les vérifications finales concernant le site du pont. Plus tard, afin de marquer l'emplacement exact des piliers, il a fait découper la glace pour, à l'aide de forets en acier à longue queue, creuser des trous dans le lit du fleuve.

À chaque extrémité du pont, le batardeau du pilier initial a ensuite été immergé. Récemment, le 22 juillet, tout Montréal se mettait sur son trente-six pour la cérémonie de la pose de la première pierre. Les invités sont descendus jusqu'au fond de cette portion du fleuve asséché pour y écouter les discours de circonstance, se faire servir un somptueux banquet et danser à la belle étoile! Bien entendu, le jeune médecin ne faisait pas partie de ces privilégiés, mais l'événement a impressionné à tel point que ses moindres détails ont alimenté les commérages pendant une semaine entière.

Bastien décrit à Flavie le futur pont ferroviaire tel qu'il a été représenté dans les premières images publiées. À intervalles réguliers, des piliers massifs en maçonnerie franchiront le large lit du fleuve, leur arête tranchante orientée face au courant. Sur eux seront posées des travées tubulaires, munies d'ouvertures pour que la fumée des locomotives puisse s'en échapper.

C'est alors que Flavie aperçoit une scène incroyable. Dominant le lit du fleuve à quelque distance, à proximité de la rive de Pointe-Saint-Charles, une paroi retient les eaux. La masse sombre d'un pilier en émerge, environnée de mâts de battage et de grues. Sur son faîte, des fourmis humaines s'agitent... Abasourdie, elle scrute le spectacle un long moment, les yeux plissés, avant de glisser son bras sous celui de son mari, lui faisant remarquer qu'une entreprise aussi folle comporte des risques certains pour les ouvriers ! Très sérieux, il opine du bonnet :

– Tu n'as rien vu encore. Imagine le pénible sort des plongeurs !

– Des plongeurs ? bredouille-t-elle, effarée.

– Ils se vêtent de scaphandres à casque de cuivre pour inspecter les batardeaux, en plus de fixer à des blocs de pierre d'immenses crochets pesant entre dix et vingt tonnes.

– Dans quel but ?

– Les blocs servent à assurer l'étanchéité des batardeaux, et ce sont d'immenses grues qui les déplacent.

Littéralement médusée par les défis titanesques à relever, Flavie laisse son regard errer sur la surface du fleuve au calme trompeur. Tous les Montréalistes savent à quel point ses eaux sont froides, du moins au printemps, et tumultueuses. Pour s'aventurer dans les entrailles de la bête, il faut être risque-tout ! Comme le rivage du port approche et que la nervosité de Flavie augmente en proportion, elle s'empresse de questionner son compagnon au sujet des mesures prises pour assurer la sécurité des travailleurs embauchés.

Il évoque les bouées installées aux endroits stratégiques, les canots de sauvetage prêts à être mis à l'eau, mais surtout les excellentes installations médicales qui font l'envie de tous les praticiens de la cité. Fondé en 1852, l'hôpital St. Patrick, au coin des rues Guy et Dorchester, réserve aux éprouvés deux salles de vingt-quatre lits. Quatre réputés médecins anglais y sont en service, tandis qu'un cinquième, un Canadien celui-là, s'est installé à proximité de la carrière de Pointe-Claire.

Dès qu'elle pose un pied sur la promenade en larges pierres plates qui borde les quais, dès qu'elle entend les appels des conducteurs d'omnibus qui tentent d'attirer la clientèle vers l'hôtel qu'ils desservent, Flavie plonge dans un véritable enchantement, celui d'arpenter les rues à la fois familières et étranges de la cité. Elle jouit intensément du fait d'être une voyageuse dans son propre pays et de contempler le paysage avec un regard neuf, mais énamouré !

La rue Saint-Joseph n'a pas changé, sauf pour quelques maisons reconstruites ainsi qu'un nouveau quincaillier installé sur un coin de rue et dont l'enseigne de bois, qui s'avance au-dessus du trottoir, représente un godendard et un marteau enlacés. La cohue est toujours aussi grande sur cette artère fréquentée, et même pire qu'avant, comme elle le fait remarquer à Bastien, qui renchérit en observant que les maisons rognent sur les champs et les boisés environnants.

Il est quatre heures de l'après-dînée lorsque tous deux se retrouvent devant la maison de Flavie. Le cœur battant, cette dernière martèle la porte, puis elle entre sans attendre, lançant à la cantonade :

– Il y a quelqu'un ? C'est moi, Flavie !

En réponse, des exclamations lui parviennent de la cuisine, et elle ne prend même pas la peine de se délivrer de sa besace avant de s'y précipiter. À sa grande joie, plusieurs personnes s'y trouvent : non seulement Léonie et son frère Laurent, mais une jeune femme qu'elle reconnaît aussitôt comme étant Catherine Ayotte, son ancienne camarade d'étude. D'une voix étranglée, Léonie s'écrie, en se levant à demi de la berçante :

– Ma petite fille, enfin ! Je guettais ton retour…

Frappé de stupéfaction à la vue de sœur Marie-des-Saints-Anges libérée de son habit de novice, Bastien s'exclame :

– Bistouri à ressort ! Ne me dites pas, mademoiselle, que vous avez défroqué ?

Flavie n'écoute pas la réponse : avec impatience, elle se débarrasse de son bagage pour étreindre sa mère avec effusion. L'accolade de Léonie semble à sa fille étonnamment faible, mais la jeune femme ne s'en formalise pas. Elle lui chuchote, avec émoi et gaieté tout à la fois :

– Je reviens pour de bon, maman! Bastien m'a… il a refait ma conquête… Je te raconterai…

Léonie la saisit par les épaules afin de la repousser légèrement. Avec un effarement croissant, Flavie remarque les traits tirés de son visage, les yeux bouffis, l'expression brisée… Sa mère murmure :

– Non, bien entendu, tu n'as pu recevoir la lettre… Elle a été portée à la poste hier.

Léonie est vêtue tout de noir. Comment cela est-il possible ? Jamais elle ne s'habille ainsi, sauf… La voix enrouée de Laurent, qui s'adresse à Bastien, lui parvient :

– C'est un vrai miracle ! Nous allions faire la cérémonie sans vous…

Sur un ton épuisé dans lequel perce cependant une note d'urgence, Léonie interpelle son fils :

– Laurent ! Ta sœur ignore tout…

– Quoi donc ? balbutie Flavie. Un malheur est arrivé ?

Une vive alarme sur le visage, Bastien vient poser un bras protecteur sur ses épaules. Tous deux sont suspendus aux lèvres de Laurent qui, blêmissant, ouvre et referme la bouche sans qu'aucun son en sorte. C'est Catherine qui vient faire face au jeune couple et qui le gratifie d'un doux mais sincère sourire. Elle bredouille :

– Quel plaisir de vous revoir, mes amis… Je suis désolée que ce soit en une si lugubre circonstance. Je suis venue offrir mon secours à madame votre mère et je crois qu'il me revient de vous annoncer que… votre père, Flavie…

– Quoi, papa ? Où est-il ?

– Le choléra…

– Que dites-vous ? rugit Bastien. Le choléra ? Mais il s'en est tiré en parfaite santé ! Quand je vous ai quittée, Léonie…

Incapable d'affronter le désarroi de son gendre, cette dernière détourne les yeux et se réfugie tout contre son fils. Avec une patience d'ange, Catherine reprend :

– Il y a deux jours, il a été emporté par une seconde attaque. Il a été terrassé en moins de quatre heures.

– Impossible ! tonne encore un Bastien hors de lui. Jamais je n'ai eu connaissance d'un tel enchaînement de circonstances !

– C'est pourtant le diagnostic du Dr Rousselle. Une crise aiguë de choléra-morbus…

Le jeune médecin s'emporte :

– Mais je m'en contrefous, de son diagnostic ! Le choléra ne peut toucher deux fois la même personne !

Flavie souffle :

– Bastien…

– Quoi ?

– Cesse donc… Papa est… il est…

Suffoquée par cet épouvantable coup du sort, elle titube de chagrin, et il s'empresse de la soutenir en l'attirant contre lui. Plus jamais Simon ne s'assoira dans la berçante. Plus jamais il ne jasera avec elle ni ne lui offrira le spectacle de ses certitudes et de ses indignations. Le spectacle du torrent de vie qui s'échappait à l'occasion de lui et qui faisait croire à sa fille, ne serait-ce qu'un instant, que le bonheur terrestre méritait qu'on se démène pour lui ! Plus jamais il ne la fera se sentir importante, unique, précieuse…

Aspirée dans un maelström de douleur, elle se sent tomber dans un gouffre. Le destin vient lui rappeler qu'on ne déserte pas impunément ceux qu'on aime ! Agrippée à la veste de Bastien, le visage caché dans son cou, elle a l'impression de se fendre en deux, comme un arbre atteint par l'éclair, sous la force des sanglots. Elle se sent dévastée comme si plus rien n'avait de sens, comme si elle était privée de sa seule raison de vivre…

Chapitre XVII

C'est uniquement parce que Léonie est éreintée, les émotions en suspens, qu'elle peut supporter la proximité de sa pauvre grande fille secouée par la bourrasque et de son gendre au visage défait, luttant contre les larmes. Elle est infiniment soulagée que l'affliction que lui a causée la disparition de son cher Simon ait fini par céder à l'épuisement, car il serait trop périlleux pour elle de côtoyer une telle manifestation de douleur. Elle aurait peur de se briser en mille morceaux comme un vase échappé sur le carrelage…

Accrochée au bras de Laurent qui s'essuie périodiquement les yeux, Léonie lance au jeune couple des regards de biais. Dans son cerveau valse une réconfortante mélodie, celle de la phrase prononcée par Flavie en arrivant : « Je reviens pour de bon ! » Se matérialise alors, devant ses yeux, l'image de la jeune accoucheuse tenant, au bout de son bras tendu, une lampe-tempête munie d'une chandelle allumée afin d'indiquer le chemin à sa mère… Lorsque Léonie se sentira chavirer dans la noirceur totale qui règne au plus creux d'elle-même, et qui lui fait croire que le jour ne se lèvera plus jamais, elle pourra s'accrocher à cette lueur.

C'est une Flavie brisée qui se laisse conduire jusqu'à une chaise face à la table. Bastien s'installe à côté d'elle, prenant soin de la soutenir à la taille. S'assoyant face à eux, Léonie note, avec une tendresse mêlée de souffrance, que le devant de sa chemise est trempé… Flavie se tamponne le visage, plongée dans un accablement muet, tandis que le jeune médecin tend sa main libre à Léonie, qui se résigne à y placer la sienne malgré le danger de faire voler son flegme en éclats. Mais c'est un réel réconfort que son gendre, grâce à la force de son étreinte et à la chaleur de sa peau, fait descendre jusqu'à son cœur…

Bientôt, Laurent prend place à côté de sa mère, offrant à sa sœur de joindre sa main à la sienne. D'une voix mal assurée, Léonie propose à Catherine, qui s'active autour du poêle, de venir les rejoindre.

– Dès que le thé sera paré! Est-ce que j'y ajoute un doigt de cordial?

– Posez la bouteille sur la table. On se servira…

Suivant son ancienne élève du regard, Léonie murmure:

– Catherine est venue ce matin remplacer Léocadie, qui ne m'a pas lâchée d'une semelle.

Après un temps, Laurent ajoute avec une exaspération subite:

– Comme c'est le choléra, les voisines refusent de passer le seuil de la maison!

– Difficile de leur en vouloir, marmonne Bastien.

Compte tenu des circonstances particulières du trépas de Simon, il n'y a pas eu de veillée au corps. Le jeune médecin déclare encore, d'un ton nerveux, que c'est une sage décision.

– Il paraît qu'en trente-deux l'habitude des Canadiens de prier autour du lit des mourants et des décédés s'est révélée funeste dans plusieurs cas…

Il est sur le point d'ajouter quelque chose, mais se retient. Léonie devine qu'il meurt d'envie de connaître les détails de l'agonie de Simon, mais qu'il juge, avec raison, que le moment est mal choisi. Accrochant son regard, elle murmure:

– Catherine vous racontera…

Il bat des cils en guise d'acquiescement. Dans un silence complet, Catherine dresse la table pour le thé et offre une tasse remplie à ras bord à chacun, puis elle s'assoit à une extrémité. Laurent met le jeune couple au courant de l'arrivée de Cécile et de sa famille pour le lendemain, et de la tenue de la cérémonie funèbre tôt le jour suivant. Il précise que Léonie et lui ont hésité au sujet d'une messe, mais ont finalement estimé qu'une brève célébration placée sous le signe de la retenue ne serait pas contre-indiquée. Laurent est allé négocier avec le nouveau curé de la paroisse, qui semble avoir parfaitement saisi qu'il s'agissait principalement de donner aux proches l'occasion de se recueillir.

– J'aurais tant voulu le revoir une dernière fois, articule Flavie d'une voix cassée.

Personne n'est capable d'émettre la moindre parole de consolation, sauf Catherine qui se penche vers elle, pour dire avec gentillesse :

– Cela fait partie de la misère dont il semble que chacun, en ce bas monde, doit avoir sa juste part.

– Deux jours ! crie Flavie, la voix chevrotante. Il s'en est fallu de deux jours !

Elle arrache sa main de celle de son frère, puis se tourne vers son mari hébété pour l'agripper au col. Le visage mauvais, elle crie encore :

– Tu te rends compte ? Nos vacances... Et pendant ce temps-là, papa exhalait son dernier soupir !

Comme piqué par une guêpe, le jeune homme réplique avec énergie :

– Des vacances magnifiques que je ne regrette en rien !

Flavie se recroqueville et se remet à pleurer en hoquetant :

– C'est trop dur... On croirait que le Créateur veut me punir... On croirait qu'il s'époumone en plein dans ma face : tu vois, j'existe ! Je peux tout ! Mes créatures sont des marionnettes entre mes mains ! Je peux leur infliger une terrible punition pour leurs péchés !

Avec un regard pétri d'angoisse en direction de Léonie, elle crie encore :

– Ce n'est pas juste, maman. Ce n'est pas juste !

Cette dernière n'a plus le choix. Elle ne peut être témoin d'une telle détresse morale sans réagir... Pour trouver le courage de se lever et contourner la table, elle fait appel à son amour maternel. Invitant d'un signe Bastien à lui céder sa place, elle installe Flavie confortablement contre elle pour la bercer doucement. Des larmes dans la voix, elle réussit à dire :

– Tu ne le sais pas, mais ton père a passé beaucoup de temps avec toi, en pensée. Tu dois bien te douter qu'au début il était très fâché, mais je t'assure que dès l'arrivée de l'été... dès qu'il a cru que Bastien t'abandonnait... il a oublié sa colère pour se souvenir uniquement du fait que tu étais sa fille chérie.

Flavie pleure toujours à chaudes larmes, mais Léonie sent que son attention est captive. Soutenue par une puissante vague d'attachement envers son mari, elle reprend :

– Ton mari t'a-t-il dit ? S'il n'était pas allé te rejoindre, Simon avait la ferme intention de sauter dans le train. Notre bagage était presque paré quand nous avons reçu la lettre que Bastien a postée tout juste avant son départ... Pour un peu, ce n'aurait pas été seulement ton docteur préféré qui t'aurait rendu visite, mais tes parents de même !

Léonie a tenté de mettre une note de gaieté dans sa voix, mais elle craint fort que son effet ne soit raté. Néanmoins, elle sent que Flavie s'amollit, que son désespoir est en train de céder à l'attendrissement... Soudain, la voix éraillée de Bastien leur parvient du mur où il s'est appuyé :

– Flavie ? C'est en bonne partie grâce à ton père que je suis revenu vers toi. Il m'a fait prendre contact avec... il m'a fait dépasser mon aigreur, mon orgueil de mari blessé. Je t'ai vue à travers ses yeux et je me suis souvenu à quel point tu étais bonne et aimable. Tout ça grâce à lui... et un peu à ta mère aussi, il faut l'avouer.

Relevant la tête, Léonie décèle un tel flot de sympathie dans les yeux mouillés de son gendre qu'elle réussit à balbutier, flattant les cheveux de son aînée avec une intense commisération :

– Nous avons l'air de tourner le fer dans la plaie, mais... bien maladroitement sans doute, j'essaie de te faire comprendre que malgré la distance entre vous... ton père était très proche de toi, plus proche qu'il ne l'a jamais été. Ton père vibrait à l'unisson avec toi. Tu pourras t'en souvenir ainsi : plus énamouré de toi que jamais et prêt à défendre ton honneur jusqu'à...

Sa voix se brise. La gorge si serrée qu'elle est incapable d'en dire davantage, Léonie appuie sa joue contre la tête de Flavie et ferme les yeux un court moment. Peu à peu, la jeune accoucheuse devient sensible à l'état d'âme de sa mère. La brume qui encombre son cerveau, de même que le sursaut d'indignation qui affole son âme, se déchire suffisamment pour que s'y insinue un désarroi encore plus intense que le sien, celui d'une bien-aimée abandonnée... Cette révélation la plonge dans un abîme de honte. Comment peut-elle exiger de sa mère un tel oubli d'elle-même ? La consolatrice ne devrait pas être l'épouse, mais la fille...

Il faut que sa mère l'aime de tout son cœur pour lui faire un tel cadeau. Il faut qu'elle soit d'une totale indulgence pour lui pardonner cet égoïsme enfantin... Bouleversée au point d'en trembler de tout son corps, Flavie gratifie Léonie d'une puissante étreinte, puis elle se redresse. Passant le revers de sa main sur le visage de l'auteur de ses jours, elle murmure :

– Tu as dû beaucoup souffrir... J'aurais aimé être là pour toi.

Aux douces paroles de réconfort de sa fille, Léonie pousse un profond soupir de soulagement. Le pic de sa révolte est passé. Elle connaît trop bien la sensibilité de Flavie envers l'iniquité pour savoir que ce n'est qu'une trêve et que, telle une jument fougueuse, elle renâclera encore devant la fatalité qui s'est abattue sur elle. Mais son aînée va apprendre à temporiser. Elle va comprendre qu'il faut parfois courber l'échine devant cette toute-puissance contre laquelle il est impossible de lutter.

Après un sourire chaleureux à sa mère, Flavie tend un bras vers Bastien d'un geste plein d'un magnifique abandon. Le jeune médecin obéit avec diligence. Elle l'enlace par la taille, appuyant sa tête contre lui. Il y pose les mains et glisse ses doigts sous le bonnet. La voix grêle de Flavie sonne comme un coup de clairon :

– Je voulais te dire… Ça se peut, deux attaques successives de choléra. J'ai lu le témoignage d'un médecin européen…

Il fait une grimace, avant de murmurer un assentiment. Peu à peu, Laurent et Catherine se secouent de l'engourdissement dans lequel ils étaient plongés. Le premier se lève pour annoncer qu'il retourne auprès d'Agathe et de leurs enfants. Comme il doit se rendre à l'ouvrage le lendemain, il ne les verra que le soir venu. Dès qu'il a quitté la pièce, Catherine s'active de nouveau pour rincer les tasses de thé, tout en avisant Léonie de son intention de rentrer chez elle si ses services ne sont plus requis.

Flavie libère Bastien et s'étire de tout son long avant de faire connaître son intention de passer la nuit sur place. Comment pourrait-elle faire autrement ? Elle reçoit l'expression contrariée de son mari comme un mal inévitable. Puisque Cécile et Daniel prendront la relève, Léonie affirme à Bastien que son épouse pourra regagner ses pénates le lendemain soir. Il grommelle :

– Ça ne me plaît pas de savoir Flavie loin de moi. Je pourrais rester, moi aussi, mais il y a bien longtemps que je n'ai vu Geoffroy… Et puis je dois organiser des choses…

– Je verrai tes parents demain soir, dit Flavie en se levant pour lui prendre la main. Tu pourras, en attendant, leur parler de moi en toute liberté.

– Espèce de têtue, murmure-t-il avec tendresse. Tu tiens à me mettre déjà à l'épreuve…

Attendrie par son sourire complice, Flavie esquisse une moue émue. Brusquement, il se détourne et propose à Catherine de la raccompagner chez elle avant de monter rue Sainte-Monique. Sans un coup d'œil en arrière, il se charge de ses besaces et sort de la pièce à longues enjambées. Après un échange de salutations, Catherine lui emboîte le pas.

La mère et la fille se retrouvent seules dans le soir qui tombe, entre les quatre murs d'un logis encore tout imprégné de la présence du défunt. Après un moment d'égarement, Flavie suggère de préparer un souper léger, ce à quoi Léonie consent. Au début, leurs tentatives de conversation tombent à plat, puis peu à peu, grâce à l'effet apaisant de ces gestes mille fois répétés, une certaine aisance leur revient.

Elles se mettent à bavarder de tout et de rien, de la réserve de sel qui diminue, du caveau à légumes qu'il faudra bientôt remplir, de l'infestation de mouches qui a fait mourir presque toute la récolte de poireaux et d'oignons du potager… Dans le détour se glissent quelques allusions à la présente épreuve : le ménage des affaires de Simon entrepris ce matin sous la houlette de Catherine, le plat à barbe vieux de cent ans au moins et que Laurent devra emporter…

Ainsi, le contenu de leurs assiettes pourtant très peu garnies est enfin avalé. Sitôt la vaisselle expédiée, Flavie propose à sa mère d'aller prendre le frais sur la galerie. Comme elle n'a pas mis le pied dehors depuis deux jours, sauf dans la cour arrière, Léonie opte plutôt pour une courte promenade.

Couvertes d'un châle épais, toutes deux cheminent à pas lents en direction de la bande de lumière qui orne encore le couchant. Elles n'ont pas parcouru cinquante verges qu'une voisine les interpelle, pour s'apitoyer sur la mauvaise fortune de Léonie, puis s'extasier devant le prompt retour de son aînée. Successivement, trois commères leur barrent ainsi la route jusqu'à ce que, la noirceur aidant, elles soient libres de progresser à leur aise.

Il est près de neuf heures du soir lorsqu'elles reviennent. Un éclair d'angoisse traverse Flavie à la vue de leur maison plongée dans le noir, sauf pour la lueur d'une chandelle qui tremblote dans la salle de classe... Mais elle repousse farouchement cet accès de faiblesse, remontant résolument le sentier qui mène à la galerie. C'est elle qui referme la porte derrière Léonie et qui place le loquet, elle qui saisit le chandelier pour éclairer le chemin, elle qui décide qu'il ne fera pas assez frais cette nuit pour alimenter le poêle.

Léonie tremble de fatigue, et Flavie l'oblige à monter sur-le-champ. À l'étage, elle attend que sa mère lui indique son choix. Sans hésiter, Léonie opte pour l'ancienne chambre de ses filles. Toutes deux y dormiront... Obligeant sa mère à s'asseoir sur le bord du lit, Flavie saisit la chemise de nuit posée en tapon sur le coffre et l'accompagne avec patience dans son lent changement de vêture, puis elle ouvre les draps et lui fait signe de s'allonger. Léonie obéit ; terrassée par l'épuisement, elle reste étendue sans bouger.

Derrière ses cils, elle observe le va-et-vient de son aînée qui, après être redescendue quérir sa besace, se prépare pour la nuit. Elle jouit intensément de ce spectacle si intime, qui lui rappelle le temps pas si lointain de la jeunesse de ses filles, leur complicité et leurs occasionnelles chicanes... Elle est parfaitement consciente du sacrifice auquel a consenti Flavie en demeurant auprès d'elle pour la nuit. Délaisser un mari à peine retrouvé... Affronter le fantôme de son père... Mais

Léonie a dépassé le stade du remords. Son univers est sens dessus dessous, et fatalement, celui de ses enfants s'en trouve tout autant chambardé.

Lorsque Flavie, mine de rien, retire le bonnet de sa tête, Léonie ouvre de grands yeux, puis sans mot dire gratifie sa fille d'un clin d'œil complice. Enfin, Flavie murmure :

– Il y a presque pleine lune. Je tue la chandelle.

Léonie ne proteste pas, mais ne peut s'empêcher de tressaillir lorsque la lumière blanche de l'astre nocturne remplace celle, plus chaude, de la flamme. Elle y puise pourtant un singulier réconfort, comme si elle était aspirée jusqu'à proximité de la voûte étoilée et, donc, de l'âme errante de Simon... Elle chuchote :

– Se trouve-t-il dans le purgatoire, tu crois ? Ou déjà au paradis ?

Elle n'ose pas évoquer tout haut l'enfer qui, à en croire les théologiens, attend sans conteste un libre-penseur comme lui ! Flavie s'assoit sur le lit avant de répondre d'une voix changée :

– Ou peut-être dans un ailleurs si fabuleux qu'il dépasse l'entendement... Je l'imagine en pleine discussion avec tous ces grands esprits qui ont amplement théorisé au sujet de l'avenir du monde.

– Moi, je le vois plutôt en compagnie de son père, de sa sœur et de tous ses aïeux. En compagnie de ses proches...

Sa voix s'étrangle, et Flavie en profite pour s'allonger avec précaution à ses côtés, du bord de la fenêtre. Elle rabat la courtepointe, et un relatif silence s'installe dans la pièce, ce silence chargé des sons produits par le rassemblement de dizaines de milliers d'humains et de bêtes sur quelques milles carrés. Flavie avait oublié cette rumeur constante, qui ne cède qu'après minuit pour reprendre de plus belle dès l'aube. Elle avait oublié que ses nuits, rue Saint-Joseph, étaient à ce point bercées de respirations et de gargouillis...

Les doigts de Léonie se glissent sous les siens. D'un rythme lent et doux, Flavie les flatte jusqu'à ce que le souffle de sa mère s'apaise. Ce sera un sommeil fragile sans doute, peut-être entrecoupé de cauchemars, mais un sommeil réparateur tout de même... Enfin, Flavie peut relâcher sa vigilance et se laisser de nouveau envahir par le visage souriant de son père. Elle a une telle envie de converser avec lui ! Malgré l'immense bulle de chagrin qui se reforme, elle ressent son rapprochement avec gratitude. Les yeux grands ouverts sur le carré de nuit, elle passe les heures qui suivent à lui confier toutes ses pensées, à imaginer ses réactions et surtout à laisser libre cours au formidable attachement qu'elle éprouve pour lui.

Au matin, Léonie accueille la présence de Flavie avec un naturel parfait, comme si elles ne s'étaient jamais quittées si longtemps. Elle s'étonne d'avoir réussi à si bien dormir... La nuit précédente, tourmentée par l'affliction, elle n'avait pas fermé l'œil ! Flavie lui offre un sourire de contentement, puis elle se lève promptement et se livre à ses ablutions pour faire disparaître les traces d'une demi-nuit blanche.

Son intention de se rendre au marché, après le déjeuner, est contrariée par l'arrivée de sa belle-sœur. Elle est ravie d'embrasser Agathe, qui doit accoucher de son deuxième bientôt, et de taquiner son neveu Sylvain, petit bout d'homme de presque deux ans. La conversation porte tout entière sur les péripéties qui ont suivi l'arrivée de Bastien à Oneida tant la curiosité de son amie est insatiable.

Néanmoins, le garde-manger est trop dégarni pour que Flavie abandonne son projet. Dès qu'elle le peut, elle se met en route vers le marché Sainte-Anne, se laissant emporter par l'animation urbaine comme une barque charriée par le courant. Elle revient sur le coup de l'angélus, suivie par le jeune garçon qu'elle a réquisitionné et qui mène son attelage de chiens d'une main de maître.

Flavie a un choc : deux fillettes, reconnaissables entre mille à leur teint basané, jouent à se poursuivre d'une extrémité à l'autre de la galerie. Elle fait signe au jeune conducteur de patienter un moment, puis elle se charge d'un cabas et elle marche jusqu'à la maison. Gênées, Lizzie et Aurélie s'immobilisent pour la regarder passer. Flavie les gratifie d'un large sourire, avant de pénétrer dans la maison. Faisant irruption dans la cuisine, elle tombe sur une scène qui fait monter en elle une bouffée de tristesse, celle de Cécile qui pleure dans les bras d'une Léonie stoïque.

Figé à quelque distance, les bras ballants, Daniel tourne un visage ahuri vers la jeune accoucheuse. Léonie n'a sans doute pas encore eu le temps de les informer de son arrivée ! Malgré la situation malaisée, Flavie se dirige vers Daniel et lui pose un baiser sur chaque joue. Revenu de sa surprise, le jeune Irlandais fait de même en murmurant des condoléances. Flavie le prie de s'occuper des denrées qu'elle rapporte du marché, puis elle se dirige vers les deux femmes afin de soulager Léonie du poids de sa fille éplorée.

Soutenue par sa sœur aînée, Cécile s'apaise progressivement. L'après-dînée est déjà bien entamée lorsque Flavie appelle ses nièces pour un repas hâtivement assemblé. Elle a trompé leur impatience en leur faisant cadeau d'une bouchée de ceci, d'un morceau de cela... L'atmosphère morne du repas est égayée par les fillettes, qui régalent leur tante et leur grand-mère d'anecdotes sur leur vie dans un domicile occupé en partie par le bureau du maître de poste d'un village situé en pleine région de colonisation.

Profitant des pauses dans leur bavardage, Flavie informe sa sœur des récentes péripéties de son existence. Elle évite soigneusement de regarder Daniel, cantonné dans le silence. Même si beaucoup d'eau a coulé sous les ponts depuis leur bref épisode passionnel, il semble qu'il faille laisser au temps le soin de faire son œuvre... Cécile est grosse d'environ six mois, et Flavie fait des commentaires enjoués sur sa bonne mine. Léonie renchérit, s'informant de la présence d'accoucheuses compétentes dans la paroisse. Momentanément distraite de son chagrin, Cécile en profite pour supplier sa mère de venir les visiter à l'approche de son terme, ce à quoi Léonie ne s'oppose pas, bien au contraire.

Si Flavie est ravie de revoir sa sœur, si toutes deux s'offrent au cours de l'après-dînée quelques conversations en tête-à-tête, la jeune accoucheuse espère avec une anxiété croissante l'arrivée de Bastien. Elle a l'impression de porter toute la maisonnée sur ses épaules, ce qui commence à peser terriblement lourd ! Daniel n'est pas d'un grand secours, se contentant d'occuper les fillettes pour ne pas qu'elles soient dans les jambes des femmes.

Irritée, de surcroît oppressée par l'apparent malaise de son ami d'enfance, Flavie soupire après sa délivrance. Si, à six heures du soir, Bastien n'a pas franchi le seuil, elle s'envolera sans plus attendre ! Mais elle avait tort de douter de lui : il n'est pas encore cinq heures quand il apparaît soudain dans la cour arrière, où les trois femmes tuent le temps en récoltant mollement des légumes. Infiniment soulagée, Flavie lui offre un sourire éperdu, puis le laisse saluer les nouveaux arrivants.

Il abrège les civilités pour se charger des besaces de son épouse, affirmant à la cantonade que les Renaud les attendent impatiemment. Avec gratitude, Flavie se laisse entraîner sur le chemin. Il emprisonne sa main dans la sienne et, l'enveloppant d'un regard soucieux, il grommelle :

– Tu es bien pâlotte... Mal dormi ?

Elle fait un geste évasif. Elle meurt d'envie de se couler entre ses bras, mais la situation ne s'y prête guère... Bastien entretient la conversation, lui décrivant ses faits et gestes depuis la veille. Archange a prévu, pour tous les cinq, un souper intime afin de renouer connaissance. Lui pressant la main, il ajoute en toute hâte :

– Tu es sûrement bien fatiguée. J'en ai averti maman…

Concentrée sur la tâche de mettre un pied devant l'autre pour grimper la pente qui mène aux premiers contreforts du mont Royal, Flavie grogne un vague assentiment. Ce soir, elle n'est pas fâchée de se faire servir… Lorsqu'ils parviennent en vue du foyer des Renaud, Flavie sent cependant son courage vaciller. Elle tombe en arrêt pour contempler les environs : les nouvelles bâtisses en construction, la chaussée éventrée pour un quelconque travail de canalisation…

Terrifiée, elle cherche refuge contre son mari, dont les bras se referment maladroitement autour de ses épaules à cause des besaces qui lui battent les flancs. Elle murmure :

– Je ne peux pas. Cache-moi dans ta poche…

Il rit brièvement, puis il bredouille :

– Un mauvais moment à passer. Après, tout va se placer, tu verras… Viens.

Elle obéit à contrecœur. Dès qu'ils sont dans le hall d'entrée, Bastien se débarrasse de son fardeau, puis il annonce leur arrivée d'une voix chevrotante. Flavie sort de la petite pièce… pour se trouver nez à nez avec ses beaux-parents. Aussitôt, Édouard la saisit avec impétuosité par les épaules et lui pose des baisers émus et gourmands sur les joues. Archange l'imite ensuite, avec plus de retenue, mais un émoi tangible. Chamboulée, Flavie reste clouée sur place, incapable de trouver les mots qu'il faudrait pour leur dire tout ce qui se bouscule dans son âme…

– Montez, mes chers enfants, articule Archange. Nous vous attendons pour le repas dans une demi-heure ?

Bastien acquiesce, et d'un commun accord ses parents tournent les talons. Avec une étrange sensation d'irréalité, Flavie gravit l'escalier pourtant si familier, puis se retrouve dans leur boudoir. Manifestement, son mari a tenté de lui redonner son aspect d'antan, mais elle voit tout de suite, par maints détails, qu'il a été occupé pendant une année entière par un homme seul et son garçon.

– Bienvenue chez toi, ma... mon...

Saisie par le timbre de sa voix, Flavie se tourne vers lui. Il lutte contre les larmes... Affolée par son trouble, elle se précipite pour le prendre à bras-le-corps. Elle presse ses lèvres sur les siennes, avant de bégayer :

– Mon ange, mon trésor... Je ne partirai plus, je te le jure sur la tête de ma mère. Je t'aime trop ! Tu es le centre de ma vie, mon phare, mon ancre, ma raison...

Il lui coupe la parole en l'embrassant avec ferveur, puis il chuchote dans ses cheveux :

– N'en jette plus, la cour est pleine... Ça va passer. C'est juste que... Je suis tellement heureux, si tu savais... Flavie... Je ne savais pas qu'on pouvait aimer autant. Je ne savais pas que le bonheur pouvait faire si mal...

Il respire lourdement, et elle a l'impression que, sans son appui, il tituberait comme un homme ivre. Elle pose la tête contre son épaule tout en lui caressant amplement le dos, des épaules aux fesses, ce qui le console progressivement. Il fait glisser le bonnet sous lequel elle cache sa chevelure et il y passe ses mains comme s'il la sculptait. Enfin, il bredouille :

– Le temps file. Hardi donc !

Il la repousse comme s'il s'arrachait un morceau de chair. Dans le plus profond silence, l'un et l'autre passent dans leur chambre. Refusant de se laisser émouvoir davantage, Flavie ouvre brusquement la penderie... et en contemple le contenu avec stupéfaction. D'où sortent ces nouvelles vêtures, corsages et jupes ? Venant se placer derrière elle, Bastien constate avec satisfaction, la voix encore mal assurée :

– Maman a accompli des miracles ! Ce matin, je lui ai demandé de compléter ton assortiment. Ce qui ne te plaît pas, on pourra le retourner, sois sans crainte.

La gorge nouée, Flavie pivote lentement.

– Déshabille-moi, s'il te plaît... Je n'ai plus de forces.

Il délace le corsage, puis le lui retire. Il fait glisser la jupe par terre. Tendrement, il lui fait lever les bras pour passer sa chemise par-dessus sa tête. Chacun de ses gestes chasse, peu à peu, leur malaise mutuel à se retrouver ensemble, après une si longue séparation, dans cette pièce qui fut leur nid. Lorsqu'elle n'a plus que ses pantalettes, il s'approche très près pour glisser ses mains sous le vêtement et le faire choir lentement.

Il passe un bras derrière sa taille, l'autre derrière sa tête, et brusquement, il prend possession de sa bouche au moyen d'un baiser exigeant. Flavie s'y abandonne, heureuse de l'élan de concupiscence qui se déploie au creux d'elle-même... qui lui donnera l'énergie nécessaire pour faire bonne figure à table ! Cette pensée la met en joie et bientôt, euphoriques, tous deux s'embrassent en rigolant. Enfin, le jeune médecin se redresse, déclarant pompeusement :

– C'était pour sceller notre union. Ça vaut pas mal plus qu'une signature au bas d'un contrat, laisse-moi te dire... C'est comme ça que j'aurais dû t'embrasser à l'église. Tu imagines la tête du curé ?

Flavie rit tant qu'elle oscille sur ses jambes et doit s'accrocher au cou de son mari. Comme cet accès d'hilarité lui fait du bien ! Comme s'il la régénérait encore davantage... De nouveau, Bastien la repousse avec effort et va quérir la robe de chambre qu'il lui place d'autorité sur les épaules, avant de lui désigner la direction de la salle d'eau.

Vingt minutes plus tard, précédée par Bastien, Flavie fait son entrée dans la salle à manger. Sa chevelure raccourcie, qu'elle a refusé de dissimuler, fait sensation auprès d'Archange, qui reste bouche ouverte, à mi-chemin dans son geste de se lever de sa chaise. Pour sa part, Édouard Renaud éclate de son rire franc, si rare mais si spontané, avant de s'exclamer :

– Comme je suis heureux de vous retrouver ! Je m'ennuyais fort de vos impertinences !

Souriante, Flavie s'installe à table. Cette entrée sensationnelle a détendu l'atmosphère, et c'est avec affection que la jeune accoucheuse contemple successivement ses beaux-parents, qui n'ont pas beaucoup changé. Peut-être quelques cheveux gris supplémentaires pour Édouard, et quelques rides pour Archange... Se tournant vers la porte, elle s'enquiert :

– Et Lucie, et Guillemette ? Sont-elles encore parmi vous ?

Comme si elle écoutait derrière la porte, la première, toute rougissante, pénètre dans la pièce. Flavie saute sur ses pieds pour l'embrasser et pour l'inonder de compliments. Elle apprend que Guillemette a suivi Julie Renaud dans sa nouvelle maison après la cérémonie de mariage. Lucie s'éclipse alors et, comprenant ce qui va survenir, Flavie se raidit en surveillant la porte.

Un silence contraint tombe dans la pièce et s'étire jusqu'à ce que, poussé par la servante, Geoffroy fasse son entrée. Flavie en reste estomaquée. Ce qu'il a changé ! Elle adresse une moue d'appréciation à Bastien, avant de se lever pour avancer vers le jeune garçon et lui tendre la main. Il accepte après une hésitation, et Flavie lui décoche un clin d'œil tout en débitant d'un trait :

– Ma parole, si je t'avais rencontré dans la rue, je crois que je ne t'aurais pas reconnu ! Tu es superbe, Geoffroy. Tu n'as pas trouvé cela trop difficile, t'accoutumer au gilet ?

Il en demeure bouche bée. Posément, Flavie se rassoit en ajoutant :

– Je te félicite. Parce que moi, le corset...

Édouard pouffe de rire. Très sérieux, Bastien s'affaire à installer son fils à table, à côté de lui. Flavie croise le regard d'une Archange à la fois réjouie et légèrement offusquée, et une onde de chaleur l'envahit tout entière. Elle a l'impression fugace, même si trompeuse, de retrouver ses beaux-parents exactement tels qu'ils étaient, comme si le temps n'avait pas eu de prise sur eux!

Une conversation légère s'engage, menée surtout par Flavie qui veut savoir l'essentiel des événements qui ont eu lieu pendant son année d'absence, et le récit des épousailles de Julie occupe une bonne part du repas. En catimini cependant, elle observe l'attitude de Geoffroy. Le digne maintien qu'il s'impose tout d'abord s'effrite au bout de dix minutes, et dès lors, il devient comme tous les enfants du monde, expressif et volubile, se trémoussant sur sa chaise, se jetant dans la conversation comme un taureau dans l'arène.

Au grand soulagement de Flavie, Bastien ne le gronde que lorsque son agitation met la carafe en danger, lorsqu'il s'essuie la bouche avec sa manche ou qu'il coupe intempestivement la parole à un adulte. Contrairement à bien des bourgeois, les Renaud savent qu'un enfant n'est pas un singe savant qu'on dresse à loisir... Flavie est incapable d'avaler une seule bouchée du dessert, et Archange met subitement fin au souper:

– Ma pauvre bru, vous semblez épuisée... Permettez-moi, cependant, de vous offrir toutes mes condoléances. Je ne l'ai pas fait plus tôt pour ne pas vous accabler, mais il est plus que temps. C'est tellement dommage que la joie des retrouvailles soit obscurcie par cette terrible fatalité, celle qui vous a ravi votre père!

Édouard lui fait écho et Flavie balbutie des remerciements. Bastien se lève.

– Geoffroy voudrait te montrer sa chambre, qu'en dis-tu, Flavie?

Après un échange de souhaits de bonne nuit, Geoffroy gambade dans l'escalier, suivi par le jeune couple à la démarche notablement plus pesante. Le garçon a été installé dans la pièce que Julie a libérée, et c'est avec bonne humeur qu'il fait découvrir son domaine à la jeune accoucheuse: la commode remplie de vêtements, l'étroite bibliothèque encore maigrement garnie et surtout le grand coffre débordant de jouets, devant lequel Flavie s'agenouille en lui demandant de lui présenter ses trésors. Vu l'état languissant dans lequel elle se trouve, c'est une activité qui lui plaît bien. Elle s'amuse intérieurement du langage du garçonnet, encore émaillé d'expressions populaires...

Pendant que Geoffroy et Flavie s'acharnent sur un cassetête, Bastien va et vient dans la chambre, rangeant des objets épars et faisant le tri du linge sale. Dès que le chef-d'œuvre est terminé, il intervient pour signifier au garçon qu'il est temps de se préparer pour la nuit. Flavie caresse la joue de son jeune ami en guise de salutation, puis elle retraite vers ses appartements. Elle ne tient plus debout, ne parvenant que de peine et de misère à enfiler sa chemise de nuit. Néanmoins, elle fait un arrêt devant sa petite boîte à bijoux à moitié vide. L'ouvrant, elle farfouille parmi quelques simples parures avant de mettre la main sur ce qu'elle cherchait, sa fine alliance, qu'elle emprisonne dans son poing fermé.

Savourant avec intensité ce luxe dont elle a été privée à Oneida, elle s'installe confortablement dans le grand lit, le dos calé sur des oreillers. Elle passe de longues minutes à détailler la pièce du regard. Bastien fait son entrée, portant un bougeoir qu'il dépose sur sa table de chevet. À genoux sur la couche, il vient lui baiser les lèvres.

– Je craignais que tu dormes, chuchote-t-il.

– Je t'attendais, répond-elle sur le même ton. Tu veux bien me passer ceci ?

Elle ouvre sa main comme une fleur déploie ses pétales sous le soleil du matin. Il réagit par un geste qui la prend au dépourvu : il glisse sa main sous la sienne pour obliger ses doigts à se refermer, puis il couvre ce poing de son autre main. Il reste ainsi, en silence, fixant d'un regard bouleversé leurs mains jointes en un nœud solide. Enfin, ses yeux viennent à la rencontre des siens. Ils luisent d'une telle ardeur amoureuse ! Il déplie ses mains, pêche le jonc tiède et le glisse gravement à l'auriculaire gauche de son épouse. Jamais Flavie ne s'est sentie autant liée à son homme…

Le regardant se dévêtir sans hésitation, elle se décide à se dénuder à son tour. Lorsqu'ils se retrouvent allongés face à face, étroitement collés l'un à l'autre, Flavie pousse un profond soupir de contentement. Rien de plus réconfortant que ce corps nu qui l'épouse sur toute sa longueur et qui lui communique sa chaleur… Se peut-il qu'il existe une telle félicité en ce bas monde ? Se peut-il que là réside le secret de la véritable joie de vivre, celle qui permet à l'âme de ne jamais sombrer dans l'amertume et le désespoir ? Se pourrait-il qu'elle soit si outrageusement fortunée de tenir entre ses bras celui qui peut la protéger, par son amour, de l'inévitable souffrance qui accompagne toute existence humaine ?

– Hier soir, mon petit chat sauvage, j'ai accompli la chose la plus difficile de toute mon existence. Plus difficile que de supporter les coups de pied au cul du surveillant de collège, plus difficile que de voir son père subir un revers de fortune, plus difficile même que d'affronter son épouse en fuite dans une communauté à l'autre bout du continent.

Déstabilisée par le ton faussement guilleret, Flavie recule pour contempler ses traits plongés dans la pénombre. D'une voix changée, il conclut :

– Hier soir, je suis entré ici, dans cette chambre, tout fin seul…

Flavie accuse le coup. Aussitôt, il la presse contre lui, en bredouillant :

– Je ne dis pas ça pour te faire de la peine ! Je dis ça pour que tu voies dans quel état de ravissement je me trouve à l'instant précis. Je voudrais pouvoir te garder ici jusqu'à la fin des temps. Je voudrais que la qualité de mon sentiment pour toi reste toujours à proximité du sublime. Parce que je ne suis pas fou, je sais que parfois les tracasseries du train-train quotidien vont me le faire oublier…

La voix rauque de fatigue, Flavie se gausse doucement :

– Le sublime ? À la longue, ce serait exténuant. Il y en a peut-être qui adorent… se faire idolâtrer, mais pas moi.

Après un moment, elle ajoute :

– Ce soir, mon ange, sans toi… sans toi, tu le sais ? je serais perdue.

Elle frissonne sous l'assaut du chagrin dû à la perte qui l'accable, et il la serre encore plus étroitement contre lui. Tous deux restent un long moment en silence. Peu à peu, le frémissement qui parcourt Flavie change de registre. Ce n'est plus son âme qui pleure, mais son épiderme qui vibre au contact du sien. Elle a très envie d'une promenade en eaux calmes. Ce soir, leur étreinte aura sans doute la qualité d'une flânerie à deux, d'une charmante balade au cours de laquelle elle se fera murmurer des mots doux à l'oreille, sous la forme de frôlements, de regards énamourés, d'une peau tiède tout entière offerte à son bon plaisir… Pourrait-elle rêver d'une plus tendre consolation ?

Chapitre XVIII

Accrochée au bras de son mari, Flavie observe avec une intense curiosité le paysage qui l'entoure. Ce dimanche, une quinzaine de jours après leur retour, Bastien a proposé à son épouse une longue promenade de par les chemins de la ville. Elle pousse un grand soupir de satisfaction. Elle a été tant occupée! Le branle-bas autour de la cérémonie funèbre en l'honneur de Simon, puis le réaménagement de la maison pour s'ajuster à cette disparition… L'accompagnement de Léonie, qui errait comme une âme en peine… Les moments à passer avec Cécile, avant qu'elle reparte pour les Eastern Townships… Enfin, et non le moindre, toutes les tâches reliées à sa réinstallation rue Sainte-Monique, entrecoupées de bavardages avec ses beaux-parents, de jeux avec Geoffroy, de discussions d'affaires avec Bastien et de visites de courtoisie! Les journées n'avaient pas assez d'heures pour tout ce qu'elle voulait y faire tenir!

La main dans celle de son père adoptif, Geoffroy saute comme un cabri. Flavie jette un coup d'œil à la mine radieuse de Bastien et s'attendrit: entre son épouse et son fils, il semble nager dans le bonheur! La poitrine bombée, une casquette crânement vissée sur sa tête, il ne peut s'empêcher de sourire largement. Prenant cette manifestation de joie pour une salutation qui leur est adressée, les passants lui rendent un sourire mécanique… Flavie se hausse pour effleurer sa joue de ses lèvres, puis elle se tourne vers celui qui les suit sans parler depuis plusieurs minutes:

– Mon pauvre ami, on vous croirait en punition, à cheminer ainsi derrière nous !

Philippe Coallier répond par un haussement d'épaules goguenard. L'étroitesse du trottoir leur interdit de se tenir quatre de front ! Comme sa sœur Delphine, il a le visage criblé de taches de rousseur, néanmoins estompées par son hâle, et des yeux d'un bleu sombre. Ses cheveux brun clair se raréfient aux tempes, ce qui semble allonger un nez mince et d'une longueur certaine. En mettant le pied dehors, Bastien a proposé de passer quérir celui qui est devenu son grand ami et qu'il n'avait pas visité depuis son retour, et Flavie ne s'y est pas opposée.

Pendant les premiers temps de la promenade, les deux compères ont marché côte à côte, devisant à voix basse, tandis que Flavie partageait avec Geoffroy son étonnement de voir encore tant de plaies laissées par le terrible incendie survenu deux années auparavant, sous la forme de clôtures disjointes masquant mal des terrains vagues parfois encore encombrés de débris. Lorsque leurs pas les ont conduits dans le faubourg Saint-Jacques, aux abords de la magnifique rue Craig, élargie et rebâtie sur la longueur d'une douzaine de rues transversales, sa déception s'est muée en émerveillement !

Bastien a mis un terme à son aparté avec Philippe pour lui décrire ce qui est devenu une allée de prestige, bordée de splendides demeures en pierre de taille. La chaussée elle-même a d'abord été comblée par des débris provenant des ruines de l'incendie, pour être ensuite macadamisée au moyen de pierre concassée et de sable compactés au rouleau compresseur. Enfin, des trottoirs de bois flambant neufs complètent l'ensemble.

Ravie, Flavie a tenu à l'arpenter au complet, sautant périodiquement du trottoir pour éprouver du talon la solidité du recouvrement… au grand plaisir de Geoffroy, qui a transformé l'exercice en jeu. Les deux hommes se sont mis de la partie, Bastien feignant l'effroi à voir son fils approcher de trop près les attelages en mouvement, et Philippe, au contraire, l'encourageant à prendre des risques! Ravi d'être le centre d'attraction d'une pseudo-échauffourée, le garçon riait à gorge déployée, tandis que Flavie, souriante, lui tenait solidement la main pour ne pas qu'il s'enhardisse outrageusement.

Alors qu'ils retournaient vers la cité, Bastien a expliqué à Flavie que quelques artères ont ainsi été élargies, notamment la rue Sainte-Catherine à soixante pieds, entre *Main* et Saint-Denis. Maintenant, ils sont parvenus rue Saint-Paul, au cœur de la vieille ville, et Flavie est béate d'admiration. Un mois avant la funeste conflagration de juillet 1852, cette rue de prestige a été ravagée, sur une longueur de vingt lots, par un incendie qui fut heureusement circonscrit. Depuis, presque toutes les bâtisses ont été reconstruites en maçonnerie; dotées d'un étage supplémentaire, ornées avec style, elles sont beaucoup plus étroitement accolées les unes aux autres qu'auparavant.

Faisant un arrêt devant l'un des derniers chantiers de l'artère commerciale, Bastien dit avec fierté:

– Voici où, dès le printemps prochain, mon père déménagera ses affaires.

Abasourdie, Flavie considère les fondations, avant d'envisager son mari.

– Ici? Mais je n'en savais rien!

Réjoui par sa surprise, Bastien lui reprend le bras pour l'inviter à marcher. Rassuré par la relance confirmée de ses affaires, Édouard s'est démené pour faire l'acquisition de cet emplacement. Parce qu'il pourra louer à prix d'or une partie du bâtiment à venir, il est convaincu de la rentabilité de l'investissement, même s'il s'agissait de l'un des terrains les plus onéreux de toute la ville. Derrière eux, Philippe intervient de sa voix chantante, pour rappeler à Flavie que les incendies des dernières années, et surtout les normes de construction plus sévères qui se sont ensuivies, ont eu des conséquences réelles pour les propriétaires les moins fortunés. Incapables de faire face à l'augmentation des coûts, plusieurs doivent désormais se contenter d'une location. Il conclut :

– Si les Canadiens sont tous un peu charpentiers, ils ne sont pas maçons !

Flavie rétorque :

– Mais j'en ai vu plein qui reconstruisaient en bois !

– Une mesure temporaire. Le conseil de ville les presse de recouvrir les murs de briques ou de pierres. De plus, les dérogations au règlement sont de plus en plus rares.

Las de l'affluence, tous quatre conviennent d'une pause lorsqu'ils débouchent place d'Armes, vidée de ses attelages. Ils se réfugient sous l'arbre qui ombrage la fontaine et dont le tronc est entouré de deux bancs publics qui se font dos. Retirant leurs couvre-chefs, les trois mâles s'ébrouent en s'aspergeant de l'eau de la fontaine, tandis que Flavie, assise, fait glisser son bonnet pour ébouriffer ses cheveux.

Souriante, elle observe Philippe tirer parti de sa haute taille pour taquiner Bastien en faisant mine de le dominer avec arrogance. Géologue de profession et raquetteur aguerri, il manifeste à tout venant une vigueur physique débordante, ainsi qu'un réel appétit pour la vie et ses plaisirs ! Il se penche vers Geoffroy, et peu après, tous deux détalent sans crier gare. Venant prendre place à côté de Flavie, Bastien lui explique que son ami vient d'offrir au petit d'aller lui acheter une friandise.

Il prend la main qu'elle avait déposée sur son giron et y entremêle ses doigts, en un amalgame si suggestif que Flavie lève vers lui un regard entendu. Ils sont ivres l'un de l'autre, encore plus que pendant les premiers temps de leur mariage. Chaque coucher, ou presque, leur promet un coin de paradis… d'autant plus que Flavie ne peut tolérer le moindre empêchement à la spontanéité parfaite de leurs étreintes, qu'il s'agisse d'une baudruche ou de l'étreinte réservée. Ce goût de l'extase fusionnelle se réveille au moindre effleurement, comme maintenant, à une encablure de l'église paroissiale dont ils n'ont cure, absorbés par une ardente contemplation mutuelle.

– Flavie ? Monsieur Renaud ?

Tandis que leurs mains se désunissent, tous deux reviennent à la réalité. Les joues rouges d'embarras, une jeune femme se tient debout à quelques pas d'eux. Il ne faut qu'une fraction de seconde à Flavie, qui ne l'a jamais vue en habit de religieuse, pour reconnaître Catherine Ayotte, tandis que Bastien doit se déshabituer de l'image qu'il avait d'elle... Flavie saute sur ses pieds pour l'accueillir avec effusion. Elle est reconnaissante à son ancienne camarade de classe d'avoir, pendant son absence, pris soin de Léonie dont elle est devenue très proche.

Un homme mûr, aux cheveux blonds mêlés de blanc, se tient à proximité. Flavie et Bastien accueillent Alexis Ayotte avec bonhomie, puis s'engagent avec lui et sa fille dans une conversation mondaine au sujet de la magnifique température et de la ville en reconstruction telle que Flavie l'a redécouverte aujourd'hui.

– Quand je suis partie, s'exclame-t-elle, il y avait pourtant une année entière que les braises s'étaient éteintes, mais il semble que je n'ai rien su voir !

Il est vrai que, dans l'intervalle entre la catastrophe et son départ, elle a eu bien d'autres chats à fouetter ! Un silence malaisé s'ensuit, rompu par l'arrivée intempestive parmi eux de Geoffroy, la mine barbouillée de confiture. Bastien s'empresse de l'entraîner vers la fontaine, tout en extirpant son mouchoir de sa poche. Constatant que Philippe piétine à quelque distance, Flavie lui fait signe d'approcher, ce à quoi il consent avec désinvolture. Elle est sur le point de faire les présentations lorsqu'elle est frappée par l'évidence : Catherine et lui se connaissent !

Flavie jette un regard de connivence à la demoiselle, mais elle fige devant sa tête baissée et son expression d'extrême confusion. Elle envisage enfin Philippe qui, sidéré, considère celle qui fut sœur Marie-des-Saints-Anges avec des yeux agrandis par la stupéfaction. Après s'être raclé la gorge, M. Ayotte laisse tomber négligemment, prenant Flavie à témoin :

– Au début, je me vexais légèrement de cette contemplation sans vergogne de ma fille, mais je me suis parfaitement accoutumé...

Avec un effort manifeste, Philippe s'arrache à sa contemplation pour adresser une moue contrite à M. Ayotte. D'une toute petite voix, Catherine bredouille :

– Bien le bonjour, monsieur Coallier.

– Philippe, réplique-t-il, encore effaré. Je vous en prie, pas de formalités entre nous. Bonjour, sœur... euh... mademoiselle...

– Catherine, dit-elle posément.

Elle le présente à son père, lui décrivant en quelques phrases les circonstances de leur rencontre. Pendant tout ce temps, Philippe l'observe de biais tandis qu'un sourire, qu'il tente de réprimer, se fraie un chemin sur son visage. Il est vrai que Catherine offre un spectacle réjouissant : des joues rouges et pleines, des yeux clairs, une chevelure blonde attachée en chignon, dont quelques mèches volettent au vent, un corps bien davantage rebondi et mis en valeur par une robe certes bigarrée, mais qui épouse ses formes... En comparaison de la maigre et austère novice de naguère, il y a de quoi tomber des nues !

La mine indulgente, Alexis Ayotte fait diversion en engageant une conversation courtoise avec le jeune homme. Le commerçant aurait, parmi ses connaissances, un dénommé Hector Coallier... Pendant ce temps, Flavie invite sa jeune amie à s'asseoir à ses côtés sur le banc. Catherine s'enquiert de la santé de Léonie, et Flavie répond brièvement, la gorge soudain serrée :

– Elle fait ce qu'elle doit faire. Elle mange, elle dort, elle passe le balai... Mais elle est ailleurs. Comme une eau au calme trompeur...

– Et vous ?

La gentille question provoque un éclair de souffrance au creux de son ventre. Pour elle, Simon est en voyage. Pour le sûr, il reviendra incessamment... C'est uniquement en se confortant ainsi que Flavie peut tolérer l'absence, d'autant plus cruelle qu'elle est survenue au moment de son retour d'exil. Elle laisse son regard errer au loin, vers Bastien à la traîne de Geoffroy qui caracole, et murmure enfin, envahie par un mélange de douleur et de gratitude :

– Moi, j'ai mon mari, que j'aime plus que jamais. Il allège mon chagrin...

Ce disant, Flavie est prise d'une intense émotion. Au fil des jours, elle a réalisé que le sort ne lui était pas si funeste puisqu'il contrebalance son affliction par un tel bonheur d'aimer ! Malgré sa propre peine devant le trépas de son beau-père, Bastien lui offre un soutien incroyablement généreux, sans compromis. Si elle se couche malheureuse, si elle se réveille au milieu de la nuit en proie à des cauchemars, elle peut quémander de ce réconfort dont il est si prodigue.

– Pardonnez-moi. Je suis trop curieuse...

Flavie fait un geste d'indifférence, avant de reprendre avec une gaieté forcée :

– Mais dites-moi, comment ça se passe pour vous ? Êtes-vous obligée de refaire vos débuts ?

À l'idée de replonger dans le tumulte des réceptions mondaines auquel doivent s'astreindre les jeunes filles à marier, Catherine fait une grimace.

– Plutôt rendosser l'habit ! Je suis trop vieille pour ce genre de futilités. J'en ai trop vu ! Je suis parée à mourir vieille fille. Mais en attendant, il n'est pas dit que je vais gaspiller mon temps à soupirer ! Les occupations sont nombreuses pour qui sait les chercher. D'ailleurs...

Elle se trouble et s'octroie une pause, puis enchaîne :

– Après tout, je suis accoucheuse et je me suis bien perfectionnée à Sainte-Pélagie. Je me disais que je pouvais reprendre le métier...

– Excellente idée. Il y a de la place pour vous !

Les traits animés, Catherine poursuit :

– Pour tout dire... Pour tout dire, j'ai pensé à vous et à votre époux. C'est que j'ignore par où m'introduire et je me suis dit que peut-être...

Elle s'interrompt, confuse. Après un temps, Flavie dit, gentiment :

– Vous apprécieriez notre patronage ? La chose n'est pas impossible. Pour le sûr, vous êtes fièrement plus experte qu'avant... Parce que je vous avoue, Catherine, que j'avais quelques préjugés sur vous du temps que nous étions à l'école. Je vous trouvais plutôt frivole... imbue de votre personne...

Loin de s'offusquer, Catherine hoche la tête avec regret.

– Vous aviez vu juste. Mais croyez-moi sur parole : mon séjour à Sainte-Pélagie m'a mis du plomb dans la cervelle ! Et de la bonté dans le cœur, j'ose espérer. La Catherine qui se croyait trop bien née pour fréquenter la lie du peuple, elle a bel et bien disparu !

Voyant M. Ayotte et Philippe s'approcher, Flavie presse brièvement sa main avant de clore la conversation :

– J'en discuterai avec Bastien et je vous en donnerai des nouvelles. Espérez-moi !

Débonnaire, le grossiste en bois leur annonce que l'un de ses fidèles clients est l'oncle du jeune géologue. Un homme d'une grande probité, qui paie ses achats rubis sur l'ongle ! Philippe s'incline vers lui pour le remercier du compliment, puis tend ses mains vers les dames qui, tout naturellement, se servent de cet appui pour se remettre debout. Catherine amorce les salutations de départ mais, lui coupant la parole, Philippe s'adresse à son père :

– Vous n'allez pas nous quitter de sitôt ? Nous venons à peine de prendre contact !

– C'est que nous errons de par la ville depuis une escousse, s'excuse-t-il, et que mes vieilles jambes…

– Alors, permettez-nous de vous voler votre fille. Nous vous la ramènerons pour le souper, c'est promis !

Décontenancé, Alexis Ayotte glisse un œil vers la principale intéressée, qui reste coite mais qui rosit d'agrément. Il soupire :

– Moi qui ronchonne à te voir t'étioler entre quatre murs, je ne peux guère te refuser cette distraction ! Alors, messieurs dames, à la revoyure !

Abruptement, il tourne les talons pour s'éloigner avec dignité. Flavie explique à Catherine, d'un ton joyeux, qu'ils se proposaient de se rendre rue Saint-Joseph. D'une voix sans timbre, sa jeune amie répond qu'elle serait bien contente de faire un brin de jasette avec Léonie. Philippe s'insinue dans ce tête-à-tête :

– Je suis ravi que vous ayez accepté mon invitation. Vous allez pouvoir assouvir ma brûlante curiosité. Comment donc une religieuse défroquée peut-elle bien passer le temps ?

Il lui offre son bras. Les yeux fixés droit devant, elle répond à cette demande en répliquant sereinement :

– Novice, monsieur. Je n'étais que novice.

– Appelez-moi Philippe. Novice ou professe, c'est du pareil au même…

– Permettez-moi de vous détromper. On voit que vous ne connaissez rien à la vie religieuse pour dire avec sérieux une énormité pareille. Une novice…

Flavie ne peut entendre le reste de la tirade, parce que Philippe force sa compagne à ralentir son allure. Souriante, elle cherche Bastien du regard et le déniche de l'autre côté de la place. Elle le hèle; après avoir attrapé son fil par le fond de culotte, le jeune médecin revient vers elle, essoufflé, les tempes luisantes de sueur. D'autorité, elle saisit la main d'un Geoffroy agité, l'obligeant à se mettre au pas entre eux, qui suivent à quelque distance le duo formé par Philippe et Catherine.

Après s'être informé des événements récents, Bastien garde le silence, ce dont Flavie n'est pas fâchée. Elle-même commence à ressentir une réelle lassitude, comme si celle de Geoffroy, qui se traîne les pieds, était contagieuse... Ce n'est que lorsqu'ils parviennent à la rue McGill qu'elle en fait la remarque à son mari. Il se contente de sourire, puis ses sourcils se froncent notablement. Après un temps, plongé dans ses pensées, il finit par marmonner, avec hésitation:

– Chaque fois que j'entends le mot «contagion», je repense à ton père. Je n'ai pas voulu t'en parler avant, pour ne pas ajouter à ton tourment, mais... dans tout ça, quelque chose m'échappe. Ses deux attaques ne correspondent pas au modèle...

Plutôt mécontente de cette discussion rabat-joie, Flavie réplique avec mauvaise foi:

– Au modèle? Pff... Ça prend des scientifiques prétentieux pour croire que les miasmes se conforment à un système quelconque.

– Moque-toi tant que tu veux, mais c'est comme ça. La transmission du choléra obéit bel et bien à un modèle. Mais je gaspille ma salive, tu le sais aussi bien que moi. Non, ce qui me tracasse, c'est que le modèle semble avoir une faille... Au-delà des contacts directs ou par effets personnels interposés, se pourrait-il que le miasme...?

Il s'interrompt. Captivée malgré elle, Flavie jette un regard curieux à son air concentré. Elle l'encourage:

– Tu veux dire que le miasme pourrait se transmettre d'une autre manière?

– Oui. Une manière à laquelle personne n'a songé jusqu'à maintenant…

Il ne développe pas sa pensée, et Flavie laisse tomber cette conversation ardue. Constatant que Philippe et Catherine sont en train de les semer, elle accélère le pas. Ils ont quitté le faubourg des Récollets, et la rue Saint-Joseph s'étire sous leurs yeux. Presque par magie, ils sont passés de l'animation d'une cité commerçante à celle de la rue principale d'un village prospère, bordée de maisons de bois espacées à l'ornementation hétéroclite.

Soudain, Flavie note que Bastien n'est plus à côté d'eux. Elle fait halte pour jeter un regard par-dessus son épaule. Planté en plein milieu du trottoir, indifférent à ceux et celles qui le contournent, il a les traits transfigurés par ce qui semble être une révélation. Impatiente, la jeune accoucheuse attire son attention. Il se secoue en bégayant :

– Bistouri à ressort ! Quelqu'un y a songé, Flavie ! Avec tout ce qui s'est passé, ça m'a sorti de l'idée, mais… John Snow, le médecin anglais… Vite, Flavie, il faut en prévenir ta mère !

Aussitôt dit, il se met à courir, descendant sur la chaussée pour aller plus vite.

Les pieds nus dans la terre du potager, Léonie plante sa bêche dans le sol, puis elle lève le visage vers le ciel. L'azur est sans nuages, d'un bleu si profond qu'il donne envie d'y plonger comme dans un lac sans fond, et quelques oiseaux s'y promènent paresseusement. Une feuille d'arbre toute jaunie virevolte dans son champ de vision ; elle la suit du regard jusqu'à ce qu'elle disparaisse au loin. Voilà ce qui a attiré son attention : un coup de vent automnal dans lequel se perçoit un bruissement encore très ténu, celui des feuilles mortes.

Les Montréalistes verront bientôt les feuilles tourbillonner autour d'eux en une folle sarabande. Ce plaisir enfantin, celui des rafales de feuilles d'érable rougies et de chêne roussies, fait palpiter l'âme de Léonie. Les yeux clos, elle savoure la caresse de la brise comme si c'était celle du soleil printanier après un long hiver. Elle avait oublié ces petits bonheurs offerts par l'existence, et que les gens aigris dédaignent. Elle avait oublié, sous le choc de l'irréparable perte de son mari, que les sens à l'affût procurent de charmantes jouissances, certes moins vives que celles de l'amour, mais savoureuses…

Pour la première fois depuis le cataclysme qui a mis sa vie sens dessus dessous, Léonie est ainsi tirée de la torpeur qui lui embrumait l'esprit. Relevant sa jupe, elle retrousse les jambes de ses pantalettes jusqu'à ses cuisses, puis elle se laisse tomber à genoux dans la terre qu'elle vient tout juste de remuer. Comme l'humus est frais ! Un frisson remonte sa colonne vertébrale jusqu'à sa nuque, où il semble exploser. Cette chaleur se répand dans le haut de son torse, jusqu'à se concentrer dans son cœur…

Saisie, Léonie reste parfaitement immobile, attentive à la rumeur qui sourd du centre de son être comme un filet d'eau s'échappe d'une digue. Simon n'est plus. Simon n'est plus ici, sur terre, à ses côtés, mais il restera à jamais son homme… N'ont-ils pas eu, tous deux, un bonheur insolent ? En ce monde où la détresse fait une âpre lutte à la joie, où les deuils et les regrets s'accumulent en nombre incalculable, n'ont-ils pas été bénis des dieux ? Malgré les cahots, ils sont restés stoïques, offrant à l'autre, lors des périodes difficiles, un indéfectible soutien. Malgré les chocs, ils sont restés agrippés l'un à l'autre… Ils sont restés amoureux.

En Léonie, le filet d'eau se transforme en une fraîche cascade. Cet amour qui fortifie, elle le conserve en elle, intact, afin d'y puiser à loisir… Ce n'est pas dans un ailleurs lointain que Simon est éternel, ce n'est pas dans un paradis désincarné, mais tout proche, en elle, partout en elle! Les larmes qui jaillissent ne sont pas l'expression du désespoir, mais celle d'un intense soulagement, d'une immense gratitude. Elle sanglote en souriant, le visage chaleureux de Simon derrière ses paupières closes, se repaissant de cette vision souverainement réconfortante.

– Léonie! Que faites-vous là? Vous avez une faiblesse?

Elle tressaille et ouvre de grands yeux sur son gendre, hors d'haleine, qui incline vers elle un front soucieux. À la hâte, tout en secouant la tête, elle essuie ses joues avec ses manches. Elle lui tend ses mains maculées, qu'il n'hésite pas à saisir entre les siennes pour l'aider à se relever. Impulsivement, elle lui donne une accolade, se servant de son appui pour reprendre la maîtrise de ses émotions. Elle murmure:

– Je parlais à Simon. Je le sens encore si vivant...

Il ne dit rien, mais lui presse brièvement les épaules, avant de la repousser gentiment et de l'entraîner hors du carré de terre retournée. Le souffle court, il l'avise que les autres s'en viennent, précisant que lui s'est dépêché parce qu'il a compris subitement comment Simon avait été contaminé par le choléra. Il oblige Léonie à se tourner vers le fond de la cour. D'un geste accusateur, il désigne le vieux puits entouré d'une margelle de bois, sa brimbale dressée vers le ciel.

Bientôt, c'est un petit groupe attentif, mais interloqué, qui écoute les explications fiévreuses du jeune médecin. Au cours des dernières années, Bastien a pris connaissance des exposés scientifiques signés par un confrère londonien, John Snow, qui est non seulement un expert des toutes récentes techniques d'anesthésie, mais aussi un observateur perspicace des épidémies et de leurs signes distinctifs. Pour prouver ses intuitions au sujet du choléra, il s'est astreint à de minutieuses enquêtes concernant quelques épisodes de contagion dans sa ville natale.

Ses constatations ont de quoi donner la chair de poule : selon lui, l'eau souillée par les déjections des malades est un puissant vecteur de contamination. Cet été même, il a analysé, avec autant de minutie qu'on en met à disséquer un organe atteint, la progression du choléra dans l'un des quartiers les plus touchés de Londres ; ses conclusions, qu'il vient tout juste de publier, semblent confirmer ses hypothèses. Une mère avait rincé les langes de son bébé, déjà atteint du miasme, dans des latrines. Or ces eaux s'épanchaient dans celle d'une pompe publique à proximité. Le miasme s'y est répandu sans entraves !

Essoufflé, Bastien s'interrompt. Tous les regards convergent vers le puits, d'un aspect pourtant bien inoffensif... Les sourcils froncés, Philippe fait appel à son esprit scientifique pour conjecturer, les yeux fixés sur le lointain :

– Si je t'entends bien... Tu avances que l'eau de ce puits aurait pu être souillée par une personne déjà malade ?

– Vois... Le ruisseau qui coule au bout du terrain est fréquemment trouble. De plus, les eaux souterraines, dont on ignore les méandres, ont fort bien pu transporter le germe jusqu'à lui !

– Il est notoire que l'eau est l'une des plus grandes puissances de la nature. Elle est capable de creuser le roc, de franchir des milliers de milles, de s'insinuer partout où se trouve la moindre brèche...

Léonie interjette :

– Mais j'ai bu la même eau que Simon ! Comment se fait-il, alors... ?

– Ce ne sont que des hypothèses, s'empresse de répondre Bastien, mais sans doute que la dangerosité du miasme s'abaisse rapidement. Il pourrait suffire d'une heure ou deux pour qu'il devienne anodin... Nous en reparlerons, belle-maman. Je vais m'instruire davantage. Pour l'instant, je vous en conjure : fuyez l'eau de votre puits comme la peste. Certes, le choléra est chose du passé, mais Dieu sait quel autre miasme pourrait vous attaquer ! Les porteurs d'eau font actuellement un travail honnête.

Après s'être assurée que Geoffroy est toujours en train de jouer, étendu par terre sous l'un des pommiers, Flavie prend la parole à son tour :

– Je suis du même avis, maman. Ce puits, qui était fièrement précieux à ton arrivée à Montréal, est devenu une nuisance. Son eau est polluée… Il n'y avait que des champs et des fermes aux alentours, mais maintenant…

Enhardie, Catherine offre un sourire consolant à Léonie avant de renchérir :

– Les travaux d'aqueduc vont bon train. Le maire et ses conseillers sont inondés de pétitions pour faire passer les tuyaux d'eau sous les chaussées ! Sans nul doute qu'ils recevraient favorablement une requête en ce sens pour la rue Saint-Joseph.

Léonie fait une moue indulgente tout en répliquant, sa main sur le bras de la jeune femme :

– Ma pauvre… Vous étiez encore un bébé dans ses langes que les échevins recevaient des pétitions signées par nos voisins et nous ! Il y a bien longtemps que le faubourg souhaite être raccordé à la Compagnie des Eaux, quitte à payer la facture. Mais on nous chante toujours la même rengaine : les tuyaux manquent, la main-d'œuvre est rare, l'évêché a priorité !

– Cette époque est révolue, affirme Bastien sans sourciller. Si les Montréalistes veulent une ville moderne et sûre, ils n'ont plus le choix. Les échevins aussi l'ont compris.

– Voilà qui met un point d'orgue à la conversation, approuve Philippe.

Il tend à Léonie sa main à serrer.

– Je crois, madame, que nous n'avons pas été présentés…

Tous cinq prennent place sur les bancs de jardin, que les jeunes hommes installent face à face, et se laissent aller à un échange de propos paresseux, mais plaisant. Une vingtaine de minutes plus tard, Catherine se relève, époussette vaguement sa jupe, puis elle indique le soleil couchant d'un geste du menton.

– La noirceur approche... Si je ne veux pas indisposer mon père, il me faut rentrer.

– Votre père me semble d'une nature trop bienveillante, remarque Léonie avec un sourire, pour s'en faire pour si peu.

– N'empêche, je tiens trop à ma liberté de mouvement pour la mettre en péril!

Philippe se lève à son tour, coiffant son chapeau qu'il retournait entre ses doigts.

– Je vous reconduis, Catherine. Je m'y suis engagé.

– *Nous*, rectifie Flavie. Enfin, c'est le mot que vous avez employé. Mais le Faubourg me semble loin comme d'icitte à demain...

– Geoffroy est fatigué, commente à son tour Bastien, qui tient son fils indolent tout contre son flanc. Il faudra que je le porte sur mon dos...

– Me croyez-vous incapable d'assurer une totale protection à mademoiselle?

– Vu la nature de ta réputation, rétorque son ami du tac au tac, elle pourrait croire qu'on l'envoie direct dans la gueule du loup!

Plutôt que de riposter par une badinerie, Philippe le foudroie du regard. Interloqué, Bastien hausse les sourcils, puis fait une grimace de repentir. Contrairement à toute attente, sa repartie a provoqué un réel malaise chez Philippe, devenu pâle et muet, et chez Catherine, clouée sur place. Flavie se creuse la cervelle pour rattraper la bourde son mari, mais sa consœur se résout enfin à envisager le géologue et bredouille:

– Quand je suis montée chez vous pour quérir l'un de ces messieurs médecins... j'ai bien vu que vous ne vous refusiez aucun amusement.

Ce disant, elle lance un regard de reproche à Bastien, qui se tasse sur son siège. Se dressant de toute sa taille, Philippe répond sèchement :

– Vous avez la vue claire, mademoiselle. Je trouve que la vie est trop prodigue de ses douceurs pour que l'on s'en prive. Par contre, il y a une chose que je tiens à préciser, et je le fais avec une légitime fierté : je ne contrains jamais une femme. Je les préfère libres.

Sous le regard perçant de Catherine, sa superbe fond peu à peu, remplacée par un tel trouble qu'il semble sur le point de détaler comme un lièvre. Mais d'une voix plus assurée, elle laisse tomber :

– Ce qui n'est pas le cas de tous les maris, j'en suis persuadée.

Philippe saisit la balle au bond :

– Je ne vous le fais pas dire. Les collets montés peuvent me reprocher bien des choses, mais certes pas d'abuser des dames. Celles qui montent chez moi, mademoiselle... elles le font sans contrainte. Uniquement parce qu'elles en ont envie.

Flavie retient son souffle. L'allusion est limpide, et plus d'une bourgeoise s'en offusquerait. Cependant, Philippe semble si sincère ! Comme pour vérifier si elle peut s'y fier, Catherine jette un coup d'œil à Flavie, qui bat des cils en guise d'assentiment. Bastien lui a raconté son amitié croissante avec le frère de Delphine, de même que la teneur des quelques soirées auxquelles il a assisté. Sur la tête de sa mère, il a juré qu'il n'avait pas vu là l'ombre d'une fille publique ; juste des dames de conditions variées qui faisaient partie de son cercle de relations et qui avaient tout bonnement envie de gaieté et de plaisir.

– Si vous préférez un autre que moi comme escorte, jette enfin Philippe, vous n'avez qu'à le signifier, mademoiselle.

– Vous savez, monsieur… euh, Philippe… à l'hospice, j'ai perdu toutes mes illusions au sujet de la gent masculine.

– Tous les hommes ne sont pas des brutes, intervient doucement Léonie. Loin s'en faut !

– Ce que je veux dire, poursuit Catherine avec une moue obstinée, c'est qu'on ne peut plus me faire des accroires. J'ai vu que certains agissent comme des malappris. Encore pire : comme s'ils avaient un cœur de pierre, comme si leur compagne n'avait aucune sensibilité, comme si elle ne ressentait rien de toutes les injures qui pleuvaient sur sa tête !

Le rouge aux joues, les yeux lançant des éclairs, les poings serrés contre son flanc, Catherine a presque crié. Elle tremble d'humiliation et de rage, sentiments qu'elle a dû éprouver à maintes reprises quand elle portait le voile, et qui sont encore bien vifs en son for intérieur… Flavie songe que, décidément, Delphine Coallier et son frère sont de fascinants personnages. En leur présence, la discussion prend souvent une tournure intime, à l'image de leur mépris du convenu et des prétendues bonnes manières !

Estomaqué, Philippe fait un geste d'apaisement en direction de Catherine, qu'il interrompt à mi-chemin. Sur un ton qui a retrouvé toute sa chaleur, il dit cependant :

– Les dames sont parfois victimes d'une bien cruelle guerre… Je peux comprendre votre sentiment d'outrage. Un sentiment que je partage, soyez-en bien sûre. Néanmoins, si je peux contribuer à bonifier, au moins un tout petit peu, votre opinion des hommes, j'en serais ravi.

Catherine fait une grimace si sceptique qu'il éclate d'un franc rire. Personne ne peut résister à cet accès de joie et bientôt, la contagion les a tous gagnés, y compris Geoffroy qui rigole sans rien y entendre.

– À force de rester plantés là, grommelle Philippe, nous allons prendre racine ! Allons, Catherine, que décidez-vous ?

– Mais de vous faire confiance, bien entendu, réplique-t-elle le plus naturellement du monde. Vous allez pouvoir m'entretenir à loisir de votre respect *absolu* pour les femmes. Pour vous laisser amplement de temps, je ne marcherai pas trop vite, c'est promis ! Bien le bonsoir, tout le monde !

– Je vous mets au défi de trouver la moindre faille dans la carapace de ma moralité. À la revoyure !

Tout guillerets, l'ancienne novice et son accompagnateur s'éloignent en causant avec animation. Déconcerté, Bastien les suit du regard, puis marmonne :

– Eh ben... Dans tout cela, il y a quelque chose qui m'échappe.

– M'est avis, glisse Léonie, goguenarde, que votre Philippe a trouvé un adversaire à sa mesure !

Enchantée par le ton espiègle de sa mère, Flavie l'examine à la dérobée. Disparus, les yeux mornes, le teint blême, la bouche au pli amer ; en lieu et place, Léonie distille un discret plaisir de vivre qui réchauffe le cœur. Rassérénée, Flavie la gratifie d'un large sourire, auquel elle répond par un clin d'œil coquin. Bastien lève le nez vers le ciel :

– Il nous faut rentrer. La fraîcheur va tomber... Mais auparavant... L'hiver approche, Léonie, et bien certainement, vous ne pouvez envisager de passer la saison froide toute seule...

Déstabilisée par le changement abrupt de propos, l'interpellée hésite avant de répondre, un peu sèchement parce qu'elle n'est pas contente de se faire ramener aussi brutalement à la dure réalité :

– Pour le sûr, ce sera une vraie corvée. Laurent s'occupe des poules et du bois, mais il en aura plein les bras avec sa propre maisonnée.

– Vous savez, Flavie et moi, on songeait à venir s'installer dans le voisinage.

Il n'en dit pas plus, faisant mine de s'absorber dans le frottement de ses chaussures l'une contre l'autre pour les décrasser, mais la jeune accoucheuse saute à pieds joints dans la brèche ainsi ouverte.

– À quoi tu jongles, Bastien? Aurais-tu un projet dont tu ne m'as pas informée?

– Le temps m'a manqué, mais j'ai pensé que... ici, ce serait un emplacement de choix pour mon office. Je veux dire, *notre* office. Il faudrait faire quelques travaux d'agrandissement. Pour l'étage, j'envisageais des combles mansardés. Tu connais? C'est si élégant!

Médusée, Flavie considère la mine bonasse de son mari, puis celle de Léonie, tout émue. Soudain hésitant, Bastien bredouille, les yeux baissés:

– Mais peut-être que ta mère avait d'autres plans...

– D'autres plans? s'écrie Léonie. Si j'en avais, je les donnerais aux cochons! Bastien, je le répète, vous êtes un gendre dépareillé! La salle de classe fera un cabinet parfait! Elle sera à vous dès que j'aurai remis leur diplôme à mes élèves.

La voix de Léonie s'étrangle. La toute dernière promotion... Bastien se racle la gorge:

– Nous aurons bien des détails à régler. Je ne peux pas vous offrir d'acheter la bâtisse. Je n'ai pas les reins assez solides. Mais nous pourrions en venir à une entente progressive...

– Chaque chose en son temps.

Envahie par l'allégresse, Flavie se précipite vers son mari, toujours assis, pour le serrer dans ses bras. Elle le gratifie d'un baiser emporté sur la joue avant de s'exclamer:

– Espèce de cachottier! Tu m'as flanqué une de ces émotions... Ne t'avise plus de recommencer!

Le jeune homme se défend faiblement, et Léonie contemple avec béatitude le spectacle de leur tendre chamaillerie.

Comme elle se régale de leur présence! Elle en a été cruellement privée pendant de si longs mois... D'accord, elle avait Laurent, mais ce n'est pas tout à fait la même chose. Elle partage avec Flavie et Bastien une parenté d'âme... Dire qu'elle profitera d'eux tout son content! Son horizon vient de se libérer, d'un seul coup, du plus lourd nuage qui l'obscurcissait, celui de son sort futur.

Quelle journée! Simon en sera ravi... Cette pensée la fait tressaillir intérieurement. Elle a fait allusion à lui comme s'il était sur le point de se joindre à eux! Émue, elle songe qu'il est toujours là, les écoutant avec bienveillance. Elle réalise alors que l'absence est devenue présence, à jamais... Elle est délivrée de cette douleur provoquée par le sentiment d'une perte totale et irrémédiable, par la sensation d'être abandonnée, une douleur tellement vive qu'elle lui transperçait les entrailles. Simon est revenu vivre à ses côtés, non pas comme un souvenir pesant, mais comme une présence aimante et rassurante.

Redevenue attentive au jeune trio qui lui fait face, Léonie laisse glisser ses yeux sur Geoffroy, qui s'est redressé et qui, l'expression neutre, observe son père qui discute avec Flavie. Léonie l'a côtoyé à quelques reprises seulement depuis le retour de sa fille, et jusqu'alors, le comportement satisfait du garçon avait toutes les apparences de la normalité. Qu'est-ce qui, à l'instant même, la porte à croire que la surface lisse est trompeuse? Serait-ce son regard où perce une pointe de méfiance, et même de jalousie?

Léonie en a trop vu pour ignorer que les enfants sont des êtres complexes, aux émotions troubles et contradictoires. Beaucoup les imaginent comme une pâte à pain qu'il suffit de modeler à son gré pour qu'elle prenne la forme désirée, mais c'est un leurre. Ne serait-ce que grâce à ses propres enfants dont la parole a rarement été muselée, Léonie a compris, devant leurs élans si vifs de joie et de peine, qu'ils ressentent les choses avec une acuité insoupçonnée. Tout l'art de grandir ne consiste-t-il pas à se domestiquer soi-même ? Le sort a réservé bien des ébranlements successifs à Geoffroy, dont le moindre n'est peut-être pas l'impression que son père le prive, au profit d'une épouse, d'une partie de son affection toute neuve...

Après que la visite a pris congé, Léonie reste plongée dans ses pensées. Le souvenir de sa chère Marie-Claire, avec qui elle n'a pas encore osé un rapprochement, la hante... N'est-il pas d'une grande sottise de se priver de celle qui lui a ouvert de si vastes perspectives ? Pendant la cérémonie religieuse en l'honneur de Simon, elle a été traversée d'un puissant éclair de regret, si douloureux qu'il lui a tiré des larmes. Elle a eu une envie irrépressible de l'avoir à ses côtés, toute proche, de lui prendre la main, de se perdre dans ses yeux affectueux... Elle s'est tournée brusquement pour la regarder, assise en compagnie de son mari à quelques bancs de distance. Devant son mince sourire empreint d'un mélange de courage et de commisération, le cœur de Léonie s'est porté à sa rencontre... pour se fracasser sur la barrière érigée entre elles.

Depuis ce jour, Léonie est en mesure d'envisager Françoise et Marie-Claire comme un couple d'amoureuses. Au début, cette évocation la jetait dans un abîme de malaise et de dégoût ! Un soir cependant, alors qu'elle se sentait si horriblement esseulée, un soir qu'elle se retenait à grand-peine de hurler à la lune son désir pour Simon, elle a eu une révélation, celle de Marie-Claire, seule dans sa grande maison, encombrée d'un mari froid et égocentrique... Seule depuis presque toujours, et privée de ces câlineries amoureuses qui, si elles viennent du fond du cœur, font de chaque humain un être aimable, un être meilleur !

Léonie a senti une bienfaisante vague de compassion l'envahir de la tête aux pieds. Comment pouvait-elle en vouloir à son amie d'avoir trouvé dans d'autres bras accueillants, même ceux d'une femme, la chaleur et la tendresse qui lui manquaient cruellement avec son Richard ? Comment pouvait-elle la juger ? Pendant des jours, elle a été portée par le soulagement de ne plus détester, de ne plus blâmer. Elle a dépouillé Marie-Claire et son amante de leur aura sulfureuse, une couche après l'autre...

Léonie prend une brusque décision. Les bourgeois soupent à l'heure du coucher du commun. Il n'est pas trop tard pour bien faire ! La marche jusqu'au faubourg Saint-Jacques, rue Sainte-Élisabeth, semble à Léonie durer des heures. Dans ce voisinage, les contremaîtres de chantier laissent parfois les matériaux de construction déborder sur la chaussée, ce qui complique encore la progression ! Si l'alerte a été chaude, le logis de son amie a été épargné par l'incendie de 1852, et c'est d'une main tremblante que Léonie fait résonner le heurtoir.

Lorsque Marie-Claire ouvre la porte, son visage avenant se couvre aussitôt d'une expression à la fois ravie et méfiante. Il lui faut d'interminables secondes avant de faire signe à Léonie de la suivre à l'intérieur. La sage-femme se débougrine, puis elle pénètre dans le salon où Marie-Claire a repris place dans un fauteuil. Sans dire un mot, observant les aiguilles qui tricotent des mailles à une vitesse surprenante, Léonie s'assoit du bout des fesses sur le sofa.

D'une voix calme, Marie-Claire explique :

– C'est pour le bébé de Suzanne. Malgré toutes ses idées modernes, elle apprécie que je lui offre une layette.

Léonie reste silencieuse. Ce qu'elle voudrait dire lui paraît fort compliqué...

– Qui l'aurait cru ? murmure Marie-Claire avec un sourire de dérision. Ma bourgeoise de fille engendre comme une lapine, tandis que la tienne... Tu es sûre que ton gendre n'est pas affligé d'une incapacité quelconque ?

– En tout cas, rien de mécanique, réplique Léonie narquoisement. Flavie ne se plaint pas.

Enfin, Marie-Claire lève les yeux vers elle. Toute trace de méfiance a disparu, remplacée par une expression vulnérable et touchante. Elle murmure :

– Tu t'es décidée à venir me voir ? Tu en as mis, du temps…

Trop bouleversée pour émettre un son, Léonie fait une grimace d'impuissance. Marie-Claire soutient son regard et articule :

– Je voulais te dire… Je suis désolée pour ton Simon. Je ne verserai pas une larme sur mon mari, mais le tien en a profité pour avoir plus que sa part !

– Je…

Au grand désarroi de Léonie, sa gorge se serre et les larmes s'amoncellent derrière ses paupières. Abandonnant son tricot, Marie-Claire se précipite à ses côtés et prend sa main entre les siennes. D'une voix rauque, tandis que Léonie sanglote, elle bredouille un chapelet de phrases de consolation au sujet de la valeur de Simon, de la qualité de leur amour, de la brutalité de son trépas, du sentiment de perte qui doit hanter Léonie… Enfin, cette dernière balbutie :

– Je m'excuse. Je ne voulais pas t'accabler…

– Ne dis pas de sottises. J'ai pensé souvent à toi, va… J'espérais qu'un jour…

Avec un haussement d'épaules faussement détaché, elle ajoute :

– Ta réaction était bien compréhensible. Je t'en ai voulu, mais c'était par orgueil. J'aurais fait comme toi.

Après un silence, elle reprend avec agitation :

– Tu dois me croire ensorcelée. Folle ! Quand j'ai compris que Françoise… Il m'en a fallu, du temps, jamais je n'aurais imaginé que… Oh ! je savais bien que les disciples de Sapho existent depuis longtemps, du moins parmi une certaine classe, celle des riches et des influents, mais je n'avais jamais subi les attentions de l'une d'entre elles ! Quand j'ai compris, je l'ai chassée de chez moi !

Léonie tique devant la brutalité de ce traitement, et Marie-Claire se justifie avec véhémence, lâchant sa main pour faire d'amples gestes :

– J'aurais bien voulu t'y voir ! Une femme qui te lance des allusions comme un homme, qui te tasse dans un coin pour te saouler de caresses, comme un homme ! J'étais affolée ! Et puis j'avais si honte, Léonie, de susciter une telle passion ! Moi qui n'avais jamais même songé à une femme de cette manière ! J'avais sûrement fait quelque chose pour la provoquer ? J'étais une vraie perverse ! Ne souris pas, c'est exactement ce que j'ai ressenti !

Mécaniquement, Marie-Claire jette un regard méfiant autour d'elle, aussitôt imitée par Léonie, puis elle chuchote :

– Il n'y a personne, rassure-toi. Mes deux servantes sont sorties. On nous répète à tout vent que pareil comportement constitue un péché, même un crime, et j'en ai été tourmentée pendant des semaines. Françoise voulait m'entraîner avec elle dans un vice tel que même la loi s'y oppose !

– La loi s'oppose aussi à l'adultère, objecte Léonie. Mais en ton âme et conscience, est-ce un crime, sauf pour l'instinct de propriété de nos maris ?

Marie-Claire fait un visage joyeux.

– Ce que je m'ennuyais de Léonie Laflamme ! Léonie qui professe d'un ton calme les pires énormités, celles qui lui mériteraient une remise d'absolution perpétuelle et un séjour sans fin parmi les damnés ! J'adore ce surnom dont ta Marie-Thérèse t'a coiffée. Il te va comme un gant…

Elles échangent un doux sourire, puis Marie-Claire se rembrunit pour reprendre :

– En tout cas, le saphisme était tout en haut de ma liste de péchés, bien avant l'adultère ! Oui, tout en haut…

Elle se lève et se met à marcher nerveusement dans la pièce.

– Et pourtant, après avoir repoussé Françoise, mon tourment a pris une tournure nouvelle. J'imaginais son chagrin… un chagrin qui, au lieu de me réjouir, m'affligeait. Je ne pouvais pas envisager de ne plus la voir. Une telle éventualité me mettait au supplice.

Marie-Claire s'immobilise, pour jeter à Léonie un regard dans lequel se lit une puissante ambivalence teintée d'angoisse. Par pudeur, elle tait la suite, mais Léonie devine le rapprochement et l'apprivoisement qui ont fini par survenir. Posément, elle déclare :

– Tout ce qui m'importe, Marie-Claire, c'est ton bien-être. J'en ai eu plus que ma part et je ne me pardonne plus cette mesquinerie…

Elle inspire profondément, avant de reprendre en toute franchise :

– J'essaie de ne plus condamner. C'est difficile : on nous a appris à mépriser tout ce qui n'est pas convenable. Mais ce qui compte maintenant pour moi, c'est que tu es moins malheureuse qu'avec ton mari. Que ce soit en compagnie de Françoise ou de n'importe qui.

Léonie a prononcé ce prénom avec une aisance qui la réjouit. Pénétrée de gratitude, Marie-Claire vient à elle et lui tend les deux mains. Ainsi liées, elles se regardent gravement.

– Je suis heureuse, Léonie. Je suis…

Il lui faut fermer les yeux pour trouver le courage de conclure :

– Je suis amoureuse.

L'affirmation heurte de plein fouet Léonie, qui s'oblige cependant à rester parfaitement immobile, le visage impassible. De toutes ses forces, elle repousse d'abord les images offensantes qui lui viennent à l'esprit, celles de deux femmes lascives… Puis, résolue à les apprivoiser, elle laisse son imagination inventer une scène qu'elle couvre cependant d'un voile pudique.

Marie-Claire lâche ses mains et se remet à arpenter la pièce, puis elle se retourne d'un seul bloc pour s'écrier, les larmes aux yeux :

– Tu es la seule avec qui je peux en parler. La seule ! Si tu préfères partir, fais-le tout de suite, s'il te plaît. Mais pour l'amour de moi, n'en souffle mot à personne !

Léonie hoche vigoureusement la tête, puis elle adresse un sourire timide, mais cordial, à sa vieille amie. Rassérénée, Marie-Claire grommelle d'un air mi-figue, mi-raisin :

– Deux heureux événements en quelques jours ! Le sort me comble !

Devant l'air surpris de Léonie, elle précise, avec une moue moqueuse :

– Notre réconciliation, et puis le départ de notre évêque pour l'Italie. Le vapeur vient à peine de lever l'ancre, mais il me semble que je respire déjà beaucoup mieux !

Léonie éclate d'un rire libérateur auquel son amie se joint. Enfin, cette dernière essuie ses larmes de joie, avant de déclarer :

– Le pire, c'est que c'est parfaitement vrai. J'ai la nette impression que s'il était resté... les jours de notre petit refuge étaient comptés.

Son envie de rire totalement disparue, Léonie considère la mine grave de la présidente de la Société compatissante. Elle se souvient de l'allusion de Catherine Ayotte, tout juste avant la première attaque de choléra qui a frappé Simon... Le Dr Trudel n'aura pas à se désâmer pour convaincre Mgr Bourget de favoriser l'hospice Sainte-Pélagie. Tous les écarts de comportement qui s'y produisent ne sont rien en comparaison de la prétendue atmosphère vicieuse qui règne à la Société !

Pendant un court moment, les deux amies jasent des visées d'Ignace Bourget, finissant par bénir la proclamation du dogme de l'Immaculée Conception de Marie qui attire le prélat à Rome. Après une supplication facétieuse ponctuée d'un signe de croix afin que son séjour se prolonge, Marie-Claire propose à Léonie un repas en tête-à-tête. Elles se retrouvent dans la vaste cuisine, à fourrager en gloussant parmi les chaudrons et à tenter de préparer, malgré les lieux presque aussi étrangers à l'une comme à l'autre, un souper digne de ce nom.

Chapitre XIX

Ses bras entourant Flavie de l'arrière à l'avant, ses mains couvrant les siennes, Bastien ouvre et referme les deux branches d'un forceps pointé vers l'avant. Ses gestes sont subtils, mais précis, et Flavie tâche de les imprimer dans sa mémoire, captivée par la leçon qui dure déjà depuis une demi-heure. Fermant les paupières, elle se concentre sur la sensation dans ses membres supérieurs. La manipulation du forceps n'exige aucune force particulière, mais plutôt un sens étonnant de la précision. Il faut que les pinces deviennent un prolongement des mains et que le moindre mouvement soit à la fois exactement planifié et parfaitement naturel.

Un soupir d'impatience leur parvient en provenance du sofa, où Geoffroy est affalé, déjà en chemise de nuit, une couverture sur lui. Bastien a promis à son fils de lui laisser manier l'instrument avant d'aller au lit, ce que le garçon leur rappelle à toutes les cinq minutes ! Flavie murmure à son mari que c'est assez pour cette fois-ci, et Bastien la délivre en grommelant. Elle le rassure d'un sourire : elle est particulièrement fatiguée depuis quelques jours et ne peut guère en absorber davantage.

Le jeune médecin se laisse tomber sur le sofa et place d'autorité le forceps entre les deux mains avides de son fils, qui en chantonne d'aise. Pendant ce temps, Flavie traverse dans sa chambre pour revêtir sa chemise de nuit. Bientôt, Bastien la rejoint et lui demande d'aller border Geoffroy. Elle réagit par une moue ironique ; comme elle s'y attendait, son mari lui délègue les soins quotidiens à prodiguer au garçon. Elle s'accommode de cette proximité, qui lui permet de mieux connaître celui qui est devenu son fils, mais elle ne peut s'empêcher de lancer des pointes à Bastien… lorsqu'elle sent qu'il n'est point trop revêche.

Geoffroy se laisse reconduire sans rechigner. S'il a manifesté de sérieux troubles de sommeil pendant les premiers temps de son séjour chez les Renaud, cette époque est bel et bien révolue. Il tombe maintenant de fatigue, la digestion encombrée par tout ce qu'il doit ingurgiter pour calmer son appétit et rattraper son retard de croissance ! Flavie prend le temps de s'asseoir au bord du lit pour caresser ses tempes et ses cheveux. C'est un geste totalement superflu, puisque même sans cela le garçon roulerait des yeux au bout de trente secondes, mais la jeune accoucheuse apprécie ces effleurements.

Allongé très droit dans son lit, la couverture remontée jusqu'au menton, Geoffroy respire doucement, la bouche entrouverte. Chaque fois qu'il s'endort, Flavie contemple ses traits où s'affirme déjà l'homme qu'il sera, mais où demeure encore la fraîcheur de l'enfance. Elle se demande quelle forme a le nid qu'il a installé, dans son cœur, pour cette étrangère qui se prétend sa mère… Il est encore réservé en sa présence, comme avec une amie sympathique mais lointaine, et Flavie respecte cette retenue. Elle-même est encore incapable de l'aimer avec la fougue d'une mère.

Elle rapporte le bougeoir jusque dans sa chambre où Bastien, en chemise, range du linge. Il a les traits tirés, car il se démène pour ranimer leur pratique et organiser leur installation rue Saint-Joseph. Sa réputation de médecin-accoucheur est cependant trop bonne pour qu'une absence d'un mois, de même qu'un déménagement, lui portent préjudice. Déjà, les patientes aisées se succèdent sur les pages de l'organiseur dont Flavie assume la gestion. Elle est ravie de reprendre le rythme de leur association professionnelle, dont elle tirait un légitime orgueil!

Pendant un instant, assise au bord du lit, elle observe les allées et venues de son mari. Une trémulation à l'estomac chasse temporairement la lassitude qui lui embrume l'esprit. Elle ne peut plus attendre pour informer Bastien d'une nouvelle qui le concerne au premier chef... mais avant, il lui faut assurer ses arrières. D'une voix détimbrée à force d'être contenue, elle laisse tomber:

– Je ne devrais pas, mais j'ai hâte de rencontrer un cas réel qui me donne l'occasion de mettre mes apprentissages en application.

Il se contente de lui sourire gentiment. Après un moment, elle ajoute, comme si cette affirmation allait de soi:

– Ne compte pas sur moi pour tout arrêter dès les premiers signes d'une grossesse. J'ai l'intention de pratiquer tant que possible.

Il faut un certain temps au jeune médecin pour entrevoir la signification précise de ces paroles. Refermant sans ménagement la porte de la garde-robe, il vient se planter devant elle, les poings sur les hanches.

– Tu fais allusion à... à une grossesse *à toi*?

– Tout à fait. Je suis en train de m'improuver fièrement grâce aux cours que tu me donnes et je tiens à poursuivre en ce sens tant que possible. Une bedaine n'empêche rien, n'est-ce pas? Je peux suivre les clientes tant que mon terme n'est pas trop proche.

Il siffle doucement.

– Je jouis d'avance de leur tête! Et de celle de leurs maris... J'avais oublié à quel point le Canada-Uni peut compter sur toi pour faire s'écrouler les préjugés!

– Une femme enceinte n'est pas malade, continue Flavie avec obstination, malgré tout ce que les hommes de l'art peuvent en croire. Tous les jours dans notre ville, les patrons profitent du travail de leurs employées, grosses ou pas ! Dans les auberges, les blanchisseries, les ateliers… Pourquoi pas une accoucheuse ?

– Impossible de discutailler à ce sujet. En effet, les bourgeois ont la moralité élastique quand ça les arrange.

– Comme si leurs employées n'étaient pas tout à fait humaines. Comme s'il y avait deux catégories de femmes, leurs épouses et les autres !

– Mais pourquoi tu me parles de ça maintenant ?

Il la dévisage avec curiosité, et Flavie se trouble. Elle prend Bastien par la main, le forçant à s'asseoir à côté d'elle, puis elle balbutie tout en rosissant :

– Tu as peut-être remarqué que… que je suis un peu indolente et que… enfin, je ne t'en ai pas parlé, mais depuis hier, j'ai le mal de mer…

Lui prenant le menton, il la force à tourner la tête vers lui. Elle voit tout de suite qu'il lutte contre une puissante montée d'émotion qui lui décompose les traits. Il s'informe néanmoins, avec un scepticisme de praticien :

– Et tes règles ? C'était quand, la dernière fois ?

– Il y a plus de quarante jours.

Il inspire brusquement, les yeux agrandis, puis s'enquiert encore, la voix rauque :

– À ton avis, donc… ?

Elle se contente de battre des cils, lui offrant de surcroît un doux sourire. Il crie presque :

– Nous allons avoir un enfant ! Oh ! ma chérie, ma délicieuse Flavie, ma toute belle…

Il la serre à l'étouffer. Ainsi hors de sa vue, elle redevient grave. Ce serait sans doute l'occasion idéale pour se délivrer du secret qu'elle commence à trouver pesant. Tout à sa joie, il lui pardonnerait aisément ! Mais comment pourrait-elle gâcher, même pendant si peu de temps, un tel bonheur ? Elle n'en a pas le courage. Pour tout dire, elle n'a qu'une seule envie : s'abreuver à la liesse de Bastien comme d'un vin chaud au miel. Pendant quelques semaines, cette grossesse sera leur secret à tous deux, leur source de joie… Elle sait que Bastien trouvera ardu ce pacte de silence, mais elle y tient, elle ne sait pourquoi, comme à la prunelle de ses yeux.

Le dimanche suivant, Flavie paresse au lit, ravie de ne pas avoir à lutter contre l'alanguissement qui a pris possession de tout son être. Pour calmer son estomac, elle pige dans l'assiette de nourriture qu'elle a pris soin de monter la veille au soir puis, blottie dans les bras de son époux, elle somnole un long moment. Elle est réveillée par Geoffroy, qui cogne à leur porte ; Bastien se lève et recouvre Flavie jusqu'au menton, puis il endosse sa robe de chambre et fait entrer le garçon pour une jasette de cinq minutes, qu'il conclut en faisant comprendre à son fils qu'ils ont encore besoin d'intimité.

Ensuite, tous deux discutent à loisir du symptôme dont Flavie est affligée, fréquent mais impossible à expliquer, des premiers temps de grossesse.

– Je me fais sans doute des accroires, mais… il me semble que ton corps a déjà changé. Il me semble que tu t'es arrondie là…

Et se tournant à demi, il pose la main sur le sein de Flavie. Elle esquisse un sourire et murmure :

– Peut-être bien…

– Je vais virer fou, déjà que je te trouvais fichtrement croquable… Mais je ne veux pas te brusquer. Tu me diras si j'exagère…

Se calant contre son flanc, elle se contente de humer l'odeur de sa peau. Enfin, elle dit à mi-voix :

– Tu ne me déplais jamais. En ce moment, je ne suis pas très enthousiaste, mais je veux bien te faire ce plaisir.

– C'est purement hygiénique, grommelle-t-il.

Elle pouffe de rire devant ce mot qu'elle juge grotesque, du moins lorsqu'il est appliqué à ce contexte… Le jeune médecin ne peut s'empêcher de caresser sa compagne et bientôt, sa concupiscence devient manifeste. Si Flavie ne ressent pas de désir particulier, elle s'offre avec langueur. Il en profite pour se concentrer uniquement sur sa propre jouissance, qu'il atteint prestement. Pendant qu'il reprend son souffle, allongé sur le dos, indolent, Flavie murmure :

– Ton emportement est beau à voir. Il me convient parfaitement, après le flegme de ces messieurs d'Oneida !

Un pesant silence lui répond, et Flavie fait une grimace contrite. Personne n'aime se faire rappeler le souvenir d'une trahison ! Bastien s'enquiert cependant, la voix altérée :

– Ils se contenaient donc si bien ?

Flavie répond honnêtement, et une conversation s'enclenche au sujet de cette pratique dont les possibles conséquences sur la santé de ses adeptes suscitent la controverse. Tous deux sont d'accord sur le fait que le système nerveux en pâtit uniquement quand le point de non-retour est si proche qu'il faille le désamorcer vigoureusement ! Il s'insurge pourtant :

– Cette méfiance de la pâmoison, c'est du délire ! Aucun homme digne de ce nom ne peut batifoler avec une femme sans avoir besoin, de temps en temps, de décharger sa semence ! Ne me fais pas accroire que, seuls dans leur coin, ils n'ont pas la main leste…

Elle se tourne et s'étend de tout son long sur lui, poitrine contre poitrine, ses jambes entre les siennes. Après l'avoir léché, puis mordillé à la mâchoire, elle réplique enfin :

– Les dévots ne tiennent pas l'onanisme, ni les *french voluptuaries*, en haute estime. Mais à vrai dire, je m'en balance. C'est ton système que je préfère. Un mélange de techniques, adapté au contexte… Voilà ce que j'appelle un mâle en or.

Il pouffe de rire, puis il bredouille lorsque des bruits feutrés leur parviennent à travers le mur :

– Julie, déjà ? Mais quelle heure est-il ?

Tous deux doivent se rendre à l'évidence : l'heure du dîner formel du dimanche approche à grands pas. Même si elle tente de faire bonne figure pour ne pas affliger Bastien, Flavie se prépare à contrecœur. D'abord, les odeurs de cuisson lui retournent l'estomac, mais surtout, elle redoute sa première rencontre avec le mari de Julie, Casimir Lacloche, qui occupe une position d'influence au sein d'une compagnie commerciale. Que de bruissements de persiflage Flavie a-t-elle dû affronter, à mesure qu'elle reprenait contact avec la gente bien née !

Bien peu ignorent que l'épouse du réputé accoucheur Renaud s'est damnée. Plusieurs lui ont fait sentir leur dédain : la voisine de Léonie lors de la cérémonie funèbre en l'honneur de Simon, l'amie venue visiter Archange, le médecin avec lequel elle est arrivée face à face au cours d'un déplacement en ville, la bourgeoise qu'elle a connue autrefois chez Suzanne Cibert... Même sa couturière préférée, dans son arrière-boutique de la rue Notre-Dame, même le commis derrière le comptoir du papier-nouvelles où elle a apporté leur réclame, même eux l'ont dévisagée avec une curiosité malsaine, comme s'ils cherchaient des traces explicites de sa déchéance !

Emportée par son regain de passion pour Bastien, Flavie n'avait pas réalisé l'ampleur des commérages, elle n'avait pas compris à quel point sa réputation salie s'attacherait à leurs pas. C'est un prix qu'elle refuse de payer. Elle n'a rien à se reprocher, rien qui concerne un autre être que Bastien. Elle n'a pas tué, ni volé, ni menti ! Elle a seulement voulu vivre à sa guise...

Par chance, ses beaux-parents ne lui tiennent aucunement rigueur. Jour après jour, Édouard irradie de son affection coutumière. De son côté, Archange l'a réintégrée avec un naturel parfait comme membre de la maisonnée. Sa belle-mère était avide d'en connaître davantage au sujet de la place du salut dans l'échafaudage théorique de John Noyes ; Flavie lui a expliqué que le visionnaire estime que de croire à son propre salut, d'être persuadé que le Messie est en soi et qu'il y a vaincu le péché et la mort, suffit pour se transformer en un croyant ayant atteint l'état de résurrection. Cette affirmation audacieuse a plongé sa belle-mère dans un abîme de réflexions dont elle ne s'est pas tirée indemne…

Lorsque le jeune couple descend l'escalier qui mène au rez-de-chaussée, il est rejoint à mi-chemin par un Geoffroy bondissant. Flavie se penche pour embrasser chaleureusement ses joues si douces, ce à quoi le garçon consent avec grandeur d'âme avant de sauter dans les bras largement ouverts de son père. Comblé, il se laisse ainsi transporter jusqu'au salon où la famille Renaud est installée.

À leur entrée, Édouard et son gendre se lèvent. Ce dernier, un homme maigre et de petite taille, a cependant belle prestance, le port altier et le crâne recouvert d'une abondante chevelure d'un noir de jais. La barbe courte qu'il porte en collier, d'une teinte plus claire, lui ennoblit les traits. Il serre chaleureusement la main de son beau-frère, puis il tourne vers Flavie un visage à l'expression neutre. Après avoir balbutié les salutations de circonstance, il se penche pour lui baiser la main, avec componction.

Flavie termine sa ronde en face de sa belle-sœur, qu'elle embrasse avec effusion. À deux reprises depuis le retour de Flavie, elles ont pu bavarder ; cette dernière, à son immense soulagement, a vu ses plus sombres prédictions retournées comme des crêpes dans la poêle. Elle était persuadée que Julie, entre toutes, lui tiendrait rigueur de son audace ! Mais le frottement aux réalités de la vie a adouci les arêtes de sa vanité, en plus de mettre sa bigoterie en veilleuse. Ni reproche dans son attitude, ni sous-entendu dans ses manières n'ont teinté leurs rencontres.

Moins tranchante, plus humaine, Julie a perdu son ton péremptoire et ses certitudes aussi fragiles que farouchement claironnées. Ou c'est une heureuse conséquence de ce changement de comportement ou c'est une offensive délibérée, mais Julie a refait connaissance avec un père dont elle s'était indûment éloignée. Sa maturité d'épouse ne compte pas pour peu dans le regain d'intérêt qu'elle a suscité chez l'auteur de ses jours! Rassurée de lire sa valeur dans les yeux de son père, elle peut enfin se détendre et croiser verbalement le fer comme un jeu, comme une occasion de grandir.

Une conversation mondaine s'engage. Rapidement, Geoffroy devient le centre d'attention lorsque Archange s'amuse à narrer ses frasques et ses coups pendables, ce qui provoque l'hilarité générale. Ce sont des offenses mineures, surtout aux yeux de Flavie qui n'est pas sans remarquer à quel point M. Lacloche s'étonne de la bénignité des réprimandes. Un aparté s'ensuit entre Bastien et lui au sujet des méthodes d'éducation, tandis que Julie entraîne sa mère et sa belle-sœur dans une discussion toute féminine, et plutôt futile, concernant ses tracas de maîtresse de maison. Édouard supervise le tout, dirigeant son oreille vers un cercle ou l'autre, et Flavie lui adresse un sourire narquois. Son beau-père n'a pas changé! Lorsque les interlocuteurs sont nombreux et parfois envahissants, il retombe dans sa réserve naturelle.

Malgré elle, Flavie ne peut s'empêcher de surveiller l'attitude de Casimir à son égard. Depuis son mariage, elle a appris à déchiffrer les subtils mais éloquents signaux corporels des bourgeois. La position physique, la gestuelle, les tics de langage, selon qu'ils sont plus ou moins délibérés, plus ou moins naturels… tout cela traduit un certain malaise. Casimir n'est-il pas trop expansif? Sa façon d'éviter consciencieusement tout contact visuel avec elle ne peut signifier qu'une chose: il se tient sur ses gardes. De surcroît, il lui porte une attention qu'il dissimule soigneusement.

Lucie vient leur signifier que le repas est servi. Depuis qu'Édouard a engagé une nouvelle cuisinière, la jeune servante peut se consacrer entièrement au service à la table, ce qui permet à Archange de se cantonner dans son rôle d'hôtesse. Flavie avait repris sa vieille habitude de lui donner un coup de main, mais sa lassitude lui enlève aujourd'hui tout courage, et c'est avec un léger remords qu'elle se laisse servir. À sa décharge, le service et le menu demeurent relativement simples, et la tâche de Lucie n'est donc pas titanesque!

Le potage à peine entamé, Édouard annonce à la cantonade que, dès après le déménagement de son fils et de sa petite famille, Archange et lui vont entreprendre les démarches pour vendre la maison et faire l'acquisition d'un nouveau logis plus modeste, mais plus confortable. Cette nouvelle met la tablée en effervescence, surtout Julie qui s'inquiète des raisons d'un tel changement. Édouard la rassure: ses affaires marchent à plein régime et ce n'est donc pas une crise financière qui l'y oblige. Plusieurs de leurs amis ont pris une semblable décision, qui consiste à sacrifier la grandeur pour la modernité. Le flanc du mont Royal se pare de jolis cottages, isolés ou en *terrace*, où ils comptent installer leur nid. Ils auront le chauffage au gaz et l'eau courante, ce qui n'est pas un mince avantage, ainsi qu'un hangar et une écurie accessibles par la ruelle située à l'arrière, ce qui est également fort plaisant.

Bastien glisse un regard soulagé à Flavie, auquel elle répond par un clin d'œil complice. Il craignait tant que ses parents restent désolés de sa décision de délaisser le faubourg Saint-Antoine pour la rue Saint-Joseph! Si Archange a discutaillé pendant un certain temps, rebutée par l'idée de voir son fils déchoir socialement au rythme de la pente qui descend vers les basses terres à proximité du fleuve, elle a fini par convenir que les apparences étaient trompeuses. Il s'agissait, au contraire, d'une décision pleine de bon sens!

Flavie s'est rendu compte que sa belle-mère, en son for intérieur, n'est sans doute pas marrie de l'éloignement prochain de son fils unique et de sa tribu. L'année qui vient de s'écouler a été fertile en émotions et en soucis, entre les tribulations de la clinique d'hydrothérapie et le départ de Flavie, en passant par un petit-fils pouilleux tombé du ciel! La réaction placide d'Édouard exprime le même message implicite: le couple âgé aspire à une tranquillité que seule la solitude leur procurera. Financièrement à l'aise, secondés par des domestiques, ils peuvent se permettre ce luxe rare…

Quelques minutes plus tard, Julie étreint la main de son mari posée sur la table, puis elle balbutie, les yeux fixés dans ceux de sa mère:

– Moi aussi, j'ai une déclaration à faire. Je voulais annoncer à papa que son premier petit-enfant… eh bien, je le lui offrirai au printemps.

Archange pousse une exclamation de joie, puis elle se penche à travers la table pour étreindre les mains tendues de sa fille. Édouard rougit de plaisir, mais il garde contenance pour articuler très lentement:

– Mon deuxième, tu veux dire… J'ai déjà un petit-fils qui me procure de grandes joies.

Ce disant, il décoche un clin d'œil appuyé à Geoffroy qui, insensible au malaise général, répond en clignant des deux yeux à plusieurs reprises, dans une amusante tentative d'imitation.

– Bien entendu, réplique Julie du bout des lèvres, en se renfrognant. Toutes mes excuses.

Édouard repousse sa chaise et vient se placer debout derrière elle. Il la saisit par les épaules, se penchant pour lui poser un baiser sur chaque joue.

– Pas d'offense, affirme-t-il. Je suis comblé, ma chère fille. Quant à vous, Casimir, mes plus sincères félicitations!

Les deux hommes se serrent vigoureusement la pince. Ahurie, Flavie laisse son regard errer de l'un à l'autre, jusqu'à se fixer sur Bastien qui tripote pensivement sa fourchette. Elle voit qu'il valse entre plusieurs émotions contradictoires : un ressentiment de la bourde de sa sœur, une légitime fierté à devenir oncle et une légère amertume à se faire dérober son propre moment de gloire... Elle pousse un discret soupir de soulagement. Malgré sa promesse de garder bouche cousue, elle craignait fort qu'il ne puisse se retenir de proclamer sa future paternité !

Lorsqu'il lève enfin la tête, elle lui désigne Julie d'un signe de tête, et il se secoue pour offrir ses compliments sincères aux futurs parents. Enfin, Flavie s'adresse avec gentillesse à sa belle-sœur pour lui faire préciser quelques détails sur son état de santé et les prévisions de son terme. Tandis que Julie répond à mots couverts, mais avec empressement, elle se livre à un calcul mental pour en arriver à la conclusion que, selon toute vraisemblance, sa délivrance aura lieu quelques semaines avant la sienne. Un plaisant doublé en perspective, si tout se passe sans anicroche ! Elle ne peut retenir un sourire gentiment railleur à l'adresse de Bastien, qui le lui rend bien, conscient lui aussi de l'aspect cocasse de la chose.

Le jeune médecin enchaîne en posant des questions au sujet du praticien de leur choix. Julie et son mari échangent un regard gêné, et Bastien s'empresse d'ajouter :

– Je n'ai aucune intention de réclamer sa place. J'aimerais être présent pour m'assurer que tout se passe bien, mais... je conçois que la décence m'interdit de poser certains gestes pourtant nécessaires. Je peux vous soumettre quelques noms, si vous le souhaitez...

– Celui de votre charmante épouse ? plaisante Casimir.

Encore une fois, il refuse obstinément de regarder Flavie, qui pressent que le combat est imminent.

– Je l'aurais fait, riposte Bastien. J'ai bien plus confiance en Flavie, et en quelques autres accoucheuses, qu'aux médecins de la colonie ! Sauf que…

Il s'interrompt, esquissant une moue narquoise. Sauf que son épouse sera enceinte jusqu'aux yeux lorsque sa sœur entrera dans ses douleurs ! Pour éviter que l'un des convives ne relève la remarque inachevée de son mari, Flavie intervient avec bienveillance :

– La mode est aux médecins-accoucheurs, et je parie cent louis que vous aussi, Julie, vous y céderez !

La principale intéressée s'empourpre alors et tourne la tête pour implorer son mari du regard. Un ange passe, tandis que Flavie a une intuition à laquelle elle donne voix :

– Il est vrai, chère Julie, que vous avez entendu ici quelques histoires d'horreur concernant de maladroits accoucheurs…

Soudain agité, Casimir jette un regard accusateur à Bastien, avant de maugréer :

– Je ne vous le fais pas dire. Ma femme a les nerfs à fleur de peau à cause de ça !

Il ravale le reste de sa tirade. À l'évidence, il se retient de déverser sa rancune sur son beau-frère, qui a négligé de faire attention à la nature impressionnable des personnes du sexe faible ! D'un ton apaisant, Édouard s'interpose :

– Je crois plutôt, mon cher gendre, que c'est tout à l'honneur de Bastien de nous renseigner au sujet de ce qu'il considère comme un abus de pouvoir. Je ferais de même pour vous prémunir contre un commerçant malhonnête !

– La solution est toute trouvée, ajoute Archange sereinement. Une équipe formée d'une accoucheuse et d'un médecin. Ainsi, tout le monde en a pour son argent !

Interceptant le regard de Julie, Flavie glisse, comme si elle seule pouvait l'entendre :

– Si c'est cela qui vous convient, je vous ferai quelques suggestions. Et puis, Bastien peut rester à votre disposition au moment fatidique, pour conseiller le praticien de votre choix. Vous voyez, Julie? Vous disposerez de la meilleure équipe de la colonie.

Encore toute rose d'émotion, Julie bat des cils en guise d'acquiescement, tout en étreignant, de nouveau, la main de son mari. Ce dernier se soustrait brusquement au contact de sa femme, comme si cela lui était insupportable, puis il lève des yeux défiants vers Flavie. Cette dernière soutient son regard tout en s'arc-boutant mentalement. Il débite, le souffle court:

– Madame Renaud, depuis que vous êtes revenue, je brûle de curiosité. Je ne peux laisser passer l'occasion qui m'est offerte. Vous avez pénétré dans l'intimité d'une communauté... Tant de rumeurs circulent au sujet de ces hérétiques. Je serais ravi de connaître certains détails de votre bouche.

Son ton, à la limite de l'insolent, suscite un malaise tangible. Julie pique du nez dans son assiette. Tendu comme un ressort, Bastien dépose délibérément l'ustensile qu'il tenait. Pour sa part, Flavie se sent protégée du plus tranchant de l'attaque par la bulle de son apathie physique, ce qui lui permet de conserver son sang-froid. Après avoir adressé à la cantonade un sourire rassurant, elle tourne vers son interlocuteur un visage placide.

– Vous dites vrai, monsieur Lacloche. Il ne faut jamais se fier aux rumeurs. Je suis la mieux placée pour vous éclairer. Que voulez-vous savoir?

Il n'avait pas prévu cette réaction, qui le déstabilise et le rend incapable de proférer un son. Flavie rassemble tout son courage. Au fond, elle n'est pas fâchée de saisir la perche tendue. Puisque la licence des mœurs est un fait connu de tous, elle est envahie par l'urgent besoin de définir précisément ce qui l'a attirée à Oneida, ainsi que la réalité qu'elle y a découverte. Pendant une bonne vingtaine de minutes, elle discourt sans interruption. À Geoffroy qui s'impatiente, Bastien chuchote d'aller jouer quelques minutes, ce qu'il fait aussitôt;

Lucie ralentit considérablement l'allure de ses allées et venues pour attraper quelques bribes de cette narration.

Bouche bée, les yeux écarquillés, Casimir Lacloche écoute Flavie dévider le fil de son récit, se crispant visiblement lorsque les allusions sont trop explicites. Elle ne se censure d'aucune manière, abordant franchement la philosophie amoureuse. Si elle se retient d'épiloguer sur sa propre expérience, c'est pour ne pas froisser la susceptibilité de Bastien... Elle conclut enfin, ses yeux rivés à ceux de Casimir :

– Vous voyez ? Rien de démoniaque dans tout cela. Les membres de cette communauté, ce sont des êtres qui cherchent la vérité. Celle que leur propose la religion protestante leur semblait bancale... J'ai une grande indulgence pour eux. John Noyes offre un sanctuaire. J'ai cru y trouver le repos, mais je me suis trompée. J'ai douté de l'amour de Bastien, mais là encore, je me suis trompée.

Fourbue, la gorge serrée, elle baisse la tête et se cantonne dans le silence. Après s'être éclairci la voix, Édouard prend la parole :

– Écoutez-moi bien, Casimir... Cette accoucheuse ici présente, qui déteste la fausse pudeur, eh bien... eh bien, elle m'est aussi précieuse que ma propre fille. Je me repais du vent de liberté qui souffle dans son esprit... Elle est membre de cette famille, aussi bien que n'importe qui d'entre nous. Vous m'avez compris ?

Si la question est cassante, le ton magnanime en diminue l'offense. Casimir finit par grogner un assentiment. Touchée au cœur, Flavie adresse un fragile signe de gratitude à son beau-père, avant de se résigner à affronter Casimir avec un sourire :

– Quand il vous plaira, je suis parée à vous édifier. Du moins, si vous n'en profitez pas pour me juger...

– Casimir n'est pas fait de ce bois, intervient Julie, avec une certitude tranquille. N'est-ce pas, mon chéri ? Votre amour de la patrie vous rend parfois susceptible, mais vous convenez que tous ne partagent pas vos convictions. Du moins, c'est ce que vous avez prétendu au cours de nos conversations. Votre opinion a-t-elle changé ?

Le jeune homme est rouge d'embarras, mais le regard qu'il glisse vers Flavie est empreint d'une humilité non feinte. Avec une moue contrite, il laisse tomber :

– J'ai tendance à considérer notre bonne religion catholique comme notre meilleure arme pour résister à l'assimilation. Alors, tout ce qui lui porte ombrage m'indispose.

– Ce n'est pas une raison, grommelle Bastien sans masquer son animosité, pour refuser toute liberté de pensée aux Canadiens. Ce n'est pas une raison pour imposer une morale contraignante !

Déférent, Casimir s'empresse néanmoins de relever la remarque, et une discussion musclée s'enclenche au sujet du patriotisme et de ses liens avec la religion. Rassérénée, Flavie écoute l'échange de propos pendant un certain temps, puis un bruit attire son attention et elle s'attache au spectacle de Geoffroy qui, à genoux par terre, fait rouler une locomotive de bois. Elle lui adresse un large sourire, avant de murmurer :

– On va jouer dans ta chambre, tu veux ?

Il saute sur la proposition, et quelques minutes plus tard, main dans la main, tous deux quittent la pièce. Elle n'a pas osé croiser le regard de Bastien. Elle a trop peur d'y lire du désenchantement, des regrets… Peu après, cependant, alors que le garçon dirige un convoi ferroviaire et que Flavie joue le rôle d'un hurluberlu impatient qui attend sur le quai d'une gare, le jeune médecin fait son entrée dans la pièce. Il observe la scène en souriant, puis il se laisse tomber sur le petit lit. De là, il bredouille à mi-voix :

– Ta candeur, Flavie. C'est ta meilleure parade. L'unique moyen de les désarmer.

Elle coule vers lui un regard circonspect, mais sa réserve fond comme neige au soleil dès qu'elle constate son expression tendre. D'un geste vif, elle tend le bras vers lui. Il lance aussitôt :

– J'ai tellement besoin d'une épouse chicaneuse...

Il se lève d'un bond pour la saisir par-derrière, selon un enlacement très mâle, tandis que, d'une voix haut perchée, il s'égosille :

– Par la bonne sainte Flavie toute-puissante ! Où c'est qu'il brette, ce *railroad* de malheur ? J'ai des poules à aller vendre au marché !

Geoffroy imite un freinage en catastrophe, avant de s'écrier d'un ton comiquement désolé :

– Bouette à vache ! La *steam* est pognée dans le tuyau qui crache ! Faut que je *call* le réparateur. Lui qui est en plein parti en mission à... à Sébastopol !

Flavie s'esclaffe, puis réussit à émettre, tout en gratifiant Bastien d'un coup de coude :

– Surveille tes cochons, bobonne ! Sont en train de se vautrer dans le lit du curé de la place !

Bastien s'élance, faisant mine de les poursuivre avec une démarche de dame corpulente, et Geoffroy éclate d'un rire si frais qu'il ravigote Flavie de la tête aux pieds.

Chapitre XX

En ce jour gris de novembre, c'est avec hâte que Léonie se dirige vers la Société compatissante, pestant contre les récentes pluies diluviennes qui rendent la progression malaisée. Au cours des deux derniers mois, elle n'y a mis les pieds qu'une seule fois, à son retour de vacances ! Elle est accueillie avec empressement par Marie-Zoé et la veuve Martinbeau, mais avec un mélange de curiosité et d'indifférence par les clientes. Néanmoins, il lui faut à peine dix minutes pour retrouver, en compagnie de ces dernières, toute son aisance et sa faconde.

Elle consulte les dossiers médicaux, s'étonnant de la quantité d'observations notées par Jacques Rousselle. Si Wittymore se contente de quelques abréviations, son jeune collègue aligne les phrases ! Cela permet à Léonie de suivre l'évolution de l'état des quelques patientes qui présentent des pathologies, mais elle estime que les informations réellement pertinentes sont noyées dans un fatras d'anecdotes. Qui donc Rousselle veut-il impressionner, si ce n'est celles qui ne comprennent rien à son discours et qui ne font qu'admirer son dévouement ?

La révélation que Flavie lui a faite, une fois passé le plus gros du choc relié à la disparition de Simon, a eu pour Léonie l'effet d'une douche froide. Devant le comportement exemplaire de Rousselle fils pendant l'épidémie de choléra, ainsi que les soins experts qu'il a prodigués à Simon lors de sa première attaque, elle avait tempéré son jugement sur l'homme de l'art. Sa présence à la cérémonie funèbre, sa mère Vénérande à son bras, et ses expressions d'une sympathie qui semblait sincère, ont suscité chez Léonie encore davantage de mansuétude…

Mais son comportement insolent envers Flavie, l'année précédente, a fissuré ce sentiment d'indulgence. Léonie ne sait plus à quel saint se vouer. Comment concilier deux aspects contradictoires du même homme ? Celui qui demeure humble devant la maladie et celui qui, à ce point imbu de sa supériorité naturelle, n'hésite pas à recourir à l'intimidation pour faire valoir son point ? Son père Nicolas, lui, était tout d'une pièce, prompt à s'emporter et à foncer, dans ses rapports avec les gens comme avec les pathologies !

Au fil des jours suivants, côtoyant ses consœurs et les gardes-malades, Léonie réalise que l'atmosphère qui règne à l'intérieur du refuge a notablement changé. Une tension perpétuelle est dans l'air, comme si chacune surveillait ses arrières… Magdeleine et Sally sont réticentes à se plaindre autrement qu'à mots couverts, mais Peter Wittymore n'a pas cette pudeur, et devant Léonie, il s'insurge contre le fait que son collègue est en train de prendre le contrôle de la salle d'accouchements.

La manœuvre est évidente pour un vieux renard comme lui, ajoute-t-il, mais c'est en vain qu'il a tenté de faire entendre raison à Rousselle. Ce dernier est inflexible : il n'y a pas trente-six manières de faire fonctionner une clinique… et lui seul connaît la bonne. Enfin, ce n'est pas tout à fait ce qu'il a prétendu en face de Wittymore, mais c'était tout comme. Bref, il n'est plus question de convivialité, mais d'omnipotence, ce qui suscite chez les accoucheuses et leurs assistantes un réel malaise. De son côté, Léonie est partagée : il est clair que Rousselle use de sa science avec discernement. Sans doute impose-t-il des changements qui lui paraissent impératifs ?

Les seules à accepter sans broncher ce changement de climat sont les dames patronnesses, autant par respect inné des figures d'autorité, surtout masculines, que par incapacité à apprécier les enjeux des discussions médicales. Par contre, Françoise diffère du lot : son dédain des despotes l'a aussitôt braquée contre Rousselle, ainsi qu'elle n'hésite pas à le raconter à Léonie sur le plancher du refuge, pendant une courte pause. Conquise par l'intelligence pénétrante de Françoise, c'est avec une impatience mêlée d'appréhension que Léonie lui prête une oreille attentive !

Loquace et percutante, Françoise se permet des commentaires sur Rousselle qui font rire son interlocutrice aux larmes. Elle imite à la perfection sa valse perpétuelle entre une familiarité bonasse auprès des patientes et une componction hautaine auprès du personnel soignant. À chacune de ses visites, environ une fois par semaine, il apporte un changement quelconque à l'organisation matérielle de la clinique. S'il a généralement de bonnes idées, cela consiste parfois à échanger un louis contre un napoléon…

Mais le plus contraignant pour les accoucheuses, termine Françoise avec une soudaine gravité, c'est qu'il se fourre le nez dans la moindre décision médicale, même s'il s'agit d'une délivrance qui a toutes les apparences de la normalité. Il se fait narrer par Sally ou Magdeleine le déroulement des accouchements, il pose des questions pointues, il remet leurs choix en question… Les sages-femmes ont appris à louvoyer et à se faire évasives, mais elles ont l'impression d'être surveillées par l'œil inquisiteur de Dieu lui-même !

La vice-présidente en vient à une conclusion qui plonge Léonie dans l'embarras : Rousselle a honteusement profité de son absence pour faire transporter son trône sur le plancher du refuge. Il savait qu'elle seule avait la stature pour s'y opposer avec véhémence ! Léonie considère son interlocutrice avec effarement. La manœuvre serait-elle si grossière ? Ce serait faire bien peu de cas de la vivacité d'esprit de toutes les femmes présentes ! Lorsqu'elle en fait la remarque à Françoise, cette dernière n'hésite pas à affirmer qu'en effet Rousselle est persuadé qu'une personne du sexe faible n'est guère plus futée qu'un mammouth !

Léonie est si ébranlée qu'elle ne peut s'empêcher de raconter à Françoise l'épisode de harcèlement dont le jeune médecin s'est rendu coupable envers Flavie. La vice-présidente en reste estomaquée, cherchant à donner du sens à un comportement aussi irrationnel. Elle souffle :

– Se pourrait-il que... que notre homme en pince pour votre fille ?

Cette perspective affligeante tire une grimace à Léonie, qui répond :

– À son avis, il s'agissait plutôt de la remettre à sa place.

– Mais pourquoi Flavie ? Marguerite aussi devait se trouver dans sa ligne de mire...

Léonie hausse les épaules dans un geste de complète ignorance. Françoise marmonne encore :

– Quel être fascinant, tout de même... Parfois, Marie-Claire et moi, on s'amuse à tenter de percer sa psychologie. Ce n'est pas si difficile : les mâles arrogants ont beaucoup de traits en commun. Élevés par un père de même nature et par une mère soumise... habitués à se croire d'une valeur supérieure parce que du sexe fort... et s'ils ont quelque succès dans leur carrière, leur tête enfle encore davantage. Si, de surcroît, leur figure est plaisante, alors là, ils s'imaginent presque à égalité avec le Créateur ! Pour eux, c'est une question de vie ou de mort : ils doivent régner ou disparaître. Étrange, n'est-ce pas ? Ils doivent écraser les autres pour être heureux !

– C'est qu'à la base ils ont un sérieux vice de construction, renchérit Léonie. Tous les monarques ont une âme corrompue, c'est bien connu !

Après un gloussement, Françoise reprend, un pli entre les deux yeux :

– Mais ce n'est pas suffisant pour expliquer leur… leur aveuglement perpétuel. Vous savez comme moi que si nous sommes élevés d'une certaine façon, l'âge adulte sert à remettre ces apprentissages en perspective, à séparer le bon grain de l'ivraie. Comment se fait-il que certains hommes y parviennent et d'autres pas ? Que certains hommes réussissent à se libérer de leurs préjugés comme d'une enveloppe trop étroite, tandis que d'autres s'y accrochent comme si leur vie en dépendait, comme s'ils ne pouvaient supporter la proximité de femmes qui se prétendent leurs égales ? C'est encore un mystère pour moi. Sans doute faut-il en chercher la cause fort loin, dans quelque recoin de l'âme… Dans un vice de construction, comme vous dites.

Elles se gratifient d'un long regard pensif, qui se transforme en un doux sourire. Comme leur réconciliation est toute récente, Léonie vibre d'une douce exaltation chaque fois qu'elle approche la vice-présidente qui, à l'évidence, éprouve les mêmes sentiments. Leurs échanges de propos acquièrent donc une saveur particulière, celle qui apporte la certitude d'une amitié quasiment indestructible !

De tout cela, Léonie a compris une chose : elle doit redoubler de vigilance puisque, selon les apparences, Jacques Rousselle est un être retors. Ce qualificatif grince dans l'esprit de Léonie comme une charnière rouillée, mettant ses nerfs à rude épreuve, mais elle ne peut l'ignorer plus avant. Si Nicolas était fait tout d'une pièce, prévisible jusque dans ses exaspérations, son fils est un être beaucoup moins transparent, rompu à l'art de la dissimulation, modelant sa personnalité d'après les exigences du moment…

Dès lors, Léonie se sent comme un général préparant une contre-offensive pour reprendre un territoire conquis. Après tout, c'est écrit noir sur blanc dans les règlements de la

Société compatissante : les accoucheuses ont prépondérance dans le soin des patientes et nul médecin ne peut usurper cette autorité. Ce droit inébranlable, Léonie prend soin de le réaffirmer à ses consœurs, avant de les laisser partir pour une semaine de vacances bien méritée.

Si elle entretenait encore quelque illusion au sujet du capital de sympathie qu'elle s'était constitué dans le cœur de Jacques Rousselle, leur première rencontre remet les pendules à l'heure. Abrupt et affairé, il s'enquiert des cas comme un patron appelant ses employées au rapport, puis il éructe ses diagnostics et enfin dicte ses ordonnances sans laisser à la maîtresse sage-femme le temps de reprendre son souffle.

Vingt minutes plus tard, il a déjà dégringolé l'escalier, laissant Léonie stupidement plantée au milieu de la pièce, tandis que les patientes gloussent entre elles. Mortifiée, elle doit se résoudre à lâcher prise, à faire son deuil d'un véritable lien professionnel, d'une relation d'échange entre deux praticiens expérimentés. Ce à quoi elle ne pouvait prétendre avec le père, elle avait pourtant cru l'atteindre avec le fils ! Jacques Rousselle était le premier médecin d'envergure qui consentait à s'intéresser au sort du refuge ; le comparer à son père et à Peter Wittymore, c'était comme comparer un aigle au cri perçant avec de vieux hiboux aux ululements enroués !

Envahie par une vague de dégoût provoquée par la sensation d'un échec, Léonie ouvre brusquement l'un des dossiers des clientes auxquelles Rousselle vient tout juste de s'attarder et constate avec stupéfaction qu'il a réussi à gribouiller un paragraphe supplémentaire, et ce tout en pérorant et en auscultant ! Il a fait de même pour chacun des cas. Elle s'exclame tout haut :

– Une véritable machine, cette cervelle de docteur !

Rousselle ne s'est permis aucune prescription outrancière, ce qu'elle regrette presque. S'il était un adepte des remèdes de cheval, il serait diablement plus facile de critiquer son comportement autocratique ! Mais son refus de l'esbroufe telle que l'observent nombre de ses collègues en fait un praticien presque inattaquable… du moins en ce qui concerne les maladies qui altèrent le déroulement normal d'une grossesse. Du côté des délivrances, il est beaucoup moins solide, ce qui réconforte Léonie et lui redonne courage.

Elle avait oublié à quel point une accoucheuse ne peut plus prétendre à un semblant de vie normale lorsque des patientes requièrent son attention. Coup sur coup, avec un intervalle à peine suffisant pour lui laisser prendre quelques heures de repos, deux d'entre elles entament le processus d'expulsion. La tâche de Léonie est néanmoins allégée, puisqu'elle se contente de superviser les étudiants de l'École de médecine et les élèves de l'École de sages-femmes ; l'accompagnement au cours de la poussée finale est confié à l'une d'elles.

Après une vraie nuit de repos, Léonie prend tout son temps, le lendemain en début d'après-dînée, pour cheminer jusqu'à la rue Henry, s'amusant des flocons de neige paresseux que dégorge un ciel plombé. Par bonheur, les autres patientes de la Société sont encore éloignées de leur terme ! Sa nonchalance s'évanouit abruptement lorsqu'elle referme la porte du refuge derrière elle et qu'elle voit la dame patronnesse Céleste d'Artien, qui s'apprêtait à se vêtir chaudement afin d'aller quérir leur messager, l'accueillir avec un soupir de soulagement.

Un cas désespéré vient de leur être confié par un médecin-accoucheur qui, pâle comme la mort, fait les cent pas dans le petit salon. Une dame âgée, d'apparence aussi piteuse, est assise non loin, très droite dans un fauteuil. Éberluée, Léonie se débarrasse de sa bougrine. Un praticien a fait transporter une femme en douleurs, malgré les risques ? Cet événement survient fréquemment au University Lying-In, où la sage-femme a une excellente réputation, mais ici, ça ne s'était encore jamais vu !

Un éclair d'orgueil traverse Léonie de part en part tandis qu'elle grimpe l'escalier après avoir fait signe au médecin de la suivre. La parturiente est dans l'alcôve, sous les soins de Marie-Zoé et de Céleste tout juste remontée. Léonie se précipite à son chevet pour effectuer un examen rapide, qui laisse cependant peu d'espoir. La jeune femme se plaint de douleurs continuelles à l'abdomen, même si les contractions utérines semblent avoir totalement cessé. Sa peau est très chaude et son pouls, fébrile... Se tournant enfin vers le médecin, un homme relativement jeune qui lui est inconnu, Léonie l'interroge du regard.

Il décline son identité, puis d'un ton monocorde qui trahit sa fatigue Alphonse Berlinguet fait un récit qui tire à Céleste des soupirs horrifiés. Philomène Demuy, l'épouse du propriétaire d'un hôtel modeste mais en vogue de la Grande rue Saint-Jacques, est en travail depuis deux jours entiers, et la rupture des membranes a eu lieu six heures après le début des contractions. À mesure que ces dernières augmentaient, elle a commencé à se plaindre d'une douleur fixe et non pas fluctuante, qui s'est accrue par degrés jusqu'à devenir déchirante. Cette douleur était accompagnée de frissons et entrecoupée de légères syncopes successives.

En désespoir de cause, Berlinguet a tenté l'extraction par forceps, puis, devant l'échec de cette manœuvre, il a introduit sa main pour aller saisir les pieds du fœtus, en vain également. Connaissant de réputation les accoucheuses de la Société compatissante, il a résolu de s'adresser à elles. Prise de pitié, Léonie observe un court moment la pauvre femme, dont l'état d'épuisement fait peine à voir. Sans nul doute que les efforts infructueux de son médecin lui ont causé de vives souffrances !

Se ressaisissant, elle commande que l'on fasse venir Sally Easton sur-le-champ, et c'est Céleste, parfaitement rodée, qui se charge d'envoyer le messager. Tout en se préparant pour un toucher vaginal, Léonie demande froidement au médecin ce qu'il en est du mari ; il lui répond qu'il est hors de la ville. C'est la mère de la parturiente, assise en bas, qui lui tenait compagnie. Léonie le dispute alors, sans ménagement :

– Personne ne vous a appris, monsieur Berlinguet, qu'il est rarement contre-indiqué de laisser faire la nature, même dans les cas qui paraissent désespérés ? Que l'utilisation du forceps exige la plus grande délicatesse ? Qu'avant de torturer une patiente, il faut avoir un bon espoir de réussite ?

L'homme de l'art blêmit encore, si c'est possible, et s'il ouvre la bouche pour riposter, aucun son n'en sort. Dénuée de toute compassion pour lui, Léonie l'envisage d'un air glacial, avant d'ajouter :

– Descendez, je vous prie, tenir compagnie à celle qui se morfond en bas.

Il s'empresse d'obéir. Comme l'état de faiblesse de Mme Demuy est tel qu'elle ne réagit pas aux exhortations de Marie-Zoé, cette dernière doit se résoudre à l'installer vaille que vaille pour l'examen. Lorsqu'elle aperçoit les organes génitaux de la parturiente, Léonie sursaute et fait signe à la garde-malade d'approcher. Elle murmure, d'une voix sans timbre :

– Voyez comme les parties extérieures de la génération sont tuméfiées... Déchirées là, et là... Un seul coupable : le forceps. Je frémis d'avance de la situation interne...

Une situation qu'elle ne prend pas la peine d'évaluer à l'instant même, se préoccupant seulement d'assurer la position du crâne tuméfié du fœtus, retenu par le détroit supérieur du bassin. Après un lavage de mains, elle enchaîne avec la palpation de l'abdomen, qui fait gémir la parturiente malgré ses précautions. C'est la première fois qu'elle rencontre un ventre si curieusement conformé, ce qui la plonge dans la plus grande perplexité. Une largeur inusitée et un déséquilibre subtil du côté gauche ; au-dessus de l'ombilic, une sorte de tumeur dure et régulière, au relief saillant ; plus bas, au-dessus du pubis, une autre saillie de moindre importance.

En attendant Sally, Léonie se résout à descendre au rez-de-chaussée, malgré le léger brouhaha causé par les patientes qui vont et viennent, afin de pousser l'interrogatoire de la mère et du médecin. Le niveau sonore a baissé de plusieurs crans, comme chaque fois qu'un événement tragique survient… Elle fronce les sourcils : seule la dame est assise en compagnie de Céleste, qui répond à la moue stupéfaite de Léonie par une grimace chagrinée. Après avoir dévalé l'escalier, le jeune Berlinguet a sacré son camp, sa bougrine sous le bras ! Il semblait bien près d'être pris de faiblesse…

Après un soupir exaspéré, Léonie rassure la mère, Mme Galin, qui pouvait craindre qu'une aggravation subite de l'état de sa fille ne soit la cause de ce comportement. La douairière maîtrise suffisamment son angoisse pour répondre aux questions de la sage-femme avec une relative précision. Sa fille de vingt-six ans a déjà un fils de deux ans, dont elle s'est délivrée naturellement et sans trop de difficultés. À son souvenir, aucune curiosité digne de mention n'a encombré l'actuelle grossesse, qui semble s'être déroulée selon les règles.

Ainsi édifiée, Léonie remercie Mme Galin d'une pression de la main, avant de marcher à longues enjambées jusqu'à son bureau. Elle se plante devant le rayonnage de la bibliothèque qui contient ses livres de science et les examine attentivement. Elle ne va certes pas se mettre à fourrager dans les pages, puisque le temps presse, mais elle sait que la clef de l'énigme s'y trouve sans doute ! En désespoir de cause, elle saisit les trois tomes de *Pratique des accouchemens*, la magistrale étude signée par l'ancienne maîtresse sage-femme de la Maternité de Paris, Marie-Louise Lachapelle, et s'empresse de quitter la pièce.

L'entrée intempestive de Michael et de Sally interrompt son élan. Sa consœur fourre ses vêtements d'hiver dans les bras du messager, qui ne s'en formalise pas le moins du monde, et attache ses pas à ceux de Léonie qui lui résume le cas tout en se dirigeant lentement vers l'étage. C'est à l'examen externe de l'abdomen que Sally s'attarde ; à défaut de pouvoir palper sans infliger une véritable torture à la parturiente, elle scrute la moindre déclivité. Désignant la saillie au niveau du pubis, elle avance qu'il s'agit de la vessie pleine que le fœtus presse ainsi. Elle ajoute, à voix très basse :

– Il n'y aurait donc pas rupture de cet organe. De toute façon, la vessie ne se rupture jamais seule ; c'est plutôt un dommage collatéral qui s'ajoute à celle de la matrice ou du vagin.

Léonie tressaille, mais reste coite. Une rupture de la matrice ? Jamais elle n'a diagnostiqué un pareil accident. Une seule fois, le Dr Joseph Lainier a indiqué « déchirure longitudinale » dans le rapport d'autopsie qu'il transmettait fidèlement à Léonie, lorsque cette dernière lui fournissait des cadavres non réclamés. Si elle a le temps, elle ira consulter le document. Pour l'instant, elle se concentre pour tenter de se remémorer les symptômes d'une telle rupture, mais Sally requiert son attention :

– Voyons voir… Douleurs intenses, disiez-vous… Des crampes musculaires ? Des coliques ? Il faut aller interroger sa mère pour savoir s'il y a eu expulsion notable de matières fécales. Quant aux crampes, elles s'approchent davantage de l'engourdissement et la douleur est moins aiguë… Ce pourrait être une déchirure des symphyses… il faut demander aussi à sa mère si les mouvements du bassin augmentaient l'intensité de la douleur.

Son regard spéculatif fixé sur l'abdomen, elle indique à Léonie, accompagnant son exposé de gestes de la main :

– La déformation du ventre est un motif sérieux de présomption, surtout s'il s'y ajoute, comme dans ce cas, une vessie pleine qui fait relief. On pourrait présumer que le fœtus s'est échappé dans l'abdomen...

Cette hypothèse affligeante fait frissonner Léonie d'angoisse. Les yeux agrandis, Sally la fixe un instant, avant d'ajouter d'une voix monocorde :

– Une telle rupture survient toujours après l'écoulement des eaux. À ce moment, la matrice se resserre sur le fœtus pour l'expulser ; mais si la position du bébé est problématique et si la matrice est déjà d'une faible constitution... victime d'une ulcération, par exemple... eh bien, le fœtus est expulsé en tout ou en partie dans l'abdomen.

Le souffle court, Léonie bafouille :

– Vous avez déjà rencontré de semblables cas ?

– À quelques reprises... notamment pendant mes études à Édimbourg... mais ce n'est qu'à l'autopsie que la cause du décès est connue.

Après un soupir, elle se redresse et se tourne vers Marie-Zoé pour ordonner :

– Il faut vider cette vessie.

La garde-malade hoche la tête et s'éloigne pour se préparer. Prenant Sally par le bras pour l'entraîner hors de l'alcôve, Léonie jette :

– Il faut faire appeler Wittymore.

Sally lui glisse un regard indéchiffrable, avant de répliquer :

– Inutile. Rousselle est déjà en route.

– Déjà ? répète Léonie avec un haut-le-cœur. Vous en êtes sûre ?

– Notre homme a persuadé Michael d'envoyer son petit frère l'avertir dès qu'une deuxième sage-femme était requise.

Soufflée, Léonie reste sans réaction. Sally reprend :

– De toute façon, Wittymore est sur le point de donner sa démission. Il a l'impression d'être le dindon de la farce...

– Sa démission ? Il ne m'en a rien dit !

– Son avis compte pour des prunes. Dans les faits, Rousselle l'a évincé.

– Mais où trouve-t-il le temps ? s'énerve Léonie. N'a-t-il pas une clientèle privée, une chaire d'enseignement ? On croirait qu'il n'a que ça à faire, traînasser à la Société compatissante !

– Il existe des substances stimulantes. Leur usage laisse des traces presque imperceptibles à un œil inexercé, contrairement aux effets de l'alcool…

Bouche bée, Léonie tente de déchiffrer l'expression neutre de sa consœur. Elles se séparent ensuite : Léonie demeure sur place pour assister Marie-Zoé si nécessaire, tandis que Sally descend se renseigner auprès de Mme Galin. Dès son retour à l'étage, l'Écossaise s'affirme encore davantage persuadée qu'il s'agit d'une rupture utérine et elle presse Léonie d'insinuer sa main dans la matrice pour s'en assurer. Même si elle se sait moins expérimentée que Sally pour ce faire, Léonie y consent.

Avant qu'elle ne procède, Sally l'instruit d'abondance. Si le toucher dans la matrice apprend beaucoup plus sûrement que les signes rationnels ou anamnestiques, la manœuvre peut être ardue et même dangereuse. Cependant, il faut la tenter parce que, si une lésion a ouvert une communication avec l'abdomen, le danger est redoutable non seulement pour le fœtus, dont la mort est presque inévitable, mais pour la mère, généralement aux prises avec un trouble général des fonctions.

Sans plus attendre, avec Sally accroupie à ses côtés pour suivre ses moindres gestes, Léonie introduit sa main dans le vagin de la parturiente qui, soutenue par Céleste, émet des gémissements réitérés malgré sa faiblesse. À peine a-t-elle traversé avec précaution le col qu'elle sent, du côté gauche, une large déchirure. Quelques tâtonnements suffisent à lui faire comprendre que le fœtus n'a plus que la tête et les épaules dans la matrice, et tout le reste dans l'abdomen.

Léonie s'immobilise pour faire part de sa découverte à Sally, qui lui conseille alors de chercher à saisir les pieds. Il faut à Léonie agir à la fois hardiment et prudemment, un équilibre difficile à atteindre… En avançant, son bras fait rétrograder la tête. Le sentant, Léonie suspend immédiatement son effort, mais le mal est fait : le fœtus au complet passe dans l'abdomen. Atterrée, elle en informe Sally, qui murmure après une profonde grimace d'impuissance :

– C'était à prévoir. La matrice va se resserrer, la plaie se refermer : l'enfant est pris au piège. Avez-vous touché ses mains ?

Déconcertée, Léonie prend un moment avant de répondre timidement par l'affirmative.

– Semblait-il vivant ?

– Il n'a pas réagi…

– Tâchez d'agripper le cordon.

Léonie y parvient et marmonne, après un instant de concentration :

– Flasque. Sans battements.

– Selon toute vraisemblance, il a trépassé. La violence des moyens utilisés par son médecin, combinée à la longueur du travail, suffirait à envoyer le plus robuste des enfants au paradis…

Sally se redresse, et Léonie comprend qu'il n'y a plus rien à tenter. À regret, elle retire son bras. Dans un lourd silence, elle sort de l'alcôve pour se laver. Occupée à cette tâche, elle entend le pas sonore de Jacques Rousselle au rez-de-chaussée. Comme un soldat cité à comparaître en cour martiale, elle se prépare mentalement à lui faire face, puis elle se tourne pour l'accueillir dès qu'il a traversé la salle commune, suivi des yeux par les quelques patientes présentes, récentes accouchées ou femmes grosses mises au repos, qui commentent les événements entre elles à voix basse.

L'allusion de Sally à la consommation d'une substance stimulante quelconque lui fait, à son corps défendant, scruter les traits du médecin. C'est vrai qu'il a les yeux étranges : notablement cernés, mais luisants d'une sorte de fièvre... La saluant à peine, il s'enquiert du cas, et Léonie lui fait, d'une voix morne, une longue narration prodigue de détails. Pendant ce temps, une Sally muette vient se planter à côté d'elle. Enfin, la voix de Léonie meurt, et sa consœur enchaîne aussitôt :

– Un cas déchirant, monsieur Rousselle, mais dont vous profiterez sans doute pour vous instruire. Fort heureusement, la nature nous en fournit très rarement ! Cependant, tout examen interne et toute palpation de l'abdomen sont à proscrire. La pauvre créature a déjà été trop torturée... D'ailleurs, il faudra demander à Céleste de faire venir le curé.

– À proscrire ? s'indigne Rousselle. Mais comment voulez-vous que je pose un diagnostic ?

– Nous avons déjà, Sally et moi, posé le diagnostic, réplique Léonie avec un calme souverain. Tous les signes concourent à l'évidence. Je peux reprendre mon récit du début, si vous le souhaitez...

Trépignant d'impatience, sa valise au bout du bras, le médecin fait un signe de dénégation, accompagné d'une expression fort éloquente. Son dédain est insultant, mais Léonie reste de marbre. Elle se tourne vers Sally pour dire qu'il serait temps de mettre la mère de la patiente au courant ; sa consœur en convient et s'éloigne. Comme Rousselle se décide à entrer dans l'alcôve, Léonie lui emboîte le pas. Il est hors de question de laisser le trop entreprenant praticien seul avec la malade ! Marie-Zoé ne ferait pas le poids...

Longuement, il étudie l'abdomen dénudé et qui, maintenant que le fœtus y est retenu prisonnier, est excessivement déformé. Il tente d'interroger la jeune femme, mais elle divague et ne répond que par monosyllabes. Blême de frustration, le médecin se relève vivement et fait signe à Léonie de le suivre hors de l'alcôve, jusqu'au rez-de-chaussée. Elle s'exécute si lentement que, lorsqu'elle parvient dans le salon encombré de femmes, Rousselle est déjà en train d'argumenter, planté devant Sally. À ses côtés, Mme Galin sanglote, entourée par Céleste et par plusieurs patientes sincèrement affligées, qui lui prodiguent des phrases réconfortantes dans leur langage coloré.

Sans aucun souci de la proximité des autres, Rousselle discute de la décision qu'ont prise les sages-femmes et qui, selon lui, équivaut à abandonner une malade à son triste sort sans tenter l'impossible, comme tout praticien le doit. Opposant à son agitation son flegme coutumier, Sally le contredit : faire une tentative pour s'efforcer d'atteindre un fœtus mort équivaut à martyriser une mère rendue si fragile qu'elle y succombera fatalement. Et même si, par miracle, elle en réchappait, ce ne serait que pour endurer des suites extrêmement pénibles. Rousselle jette :

– Vous certifiez que l'enfant est mort ?

Heurtée par son ton cassant, Léonie le foudroie du regard.

– Tout praticien qui se respecte a bien peu de certitudes, monsieur. Il a plutôt de raisonnables présomptions.

– Alors moi, ma raisonnable présomption, c'est que cet enfant a encore un souffle de vie. Je veux tenter de le délivrer de sa prison.

– Et comment vous y prendrez-vous ?

– Par la gastrotomie, bien entendu.

Les deux accoucheuses échangent un regard ébahi. Reprenant ses esprits, Sally laisse tomber :

– Vous voulez rire, monsieur ? La césarienne…

– … a beaucoup évolué depuis que vous avez fait vos classes, profère-t-il avec insolence. Grâce au chloroforme, nous pouvons procéder avec soin, de même que recoudre selon les règles de l'art.

– Mais pour cela, il faut une table d'opération…

– Le lit d'en haut fera l'affaire. Votre Marie-Zoé m'assistera.

Frappée par l'absurdité de la proposition, Léonie vient au secours de sa consœur :

– Mais à quoi bon, monsieur ? À quoi bon puisque la césarienne, inévitablement, conduit les femmes au trépas ?

– Comment est-il possible de se perfectionner si toute intervention sur une femme vivante nous est refusée ?

– Possédez-vous une technique révolutionnaire ? s'insurge vivement Sally. Un moyen infaillible d'éviter l'inflammation, l'infection, puis la mort ? Tant que la source du problème n'aura pas été identifiée, il est inutile de s'acharner. La gastrotomie ne procure aucun avantage à la mère. Au contraire, elle ajoute à ses souffrances. Le pire n'est pas la douleur de l'opération, monsieur. Le pire, si la patiente survit, c'est l'enfer des jours suivants.

La mine sombre comme un enfant qu'on dispute, Rousselle refuse d'envisager Sally qui, à l'œil exercé de Léonie, est bien près de perdre patience. À court d'arguments, il pivote pour se diriger vers la mère de la parturiente, maintenant assise sur le sofa. Au grand désarroi de Léonie, il fait un signe péremptoire à la patiente assise à sa gauche, puis se laisse tomber sur le sofa dès que la place se libère. Tandis que Sally remonte à l'étage pour évaluer l'état de la patiente, Léonie reste à proximité, l'oreille tendue.

D'un ton doucereux, Rousselle prend le temps de compatir à l'épreuve de la dame, ce qui fait renchérir Céleste, assise de l'autre côté. Bientôt cependant, il coupe court aux mondanités :

– Si mesdames les accoucheuses croient que le cas de votre fille est désespéré, je ne partage pas cet avis. J'aimerais faire une dernière tentative, pour laquelle je sollicite votre permission.

Il décrit sommairement à Mme Galin l'intervention qu'il envisage. Outrée par ce manque flagrant de commisération, Léonie est sur le point d'intervenir lorsque la dame balbutie, d'une voix tremblante :

– Épargnez-moi cet exposé horrifiant, monsieur. C'est faire grand tort à un cœur de mère déjà brisé en mille miettes.

– Pardonnez-moi. Mon amour pour la profession me fait parfois oublier... Bref, puisqu'il existe une mince chance que votre petit-fils vive encore...

La dame pose sur son interlocuteur un regard dubitatif, dans lequel perce une pointe de mépris. Au grand soulagement de Léonie, sa détresse ne lui fait pas perdre la tête ! Même au bord des larmes, elle réussit à bégayer, prenant de l'assurance après les premiers mots :

– J'ai passé deux jours entiers auprès de ma fille, à lui tenir la main, sans dormir ni presque manger. J'ai tout vu, y compris les intrusions cruelles de votre collègue auxquelles, par pitié pour ma Philomène, j'ai dû mettre un terme. Je ne peux concevoir que ce pauvre petit soit encore vif. S'il l'est, il naîtra affreusement mutilé... Pour tout dire, monsieur, cet enfant n'est pas mon premier souci. *Ma fille* l'est. Ma fille, qui a ensoleillé mon existence...

Sa voix se brise, mais elle parvient à maîtriser le hoquet qui la secoue. L'émotion est palpable dans la pièce ; deux clientes du refuge pleurent en tentant d'assourdir leurs gémissements, tandis que Céleste tourne vers Léonie un visage défait. Soudain agitée, Mme Galin ajoute, dans un chuchotement aux accents hystériques :

– Son enfant est en train de tuer ma fille et nul être humain n'a le pouvoir de la ramener à la santé. Osez-vous prétendre le contraire, monsieur ?

Cloué sur son siège, Rousselle considère sa voisine avec effarement, et son mutisme est la plus éloquente des réponses.

Jugeant que cette épreuve s'est indûment prolongée, Léonie s'approche pour inviter la dame à monter rejoindre sa fille. Lorsqu'elle se met debout, elle vacille tant que Céleste saute sur ses pieds pour la soutenir. Étroitement liées, les dames s'éloignent. Rousselle jette alors :

– Et son mari ? N'aurait-il pas son mot à dire dans toute cette histoire ?

Elles font halte, lui tournant le dos. Mme Galin souffle :

– Pauvre lui… Il l'aimait tant…

Elles reprennent leur marche vers l'escalier. Incapable d'en tolérer davantage, Léonie indique la porte à Rousselle, d'un geste impérieux. Il fait mine d'en être offusqué ; elle réitère son geste avec emphase. Enfin, il consent à se lever et il se dirige vers la patère avec une dignité offensée, comme s'il était victime d'un abus de pouvoir. Léonie retient à grand-peine la bourrade qui la démange. Il s'habille sans hâte, en apparence insensible à l'atmosphère chargée qui règne dans le refuge, tout en ronchonnant :

– C'est une occasion manquée pour la science, Léonie, vous finirez par en convenir. Voilà pourquoi vous, les accoucheuses, vous en resterez perpétuellement au stade empirique : votre compassion vous aveugle, vous ne pouvez atteindre l'objectif supérieur qui est celui de l'expérimentation scientifique pure.

– Je comptais suggérer à Mme Galin de laisser l'École de médecine se pencher sur le cadavre de sa fille, rétorque Léonie, glaciale. Ce sera amplement suffisant pour épiloguer sur ce cas et en tirer les observations qui s'imposent.

– Vous errez, fait-il avec rudesse.

Le détachement du jeune médecin s'évanouit soudain, remplacé par une fébrilité qui, même contenue, lui met le rouge aux joues et un pli d'amertume au coin des lèvres. Instantanément, Léonie recule de deux pas, effarouchée par son attitude, dans laquelle elle croit déceler une subtile menace.

– C'est la dernière fois que je tolère une telle insoumission, assène-t-il. Votre avis sur la question, je m'en balance. Vous avez la détestable manie de vous croire savante, et je vous assure que ma patience est à bout ! Si je juge qu'une gastrotomie est souhaitable, vous devez vous incliner, point à la ligne.

Léonie en perd le souffle. Il la traite comme une servante, comme une ignare ! La pire offense n'est pas à son amour-propre, mais au sentiment d'amitié qui avait pris racine en elle pendant l'été, et dont il restait encore des radicelles... La paupière gauche de Rousselle se met à cligner de façon spasmodique. Les traits de son visage sont déformés par une rage subite, qui le fait littéralement trembler de la tête aux pieds. C'est pourtant d'une voix relativement maîtrisée qu'il profère encore :

– Je vais saisir le bureau médical de ce cas, et nous prendrons les mesures nécessaires. Ça me fait penser... vous a-t-on informée des réticences de mes collègues à vous laisser enseigner ? Ils vous estiment indigne d'une telle position d'influence. Jusqu'ici, l'expérience m'amusait, mais je commence à croire qu'en effet nous serions malavisés de vous laisser pérorer en public. À la revoyure, madame l'accoucheuse.

Léonie fixe la porte d'entrée, qu'il a refermée sans ménagement, pendant de longues minutes. Elle vibre d'une telle frustration ! Elle a l'impression que Rousselle est en train d'assembler une cage autour d'elle et qu'il vient d'en rapprocher les parois jusqu'à ne laisser qu'une mince ouverture dans laquelle elle réussit tout juste à se glisser ! Quelle résistance peut-elle opposer aux machinations de cet horrible personnage, qui n'hésite pas à recourir aux attaques personnelles pour assurer sa suprématie ?

Lorsque Flavie passe à l'improviste pour inviter sa mère à souper chez les Renaud, Léonie achève de régler les suites de cette éprouvante journée. Elle accepte aussitôt, trop contente de pouvoir s'épancher. Pendant le trajet, la maîtresse sage-femme se livre à un long monologue aux accents passionnés, à peine interrompu par les questions de sa fille. De même, Léonie recommence sans se faire prier son récit pour le bénéfice d'Archange et d'Édouard Renaud, qui les attendaient au salon tout en supervisant Geoffroy, absorbé dans un casse-tête.

Léonie est intensément soulagée de pouvoir se déboutonner ainsi, de laisser ses pensées s'échapper au lieu de les voir tourbillonner sans fin dans son esprit, d'autant plus que les parents de Bastien sont suffisamment familiers avec la médecine pour être de bon conseil. Si Archange s'indigne à profusion de l'insensibilité de Rousselle devant le calvaire de Mme Demuy et de sa mère, Édouard est plus réservé, ne pouvant s'empêcher d'accorder aux motivations du jeune médecin une certaine noblesse. Flavie proclame tout haut ce que Léonie en concluait dans son for intérieur : les mâles, de par leur constitution, sont incapables de compatir réellement avec une parturiente, du moins s'ils n'ont pas de liens affectifs avec elle. Il est donc vital que cette dernière, si vulnérable, soit entourée de ses semblables !

La discussion se poursuit même après que Flavie et sa belle-mère ont disparu dans la cuisine et que Bastien, enfin, fait son entrée, aussitôt assailli par son fils gourmand de câlins. S'il escomptait aller se rafraîchir avant de passer à table, il est trop captivé par l'échange au ton passionné pour quitter la pièce. Mis au courant, il interroge Léonie sur de nombreux détails de la délivrance, puis il finit par grommeler, le front soucieux :

– Vous savez quoi, belle-maman ? Selon toute vraisemblance… c'est ce Berlinguet qui a provoqué la rupture fatale. Peut-être que la matrice était déjà outrageusement mince, ou même ulcérée… mais ses manipulations ont empiré la situation. C'est terrible !

Ahuri, Édouard considère son fils et leur invitée en alternance, sans cependant réussir à émettre un son. Frappée par l'évidence, Léonie murmure d'une voix blanche :

– À mots couverts, les accoucheuses de la Maternité de Paris font un constat semblable…

Nul ne saura jamais, songe-t-elle avec une intense rancœur, à quel point les médecins-accoucheurs sont responsables de pathologies auxquelles ils estiment ensuite être les seuls capables de remédier ! Nul ne saura jamais à quel point, depuis un siècle, ils infligent des souffrances au sujet desquelles, ensuite, ils glosent avec suffisance, affirmant sans broncher que la grossesse comporte de sérieux risques pour la santé de la mère et que, donc, eux seuls ont la science pour y faire face ! Pour un manipulateur de forceps expérimenté, il s'en trouve cinquante qui se vantent de posséder un art qu'ils ignorent ! Pour un chirurgien capable, il s'en trouve dix qui confondent les parturientes avec des sujets de dissection !

Pendant le souper, tous respectent l'humeur morose de Léonie, que même les facéties de Geoffroy ne parviennent pas à dérider. Il faut à Flavie un temps infini avant de glisser un regard à Bastien pour l'encourager à réclamer l'attention générale, afin d'annoncer la nouvelle que tous deux ont gardée secrète jusqu'ici. La présence de sa mère la paralyse ! Songeant à ce qu'elle a exigé d'elle à l'été 1853, soit la débarrasser de son enfant, Flavie plonge chaque fois dans un gouffre de remords. Aujourd'hui, elle réalise à quel point Léonie a dû se piler sur le cœur !

L'annonce a l'effet d'une bombe : Archange envisage sa belle-fille comme si elle venait de se transformer en princesse de conte de fées, Édouard reste bouche bée, tout rose d'émotion, et Léonie met un temps fou à donner du sens à cette information… Cramoisie, Flavie tergiverse avant de l'affronter du regard. Ce qu'elle lit sur son visage lui noue la gorge : un doux bonheur, mâtiné de cette crainte instinctive que chaque mère doit ressentir à l'idée que sa fille, la chair de sa chair, traversera ce qui devient parfois une terrible épreuve. Nulle trace de rancœur, ni de reproche…

Les larmes aux yeux, Flavie lui adresse une moue de regret. Elle n'a pas eu le courage d'aborder le sujet de l'avortement, mais elle espère qu'ainsi Léonie comprendra qu'elle lui demande son pardon… Saisie, cette dernière tente de déchiffrer l'expression discrètement suppliante de Flavie. Peu à peu, le message lui apparaît clairement, et elle fait un rictus involontaire. Au terme de cette tragique journée, elle supporte difficilement de se faire quasiment extorquer une absolution ! C'est du Flavie tout craché, cette urgence aveugle !…

Mais tandis que repasse dans sa tête, à toute vitesse, le déroulement de la tentative ratée de délivrance de Philomène Demuy, Léonie est inondée par une souveraine compassion à l'égard de sa fille. Chaque femme a le droit, puisqu'elle met sa vie en jeu, de refuser une grossesse. Chaque femme a le droit, puisqu'elle investit son existence entière dans le soin de ses enfants, de peser le pour et le contre ! Et personne n'a le droit de juger sa décision, pas même son mari ! Plus ses années de pratique augmentent, plus Léonie devient inflexible à ce sujet.

Ne doit-elle pas accorder la même liberté à sa fille ? En fait, ce qui s'avère difficile à accepter, encore maintenant, c'est que Flavie lui a demandé de tuer dans l'œuf son petit-enfant. Mais comment Léonie pourrait-elle lui en vouloir outre mesure ? Elle a fait ce qui était le mieux pour sa santé : confier son sort aux mains expertes et affectueuses d'une maîtresse sage-femme. Léonie lui en aurait bien davantage voulu si elle était allée voir n'importe quelle faiseuse d'anges…

Apaisée, elle gratifie Flavie d'un clin d'œil complice. Cette dernière en pâlit de soulagement, avant de bafouiller :

– Je voulais te mettre au courant avant que tu partes chez Cécile. C'est bientôt, n'est-ce pas ?

– Dans quelques jours, répond-elle avec un sourire qui s'élargit à vue d'œil. Deux petiots presque coup sur coup… J'en suis tout essoufflée…

Geoffroy promène sur les adultes un regard défiant et comme chargé d'un appel. L'interpellant, Flavie explique avec bonne humeur :

– Tu vois, mon chou ? Ma bedaine, qui est toute petite… enfin, assez petite…

– Bref, assez dodue pour satisfaire son homme, interjette Bastien, hilare.

Négligeant l'interruption, Flavie reprend :

– Cette bedaine, elle va gonfler jusque-là, comme une outre pleine d'eau, parce qu'un bébé est en train d'y pousser. Pour l'instant, il est minuscule comme… comme une noisette, mais l'été prochain, il sera mûr et il va sortir.

– Par où ?

– Je t'expliquerai une autre fois.

Édouard pouffe de rire, et sa bru clame avec dignité :

– Certainement, que je vais lui expliquer ! Au moyen de croquis anatomiques, à part ça !

– Tu auras un petit frère ou une petite sœur, ajoute Bastien en prenant Geoffroy contre lui. Au début, il sera trop fragile pour jouer… comme un chaton naissant. Tu en as déjà vu ?

Il secoue la tête, et son père fait une mine contrite. Comme les autres, il oublie parfois que l'univers du garçon se résumait à un hospice entouré de hauts murs… Tandis qu'il précise sa pensée, Léonie s'adosse et ferme un instant les yeux, se laissant pénétrer par l'ambiance chaleureuse. Si elle est ravie de ce qui semble être un bonheur pour sa fille, elle a bien de la misère à considérer cette grossesse avec naïveté. Après ce qui s'est passé aujourd'hui, le sort réservé aux femmes enceintes, et particulièrement à sa fille, lui semble relever davantage de la triste fatalité que de la bonne fortune !

Soudain, elle ne peut plus attendre pour se précipiter rue Saint-Joseph, entrer dans la cuisine chaude et retrouver son Simon affable, aux bras grands ouverts… Il lui faut quelques secondes pour réaliser que c'est une chimère. Simon n'est plus de ce monde… Tout son être se crispe sous un éclair de souffrance. La présence réconfortante de Simon a beau l'habiter tout entière, il ne pourra plus jamais la combler de son mâle réconfort. Sans la promesse de la douceur de sa peau, du contact avec son corps accueillant, elle se sent terriblement esseulée, si abandonnée, offerte sans protection aux vents du nord…

Elle se redresse pour balbutier :

– Bastien ?

Même si ce n'est qu'un murmure, Flavie est frappée par le désarroi dans le ton de sa voix. Un silence respectueux s'installe dans la pièce, tandis que le jeune médecin coule vers sa belle-mère un regard prudent.

– Oui ?

– L'autre fois, vous vouliez… me parler de quelques améliorations que… vous souhaitez apporter à la maison… Si vous me reconduisez, nous pourrions…

– Excellente idée, acquiesce-t-il. Je ne vous promets pas de veiller très tard… J'en profiterai pour ranimer le poêle. Lourde tâche pour une femme seule.

– Je vous accompagne, annonce Édouard à son tour. Je veux pouvoir juger de mes yeux la valeur des projets dont Bastien m'entretient. Nous partons, Léonie ? Je crois qu'il serait sage de faire atteler…

Les deux hommes sautent sur leurs pieds. Geoffroy se suspend à la redingote de son père pour quémander une place pour lui dans la calèche. Indécis, Bastien sollicite Flavie du regard ; elle tend la main vers lui, et il vient se pencher au-dessus d'elle.

– D'accord, chuchote-t-elle dans son oreille. Je t'adore, mon ange. Prends bien soin de ma mère.

Il lui presse l'épaule. Se redressant, il saisit la main de Geoffroy, puis il offre son bras à Léonie, qui y glisse le sien avec gratitude. Tous quatre sortent de la salle à manger. Déboussolée par cette conclusion précipitée du repas, Archange fait une légère grimace de contrariété. Lucie entre dans la pièce, chargée d'un gâteau orné d'une garniture à la crème fraîche, et reste stupidement plantée à proximité de la table. Flavie tend les bras vers elle.

– Donnez-moi votre fardeau, ma pauvre… Ces messieurs s'en régaleront à leur retour. Vous avez soupé ?

Devant le signe de dénégation de Lucie, Flavie lui ordonne d'aller se garnir une assiette et de revenir manger en leur compagnie. Bientôt, Lucie s'installe à la place de Geoffroy et se met à faire un brin de causette. Lorsque les hommes de la maison sont absents, leur domestique est beaucoup plus à l'aise, et Flavie n'a pas été sans constater qu'Archange tirait un réel plaisir de cette compagnie frustre mais colorée ! Peu après, la cuisinière fait irruption pour adresser ses compliments à Flavie, qui lui propose de s'attabler à son tour. Elle jouit sans retenue de ce tableau savoureux, mélange rafraîchissant de gens du commun et de la gente bien née, qui lui fait espérer la fin prochaine d'un règne, celui de ce snobisme qu'elle exècre !

Chapitre XXI

Lorsque la clochette de l'entrée se fait entendre, Flavie est en train d'aider Lucie à tout ranger après un frugal dîner. Elle n'y porte pas attention, puisque la plupart des visites dominicales sont pour les maîtres de maison, mais la voix d'Édouard résonne bientôt, annonçant une visite pour « la maîtresse sage-femme ». Surprise, elle s'essuie rapidement les mains et se débarrasse de son tablier. Leurs quelques clientes sont fort éloignées de leur terme ! Néanmoins, il arrive régulièrement que les messagers, déchiffrant mal la petite plaque placée sous la sonnette d'urgence, se trompent de cordon…

Dès qu'elle aperçoit les deux dames que son beau-père a introduites dans le salon, Flavie tombe en arrêt, décontenancée. Marie-Claire Garaut et sa fille Suzanne se tiennent debout en plein milieu de la pièce, l'une tripotant nerveusement un bouton de sa pelisse, l'autre faisant de même avec le châle de laine qui recouvre son épaisse bougrine. Flavie n'a pas rencontré la jeune Mme Cibert depuis bien avant son départ pour Oneida, à l'occasion d'une activité de charité pour les victimes du funeste incendie de 1852. Autant dire une éternité ! Ce n'est pas d'elle qu'elle se méfie, même si elle ne sait trop sur quel pied danser en sa compagnie, mais de son mari docteur, un être suffisant et désagréable au possible.

Suzanne fait deux pas vers elle, les bras tendus, le visage implorant.

– Flavie ! Il y a si longtemps… Je suis ravie de te revoir enfin.

Refusant de se laisser embrasser, Flavie dépose ses mains dans les siennes, et Suzanne les presse vigoureusement. Après un temps, la première s'enquiert, d'une voix éteinte :

– Édouard ne vous a pas offert de retirer vos manteaux ? Quel manque de savoir-vivre !

– C'est nous qui avons refusé, s'empresse de corriger Marie-Claire. Nous ne voulions pas importuner…

Flavie laisse tomber, avec un mince sourire :

– Vous êtes plutôt rigolotes, tout emmitouflées mais chaussées de jolies pantoufles…

Les visiteuses pouffent de rire, ce qui détend notablement l'atmosphère. Elles acceptent enfin de se déshabiller, et Flavie dépose sans cérémonie leurs manteaux sur le dossier d'une chaise, avant de les inviter à prendre un siège. Pendant les premiers temps, la conversation est meublée de civilités : Flavie s'enquiert des deux enfants de Suzanne, de même que de celui qu'elle porte et dont elle se délivrera dans sept ou huit semaines, et son interlocutrice lui rend la politesse en la félicitant de l'heureuse nouvelle.

Elles abordent ensuite le sujet de leurs maris respectifs. Malgré sa méfiance instinctive, Flavie est curieuse de savoir comment va la pratique de Louis Cibert ; elle n'est pas surprise d'apprendre qu'il a été obligé de déménager et d'agrandir ses installations pour la production de médicaments. Si, de son côté, Suzanne est consternée par ce qui semble être un signe de déchéance sociale, soit l'emménagement rue Saint-Joseph, elle n'en montre rien. Flavie leur décrit avec enthousiasme leurs projets de rénovation de la maison de son enfance : dans un premier temps, en construisant un toit à quatre pentes selon un style architectural en vogue chez les notables, augmenter significativement l'espace habitable ; ensuite, agrandir la cuisine et y ajouter un étage. Tout cela dans le but, bien sûr, de loger confortablement les occupants actuels et à venir.

– Pour le moment, ajoute-t-elle, Bastien peut se passer d'un *office* à lui. Si la situation l'exige, il emprunte celui d'Étienne L'Heureux. Dès que l'École de sages-femmes fermera ses portes…

Elle s'interrompt et garde un silence respectueux, avant de conclure :

– Dès qu'elle fermera ses portes, il prendra possession de l'ancienne salle de classe de Simon.

– Toutes mes sympathies, lance vivement Suzanne.

Flavie la remercie d'un battement de cils, tandis que Marie-Claire s'informe du séjour de Léonie dans les Eastern Townships. Elle répond avec légèreté :

– Pas de nouvelles, bonnes nouvelles !

Elle ajoute que sa mère, persuadée que la Société compatissante est suffisamment pourvue en sages-femmes de qualité, s'est éloignée sans aucune crainte. Marie-Claire accueille le compliment d'une inclinaison gracieuse de la tête, puis lui rend la pareille en appréciant le fait que la jeune accoucheuse a accepté d'assurer la permanence et l'enseignement à l'école. Cette dernière s'empresse de préciser qu'elle fait équipe avec l'ancienne élève de Léonie, Marie-Julienne Jolicœur, qui se révèle particulièrement douée. Avec une moue espiègle, elle ajoute :

– Même si mes symptômes de grossesse diminuent jour après jour, j'aime mieux laisser Marie-Julienne se charger des stages au refuge, parce que certaines odeurs me soulèvent le cœur !

Ce n'est qu'une partie de la vérité, mais Flavie préfère s'en tenir là. En fait, si elle évite soigneusement de mettre les pieds à la Société compatissante, c'est à cause de la présence de Jacques Rousselle. Marie-Julienne a consenti à l'arrangement, mais elle est restée silencieuse pendant les minutes qui ont suivi, tentant d'intégrer cette nouvelle donnée à son appréciation du médecin... Si Flavie n'hésite guère à révéler la teneur de cet épisode de harcèlement, elle craint cependant d'être jugée, peut-être même placée dans la catégorie des allumeuses ! Bien des personnes ont ce réflexe : chercher d'abord le mal chez la femme...

Depuis le début de leur entretien, Flavie examine Suzanne à la dérobée. L'épouse du médecin Cibert a perdu toute la superbe qui la caractérisait dans les débuts de son union, superbe à laquelle Flavie avait pu goûter lors d'une *garden-party*, quelques années auparavant. Alors, elle était plaisamment corpulente, rayonnante de cette assurance qui provenait de sa certitude d'avoir fait le meilleur mariage qui soit, celui qui l'introduirait dans le cercle sélect des puissants de Montréal. Son visage aussi rond que celui de sa mère dégageait une beauté tranquille, diffuse mais charmante... tandis que, sur l'heure, il a pris un aspect terne, comme figé.

C'est alors que Marie-Claire bouge sur son siège, l'air embarrassée, ce qui annonce un changement de ton dans l'échange de propos. En effet, elle finit par lâcher :

– Ma chère Flavie, je suis venue sonner à ta porte pour t'entretenir d'un problème... pour lequel je sollicite ton intervention.

Elle raconte que, cet été, le Dr Rousselle avait gracieusement offert de faire équipe avec Léonie pour diriger la formation offerte par la Société compatissante aux praticiennes, en remplacement des conférences et des cours dispensés à l'École de sages-femmes. Lorsque, par la suite, il évoquait les réticences de ses collègues de l'École de médecine, il semblait en faire peu de cas. Mais tout récemment, il a changé son fusil d'épaule. Il a saisi le conseil de la Société de ce qui semble être devenu un incontournable problème d'éthique : pour ces doctes messieurs, il est inconvenant de placer une sage-femme à la tête d'une classe d'obstétrique, à égalité avec un médecin. Personne d'autre qu'eux, et surtout pas une praticienne qui leur doit respect, ne peut prétendre avoir les compétences requises pour transmettre ce savoir.

Flavie brûle d'intervenir, mais Marie-Claire lève une main apaisante.

– Tous les arguments contraires, nous les avons écrits noir sur blanc dans une longue lettre. L'exemple seul de la Maternité de Paris devrait suffire à vaincre leurs réticences, mais je crains fort qu'ils ne fassent la sourde oreille. J'encouragerais Léonie à défendre son point, mais…

Elle hésite, se dandine sur son siège, puis enchaîne :

– Tu te souviens de la délivrance de cette pauvre veuve du faubourg Sainte-Marie, Victoire Réhaume ? Dieu ait son âme, c'était en avril cinquante-trois…

Flavie s'empourpre légèrement tandis que remontent à sa mémoire des souvenirs encore frais. C'était le premier cas d'hémorragie utérine à se présenter au refuge et il a fallu hâter l'expulsion. Encouragée par ses consœurs et même par Peter Wittymore, Léonie a tenté une version pour saisir le fœtus par les pieds. Nicolas Rousselle, lui, ne jurait que par le forceps, ce qui semblait à Flavie un choix tout à fait défendable. Elle n'a pu s'empêcher d'insister auprès de sa mère… Victoire a trépassé, vidée de son sang, et la maîtresse sage-femme a gardé rancune à sa fille, pendant un certain temps, de cet entêtement déplacé.

– Souviens-toi : Nicolas Rousselle a déposé une plainte contre Léonie devant notre conseil. Une plainte de négligence médicale. Nous l'avons débouté, mais cette sombre histoire refait surface aujourd'hui… Ces messieurs s'en servent pour remettre en question la compétence de Léonie.

Malgré le choix délicat des mots, Flavie est frappée de plein fouet par cette insinuation infâme. Version ou forceps, les deux options se défendent aisément, et bien malin qui pourrait en qualifier l'une de supérieure à l'autre! Révoltée par ce qui lui paraît un abus flagrant de pouvoir, par ce qui lui paraît même comme une diabolique machination pour détruire une réputation en colportant des rumeurs non fondées, Flavie reste sans voix, ses yeux fixés sur l'expression empreinte de malaise de la présidente de la Société compatissante. Cette dernière s'éclaircit la gorge, avant de reprendre:

– Je vois que tu as saisi... l'ampleur des risques que Léonie court en s'accrochant à cette fonction. Mon but, en venant ici aujourd'hui, est de te demander d'intervenir auprès de ta mère pour lui faire entendre raison. Il me semble que tu es la mieux placée...

Plongée dans ses pensées, Flavie hoche machinalement la tête, puis elle jette enfin, amère:

– Ça me fend le cœur d'être obligée de la décourager. Elle est parfaitement qualifiée pour enseigner, la preuve n'est plus à faire! Diablement plus qualifiée que ce saligaud de Rousselle, laissez-moi vous dire...

– Je connais ton dédain pour cet homme, et je réagirais de même à ta place. Néanmoins... nous ne sommes pas de taille, Flavie. La réputation d'une dame est si fragile...

– Ce n'est pas la réputation d'une *dame*, mais celle d'une *praticienne*, réplique Flavie avec obstination. Il ne faut pas confondre! J'en connais, moi, des réputations de *praticiens* qui se sont relevées intactes d'une bêtise, une vraie celle-là!

Un ange passe, tandis que Flavie rumine son ressentiment. Suzanne murmure, d'une voix lasse:

– Les hommes se protègent entre eux. Ils font partie d'une véritable confrérie d'intérêt dont nous sommes exclues. À quoi on sert, pour eux? À porter leurs enfants, point à la ligne. À leur donner une descendance.

Cette déclaration, proférée avec détachement, fait froid dans le dos. Saisie, Flavie observe son ancienne amie, notant à quel point le passage du temps a froissé un teint autrefois lumineux. Elle croise le regard soudain tourmenté de Marie-Claire, ce qui la plonge dans un réel malaise. Après un temps, elle réussit à bredouiller :

– Tu n'es certes pas venue ici pour entendre d'aussi sérieuses discussions, ma pauvre Suzanne…

– Elle a insisté pour m'accompagner, précise Marie-Claire. Je crois qu'elle attendait le premier prétexte pour resserrer son lien avec toi…

– Un lien qui a faibli par le passé, ajoute sa fille, ce dont je tiens à m'excuser aujourd'hui.

Elle coule un regard ardent vers Flavie, qui fait un vague geste de pardon. Brusquement, Marie-Claire se lève en affirmant :

– Il est temps de partir.

Suzanne l'imite, mais s'enquiert d'un ton suppliant :

– J'aimerais te voisiner plus souvent, Flavie. Tu permets ?

Comme sous le coup de l'émotion, elle en a oublié son langage soigneusement affecté pour retrouver une parlure qui ramène Flavie à leur temps de jeunes filles. Troublée, elle murmure un acquiescement, mais les laisse se diriger seules vers la sortie, incapable de rassembler son courage pour les y reconduire. Elle a le temps de constater que Suzanne porte son fardeau supplémentaire avec un découragement perceptible dans sa démarche. Elle ne saurait dire exactement ce qui lui donne cette impression : sans doute son port affaissé, sa tentative pour dissimuler sa bedaine en courbant le dos, sa raideur dans les hanches…

Flavie se rassoit, les jambes coupées, dès qu'elles ont disparu. Suzanne veut lui faire cadeau d'une amitié qui la rebute ! Elle ignore comment se déprendre de cette situation. Il lui semble qu'une araignée est en train de tisser une toile autour d'elle ! Mais presque aussitôt, elle tempère ce jugement. Suzanne était gaie et accorte au temps de sa prime jeunesse. C'est uniquement à partir du moment où elle a choisi

Louis Cibert comme futur époux que son tempérament s'est aigri! Elle est devenue suspicieuse et intolérante, prompte à juger et à condamner. Louis Cibert a imprimé sa marque sur une nature trop impressionnable...

Des coups sonores résonnent au-dessus de la salle de classe, et Flavie s'interrompt jusqu'à ce qu'ils cessent. Discrètement, elle essuie la perle de sueur qui roule paresseusement sur sa tempe, puis elle se tourne vers les élèves avec un léger sourire, en disant:

– Le cours est terminé, mesdames. Un gros merci pour votre attention. À jeudi!

Dix minutes plus tard, le brouhaha s'est éteint, et Flavie peut rejoindre Catherine Ayotte, encore sagement assise à une table. Elle se laisse tomber sur une chaise en face d'elle et s'écrie:

– Enfin terminé! Je n'aurais jamais cru que c'était aussi exigeant, d'enseigner. Comme si, en moi, j'avais la corde d'un arc qui restait tendue du début à la fin!

– Vous vous débrouillez à merveille, réplique Catherine candidement. C'est un bonheur que d'assister à votre cours.

– Me semble que je vous rebats honteusement les oreilles...

– N'ayez aucun scrupule à ce sujet. Je me régale de replonger dans la matière.

L'ex-novice a plaidé auprès de Léonie pour être acceptée comme auditrice occasionnelle à l'École de sages-femmes, tout en insistant pour payer l'entièreté des frais de formation. Elle a cependant pris goût à cet apprentissage, au point de ne manquer quasiment aucun cours! Les deux jeunes femmes tombent en silence, parce que les coups violents résonnent de nouveau. Probablement un ouvrier en train d'enfoncer une cheville de bois dans une poutre... Dès le départ de Léonie, les ouvriers ont installé leurs échafaudages. Le temps pressait avant l'arrivée des grands froids! En une journée, l'étage était jeté à terre et, dès le lendemain, la nouvelle charpente s'élevait... Une semaine plus tard, le toit et les murs étaient recouverts d'un lambris temporaire. Depuis, les ouvriers s'activent à isoler l'étage, maintenant si vaste qu'il donne le tournis à Flavie, et à recouvrir les murs intérieurs et le plafond.

Toutes ces opérations compliquent les activités de l'École de sages-femmes, mais les maîtresses et leurs élèves doivent bien s'en accommoder. Flavie repousse cette préoccupation envahissante jusqu'aux confins de son esprit, pour se concentrer sur la bonne nouvelle qu'elle peut transmettre aujourd'hui à sa vis-à-vis. D'abord réfractaire à l'idée de faire équipe avec elle comme accoucheuse de remplacement lorsque la grossesse de Flavie sera trop avancée, Bastien s'est peu à peu laissé séduire par les manières pondérées et l'assurance discrète de Catherine!

Cette dernière pousse un cri de joie sonore, aussitôt réprimé. Elle se contente de rire silencieusement tout en venant étreindre, fugacement, la main de Flavie, qui s'amuse fort de la manière dont cet emportement irrépressible s'est caché sous le voile des bonnes manières. Enfin, elle prend soin de préciser :

– Pendant les premiers temps, il vous faudra nous accompagner à chaque délivrance. Vous êtes d'attaque ?

Catherine hoche la tête avec un empressement ravi.

– Notre organiseur se remplit suffisamment pour assurer à Bastien une pratique presque complète avec les accouchements seuls. Je n'en reviens pas de sa renommée. Il semble le préféré de ces dames !

– Il faut dire qu'il a belle prestance, réplique Catherine d'un air coquin.

Flavie la gratifie d'une grimace enjouée, avant de rétorquer :

– Certes moins spectaculaire que celle du plaisant Philippe, n'est-ce pas ?

Catherine en devient excessivement grave. Craignant de l'avoir froissée, Flavie se reprend :

– Une remarque déplacée. Je la ravale.

– N'en faites rien. Vous risquez de vous étouffer…

Flavie hausse les sourcils, mais reste coite. Après un bref silence chargé, Catherine murmure :

– Les apparences pourraient laisser croire, en effet… Comme il m'a accompagnée dans quelques sorties, il est facile de s'imaginer…

– Il est *inévitable* de s'imaginer, la corrige Flavie. Vous savez comment les commères se font aller la langue dès qu'il y a un soupçon de fréquentations !

– Sous plusieurs angles, j'apprécie la présence de Philippe. Mais… ses mœurs ne sont pas compatibles avec les miennes. Nous en resterons à un stade purement amical.

Flavie hoche la tête, mais n'en pense pas moins. Bastien lui a tenu un tout autre discours. D'après lui, Philippe est énamouré de Catherine, mais il est paralysé par le fait que sa réputation le précède ! Sa réputation aux antipodes de celle de sa dulcinée… Flavie tente une approche conciliatrice, à la limite de la provocation :

– Je ne sais pas ce que vous reprochez concrètement à ses mœurs, mais je les trouve plutôt inoffensives. Vous savez pourquoi ? Parce qu'il ne dissimule rien. Philippe est comme un grand livre ouvert… Il est gourmand de femmes, mais il le fait au grand jour et avec une parfaite civilité. Alors que bien des hommes le font en cachette et avec mépris…

– Foin de tout cela, décrète Catherine avec un apparent détachement. Notre relation n'est pas à ce niveau. D'ailleurs, il m'a dit à quel point il appréciait ma compagnie, comme celle d'une bonne amie, sans aucune arrière-pensée.

Flavie souffle discrètement dans ses joues, puis elle gratifie sa compagne d'un clin d'œil enjoué.

– Catherine, vous êtes adorable ! Moi aussi, je suis contente de pouvoir maintenant vous considérer comme mon amie.

Son visage s'éclaire d'un large sourire, et, réconfortée par cette chaleur, Flavie poursuit avec hésitation :

– J'avais Marguerite... mais je l'ai perdue. Je lui ai écrit deux fois depuis mon retour. Sans réponse. Pour moi... je fais partie des indésirables. De ceux dont il faut se garder, de crainte de laisser le démon s'introduire...

– Le démon ? Vous exagérez...

– Pas le moins du monde. Oh ! Marguerite ne court pas grand danger, à Oneida. C'est une vie plaisante, enrichissante... Mais ce sont des fanatiques, vous savez. Ils sont persuadés que Dieu établira son royaume chez eux. Cela explique leur méfiance...

De Stephen non plus, elle n'a pas obtenu de réponse. Comme il y a toujours un risque que les missives s'égarent, elle lui a écrit une seconde fois, mais en vain. Elle tenait pourtant à lui expliquer les raisons de son départ, à s'informer de lui, à raconter sa vie ici, à Montréal... Tant pis, elle ne récidivera plus, mais elle a pris la résolution de faire parvenir périodiquement de ses nouvelles à Marguerite, une fois par saison, pour garder contact. Elle ne peut se résoudre à l'abandonner totalement à son sort. Même si leur correspondance se résume à un interminable soliloque, elle s'est promis de s'y dévouer avec constance.

Lorsqu'elle se retrouve seule, Flavie vérifie que l'attisée dans le poêle de la cuisine est suffisante pour durer encore une heure ou deux, jusqu'à ce que les ouvriers partent, puis elle range sommairement le rez-de-chaussée. Quatre hommes dans la maison, ça laisse des traces... Elle ne reviendra que le surlendemain, pour le cours du jeudi. Et Léonie qui n'a pas encore donné signe de vie pour faire savoir qu'elle est parvenue à bon port ! Cécile ne devrait-elle pas avoir accouché maintenant ?

Frustrée par ce silence, Flavie revêt sa bougrine en maugréant, puis elle peste contre la bise qui l'enveloppe dès qu'elle met le pied dehors. Elle avait cru que sa lassitude cédait enfin, mais il lui semble que, depuis quelques jours, elle n'aspire qu'à se couler sous les couvertures épaisses. Se jeter en bas du lit, le matin, exige d'elle un effort quasi surhumain ! Alors, que dire de grimper la côte...

Dans l'entrée de la maison de la rue Sainte-Monique, où elle a pénétré à pas de loup, elle s'octroie quelques minutes pour reprendre son souffle, se préparant mentalement à l'assaut qui va survenir dès que Geoffroy va avoir vent de sa présence. La famille Renaud tout entière, y compris Bastien qui est fort occupé, se décharge des soins de Geoffroy sur sa mère adoptive. Puisque le garçon compte maintenant sur Flavie pour l'organisation de son existence, son emploi du temps s'en trouve singulièrement compliqué !

En effet, elle est à peine parvenue au pied de l'escalier qu'il jaillit de la cuisine où la cuisinière l'occupe parfois. Elle se penche à demi pour lui donner une accolade, sentant aussitôt son agitation. Unique enfant de la maisonnée, trop petit encore pour sortir seul, Geoffroy est parfois comme un lion en cage. Flavie se promet bien, dès après le déménagement rue Saint-Joseph, de lui permettre de faire connaissance avec plusieurs jeunes du voisinage, dont l'aîné de Laurent. Mais en attendant, le garçonnet doit se contenter d'un logis certes vaste, mais dénué de compagnons de jeux ! Elle lui serre affectueusement l'épaule :

– Tout baigne dans l'huile, mon chéri ?

– Je faisais des biscuits, répond-il en feignant d'épousseter sa chemise. Des bonshommes en pain d'épice.

– Ils sont cuits ? J'ai un petit creux...

Il grimace légèrement, embarrassé, et Flavie se résigne à marcher jusqu'au fond de la maison, la main sur l'épaule de Geoffroy. Leur grande et sèche cuisinière est en train de façonner les friandises avec des gestes prestes et saccadés. Elle ne fera aucun reproche à Flavie, mais cette dernière a appris à déchiffrer les humeurs des domestiques. S'approchant du comptoir, elle commente avec une mine gourmande :

– Ce que ça sent bon ! La collation sera délicieuse, n'est-ce pas, Barthélémie ?

– On verra, marmonne-t-elle d'un air buté, tout en maniant l'emporte-pièce avec célérité. Faut que je me dépêche. Autrement, la pâte durcit.

– J'avais fait des bonshommes de neige, grommelle Geoffroy d'un ton accusateur, mais Lémie les a remis dans le bol.

Tout en s'empourprant, la cuisinière se défend :

– Les pains d'épice, je les ai toujours faits comme ça !

À la dérobée, Flavie gratifie Geoffroy d'une moue désolée. Difficile d'exiger davantage de souplesse de la part de Barthélémie, pour qui la cuisine est une aire de travail, pas une salle de jeu ! Elle enfourne la tôle en proférant à voix basse :

– La pâte à modeler, le jeune monsieur en a tout un seau. Et puis, il a fallu que je lui coure après parce qu'il allait manger un gros pâton !

– C'est vrai ? relève Flavie, en jetant un regard fâché au garçonnet. C'est vilain, Geoffroy. Tu sais que la pâte crue donne mal au ventre !

Il fait une moue mi-repentante, mi-défiante. Elle ajoute :

– En conséquence, tout à l'heure, tu n'auras qu'un seul biscuit au lieu de deux. Allez, on déguerpit !

Elle le pousse devant, et tous deux se dirigent vers l'escalier, qu'ils grimpent. Une seule lampe brille dans le corridor, installée à la tombée de la nuit par Lucie, et Flavie allume deux bougeoirs avant de pénétrer dans le boudoir, avec Geoffroy qui la suit comme un petit chien sur les talons. Une fois dans la chambre, il se jette sur le lit en émettant un grognement d'extase. Flavie accomplit les gestes coutumiers : d'abord fermer les volets sur les fenêtres à carreaux et tirer les légers rideaux, puis ôter sa jupe et son corsage qu'elle range soigneusement pour le prochain cours, se débarrasser du léger bonnet qu'elle porte constamment en public, passer sur le pot de chambre caché par un paravent...

Tout ce temps, Geoffroy se vautre sur la couche. Comme il lui est interdit de pénétrer dans la pièce sans Flavie, Bastien ou Lucie, il jouit donc intensément de ce moment de bonheur. Lorsqu'elle émerge de derrière le paravent, il s'est réfugié dans la penderie de son père, passant à toute vitesse entre les vêtements suspendus comme s'il louvoyait entre des obstacles. Tandis qu'elle enfile, par-dessus sa chemise, la jupe et le corsage qu'elle réserve pour la vie domestique, elle garde un œil sur son manège.

Totalement indifférent, Geoffroy s'active dans la semi-obscurité du réduit, et ce désintérêt est assez récent pour qu'elle s'en épate encore. La première fois, quelques jours après son retour, qu'elle a accompli en sa présence ces gestes familiers, il est resté bouche bée, incapable de détacher son regard de cette femme qui se déshabillait sous ses yeux. Elle a réalisé alors que bien entendu, chez les religieuses, jamais il n'avait été témoin d'un tel spectacle...

Pendant un court moment, elle s'est sentie plongée dans les affres du doute : si elle-même avait vu ses parents en chemise de nombreuses fois, si elle avait forcément aperçu leurs organes génitaux à quelques reprises, Geoffroy n'était pas réellement son fils... Pouvait-elle se permettre la même liberté d'action ? Mais ne devait-elle pas le considérer *comme* son fils ? Elle n'allait pas se compliquer à ce point la vie en se cachant de lui ? Le fait que Bastien ne se gênait pas pour se mettre à l'aise devant le garçonnet ne l'a rassurée qu'à moitié. Elle imaginait sans peine la mine outragée de plusieurs bourgeoises de sa connaissance pour qui tout, ou presque, était occasion de péché !

Geoffroy s'est remis de son choc, et sa stupéfaction s'est transformée en curiosité insatiable. Elle l'a senti intensément avide de déceler, sous la forme imposée par les vêtements, les contours réels d'un corps féminin. D'autres auraient désavoué cet intérêt, selon eux malsain ; mais Flavie a été élevée à une autre école, celle qui estime que seuls les secrets et les interdictions, surtout dans ce domaine, suscitent une attirance exagérée. Elle fait mine de rien si, par accident, il entrevoit son sein ou sa fesse... Depuis longtemps, elle a compris que le mal est une vue de l'esprit entretenue par les prudes qui, par malheur, exercent une influence croissante sur les mœurs canadiennes.

Parfaitement accoutumé aux exhibitions de sa mère adoptive, Geoffroy les dédaigne maintenant avec un détachement souverain. Il préfère se vouer à une exploration sans fin des multiples trésors que recèle une chambre d'adultes. Il se glisse sous le lit ou fouine dans les tiroirs, il chausse les souliers de son père et se pavane coiffé de ses casquettes, il se pare des quelques colliers de Flavie et enfile même, hilare, son unique corset...

Enfin vêtue, les épaules couvertes de son châle le plus épais, Flavie s'affale sur son lit. Elle aspire à un moment de calme parfait, à dix minutes d'un silence dans lequel elle sombrerait, mais Geoffroy joue à la cachette derrière les rideaux de la fenêtre, réclamant son attention à grands cris. Elle roule sur le côté et tente d'entrer dans son jeu. Il est parfois si rafraîchissant de retomber en enfance, d'oublier tout ce qui occupe normalement la tête d'une sérieuse personne... Mais en cette toute fin d'après-dînée, Flavie se décourage devant cet effort surhumain. Elle se résout plutôt à l'entraîner à sa suite vers le rez-de-chaussée, pour un goûter qui a déjà trop tardé.

Flavie l'installe à table, et il grignote son pain d'épice. Sa grand-mère s'est démenée pour lui apprendre à ne pas systématiquement dévorer! Flavie profite de ce moment de calme pour revoir avec lui son cahier d'écriture. Un an plus tôt, dès que le garçonnet a été suffisamment apprivoisé, les parents de Bastien ont entrepris son instruction, instaurant une courte période d'études à chaque matin.

Geoffroy est maintenant capable de déchiffrer, même si laborieusement, les textes simples qui sont placés entre ses mains. Comme de coutume, l'apprentissage de l'écriture est plus ardu, mais les progrès sont notables; presque tous les soirs, Flavie ou Bastien apprécient son travail. Ces jours-ci, Geoffroy s'initie au calcul. Il a déjà appris à distinguer les chiffres jusqu'à vingt, qu'il s'applique à tracer dans son cahier. Cette nouvelle matière l'excite au plus haut point, et c'est avec une très bonne volonté qu'il s'assoit devant le pupitre d'Édouard, qui lui a ouvert magnanimement les portes de sa bibliothèque, pour une heure d'efforts. Le grand-père a même dégagé une étagère pour y placer, bien en évidence, ses livres de lecture!

La jeune accoucheuse demande ensuite à Geoffroy de lui raconter sa journée, autant pour s'assurer qu'il a pris un bol d'air en accompagnant Archange au marché que pour corriger certains travers de langage. Sur le coup de six heures, Édouard survient, et le garçonnet s'empresse de l'entraîner dans la cuisine pour lui offrir un biscuit. Peu après, Archange surgit à son tour, excitée par les choix que Julie et elle viennent de faire concernant la confection de vêtements de grossesse.

Tout animée, elle dépose devant Flavie quelques échantillons de tissus qui, d'après elle, iraient à sa bru comme un gant! Cette dernière se cantonne dans une neutralité prudente, finissant par avouer à sa belle-mère à quel point elle se sent rechuter dans ses symptômes de fatigue. Archange n'a pas le temps d'être compatissante : Barthélémie se pointe pour s'enquérir du souper. La dame d'une cinquantaine d'années est travaillante, mais plutôt lunatique, et il y a fort à parier qu'elle a complètement oublié les recommandations que sa patronne lui a faites le matin même !

La routine habituelle s'installe. Geoffroy sautille, selon sa fantaisie, entre chacun des membres de la maisonnée. Revenue dans son boudoir, Flavie voudrait bien réussir à remplir de livres, en prévision du déménagement, la malle béante qui attend depuis au moins une dizaine de jours ! Elle et Bastien sont censés faire un ménage préliminaire dans leurs bouquins avant de les ranger, mais Bastien tarde à outrance. Mécontente, elle saisit une pile de ses propres livres, qu'elle place sur ses genoux pour les examiner. Tiens, les *Essais de médecine sur le flux menstruel et la curation des maladies de la tête*... Elle n'était parvenue qu'à la moitié de cette étude ancienne, mais pourtant fort instructive...

Dix minutes plus tard, Bastien entre dans la pièce à grandes enjambées, et elle sursaute, refermant le livre d'un coup sec comme une enfant prise en flagrant délit de fainéantise. Échevelé, l'air préoccupé, son mari la considère froidement. Elle esquisse un sourire contraint, et il jette :

– Te voilà ? Plongée dans ce bouquin depuis des heures, j'imagine ?

Flavie préfère ignorer cette remarque d'une flagrante mauvaise foi. Elle dit plutôt :

– Je commençais à ranger... Il faut faire un tri dans nos livres, tu te souviens ?

– Fort bien, grommelle-t-il. Mais moi, je cours après ma queue, alors...

Il disparaît dans leur chambre. Flavie tente de se faire une idée précise de ce qui peut tant l'occuper, mais elle n'y arrive pas. Il n'a pas de clinique, sa clientèle est en construction... D'accord, il supervise les travaux rue Saint-Joseph, mais ce n'est pas la mer à boire! De l'autre pièce, il lance d'une voix forte:

– On déménagera tous mes livres. Je les passerai au crible quand on videra les malles! Après tout, c'est toi qui insistes pour ce ménage, mais j'ai l'intention de quasiment tous les garder, alors...

Elle fait une grimace de mécontentement. Si elle l'écoutait, ils charrieraient jusqu'au faubourg Sainte-Anne même ses chemises élimées de clerc en médecine! Elle ne connaissait pas encore cet aspect de sa personne, cette répugnance à se plonger la tête dans ses vieilles affaires... Elle imagine les luttes entre Archange et lui lorsque la famille Renaud a dû délaisser la vaste demeure qu'elle habitait, du temps où elle l'a connu, pour celle-ci. En a-t-il conservé une véritable répulsion pour ce grand branle-bas? Mais Flavie croit plutôt qu'il s'agit d'un trait de caractère amplifié par une jeunesse sans souci, baignant dans le luxe...

Elle dépose une troisième pile de ses livres dans la malle quand il fait irruption dans le boudoir, en chemise et pantalon à bretelles. Il la considère avec impatience:

– Ce que tu traînes... Je t'ai dit que tu pouvais remplir la malle! J'ai foutrement hâte de la voir refermée...

– Je n'ai pas que ça à faire, riposte-t-elle. Ce matin, je n'ai pas eu une minute. Geoffroy, il faut le nourrir, l'habiller, l'occuper...

– Cesse ton boniment, la coupe-t-il sans ménagement. Je le sais, je l'ai fait longtemps.

– Et puis je dois arriver à l'école à l'avance, pour ranger...

– Je t'avais prévenue! J'étais mécontent quand tu as accepté cette tâche. C'est beaucoup pour toi, surtout dans ton état.

Flavie se raidit comme une barre de fer. Elle déteste cette expression employée à tort et à travers par les dames, ainsi que par leurs maris, leurs médecins et leurs proches, bref, par un tas de personnes qui veulent signifier ainsi qu'une femme enceinte est un être amoindri, dont les maigres forces sont entièrement consacrées à engraisser la vie qui fleurit dans son ventre.

Pis encore : dès le moment où elle s'est mise à accompagner les bourgeoises dans leurs couches, Flavie a été frappée par le fait qu'aux yeux de bien des gens une future mère ne s'appartient plus, mais devient propriété publique. L'état de grossesse entraîne une kyrielle de craintes non fondées, d'alarmes injustifiées, de recommandations fantaisistes !

– Enseigner, c'est un plaisir, maugrée-t-elle. Même si les ouvriers profitent du moindre prétexte pour venir faire un brin de jasette à ces demoiselles…

– Justement, j'ai rencontré le responsable du chantier ce matin. J'ai passé l'avant-midi rue Saint-Joseph.

– Pour vrai ? Tu aurais pu en profiter pour donner un coup de balai…

– Je lui ai fait part de mon désir de faire installer dès maintenant les tuyaux d'eau, avant que le sol ne gèle. Comme ça, sitôt que la corporation municipale se décidera…

Cessant son rangement paresseux, Flavie fait une grimace de contrariété et lève vers Bastien un regard irrité. Tous deux ont pourtant discuté à plusieurs reprises de ce projet trop précipité ! La Ville mettra peut-être encore deux ou trois ans avant d'éventrer la rue Saint-Joseph. Alors, pourquoi consacrer dès maintenant une telle somme d'argent à cette entreprise ? Elle le sermonne donc :

– Je ne comprends pas ton obstination. Les travaux coûtent déjà très cher et…

– Je te l'ai dit ! D'après mes informations, nous serons branchés à l'aqueduc l'été prochain !

– Pour moi, ton espion au conseil de ville est un tantinet optimiste... Beurrée de sirop, Bastien! Moi, je tiens les comptes et je vois bien à quel point nos dépenses grimpent!

Il ravale sa réplique, mais Flavie devine qu'elle concernait la générosité de son père. Geoffroy entre en chantonnant, son animal en peluche préféré sous le bras. Lui accordant à peine un coup d'œil agacé, Bastien rétorque à Flavie:

– Ce n'est pas une dépense, mais un investissement. Je n'ai quand même pas besoin de te faire un dessin? Avoir l'eau courante, c'est...

– C'est un luxe qui impressionne la clientèle, pour le sûr!

Soudain, Flavie fulmine de colère et elle se dresse comme un coq sur ses ergots:

– Mes objections, tu les connais, mais tu fais comme si elles comptaient pour des prunes! Je te dis que c'est trop cher pour nos moyens, veux-tu bien m'écouter? J'ai vécu toute ma vie dans cette maison sans eau courante, alors je peux m'en passer encore! Mais je parle à un mur. Ton idée est déjà toute faite! Toi, tu veux des champlures parce que ça fait chic, parce que d'aller puiser ton eau, ça te semble indigne de ton rang! Si tu voulais vivre dans un palais, il ne fallait pas choisir la rue Saint-Joseph!

Père et fils la dévisagent, le premier visiblement en rogne, le second bouche bée. Possédée par une envie de piétiner les livres qui traînent par terre, elle trépigne de colère:

– J'en ai plein mon casque!

Elle s'enfuit dans la chambre et se laisse tomber à plat ventre sur le lit. Sa gorge est serrée comme dans un étau et elle a toute la misère du monde à respirer normalement. Surprise de sentir sa fureur remplacée par un chagrin croissant, elle veut inspirer posément, mais son corps la trahit en lui faisant émettre un gémissement. Ce poids qui l'a oppressée toute la journée, c'est la tristesse d'une perte, celle de Simon, à laquelle elle ne s'habitue pas... Parfois, les paroles de consolation de John Noyes, à la suite du décès de John Miller, lui reviennent en mémoire. La transaction de Dieu a un but, disait-il, et les disparus font décupler les échanges avec le monde spirituel. L'important, c'est de dépasser le tourment possessif et de s'abandonner à la croyance selon laquelle l'amour du Christ transcende tout, même la mort.

Flavie sent une caresse contre sa tempe, puis elle entend une voix d'enfant dire avec gentillesse :

– Tiens. Je te prête mon toutou, si tu veux.

Ce tendre geste suffit pour faire jaillir ses larmes. Elle tourne la tête vers Geoffroy, debout à côté du lit, et tente de lui sourire. D'une voix étranglée, elle balbutie :

– Merci. Je veux bien.

Il le place tout contre Flavie, qui l'entoure de son bras, puis il jette un regard vers la porte d'entrée, lançant en guise d'avertissement :

– Elle pleure.

D'une voix très basse, pour le bénéfice du garçon seul, Flavie souffle, après un reniflement qu'elle a voulu discret :

– Je pense que... je m'ennuie de... mon papa.

Comme si des vannes s'ouvraient, une puissante vague de peine la submerge, et elle cache son visage dans le couvre-lit pour sangloter. Quelqu'un s'assoit sur la couche, à proximité, et la voix changée de Bastien s'élève.

– Viens ici, mon garçon... Tu as bien fait de venir. Il ne faut pas laisser tout seul quelqu'un qui a du chagrin.

– Moi, à l'hospice, quand un enfant pleurait... j'allais le consoler. Les plus petits surtout, ils braillaient souvent... Ils nous empêchaient de dormir.

– Et toi, on venait te consoler, quand tu pleurais ?

Un silence suit. Après un temps, le jeune médecin reprend :

– Le papa de Flavie, c'était un homme bien. Un jour, quand tu seras plus grand, je te parlerai de lui… Flavie est encore très triste.

Se dressant sur ses coudes, elle tourne un visage courroucé vers Bastien, pour proférer :

– Des fois, je voudrais dire aux ouvriers d'arrêter. Des fois, je voudrais les empêcher de tout mettre à terre, de faire disparaître toutes les traces de lui !

Il la considère avec étonnement, avant de dire prudemment :

– Je n'avais pas vu… les choses de cette manière. Il en restera beaucoup, ma chérie. Tout le rez-de-chaussée… le jardin…

– Sur le mur de leur chambre, derrière la porte… Papa nous mesurait et pour montrer qu'on grandissait, il faisait des marques… J'avais oublié. Les ouvriers ont tout détruit…

Son mari fait une grimace d'impuissance, puis il pose une main apaisante sur sa hanche. Instantanément, ce poids et cette chaleur font circuler une onde de réconfort dans tout le corps de Flavie, qui se laisse retomber à plat ventre, les yeux fermés. Elle murmure :

– Je suis contente que tu sois venu. Que tu ne me fasses pas grise mine.

Il pousse un profond soupir.

– J'ai failli. Quand les soucis nous encombrent la tête… Tu veux bien descendre maintenant, Geoffroy ? Je crois que le souper est sur le point d'être servi.

Flavie se redresse de nouveau et tend l'animal en peluche au garçon.

– Je n'en ai plus besoin, maintenant que j'ai ton papa… Je te remercie, il m'a bien aidée.

Geoffroy lui adresse un sourire lumineux, puis il part en courant. Flavie saisit la main de Bastien pour le tirer vers elle.

– Viens te coucher, je t'en prie…

Il s'allonge à ses côtés, et elle se blottit dans ses bras, respirant à plein nez l'odeur de son cou. Elle bredouille enfin :

– Je ne croyais pas que… tout ce branle-bas me remuerait tant.

– Tu es fatiguée. Je le vois à tes yeux…

Elle inspire pour se donner du courage, puis elle laisse tomber :

– Ce sera une belle maison.

– J'y mets beaucoup d'énergie. Je crois que tu ne réalises pas… Il faut voir à tout ! Tiens, ce matin seulement, j'ai passé une grosse heure à houspiller les ouvriers parce qu'ils bâclaient l'ouvrage. Après, j'ai rentré plein de bûches, puis j'ai descendu plein de retailles de bois, puis j'ai sorti plein de déchets !

Elle l'étreint avec vigueur. Il lui semble qu'il y a des semaines qu'elle ne s'est pas reposée ainsi, tout contre lui… Bastien interroge, avec précaution :

– Pour les tuyaux… Ce serait vraiment une folie que de les installer maintenant ?

– Si ton père est paré à combler les trous dans notre bourse…

Après un court silence, il ajoute :

– J'y tiens vraiment.

– D'accord. Je vais cesser de me ronger les sangs pour rien. Par contre… tu veux bien jeter un œil sur tes livres ?

Il pouffe de rire.

– Marché conclu ! Je t'aime, mon petit chat sauvage.

Elle se hausse pour baiser doucement ses lèvres, puis elle lui raconte dans un chuchotement :

– Plus tôt dans la journée, je marchais en ville et… je regardais autour de moi et… je me suis sentie comme sur une terre étrangère. C'était bizarre, comme si je ne reconnaissais plus rien autour de moi… En fait, c'était pire encore, comme si le monde qui m'entourait n'avait plus aucun sens, comme si c'était le chaos !

Chamboulée, elle fait une pause, puis elle reprend :

– Ça m'est arrivé plusieurs fois… Je ne t'en ai pas parlé parce que… le temps se bouscule, mais à Oneida, il y avait quelque chose de… Il y avait cette certitude de faire partie de… de quelque chose de quasiment organique, tu vois ? Les liens étaient si forts entre les membres de la communauté… Même moi, même si je n'étais pas aussi parfaitement intégrée que les autres, je sentais leur bonheur à se consacrer au bien-être de personnes si proches, si chères. Je m'ennuie d'eux. C'était si fraternel… La solidarité humaine, je l'ai sentie là-bas comme jamais. À dire vrai, je n'osais pas t'en parler. J'ai peur que tu t'imagines que… que je regrette d'être revenue.

– Tu ne regrettes pas ?

– Comment je pourrais ? Comment je pourrais, quand je sais ce que Noyes aurait exigé de moi ? C'est tellement dommage… C'est la seule perversion que je vois à ce système… mais c'en est toute une. Cette niaiserie de l'accord charnel *forcé* entre tout un chacun… Mais il n'empêche que les travers de notre monde me sautent aux yeux. Chacun pour soi, au plus fort la poche… Tu crois qu'un jour on réussira à vivre ensemble, vraiment ? Ensemble, l'un pour l'autre et non pas l'un contre l'autre ?

– Tous les deux, on a déjà de la misère à le faire. Moi, du moins, j'oublie trop souvent de vivre *ensemble avec toi*… Alors, tu imagines des centaines de millions d'individus ?

Flavie réplique par une éloquente grimace, qui le fait sourire.

– Ce que tu es ravissante ainsi… positivement croquable !

Elle lui tire la langue, et il pouffe de rire.

– C'est déjà mieux… Prête-la-moi un instant.

Elle approche sa bouche de la sienne. Ils s'embrassent longuement, jusqu'à en perdre le souffle, puis il la presse impérieusement contre lui.

– Ce soir, je serais bien d'accord pour une cure ravigotante. Comment ils disaient, là-bas ?

– Ils disaient des tas de choses. Mais surtout, ils agissaient…

– Impossible de le nier, riposte-t-il avec une moue contrariée. Ils agissaient… Nous agirons donc, ce soir, si tu le veux bien. En attendant, allez ouste ! Ton assiette va refroidir.

Sans rechigner, elle se laisse entraîner hors de la pièce, tout en songeant à cette singulière ambivalence qu'elle ressent envers la communauté perfectionniste d'Oneida. D'un côté, une vive sympathie pour cette expérience unique, pour cette volonté manifeste d'improuver un mode de vie bancal ; et de l'autre, un puissant dégoût pour ce collectivisme poussé à l'extrême dans les exigences amoureuses. D'un côté, le regret de rapports sociaux extrêmement simples et d'une existence à la fois tranquille et variée ; de l'autre, du mépris envers certains aveuglements doctrinaires, comme envers le besoin maladif du fondateur d'exercer un contrôle absolu sur ses brebis. Sans conteste, cette année en sol américain a marqué Flavie bien plus qu'elle ne l'aurait cru…

Chapitre XXII

Son bagage en bandoulière, Léonie chemine dans la rue Saint-Joseph ouatée d'une mince couche de neige. Comme le contraste avec le hameau perdu où Cécile et sa famille ont élu domicile lui paraît saisissant ! Un léger sourire flottant sur ses lèvres, elle se morigène intérieurement : ce n'est pas un hameau perdu, comme Daniel l'affirme avec énergie, mais un village qui se situe stratégiquement au carrefour de plusieurs voies commerciales, et donc promis à un brillant avenir ! Mettons que, pour l'instant, il faut le croire sur parole…

Les yeux fixés à l'endroit où se dresse normalement son domicile, Léonie cherche en vain sa silhouette familière. Son cœur se met à battre à toute volée lorsqu'elle réalise que cette imposante maison qui domine maintenant toutes ses voisines, c'est la sienne ! Frappée d'étonnement, elle tombe en arrêt à quelques encablures. Le toit a été rehaussé d'au moins deux pieds. Il a perdu ses lucarnes et sa traditionnelle forme d'accent circonflexe, pour adopter un style élégant, aux parois verticales agrémentées de fenêtres à carreaux d'une bonne dimension et surmontées d'un toit à peine pentu. Sa maisonnette est devenue un manoir, un château ! Les commères des alentours se moqueront d'une telle démesure ! Elles diront que les Montreuil sont devenus prétentieux et qu'ils pètent plus haut que le trou…

Avec réticence, Léonie reprend sa marche. Un panache de boucane s'échappe de la cheminée, montant tout droit vers le ciel dans l'air cristallin de décembre ; elle se réconforte en pensant que la cuisine sera chaude à son arrivée. S'attendant à découvrir son foyer sens dessus dessous, elle pénètre silencieusement dans la salle de classe, déserte en ce mercredi. Mais la pièce est à peu près telle que Léonie l'a laissée un petit mois plus tôt… À moitié rassurée, elle se débougrine rapidement. Ses pantoufles ne sont nulle part en vue ; elle enfile celles de Flavie, tout en écoutant les voix mâles, dont celle de son gendre, qui résonnent dans la cuisine.

Lorsque lui parvient le son strident d'une scie qui attaque du métal, elle grince des dents et attend le retour d'un relatif silence avant de se présenter dans l'encadrement de la porte qui donne sur la cuisine. En manches de chemise, Bastien est en train de ramasser des débris qui traînent, tandis que deux ouvriers s'activent dans l'une des extrémités de la pièce. Un désordre notable règne, et Léonie se mord la lèvre de contrariété. Après tout ce temps passé à partager un petit espace avec une famille de cinq, dont un bébé naissant, elle aspire à une certaine tranquillité !

C'est un ouvrier qui la remarque tout d'abord et qui interrompt son travail pour lui adresser un salut timide. Bientôt, Bastien pousse une exclamation de surprise et s'empresse de venir à elle pour l'embrasser, le visage allègre.

– Bienvenue chez vous, belle-maman ! Venez vous asseoir, le voyagement a dû être épuisant. La chaise berçante est toujours à sa place, à peine poussiéreuse… Installez-vous près du poêle, nous avons presque fini.

Réchauffée par la sollicitude de son gendre, Léonie esquisse un sourire de gratitude avant de lui obéir, non qu'elle soit épuisée, mais parce qu'elle ne saurait, autrement, où poser les pieds ! Bastien la présente aux deux ouvriers, puis il la laisse à elle-même pendant qu'il refoule les déchets au centre d'un vieux drap posé par terre, avant d'en faire un lourd baluchon. Les ouvriers s'activent devant quelque chose qu'elle ne peut distinguer, et c'est Bastien qui, de retour de la cour arrière, lui raconte avec enthousiasme qu'il ne reste qu'une seule journée d'ouvrage avant que les tuyaux d'eau soient fonctionnels.

Léonie ouvre de grands yeux, tout en tâchant de distinguer, derrière les ouvriers, ce nouvel évier de cuisine orné de champlures. Elle n'a pas le temps d'émettre une seule protestation : le jeune médecin s'affirme persuadé d'y voir jaillir de l'eau dès l'été prochain. Il la questionne ensuite :

– Vous avez remarqué le plancher de la salle de classe ?

Lorsque Léonie répond par la négative, il se rengorge :

– Rien n'y paraît, n'est-ce pas ? Pourtant, les tuyaux passent sous le plancher ! Dans un an ou deux, si je me décide, je pourrai même avoir un lavabo dans mon bureau.

Attendrie par son emballement, Léonie se laisse aller dans la berçante, les yeux mi-clos, observant les allées et venues du trio. Son gendre se démène pour replacer la pièce dans un ordre convenable, puis il saisit le balai tandis que les ouvriers ramassent leurs outils. Quinze minutes plus tard, Bastien et elle se retrouvent seuls. Son ménage sommaire terminé, il vient à elle et lui tend la main.

– Venez admirer l'étage. C'est de toute beauté... Le temps a manqué pour changer l'escalier, mais dès l'automne prochain, je me promets bien...

Il l'entraîne jusqu'au pied des marches, puis la fait passer devant lui dans l'escalier. Tout en le gravissant, Léonie est frappée par la lumière du jour qui, déjà, lui parvient d'en haut. Lorsqu'elle met le pied sur le palier, elle retient un cri d'étonnement. Toutes les anciennes cloisons ont été jetées à terre et l'espace est entièrement remodelé pour tirer le meilleur parti de la superficie. Un large corridor s'étire jusqu'à une fenêtre près de laquelle est installée une chaise.

Sur ce corridor, peint en blanc crème, donnent quatre portes grandes ouvertes. Son gendre sur ses talons, Léonie entre successivement dans chacune des pièces encore vides, s'émerveillant des plafonds hauts, des penderies, des magnifiques planchers cirés tout neufs et qui fleurent bon le bois... Sur le seuil de la quatrième chambre, elle s'arrête, saisie par le joli décor qu'elle vient d'entrevoir. À mi-voix, Bastien dit :

– Vous voici chez vous. Donnez-vous la peine d'entrer. C'est Flavie et ma mère qui l'ont décorée. Si ce n'est pas à votre goût, vous n'aurez qu'à le dire...

– Pas à mon goût ? Bastien, c'est ravissant ! Il ne fallait pas vous donner cette peine...

– Bien sûr qu'il le fallait. Vous le méritez !

Elle reconnaît à peine son lit. Si le sommier de bois et la tête sculptée lui sont familiers, elle devine que le matelas, les draps et les oreillers sentent encore l'entrepôt... Une nouvelle courtepointe remplace l'ancienne qui, à vrai dire, tombait en loques. À sa commode à tiroirs et à son coffre s'ajoutent un chiffonnier et une jolie chaise berçante placée près de la fenêtre, laquelle s'orne d'épais rideaux fleuris. Enfin, un tapis rond tressé est placé à côté du lit où sont rangées, bien alignées, ses pantoufles...

Émue, Léonie se tourne à moitié vers Bastien pour lui étreindre la main. Elle murmure :

– Je suis choyée comme une reine...

Il pouffe de rire et réplique gentiment :

– Je ne sais pas à qui vous vous comparez, mais si c'est aux anciennes reines de France, leurs soubrettes étaient mieux logées que vous !

Léonie rit avec abandon. Soudain sérieux comme un pape, il reprend :

– J'ai plein de projets pour cette maison, si vous saviez ! Ça tournoie dans ma tête. Tant qu'à faire, j'aurais voulu agrandir aussi le bas, pour qu'on puisse bénéficier d'une pièce supplémentaire et d'une salle d'eau... Mais ça viendra. Chaque chose en son temps, n'est-ce pas ?

– Je ne vous le fais pas dire, répond-elle avec entrain. Vous savez que les vieilles personnes détestent les changements subits !

Il s'esclaffe de nouveau, puis la saisit par les épaules pour l'entraîner vers le corridor.

– Allez, ma belle vieille, on redescend ! Il me reste quelques petites choses à vous expliquer avant de sacrer mon camp...

Une demi-heure plus tard, Léonie se retrouve seule, plantée debout en plein milieu de la cuisine chaude. Elle a du bois pour plusieurs jours, et la veille, en prévision de son retour, Flavie a rempli le garde-manger. Malgré les quelques changements, dont cet évier étrange qui semble lui faire de l'œil, Léonie reprend ses gestes familiers. Maintenant, elle est parfaitement habituée à omettre le couvert de Simon et à ne garnir qu'une seule assiette. Elle a réussi à se dépouiller de cette seconde personnalité qu'elle s'est forgée en se mariant, cette habitude de porter son homme en elle et d'agir pour eux deux. Elle est redevenue singulière, seule avec elle-même... Si c'est avec chagrin qu'elle s'est ainsi délestée, elle se sent aujourd'hui plutôt à l'aise, étonnamment légère, presque aérienne.

Le souper est expédié et la cuisine vite fermée, parce que ce qui l'attire par-dessus tout, c'est de se retrouver dans sa chambrette et de se glisser au creux des draps. Néanmoins, après avoir posé le bougeoir sur sa commode, elle prend le temps de contempler le paysage nocturne à travers sa fenêtre un peu givrée. Elle a l'impression de dominer la rue comme jamais auparavant... Superflus avec cette fenêtre double de qualité, les volets intérieurs ont été omis, et c'est avec un geste de châtelaine orgueilleuse que Léonie tire les rideaux. Lorsqu'elle entrebâille la douillette, elle découvre, soigneusement pliée, une chemise de nuit neuve, épaisse et douce, et ce geste attentionné fait monter des larmes à ses yeux.

Le lendemain matin, Léonie est en train de laver sa vaisselle du déjeuner quand Flavie fait irruption. Mère et fille s'étreignent, puis la seconde s'informe de la fin du séjour de Léonie dans les Eastern Townships. Une lettre l'avait prévenue de l'issue heureuse de la délivrance de Cécile, qui est maintenant mère d'un garçon, Timothée. Les deux femmes s'installent à l'aise pour bavarder tout en reprisant, et Léonie raconte tout ce qu'elle n'a pas pu narrer dans ses courtes missives : la maisonnette de bois pourvue d'une seule large pièce au rez-de-chaussée et d'un grenier où les provisions sont entreposées, le rare courrier traité sur la table de la cuisine, les travaux d'amélioration qui occupent Daniel à journée longue... Elle raconte le village et ses habitants, de même que l'espoir qui anime tout un chacun d'embarquer dans le train de la prospérité.

Ensuite, c'est au tour de Flavie d'éclairer Léonie sur le sort de son école et de ses élèves. La jeune accoucheuse s'avoue enchantée de l'expérience, mais pas fâchée du tout de déposer les rênes dans la main de la maîtresse sage-femme pour les deux dernières semaines d'enseignement. Le jour du déménagement approche à grands pas, et Flavie est absorbée dans les préparatifs ! Heureusement qu'ils n'ont pas un ménage complet à transporter... De surcroît, elle a déjà accompagné quatre de leurs clientes, à Bastien et elle, et trois autres approchent de leur terme ! Les yeux brillants, Flavie ajoute :

– J'avais peur d'avoir oublié les gestes, mais je crois que ça ne se perd pas ! Tu sais, maman ? Je m'ennuyais fièrement du métier. À Oneida, je n'ai pas eu vraiment le temps de m'appesantir, mais depuis, j'ai réalisé à quel point ça me manquait.

– Tu as le don, affirme Léonie en souriant. Ça aurait été un crime de ne pas le faire fructifier !

Après avoir jeté un regard circulaire autour d'elle, Flavie reprend :

– Au début, j'avais peur de la réaction du voisinage. Je veux dire, au début des travaux… Je voyais le toit monter et je me disais qu'on allait nous prendre pour des snobs ! Mais laisse-moi te dire que les gens sont ravis de voir un médecin débarquer dans le quartier, de même qu'une accoucheuse diplômée ! Imagine-toi : l'autre jour, j'ai eu la visite de Fleurette Brouillère. Enfin, Fleurette Racicot, de son nom de femme mariée. Tu te souviens, la fille du tailleur de la rue Chaboillez ? Sa mère, Émérine, fabrique les corsets de toutes les dames pincées du coin…

– Si ma mémoire est bonne, remarque Léonie en souriant, elle avait souvent Notre Seigneur en bouche.

– Eh bien, Fleurette est grosse. Probablement des jumeaux. Le premier, elle l'a perdu à cinq mois de grossesse. Bref, elle nous a engagés ! Tu te rends compte ?

– Bastien a eu du flair. Presque tous ses collègues préfèrent le faubourg Saint-Jacques ou les belles avenues du faubourg Saint-Antoine, mais ils se font une féroce concurrence ! Tandis qu'ici…

– Les mœurs changent, maman. Ici, tous ceux qui aspirent à une position, tous ceux qui ont le moindrement du bien, ils veulent rattraper la mode du médecin-accoucheur.

– Parlant de grossesse… La tienne se déroule sans anicroche ?

Flavie s'empresse de rassurer sa mère. Aucun saignement ni perte d'aucune sorte, aucune douleur, et tous les symptômes de malaise stomacal disparus : que demander de mieux ?

– Et ta taille, elle s'épaissit ?

– Déjà un peu… J'ai déplacé les boutons de mes jupes, mais bientôt, ça ne suffira plus. Comme Bastien préfère me voir remplir des malles que coudre des jupes, j'ai confié ce travail à une couturière.

Léonie veut se relever pour vaquer à quelques autres occupations pressantes, mais Flavie lance, l'expression embarrassée :

– Attends, il me faut te dire… C'est au sujet du cours que tu dois donner avec Rousselle.

– Tu l'as revu ?

– Pas encore. Ça viendra bien assez vite… Mais j'ai eu la visite de Marie-Claire à ce sujet.

Même si elle sent très nettement que Léonie n'a aucune envie de se lancer dans cette discussion, Flavie prend le temps de résumer la situation. Jacques Rousselle avait accepté d'avoir Léonie comme associée pour la formation parrainée par la Société compatissante, qui doit commencer le mois prochain, mais il branle dans le manche à cause de ses collègues de l'École de médecine, qui estiment ce choix malavisé. Léonie balaie la suite du revers de la main.

– Je n'ai pas l'intention de sonner le clairon de la retraite. J'ai jonglé à tout ça pendant mon séjour chez Cécile, et je trouve ces messieurs extrêmement présomptueux. La présence d'une maîtresse sage-femme est primordiale, et Jacques Rousselle devra faire avec. Je suis persuadée que Françoise m'appuiera sans réserve.

Navrée de saper un si bel optimisme, Flavie choisit ses mots pour faire part à sa mère d'un problème délicat qui est survenu depuis, et qu'elle décrit comme une rumeur encore discrète, mais persistante, qui concerne une prétendue erreur médicale lors de la délivrance d'une dénommée Victoire. Nul besoin d'expliciter davantage : Léonie pâlit et reste parfaitement immobile dans la berçante. Flavie ajoute encore :

– Marie-Claire répugne à te voir courir un tel risque, celui de ta réputation foulée aux pieds. Elle croit que le jeu n'en vaut pas la chandelle.

– Et toi ?

La question de Léonie était à peine audible. Flavie répond honnêtement :

– Je ne sais pas trop de quel bord me revirer. Peut-être que ces messieurs vont abandonner rapidement la lutte…

mais peut-être qu'ils vont s'acharner. Tu sais comment sont les rumeurs, maman. Elles s'insinuent dans notre cervelle presque malgré nous. Elles nous polluent l'intérieur...

Un grand froid est descendu en Léonie, une terreur glacée qui lui coupe la respiration. Pour faire obstacle à ce qui lui semble un sacrilège, la caste mâle de l'École de médecine est parée à laisser un mensonge se répandre! Parée même à en hâter la course! Hagarde, Léonie s'accroche au regard compatissant de sa fille comme à une bouée. Son monde s'écroule, pièce par pièce, et chaque geste qu'elle pose pour en ralentir le mouvement semble, au contraire, le précipiter! L'École de sages-femmes comme son union avec Simon ont passé de vie à trépas, et même sa position prépondérante à la Société compatissante lui semble aussi fragile qu'un malade agonisant!

Brusquement, Léonie se dresse sur ses jambes.

– Je sors me dégourdir.

– Il nous fallait discuter du cours de cette après-dînée, remarque doucement Flavie, mais ça peut attendre. Tu veux que je vienne avec toi?

Léonie secoue vivement la tête.

– Je t'attends. On dînera ensemble.

Léonie se retrouve dehors, aspirant goulûment l'air sec et glacé de cette belle journée de la toute fin d'automne. Obnubilée par son tumulte intérieur, elle laisse ses pas la mener à leur guise. Ces messieurs veulent sa tête. Ils se contrefichent de sa compétence, de même que de l'importance capitale de former des sages-femmes expertes: ce qui les obsède, c'est de faire croire au monde entier, et particulièrement à ceux qui ont le gousset bien bombé, que les médecins sont les seuls à posséder l'art des accouchements! Et Jacques Rousselle n'est pas mieux que les autres. Il serait le mieux placé pour la défendre mais, trop content de lui voler sa place, il assiste à la curée en rigolant!

Tout le bien-être que Léonie ressentait a volé en éclats. Pour l'heure, elle se sent ramenée violemment au sol, retenue à terre par des chaînes, alourdie par des poids sur les épaules! L'absence de Simon l'affole comme si on venait tout juste de l'éloigner d'elle à jamais. Comment fera-t-elle, sans lui, pour résister avec sérénité aux coups bas, aux mesquineries, aux injustices? Où puisera-t-elle la consolation?

Sans l'avoir prévu, Léonie est devant la chapelle des Récollets. Impulsivement, elle pousse la porte et reste saisie par l'atmosphère sombre et humide, aux relents d'encens. Puis, peu à peu, son regard s'élève vers la magnifique lumière qui pénètre par le seul et unique vitrail surplombant le modeste chœur. Ces couleurs chatoyantes la réchauffent jusqu'au tréfonds de son être. Elle avance entre les bancs déserts, puis se glisse sur l'un d'eux, sans bruit.

Elle reste un long moment sans presque bouger, tournant à peine la tête pour observer ce que le halo des quelques lampes à l'huile révèle: une peinture naïve ici, une statue au plâtre écaillé là-bas... Derrière l'humble autel, un retable s'anime de joyeuses dentelles de bois, et Léonie s'attendrit à l'idée qu'il est probablement fort ancien, amoureusement façonné par un ancêtre. Peut-être même fut-il transporté par navire en provenance des vieux pays au tout début de la colonie, qui sait?

Rassérénée, Léonie s'installe le plus confortablement possible, resserrant son foulard autour de son cou. Si elle croyait, c'est dans un tel lieu qu'elle viendrait prier. Elle fuirait la pompe grandiose et tristement humaine pour venir savourer, ici, un moment de paix... Si elle croyait... Elle ne sait plus qui croire. Du plus fervent catholique à l'athée fanatique, chacun proclame sa vérité! Pour sa part, Léonie croit au doute; cette pensée étrange lui tire un pauvre sourire. Elle croit au doute, parce que le doute fait rechercher, questionner, avancer. Tandis que les certitudes, elles, signifient la stagnation, l'intolérance...

Pendant les dernières années de sa vie, Simon avait fini par désarmer, lui aussi. D'une pensée conquérante qui renversait tout sur son passage, il était passé à un émouvant flottement. D'un rationalisme exacerbé et tranchant, il était passé à... à un humanisme, pourrait-on dire ? Il avait fini par comprendre que la seule loyauté indéfectible, on la doit à ceux qu'on aime. Tout le reste devrait servir de balises, mais de balises flottantes qui peuvent dériver au gré des courants...

Le cœur gonflé d'amour pour son homme disparu, Léonie clôt les paupières pour lui parler dans sa tête. Elle lui raconte, au moyen de mots et d'images, sa joie d'avoir côtoyé une Cécile épanouie, aussi à l'aise dans cet environnement pionnier qu'un poisson dans l'eau, comblée en apparence par les attentions de Daniel et par l'amour des enfants. Elle lui raconte sa joie d'habiter bientôt avec le jeune couple de praticiens et leurs rejetons, de même que celle de savoir Laurent heureux non seulement dans sa vie familiale, mais aussi dans sa vie professionnelle, puisque ses patrons de la Commission géologique l'apprécient tant qu'ils lui confient de plus en plus de responsabilités. Oui, Simon et elle ont réussi à enraciner trois beaux arbres et à encourager leur essor. C'est déjà tout un accomplissement...

Assombrie soudain, Léonie doit se résigner à aborder le problème qui la hante. Doit-elle abdiquer devant ces messieurs de l'École de médecine ? Doit-elle remettre entre les mains maladroites de Jacques Rousselle le soin de transmettre un savoir complexe et délicat ? Cela, elle ne peut s'y résoudre. Ce serait une trahison... Mais alors, que faire ? Où se situe le juste équilibre entre la protection de sa réputation et le bien-être des parturientes ?

Le carillon annonçant la fin de l'avant-midi tire Léonie d'un apparent assoupissement. Elle se lève d'un mouvement décidé, soulagée d'être parvenue, grâce à ce dialogue intérieur, à un compromis somme toute acceptable. Avant d'affronter le monde extérieur, elle jette un dernier coup d'œil sur les lieux. Il y a une chose à laquelle elle croit dur comme fer : après sa mort, elle retrouvera ses chers disparus. S'il fallait que le trépas signifie une solitude infinie, ce serait d'une cruauté sans nom, bien plus terrifiante que les flammes de l'enfer…

Ce n'est que trois jours plus tard que Léonie, en poste à la Société compatissante, trouve enfin l'occasion de faire part de sa décision aux personnes concernées. Ayant entraîné Marie-Claire dans son petit bureau, elle prend d'abord le temps de quérir de ses nouvelles, qui sont excellentes. Son amie s'est installée dans une routine qui ne manque pas de confort : aux yeux du monde extérieur, sa vie conjugale a toutes les apparences de la normalité bourgeoise mais, en fait, Marie-Claire consacre tous ses moments libres à sa relation avec Françoise qui lui procure, affirme-t-elle avec des étoiles dans les yeux, les joies les plus intenses de toute son existence !

– Le seul nuage à l'horizon, glisse ensuite la présidente, toute allégresse envolée, c'est le sort de ma Suzanne. J'ai de la misère à comprendre ce qui se passe, Léonie, mais on dirait que son univers s'écroule…

Brusquement, elle prend feu comme de l'amadou sec sous l'étincelle et elle jette d'une voix basse, mais vibrante de colère :

– Je dis des bêtises ! Je sais parfaitement ce qui se passe ! Si son fendant de mari a pris soin de cacher sa vraie nature pendant les fréquentations et les premiers temps de leur mariage, ce n'est plus le cas aujourd'hui ! Il la traite comme une moins que rien ! Il a plus de considération pour ses maîtresses qu'il entretient que pour elle !

Tout aussi soudainement, elle s'affaisse sur elle-même, en proie à un intense découragement.

– Ma Suzanne est en train de virer folle. Il va falloir qu'elle s'endurcisse, sans quoi…

– Si tu as réussi, laisse tomber Léonie, elle en est autant capable…

Elle reçoit comme un coup au ventre le regard en déroute de Marie-Claire. Cette dernière murmure, avec douleur :

– J'ai fait comme ma mère, et ma fille a fait comme moi. Marier un sans-cœur… Pourquoi est-ce qu'on n'apprend jamais de nos erreurs ?

– Parce que ce sont des erreurs cachées, répond Léonie sans réfléchir. Des erreurs gardées secrètes…

Toutes deux échangent un regard lourd de sous-entendus. Enfin, Léonie s'adosse à sa chaise, en reprenant d'un ton neutre :

– Quand tu auras retrouvé ton calme, j'apprécierais que tu ailles quérir Rousselle avant qu'il reparte. Il est à l'étage. J'ai quelque chose à vous dire.

Son attention aussitôt éveillée, Marie-Claire hoche la tête. Une dizaine de minutes plus tard, Rousselle fait son entrée à la suite de la présidente. La pièce est si petite que trois personnes y causent presque un encombrement, et le jeune médecin se résout à rester debout tout en s'adossant au mur, les bras croisés. Léonie le toise avec froideur, et il soutient l'examen sans broncher. Elle n'a plus aucune miette d'estime pour lui, ni même le moindre égard pour sa science ; elle a compris qu'il lui fallait se tenir le plus loin possible de cet homme, dans tous les sens du terme. Ce détachement total l'entraîne à ne remarquer que ses défauts : sa mollesse physique, la dureté de sa bouche, ses cernes maladifs, ses joues blêmes et vérolées…

Elle en vient immédiatement au fait, s'avouant profondément choquée par les médisances colportées par ces messieurs médecins dans le but de détruire sa réputation et de l'empêcher d'occuper le poste de maîtresse. Le praticien tique devant la brutalité de cette déclaration, mais elle lance avec provocation :

– Monsieur Rousselle, osez-vous me contester ? Osez-vous prétendre que, dans la plainte de votre père, il y avait autre chose qu'un orgueil bafoué ?

Il la regarde avec défi, mais se tient coi. Après un court silence, Léonie reprend :

– J'étais ravie, monsieur, par votre proposition de l'été dernier. Enfin, la sage-femme en chef de la Société compatissante serait à la hauteur de son titre : elle aurait tout le loisir de transmettre ses connaissances, elle deviendrait un véritable maître, encouragée en cela par l'élite médicale de la ville. Voilà ce que vous avez fait miroiter devant mes yeux, monsieur, et qui me réjouissait fort. J'ai déchanté depuis. J'ai compris que les médecins, et vous le premier, traitent les accoucheuses comme des ennemies.

Les yeux agrandis, Rousselle la fixe comme s'il ne pouvait en croire ses oreilles. Après s'être assurée de l'intérêt de Marie-Claire, Léonie enchaîne avant qu'il retrouve ses esprits :

– J'ai retourné dans tous les sens le problème qui me pendait au nez. J'en suis venue à une seule conclusion. La proposition que je vais vous faire, elle est sans appel. Ou vous l'acceptez sans discuter ou je reste à la tête de l'enseignement. Je suis résolue à défendre ma réputation jusqu'à mon dernier souffle. Je sais ce qu'il m'en coûtera mais, à mon âge, je n'ai plus rien à prouver.

Ses auditeurs sont suspendus à ses lèvres, et Léonie s'octroie un moment avant de poursuivre :

– Voici donc. J'abandonne ma place au profit d'une seule personne : le Dr Bastien Renaud. Puisque notre collègue Wittymore quitte son poste de médecin associé, je veux que M. Renaud le remplace. Je n'ai pas à démontrer la pertinence de cette proposition. Je l'ai déjà fait en abondance. Si mon gendre devient le nouveau médecin associé et s'il prend charge de l'enseignement aux sages-femmes à parts égales avec M. Rousselle, je me retire. Si, et seulement si.

Elle croise les bras d'un geste décidé. Si elle paraît parfaitement calme, il n'en va pas de même à l'intérieur : son cœur cogne dans sa poitrine. Elle a conscience de jouer son dernier atout… Manifestement, Rousselle est désarçonné, ce qui lui procure une jouissance secrète. De son côté, Marie-Claire fronce les sourcils, tâchant d'appréhender à toute vitesse les conséquences de ce changement potentiel, puis son visage s'éclaire :

– Quelle idée lumineuse ! Nous serions ravies d'accueillir enfin celui qui est considéré comme la perle des accoucheurs ! D'ailleurs, il serait plus que temps, avant qu'une autre institution ne nous le vole ! Le conseil sera enthousiaste, Léonie, j'en suis persuadée. Qu'en pensez-vous, monsieur Rousselle ?

Tournée vers lui, Marie-Claire le sollicite du regard ; ses yeux se rétrécissent dangereusement, comme ceux d'un prédateur évaluant une proie. Son éclat de fâcherie à la suite de la chicane à propos du sort de Philomène Demuy revient en mémoire de Léonie, qui s'arc-boute intérieurement. Jacques Rousselle n'est flegmatique qu'en apparence ; en réalité, c'est un homme dominé par ses humeurs ! D'une voix sans timbre, il répond enfin :

– À vrai dire, j'avais déjà un candidat en tête pour… pour prendre la place de madame l'accoucheuse.

Marie-Claire fait une moue contrariée.

– Lequel ?

– Le Dr Horace Roy.

De justesse, Léonie se retient de bondir d'indignation. Rousselle poursuit :

– Je l'ai fréquenté à quelques reprises. Nous avons tous les deux une connaissance commune : Louis Cibert. J'ai fort apprécié ce confrère dont les idées sur la profession…

– Je refuse, l'interrompt Léonie, dardant son regard noir sur Marie-Claire, abasourdie. Je refuse même que sa candidature soit étudiée par le conseil ! Ce serait le comble de la bêtise, de… de la niaiserie! Ce praticien ne va pas à la cheville de Bastien en matière d'accouchement. Pour l'amour du ciel, madame la présidente! Est-ce que ces dames du conseil vont finir par tenir compte, en tout premier lieu, du bien-être des patientes? Est-ce qu'elles vont continuer longtemps à nommer des médecins uniquement pour se gagner des faveurs?

– Je vous prie, madame Montreuil, de retirer immédiatement ces insinuations blessantes pour moi.

Posément, Léonie lève la tête vers Jacques Rousselle, maintenant planté à côté de Marie-Claire. Elle évalue son expression furibonde, avant de riposter:

– Vous vous êtes senti visé? Tiens donc… Je n'ai jamais caché, monsieur, que je ne vous considère pas comme le meilleur des accoucheurs.

– C'est pourtant à moi que vous avez fait appel pour votre mari! Alors, vous n'avez pas délibéré des heures durant sur mes capacités!

La charge est si forte que Léonie en perd sa présence d'esprit. Marie-Claire tente de s'interposer:

– Monsieur Rousselle, ne vous égarez pas, je vous prie…

Le médecin tremble maintenant de fureur et il maîtrise difficilement son débit en poursuivant:

– C'est comme on dit, deux poids, deux mesures! On me porte aux nues pour lutter contre le choléra, on me voue aux gémonies pour présider à une délivrance! Avoir su, je n'aurais pas pris cette peine! J'aurais dû laisser votre mari entre les mains de votre original de gendre, pour ce que ça m'a donné!

Sidérée, Léonie ne peut détacher ses yeux du visage qui la domine, contracté par la colère et agité de tics nerveux. Elle humecte ses lèvres sèches, puis elle rassemble tout son sang-froid pour répliquer:

– Voilà pourquoi vous êtes venu soigner Simon, monsieur le médecin? Uniquement pour que *je vous sois redevable*?

À cette idée, ses entrailles se révulsent. Hors d'elle-même, Léonie saute sur ses pieds et se précipite vers la bourse qu'elle a pris soin d'apporter aujourd'hui, prévoyant faire des courses au marché. Elle se débat avec l'attache, qu'elle réussit enfin à défaire, puis elle sort tout ce qu'il lui reste d'argent, une coquette somme tout de même. D'un coup sec, elle la dépose sur le secrétaire, devant un Rousselle aux yeux agrandis.

– Voilà votre dû. Nous sommes quittes. C'est clair ?

Il reste figé sur place, stupéfait, et finit par balbutier :

– Je ne voulais pas... Je ne peux pas accepter...

– Et comment, que vous allez accepter ! Puisque vous n'êtes pas venu au chevet de Simon par bonté d'âme, mais par calcul mesquin, vous allez accepter ! Si vous ne prenez pas cet argent sur-le-champ, je vais le porter chez vous et je fais un esclandre, vous m'avez entendu ?

À contrecœur, il prend le petit tas de pièces et le fourre dans sa poche. Un pesant silence s'installe tandis que Léonie, les émotions retournées, recule jusque derrière sa chaise dont elle saisit le dossier. Marie-Claire s'éclaircit la voix avant de laisser tomber :

– J'ai trouvé cette scène très édifiante, monsieur Rousselle. En quelques minutes, vous m'en avez appris énormément sur vous...

Elle se lève et, bien campée sur ses jambes, envisage franchement son interlocuteur, qui la dépasse de presque deux têtes. Avec une suavité parfaite, elle poursuit :

– Pour en revenir à nos moutons... J'apprécie vos efforts pour remplacer le Dr Wittymore par un candidat de qualité, mais c'est la proposition de madame l'accoucheuse, comme vous dites, que je vais défendre au conseil. Si mes raisons pour ce faire vous paraissent obscures, il me fera plaisir d'en débattre avec vous quand vous le souhaiterez. Il est grandement temps que la Société compatissante s'attache les services de cet excellent accoucheur qu'est M. Renaud. Qui plus est, un accoucheur qui privilégie le travail d'équipe et la concertation ! La pertinence de cet engagement est à ce point limpide, cher ami, que je suis ébahie devant votre réticence.

S'il ne peut empêcher son œil de cligner, Rousselle s'est dominé. Il reste silencieux, la tête tournée, jusqu'à ce que Marie-Claire l'interpelle sans ménagement :

– Avez-vous un seul argument en défaveur du Dr Renaud ?

– Pas plus que mes confrères de l'École de médecine, consent-il à dire du bout des lèvres.

– Voilà une affaire pendante résolue, se réjouit Marie-Claire en se frottant les mains. Une affaire pendante qui ne faisait pas honneur à ces messieurs, faut-il le souligner ? Tiens, m'est avis que mon conseil aura à se prononcer sur un vote de blâme au sujet d'insinuations déloyales. Enfin… M. Renaud peut considérer la place comme quasiment acquise.

– M. Renaud ignore tout de cette éventualité, déclare Léonie, posément. Je laisse au conseil le soin de faire les approches.

– Évidemment, se reprend Marie-Claire avec une moue contrite. Cela va de soi. La discussion est close, monsieur Rousselle ?

Il se contente de faire un signe de tête discourtois, puis il quitte la pièce en trois enjambées. Dès qu'il a disparu, Marie-Claire se penche au-dessus du secrétaire de Léonie pour souffler :

– C'était admirable, ma chérie. Je meurs de raconter ça à Françoise. Elle s'en régalera !

Son emballement laisse Léonie de marbre. Elle ne peut plus supporter de voir les dames du conseil se faire tirer l'oreille pour défendre les sages-femmes du refuge !

– À ta place, j'aurais le caquet bas, rétorque-t-elle très froidement. J'aurais honte d'atermoyer ainsi. J'aurais honte de ne pas proclamer haut et fort ma solidarité avec les accoucheuses !

Marie-Claire recule comme si elle avait reçu un soufflet. Toute blême, elle glisse enfin :

– Je ne suis pas le seul maître à bord. Françoise et moi, nous devons faire avec cinq autres dames qui ne voient pas les choses de la même manière. Tu le sais très bien, Léonie, alors pourquoi tu m'accables ainsi ?

– Parce que j'ai l'impression de me battre seule. Parce que, dès la première attaque du conseil de l'École de médecine contre moi, vous auriez dû vous ranger derrière moi – qu'est-ce que je dis ? Vous auriez dû faire front en première ligne ! À moins que vous ayez un doute… même un infime doute ?

Marie-Claire lui jette un regard chargé d'impuissance, et Léonie baisse la tête. Si Françoise, Marie-Claire et une ou deux autres sont convaincues de son innocence, il n'en va pas de même pour le reste des conseillères…

– Je me sens en deuil, murmure-t-elle. Former des sages-femmes de qualité, c'était pour moi la chose la plus importante au monde. C'est avec une grande tristesse que je me résigne à laisser cette tâche à d'autres.

La fondatrice de la Société compatissante est saisie par l'émotion, puis son visage se décompose, et elle lui tend la main par-dessus les meubles qui les séparent. Léonie consent à ce geste d'affection, et les deux amies gardent le silence un long moment, jusqu'à ce que Marie-Claire balbutie :

– La réalité, ma chérie… La réalité, c'est que nos armes sont bien mal affûtées pour ferrailler contre les hommes. La réalité, c'est que mes consœurs du conseil… eh bien, elles sont prisonnières de l'opinion des hommes. Grâce à Françoise, j'ai appris à me défaire de cette détestable manie. J'ai appris à juger par moi-même. J'ai appris à ne plus avoir peur d'eux. Peur de leur indifférence, de leur dédain… C'est terrible, Léonie, comme on nous apprend à ne vivre que pour le regard des hommes ! Françoise m'a libérée de ce joug, et quand bien même qu'elle ne m'aurait fait que ce seul cadeau…

Marie-Claire lutte contre l'attendrissement qui la gagne en esquissant une moue railleuse, puis elle ajoute:

– Mais les autres dames, Léonie… Parfois, je les étamperais contre le mur, je les tapocherais à coups de rouleau à pâte!

Léonie pouffe de rire, imitée aussitôt par son amie, qui la gratifie d'une dernière pression de la main avant de prendre congé. Léonie reste seule, encore sonnée par la brutalité et l'insensibilité de Jacques Rousselle, de même que par le péril auquel ses protégées viennent d'échapper, soit la présence d'un accoucheur inexpérimenté au refuge. Enfin, levant les yeux au ciel, elle adresse une pensée de remerciement à Simon qui, ce matin, l'a soutenue comme jamais.

Un froid de canard s'est abattu sur la métropole, mais à l'intérieur de la salle de classe règne une chaleur estivale. Léonie se livre à ce qui est devenu un rituel familier: placer entre les mains des accoucheuses le diplôme qui, au terme d'une formation de deux années, en fait des praticiennes d'une catégorie supérieure. Toute la journée, elle s'est bardée contre une sensibilité excessive mais, en croisant le regard chaleureux de ses élèves, elle a bien de la difficulté à garder contenance.

Enfin, la dernière demoiselle du groupe reçoit le précieux papier, et Léonie peut se soustraire à l'assemblée réunie pour ce moment solennel en se mêlant aux familles campagnardes qui ont fait le voyage pour l'occasion. Elle se régale du contraste rafraîchissant entre leur mise et celle, plus recherchée, des citadins; elle se repaît de leur émerveillement devant la science toute nouvelle qui, à leurs yeux, pare les demoiselles comme d'une auréole. Ces parents ont fait montre d'une réelle abnégation en se privant du travail de leurs filles, et Léonie tient à leur répéter à quel point ils ont eu raison d'avoir la vue si large.

Observant sa mère en train de bavarder avec un paysan qui triture son col de chemise, Flavie ne peut retenir un large sourire, puis elle cherche Geoffroy des yeux. Elle le trouve dans un recoin de la pièce, absorbé en compagnie du fils aîné de Laurent dans un jeu dont elle est incapable de préciser la nature. Une main qui se pose sur sa taille la fait sursauter ; elle se tourne pour découvrir Bastien, les joues encore rougies par le froid. Il s'avance pour poser un baiser frais sur son front, avant de bougonner :

– Désolé pour mon retard. C'était Mme Patenaude… Elle m'a envoyé chercher pour rien. Pour ces douleurs bénignes qui surviennent souvent un peu avant le terme.

– Je t'avais dit que c'était un paquet de nerfs, cette bourgeoise !

– Tant pis. Son mari paiera ! Tout s'est bien passé ?

– Maman était fièrement émue, tellement qu'elle en bégayait, la pauvre…

Flavie ne peut poursuivre, parce que Laurent s'interpose pour saluer son beau-frère. Une conversation animée s'engage, qu'elle délaisse pour aller rejoindre Agathe et ses parents, regroupés devant une bibliothèque. C'est Léocadie qui tient dans ses bras le minuscule Clément, né quelques semaines plus tôt, et qui dort comme un bienheureux malgré le bruit. Comme les beaux-parents de Laurent n'ont pas encore visité la maison rénovée, Flavie propose de combler cette lacune sur-le-champ.

Elle leur fait faire le tour du logis au grand complet, ce qui suscite de nombreuses exclamations extasiées de la part de Léocadie, de même que quelques grommellements de la part de Cléophas au sujet du coût, selon lui faramineux, de ces améliorations. La petite troupe se retrouve dans la cuisine, où chacun s'attable pendant qu'Agathe s'installe dans la berçante pour donner la tétée à son petiot maintenant bien réveillé.

Geoffroy et Sylvain pénètrent en trombe dans la pièce, font trois fois le tour de la table en courant, puis se précipitent vers l'escalier qu'ils grimpent à toute allure, comme des singes. Leurs pas légers font craquer le plancher de l'étage, tandis que les adultes réunis dans la cuisine rigolent de la soudaineté de la galopade. Se retenant de ne pas tressauter de rire, Agathe laisse tomber avec un soupir exagéré :

– Enfin, mon Sylvain aura de la compagnie lors des fêtes ! Il s'en venait tannant à force de s'ennuyer !

– Les filles de Cécile, fait remarquer Léocadie, c'étaient *juste des filles*...

Elle a pris un ton à la fois enfantin et dédaigneux, qui provoque un nouvel élan de gaieté. Lorsque Bastien et la conseillère Françoise Archambault font leur entrée, chacun des membres de la petite assemblée lutte pour retrouver un semblant de sérieux. Avec une moue contrite, le jeune médecin lance à la cantonade :

– Désolé pour l'interruption, mais c'est la bousculade de l'autre côté !

– Il y a des chambres de disponibles, suggère Cléophas en levant le menton vers le plafond. Je vous conseille la moyenne, celle où il y a une couche aussi large qu'une galère. Très confortable pour discutailler !

– Surveille tes paroles, mon homme, le réprimande Léocadie. Tu t'adresses à une dame !

– Les rois signaient des traités de guerre dans leur lit, déclare Françoise avec un large sourire.

– Quant aux favorites, proclame Bastien, elles y concluaient des accords selon une méthode... vachement plus conviviale, n'est-ce pas, monsieur Sénéchal ?

L'interpellé rit à gorge déployée, tandis que le nouveau maître des lieux invite la vice-présidente de la Société compatissante à prendre place à table, face à lui. Avec une pompe affectée, Françoise lui remet un feuillet roulé, maintenu par un ruban. En train de distribuer des gobelets en vue d'une tournée de cidre frais, Flavie hausse les sourcils. À quoi rime ce cérémonial? Troublé, Bastien tripote le document, avant de se décider à dénouer le lien. Un silence curieux envahit la pièce pendant qu'il se plonge dans la lecture, au point que Flavie s'immobilise, la bouteille sous le bras.

Consciente d'être la cible de l'attention générale, Françoise se gratte l'oreille, puis le cuir chevelu, et enfin elle joint ses deux mains par-dessus la table. Pâlissant à vue d'œil, le jeune médecin lève un regard ahuri vers elle, qui répond par un sourire encourageant. Il tourne la tête vers Flavie et plonge ses yeux dans les siens, si longuement que la jeune accoucheuse s'impatiente :

– Mais dis-nous, enfin !

Il s'empourpre au point d'avoir les joues en feu. Un bref sourire passe sur ses lèvres, puis il considère la conseillère avec effarement et bafouille :

– Vous êtes... sérieuse ? Enfin... c'est une proposition... d'une honnêteté scrupuleuse ?

– Je vous défends bien, riposte-t-elle gaiement, de nous prendre pour des écervelées !

Il s'écrie, ce qui saisit toute l'assemblée :

– Flavie ! Ces dames m'offrent la position de Peter Wittymore !

La jeune femme court à lui et l'agrippe par l'épaule pour se pencher sur le feuillet.

– Médecin associé ? Pour vrai ?

– Pour vrai, dit Françoise gravement. Je suis ravie, monsieur Renaud, de voir que vous ne jugez pas cette offre indigne de vous.

– Indigne de moi ? Madame Archambault, un poste dans une clinique est habituellement le couronnement d'une carrière !

– L'obstétrique est une science qui progresse à pas de géant, affirme-t-elle sereinement, et les vieux praticiens en perdent leur latin.

Flavie souffle dans ses joues, avant d'aller déposer un baiser sonore sur la joue de son mari.

– J'adore les jeunes monarques, déclare-t-elle en se redressant. Ils sont fièrement plus appétissants !

Un éclat de rire général accueille cette grivoiserie. Hilare, Cléophas lève son gobelet vide, en déclarant d'une voix de stentor :

– L'heure des réjouissances a sonné ! Ôte cette damnée bouteille de dessous ton bras, Flavie, parce que du cidre attiédi, ça coule moins bien dans le gosier !

Avec une mine confuse, Flavie s'empresse d'obéir et de tendre ladite bouteille au père d'Agathe, bien plus habile qu'elle dans le maniement du tire-bouchon. La voix de Françoise s'élève au-dessus du brouhaha :

– Bien humblement, je suggère de prévoir un gobelet pour Léonie, qui le mérite bien !

– Et un gobelet pour Léonie ! ânonne Cléophas en faisant un signe impérieux à son épouse.

Flavie sent Bastien la tirer par les hanches pour la faire asseoir sur ses genoux. Elle obéit, et tous deux échangent un regard empreint de solennité. La carrière du jeune praticien vient de prendre un virage inattendu, et pendant un court moment, ils en pèsent silencieusement les conséquences. Un prestige accru, un champ d'observation en or pour les délivrances problématiques... Un sourire mutin aux lèvres, Flavie murmure :

– Clientèle garantie. Tu pourras même hausser tes tarifs...

– Et les tiens, donc ! Une sage-femme formée par un brillant accoucheur, ça se monnaye !

Flavie n'a pas le loisir de lui reprocher cette impertinence : leur attention est attirée par Françoise, qui propose à la cantonade :

– Trinquons à la santé de Léonie, la bonne fée dans toute cette affaire !

– La bonne fée ? murmure Flavie à l'oreille de Bastien. Ce serait donc elle qui… ?

Son mari interroge Françoise du regard, qui se contente d'un clin d'œil entendu. Feignant d'être offusqué, Bastien grommelle :

– Attends que je l'attrape, ta mère ! Manigancer dans mon dos !

Mais il est ému jusqu'au tréfonds de son être, Flavie le sent bien. Elle lui met sous le nez son gobelet plein ; il cligne ses yeux humides puis, tout en tenant la jeune femme étroitement serrée contre lui, il avale une gorgée, se racle la gorge, puis fait cul sec en levant exagérément le coude. Cléophas beugle son contentement, et Bastien s'égosille comme un buveur bien réchauffé :

– Qu'on remplisse ma chope, et que ça saute !

– La bouteille a rendu l'âme ! tonitrue Cléophas. Courez à votre cave, monsieur le médecin !

– Hélas ! Ma cave ne contient que des fils d'araignée !

En l'espace de quelques minutes, la cuisine se remplit des intimes attirés par le remue-ménage, d'abord Laurent et Marie-Claire, puis Léonie traînant à sa suite tout un groupe de femmes caquetantes : les sages-femmes Magdeleine Parrant, Sally Easton, Marie-Julienne Jolicœur et Catherine Ayotte, de même que la présidente du conseil d'administration de l'École de sages-femmes, Marie-Thérèse Jorand, et Céleste d'Artien, conseillère de la Société compatissante. Ébloui par cette profusion de créatures, Cléophas en perd momentanément la parole ; il se ressaisit néanmoins pour, se dressant à demi, faire un geste emphatique en direction de Léonie :

– Viens à moi, voisine! J'ai ici un objet séduisant en diable!

Et il fourre un gobelet dans sa main avec une telle vivacité que les personnes à proximité sont éclaboussées. Rieuse, Léonie ébouriffe d'un geste preste ses rares cheveux, qui restent dressés sur son crâne.

– Tu prends soin de ta vieille amie! Comme c'est gentil, Cléophas, et surtout quel courage! Un autre n'aurait pu résister à l'envie d'en voir le fond...

Toujours assise sur les genoux de son mari, Flavie observe le manège avec émotion. Plus surexcité qu'à l'accoutumée, le père d'Agathe combat ainsi son malaise encore vif suscité par l'absence de Simon. Malgré elle, Flavie s'attend d'un instant à l'autre à voir son père faire irruption dans la pièce; elle a constaté, à son expression parfois déroutée, que Laurent est en proie au même sentiment. Son frère croise justement ses yeux, et elle lui fait un mince sourire d'encouragement, auquel il répond par une grimace penaude.

Enfin, Bastien la repousse et se lève pour se dégourdir les jambes. Son attention est fixée sur Léonie, qui plaisante de l'autre côté de la table, et Flavie estime qu'il faut battre le fer pendant qu'il est chaud. Elle s'approche de sa mère, profitant du fait que Magdeleine a pris le crachoir, pour l'inviter à s'écarter du groupe. Flavie la conduit vers le jeune médecin, qui a suivi son manège et qui attend à quelque distance, sérieux comme un pape. Lorsque Léonie lui fait face, il s'empourpre, mais finit par vaincre sa gêne pour émettre faiblement:

– Je crois que c'est à vous, belle-maman, que je dois cette promotion?

– Vous ne me devez rien, réplique-t-elle gentiment à mi-voix. Vous l'ignorez encore, mais j'ai conclu un pacte avec vous.

Il hausse les sourcils, mais ne relève pas l'allusion. À la place, il déclare:

– Je ne vous ai pas encore demandé pardon pour... pour certaines paroles vives que je n'ai pu retenir. Je le fais à présent.

– Je vous remercie, dit Léonie. C'est fort plaisant. Les hommes s'excusent rarement...

– Les hommes s'excusent rarement, répète-t-il avec intensité, parce qu'ils sont aveugles au mal qu'ils causent.

– On a compris, s'impatiente Flavie. Ils sont imbus d'eux-mêmes, c'est bien connu! Vous en avez fini avec les sous-entendus?

– Pour de bon, répond Léonie en souriant à son gendre. N'est-ce pas, mon ami?

Ce qualificatif affectueux le fait rougir de plaisir. D'un geste impulsif, il attire la maîtresse sage-femme contre lui pour une accolade. Lorsqu'il dénoue l'étau de ses bras, Léonie recule, les jambes flageolantes, puis elle laisse tomber narquoisement:

– Dans six mois, quand vous aurez fait réellement connaissance avec Jacques Rousselle, vous me vouerez aux enfers!

Le visage de son gendre s'illumine d'un sourire guilleret. Réclamé à grands cris par Cléophas, il s'éloigne précipitamment, et les deux femmes restent côte à côte, échangeant un éloquent regard d'appréhension. Cependant, leurs devoirs d'hôtesses les requièrent, et l'une et l'autre se retrouvent intégrées dans les petits groupes qui se forment: les dames d'un côté et les jeunes femmes de l'autre, tandis que les trois hommes, leurs têtes se touchant presque au-dessus de la table, discutent sans retenir leurs éclats de voix.

Marie-Julienne, Catherine et Flavie passent un long moment à l'étage, à visiter paresseusement les lieux, puis la première prend congé dès qu'elles sont redescendues. Flavie n'est pas aussitôt revenue dans la cuisine que des bruits dans la salle de classe désertée attirent son attention. Avant qu'elle ait pu faire quoi que ce soit, une silhouette masculine apparaît, emmitouflée mais débottée. L'expression extrêmement confuse, Alexis Ayotte lui lance :

– J'ai frappé, mais sans résultat...

– Pas de soin. Ça jacasse fort ici ! Soyez le bienvenu, monsieur. Débougrinez-vous !

– C'est qu'il se fait tard et je dois ramener ma fille...

Bastien s'avance, la main tendue :

– De la belle visite ! Faites-nous l'honneur de vous asseoir quelques minutes...

– Non, vraiment, merci beaucoup. Peut-être une autre fois...

– J'ai votre parole ? C'est qu'il nous faut faire sérieusement connaissance, maintenant que des liens professionnels nous enchaînent à mademoiselle votre fille...

– Pas uniquement professionnels, ajoute Flavie en glissant son bras sous celui de la jeune femme qui s'est approchée. J'ose croire que Catherine me considère comme son amie...

– Pour le moins, répond Alexis, la mine préoccupée. Presque comme une sœur, j'ai ouï dire.

Le compliment réchauffe Flavie, qui en rosit jusqu'aux cheveux.

– À la bonne heure, reprend Bastien. Ça me fait penser... Je voulais vous demander la permission, monsieur, d'emmener Catherine à notre prochaine soirée de raquetteurs. Flavie n'y connaît personne, et la compagnie de son amie la réjouirait fort. Ce sont des amusements innocents, un banquet informel et quelques danses...

Flavie reste impassible mais, en son for intérieur, elle s'épate de cette requête inattendue de son mari. Tous deux ont jasé à plusieurs reprises de la passion encore inavouée de Philippe Coallier pour la demoiselle, mais elle n'avait pas prévu cette manigance ! Alexis Ayotte s'est raidi notablement et il promène un regard égaré sur ceux qui se tiennent devant lui. Flavie dit charitablement :

– Prenez le temps d'y penser, monsieur Ayotte. Rien ne presse, c'est après la nouvelle année.

– Je vous croyais assez délurée, lâche-t-il soudain, pour vous charger vous-même de vos commissions...

L'allusion est offensante, mais Flavie fait appel à toute sa mansuétude pour passer outre. Les pères ont parfois tant de difficulté à laisser vivre leurs filles! Catherine se dégage de l'emprise de sa consœur pour faire un pas vers son père.

– On jasera de tout ça un autre jour. Viens, papa, on s'en va.

Par-dessus la tête de sa fille, le commerçant lance un regard hostile en direction de Bastien, puis il lâche:

– Je me suis laissé entortiller dans vos manœuvres pendant une escousse, mais j'ai fini par voir clair. Il est hors de question de laisser ma fille s'associer avec des excentriques comme vous!

– Papa! s'écrie Catherine, effarée. Tu perds la raison, ou quoi? Arrête ce micmac tout de suite!

Elle tourne vers le jeune couple un visage piteux.

– Ne lui en veuillez pas... Il veut mon bien et ça le pousse à certains excès...

– Des excès? s'exclame-t-il d'une voix tonitruante. Qui est-ce qui commet les pires excès, ici dedans? Moi ou cette jeune dame qui a vendu son âme au diable?

La phrase éclate dans la pièce comme un coup de tonnerre, puis un silence total lui succède. Léonie se ressaisit suffisamment pour refermer d'un coup sec la porte du poêle. Elle se redresse et marche vivement jusqu'au petit groupe dans lequel elle s'insinue sans ménagement, tout en jetant un coup d'œil d'avertissement à son gendre qui, les poings serrés, le visage blême de colère, allait s'avancer vers le belligérant. Elle vient se placer à côté d'une Catherine sidérée, faisant ainsi un bouclier de son corps à ceux qui sont derrière elle. Léonie toise l'importun. Une énorme goutte de sueur roule lentement sur sa tempe… Elle articule, les dents serrées :

– De tels propos sont inconvenants, monsieur. Je ne les tolère pas dans ma propre maison. Ils manifestent une étroitesse d'esprit qui rend toute discussion impossible.

Une grimace de souffrance tord la bouche de l'homme. Impériale, Léonie ajoute encore :

– Je ne vous croyais pas si obtus… À notre dernière rencontre, chez vous…

Elle s'interrompt, puis elle jette un coup d'œil à Catherine, si atterrée qu'elle en a complètement perdu l'usage de la parole.

– Partez, ça vaudra mieux. Quand monsieur sera calmé, je m'offre pour discuter avec lui de la philosophie de la communauté d'Oneida. Pour discuter, pas pour me faire bourrasser !

La jeune femme obéit comme un soldat à un ordre de son général : elle pousse son père avec une vigueur mêlée de rage, et tous deux disparaissent. Dans la cuisine, personne ne parle, et la voix de l'ex-novice leur parvient distinctement :

– Je ne te reconnais plus, papa. Tu me fais honte. Tu insultes mes amis, mes meilleurs amis !

Elle a presque crié la dernière phrase, et Flavie tressaille sous ce nouveau coup de fouet que vient de lui donner, cette fois, le père de Catherine. Elle veut s'élancer vers l'escalier, mais Léocadie l'arrête pour la gratifier d'un sourire chaleureux et l'embrasser en pincette, avant de murmurer :

– Je t'ai connue haute comme trois pommes. Fais de beaux rêves, ma fauvette.

Incapable de répondre, Flavie lève des yeux voilés, puis elle grimpe à l'étage, pressée de se soustraire aux regards et de se retrouver enfin dans la solitude de sa chambre. Si elle s'est armée mentalement contre de telles attaques, ces dernières viennent parfois d'un ennemi inattendu… Elle s'allonge sur son lit et se laisse dériver, insensible au brouhaha des voix et, plus tard, au fumet d'un souper tardif.

C'est Geoffroy qui lui monte un plateau, et même si elle n'a guère d'appétit, elle s'oblige à vider son assiette pour le satisfaire. Il lui propose un jeu tranquille, qu'elle accepte volontiers. Leur intimité apaisante est rompue par Bastien qui entre dans la pièce pour signifier à son fils que l'heure des préparatifs pour la nuit vient de sonner. Flavie redescend pour aider Léonie à nettoyer la cuisine, et toutes deux s'activent en silence jusqu'à ce que, un bougeoir à la main, elles remontent et se souhaitent bonne nuit.

Assis sur le rebord du lit, Bastien redresse le dos en voyant Flavie entrer dans la pièce. Défiante, elle va et vient, envahie par une crainte sourde mais toujours vivace, celle qu'il se lasse d'une épouse aussi encombrante. Sans mot dire, il l'intercepte lorsqu'elle passe à proximité. Elle veut parler: il pose un doigt sur ses lèvres tout en l'obligeant à s'immobiliser près de lui. Lorsqu'il réussit à capturer son regard, elle constate que le sien est doux, compatissant, aimant...

Il se lève et l'attire contre lui dans un geste empreint d'insouciance. Peu à peu, elle se détend, finissant par consentir à embarquer dans le frêle esquif que son mari met à sa portée, une nacelle qui vogue sur la mer calme de ses sentiments. Bastien lui fait comprendre que l'éclat d'Alexis Ayotte n'est qu'un vague incident devant lequel il faut garder la tête froide. Il signifie à Flavie qu'il faut maintenir le cap sur les choses importantes: ceux et celles qui l'aiment... Tout le reste est sans conséquence.

Le silence agit sur Flavie comme un baume adoucissant. Les mots sont parfois projetés avec une telle violence, comme une flèche tirée par un archer! Ils déchirent la chair, blessent au cœur! Bastien glisse sa main derrière la nuque de Flavie et vient poser sa joue contre la sienne. Pendant un bref moment, elle sent qu'il lui offre un réconfort presque fraternel, comme si elle était sa sœur ou sa meilleure amie... Si parfois le silence est fuite, trahison, lâcheté, il peut aussi être, comme à l'instant même, d'une rare éloquence. Il laisse les âmes en tête-à-tête...

Sa bouche se pose sur la rondeur de la joue de Flavie, où elle reste longuement, comme savourant la pulpe juteuse d'une pomme bien mûre. Sous cet hommage, elle frémit tel un papillon au soleil. Par ce simple geste, il lui affirme qu'elle est d'une espèce non pas diabolique, mais enchanteresse. Certains sont assez bêtes pour la croire souillée, mais lui sait qu'il tient dans ses bras une créature adorable, croquable... Son impression de déracinement se dissipe, remplacée par la certitude d'appartenir à leur univers à eux deux, d'habiter une contrée qu'ils ont fabriquée à leur image et qui leur procure leurs seuls vrais moments de bonheur.

Chapitre xxiii

Pour les membres de la maisonnée nouvellement constituée de la rue Saint-Joseph, les festivités qui marquent l'arrivée de l'année 1855 prennent fin abruptement. Léonie reçoit une décourageante missive: sa tante Sophronie, celle qui l'a initiée au métier, semble au plus mal. Cette nouvelle plonge la maîtresse sage-femme dans une vive inquiétude. Advenant le trépas de Sophronie, Léonie ne pourrait supporter d'être loin de celle qui a pris, dans son cœur, la place de sa mère prématurément disparue! C'est donc en toute hâte qu'elle fait ses bagages et qu'elle prend la route pour Longueuil.

Pendant un temps, Flavie a jonglé avec l'idée de traverser le fleuve avec sa mère, mais son départ signifiait un tel branle-bas qu'elle s'est découragée. Elle a chargé Léonie de transmettre toutes ses affections à sa vieille grand-tante, qu'elle n'a vue que de loin en loin depuis son mariage. De toute façon, elle garde de Sophronie le souvenir d'une force de la nature, d'un être indestructible! Persuadée qu'il s'agit d'une fausse alerte, elle repousse l'aïeule dans un recoin de son cerveau, pour se laisser emporter par le rythme d'une existence presque fébrile.

En l'absence de Léonie, l'organisation matérielle de l'existence de la petite famille Renaud repose presque entièrement sur les épaules de Flavie. Si on y ajoute les accompagnements réguliers de parturientes et la gestion de la pratique de Bastien à laquelle elle collabore nécessairement, non seulement l'installation de son bureau, mais aussi les ajustements à sa nouvelle fonction de médecin associé et de professeur à la Société compatissante, la responsabilité devient épuisante ! Mais Flavie n'ose pas se plaindre, sachant à quel point leur budget est serré.

Un beau matin, Bastien finit par s'insurger contre le fait qu'il la retrouve invariablement profondément endormie le soir, à son arrivée dans leur chambre, et qu'il doit ainsi différer son envie d'intimité ! Une intense discussion s'ensuit, au cours de laquelle Flavie lui détaille impitoyablement son emploi du temps des dernières semaines. La démonstration réduit le médecin au silence, et tous deux se séparent avec aigreur.

Le lendemain, leur froideur mutuelle ne s'est pas dissipée, et c'est très sèchement que Bastien lance ses salutations avant de prendre son envol pour la journée. Il a un long rendez-vous avec Jacques Rousselle, ce qui n'est pas pour alléger la tension ambiante... Flavie rumine sa fâcherie pendant qu'elle s'active dans la cuisine, puis prépare Geoffroy pour la matinée. Le garçonnet trépigne d'impatience tandis qu'elle l'aide à se vêtir chaudement pour jouer dans la cour avec son nouvel ami Samuel.

Quinze minutes plus tard, les compères batifolent dans la neige, et Flavie les surveille de la fenêtre tout en lavant, dans une bassine posée sur la table, quelques pièces de vêtement. Elle vient tout juste de les étendre sur un support posé dans un recoin de la pièce que les deux garçons font irruption dans la cuisine, accompagnés de plusieurs mottes de neige et d'un courant d'air glacial. À peine a-t-elle fini de placer leurs vêtures d'hiver à sécher près du poêle et d'éponger le plancher qu'ils se lassent déjà de crayonner, assis tranquillement à table. Ils sautent sur leurs pieds en hurlant comme des Sauvages et bientôt, l'étage résonne de leurs cavalcades !

Soulagée d'être loin de leurs cris, mais ennuyée par le désordre qui va résulter de leurs jeux, Flavie se laisse tomber dans la berçante. Ce moment de repos est de courte durée, car des coups cavaliers résonnent à la porte d'entrée. Quelques secondes plus tard, Flavie introduit dans le bureau de Bastien, encore en chantier, une dame âgée qui souhaite une rencontre avec Léonie. Son expression se défait lorsque Flavie l'informe de l'absence prolongée de sa mère, et il faut à la jeune accoucheuse un trésor de diplomatie pour réussir à lui extorquer la vérité, soit qu'elle espérait un examen médical pour un problème intime.

Flavie lui avoue sans détour qu'elle se considère comme encore trop inexpérimentée pour ce genre de consultation, mais elle l'informe que son mari peut s'en charger. Sans reprendre son souffle, elle enchaîne sur l'ampleur de l'expérience de Bastien, ainsi que sa parfaite délicatesse. Mais comme de raison, la dame la regarde d'un air outré, et Flavie la reconduit à la porte en concluant avec philosophie qu'elle peut s'adresser à une autre praticienne, mais que, si elle change d'idée, le docteur se fera un plaisir de la recevoir.

En sortant, la visiteuse bute contre une arrivante qui s'apprêtait à tirer le cordon de la sonnette. Aussitôt, Flavie reconnaît la silhouette emmitouflée de Catherine. Désagréablement surprise, elle reste figée sur place. Elle ne peut s'empêcher d'en vouloir à la jeune femme, qu'elle n'a pas revue depuis la remise des diplômes, pour le comportement injurieux de son père. Avec un soupir résigné, elle fait signe à Catherine d'entrer, puis elle recule jusqu'à l'embrasure de la porte de la cuisine, comme pour se protéger d'une éventuelle attaque.

Catherine referme derrière elle puis, les bras ballants, elle lance un regard à la fois gêné et suppliant à sa consœur. Même si elle arrive du froid, son visage est une tache pâle, presque émouvante, parmi toutes les épaisseurs de tissus sombres qui l'enveloppent de la tête aux mollets. Attendrie malgré elle, Flavie ne peut retenir une moue désolée, et la jeune femme, encouragée, balbutie en ouvrant de grands yeux :

– Je te demande pardon pour mon père. Du fond du cœur.

Flavie hoche brièvement la tête et marmonne :

– Débougrine-toi. Je t'attends dans la cuisine.

Elle s'assoit à table, et bientôt Catherine vient prendre place face à elle. L'affection qu'elle ressent pour l'ex-novice, qu'elle a cherché à nier depuis le soir funeste, resurgit dans toute son ampleur. S'accoudant du bras droit, Flavie appuie son menton sur sa main et adresse à sa compagne un sourire indulgent, presque amusé. Elle laisse tomber, d'un ton faussement badin :

– J'admire ton courage. Toute la ville doit commérer contre celle qui s'est dévoyée...

– C'est ton mépris des lois du mariage qui fait jaser, avance Catherine avec un soupir. Tout le reste est d'une importance relative, mais ça...

– Ceux qui jasent le plus, ce sont généralement ceux qui ont un semblable péché sur la conscience. Un péché inavoué, il va sans dire.

Catherine darde sur sa vis-à-vis un regard acéré, avant de continuer :

– J'aurais dû te défendre devant mon père. Je m'en suis voulu, si tu savais... Mais j'étais... j'étais horrifiée, c'est le moins qu'on puisse dire. Mon père n'a pas l'habitude d'être si brusque, je t'assure ! J'avais tout juste le pied dehors que je l'ai engueulé comme du poisson pourri. S'il l'avait oublié, je lui ai rappelé que Léonie m'a sauvée d'une vie de misère ! Je lui ai rappelé que tu m'offres soutien et protection dans le métier ! Je lui ai expliqué que vous êtes des personnes loyales, des personnes... tendres comme du bon pain ! Ce soir-là, si j'avais pu, j'aurais sacré mon camp de la maison, et je lui ai dit trois fois plutôt qu'une!

Catherine reprend son souffle, et Flavie en profite:

– Alors tu ne me juges pas si immorale que ça?

– Immorale?

Elle en rougit d'indignation, ce qui l'embellit considérablement, et riposte:

– La morale, les hommes la manipulent à leur gré! Ils disent une chose et font tout autrement!

Flavie se redresse, un sourire navré aux lèvres.

– Peut-être que le discours dominant... eh bien, peut-être qu'il n'est pas adapté à la réalité des choses. Entre la prétendue exigence divine et la nature humaine, il y a un océan infranchissable. J'ai tendance... à condamner bien davantage ceux qui prêchent l'impossible. Ceux qui prêchent une vertu angélique.

– Parlant de vertu, j'ai passé tout un savon à mon père! Comme si la mienne était en danger à chaque coin de rue!

– Il a peur que je te pervertisse, raille Flavie. Le vice, à ce qu'il paraît, est un miasme contenu dans l'air ambiant...

– Moque-toi de lui à ta guise, grommelle Catherine, il le mérite! Je crois que j'ai réussi à lui faire entendre raison. J'ai réussi à lui faire confesser la teneur des ragots qu'il a ouïs, et nous avons discutaillé pendant des jours entiers! Je lui ai rapporté tout ce que je savais d'Oneida et de ta propre expérience, telle que tu me l'as racontée. Tu sais quoi? J'ai même osé le mettre en contact avec la vice-présidente de la Société compatissante, Françoise Archambault. J'ai su par Léonie qu'elle était ferrée en la matière... Je l'ai invitée pour le thé, et elle nous a amplement édifiés. Ce qu'elle parle bien! Elle développe sa pensée comme le plus habile des orateurs...

Ravie de son initiative, Catherine rayonne de satisfaction. Un bruit sourd à l'étage rappelle à Flavie, qui l'avait momentanément oublié, que deux petits diables usent à leur guise d'un territoire vierge de toute présence adulte. Elle s'excuse et disparaît un moment pour aller jeter un coup d'œil en haut, mais c'est un sourire complice qu'elle offre aux garçonnets, qui ne sont coupables de rien d'autre que d'avoir éparpillé tous les jouets de Geoffroy dans la chambre. Ils en seront quittes pour un sérieux ménage! Tandis qu'elle redescend, Catherine remarque avec gentillesse:

– Voilà un joli ventre rondi. As-tu senti quelque chose?

Flavie fait signe que non, puis va soulever le canard rempli d'eau bouillante et déverse une partie de son contenu dans la théière préparée plus tôt. Après s'être éclairci la voix, Catherine dit d'un ton hésitant:

– Mon père a tout plein de qualités.

Même si Flavie ne réagit pas, Catherine ajoute, comme si elle avait perçu une intention de contester cette affirmation:

– Si, si, je t'assure! Il réfléchit avant d'agir, ce qui n'est pas la moindre! Mais il y a quelques certitudes auxquelles il tient. L'une de celles-là, c'est que le mariage est un sacrement voulu par Dieu. En discutant avec lui, j'ai compris que... qu'il ne peut l'abandonner sans tout virer sens dessus dessous. Tu vois ce que je veux dire? On se façonne un monde auquel on s'accroche, à défaut de quoi on perd tous ses repères.

Flavie lui offre un sourire d'encouragement. Bien sûr qu'elle comprend... Elle murmure, comme si elle pensait à voix haute:

– La différence entre ton père et moi, c'est que lui, le monde dans lequel il est né faisait son affaire. En gros, du moins. Moi, ce monde... c'est lui qui me faisait perdre tous mes repères.

Un silence contraint tombe. Pour chasser le malaise, Catherine prend un ton dégagé pour s'informer de leur vie courante depuis la remise des diplômes de la défunte École de sages-femmes. Un bavardage plaisant s'engage, et peu après, Flavie a complètement oublié l'incident qui a mis leur amitié en péril.

Geoffroy et Samuel dégringolent bruyamment l'escalier, et le premier réclame la collation à laquelle il a droit entre les repas. Flavie leur propose l'une des pommes tout juste sorties du caveau, certes ramollies, mais encore savoureuses, et les compères s'assoient à même le plancher, à proximité du poêle, pour dévorer leur fruit. La conversation n'a pas le temps de reprendre, parce qu'une visite s'annonce au moyen d'un coup de sonnette caractéristique.

Reconnaissant la manière de sa grand-mère Archange, Geoffroy saute sur ses pieds pour aller l'accueillir. Lorsque Flavie les rejoint au milieu de leurs effusions, elle a la surprise de voir, sur les talons de sa belle-mère, la domestique Lucie. Sa stupéfaction s'accroît lorsque Archange, très gracieusement, ouvre la porte pour laisser entrer un homme chargé d'une grosse malle, qu'il dépose au milieu de la pièce ; Flavie remarque alors la présence de plusieurs baluchons bien gonflés, éparpillés un peu partout.

Tout excité, Geoffroy court de l'un à l'autre, s'exclamant sans vergogne. Archange présente ses salutations à une Flavie sans voix, puis entreprend de se débarrasser de son manteau, imitée par Lucie, plongée dans un embarras manifeste. Le porteur entre encore, chargé d'une seconde malle, qu'il dépose à côté de la première, puis Archange le remercie et lui signifie que ses services ne sont plus requis. Elle se tourne vers Flavie pour lancer :

– Ma chère belle-fille, vous avez un petit remontant à offrir à monsieur avant de le laisser affronter de nouveau les éléments ?

Mécaniquement, Flavie se rend dans la cuisine où, absorbée dans une tranquille conversation avec le petit Samuel, Catherine ne lui prête guère attention. Elle revient dans le bureau, un gobelet de tisane chaude additionnée d'une once de tord-boyaux à la main, et le propose à l'homme de peine. Il boit à grandes gorgées, puis exprime son contentement par un claquement appréciateur de la langue, avant de prendre congé. La porte à peine refermée sur lui, Flavie se tourne vers Archange, les poings sur les hanches.

– Voulez-vous bien me dire, belle-maman, à quoi rime cette invasion ?

Archange passe un bras complice sous celui de Lucie, un geste qui désarçonne Flavie, avant de répondre avec malice :

– Notre jeune amie soupirait d'ennui. Comparée à vous, je suis prévisible ! Comme Bastien m'a fait comprendre que vous crouliez sous le travail...

Il faut un bon moment à Flavie pour comprendre la signification de ces paroles. Archange lui offre les services de Lucie ? Elle reste pantoise, considérant en alternance les deux femmes, liées par une telle connivence que leur différence de condition sociale est momentanément gommée. Excitée comme une fillette, Archange glousse :

– Lucie aura une jolie chambrette, n'est-ce pas ?

Flavie éclate de rire, et une liesse générale emplit la maison, à laquelle prend part Catherine lorsqu'elle est mise au courant des manigances de Mme Renaud. Si les malles attendront la présence d'hommes forts, les garçonnets se font un plaisir de transporter les baluchons à l'étage, et même d'aider Lucie à ranger ses effets personnels. Pendant ce temps, Flavie et ses deux autres visiteuses préparent un dîner rapide, puis s'amusent à installer Lucie à table et à la servir comme une reine, à sa grande confusion.

C'est uniquement une fois le repas avalé que Flavie, observant les allées et venues de la domestique qui a repris son rôle, réalise sa chance. Ses tâches seront notablement allégées grâce à cette aide, et de surcroît, il ne s'agit pas d'une inconnue maladroite et sauvage, mais de Lucie Sabourin, qu'elle a côtoyée pendant des années et pour qui elle a une vive affection ! Croisant son regard, Flavie la gratifie d'un sourire rayonnant, qui lui est rendu avec autant d'enthousiasme.

Sa mission accomplie, Archange disparaît pour se vêtir dans la nouvelle salle d'attente du bureau de son fils, construite dans l'ancienne salle de classe par les ouvriers. Flavie la suit, plongée dans un silence embarrassé, se creusant la cervelle pour trouver les mots qui expriment, le plus justement possible, à quel point le cours de son existence vient de s'éclaircir subitement, comme se dispersent des nuages qui déversaient jusque-là des giboulées obstinées ! Finalement, elle se jette à l'eau, en bredouillant avec ferveur :

– Je vous serai éternellement reconnaissante, belle-maman.

Archange tourne vers elle un regard calme et la dévisage un court moment. Flavie a l'impression étrange que, derrière ses yeux, la toile d'un panorama se déroule à toute vitesse, celui de leur vie commune depuis leur première rencontre sous le porche de l'École de médecine au printemps 1847, presque huit ans plus tôt... Enfin, un doux sourire étire ses lèvres, et elle tend le bras pour, du revers de la main, frôler la joue de la jeune accoucheuse. Presque malgré elle, Flavie laisse tomber, la gorge sèche :

– Je vous en ai fait voir de toutes les couleurs...

– Le plus difficile, ma chérie... le plus difficile, c'est de lâcher prise.

Pour ne pas contrarier cette rare confidence de sa belle-mère, Flavie retient son souffle.

– Je ne sais pas si toutes les mères sont comme moi, mais je m'étais brodé une charmante histoire... même si un peu convenue : une épouse qui comblerait tous les besoins de mon fils et qui lui donnerait une vigoureuse descendance.

Archange reste pensive, puis son visage s'éclaire et elle lance avec allégresse :

– Dans le fond, c'est exactement ce qui se passe, n'est-ce pas ? Sauf que le chemin pour y parvenir a été très différent de ce que j'imaginais. Oui, radicalement différent… Mais c'est Bastien lui-même qui m'a donné le premier véritable choc. Quand il est parti pour Boston… J'ai compris que je n'étais pas maîtresse de sa destinée. Même lui ne l'était pas… J'ai compris aussi la force de son attachement pour vous.

– Pour moi ? répète Flavie, stupéfaite.

– Il ne pouvait supporter l'idée de vous décevoir. À mon sens, c'était le plus éloquent témoignage…

Emmitouflée dans sa pelisse comme un ours, Archange lui offre une moue frondeuse, puis elle se détourne, presse la clenche d'un geste décidé et disparaît dans l'étincelante lumière d'hiver. Flavie tressaille quand une main se pose sur son épaule : c'est Catherine, qui se prépare à prendre congé, mais auparavant elles veulent planifier la suite des choses concernant l'intégration de Catherine à leur pratique, interrompue depuis l'incident du mois précédent. Tout juste avant de partir, faisant semblant de ne pas voir l'air goguenard de sa consœur, la jeune femme glisse à Flavie, mine de rien, qu'elle est disponible pour l'accompagner à la soirée des raquetteurs.

Peu après, Samuel emmène Geoffroy pour quelques heures chez lui, et Flavie en profite pour aller s'allonger un moment sur son lit, ne pouvant s'empêcher de hâter en pensée le retour de Bastien… Son souhait est bientôt exaucé, et la voix du jeune homme conversant avec Lucie résonne au rez-de-chaussée. Elle saute en bas de son lit, puis elle lisse ses cheveux avant de faire irruption dans le corridor. Lorsqu'elle parvient au faîte de l'escalier, il en a déjà parcouru la moitié.

Il s'immobilise, levant un visage interrogateur ; Flavie tend la main vers lui, et il reprend sa montée. Son élan est arrêté net lorsqu'elle passe ses bras autour de son cou et se presse contre lui. Il vacille, en équilibre sur l'étroite dernière marche, mais Flavie profite de leur taille momentanément égale pour plaquer sur sa bouche un baiser glouton. Il accepte cette marque d'attention de bonne grâce, puis se dégage pour laisser tomber, railleur :

– À ce que je constate, j'ai réussi à acheter la paix...

Elle réplique par un air exagérément sourcilleux, et il pouffe de rire, avant de concéder :

– J'ai été un peu lent de comprenure, mais à force de me faire taper sur le crâne... Une fameuse idée, pas vrai ?

– Une idée du tonnerre ! Ta mère n'a pas trop rechigné ?

– Juste pour la forme. Sur ce, je descends me remplir la panse. Vous permettez, Madame ?

– Faites, Monsieur.

D'un geste leste, il lui flatte le bedon avant de pivoter. Lorsqu'il a disparu, Flavie laisse son sourire s'évanouir tout en passant sa main, à son tour, sur la rondeur qui pointe discrètement. Songeant au petit être qui l'habite, elle se sent envahie d'un bonheur tranquille, encore hésitant, mais dont les élans s'affirment chaque jour davantage. Pourquoi faut-il que cette présence lui rappelle, invariablement, ce moment éprouvant de l'été 1853 où la perspective d'être mère l'a remplie de terreur ? Parfois, elle passe à un cheveu, pour libérer sa conscience, d'avouer tout à Bastien, mais une angoisse tenace la retient chaque fois, celle de voir le visage de celui qu'elle aime déformé par la haine.

En fin de compte, c'est à son domicile que Jacques Rousselle a suggéré de recevoir la première cohorte d'élèves pour le cours organisé sous les auspices de la Société compatissante. Le conseil d'administration a tergiversé pendant un certain temps, mais cet arrangement a fini par faire l'affaire de tout le monde, d'autant plus qu'un groupe très restreint d'une dizaine de sages-femmes s'est constitué.

C'est donc avec une forte impression d'irréalité que Flavie accompagne son mari à la soirée d'inauguration de la série de vingt cours répartis sur l'année, à raison d'un à toutes les deux semaines ; une impression d'autant plus forte que la ville, après une succession de redoux, est finalement ensevelie sous trois pieds de neige. L'avant-veille, Bastien a dû sortir en raquettes, et il avait la cité entière pour lui tout seul !

Elle ne connaît presque rien des détails de l'arrangement auquel les deux confrères sont parvenus. Mal à l'aise, Flavie se garde bien d'interroger un Bastien peu bavard. Ce soir, c'est la première fois qu'elle revoit Jacques Rousselle depuis qu'il l'a cavalièrement abordée après une conférence donnée à l'Institut canadien, moins de deux ans auparavant. Ces derniers jours, elle s'est bardée mentalement contre son mépris envers celle qui ne se contente pas de la place prescrite par Dieu pour les femmes. Un mépris latent, mais tout de même perceptible...

Lorsque Bastien tire le cordon de la sonnette, elle glisse une main nerveuse dans la sienne et, malgré l'obstacle de leurs mitaines, il la serre fortement avant de laisser aller. Leur hôte occupe encore le foyer paternel, et Flavie reconnaît la silhouette menue de celle qui vient entrebâiller la porte, sa mère Vénérande Rousselle. Les salutations sont tout juste courtoises. Vénérande n'a jamais caché son dédain pour Flavie, sentiment lié au fait que celle-ci, même mariée, n'a pas voulu abandonner son métier. Le fils a de qui tenir !

En silence, le jeune couple est conduit au salon, transformé pour l'occasion en auditorium de fortune. Rousselle s'y livre à des préparatifs de dernière minute et il prend acte de leur présence avec une lenteur exaspérante. Flavie en profite pour le parcourir du regard de la tête aux pieds, notant qu'il est moins grand que dans son imagination, moins viril aussi puisqu'il se meut avec une langueur étudiée... Enfin, il leur fait face, un sourire forcé sur les lèvres.

Pour la première fois, elle le considère de près, remarquant à quel point le nez à l'arête aiguë et les fins sourcils contrastent avec la bouche gourmande et les grands yeux largement écartés. Elle doit convenir qu'au premier coup d'œil une impression de prestance réelle se dégage de lui, amplifiée par une chevelure plus sel que poivre encore plantée drue sur ses tempes, mais elle se crispe intérieurement devant son teint fade, devant le pli mince formé par la peau de son cou qui déborde de son col trop serré, devant sa coiffure trop parfaitement ondulée et rejetée vers l'arrière pour être naturelle.

Vivement, il incline la tête, proposant un baisemain à Flavie qui acquiesce du bout des doigts. Désignant ensuite la douzaine de sièges hétéroclites placés sur deux rangées, il lui suggère de prendre place pendant que Bastien et lui feront le point avant le début de la rencontre. Elle obtempère, cantonnée dans une stricte réserve. Elle n'a aucune intention de lui adresser la parole, sauf en cas d'absolue nécessité. Si cette rencontre devait avoir lieu, rien ne l'oblige cependant aux civilités !

Flavie s'anime lorsque son ancienne associée Marie-Barbe Castagnette, devenue Mme Bridelle, s'assoit à ses côtés. Depuis son retour, elles se sont vues de loin en loin, et Flavie l'inonde de questions. Leur aparté est interrompu au moment où Françoise Archambault, qui doit ouvrir la séance, fait une entrée conquérante. Elle vient les saluer avec affabilité, puis elle gagne un siège à une extrémité de la première rangée pour repasser son allocution.

Catherine, bientôt suivie par Marie-Julienne, s'installe à proximité. Les envisageant toutes les trois, Flavie sent son cœur se gonfler de joie. Elle a l'impression d'être enveloppée de nouveau par cette complicité qui les unissait lors des rencontres du cercle d'accoucheuses, même si Catherine n'en faisait pas partie puisqu'elle avait pris le voile. Oui, elles étaient de connivence dans leur soif de savoir, dans leur besoin tenace d'apprendre et de progresser. Comme Flavie a la nostalgie de cette période bénie!...

Parmi les sept autres sages-femmes, elle en connaît seulement deux de vue. Il y a plusieurs matrones qui ont appris sur le tas, et même une très jeune sœur de Miséricorde que Catherine s'empresse de prendre sous son aile dès son arrivée afin qu'elle se joigne à leur compagnie. La religieuse leur explique avec émoi qu'elle était censée être accompagnée d'une de ses consœurs, mais qu'une délivrance a tout chamboulé. Catherine, qui l'a côtoyée quelques mois avant de défroquer, lui promet de passer la quérir à l'hospice Sainte-Pélagie avant chaque cours.

Enfin, Françoise prend la parole pour leur souhaiter la bienvenue au nom de la Société compatissante de Montréal, mais Flavie lui prête peu attention, préférant laisser son regard errer sur les personnes et les choses, pour le fixer enfin sur Jacques Rousselle qui, les bras croisés, écoute l'allocution d'un air altier, ce qui semble être sa mine coutumière. Adossé contre le mur à côté de lui, Bastien crispe ses doigts sur ses fiches et se balance d'une jambe sur l'autre, geste involontaire qui trahit sa nervosité. Il n'a pas d'expérience dans l'enseignement magistral, et même si Flavie est persuadée qu'il va s'en tirer honorablement, elle comprend très bien son angoisse puisqu'elle a vécu elle-même une situation semblable deux mois plus tôt, en remplaçant Léonie devant sa classe d'aspirantes accoucheuses.

Françoise invite les deux médecins à s'avancer. Flavie réprime un sourire devant leur comportement si différent : si Rousselle se redresse nonchalamment, un sourire mondain aux lèvres, Bastien tressaille comme si une main invisible le chatouillait désagréablement. Avec de longues enjambées paresseuses, Rousselle marche jusqu'au centre, tandis que Bastien le suit à petits pas, la tête inclinée, leur faisant face à contrecœur. Dès qu'il croise ses yeux, Flavie le gratifie d'un clin d'œil enjoué.

Les deux praticiens se présentent et détaillent leurs compétences, bien qu'elles soient connues de toutes, puis ils exposent la teneur du cours, se passant la parole avec tant d'aisance que Flavie en est impressionnée. À l'évidence, leurs responsabilités respectives ont été clairement définies ! Si Rousselle montre une réelle décontraction, sa voix grave mais suave résonnant dans toute la pièce, Bastien hésite de moins en moins à faire vibrer son timbre de baryton au moyen d'envolées chantantes. Flavie se surprend à les imaginer comme deux chantres qui s'égosillent. En effet, la matière serait fièrement moins aride si les professeurs l'enrobaient d'une ritournelle !

Sans crier gare, Rousselle s'écarte pour laisser Bastien commencer le cours magistral. Flavie grimace intérieurement : ce n'est pas une mince entreprise que de briser la glace ! Mais son mari, imperturbable, entreprend de décrire la physiologie féminine et d'illustrer sommairement la place que les organes de la génération occupent dans l'organisme tout entier. Peu à peu, les auditrices sont envahies d'un subtil malaise à entendre ces mots que même elles n'ont quasiment jamais prononcés. Marie-Barbe, Marie-Julienne et Flavie, sensibles à ce phénomène qui leur est familier mais fières de leur supériorité en ce domaine, échangent un regard complice.

À la dérobée, Flavie coule un regard vers Jacques Rousselle, assis à côté de Françoise Archambault à l'extrémité de la première rangée, qui lui présente une partie de son profil et de l'arrière de sa tête. L'ancien associé de Bastien, Étienne L'Heureux, leur a brossé un portrait sommaire mais éclairant du praticien. Célibataire endurci, Rousselle mène une vie dissolue, ne dédaignant pas la compagnie d'une débraillée quand il n'a pas de maîtresse en titre. Lorsqu'il file le parfait bonheur, c'est un chevalier servant hors pair ; mais il peut mettre l'élue de son cœur à la porte en moins de temps qu'il ne faut pour le dire. Il a été affligé d'au moins une maladie vénérienne, et nul ne sait s'il en est réellement guéri...

Furtivement, petite et mince silhouette de veuve revêtue de gris foncé, Vénérande Rousselle passe dans le corridor sur lequel s'ouvre le salon. Flavie ne l'a jamais revue depuis son départ en catastrophe du conseil d'administration de la Société compatissante, à la fin du mois d'avril 1853, presque deux ans auparavant, après que la plainte de son mari Nicolas contre Léonie a été rejetée.

Elle ignorait tout de sa destinée jusqu'à ce qu'Étienne lui apprenne que son fils lui a permis de reprendre, en sa compagnie, son rôle de garde-malade spécialisée en obstétrique. Son travail d'accompagnante au refuge lui a servi d'apprentissage ! Flavie fait une moue de mépris en songeant à ce qui lui semble, de la part de plusieurs docteurs pleins de fatuité, de l'hypocrisie pure et simple. Ils rechignent à accorder le moindre crédit au talent des accoucheuses, mais s'empressent d'engager une garde-malade qui accomplira, pour eux, toute la sale et fastidieuse besogne !

Les deux heures du cours magistral filent à une vitesse étonnante, et les maîtres cèdent enfin leur place à Françoise, qui annonce que la Société parrainera également un cours condensé offert à deux reprises pendant l'année, soit au printemps et à l'automne, étalé sur dix après-dînées. S'il est destiné en priorité aux campagnardes, les Montréalistes pourront s'y inscrire également. Enfin, Françoise précise que si les docteurs sont tous deux retenus par une urgence, l'une des sages-femmes attitrées de la Société prendra la relève. Flavie hausse les sourcils. Les discussions à ce sujet ont dû être vives entre Rousselle et les conseillères !

La séance à peine levée, Flavie est entraînée dans une chaleureuse discussion avec ses jeunes consœurs, qui s'avouent enchantées de retrouver, même atténuée, l'atmosphère studieuse qui régnait lors des réunions du cercle des accoucheuses. Bientôt, on l'interroge avec anxiété au sujet de Marguerite. Constatant le souci de ses camarades, qui imaginent la jeune femme réprouvée à jamais, Flavie les invite sur-le-champ pour une jasette en après-dînée, le surlendemain. Elle en profitera pour tâcher de remettre les pendules à l'heure en ce qui la concerne…

Une bise tenace faisant tourbillonner les sorcières de poudrerie, le Dr Renaud et son épouse se couvrent jusqu'au nez avant d'attaquer la route d'un bon pas. Le froid les empêche d'échanger plus que trois mots, et leurs cils ont tendance à coller à cause de la glace qui s'y forme! La jeune sage-femme s'ébahit encore de ne pas grimper la pente en direction de la rue Sainte-Monique, mais plutôt de mettre le cap sur le faubourg Sainte-Anne, au sud-ouest. Elle imagine Geoffroy et Lucie dans leurs chambrettes, enfouis sous une montagne de couvertures, et la cuisine encore chaude qu'un luminaire réchauffera encore davantage…

Elle s'est toujours sentie comme une invitée chez Bastien, même pendant les périodes les plus heureuses. Cependant, depuis qu'elle a retrouvé la maison de son enfance, elle est vraiment chez elle! Tous deux se réfugient enfin, hors d'haleine, dans la tiédeur de ce qui est devenu l'antichambre du cabinet du jeune médecin. Ce dernier allume la lampe suspendue au mur à côté de la porte, et Flavie commence à se débougriner avec lenteur, assaillie par une soudaine fatigue. Ce ne semble pas être le cas de son mari, au visage rougi mais à l'expression guillerette. Se frottant les mains, il danse sur un pied et sur l'autre, en disant avec orgueil:

– J'ai tiré mon épingle du jeu, n'est-ce pas, mon petit chat sauvage?

– Sans conteste, réplique-t-elle en soufflant sur ses doigts. Mais j'ai peut-être une opinion préconçue…

– Peut-être ? Sûrement, tu veux dire ! Je ne peux croire que tu accordes une once de talent à ce grand fendant !

– Même pas une miette. Tu m'as ébloui comme le soleil du solstice d'été !

– Moque-toi, grommelle-t-il en pirouettant sur place. N'empêche qu'à la fin j'avais l'impression d'avoir professé depuis le berceau…

Bastien redresse un cadre et replace une patère, puis il déplace deux chaises tout à fait inutilement, avant d'ouvrir toute grande la porte de son bureau et de s'y engouffrer. Souriante, Flavie le suit :

– Que fais-tu ? Tu ne vas tout de même pas te plonger dans tes paperasses ?

– Il y a un point que j'ai eu l'impression d'escamoter. Je voulais vérifier…

Flavie se perche sur la table d'examen et promène un lent regard circulaire autour d'elle, cherchant malgré elle des traces de ce qui fut, pendant une bonne dizaine d'années, une classe d'école primaire. Le pupitre de Simon était là, contre le mur du fond… Pendant une fraction de seconde, elle est obnubilée par la vision de son père faisant les cent pas devant la première rangée d'élèves, intensément concentré sur la matière qu'il leur livrait avec une gestuelle de tragédien… Des instituteurs comme Simon, songe-t-elle avec nostalgie, il ne s'en fait plus. De ceux qui croient que, pour grandir, le savoir est aussi nécessaire que les ragoûts où trempent de charnues pièces de lard…

Après un bâillement, elle grommelle :

– Il fait frette comme chez le loup. Je monte.

Bastien redresse la tête, puis abandonne ses papiers et s'empresse de venir la recevoir dans ses bras lorsqu'elle saute à terre. Son étreinte est puissante, et Flavie devine que l'énergie qui parcourt ses veines a besoin d'un exutoire. En effet, il la fait reculer d'un pas, jusqu'à s'accoter à la table qu'elle vient tout juste de quitter, puis il pose ses lèvres dans son cou avant de murmurer :

– Laisse-moi te réchauffer. J'ai très envie de toi...

– Monsieur le professeur, le tance-t-elle d'un ton coquin, vous m'embarrassez...

– J'ai remarqué vos yeux tout à l'heure, réplique-t-il en jouant le jeu. Fixés sur moi avec une telle fièvre... J'ai cru y lire une invite...

Un long baiser s'ensuit, et sous la force de sa pression, elle se rassoit sur la table. Enfin, elle souffle encore :

– Je me disais que... que vous condescendriez à me faire un examen intime... Je suis en famille et j'ai une légère inquiétude sur la conformation de mes parties privées...

Il pouffe de rire.

– Dans ce cas, permettez-moi de descendre vos pantalettes... Pardonnez-moi, mais c'est absolument nécessaire. Je glisse un doigt...

Après avoir noué ses mains autour du cou de Bastien, Flavie se réfugie dans une bulle de bien-être, celle suscitée par les caresses fiévreuses de son homme, qu'elle lui rend avec un entrain croissant. S'il impose tout d'abord un rythme langoureux à leur corps à corps, il se décide très vite à se dégager de la prison de son pantalon. Toujours debout, il se cale solidement et lui empoigne les jambes. Arc-boutée sur ses bras, Flavie laisse tomber la tête vers l'arrière, s'alliant au mouvement impérieux qui les raccorde enfin.

Elle ferme les yeux en poussant un soupir de satisfaction. Toutes les étapes de l'acte copulatoire sont délicieuses mais, depuis sa réconciliation avec Bastien, celle-ci lui paraît particulièrement exquise. Elle ignore où elle en sera rendue au moment de son paroxysme à lui, mais ce soir, elle n'en a cure. Pourvu qu'aucune de leurs clientes ne se croie autorisée à accoucher à l'instant même ! Pourvu qu'ils puissent profiter, jusqu'à plus soif, de cette enivrante période de liberté totale…

Les lourds nuages gris se déchirent. Comme bon nombre de Montréalistes qui se trouvent dehors, Flavie fait un arrêt pour admirer le magnifique rai solaire qui va s'ancrer au sol et qui fait fuser un élan d'espoir dans le cœur de chacun : que ces violentes averses qui ont obscurci la métropole pendant des jours entiers soient chose du passé ! Le dégel de janvier et les abats de pluie ont tant fait monter le niveau du fleuve que les batardeaux laissés en place autour des deux premiers piliers du futur pont Victoria, de même que certains remblais, ont été emportés ! Toute circulation sur le Saint-Laurent a été interdite tant la glace était mouvante. Cependant, cette calamité a eu ceci de positif qu'elle a donné une première indication de la force de résistance des piliers, qui n'ont pas bronché…

Flavie reprend son rythme allègre de marche. Elle ramène à la maison non pas une, mais deux missives de la main de Léonie, et elle a la ferme intention de les lire à peine débougrinée. Cependant, un pied tout juste dans la cuisine, elle fige : Léonie y est, en chair et en os, en train de laver dans la bassine quelques vêtements ! Avant de venir lui donner l'accolade, cette dernière s'amuse fort de la surprise de sa fille, puis elle remarque en bougonnant qu'avoir su elle se serait épargné ces frais de poste !

Après ce court moment d'agrément, Léonie met Flavie au courant du décès de sa grand-tante Sophronie. La jeune accoucheuse reste sans voix, incapable de croire à la réalité d'une telle disparition. L'ayant connue déjà ridée et voûtée par l'âge, il lui semblait que le temps n'avait pas de prise sur elle… Ce triste événement à peine digéré, Léonie annonce une seconde nouvelle qui assomme Flavie au point qu'elle se laisse tomber dans la berçante : Jean-Baptiste, frère de Sophronie et père de Léonie, n'a survécu à son chagrin que deux jours.

Léonie n'en dit guère plus, pressée de finir sa tâche, mais elle adresse un sourire navré à sa fille avant de se remettre à l'ouvrage. Tout en frottant sa chemise sur la planche à laver, elle lutte contre le sentiment envahissant de se retrouver doublement orpheline. Elle avait beau s'y attendre, jamais elle n'aurait cru se sentir aussi démunie. Comme si elle avait perdu ses repères… Après le trépas d'Aurélie, sa propre mère, Léonie a reporté ses affections sur Sophronie, qui l'a prise sous son aile de bien des façons, y compris en l'initiant à un métier qui est devenu le centre de sa vie. Oui, Léonie a versé d'abondantes larmes en veillant d'abord celle qui fut une matrone appréciée de toutes les paroissiennes, puis celui qui fut un habitant aux mains calleuses, mais également un joyeux drille et qui, dit-on, avait vénéré son épouse.

Ce soir-là, au souper, Léonie se fait davantage volubile, relatant les détails pertinents de l'agonie des deux aïeuls pour le bénéfice d'un Bastien attentif. Dès qu'elle a terminé, Flavie s'enquiert :

– Et tante Catherine ? Elle a eu un gros chagrin ?

– Sans doute, répond Léonie avec un sourire indulgent, mais n'oublie pas que c'est sur ses épaules que retombaient les soins à donner à notre père. Il salissait ses culottes plus souvent qu'autrement…

– Ah bon ? s'ébahit Geoffroy. Ton pépère jouait dans la terre ?

– À vivre sur une ferme, répond Flavie avec une grimace de dérision, on fraye avec le fumier… Et mes cousins et cousines, comment vont-ils ?

Léonie explique, en substance, que Félicité a manqué de mourir en couches, que Maurice est malheureux en ménage et que Josephte, émigrée aux États-Unis, ne donne pas suffisamment de ses nouvelles. Flavie fait mine d'être intéressée, mais au fond, elle ne voit sa parenté que de loin en loin. Depuis son séjour estival à Longueuil avec Bastien, quatre ans auparavant, elle n'y a pas remis les pieds. Ses cousines ne sont dans son esprit que de pâles et flous souvenirs… Léonie confirme ce détachement lorsqu'elle avoue :

– Maintenant que Jean-Baptiste et Sophronie sont disparus, il n'y a plus grand-chose qui me relie à ma famille. Nous avons des vies si différentes… Des préoccupations aux antipodes.

– Ta sœur, elle est toujours aussi dévote ?

– De pire en pire, confirme Léonie avec une grimace. Je n'y retournerai pas de sitôt, je te jure ! De toute façon, j'ai passé assez de temps loin de vous tous, ça suffit !

– J'avais apprécié mon séjour parmi eux, remarque Bastien, mais je n'irais pas m'enterrer – pardon, Léonie. Je veux dire, je n'ai pas la carrure d'un habitant, c'est certain !

Comme pour elle-même, Léonie bredouille :

– Étrange sensation que d'être la plus âgée…

– Ton frère Plessis, il est plus vieux que toi, il me semble ?

– Oui, mais enfin… Je ne suis plus la fille de personne.

Comme si le royaume des morts était à portée de voix. Comme si le dernier obstacle de taille entre lui et elle venait de tomber… Léonie fait un tendre sourire à sa fille, laissant son regard errer sur son ventre dont la forme lui rappelle celle du fameux melon de Montréal, un savoureux cantaloup à la chair orange dont les marchés regorgent à l'automne. Ce nourrisson sera son ancrage. Elle cajolera tous ses petits-enfants avec un bonheur suave ! Dès demain, elle ira faire la bise à Sylvain, qui consentira certainement à s'abandonner dans ses bras lorsqu'il n'en pourra plus de virevolter en tous sens !

Chapitre XXIV

La langue tirée, Geoffroy s'applique consciencieusement à tracer le terrible *z* majuscule. Tout en mélangeant les ingrédients d'un gâteau aux carottes, Flavie encourage ses efforts avec des œillades affectueuses. Bastien a évoqué la possibilité de le mettre à l'école l'automne prochain, et comme il aura alors presque neuf ans, elle estime que ce serait une sage décision. L'important est de choisir une classe dotée d'un maître de qualité. Depuis la mort de Simon et le départ d'Agathe, les marguilliers engagent pour l'école de paroisse des jeunes femmes parfois à peine plus savantes que leurs élèves ! Heureusement, la métropole abrite plusieurs établissements laïques fort respectables.

Des coups se font entendre à la porte qui sépare la cuisine de ce qui est devenu la clinique de Bastien. Cet arrangement est loin d'être idéal : les visiteurs doivent traverser la salle d'attente et se débougriner sous les yeux des patients du docteur ! Il leur faudra faire construire un nouveau porche sur un mur de côté, aménagement éventuel qui s'ajoute à une longue liste... Essuyant ses mains sur son tablier, Flavie va ouvrir et se trouve nez à nez avec Suzanne Cibert, encore emmitouflée et bottée. Constatant son teint blême et sa mine hagarde, la jeune accoucheuse s'empresse de la faire pénétrer dans la pièce.

Après avoir balbutié une salutation, la visiteuse obéit au geste de Flavie, qui l'invite à se dévêtir, ce qu'elle fait avec une extrême lenteur. Flavie note le chignon désordonné d'où s'échappent des mèches, de même que la robe boutonnée en jalouse sur le devant et qui laisse deviner un corset beige, mais elle ne dit rien. Elle se tourne vers Geoffroy et lui lance avec un sourire :

– Tu as très bien travaillé, mon petit homme ! Tu peux ramasser tes affaires. Pour le sûr, Samuel a le nez gelé à force de le coller au carreau !

Le garçonnet bondit de son siège et Flavie l'aide à se vêtir chaudement. Enfin, elle se tourne avec un sentiment d'appréhension vers Suzanne, debout près du poêle. Elle n'a aucune envie de devenir son amie, ni surtout sa confidente. Le passé a été trop douloureux… Mais comment lui refuser de l'aide si elle se trouve dans le besoin ? Manifestement, Suzanne n'est pas dans son état normal. Incapable d'un bavardage mondain pour casser la glace, elle reste plantée là, les yeux fixés sur le canard dont le bec laisse fuser de la vapeur d'eau. Flavie approche une chaise, puis fait une légère pression sur son épaule pour lui signifier de s'asseoir. Elle obtempère mécaniquement.

C'est alors que, tout en prenant place non loin d'elle, Flavie est frappée par l'évidence. Suzanne s'est délivrée de son troisième ! Elle serait déjà sur pied ? Pendant que Flavie se livre à des calculs frénétiques, sa vis-à-vis laisse tomber d'une voix morne :

– Ne cherche pas. Je l'ai perdu le mois passé. Mort-né.

– J'en suis bien marrie, murmure Flavie.

Pendant un long moment, toutes deux portent attention au son des bûches qui crépitent et au bruit sourd de voix qui traverse la cloison. Enfin, dissimulant son impatience, Flavie articule :

– La température nous joue de vilains tours, n'est-ce pas ? Pendant dix jours, le thermomètre refusait de franchir la barre du vingt sous zéro, et soudain le dégel…

Suzanne tourne vers elle un regard absent, épeurant à force d'être vide, et Flavie est prise d'un long frisson. Elle s'oblige à reprendre :

– Tu voulais me causer de quelque chose ?

La visiteuse ouvre la bouche, puis la referme sans qu'un son en sorte.

– J'ai ouï dire par ta mère que ton humeur n'était pas très bonne, ces temps-ci...

La fille de Marie-Claire ricane, un rire presque grinçant qui prend Flavie au dépourvu. Enfin, elle éructe, comme un hoquet irrépressible :

– Pas très bonne ? Quel euphémisme, ma chérie !

Elle pousse un gémissement, avant d'éclater en sanglots bruyants. Estomaquée, Flavie reste clouée sur place, observant sa visiteuse dont les épaules tressautent et qui a replié un bras contre son visage. Est-ce la perte de son enfant qui l'accable ainsi ? Quelques minutes plus tard, revenue de sa surprise, Flavie se lève pour quérir un de ces mouchoirs dont elle conserve une pile à portée de main et le lui fourre entre les doigts. C'est le seul geste de compassion dont elle est capable. À l'idée de toucher Suzanne, tout son être se révulse, comme si les attentions de son mari médecin, le mâle le plus outrecuidant qu'elle connaisse, étaient encore imprimées sur son corps !

Suzanne réussit à dominer son vif chagrin, puis elle s'essuie les joues et se mouche. Enfin, triturant le carré de tissu, elle balbutie :

– Je passe mon temps à me demander pourquoi j'ai choisi cet agrès-là. À chaque heure qui passe, j'essaie de comprendre... Pourquoi j'ai eu la bêtise de repousser Franz ?

Flavie reste imperturbable. Si elle a jeté son dévolu sur l'arrogant Louis, ce n'est pas faute d'avoir été prévenue contre ses excès... Le malentendu persistant qui s'est installé entre elles deux tire précisément son origine de ce moment cruel, lorsque Flavie a cru qu'il était de son devoir de l'informer de l'attitude méprisante de Louis. Les yeux fixés droit devant elle, Suzanne laisse tomber sans émotion apparente :

– Non seulement c'est un coureur de jupons, mais il m'a refilé une cochonnerie.

Sidérée, Flavie jongle avec cette affirmation avant de bafouiller :

– Une cochonnerie ? Tu veux dire... une maladie vénérienne ?

– On pourrait croire qu'il en serait pétri de remords, n'est-ce pas ? Après tout, personne ne souhaite contaminer quelqu'un, et surtout pas son épouse adorée ! Eh bien, c'est à peine s'il a pris note de la chose. Comme il n'a pas fait exprès, je suis censée lui pardonner sur-le-champ...

– Pas fait exprès ? J'espère bien !

Suzanne tourne vers son interlocutrice des yeux agrandis, presque fous.

– Dans sa tête, il n'est que victime. Victime de cette maîtresse, cette courtisane ! C'est contre elle que je dois me fâcher, pas contre lui !

– Quel sans-cœur !

Flavie se mord les lèvres, mais Suzanne fait une profonde grimace dans laquelle se lit un accablement terrible.

– Tu ne crois pas si bien dire ! Ça existe, Flavie, des vrais sans-cœur. Des hommes qui ont un cube de glace dans la poitrine. Leur sang se concentre uniquement dans leur verge !

Saisie par cette assertion brutale, Flavie la dévisage avec effarement. Tassée sur elle-même, les mains enfouies entre ses genoux serrés, Suzanne est l'image même de la défaite.

– Je croyais que par la douceur... que par la douceur, je l'apprivoiserais. Parce que j'aimais sa vitalité, Flavie, j'aimais son rire conquérant, j'aimais son ambition... Mais dès que j'ai été grosse de Charles-Albert... Il m'a délaissée. Il répugnait à m'approcher...

Elle se redresse, jetant un regard fiévreux à la jeune accoucheuse.

– Tu crois ça, toi, qu'un mari ne doit pas approcher de sa femme enceinte sous peine de mettre son fruit en danger ?

– La matrice sert précisément à protéger le fœtus des agressions et des chocs. D'après moi, les tâches de la vie courante sont un ébranlement bien plus considérable que… que l'acte de s'accoupler !

Quoique… Flavie se détourne pour dissimuler son sourire. Devant l'amplitude de sa pâmoison lors de certaines étreintes, un observateur objectif pourrait remettre cette certitude en question ! Retrouvant aussitôt son sérieux, elle poursuit, d'un ton sentencieux :

– La controverse se résume aisément : est-ce que la jouissance féminine – je veux dire, le pic de la jouissance – peut entraîner un relâchement du col de la matrice ? Même chose pour les coups de boutoir du mâle ? Point du tout, à mon avis.

Elle croise le regard de Suzanne, si éperdu que son cœur fait un bond. Avec une extrême précaution, elle conclut :

– Et même si c'était dans le domaine des possibilités… même si un doute subsistait… il y a bien des manières douces de se contenter, tu ne crois pas ?

Deux larmes rondes s'échappent des yeux de sa visiteuse et roulent au ralenti sur ses joues creuses. Cette manifestation de détresse intérieure touche Flavie bien davantage que le plus éclatant chagrin… La mine hébétée, Suzanne lèche les premières larmes qui atteignent sa bouche, puis elle bégaye :

– Oh ! Flavie, ma si aimable Flavie… Comme tu m'as manqué toutes ces années ! Je ne pouvais pas aimer Louis en même temps que toi, tu vois ? En me donnant à Louis, je t'ai reniée. Comme je le regrette aujourd'hui ! Comme je voudrais que tu me pardonnes ! Je voudrais tant retrouver notre complicité de l'époque où nous étions filles !

Remuée jusqu'au tréfonds de son être, Flavie murmure, après un court silence :

– Une époque lointaine... J'ai préféré te *désoublier.*

Suzanne fait une telle moue de douleur qu'elle se hâte d'ajouter :

– Mais trêve de discussion. Tu es venue ce matin parce que tu as besoin d'aide et je suis parée à te soutenir au mieux de mes capacités.

La porte de la cuisine s'ouvre avec fracas, ce qui fait sursauter les deux femmes. Bastien apparaît dans l'encadrement et jette à la cantonade :

– Flavie, tu es là ?

Apercevant la scène près du poêle, il fige sur place, avant de laisser tomber :

– Mille excuses. Bon matin, madame Cibert.

– Bien le bonjour, docteur, réplique-t-elle avec une grâce déconcertante, sans le regarder toutefois.

– Eh bien... je vous laisse à votre causette.

Il bat en retraite, et la porte se referme sans bruit.

– J'ai besoin d'un médecin, affirme soudain Suzanne, et je dédaigne de placer mon sort entre d'autres mains que celles de ton mari.

Désarçonnée par la tournure alambiquée de cette dernière phrase, Flavie met un moment à saisir son propos. Elle veut se faire examiner, puis traiter par Bastien ?

– C'est le seul en qui j'ai une entière confiance, poursuit Suzanne. Je n'ai qu'à me remémorer nos quelques mois de fréquentations pour être persuadée de sa droiture. J'en ai trop entendu pour croire que ces messieurs les docteurs respectent le pacte conclu avec leur clientèle, c'est-à-dire de garder le secret sur leur état.

Flavie a envie de rétorquer qu'il ne faut pas mesurer tous les hommes de l'art à l'aune de Louis, mais elle se contient. Elle dit plutôt :

– Fort bien. J'imagine que le plus tôt sera le mieux?

– Je t'en prie.

– Je crois qu'il est avec un patient, mais si la place est libre ensuite, tu la veux?

Suzanne inspire comme si elle s'apprêtait à se jeter à l'eau, puis elle hoche farouchement la tête. Flavie s'empresse de faire traverser sa compagne, d'un calme olympien, dans la salle d'attente déserte. Elle hésite à lui tenir compagnie, mais Suzanne lui assure qu'elle a besoin d'un moment de calme avant d'affronter l'épreuve qui s'en vient.

Pendant l'heure qui suit, la jeune accoucheuse a bien de la misère à se concentrer sur ses tâches ménagères. Elle commence à espérer le retour de Geoffroy pour le dîner lorsque Bastien fait son entrée dans la cuisine. Après avoir refermé soigneusement la porte, il laisse tomber:

– Elle est partie.

Flavie soupire de soulagement, comme si on venait de la débarrasser d'un pesant fardeau. Elle n'ose pas le questionner, surtout après les allusions de Suzanne concernant le secret professionnel, mais Bastien s'approche pour dire à mi-voix:

– Comme tu es déjà au courant, elle m'a permis de satisfaire ta curiosité, mais il est impératif que tu restes muette comme une tombe.

Elle acquiesce de la tête, et il reprend:

– C'est bel et bien une maladie vénérienne. Pas la syphilis, heureusement. Une affection moins grave, mais contrariante. Je t'épargne les détails.

– Je n'y tiens pas, se hâte d'affirmer Flavie. Et Louis? Il s'est soigné?

– Elle croit que oui, mais je n'aurai pas le choix que de m'en assurer.

– Toi? Tu vas... l'interroger en ce sens?

– C'est mon devoir, réplique-t-il avec une grimace, comme pour toute maladie transmissible.

– Beurrée de sirop ! Je ne voudrais pas être dans tes culottes !

– Je suis devenu le médecin de Suzanne. Je n'ai pas eu le cœur de la renvoyer à un confrère, même si ça m'est passé par l'esprit... Bref, j'ai la mission de favoriser sa santé. Donc, de la protéger – raisonnablement, il va sans dire – contre les abus qui pourraient la compromettre.

– Périlleuse mission, commente Flavie. Je t'offre tout mon soutien moral.

Il la gratifie d'une moue sarcastique, puis il fait quelques pas dans la pièce, avant de remarquer encore :

– Elle m'a semblé à la frontière du dérèglement nerveux, d'autant plus après le choc de la perte de son bébé... J'espère que cet épisode fâcheux va mettre du plomb dans le crâne de Louis, sans quoi...

– Voilà où la sacro-sainte modestie nous mène, ronchonne Flavie. À livrer des êtres humains à leurs tortionnaires, pieds et poings liés ! À les laisser souffrir en silence !

Un brouhaha leur parvient de la salle d'attente, et le jeune médecin avertit, narquois :

– L'ouragan Geoffroy vient de forcer l'entrée...

Il se rend prêter main-forte à son fils, et Flavie reste à remuer la soupe. Une puissante mauvaise humeur lui bloque la respiration. Que les mœurs sont aberrantes ! Comme elles défient toute logique ! La prétendue charité chrétienne est un leurre, une farce ! Une offense comme celle que Suzanne vient de subir devrait être insupportable à la conscience des vertueux, mais le catholicisme la tolère sous prétexte de décence et de crainte du péché ! Quelle argumentation tordue ! Le sang de Flavie bouillonne dans ses veines et, pendant un bref moment, elle aspire de tout son être à se retrouver parmi les perfectionnistes d'Oneida, là où la dignité humaine prenait un tout autre sens, là où le mot « pudeur » n'était jamais galvaudé… Là, le groupe protégeait l'individu, acquis inestimable pour une femme !

Sous un éclatant soleil de février qui annonce le printemps, une troupe de joyeux raquetteurs, dont Bastien et Philippe font partie, s'élancent pour la traversée du mont Royal. Plus tard au cours de la journée, elles sont une quinzaine de dames, sœurs ou épouses, mères ou grands-mères, à monter dans les attelages qui peineront à gravir le chemin de la Côte des Neiges jusqu'à l'auberge retenue pour la fête. Catherine ne se contient plus d'excitation, bavardant comme une pie, s'extasiant au sujet de la moindre curiosité.

Heureusement pour Flavie, davantage sur son quant-à-soi, les deux dames assises en face d'elles font tous les frais de la conversation. Dès la première lieue franchie, elle constate que son amie manifeste la même amitié à Philippe que lors des rencontres précédentes ; il ne faut donc pas chercher de ce côté une explication au comportement mystérieux de l'orgueilleux jeune homme. L'avant-veille, un Bastien piteux a révélé à Flavie que Philippe, jusque-là ravi d'avoir Catherine à lui pour une soirée entière, avait changé brusquement d'humeur. Il a pressé son ami de faire marche arrière, sans expliquer toutefois son soudain changement d'attitude !

À la fois fâché et embarrassé, Bastien n'a pu lui tirer les vers du nez, et les deux hommes se sont quittés en froid. Flavie a eu beau se creuser la cervelle par la suite : impossible de trouver un prétexte valable pour annuler le rendez-vous. Il aurait fallu qu'elle sacrifie sa soirée, ce qu'elle a refusé tout de go. Si leurs patientes consentaient à ne pas accoucher ce soir-là, il était hors de question de se priver de ce plaisir ! Pendant quelques heures, elle s'est bercée de l'espoir que Philippe annulerait sa participation, mais elle a dû déchanter. C'était méconnaître son appétit pour les amusements !

Dans le fond, Flavie n'est pas fâchée que cette relation confuse en arrive à son terme. Les deux jeunes gens sont bien trop différents pour s'entendre durablement! D'ailleurs, M. Ayotte n'acceptera jamais une union mal assortie. Faire tomber sa chaste fille dans les bras d'un noceur... Et puis, comment croire que Philippe ait la moindre intention de se passer la corde au cou? Il apprécie fièrement sa liberté! Comme tous les gros mangeurs, il se lasse du même plat, il a besoin d'une stimulante variété...

Ce soir, il traitera Catherine comme une vulgaire camarade, tout en se trouvant un nouvel objet de passion. Enfin, elle verra à l'œuvre ce séducteur impénitent, capable d'entourer sa flamme d'attentions si empressées qu'elle se croit le centre du monde! Ce sera un choc salutaire, et Catherine finira par le dédaigner entièrement. Son cœur sera libre pour un jeune homme de son entourage, l'un de ceux que son père prend soin de lui présenter à intervalles réguliers.

À leur arrivée à l'auberge, les raquetteurs sont là pour accueillir ces dames. Comme il fait doux, certains ont détaché leur ceinture fléchée, entrouvert leur manteau de laine ou retiré leur tuque à pompon, ce qui dépare un spectacle dont Flavie jouit habituellement, celui de cette troupe de sportifs aux torses bombés qui paradent dans leurs costumes. Philippe se tient raide comme un piquet à côté de Bastien, et il est évident, à voir sa mine sombre et entêtée, que la discussion a été vive entre les deux comparses.

La carriole s'arrête à quelque distance, et aussitôt, les raquetteurs se précipitent pour soutenir la descente de leurs invitées. Bastien tend les bras à Flavie, qui s'y appuie pour mettre pied à terre. Elle plaque ensuite un baiser sur sa joue très chaude. D'un doigt léger, elle touche à ses cheveux humides, puis murmure:

– Prends garde au coup de froid...

Il acquiesce à peine, son visage aux sourcils froncés tourné vers Philippe qui, d'une main revêche, assiste une Catherine radieuse. Le grand jeune homme s'incline pour un baisemain, puis il offre à la jeune femme, en se relevant, un sourire si contraint qu'il ressemble à un rictus. Il réussit à articuler :

– Vous avez fait bon voyage ?

– Sans nuage, répond-elle gaiement. Et vous ? La neige collait sous vos raquettes ? Vous semblez souffrir…

– Je bénis votre perspicacité, laisse-t-il tomber, et je vous prie de m'excuser un moment, j'ai besoin de reprendre mon souffle.

Abruptement, il la quitte et s'éloigne à longues enjambées. D'un geste preste, Bastien glisse un bras sous celui de Catherine puis, avec l'autre, il se lie semblablement à Flavie.

– Laissons cet hurluberlu à ses humeurs. Vous venez ? Le site est magnifique, et je serais ravi de vous en dévoiler tous les secrets…

Deux heures plus tard, alors que le souper bat son plein, la jovialité de Catherine n'est plus qu'un souvenir. Philippe n'a daigné venir les retrouver qu'au moment de s'attabler, et à peine pour un petit quart d'heure, pendant lequel il a posé quelques questions distraites à sa jeune amie. Mû par une impulsion soudaine, il a sauté sur ses pieds en plein milieu d'une phrase de la jeune femme, il a saisi son assiette et il est allé rejoindre un groupe bruyant à une autre table !

Ils sont une huitaine autour de Catherine à bavarder plaisamment, valsant de l'anglais au français, mais cette dernière a manifestement l'esprit ailleurs, ne pouvant s'empêcher de chercher Philippe du regard, qui retrouve toute sa verve avec autrui… Philippe ne s'ennuie avec personne, sauf avec elle… Il gesticule, fait des faces comiques, puis se penche vers une dame accorte avec un air tendre, tandis que les traits de Catherine sont altérés par un désarroi qu'elle tente bien inutilement de cacher. Navrée, Flavie s'évertue, mais en vain, à solliciter son attention…

L'arrivée des violoneux procure une distraction bienvenue. C'est une famille de musiciens renommés : le père et la mère à l'archet, le grand fils au ruine-babines et la jeune fille aux cuillères, qu'elle fait s'entrechoquer avec un art consommé. Les premières mélodies sont sereines, à la fois pour permettre aux artistes de se réchauffer et pour laisser le repas s'achever, mais bientôt, un reel paisible se fait entendre, suivi par un autre, légèrement plus endiablé. Le joueur d'harmonica se double alors d'un tapeux de pieds, ce qui donne le signal de la fête et qui suscite, dans l'auditoire, un cri général d'allégresse.

Nul besoin d'un cavalier pour se joindre aux sets carrés et autres danses collectives ; Flavie entraîne Catherine au milieu de la vaste salle. En apparence, elle réussit à oublier sa déconvenue et à s'abandonner au plaisir du moment. L'ex-novice fait virevolter joyeusement sa vêture bariolée, ce qui tire des sourires à Flavie lorsqu'elle l'aperçoit. Depuis qu'elle a abandonné la robe de religieuse, Catherine est incapable de résister aux couleurs vives, qu'elle agence selon une fantaisie toute personnelle !

Lorsque Philippe fait irruption parmi les danseurs, une demoiselle à son bras, Flavie ne peut retenir une moue de contrariété. Est-il obligé d'afficher publiquement sa mine glorieuse de Casanova ? N'a-t-il aucune considération pour la sensibilité de Catherine ? Il abandonne alors sa dulcinée, la jeune sœur d'un des raquetteurs, pour aller se glisser dans la file des hommes. Bien entendu, il croise ainsi fréquemment Catherine… Flavie les perd souvent de vue, mais ce qu'elle aperçoit lui serre le cœur. Catherine pose sur lui un regard quémandeur, mais il fait semblant de rien, se contentant pour toute réponse de hausser vaguement les sourcils ou, encore pire, d'afficher la mine de quelqu'un qui se concentre et qui ne veut pas être dérangé.

Au même moment, rue Saint-Joseph, Léonie et Lucie jasent tranquillement tout en s'adonnant à leur ouvrage. La jeune domestique, qui vient de reconduire Geoffroy à son lit, s'astreint à tricoter un gant au motif compliqué ; de son côté, Léonie a étalé sur la table la jupe d'été dont elle est en train d'assembler les côtés. Elle n'est pas fâchée de cette solitude à deux. Il lui a fallu un certain temps pour s'habituer à la présence de cette étrangère et pour se résoudre à lui confier une partie des travaux. C'est la première fois de sa vie qu'elle a une servante sous ses ordres !

Mais ce soir, enfin, Léonie se sent à l'aise comme si elle se trouvait en compagnie d'une vieille amie, et elle voit que Lucie partage ce sentiment. Tout en propulsant la berçante, cette dernière se laisse aller à d'innocentes confidences sur sa vie passée : son enfance à la campagne, son arrivée en ville et son engagement chez les Renaud. Elle a l'âme trop droite pour consentir à livrer des détails croustillants au sujet de ses anciens maîtres et elle se contente d'amusantes anecdotes dans lesquelles sa vive affection pour Flavie transparaît. Flavie qui, s'en étonne-t-elle encore, s'est préoccupée de son bien-être avec une telle constance !

– On m'avait bien prévenue : les patronnes, elles vous garrochent les ordres sans se creuser leur cervelle d'oiseau. Ceci dit sans vouloir vous offenser, madame Léonie. Elles vous asticotent, changent d'idée à tout bout de champ, ordonnent de faire briller l'argenterie trois fois de suite… Mme Archange était pas si pire, mais quand même ! Mme Flavie a mis de l'ordre dans tout ça. Tant d'autres nous confondent avec des bêtes de somme… Si, je vous le garantis ! Ils nous assimilent, comme disait Mme Flavie, à une race inférieure. À des brutes…

Sa voix meurt, et Léonie constate d'un rapide coup d'œil que son visage s'est troublé. Elle laisse le silence s'installer, jusqu'à ce que la voix changée de Lucie résonne de nouveau.

– Parlant de sentiments… Il y a des semaines que je compte aborder la chose, mais je cherchais la manière… la manière pour ne pas manquer de respect.

– Il est des sujets, remarque Léonie placidement, qui exigent de l'audace.

– Alors voilà. L'autre jour, c'était en décembre, au sortir des vêpres… J'avais tout juste déboulé en bas du parvis que j'entends une voix me héler. Une voix familière, remarquez bien, parce qu'ordinairement je fais la sourde oreille aux farauds… V'là-ti-pas que surgit devant moi Moïse Diogue, un gars de mon village ! Il y avait une escousse que je l'avais vu, parce que, quand j'ai quitté ma mère, il était bûcheron dans un chantier. Je vous garantis qu'il a pris une plaisante envergure… Il est palefrenier, dans un hôtel de la Grande rue Saint-Jacques. Il a toujours eu le tour avec les animaux. Bien plus qu'à manier la sciotte ! Nous avons jasé, je n'ai pas vu le temps passer… Et puis on s'est revus…

– Êtes-vous en train de me dire, s'exclame Léonie avec entrain, que vous avez un cavalier ?

Lucie échappe une maille, ce qui la fait jurer entre ses dents. Rouge jusqu'à la racine de ses cheveux, elle marmonne, sans oser regarder sa patronne :

– On pourrait l'insinuer… Mais pour les fréquentations, c'est ardu…

Léonie comprend alors où la jeune servante veut en venir et elle se redresse pour la regarder affectueusement.

– Ma pauvre… Personne, ici, ne souhaite contrarier vos amours. Expliquez-moi ce que vous désirez.

– Un endroit pour le recevoir comme une bonne chrétienne, répond-elle aussitôt, les traits illuminés par l'espoir.

– C'est tout ? Pas de quoi en faire un plat ! Si votre Moïse veut venir veiller samedi soir prochain, la porte lui est grande ouverte ! Par contre, je ne vous promets pas de lui faire la conversation tout au long…

– On est assez grands pour s'occuper de nous-mêmes, réplique-t-elle d'une voix tremblante de bonheur. Vous êtes une sainte, madame Léonie.

– Vous dites des bêtises, ma sacripante.

Des coups impérieux retentissent à la porte d'entrée, et Léonie replace d'un geste contrarié une mèche de ses cheveux. Encore frémissante de ravissement, Lucie laisse tomber :

– Gueusasse ! Le docteur et ses assistantes sont difficilement joignables astheure !

– Le docteur et ses *associées*, corrige Léonie mécaniquement. Ce n'est sûrement pas Michael qui vient pour moi, il aurait utilisé le cordon de sonnette...

Elle est à mi-chemin dans la salle d'attente lorsqu'une voix masculine traverse l'épaisseur de la porte :

– Madame Montreuil ! C'est moi, Alexis Ayotte !

Elle fige, envahie par un sentiment d'appréhension. Depuis son éclat, le père de Catherine n'a pas daigné se pointer le bout du nez. Quelle mouche le pique ? Elle pose le bougeoir sur une tablette, soulève ensuite le loquet. Très vite, pour ne pas faire s'échapper la précieuse chaleur, l'homme entre et referme la porte derrière lui, puis il lui fait face. Nulle trace d'arrogance sur son visage, seulement un air humble et légèrement suppliant. Il balbutie :

– Je suis désolé de cette visite impromptue. Je songeais depuis une escousse à profiter pour venir vous voir de ce que vous seriez seule ce soir, mais je branlais dans le manche... Je viens tout juste de me décider.

– Je peux comprendre, réplique-t-elle froidement, que vous souhaitez éviter Flavie.

Il s'empourpre, et rétorque aussitôt, avec fièvre :

– Uniquement pour ne pas l'incommoder. Pour ne pas l'importuner de ma présence. Pour ne pas...

– Débougrinez-vous, l'interrompt Léonie d'un ton sec. Je vous attends dans la cuisine.

Dès que M. Ayotte pénètre dans cette pièce, le dos courbé, Léonie fait signe à Lucie de monter, après les avoir présentés l'un à l'autre. Elle s'applique ensuite à ranger son ouvrage de couture. D'un geste abrupt, elle l'invite enfin à s'asseoir à table en face d'elle, tout en notant que, sous cet éclairage diffus, ses yeux bleus encadrés de cils blonds recourbés acquièrent une teinte sombre. Il obéit, mais garde les paupières baissées; elle en profite pour l'examiner à loisir. Sa crinière d'un blond mêlé de blanc a été raccourcie d'une manière appréciable. Le grain de sa peau pâle est étonnamment lisse, comme s'il était imberbe, et seul son nez large et crochu donne un relief mâle à des traits plutôt féminins...

– La langue m'a fourché, déclare-t-il soudain, et je m'en repens.

– Une langue ne s'agite pas de son seul gré, rétorque-t-elle, sarcastique.

– J'étais choqué, je dois dire. Je me suis toujours cru tolérant, mais j'ai atteint ma limite, ce me semble.

– Ça déborde vite, à ce qu'il paraît.

– Vite? Permettez-moi de vous détromper. Quand j'ai approuvé le projet de Catherine de s'inscrire à votre école, le voisinage n'en revenait pas. Et je ne vous parle pas de sa grand-mère et de toutes ses grands-tantes! Je me suis trouvé sacrément intrépide, pour tout dire. Par contre, je ne l'ai jamais regretté. J'ai bien observé que son horizon s'élargissait... Quand je vois ce qu'on refuse aux filles, ça me vire à l'envers. Il suffit de prêter attention pour constater qu'elles sont autant vives que les garçons. Et puis, comme je ne suis pas un fanatique du confessionnal...

Avec lassitude, Léonie articule:

– Je voudrais que tout un chacun cesse de fourrer son nez dans la vie des autres. En quoi ça les regarde? *Chacune* a le droit à ses propres expériences.

– Une affirmation outrancière, si on suit le cheminement de pensée de notre évêque et de sa clique. Ceux qui ne sont pas avec eux sont contre eux: c'est une évidence. Votre arsenal de croyances et celui de Bourget sont *antinomiques* et doivent, par essence, se combattre.

Il a usé d'un mot savant dont Léonie ignore la signification, ce qui la plonge dans un abîme de perplexité. Se pourrait-il que ce marchand de bois soit moins frustre qu'il n'y paraisse au premier abord ?

– Les curés veulent prémunir leurs ouailles contre l'influence du démon, poursuit-il d'un ton docte. Dès qu'une personne dérive du droit chemin, elle sème le vice autour d'elle… Elle contamine les âmes impressionnables. Le clergé a une peur terrible du scandale, le savez-vous ?

Surprise par son air de connivence, Léonie soutient son regard un moment, avant de laisser tomber :

– Il y a bien pires scandales, monsieur, que ceux qui obsèdent le clergé.

– Là-dessus, je ne vous chicane pas. N'empêche que les réputations se font et se défont selon l'influence des soutanes. Celle de votre fille, madame, ne vaut pas cher au marché.

Piquée au vif, Léonie se dresse brusquement tout en le foudroyant du regard. Il lève une main apaisante :

– Je suis le messager, pas le plaideur. Ce messager vous dit que, dans certains cercles, les anathèmes ont la cote. On croit votre fille souillée à jamais. On la croit pleine de duplicité, envoyée par le démon pour pervertir…

– Vous faites partie de ces cercles ?

– Un commerçant cultive des relations fort diversifiées. Un commerçant entend bien des ragots…

– … que vous vous empressez de contredire ? s'enquiert Léonie, les sourcils excessivement froncés.

– En effet, j'informe ces bonnes gens que je connais la dame en personne et que je lui trouve un air tout à fait innocent. Du moins, je me donnais cette peine jusqu'à ce que… jusqu'à ce que…

Il s'embarrasse, et Léonie le dévisage avec curiosité. Jusqu'à ce que quoi ? Ceux qui se sont donné la peine de chercher savent tout des principes moraux qui ont cours chez les associationnistes d'Oneida. Un événement digne de mention serait-il survenu récemment ? Avec brusquerie, Léonie presse son interlocuteur de se vider le cœur. Après une grimace chagrinée, il bredouille :

– C'est bien ce que je pensais. Vous êtes dans l'ignorance… Ce sont des chuchotements, madame, de simples allusions qui circulent parmi un nombre restreint de… d'âmes dévotes. Pour faire la preuve de l'état… l'état de dépravation de la jeune Mme Renaud, pour convaincre les sceptiques de l'ampleur de sa déviance, on prétend que… Oh ! madame Montreuil, je m'en veux d'être celui qui… Mais sans doute est-ce un châtiment mérité pour le tort que je vous ai causé. On prétend que l'enfant qu'elle porte est un bâtard. On prétend qu'elle a été engrossée par le génie du mal qui a pris possession du fondateur, ce Noyes.

Tout d'abord, Léonie reste sans réaction. Son interlocuteur a débité les dernières phrases à une telle allure qu'elle doit leur laisser le temps de s'imprimer dans son cerveau. Son cerveau lent, si lent… Un bâtard ? Le génie du mal ? Atterrée, elle fixe les traits déconfits d'Alexis Ayotte.

– Vous errez, monsieur, souffle-t-elle. Personne ne s'abaisserait à… à…

Il fait une moue désolée, puis se permet un geste osé : il lui saisit fermement le poignet, comme pour prévenir une réaction excessive d'outrage. À peine Léonie en a-t-elle conscience, tant son être entier est en proie à un puissant tumulte. Rage, révolte, effroi, tout cela se mêle en un tourbillon terrible qui lui donne envie de frapper dans le mur, de hurler à la lune, de courir à perdre haleine sur les chemins ! Quelle ignominie ! Comment des êtres raisonnables peuvent-ils se laisser aller à de telles visions fantasmagoriques, cauchemardesques ?

Comment des êtres sensés peuvent-ils commérer ainsi, au risque d'infliger de profondes blessures ?

Léonie a le cœur fendu en deux devant la mauvaiseté de ses semblables. De sa main libre, elle s'agrippe à celle du père de Catherine comme à une bouée et la presse de toutes ses forces. Elle balbutie :

– Ma Flavie est une âme pure. Ma Flavie n'est ni une voleuse, ni une menteuse, ni une hypocrite. Combien d'entre nous peuvent en dire autant ?

– Pardonnez-moi. Je vous ai causé tout un émoi…

– C'est le plus horrible commérage que j'ai ouï de toute ma vie ! Qu'importe que Bastien ne soit pas le père, puisqu'il accepte cet enfant comme le sien ? Je n'ai pas posé de question et je n'en poserai jamais ! Ces deux-là sont heureux et leur enfant sera le bienvenu, c'est tout ce qui compte pour moi ! Vous savez combien de mères malheureuses je croise dans ma pratique, combien de petiots abandonnés je dois aller déposer rue des Enfants-Trouvés ? Voilà la vraie infamie, monsieur Alexis, mais dont personne ne s'offusque !

Brusquement, elle repousse les mains de son visiteur et se dresse d'un seul mouvement, faisant presque basculer sa chaise. Pendant un moment, elle marche de long en large dans la pièce, puis elle revient se planter devant lui pour l'interpeller, les mains sur les hanches.

– Des chuchotements, vous avez dit ? De simples allusions ? Un cercle restreint ?

– J'ai cru le comprendre. Ces folies ne séduisent que les grenouilles de bénitiers.

– Dont vous faites partie ?

Il en perd l'usage de la parole. Se reprenant enfin, il se justifie :

– J'avoue que j'ai été effrayé pendant une escousse par cette médisance. N'oubliez pas que ma Catherine a une haute opinion de votre fille et… j'ai comme perdu la raison…

Vaincu, il détourne la tête en faisant une grimace d'impuissance. Pour se protéger du frisson qui la traverse de la tête aux pieds, Léonie croise étroitement les bras contre sa poitrine. Le risque que court Flavie la frappe dans toute son ampleur. Ce n'est pas sa situation professionnelle qui l'inquiète : la calomnie est trop grossière, trop incroyable pour être prise au sérieux et la majorité des Montréalistes n'y prêtera pas foi. Dans quelques mois, elle sera oubliée... Mais Bastien ? Comment réagira-t-il à cette nouvelle gifle ? Elle conjecture, à mi-voix :

– Avec un peu de chance, ma fille et son mari n'en entendront jamais parler. Qu'en pensez-vous, monsieur Alexis ?

– Je pense que vous devriez vous asseoir et reprendre vos esprits. En fait, je vous l'ordonne. Voici ma place.

Léonie ne résiste pas et se laisse tomber sur la chaise qu'il lui offre. Il fait alors le tour de la table pour occuper la chaise qu'elle a quittée plus tôt, puis il se penche vers elle, le visage soucieux. Avec un regret visible, il articule :

– Comme vous, j'espère de tout mon cœur que M. et Mme Renaud n'entendront parler de rien. Mais les langues de vipère répandent leur venin partout...

Adossée à son siège, Léonie considère longuement son expression préoccupée. Elle finit par proférer, la bouche pâteuse :

– Vous avez bien fait de me mettre au courant.

Il réagit par un air mi-figue, mi-raisin.

– Pour être certain de vous trouver toute seule, j'ai même accepté que Catherine participe à cette soirée, c'est tout dire !

– Que craignez-vous tant ?

– Rien d'autre que de... la voir... s'amouracher...

Il rougit et se mord les lèvres. Léonie ne peut retenir un mince sourire.

– Une calamité, ne dirait-on pas ! lâche-t-elle.

– Entre tous, il fallait qu'elle choisisse ce libertin !

– Ah bon ? Je croyais qu'ils étaient tout bonnement amis ?

– Catherine se berce d'illusions. Elle est naïve encore, mais j'ai bien vu… Ce sont les pires engeances, madame Léonie. Les nœuds les plus solides se tissent dans le prélude d'une amitié sincère. J'en suis la preuve vivante. Sa mère, je la connaissais depuis des années. Son plus grand plaisir, c'était de battre la campagne avec nous, les garçons de la paroisse. Elle était l'une des nôtres, elle acceptait tous les défis, même les plus sots ! Vous savez les niaiseries que des gars peuvent faire… Il a fallu du temps pour que cette camaraderie se transforme en attirance, mais quand ça s'est fait, ça a été un véritable coup de tonnerre. Si elle m'avait refusé, je serais demeuré vieux garçon, croyez-moi sur parole.

Tout attendri, il enchaîne sur le pedigree de la demoiselle, qui était apparentée à une vieille famille aristocratique désargentée, et Léonie se laisser bercer par ce flot de paroles, qui agit sur son âme tourmentée comme un cataplasme chaud.

Il y a un bon moment que Flavie cherche Catherine, sans succès, dans les moindres recoins de la salle surchauffée. Elle doit se résoudre à enquêter sur tout le plancher du rez-de-chaussée, jusque dans les cuisines et les latrines ! Elle la déniche enfin à l'extrémité d'un corridor sombre, près d'une fenêtre aux carreaux givrés. Avec une gaieté forcée, elle lance :

– Te voilà ! Tu cherches le frais ? C'est que l'heure du départ a sonné…

La lumière de la demi-lune éclaire un visage désemparé, sur lequel se devinent des traces de larmes. Navrée, Flavie reste coite, puis elle murmure enfin :

– Tu parais si triste… Dis-moi…

– Philippe me déteste. Il me fuit !

– Te détester ? Personne ne peut te détester. Tu es trop gentille.

– Ne me traite pas comme une enfant !

Soudain très agitée, elle se campe devant Flavie, ses yeux lançant des éclairs.

– Je ne suis pas une demeurée ! Je vois clair ! Philippe se fout de moi comme de sa première chemise ! Il n'en a que pour celles qu'il souhaite amener dans son lit. Ça m'écœure… Je ne pensais pas qu'il était fait de même. Je ne pensais pas que, lui aussi, il était né la cervelle dans la queue !

Jamais Flavie n'aurait cru Catherine capable d'une telle rudesse ; tandis que sa jeune amie s'éloigne en courant presque, elle reste plantée là, figée par la stupéfaction. Lorsqu'elle la rejoint enfin, dans la petite pièce qui sert de vestiaire, Catherine est plongée dans le plus profond mutisme. Constatant son expression mauvaise, sa compagne se garde bien d'ouvrir la bouche. En silence, les accoucheuses franchissent le seuil de l'auberge, pour se retrouver dans une froidure cristalline, sous un firmament constellé d'étoiles.

Insensible à cette splendeur, Catherine se dirige à longues enjambées vers leur carriole, suivie à quelque distance par Flavie. Sur le point de se hisser dans la voiture, la première s'immobilise, tâchant de découvrir l'identité des deux massives silhouettes assises côte à côte sur un banc. La voix incertaine de Bastien résonne :

– C'est la bonne. Grimpez.

– Qui donc se trouve avec vous ?

– Philippe, bien entendu.

– Que diable fait-il là ?

Seul un silence gêné lui répond, et Flavie doit exercer une légère pression dans son dos pour l'encourager à monter. Faisant tanguer la nacelle, Catherine se laisse tomber sans ménagement devant Bastien, obligeant Flavie, soutenue par quatre mains masculines, à surmonter l'obstacle des genoux qui s'entrecroisent pour aller prendre place. Le jeune médecin lance une injonction au cocher, tandis que Flavie se démène pour les couvrir, sa voisine et elle, d'une large fourrure à l'odeur pénétrante.

Sa vision s'accoutumant à l'obscurité trouée par le fanal placé à l'avant du cheval et par le reflet de la lune sur la neige, Flavie distingue enfin le visage de son mari, sa tuque enfoncée jusqu'aux yeux, son capuchon relevé et maintenu en place par un large foulard enroulé autour de son cou. Elle lui fait un air désarmé; il répond par un rictus d'impuissance. Elle hésite à poser son regard sur Philippe, mais la curiosité l'emporte, et elle le découvre semblablement attifé, le visage sans expression et les yeux fixés sur le lointain.

Elle s'enfonce dans son siège, résolue à goûter au charme de la promenade malgré la tension qui règne. Elle se trouve à côtoyer en pensée l'un des lumineux corps célestes lorsque la voix tranchante de Catherine la ramène à la réalité:

– Mais dites-moi, cher ami... Toutes les carrioles étaient déjà encombrées?

Après un temps, Philippe répond calmement:

– Je n'ai pas cherché une autre place.

– Sans blague! Et l'élue de votre cœur?

– Vous parlez à travers votre capot, la sermonne-t-il avec irritation. Je vous conseille de ne pas vous aventurer sur ce terrain glissant.

– Je n'ai aucun conseil à recevoir de vous, riposte-t-elle avec hargne. Je vous ai enfin découvert sous votre vrai jour. Il était grandement temps!

– Catherine, intervient prudemment Bastien, ne vous laissez pas leurrer par...

– Par un comportement en apparence vertueux? Vous avez raison. Sans doute que les deux tourtereaux vont se rejoindre dès la cité atteinte ! Ce que je suis crédule, n'est-ce pas ? Je ne suis pas douée pour ce genre de machination.

Un cahot, suivi d'un virage assez serré, apporte un répit dans la discussion. Dès qu'il peut lâcher le rebord de la carriole, Philippe grommelle :

– Vous inventez une machination là où il n'y en a aucune.

– Je vous ai observé toute la soirée ! Vous n'aviez d'attention que pour elle !

– Mais c'était un jeu innocent ! Elle fait partie de cette catégorie à laquelle on ne touche pas avant la sacro-sainte cérémonie du mariage !

Catherine inspire brusquement, mais ne desserre plus les dents. Flavie jette un regard outré à son tourmenteur. N'importe quelle péronnelle l'intéresse donc davantage ? D'abord soulagée par la tranquillité bienvenue, elle finit par réaliser que son amie est en proie à une vive détresse, à ce point palpable que même des mâles obtus y seraient sensibles. Alors, elle ne peut se retenir d'interpeller Philippe :

– Pourquoi avoir privé Catherine de votre compagnie ? Elle se faisait une joie de… de frayer avec vous dans un tel contexte !

– C'est parce que je ne suis pas une Marie-couche-toi-là, murmure la jeune femme d'un ton morne. C'est parce que tout ce qui préoccupe ce monsieur dans la vie, c'est de satisfaire ses plus bas instincts.

– Catherine ! s'écrie-t-il soudain, de la souffrance dans la voix. Je vaux mieux que ça et vous le savez !

– Oh ! que non ! Je me suis laissé berner par votre plaisante façon, mais cette époque est révolue ! Vous êtes aussi pire que tous les autres, aussi dégénéré ! Je veux descendre ! Bastien, donnez l'ordre au cocher d'arrêter !

Interdit, le jeune médecin prend un moment avant de répliquer :

– C'est hors de question. Ôtez-vous ça de la tête.

Par mesure de précaution, il tend la main pour agripper la portière. Flavie saisit sa compagne hébétée par le bras :

– Reprenez-vous, ma mie. Vous débarquez devant votre porte, pas avant.

Soudain exaspérée, elle pivote pour apostropher son vis-à-vis :

– Beurrée de sirop ! Allez-vous vous déboutonner, oui ou non ? Catherine était votre amie, *oui ou non* ? Vous lui avez découvert un vice, une déformation honteuse ?

Devant cette remontrance, le visage de Philippe se tord sous l'effet de la fureur. Flavie est persuadée que c'est lui qui va sauter en bas de la carriole en marche et rouler dans l'épaisseur de neige qui borde le chemin ! Mais il ne peut s'empêcher de jeter un coup d'œil à la principale intéressée. Son courroux s'évanouit, remplacé par un vif émoi. Il a vu les larmes qui sillonnent ses joues, il a entendu le reniflement furtif... Il fixe le décor en mouvement, articulant d'une voix rauque :

– Le seul vice de Catherine... Oui, son seul vice... c'est d'être trop aimable.

Un tel silence enveloppe les quatre jeunes gens que le bruit du glissement des patins prend l'ampleur d'un vacarme. Bastien grogne :

– Espèce de malappris... Accouche, qu'on baptise !

– Catherine, pardonnez-moi... J'ai fait exprès d'être insolent. En toute honnêteté, je ne croyais pas vous causer grand tort. Je... J'ai voulu me protéger de vous. J'ai voulu cisailler le lien qui m'attache à vous ! Je ne pensais pas que...

Il se trouble. D'une toute petite voix, Catherine le relance :

– Vous protéger de moi ? Mais pourquoi donc ? Je me garderais bien de vous faire du mal !

Il éclate d'un rire irrépressible, presque douloureux, puis il se penche à travers la nacelle, pour la couver d'un regard ardent.

– N'avez-vous donc rien vu? Rien senti? Je vous suis mille fois plus attaché, ma toute belle, qu'à n'importe quelle jolie dame que j'ai pu convoiter auparavant!

Il se redresse et lève son visage vers le ciel. Ahurie, Catherine le scrute, puis elle se tourne vers Flavie, qui lui montre une mine interloquée, et enfin vers Bastien, qui tâche de se faire tout petit. Elle bredouille encore:

– Et vous... vous n'êtes pas content de... de m'être attaché?

Il baisse lentement les yeux vers elle, puis il réplique avec une agitation croissante:

– Je le serais si cet attachement avait quelque espoir d'aboutir. Si j'avais l'espoir de vous tenir un jour prochain dans mes bras... Mais il vous faut une promesse de mariage, est-ce que je me trompe?

– C'est-à-dire...

– Je me méfie du mariage comme de la peste. Si dans cinq ans, je ne vous aime plus? Encore pire, si vous vous dégoûtez de moi? Ma propre mère, Catherine... ma propre mère, elle a enduré mon père. Elle a enduré les attouchements de mon père! Quand il la frôlait, elle se ratatinait. Quand il lui faisait signe de monter devant lui... j'aurais voulu être son sauveur, son chevalier! J'aurais voulu l'emporter jusqu'à un royaume lointain, inaccessible... Je n'ai que mépris pour ce genre d'homme et je préférerais mourir que d'en devenir un!

À bout de souffle, il se rencogne, et Flavie devine qu'il voudrait se transformer en souris pour se cacher dans un obscur recoin de la carriole. Impulsivement, Catherine lui tend la main en murmurant:

– Oh! Philippe, mon pauvre ami...

Il lui jette un regard de bête traquée. D'une voix tremblante d'émotion, elle ajoute :

– Que m'importe dans cinq ans ou même dans deux ? Tout ce qui compte, c'est que… c'est que là, maintenant… tu avoues avoir pour moi…

Touché par ce tutoiement affectueux, il s'adoucit notablement afin de venir à son secours :

– Pour toi, Catherine, j'irais cueillir une rose sur la lune.

Il agrippe enfin la main offerte. Elle attache son regard à l'étreinte de leurs deux mitaines, puis elle souffle :

– Jusqu'à ce soir, je ne savais pas que… que moi aussi.

– Ça m'étonnerait fort, réplique-t-il d'une voix sourde. Une demoiselle comme toi ne peut guère apprécier un prétentieux comme moi.

– Pour qui tu te prends, s'écrie-t-elle crûment, pour me dicter ainsi mes sentiments ?

Il reste coi. Après un temps, elle reprend plus doucement :

– Depuis que je te connais, je me suis retenue à deux mains, mais… j'ai eu si mal, ce soir, que je ne peux plus me faire d'accroires. Le fait que tu ne te prives d'aucun plaisir… ça me pose un certain problème de conscience…

Elle s'interrompt pour inspirer longuement, puis elle murmure d'un ton railleur :

– Ce que je déteste par-dessus tout, c'est le mensonge. C'est bien le seul défaut dont tu es totalement dépourvu… Philippe ?

– Oui ?

– Je voudrais… pour l'instant, j'aimerais… tout bonnement m'asseoir à côté de toi. Tu veux bien ?

Il sourit avec une joie encore contenue, et le transfert se fait prestement. Avant de la laisser se reposer contre le dossier, il l'enveloppe de ses bras dans une accolade puissante.

Enfin, tous deux se blottissent l'un contre l'autre sous la fourrure et ferment les yeux pour mieux savourer leur béatitude. Épatée, Flavie les couve du regard un moment, puis elle se tourne vers Bastien, qui en profite pour lui voler un baiser. Le reste du trajet se fait ainsi, dans la souveraine paix de la nuit.

Une fois la ville atteinte, les deux compères s'entendent à mi-voix pour laisser Philippe reconduire seul sa jeune amie. La carriole fait donc une première halte rue Saint-Joseph. Catherine se redresse et glisse d'un ton gêné :

– Ça devient urgent que je passe au petit coin…

En fin de compte, tous quatre descendent de la carriole, et Bastien offre au cocher de venir se réchauffer quelques instants dans la salle d'attente. L'homme demande une couverture supplémentaire pour son cheval, tandis que Flavie entraîne Catherine à l'intérieur. À sa grande surprise, la cuisine est encore illuminée. D'habitude, Léonie se couche de très bonne heure, heureuse de se retrouver au chaud sous ses couvertures !

Les deux sages-femmes traversent dans l'autre pièce et tombent en arrêt devant un tableau surprenant. Assis l'un devant l'autre, le père de Catherine bavarde tandis que Léonie, la tête appuyée dans sa main, l'écoute avec un léger sourire aux lèvres. Il leur faut un moment pour prendre conscience de l'arrivée de leurs filles, et pour tourner vers elles un visage concentré, mais qui se couvre peu à peu d'une expression de malaise. Catherine s'exclame :

– Papa ? Mais qu'est-ce que tu fais ici ?

– Je t'attendais, qu'est-ce que tu crois ? Puisque c'était pareil pour madame Léonie, nous avons convenu de tromper notre ennui ensemble.

Flavie reste de marbre et s'empresse d'entraîner Catherine vers l'escalier en lui indiquant le pot de chambre le plus proche. La présence de cet homme l'incommode au plus haut point ! Dès que sa fille a disparu à l'étage, M. Ayotte se lève et fait face à Flavie, en laissant tomber :

– Je suis venu vous présenter mes sincères excuses, madame Renaud. Pardonnez-moi tout le tort que je vous ai causé.

Bastien entre, Philippe sur ses talons, et le commerçant se tourne aussitôt vers lui.

– À vous de même, monsieur le docteur. J'ai très mal agi. Sur ce, permettez-moi de vous délivrer de ma présence. Dès que Catherine en a terminé, nous rentrons chez nous. J'espère que madame Léonie saura vous convaincre de… de la sincérité de mon repentir.

Il baisse la tête, et un silence contraint tombe dans la pièce. Le premier, Philippe se secoue et fait quelques pas hésitants en direction de M. Ayotte. Se débattant contre un vif ressentiment, Flavie lui jette un regard courroucé, qui s'adoucit cependant devant sa mine à la fois penaude et pleine d'espoir. Il tousse avant de s'adresser au père de sa mie :

– Monsieur… Vu l'heure tardive, je n'aurais jamais osé vous aborder ce soir, mais puisque la fatalité vous place sur mon chemin…

Il se trouble devant l'expression défiante de son interlocuteur, mais reprend courageusement :

– Il y a des mois, lorsque votre fille s'est dépouillée de son habit… je suis tombé sous son charme.

À pas silencieux, Catherine est en train de descendre l'escalier. Il s'accroche à son regard énamouré, pour poursuivre :

– Bien des pères hésiteraient à faire confiance à un homme tel que moi, le jugeant coupable de plusieurs sérieux abus. Pour ma part, monsieur, je crois sincèrement que ces prétendus abus ne sont que des entorses à quelques règles arbitraires. J'ai le plus profond respect pour ces dames, et en particulier pour votre fille dont les mérites ne sont plus à prouver.

Catherine se précipite, glissant son bras sous celui de son soupirant. Devant cette preuve manifeste du lien qui unit les deux jeunes gens, M. Ayotte fronce exagérément les sourcils. Philippe poursuit :

– Cela dit, cette liberté d'action à laquelle je tiens en tant que célibataire, je conçois qu'elle devienne caduque dans le cas d'une union devant l'Église. Ceux qui soutiennent que les amateurs avoués de compagnie féminine s'empressent de cocufier leur épouse sont des menteurs de la pire espèce. Je n'avais pas encore rencontré celle qui occuperait toutes mes pensées et qui me donnerait envie de lui consacrer l'entièreté de moi-même. C'est fait à présent.

Rouge comme une tomate, Philippe incline la tête vers le sol. Flavie ne peut retenir un sourire attendri devant cette pièce d'homme qui, tel un garçonnet turbulent, courbe les épaules devant la sanction redoutée ! Les yeux ronds comme des soucoupes, le commerçant se tourne à demi vers Léonie pour bredouiller :

– Je ne suis pas sûr d'avoir tout saisi… Est-ce que ce blanc-bec me demande la permission de fréquenter ma fille ?

Bastien recouvre sa bouche de sa main, mais peine perdue : il pouffe d'un rire irrépressible qui contamine aussitôt Flavie. Se mordant les lèvres, Léonie répond :

– Ce me semble, Alexis. Ce me semble !

Elle ne peut en dire davantage, sous peine de se laisser gagner par l'accès d'hilarité. Jetant vers son père un regard irrité, Catherine déclare :

– Philippe viendra veiller samedi soir prochain, n'est-ce pas, papa ?

L'interpellé se secoue et pousse un profond soupir.

– Venez, on en discutera dans la carriole. Il est temps de quitter ces bonnes gens.

Sur le point d'envoyer un salut à la cantonade, il semble frappé par une pensée. Glissant à Léonie un regard de connivence, il laisse tomber :

– On en profitera pour préparer une contre-offensive. Notre armée sera modeste mais vaillante !

Léonie répond par un sourire reconnaissant. Encore hilare, Bastien reconduit tout le monde dans la salle d'attente. Adossée à un mur, Flavie grommelle à l'adresse de sa mère :

– Tu étais au courant de sa visite ?

– Pas le moins du monde. Jamais je n'aurais cru qu'il était si tard… Il m'a raconté des bribes de sa vie et j'ai fini par faire de même. Vous avez eu du bon temps, à ce que je vois ?

– Une soirée mémorable. On te racontera… mais une autre fois, après le chant du coq. Je suis fourbue.

Flavie grimpe l'escalier et Léonie lui emboîte le pas, laissant à son gendre le soin de bourrer le feu et de fermer le rez-de-chaussée. Passant devant la chambrette de Lucie, elle songe qu'il lui faudra, dès demain, vérifier ce que la servante a saisi de la conversation, pour ensuite s'assurer de son silence. Elle est résolue à faire tout ce qui est en son pouvoir pour éviter que l'insinuation malveillante ne parvienne aux oreilles des principaux intéressés.

Chapitre XXV

La seconde moitié de février coïncide avec un branle-bas considérable à la Société compatissante. Après le départ du Dr Peter Wittymore et son remplacement par Bastien, c'est au tour de Sally Easton de se retirer pour une retraite bien méritée. Si l'Écossaise a signifié qu'elle restait disponible pour les cas problématiques, il faut cependant lui trouver une remplaçante, et Jacques Rousselle en profite pour s'arroger encore davantage d'autorité en la matière.

Les nominations de praticiennes sont du ressort du conseil d'administration et de la maîtresse sage-femme ; il s'élève violemment contre une pratique qui exclut arbitrairement les médecins associés du processus de décision. Il fait un tel raffut, se plaignant à maintes reprises auprès des conseillères influençables, que la décision est prise de modifier les statuts et règlements de l'organisme en ce sens.

Puisque la balance du pouvoir ne joue plus en sa faveur, puisque la plupart des conseillères font passer ses arguments au filtre de leur puissant dédain, Léonie reste éloignée de cette querelle. Cette modification était prévisible, et Rousselle le savait pertinemment ! Elle doit donc s'asseoir en compagnie des deux médecins pour décider des candidatures de sages-femmes à proposer au conseil. Sans l'avoir cherché, Bastien joue le rôle de médiateur au cours de cette discussion longue et houleuse, tentant de dénicher la perle rare qui saura répondre aux attentes de Léonie autant qu'à celles de Rousselle, qui souhaite en priorité, même sans le dire ouvertement, une accoucheuse modelable à volonté.

La préférée de Léonie, Marie-Julienne Jolicœur, est écartée d'emblée ; la maîtresse sage-femme se venge en détruisant systématiquement la réputation professionnelle des candidates privilégiées par Rousselle. En désespoir de cause, Bastien tranche, faisant fi des protestations de son confrère, et place en tête de liste l'une des élèves de la promotion de 1852 de l'École de sages-femmes, Théotiste Navré, qui s'était distinguée par son talent instinctif et qui, depuis, a acquis une belle renommée dans sa paroisse natale de l'île Jésus après avoir résolu deux cas particulièrement ardus. La jeune femme, cinquième fille d'un habitant prospère, a fait savoir à Léonie son désir de venir s'installer en ville. Avec un peu de chance, le poste lui conviendra.

Lorsque Rousselle prend congé, après avoir accepté du bout des lèvres la liste de quatre noms, Léonie perçoit avec une grimace narquoise la mine effarée de son gendre. S'il avait accueilli les mises en garde de sa belle-mère avec un léger scepticisme, il est forcé de constater que son collègue ne pèche pas par excès de modestie, bien au contraire ! Les gants blancs enfilés par Rousselle lorsqu'il a succédé à son père ont été retirés depuis belle lurette, et son tempérament de conquistador apparaît maintenant dans tout son éclat !

Pendant une soirée, pour le bénéfice de Bastien, Léonie a retracé les principales étapes du durcissement de position du fils de Nicolas, situant le moment charnière à l'été précédent. Jusque-là, l'arrogant docteur gardait un semblant de bonnes manières, mais depuis, il affiche sans vergogne sa visée première en tant que médecin associé, soit assurer sa suprématie de professionnel et d'homme de science. Léonie ne l'a pas dit explicitement, mais elle a vu que son gendre l'a bien saisi : la présence du Dr Renaud au refuge est d'une importance vitale non seulement pour le bien-être des patientes, mais pour la pérennité d'un savoir que bien des médecins considèrent comme insignifiant.

À la toute fin du mois, l'attention du personnel soignant de la Société est vivement sollicitée lorsque la garde-malade Marie-Zoé, à cause de douleurs intenses à l'abdomen, est obligée de s'aliter. Les symptômes s'aggravent jour après jour, et les thérapeutiques variées auxquelles on la soumet ne semblent entraîner qu'un soulagement temporaire. Bastien la fait transporter à la clinique d'Étienne et d'Isidore, mais après plusieurs jours d'hydrothérapie, les trois médecins sont obligés de constater leur échec. De son côté, après avoir prescrit quelques médications, Jacques Rousselle tente de convaincre la malade de se laisser opérer, jugeant avec son optimisme coutumier la tumeur facilement extirpable, mais elle refuse obstinément.

C'est Léonie qui, un soir, recueille son dernier souffle. Le matin même, un vicaire est venu lui administrer les derniers sacrements, et la jeune femme s'éteint sans bruit, sans se plaindre, comme déjà enfuie dans un autre monde. Affligée, Léonie reste un long moment à contempler l'expression apaisée qui embellit le visage maigre et ravagé. Depuis la mort de sa fillette dans l'incendie de juin 1850 qui a détruit le refuge, Marie-Zoé était comme un être en perpétuel sursis... Après être passée de domestique à garde-malade, elle s'est dévouée corps et âme pour les patientes. Léonie a bien senti à quel point elle s'usait ainsi, mais les remontrances restaient sans effet, puisqu'elle y puisait le courage de vivre !

Léonie n'a pas le loisir de s'appesantir sur son chagrin, car le premier du mois de mars, Mlle Théotiste Navré fait son arrivée, suivie par son père engoncé dans un habit trop rigide. La maîtresse sage-femme gardait le souvenir d'une élève d'humeur perpétuellement bonasse, mais à l'esprit acéré ; ce nouvel apprivoisement confirme cette impression.

Déjà bien en chair, la courte Théotiste a encore rondi et elle promène sa poitrine impressionnante avec un entrain surprenant pour un tel gabarit. Ses cheveux noirs strictement ramenés sous son bonnet, sa robe couverte d'un immense tablier, elle fait connaissance avec les lieux, les patientes et le personnel du refuge, y compris les deux médecins, avec l'aplomb d'une praticienne qui ignore à peu près tout des affres du doute et des remises en question.

Cette rencontre initiale se révèle concluante, et la jeune femme accepte le poste, qu'elle occupera dès que son emménagement en ville sera organisé. En attendant, Léonie a réservé les services de Marie-Julienne et de Catherine ; Rousselle a eu beau maugréer, elle a fait semblant d'être sourde comme un pot.

Quelques jours après le passage de Théotiste, Michael se présente de bon matin rue Saint-Joseph, envoyé par Catherine qui a passé la nuit auprès d'une parturiente. Lorsque Léonie et Bastien arrivent au refuge, ils montent aussitôt à l'alcôve où repose une parturiente affaiblie, veillée par la jeune accoucheuse guère plus vaillante.

D'une voix rauque de fatigue, Catherine résume le cas. Domestique âgée de vingt-cinq ans, Ériole s'est présentée la veille en fin d'après-dînée, amenée par une patronne ahurie qui s'est aussitôt enfuie. Les douleurs avaient commencé au petit matin, donc près de douze heures auparavant, et la dame, qui avait l'intention de recevoir elle-même le nouveau-né pour se prémunir contre un scandale, a pris peur devant la durée de la délivrance.

Dès son arrivée, Catherine a effectué un toucher vaginal, qui a révélé un col utérin presque totalement distendu, même si ses rebords offraient encore une épaisseur certaine. Les membranes étant encore intactes, elle s'est contentée d'appliquer divers remèdes pour stimuler des contractions faibles et éloignées, conséquence probable du choc du transport, tout en notant que des glaires rougeâtres s'écoulaient du vagin.

En plein cœur de la nuit, la dilatation était complète, et l'enfant a entrepris sa descente, cependant désespérément lente vu la faiblesse des douleurs. Il semblait présenter son crâne, et ce dans une position tout à fait favorable, ce qui a provoqué un regain d'énergie chez Catherine, d'autant plus que la poche des eaux crevait sur les entrefaites. Cet optimisme a cependant été de courte durée, car la tête, au lieu de fléchir vers le thorax comme de coutume, s'abaissait bizarrement. À l'aube, le fœtus avait cessé sa descente, et Catherine constatait que la peau de son crâne commençait à se tuméfier par degrés. Elle s'est résolue à renvoyer chez eux les clercs en médecine qui avaient passé une partie de la nuit sur place, puis à faire quérir Michael.

Après un conciliabule, les trois praticiens prennent la résolution d'attendre encore. Avant de songer à hâter l'expulsion, Léonie tient à s'assurer que l'inertie de la matrice est irréversible, ce qui semble très sage aux deux autres. Bastien repart, tandis que Catherine, de son côté, s'allonge sur l'un des lits vides afin de s'octroyer un nécessaire repos. Pendant les heures qui suivent, tout est fait pour remédier au problème, mais en vain, et sachant qu'une action va être bientôt tentée, Léonie fait savoir à Michael qu'il peut mettre en branle le processus de rassemblement des étudiants concernés.

Tandis que le délicieux fumet du repas de midi est en train de se répandre jusqu'aux combles, Léonie profite du retour de Bastien pour réunir l'équipe soignante. L'enfant est pressé par la matrice vidée de son eau, et cet état de constriction continuelle peut agir sur lui d'une manière funeste. Heureusement, la tête est suffisamment basse pour dicter la marche à suivre : l'emploi du forceps.

– J'ai pratiqué cette intervention ici même à plusieurs reprises, affirme Léonie, capturant le regard de son gendre. Si cela ne vous ennuie pas, je suis parée à la faire.

Bastien ne peut cacher sa réaction initiale de surprise. S'il sait que sa belle-mère est devenue habile à manier cet instrument, il ne l'a encore jamais vue à l'œuvre! De bonne grâce, il s'efface néanmoins devant elle. Pendant que la conseillère Émérance Sanspitié installe la parturiente, notablement affaiblie, et que les étudiants impressionnés par ce déploiement prennent place, Léonie et Catherine se livrent à leurs préparatifs.

Le jeune médecin a pris position à proximité, à califourchon sur une chaise, et Léonie est en train de s'enduire de graisse lorsque le rideau est repoussé par une main nerveuse et que Jacques Rousselle fait irruption. Un lourd silence l'accueille. Parfaitement habituée à ses arrivées intempestives, Léonie ne lui accorde pas une miette d'attention. Catherine lui jette un œil courroucé, avant de s'écrier:

– Holà, docteur! On n'entre pas ici comme dans un moulin!

Ses démêlés avec les étudiants en médecine à l'hospice Sainte-Pélagie, alors qu'elle était novice, lui ont laissé l'épiderme sensible! Bastien se redresse, dardant sur son collègue un regard suspicieux.

– Que nous vaut cette visite? Votre présence est superflue, ne voyez-vous pas?

– Nous sommes mercredi et il est midi vingt.

Bastien reste pantois, puis une expression de profonde incrédulité se peint sur son visage. Les médecins associés de la Société compatissante se sont partagé la semaine en deux périodes de garde, du dimanche au mercredi midi pour le Dr Renaud, et le reste de la semaine pour le Dr Rousselle.

– Midi vingt? Vous prétendez que je dois vous céder la place, même si vous ignorez tout du cas qui nous occupe?

– Je ne prétends rien de tel. Uniquement que ma présence ici se justifie aisément. Pourriez-vous me résumer le cas?

Après une grimace de contrariété, Bastien y consent, mais son exposé est bientôt interrompu par son interlocuteur, qui lance à Léonie :

– Mais que diable faites-vous, madame Montreuil ?

– J'applique le forceps.

– *Vous* appliquez le forceps ? Mais selon quelle présomption vous en arrogez-vous le droit ?

– La présomption d'habileté, interjette Catherine, d'un ton froid et hautain. Madame Montreuil a appris auprès de Mr. Wittymore.

– Wittymore lui a… ? Ce quidam a perdu l'esprit, ma parole ! Voyons, monsieur Renaud, il est inconcevable de la laisser poser un geste aussi lourd de conséquences !

Imperturbable, Léonie est en train de se positionner entre les genoux relevés d'Ériole, les deux branches séparées du forceps à portée de main. Elle se permet un coup d'œil par-dessus son épaule : Rousselle a les yeux si ronds qu'on croirait que les globes vont jaillir de leurs orbites. Avec une satisfaction intense, elle entreprend de glisser sa main dans le vagin de la parturiente, pour déterminer la position précise du fœtus. C'est la première fois qu'elle a l'occasion de faire la preuve de son savoir devant cet orgueilleux, et elle en jouit outrageusement !

Tout en notant les textures et les formes décelées par le bout de ses doigts, elle dit, comme si elle s'adressait à Catherine seule :

– Depuis le départ de Sally, je me sens tenue de démontrer toutes mes capacités. Elle était notre référence en la matière ! Je bénis le ciel d'avoir pris soin d'apprendre auprès de ces praticiens si expérimentés. Vous savez qu'en quelque sorte c'est grâce à Flavie ? Elle m'asticotait pas rien qu'un peu. Les accoucheuses doivent posséder toute la science médicale, y compris les techniques de chirurgie, pour réussir à concurrencer les médecins sur leur propre terrain !

– Concurrencer ! La langue vous fourche, madame Montreuil !

Les trois étudiants s'agitent et murmurent. Léonie fait mine d'ignorer cette interruption malpolie.

– Au début, quand je l'entendais, je rageais intérieurement. J'étais de la vieille école ! Je croyais qu'il suffisait de développer une parfaite dextérité manuelle. J'ai déchanté depuis, quand j'ai constaté... vous savez quoi. D'ailleurs, notre jeune ami ci-présent ne me contredirait en rien. Flavie est en train d'apprendre sous sa houlette...

Elle ne peut apercevoir le visage de Rousselle mais, pendant le silence qui suit, elle se délecte en imaginant son expression totalement déconfite. Pour faire le bilan de son toucher exploratoire, elle se ferme l'esprit à l'exclamation outrée de Rousselle :

– Qu'est-ce que je viens d'entendre, monsieur Renaud ? Vous enseignez à votre épouse ?

– Aussi vrai que vous me voyez, répond-il placidement. D'ailleurs, je constate qu'une accoucheuse aguerrie est une très bonne élève. Vous savez pourquoi ? Parce qu'elle comprend à la vitesse de l'éclair que le forceps doit devenir rien de moins que le prolongement des bras. Ses yeux doivent se transporter du bout de ses doigts au creux de la cuillère. N'est-ce pas, Léonie ?

– Très juste. J'ai progressé assez vite lorsque j'ai réussi à intégrer cette notion capitale. Jusque-là, j'avais tâtonné une longue escousse...

Léonie se tait pour se concentrer sur sa tâche, qui est d'introduire une première branche de l'outil.

– Flavie a déjà fait deux tentatives auprès de nos patientes, poursuit Bastien avec satisfaction. Elle n'a pas réussi et j'ai dû prendre la relève, mais ses gestes gagnent de l'assurance et j'ai bon espoir...

– C'est grotesque ! jette Rousselle avec un mépris mêlé de hargne. N'avez-vous donc aucune fierté personnelle ? Laisser une accoucheuse enceinte jusqu'aux yeux, votre épouse de surcroît, se plier en deux devant une parturiente ! Je serais mort de honte, à votre place !

La charge est forte, mais son collègue rétorque d'un ton pondéré :

– Parmi les ouvrières qui cousent vos somptueuses redingotes, il y en a dans le même état. J'imagine que vous vous indignez tout autant ?

Les étudiants pouffent de rire. En train de faire glisser la deuxième branche du forceps, Léonie ne peut retenir une moue narquoise. Les exhortations de Flavie portent leurs fruits !

– Vous confondez des pommes et des noisettes, objecte Rousselle sans se démonter.

Les gloussements s'éteignent brusquement, et Léonie devine le regard furibond que le médecin a dû jeter au trio de clercs.

– Ces couturières gardent une mise modeste et font tout pour se faire oublier ! Tandis que votre charmante épouse... elle s'affiche, elle se pavane, elle se donne en spectacle ! Il faut dire qu'à force d'avoir les yeux braqués sur soi, on finit par se prendre pour une autre ! La célébrité fait voler des papillons dans la cervelle...

Une bouffée de chaleur monte à la tête de Léonie, qui s'immobilise. Il a ouï le sinistre commérage ! Sans se retourner, elle interjette, d'un ton glacial :

– Prenez garde à vos paroles, monsieur ! Les propos outranciers ont parfois de terribles conséquences sur ceux qui en sont victimes, de même que sur leur entourage.

Seul le silence lui répond, et Bastien en profite pour asséner, avec une exaspération mal contenue :

– Votre opinion sur Flavie ne m'intéresse en aucune manière. Pour tout dire, je vous saurais gré de vous fermer la trappe. Vous êtes dans une position délicate à son sujet.

– J'apprécierais que ces docteurs aillent converser ailleurs, intervient alors Catherine, le ton altier. J'essaie de tirer profit des gestes de madame l'accoucheuse, comme ces messieurs derrière moi, mais ce babillage me distrait…

– La tête est saisie par les pariétaux et les joues, indique Léonie, maintenant tout entière concentrée sur son travail. Du moins, je le pense. Voyez l'extrémité des manches de l'outil. Il faut les tenir avec fermeté, mais sans pression indue, pour ne pas occasionner de blessures. Je vais leur imprimer un mouvement dont j'ai fini par comprendre la résultante précise sur les cuillères, c'est-à-dire… avec une traction raisonnable et une torsion légère… accompagnées d'une certaine élévation… faire progresser la tête tout en lui assurant la meilleure position possible pour l'expulsion.

Pendant environ cinq minutes, elle travaille dans le silence le plus complet, se permettant quelques commentaires supplémentaires. Ériole gémit parfois, mais très faiblement, non parce qu'elle n'en a plus la force, mais parce que les douleurs infligées sont relativement légères. Enfin, Léonie sépare les deux cuillères l'une de l'autre, puis les retire avec précaution. Glissant une dernière fois la main dans le vagin, elle tâtonne un moment, puis marmonne, avec une intense satisfaction :

– Et voilà. La nature va reprendre ses droits. La matrice va se contracter et bientôt, vous verrez le front pousser sur le périnée… Tout va bien, madame Sanspitié ?

Devant le signe affirmatif de la dame patronnesse, Léonie fait jouer ses épaules en concluant :

– Je vous confie cette jeune dame, Catherine.

Léonie s'empresse de se déplier et de sortir de l'alcôve pour se laver les mains. D'un ton surpris, la parturiente chuchote que l'envie de pousser l'a reprise… Des murmures s'élèvent, tandis que les jeunes clercs commentent entre eux la délivrance. Rousselle reste parmi eux, tenant sans doute à s'assurer de la justesse des prévisions de Léonie... Quant à Bastien, son secours sera peut-être nécessaire pour ranimer le nouveau-né.

Léonie s'éponge les avant-bras avec lenteur, son esprit revenant sans cesse à l'insinuation de Rousselle. Soudain, elle prie avec fièvre pour que Flavie soit très bientôt prise du besoin de s'encabaner, afin de terminer paisiblement sa grossesse. De cette façon, elle serait prestement oubliée! Mais si elle continue ainsi... Léonie ne peut se tenir constamment dans le sillage du jeune couple pour prévenir les coups!

Un vagissement vigoureux l'oblige à discipliner ses pensées. L'un après l'autre, les étudiants émergent de derrière le rideau et la gratifient d'une salutation avant de s'éloigner vers l'escalier. Elle est sur le point d'aller rejoindre Catherine lorsque Bastien se présente à son tour, l'expression béate.

– Vous avez toute mon admiration, belle-maman. Un score parfait. Sur ce, je file. Après tout, mon temps est écoulé...

– Un instant, cher collègue, lance Rousselle en les rejoignant. Vous ne vous en tirerez pas si facilement. Vous avez laissé madame l'accoucheuse effectuer un geste thérapeutique qui est du ressort du médecin. *Uniquement* du ressort du médecin! Devant ce fait, je propose de rédiger un code de déontologie pour établir les actes que les sages-femmes sont en droit d'effectuer.

– Bien entendu, après cette concluante démonstration, nul ne pourrait songer à interdire la manipulation du forceps à ces dames...

Rousselle rougit de colère, mais Bastien ne lui laisse pas le temps d'ouvrir la bouche. Se campant devant lui, il articule, la voix vibrante d'irritation:

– Écoutez-moi bien, collègue. Je commence à vous trouver *fièrement* chatouilleux. Pourquoi tenez-vous tant à réduire le champ de manœuvre de nos consœurs, malgré les ressources de leur science ? Je commence à croire que ce n'est pas le bien-être de la clientèle qui vous préoccupe en premier lieu, mais votre prestige à vous, ce qui est indigne d'un homme de l'art. Moi, je mets la clientèle en tête de liste. Tout le reste n'est que vanité. À la revoyure !

Il pivote et s'éloigne à longues enjambées furieuses. Sans plus tarder, Léonie laisse Rousselle en plan afin de prêter main-forte à Catherine avec la suite des couches. Cette dernière, qui a tout entendu de la repartie de Bastien, accueille son aînée avec un sourire éclatant !

La riposte de Rousselle se produit dès le lendemain, sous les yeux de Magdeleine, présente sur les lieux. En toute fin d'après-dînée, il fait une entrée provocante dans le refuge, suivi de près par deux femmes. Pour la première, nul besoin de présentation : Vénérande Rousselle se contente d'un bref signe de tête en direction de Magdeleine, qui reste clouée sur place. La seconde est présentée comme Mlle Esther Dechardonnet, une aspirante garde-malade bien tournée d'une trentaine d'années. Affirmant qu'il a rendez-vous avec Françoise Archambault, Rousselle s'empresse de faire parcourir le refuge à ses deux protégées, avant de s'enfermer avec la vice-présidente du conseil d'administration.

Le résultat de ce conciliabule ne se fait pas attendre. Moins de quarante-huit heures plus tard, les conseillères annoncent que ladite Dechardonnet a été engagée en remplacement de Marie-Zoé, à raison de quatre jours par semaine et à coup de douze heures par jour, de huit heures du matin à huit heures du soir. Bien entendu, son horaire coïncide avec celui de Rousselle… La deuxième garde-malade conserve son poste, même si avec des heures quelque peu réduites. La veille de nuit est assurée, comme de coutume, par la concierge, la veuve Martinbeau.

Peu après, Léonie apprend que, pour obtenir le privilège de faire embaucher la candidate de son choix, Rousselle a employé sa tactique de prédilection : se plaindre abondamment. Il s'est élevé contre le fait que deux des trois chambrettes sous les combles sont réservées à la clientèle privée, et que la dernière est occupée par la servante, ce qui prive les gardes-malades d'un lieu pour loger sur place. Une totale disponibilité du personnel soignant, de nuit comme de jour, est pourtant indispensable au fonctionnement optimal d'une clinique !

Du même souffle, il a dénoncé un cruel manque d'égards envers les étudiants en médecine, qui doivent se contenter de l'inconfortable salon du rez-de-chaussée lors de leurs interminables périodes d'attente. Il n'a pas manqué de souligner les commodités de la maisonnette dont peuvent profiter les poulains du Dr Trudel à l'hospice Sainte-Pélagie ! Son stratagème a parfaitement fonctionné : en plus de s'assurer les services d'une garde-malade qui lui est totalement dévouée, il a exigé le retour de sa mère comme dame patronnesse bénévole. Sa collaboration ne sera requise que par son fils, et strictement pour les cas complexes !

Léonie a eu beau dénoncer à Marie-Claire cette tactique grossière pour saper le poids décisionnel des sages-femmes, la présidente a répondu qu'elle n'y pouvait rien, puisque les conseillères étaient ravies de faire plaisir aussi facilement à leur médecin associé. Ces plaintes ne sont-elles pas en bonne partie justifiées ? La veille de nuit ne devrait-elle pas être effectuée par une garde-malade ? La solution serait de se passer des services de la veuve Martinbeau. Alarmée à l'idée de jeter cette pauvre dame à la rue, Léonie s'est tue, trouvant le premier prétexte pour s'éloigner.

Quelques jours plus tard, un messager pénètre en coup de vent à la Société compatissante et lui remet la carte de visite de Suzanne Cibert, qui sollicite un rendez-vous immédiat. Mystifiée, Léonie gribouille son accord, et le garçonnet repart au galop après avoir dévoré une pointe de tarte aux pommes. Une demi-heure passe, puis elle sursaute lorsqu'une silhouette féminine emmitouflée s'encadre dans la porte de son bureau. Elle se lève pour aller à sa rencontre mais, frappée par le teint blafard et l'expression harassée, elle reste plantée derrière son secrétaire.

Sans mot dire, Suzanne écarte un pan de son manteau, découvrant ce qu'elle y tenait caché sous son bras replié : un nourrisson aux langes sales, aussi pâle qu'elle, et qui respire avec peine. Le cœur de Léonie se serre devant ce petit être épuisé par les pleurs et les privations... D'une voix si éteinte qu'elle en est presque inaudible, Suzanne articule :

– Ce matin vers sept heures, une femme est venue sonner à notre porte. C'était une ancienne servante, Monique Guimon, qui nous a quittés abruptement il y a cinq mois. Avant-hier en après-dînée, elle s'est délivrée de cet enfant, un garçon, dont elle prétend que... que Louis... est le père.

Le regard qu'elle lève vers Léonie contient toute la détresse du monde. Elle ne fait aucune tentative pour contester cette assertion, qu'elle considère manifestement comme plausible. Elle reprend son récit hachuré. Devant le couple, Monique a défilé son histoire : dès qu'elle a révélé sa grossesse à Louis, ce dernier l'a fait quitter leur service en lui donnant une compensation financière. Elle a vivoté sur ce petit pécule, mais il lui est impossible de s'occuper de l'enfant tout en travaillant.

– La pauvre, elle venait tout juste d'accoucher et elle se tenait debout devant nous, les deux pieds dans la neige... J'ai voulu la faire entrer, mais Louis a refusé. Il nie toute responsabilité. Elle a réclamé des frais de gésine. Louis a encore refusé. Le ton a monté. Dans un geste de désespoir, elle a déposé le bébé à nos pieds. C'est moi qui ai pris l'enfant. Elle veut que Louis le reconnaisse et contribue à son entretien. Et puis, elle est partie en courant... Léonie, avez-vous une mère qui puisse lui donner du lait ?

– Oui, sans doute. Attendez, je vais quérir la garde-malade.

Quelques minutes plus tard, cette dernière a pris le bébé en charge, et Léonie place deux sièges face à face, faisant signe à Suzanne de s'asseoir. La visiteuse lui semble à ce point sonnée par l'événement récent qu'elle craint de la voir tomber en pâmoison ; aussi s'empresse-t-elle de lui ordonner de se débougriner et de se débarrasser de son capot de poil. Suzanne obéit machinalement, tout en murmurant :

– Je croyais que mon calvaire était fini. Je croyais qu'enfin j'aurais droit à un peu de repos… J'allais reprendre mon rôle d'épouse serviable, mais uniquement pour épater la galerie. Louis mènerait sa vie à son goût. Moi de même. Tant de couples font ainsi… Mais je n'aurai pas droit à cette paix. Louis tient à me faire savoir qu'il est le maître…

Des larmes pressées débordent de ses yeux. Navrée, Léonie lui tapote l'épaule un court moment, puis elle dit avec douceur :

– J'avoue que votre sort n'est guère enviable, mais cette Monique me semble bien plus à plaindre. C'est d'elle que vous devez vous occuper, en toute urgence. Où habite-t-elle ?

Suzanne fait un signe d'ignorance.

– Retournez chez vous pour l'accueillir lorsqu'elle reviendra. Prenez note de son identité complète, de son adresse, et tous les détails utiles. Nous en aurons besoin pour justifier la mise en nourrice de son fils. Si possible, amenez-la ici, pour qu'elle constate comment son fils est traité.

– Tout ça ? s'indigne Suzanne, effarée. Vous voulez que je fasse tout ça pour elle ?

– Et plus encore, comme de lui fournir de quoi vivre pendant quelque temps.

Redevenue pendant un court moment la fière épouse d'un médecin influent, Suzanne est aux prises avec un farouche combat intérieur, que Léonie déchiffre aisément. Doit-elle encourager les visées de son ancienne servante ou, au contraire, refuser tout contact supplémentaire avec elle ? Doit-elle écouter son sentiment de compassion ou, par crainte du scandale, se replier derrière une indifférence de bon aloi ? Suzanne n'a pas choisi Louis pour rien ! D'une certaine manière, elle est encore séduite par ce qu'il lui offre : une situation sociale enviable, une existence de bourgeoise fortunée, l'accès à de nombreux plaisirs coûteux...

Enfin, elle fait savoir qu'elle consent par un infime mouvement de la tête, avant de se mettre péniblement debout. La suivant du regard, Léonie dit encore :

– Si vous ne prenez pas au sérieux la requête de Monique, elle ira se plaindre ailleurs. Au curé, par exemple. À un notable compatissant. Ou à moi. Je vous suggère donc de la traiter avec les égards qui lui sont dus et de considérer sa requête avec soin. Une entente à l'amiable est toujours infiniment préférable à un passage devant le juge.

Suzanne la quitte sans même un au revoir, et Léonie reste plongée dans ses pensées. Elle a enrobé sa dernière tirade d'un ton de tranquille assurance, mais la réalité est beaucoup plus complexe. Pour qu'un juge considère attentivement sa requête, la réputation d'une jeune fille doit être lisse comme un roc sans fissure. Si Monique a été vue ne serait-ce qu'en train de badiner avec un homme, ses chances de succès sont sérieusement compromises ! Par contre, l'atmosphère sulfureuse qui entoure Louis, ajoutée à la vulnérabilité des domestiques vis-à-vis de leur maître... Si Suzanne sait s'y prendre, l'arrogant rouquin comprendra qu'il a tout avantage à étouffer rapidement l'affaire !

Les journées qui suivent sont particulièrement occupées pour le Dr Renaud et ses associées, qui doivent assister deux clientes dans leurs délivrances en plus de faire la première visite de courtoisie à trois futures mères. À vrai dire, c'est Flavie qui se farcit l'essentiel du travail, mais elle n'en a cure, mue par une énergie souveraine qui accélère la course du sang dans ses veines et qui rend ses idées étonnamment claires ! Elle déborde d'optimisme, ce qui n'est pas un mince avantage. Cet état lui permet non seulement de séduire les clientes potentielles, mais de passer outre aux regards choqués qui se posent sur son ventre rond et qui, ensuite, lui envoient maints messages muets de réprobation !

Pour célébrer ses fiançailles avec Philippe, Catherine tenait à une rencontre intime, afin de souligner le rôle sans équivoque que les Montreuil ont joué dans cette union tarabiscotée... un rôle qui ne compte pas pour peu dans son dénouement heureux ! Ils sont réunis dans le salon de la demeure d'Alexis Ayotte, qui a réussi à amadouer Flavie en lui faisant livrer deux cadeaux généreux : un petit meuble conçu par un artisan réputé pour son travail de marqueterie ainsi qu'un coffret en osier, tressé d'une façon si complexe qu'il tire des soupirs d'extase à tous ceux qui le contemplent. Flavie a dû se résoudre à écrire une lettre au père de Catherine pour lui signifier que ces transports n'étaient plus nécessaires et qu'elle consentait à mettre une croix sur le passé !

Savourant une odorante tasse de thé, Léonie se contente d'être spectatrice, détendue par l'atmosphère plaisante. Le sujet des « grands doux temps » qui font diminuer à vue d'œil les bancs de neige ayant été épuisé, le maître des lieux enchaîne sur celui de la prospérité engendrée par le chantier du colossal pont Victoria. L'homme sait de quoi il parle : le volume de ses affaires a considérablement augmenté, surtout depuis l'année dernière !

Pendant l'hiver précédent, il a dû répondre à une demande accrue en bois pour la construction des soixante-douze barges qui allaient transporter les pierres depuis la carrière de Pointe-Claire. Avec la confection des immenses batardeaux d'assèchement, et surtout l'essor général du secteur immobilier, on peut croire que cette tendance ne s'arrêtera pas de sitôt ! Alexis

Ayotte s'avoue extrêmement fier de faire partie de la horde de sous-traitants engagés par le Grand Tronc et de contribuer, même modestement, à cet ouvrage grandiose de génie.

Philippe révèle que cet hiver, à plusieurs reprises, il s'est aventuré sur la glace du fleuve pour aller examiner de près le premier gigantesque pilier, chef-d'œuvre de maçonnerie, ainsi que le second, qui dépasse le niveau de l'eau d'environ quatre pieds, et que les ouvriers ont dû abandonner à ce stade, à l'arrivée de l'hiver. Les discussions entre géologues ont été vives, selon lui, concernant la qualité du calcaire choisi, une pierre parfaitement noire à la fracture, mais qui pâlira en vieillissant.

Bastien s'alarme exagérément :

– Que veux-tu insinuer là ? Qu'on peut avoir des doutes sur la solidité des piliers ?

– Pourtant, il paraît que sir William Logan lui-même, le géologue de la province, a visité les carrières, affirme Catherine en se rengorgeant.

– Ma parole, Philippe ! s'exclame Flavie. On voit sur quoi portent vos causeries d'amoureux ! J'imagine que votre promise connaît en détail le sous-sol du Bouclier canadien ?

Philippe jette un regard faussement outragé à la jeune accoucheuse, puis répond dignement à son ami qu'il n'insinue rien de tel, mais que les géologues, à l'instar des médecins, cultivent l'art des joutes verbales et des chicanes de clochers ! Il ajoute :

– Le vrai test aura lieu dans les prochaines semaines, au moment de la débâcle. Ce qui s'est passé en janvier n'était que de la rigolade. Quand le courant charriera les montagnes de glace, on verra si les fiers maîtres maçons importés de Grande-Bretagne sont aussi bons qu'on le prétend !

Son futur beau-père tient à préciser :

– Leur réputation n'est pas surfaite. J'en ai pour preuve le témoignage même d'une connaissance, Raphaël Dufort, entrepreneur en maçonnerie. Mais la main-d'œuvre locale s'en tire honorablement, en comparaison!

Les trois hommes s'engagent dans un échange de propos au sujet de l'arrivée dans la métropole de centaines d'ouvriers qualifiés, membres de l'élite de travailleurs de la construction de cette jeune industrie qu'est le chemin de fer, et dont les services sont sollicités dans tous les pays où s'ouvrent des chantiers. Séduits par des salaires élevés et par une promesse d'emploi de cinq années, ces carriers, charpentiers et autres mécaniciens auront de surcroît la possibilité d'acquérir des terres à très bas prix!

Ennuyée par la tournure de la conversation, Catherine propose à Flavie et à sa mère de venir admirer les présents de mariage, qui ont commencé à affluer en vue de la cérémonie qui aura lieu en juin. Elle papillonne comme une fillette autour de la dizaine d'objets raffinés, du service de vaisselle anglaise au pot de fleur tellement surchargé de décorations qu'il en est presque laid, jusqu'au plus apprécié d'entre tous, une mantille diaphane richement brodée qu'elle portera en fichu. Dans sa lancée, Catherine exhibe l'esquisse de sa tenue de mariage, une robe colorée, bien entendu, mais dont la forme seyante sera du plus bel effet.

– Jolie demoiselle, s'écrie Léonie avec un large sourire, vous semblez aux anges! Vous voletez, la tête dans les nuages! Philippe est donc si plaisant à fréquenter?

– Je l'adore, répond-elle avec une ferveur attendrissante. Je n'ai pas encore rencontré un aspect de lui qui ne m'enchante pas!

– Les augures sont favorables, affirme son aînée sentencieusement. Je vous suggère cependant de jongler avec tous les aspects – jongler en esprit, il va sans dire – de votre nuit de noces!

– Madame l'accoucheuse! s'exclame Catherine avec une mine faussement indignée. Vous vous adressez à une consœur!

– Croyez-moi, même la plus vaste connaissance théorique ne protège pas du choc de l'expérience pratique.

– Pour ma part, intervient Flavie d'un ton enjoué, je te recommande d'inspecter d'avance certains mécanismes. De commencer à faire tourner quelques rouages… Ça grince moins.

– Vous êtes impayables, s'ébahit Catherine, à la fois interloquée et amusée. Dire que la plupart de mes amies de couvent arrivent à la veille de leur mariage sans que leur mère ait osé faire une allusion, même lointaine !

– Un effet pervers de la peur du péché, déplore Léonie avec une moue comique, et que je dénoncerais en chaire si on m'en donnait la possibilité !

– Ce n'est pas demain la veille, décrète Flavie avec sérieux. En attendant, on se permet d'être une mère pour toi, Catherine, en remplacement de la vraie. Utilise-nous à ton gré.

Catherine jette un regard oblique à Léonie, puis elle laisse tomber, avec hésitation :

– Parlant de maternité… Quelles sont les nouvelles au sujet de cette Monique dont Flavie m'a narré l'épreuve ?

Léonie fait une grimace de contrariété : Flavie se hâte de préciser qu'elle a fait jurer le secret à son amie.

– J'y pense souvent, enchaîne Catherine gravement. J'ai une existence si facile comparée à la sienne…

Dès le lendemain de sa visite, Suzanne se faisait transporter en attelage fermé jusqu'au seuil du refuge, accompagnée par Mlle Guimon. La jeune servante, le visage figé dans une expression farouche, a examiné les lieux, puis elle a jeté un coup d'œil à son nouveau-né mis en nourrice auprès d'une accouchée ayant remis son propre enfant aux Sœurs grises. Léonie n'a pu faire autrement que de la mettre en garde : le simple effort de téter semblait à son fils une épreuve quasiment insurmontable, et il absorbait une quantité infime de lait. Ses chances de survie étaient faibles.

Sa mère n'a manifesté aucune émotion ; seule Suzanne, les yeux brillants d'une lueur frisant la démence, a soufflé à l'oreille de Léonie qu'il n'était pas nécessaire de s'acharner outre mesure... Faisant semblant de ne pas avoir entendu, la maîtresse sage-femme a préféré entraîner les deux visiteuses jusqu'à son bureau. S'adressant à Suzanne, elle lui a fait le détail des frais de nourrice, exigeant un paiement dès le lendemain ; son interlocutrice a consenti à contrecœur. Enfin, elle les a chassées de son bureau. Ce n'était quand même pas à elle de régler le litige patent !

Mais Catherine est déjà au courant de tout cela, et Léonie se contente d'évoquer l'état pitoyable de Mme Cibert, dont le quotidien est sans doute devenu un véritable enfer depuis le désordre créé par Monique. Chaque fois que le sujet de la situation de Suzanne est abordé, Flavie se sent plonger dans un état de malaise dont elle a bien de la misère, ensuite, à s'extirper. L'idée de voir sa vie envahie d'une semblable manière, par une ancienne connaissance dont elle préférerait ignorer l'existence, lui répugne !

Le passage de Louis dans sa vie ne lui a apporté que des ennuis ; même chose pour Suzanne depuis qu'elle a jeté son dévolu sur lui. Flavie voudrait qu'ils déménagent à des milliers de lieues de distance, qu'ils s'évanouissent en fumée ! Mais non, lorsque les problèmes surgissent, la fille de Marie-Claire s'empresse de venir cogner à leur porte, faisant pénétrer dans leur intérieur l'odeur de celui qui pète plus haut que son cul...

Flavie pose une main distraite sur son ventre, et au même moment, son enfant lui inflige un coup léger du côté gauche, comme s'il se donnait une impulsion avec son pied pour nager entre deux eaux. Attendrie, elle y porte attention, notant un frôlement intérieur subséquent, comme un gargouillis, mais différent... Depuis cette première fois, à l'aube, où, couchée dans son lit, elle a cru percevoir un mouvement, elle a compris qu'un être humain était en train de pousser à l'intérieur, selon un phénomène naturel certes, mais si prodigieux, scientifiquement parlant, qu'elle a peine à y croire! Elle a déniché deux ouvrages savants qui rendent compte du processus de maturation des fœtus, qui la fascine au plus haut point et dont elle abreuve toute la maisonnée... même Lucie, qui l'écoute sans se plaindre, mais avec une mine perpétuellement abasourdie.

D'une voix de stentor qui franchit aisément la volée de trente marches de l'escalier monumental, M. Ayotte les convie au goûter que la cuisinière vient de servir. Comme l'horloge grand-père proclame tout juste qu'il est six heures du soir, Flavie se réjouit doublement devant l'abondance des mets: s'ils mangent suffisamment, le souper sera superflu!

Elle s'empresse de garnir copieusement une assiette pour Bastien, toujours en pleine discussion avec Philippe au sujet de la difficulté de garder à Montréal, pendant la morte-saison, une main-d'œuvre aussi qualifiée qui se fait harceler par les agents de recrutement en provenance d'autres chantiers du nord-est de l'Amérique. Résultat: ayant entendu parler des salaires fabuleux offerts de l'autre côté de la ligne, les ouvriers qui restent font la grève pour obtenir des gages aussi élevés!

Peu encline à compatir, avec les responsables de cette force de travail, aux soucis somme toute plutôt réjouissants concernant le bien-être de la classe ouvrière, Flavie se contente de se régaler en silence. Subrepticement, elle observe le duo formé par Alexis et Léonie, installés côte à côte dans une bergère et qui semblent ressasser des souvenirs de jeunesse. Ils rigolent allègrement, leur appétit momentanément oublié, et Flavie ne peut s'empêcher de remarquer à quel point les traits de leur hôte sont animés. Il couve sa voisine d'un regard dans lequel luit une lueur béate, quasiment énamourée...

Déstabilisée par cette découverte, Flavie se redresse sur son siège et se plonge dans un examen qu'elle souhaite discret. Les minutes qui suivent ne réussissent pas à contredire son impression initiale, ce qui la jette dans un embarras tel qu'elle détourne les yeux pour les fixer sur Catherine, qui parlemente avec sa cuisinière. Sa mère, objet de convoitise ? L'idée est diablement dérangeante. Depuis le trépas de Simon, Flavie croyait sincèrement que Léonie avait basculé dans le camp de celles qui passent inaperçues, de celles qui sont invisibles ! Il faut croire qu'elle était dans le champ…

L'envie la démange de savoir où se situe Léonie dans toute cette affaire : de nouveau, elle laisse dériver son regard vers la bergère. D'excellente humeur, sa mère semble très à l'aise dans la bulle d'intimité qui s'est installée autour de son interlocuteur et elle, mais Flavie finit par croire qu'elle ne saisit pas les messages qu'il lui envoie. À l'évidence, elle profite tout bonnement du badinage enjôleur de leur hôte ! Après tout, même à un âge avancé, il est plaisant de se faire courtiser, et tant pis si ça ne mène à rien de concret.

À demi rassurée, Flavie délaisse le spectacle… pour se livrer presque aussitôt à une intense introspection. Son trouble l'interpelle… Pourquoi tient-elle tant à ce que sa mère reste solitaire ? Parce qu'elle est sur le versant descendant de la vie ? Ou plutôt parce qu'elle aurait le sentiment d'une trahison envers Simon ? Flavie refuse cette explication trop facile et qui est indigne d'elle, qui n'a pas hésité à tromper un mari bien vivant et qu'elle aimait encore, même si sans le savoir ! Sa propre expérience lui a prouvé qu'on peut aimer deux hommes en même temps, même si de manière différente. Non, ce qui la fâche en réalité, c'est que sa mère serait moins disponible pour sa fille aînée et son futur rejeton, qui auront grandement besoin d'elle dans quelques mois. Flavie n'a aucune envie de la partager avec qui que ce soit !

Chapitre XXVI

Depuis l'ouverture de la Société compatissante, neuf ans plus tôt, Léonie n'a jamais manqué d'entrain au travail. En plein cœur d'une tempête de verglas ou sous une température torride, elle se met en route vers Griffintown d'un cœur léger, contente de retrouver l'atmosphère si particulière d'un refuge habité et géré par des femmes. Les défis qu'elle y rencontrait la faisaient progresser dans son art, malgré les horaires difficiles et les installations déficientes !

En ce tout début du mois d'avril, c'est donc un sentiment tout à fait inusité qu'elle ressent, une répugnance encore vague, mais bien présente, qui gonfle à mesure qu'elle chemine à travers les rues des faubourgs pour aller assurer ses tours de garde. Les symptômes, légères douleurs physiques et abattement moral, ne peuvent leurrer une praticienne expérimentée comme elle. Le climat se détériore à la Société compatissante, et elle en subit le contrecoup.

Le départ de Sally Easton a été le premier gros choc. Léonie a eu beau se prémunir mentalement, elle a douloureusement vécu cette perte d'une accoucheuse de grande classe et aux nerfs d'acier, versée dans toutes les subtilités de la pratique. Son assurance sereine contagieuse et son flegme anglo-saxon lui manquent énormément ! À côté d'elle, Mlle Navré ne fait pas le poids. Celle que toutes nomment familièrement Mamzelle Théo est dotée d'un bagage suffisant de qualités pour que Léonie soit flattée de l'accompagner dans son cheminement de praticienne. D'humeur égale, elle est vaillante à l'ouvrage et ses gestes ont une sûreté qui n'a pu s'acquérir qu'à force de pratique.

Néanmoins, ses succès lui ont quelque peu monté à la tête : elle agit trop souvent en solitaire, négligeant de consulter ses consœurs. Léonie commence à penser qu'un échec, ou du moins une réussite ambiguë, serait le seul moyen de lui faire retrouver une indispensable humilité. Mais sans doute qu'à trente ans elle-même n'avait pas encore saisi toute la complexité de la nature humaine et de ses pathologies, et ses aînées devaient sûrement déplorer chez elle un soupçon d'insolence !

De surcroît, malgré son passage à l'École de sages-femmes, Théotiste ne semble pas avoir intégré une autre qualité, capitale aux yeux de Léonie pour la prospérité de sa profession, soit ce légitime sentiment de fierté qui donne l'énergie de se battre pour le respect de ses idées. Devant les médecins associés, elle fait preuve d'une soumission qui frôle la servilité. Cette attitude a le don d'horripiler Bastien, qui apprécie les échanges de vues et de compétences mais, comme il fallait s'y attendre, elle plaît énormément à Jacques Rousselle, qui se montre envers la jeune accoucheuse d'une humeur extrêmement caressante. Le voyant agir, Léonie prie en son for intérieur que la demoiselle ne soit pas d'une nature à s'énamourer du moindre bel esprit venu !

En réalité, ce qui contrarie franchement la maîtresse sage-femme, c'est la présence des deux dames que Rousselle vient d'introduire, et avec qui elle ne partage aucun atome crochu. Si la nouvelle garde-malade, Esther Dechardonnet, est extérieurement accorte, le visage doux et le corps tout en rondeurs charmantes, sa personnalité contredit éloquemment cette harmonie des traits. Brusque et d'une grande dureté de cœur, elle est peu appréciée des parturientes. Ses gestes sont précis et efficaces, mais accomplis sans la moindre sensibilité. Une attitude qui ressemble étrangement à celle de Rousselle !

De plus, Esther est excessivement méfiante à l'égard des accoucheuses. Elle tâche de corroborer leurs dires auprès des médecins, mais comme c'est très souvent impossible, elle agit à contrecœur, différant même des actes médicaux anodins dans l'attente du passage du Tout-puissant en question... Plus d'une fois, Léonie l'a tancée vertement ; maintenant, son esprit de rébellion se manifeste uniquement dans les cas où, à son avis, les sages-femmes empiètent sur le territoire réservé aux hommes de l'art. Malheureusement, ces cas sont généralement les plus urgents. Maintes fois, Léonie a dû se résoudre à bouter la jeune garde-malade hors du dortoir pour accomplir elle-même le geste thérapeutique.

Si Léonie est la patronne de Mlle Dechardonnet, il n'en va pas de même pour la dame patronnesse Vénérande Rousselle. Dès le départ, devant les circonstances nébuleuses de son retour, Léonie a éprouvé une vive méfiance. N'est-il pas très surprenant que l'épouse du défunt Nicolas consente à piler ainsi sur son orgueil ? Après le rejet déshonorant de la plainte de son mari par les conseillères, elle a cru bon de donner sa démission de leur organisme. Ne lui a-t-il pas fallu un courage exceptionnel pour offrir de nouveau ses services ?

Pour la persuader de revenir, mais également pour persuader Marie-Claire et Françoise d'accepter, quels arguments son fils a-t-il pu faire jouer ? Interrogées, ces deux dernières ont prétendu, la mine innocente, qu'elles ne pouvaient lever le nez sur une candidate aussi qualifiée. En fait, Léonie n'a aucun reproche précis à faire à la dame patronnesse, chaleureuse et de bonne volonté avec toutes, et qui la traite avec une réserve mâtinée d'une déférence irréprochable. Après des années en tant qu'accompagnante, elle est indiscutablement compétente, comprenant les situations au quart de tour, sachant presque prévoir les besoins des accoucheuses.

Mais Léonie ne peut oublier son comportement avant sa démission. À l'époque du mariage de Flavie, Vénérande a adopté des manières rogues et un air dédaigneux, elle qui était serviable au point d'en être obséquieuse! Elle n'a pas manqué de faire sentir que les femmes qui outrepassaient le rôle prescrit par Dieu l'indisposaient… Elle est devenue l'alter ego de son mari, son chien obéissant, au point d'user de sa position d'aide soignante pour encourager ses visées omnipotentes! Sa loyauté lui était tout entière acquise, au détriment d'un fonctionnement harmonieux de l'équipe médicale, ce qui a fini par jouer contre eux deux…

Dans ces conditions, il semble évident à Léonie que Vénérande est maintenant devenue l'alliée inconditionnelle de son fils, qui l'a fait revenir précisément dans le but de se constituer un noyau dur de fidèles. Comment, alors, lui accorder la moindre confiance? Comment passer outre à son sentiment d'aversion? Peut-être a-t-elle la berlue, mais Léonie croit sentir sur elle, quand elle a le dos tourné, des regards malveillants…

Un matin, quelques minutes après être entrée au refuge, Léonie grimpe à l'étage. Elle a été prévenue, la vieille au soir, que la pauvre Reine, une femme qui a subi son lot d'épreuves, ressentait ses premières douleurs. Elle s'attend à ce que la délivrance soit déjà chose du passé, mais Théotiste, les yeux cernés, lui explique que la dilatation progresse avec une lenteur désespérante. Sans s'inquiéter, Léonie donne son congé à sa consœur. Tant que les choses progressent, il suffit d'en soutenir la bonne marche…

Au pas léger qui monte l'escalier, Léonie devine l'arrivée imminente de Vénérande et elle pousse un soupir de déception. Cette altière dame se rend disponible pour les femmes en couches avec une ardeur décourageante. C'est quasiment si elle ne vole pas la place aux autres, dont cette bonne Céleste que Léonie apprécie tout particulièrement! En train de donner ses instructions à la garde-malade Esther, Léonie se tourne légèrement vers la nouvelle venue pour l'inclure dans la conversation.

Esther entraîne la femme en douleurs pour une promenade à travers le dortoir. Léonie s'apprête à quitter à son tour l'alcôve quand, faisant un pas en avant, Vénérande lui barre le chemin. Surprise, la sage-femme la foudroie du regard, puis se trouble devant ses yeux, des billes de haine au milieu d'un visage parcheminé. En un éclair, Léonie comprend que si la présence d'autres personnes oblige Vénérande à porter un masque, elle s'en dépouille à l'instant!

Profitant de leur premier moment de solitude, Vénérande se lance dans une diatribe, le ton contenu mais vibrant d'un ressentiment démesuré. Estomaquée, Léonie en perd l'usage de la parole. Sa vis-à-vis affirme, de but en blanc, qu'elle est revenue uniquement dans le but de faire payer à Léonie ses insolences passées. Elle prétend que le décès de son mari lui est entièrement imputable!

Léonie croit d'abord qu'elle fait allusion à une descente aux enfers à la suite de la gifle de la plainte rejetée, mais les allégations de Vénérande lui coupent le souffle. Selon elle, Nicolas entretenait une passion secrète pour Léonie, sa première flamme! L'existence de sa légitime a été littéralement empoisonnée par cet amour sans espoir. À cause de Léonie, jamais Nicolas n'a pu témoigner une loyauté sincère à celle qui lui a voué une entière fidélité et qui lui a donné un fils digne de tous les éloges. Vénérande n'a jamais pu être récompensée de son dévouement par un attachement sans limite. Toujours, Léonie se tenait entre les deux époux, comme une frontière invisible qui empêchait leurs cœurs de se joindre étroitement!

Médusée par cette crise de jalousie, Léonie ne peut détacher son regard de cette bouche mince au rictus mauvais, qui éructe des paroles venimeuses. Elle n'a pas besoin de demander des précisions sur l'origine de cet horrible soupçon, puisque Vénérande s'empresse de dire que son mari a ressenti le besoin de lui raconter cette idylle de jeunesse. Une épouse intuitive n'a pas besoin d'un dessin pour comprendre le reste! Son cher mari a été ensorcelé par Léonie et n'a pu de ce fait lui offrir la qualité d'amour dont elle rêvait!

Remise de son choc initial, Léonie agrippe le bras de la frêle dame, le comprimant à lui faire mal. Elle gronde, les dents serrées:

– Éclairez-moi. Nicolas vous a-t-il dit explicitement qu'il m'aimait encore?

– Dès qu'il m'a édifiée avec cette sombre histoire de vos fréquentations, j'ai tout compris. La lumière s'est faite dans mon âme, comme s'il s'agissait d'une révélation de la bouche même de Dieu! J'en ai été hantée pendant des semaines... J'ai compris la source de mes puissants regrets! J'avais beau entourer Nicolas de toutes les prévenances possibles, il ne pouvait y être sensible puisque son cœur était requis ailleurs! Vous avez très bien su vous y prendre, madame Montreuil. Vous avez pris possession de son être de manière très adroite, ce qui ne m'étonne aucunement d'une femme de votre espèce!

– Je répète ma question. Nicolas vous a-t-il dit explicitement *qu'il m'aimait encore*?

– Pas tout à fait, mais...

– Alors, vous fabulez, laissez-moi vous le dire. Notre affection mutuelle est morte il y a plus de trente-cinq ans. Bel et bien morte, je vous le garantis! L'explication de vos déboires, elle se trouve ailleurs!

Incapable de supporter davantage ce monstre d'aversion et de mépris, Léonie s'enfuit. Vénérande joue avec elle un jeu dangereux, celui d'une vengeance personnelle motivée par le sentiment d'une trahison conjugale. Elle la considère comme une proie à abattre! Consternée, Léonie se précipite dans son bureau... pour y trouver Jacques Rousselle, confortablement assis derrière son pupitre, en train d'éplucher le registre des naissances. De justesse, elle retient une grimace d'exaspération. Elle aurait dû s'en douter! Ces temps-ci, le médecin survient entouré de sa garde personnelle…

Indécise, elle reste plantée en plein milieu de la petite pièce, tandis que l'homme grommelle:

– Je vous dérange? Je n'en ai pas pour longtemps. Prenez vos aises…

Facile à dire! Léonie lui tourne le dos pour lui dissimuler l'expression de son visage. Il laisse tomber:

– À tout hasard, je vérifiais si une certaine Monique Guimon avait fait partie de notre clientèle.

Il faut un certain temps pour que ce nom se fraie un chemin dans le cerveau de Léonie. Lorsqu'elle comprend, elle fait volte-face et considère, incrédule, son collègue.

– Monique Guimon? Mais que savez-vous d'elle?

– Bien des choses, ma chère dame. Mon ami Louis compte sur mon témoignage en cour, si jamais cette affaire allait jusque-là.

– En cour? Mais pour dire quoi?

– Eh bien… Par exemple, qu'elle a changé d'identité lorsqu'elle s'est présentée ici pour accoucher.

– Vous êtes sérieux? s'écrie Léonie, stupéfaite. Vous en avez une preuve?

Elle interrompt brusquement son mouvement d'approche lorsqu'il rabat d'un coup sec la couverture du registre. Sèchement, il dit:

– C'est un soupçon, madame, que je tente de corroborer. Je ne vais certes pas vous dévoiler ma stratégie plus avant. Après tout, vous êtes de la partie adverse.

Léonie n'a pas besoin de réfléchir longuement pour comprendre qu'il y a anguille sous roche. Dieu seul sait qui était présent au refuge au moment de la délivrance, mais il suffirait à Rousselle d'interroger les dames patronnesses et les gardes-malades pour juger de la validité de sa présomption. Son air suffisant irrite dangereusement ses nerfs déjà tendus…

Tâchant de se dominer, elle s'appuie des deux poings au pupitre.

– Comme ça, M. Cibert se trouve à être votre ami? Je n'en avais pas entendu parler...

– C'est un collègue que j'estime fort, réplique-t-il, tout roide. C'est à son laboratoire de médecin apothicaire que je m'approvisionne.

– Certes, vous devez le croiser régulièrement dans l'exercice de vos loisirs...

Incertain de l'allusion de Léonie, Rousselle se contente de la dévisager d'un air méfiant. Enfin, il se dresse sur ses jambes.

– Vous tombez à pic, madame l'accoucheuse. Je voulais jaser avec vous du sort de bébé Hercule. Nous n'avons pas l'habitude de recueillir des nourrissons abandonnés par leur mère. Ceux-là sont conduits chez les Sœurs grises. Je m'oppose à ce que cet enfant bénéficie d'un traitement de faveur.

– Mme Cibert paie les coûts de son séjour.

– Une décision malheureuse que son mari réprouve, soit dit en passant, et moi de même. Cela pourrait créer un précédent. Les nourrices exercent leur métier ailleurs, sauf s'il y a urgence, ce qui n'est pas le cas ici. Mlle Guimon était parfaitement capable d'allaiter son enfant.

– Mlle Guimon est servante dans un hôtel de luxe, réplique Léonie, qui sent la moutarde lui monter au nez. Mlle Guimon fait des journées de douze heures, même si elle s'est délivrée il y a *onze* jours.

– Une situation déplorable, mais à laquelle il ne nous appartient pas de remédier. Je tiens à ce que cet enfant soit rendu à sa mère.

– Je m'y refuse. Appelez-en au conseil d'administration si ça vous chante. Il tranchera. Vous me rendez ma place? J'ai à faire.

Il contourne le pupitre en deux enjambées. Léonie fait mine de ne plus lui accorder d'attention, mais elle constate qu'il s'attarde dans la pièce, ce qui lui donne une envie furieuse de lui claquer la porte au nez. Malheureusement, elle ne peut faire la sourde oreille à son bavardage au ton mielleux :

– Ce pauvre Louis est dans tous ses états. Mettez-vous à sa place : il est victime d'une profiteuse ! À vrai dire, c'est lui qui a dû résister aux avances de cette servante, au point où, exaspéré, il lui a trouvé un autre employeur !

L'affirmation est si grossière qu'elle en est risible, et Léonie persifle, sans retenir un large sourire ironique :

– Que c'est beau ! Ce geste lui ressemble tellement !

– Louis souffre beaucoup de l'atteinte à sa réputation.

– Je connais trop bien M. Cibert pour lui accorder une miette de pitié.

– Vous avez tort. Votre pitié, vous l'accordez à la mauvaise personne ! Ces femmes qui utilisent les hommes, qui les manipulent à leur profit, n'en méritent pas une parcelle ! Vous n'avez pas vécu comme moi, madame l'accoucheuse. Vous n'avez pas fait l'expérience des manœuvres de ces perverses, qui vous embobinent au point de vous faire perdre la raison. Ces démones profitent de notre moindre moment de faiblesse, savent toucher notre corde sensible ! Aucun homme normal ne peut leur résister, croyez-moi sur parole !

Le sang de Léonie ne fait qu'un tour, et c'est d'une voix perçante qu'elle s'écrie :

– Ça suffit !

Choqué, il reste cloué sur place. Léonie a l'impression d'être cernée par une brume épaisse, de se débattre au creux d'un véritable cauchemar. Les sous-entendus de Rousselle correspondent trop bien à ceux de sa mère, qu'elle vient tout juste de subir ! Ces allusions à une nature démoniaque, à des manigances de sorcières, à des sortilèges... Ces allusions dont les prêcheurs catholiques ne se privent pas, et qu'elle hait de toutes ses forces! Le cœur battant à tout rompre sous l'effet d'une fureur irrépressible, elle saute sur ses pieds pour venir à lui. Elle profère, ponctuant ses paroles d'éloquents gestes des bras:

– *Vous* n'avez pas vécu comme *moi*, monsieur le médecin. Vous n'avez pas senti les paroles des prédicateurs s'enfoncer dans votre âme comme des lames acérées. Ces curés qui embobinent leurs ouailles au point de leur faire perdre la raison! Qui font croire à ces pauvres mâles qu'ils sont victimes d'un envoûtement! Ils peuvent commettre les pires abus, ils ne sont responsables de rien! Ça ne marche pas avec moi, ce genre d'accroires. Je n'en accepte pas un traître mot! Tout homme qui se respecte tempère ses passions, et vous savez pourquoi? Parce qu'il refuse de faire du tort à celle qu'il désire. Parce que le désir, pour lui, ça dépasse l'acte de s'accoupler. C'est... un embrassement dans tous les sens du terme...

Léonie se mord les lèvres et détourne la tête, gênée d'en être venue à un niveau de discours si intime. Elle souffle:

– Sacrez le camp.

Il obtempère sans bruit. Elle reste immobile, les bras ballants, envahie d'une telle tristesse que sa gorge se serre fortement. Une voix féminine lui parvient:

– Je peux entrer, Léonie?

Elle répond par un vague geste d'acquiescement, et Françoise Archambault se place dans son champ de vision, les yeux doux mais les traits soucieux.

– J'ai entendu, murmure-t-elle. J'arrivais avec Marie-Claire. Vous avez dit les choses bien mieux que je n'aurais su le faire.

Léonie esquisse un sourire de dérision, qui fait réagir vivement son interlocutrice.

– Si, je vous assure! Malheureusement, je doute que ce quidam y soit sensible. S'il savait... S'il pouvait éprouver une parcelle de nos sentiments à nous, les femmes! On nous dit qu'il faut nous méfier comme de la peste de cette belle énergie qui nous anime, jeunes filles, et qui nous donne envie d'étreindre le monde entier. Que notre vie même, ou du moins ce qui en constitue l'essence, ne mérite que du mépris! L'amour-propre en mange tout un coup… C'est comme si… ils nous voulaient déjà un peu mortes.

Cette phrase horrifiante, mais pourtant si vraie, ranime Léonie d'un seul coup. Fébrile, elle réplique :

– Ce n'est pas pour moi que je m'en fais tant, mais pour Flavie. Moi, je suis vieille… Mais Flavie ? C'est comme vous dites, Françoise : elle est trop vivante pour notre petit monde étroit et convenu ! J'ai peur pour elle… Vous avez ouï le commérage ?

Devant son signe négatif, Léonie le résume dans un quasi-chuchotement. La vice-présidente devient toute pâle, tandis que Léonie s'empresse d'ajouter qu'il ne faut surtout pas l'ébruiter, que même Marie-Claire doit l'ignorer. Françoise se racle la gorge :

– Tout avait pourtant si bien commencé… Ce refuge était promis à un avenir que j'entrevoyais long et prospère. Accueillir les déshéritées, faire œuvre d'éducation, participer à l'épanouissement du métier de sage-femme… Ce n'était pas la mer à boire, il me semble ?

Françoise parle tout bas, mais sa voix trahit une grande amertume. Léonie voudrait effacer, d'un seul coup de chiffon, l'âpre chagrin qui déforme son visage!

– Mais il est devenu de bon ton d'être dévot. Les conseillères ont le courage de biches devant une horde de lions ! Comme des marionnettes, des fils invisibles les relient au clergé… C'est habile, Léonie, diaboliquement habile. Les frontières du convenable sont fort étroites, mais les dames doivent se soumettre sous peine d'être pointées du doigt. Le sort réservé à cette pauvre Flavie en est la preuve par cent. Ce n'est pas un simulacre de parlementarisme à l'anglaise qui s'exerce en Canada-Uni, mais une tyrannie qui s'appuie sur le règne de la sacro-sainte réputation! Voilà ce qui tient les femmes coites et enchaînées! Un tissu de rumeurs outrancièrement gonflées, mais qui ont force de loi!

– Ma pauvre amie...

Touchée par l'ampleur de l'angoisse de son interlocutrice qui, par son choix amoureux, s'expose bien plus que sa fille, Léonie a laissé échapper ces quelques mots de compassion. D'une voix tremblante, Françoise balbutie:

– Oh! moi... Je n'ai pas peur pour moi. S'il le faut absolument, je rentrerai dans ma tanière, et on me sacrera patience. Le grand mérite de mon mari, c'est de me laisser vivre totalement à ma guise. Mais Marie-Claire? Elle a un mari, des enfants, une position... Tous les jours, Léonie... tous les jours, toutes les heures, je crains qu'elle ne m'abandonne.

Elles restent plongées dans un dialogue muet. Cet éloquent silence est rompu par l'arrivée tapageuse d'une Marie-Claire affairée, qui referme la porte derrière elle.

– Vous voilà, toutes les deux! Permettez-moi de me reposer en votre compagnie... Pour moi, cette bonne Vénérande est affligée d'un lancinant mal de dents, parce qu'elle m'a revirée de bord secquement! Et que dire de son échalas de fils, qui promène sa face de carême de haut en bas et de bas en haut!

– Reine! s'exclame brusquement Léonie. Elle m'était sortie de l'idée!

– Sois sans inquiétude, la rassure Marie-Claire, avec un sourire mutin. Esther est en train de la soutenir dans ses premières poussées. Tout est sous contrôle.

Après un gloussement de soulagement, Léonie ne peut résister à l'envie d'informer ses compagnes de la nature réelle de l'affliction de dame Rousselle. Les amantes échangent un regard médusé, puis Françoise siffle doucement entre ses dents.

– Un amour contrarié ? Fichtre, Léonie, votre cas est désespéré ! À ce que je constate, l'échauffourée est commencée…

– Un duel de mauvaises langues, réplique-t-elle avec une grimace. De détricotage de réputation, comme on disait plus tôt. Je n'y suis pas très douée…

– Elle serait revenue dans ce but ? s'ébahit Marie-Claire. Te faire suer ? Ça ne me semble presque pas croyable.

– Mettons qu'elle joint l'utile à l'agréable. Soutenir son fils dans ses nobles ambitions, tout en me rendant la monnaie de ma pièce.

– Si Nicolas était amoureux de vous, marmonne Françoise, il l'a adroitement caché !

Tant qu'à y être, Léonie enchaîne avec la révélation toute récente concernant Rousselle fils, qui se fourre le nez dans les affaires du couple Cibert.

– Je l'ai justement croisé chez Suzanne à deux reprises, laisse tomber Marie-Claire, les sourcils froncés. Hier soir encore… Ça ne me dit rien qui vaille.

– C'est une amitié récente ? s'enquiert Léonie prudemment.

– Plutôt… Comme je jouirais de voir Louis mordre la poussière ! Je ne peux plus le sentir, je fuis son approche ! Non seulement il a eu l'outrecuidance de rendre ma fille malade, ce dont il ne s'est jamais excusé, mais il prend des airs de vierge offensée ! Je le giflerais, croyez-moi ! Souvent, je me réveille le matin et je me mets à penser, comme si une toupie tournaillait dans ma tête : comment ma fille a pu en arriver là ?

Françoise pose une main réconfortante sur l'épaule de son amie, qui y dépose la joue un court instant. Léonie remarque à peine ce geste d'affection inusité entre deux femmes. Depuis que leur relation d'amitié est revenue au beau fixe, les amantes se permettent en sa compagnie des élans d'une tendresse de plus en plus manifeste, auxquels Léonie s'est progressivement habituée.

– Tout ce qu'il veut, c'est *contrôler* sa femme, poursuit Marie-Claire, avec une moue écœurée. En venir à lui faire accepter l'entièreté de sa personnalité dépravée ! Il n'a aucune affection pour elle, Léonie. Aucune ! Même pas l'ombre d'une miette de respect ! Quand j'ai fini par le réaliser... Voilà ce qui fait toute la différence entre Richard et lui. Mon mari ne m'aime pas, mais il respecte que je vive dans un monde à part du sien ! Tandis que ce Louis de malheur... Il veut transformer ma Suzanne en une dévoyée !

– Ne crie pas. Tu le noircis à outrance, ma chérie.

– C'est le contraire qui se produit, commente Léonie avec enthousiasme. Il est en train de la dégoûter à jamais de lui !

– Vous ne connaissez pas ma fille comme moi, s'obstine Marie-Claire, fâchée de se faire ainsi contredire. Je sens... je sens quelque chose de singulier, un phénomène qui me dépasse, mais Suzanne va se laisser dévorer vivante... Elle est trop faible pour lui résister longtemps ! Plutôt que de se battre, elle va le laisser envahir la place !

Soudain, Léonie comprend parfaitement où Marie-Claire veut en venir, et cette révélation lui fait écarquiller les yeux d'étonnement. Son amie s'accroche à elle comme à une bouée, pour bredouiller encore :

– Je ne l'ai pas empêchée de l'épouser. Elle s'est garrochée dans les bras de ce triste sire sans que j'émette une seule protestation ! Ça me fend le cœur, Léonie. Mon aveuglement me fend le cœur.

– Elle serait montée à l'autel quand même, se récrie Françoise, avec impatience. Je me tue à te le répéter !

– Peut-être pas !

Avec un soupir d'exaspération, Françoise glisse sa main sous le bras de son amie.

– On passe à autre chose, ma chérie. Tu n'es pas venue ici pour t'agenouiller au confessionnal ! Léonie viendra casser la croûte avec nous, la semaine prochaine, et on en jasera à loisir, n'est-ce pas ?

Marie-Claire lui adresse une grimace de protestation, mais Françoise, imperturbable, ouvre la porte toute grande et la pousse dehors. Avec un large sourire, Léonie s'ébranle à son tour. Il est grandement temps qu'elle vérifie l'état de Reine !

Tandis qu'elle se rapproche de son logis en sautillant par-dessus les ornières de neige, Flavie voit une dame en sortir pour monter prestement dans une carriole fermée, laquelle démarre à toute allure. Cette scène pique sa curiosité : de telles pédantes sont plutôt rares ! Lorsqu'elle fait son entrée dans la salle d'attente, la pièce est vide et la porte du bureau de Bastien, grande ouverte. Elle lui envoie une salutation à mi-voix, à laquelle son mari répond aussitôt en l'invitant à entrer, ce qu'elle fait une fois débougrinée.

Il est confortablement renversé sur son siège, les pieds croisés sur le bureau, et il contemple l'extérieur à travers la fenêtre à carreaux. Envisageant enfin Flavie, il laisse tomber, avec une mine piteuse :

– C'était Suzanne.

– Encore !

Flavie pose une fesse prudente sur le bureau encombré, avant de rétorquer avec mauvaise humeur :

– Un autre problème inavouable ?

– Disons… un revers de situation qui change la donne.

Mine de rien, il s'informe de l'emploi du temps de sa belle-mère, et Flavie répond avec agacement qu'elle n'en sait fichtre rien. Constatant sa réticence à jaser davantage, elle hausse les épaules d'un air faussement détaché, avant de se remettre sur pieds.

– Fort bien. J'ai à faire...

– Hé! s'écrie-t-il en se redressant. Ne pars pas si vite! Juste avant que Mme Cibert débarque, je me disais qu'il était grandement temps qu'on jase de prénoms.

– De prénoms?

– Certain!

Il fait le tour du bureau et vient placer un bras sur son épaule.

– À quoi as-tu pensé? Simon junior? Jean-Baptiste? Aurélie, c'est déjà pris...

Après une grimace amusée, Flavie riposte:

– Je ne suis pas très chaude à l'idée de le coiffer ainsi. Je ne suis pas traditionnelle, tu le sais... Je préférerais quelque chose de nouveau. De moderne.

– Pourquoi pas? Ça me rappelle une histoire... L'hiver dernier, j'ai eu la visite d'un habitant qui s'en retournait chez lui, après sa matinée de vente au Marché au foin. Tu sais quoi? Il avait reçu l'amiral sur l'épaule! Tu sais, celui qui orne la devanture de l'opticien, rue Notre-Dame, et qui est juché à quinze pieds du sol? Il ventait à écorner les bœufs et l'enseigne ballottait tant qu'elle s'est décrochée! Un peu plus, c'était sa caboche qui prenait le coup... Il croyait pouvoir s'en retourner chez lui, mais son épaule avait tant enflé qu'il a dû s'arrêter en chemin. Ça s'adonnait que la clinique était à proximité...

– Quel rapport avec les prénoms?

– Le sien était magnifique. Attends, je fouille ma mémoire... Charles-Gozime! Avec un trait d'union sans doute, parce qu'il ne pouvait pas me l'épeler et que je l'ai noté comme je l'entendais! N'est-ce pas que ça a du chien?

– Sans conteste. Si c'est une fille, j'ai une riche idée... C'est une des clientes de la Société compatissante qui me l'a inspirée. Que dirais-tu d'Euplivoisine?

– Génial! Je m'empresse d'en informer toute la belle société...

Le bruit de la porte d'entrée leur parvient. Une seconde plus tard, un Geoffroy aux joues rouges apparaît dans l'encadrement. Bastien le hèle gaiement avant de poser un chaste baiser sur la joue de Flavie.

– On en causera plus tard. Je sens qu'on va bien s'amuser !

– On peut attendre la délivrance pour choisir le saint du jour.

– Bien entendu. J'avais oublié à quel point tu étais dévote...

Il se dirige vers son fils, le faisant reculer vers la salle d'attente en vue du déshabillage. Un prénom... Son mari se doute-t-il à quel point Flavie hésite à s'aventurer sur ce terrain ? Non, sans doute : son appétit de connaissance au sujet du développement du fœtus aurait de quoi leurrer n'importe qui. Cette boulimie de savoir est uniquement théorique, cérébrale ; elle ne concerne pas le cœur de Flavie, qui hésite à s'attacher à un être dont la survie est encore incertaine... Lui donner un prénom, c'est ouvrir toutes grandes les vannes de l'amour maternel ! Flavie est emportée toutes voiles dehors par cette gestation, une traversée qui lui plaît, mais elle se méfie de l'accostage où tout se joue, même le bonheur d'une vie.

Léonie est à peine rentrée de quelques heures chez sa bru Agathe, à s'occuper tendrement du petit Clément, que son gendre la presse de venir s'isoler dans son cabinet en sa compagnie. Il la fait asseoir et la met aussitôt au courant du coup de théâtre annoncé par une Suzanne furieuse de s'être fait rouler : Rousselle affirme que Monique a accouché à la Société sous une fausse identité et qu'elle a révélé le prénom du père à la garde-malade Esther. Bien entendu, il ne s'agit pas de Louis !

Estomaquée, Léonie fixe de grands yeux incrédules sur Bastien, qui conclut ironiquement :

– Même si je ne suis coupable de rien, j'y ai sâprement goûté…

En un éclair, elle envisage la conséquence immédiate de ce retournement. Suzanne va cesser de payer pour la nourrice du petit Hercule… Comme s'il lisait dans ses pensées, Bastien reprend gentiment :

– Rousselle n'en était pas très content, et pour une fois, j'avoue que je me range à son avis. Les nourrissons restent avec leur mère ou ils sont envoyés chez les religieuses. Si on se met à dévier de cette route, on s'expose à bien des ennuis… Dès demain, Léonie, il faut régler ce cas. Je peux m'en charger, si vous préférez.

Elle hésite, puis secoue la tête. Depuis le début de sa carrière au refuge, elle a assisté à assez de déchirements pour se savoir capable de gérer celui-là… Le jeune médecin se lève et fait quelques pas dans la pièce ; après avoir replacé un livre incliné sur un rayonnage, il lui fait face de nouveau :

– Hier, j'ai tâté le bébé sous toutes ses coutures. Il fait pitié, Léonie. Si maigre… En fait, c'est Rousselle qui en a la charge, mais j'avais comme une vague impression de… Bref, j'ai lu soigneusement le dossier. La posologie choisie me semble discutable.

Désarçonnée, Léonie met un moment avant de répliquer :

– Discutable ? Vous voulez dire que vous ne l'auriez pas soigné comme Rousselle ?

– Je veux dire : je ne suis pas sûr que Rousselle tienne à le soigner.

Elle en reste pantoise. Il insinue quelque chose qu'elle répugne à considérer… Enfin, avec réticence, elle articule :

– Sa vie pourrait être en danger ?

Il fait un imperceptible signe d'acquiescement. Rousselle n'hésiterait pas, pressé en ce sens par Louis, à hâter le trépas d'un nourrisson ? Tenaillée par une légère envie de vomir, Léonie détourne la tête, pour fixer son regard, à travers les carreaux, sur le passage d'un attelage débordant de foin. Mais alors… alors, si Rousselle est capable d'une telle ignominie, pourquoi s'arrêterait-il en si bon chemin ? Saisie par cette pensée, elle ramène vivement ses yeux vers Bastien, qui l'observe, adossé au mur. Elle jongle à voix haute :

– Rousselle a trouvé la référence dans le registre des délivrances. Sous quel nom, vous avez dit ?

– Antoinette Chicote. Arrivée un dimanche matin vers neuf heures, la poussée commencée. Bébé expulsé en une demi-heure. Mère repartie à peine l'arrière-faix sorti.

Un passage éclair dont presque personne n'a de souvenir… Si félonie il y a, elle ne manquerait point d'astuce. Les traits de Bastien sont altérés par une expression indéchiffrable, comme une lueur de connivence. A-t-il le même soupçon qu'elle ? Péniblement, Léonie se met debout, mais reste plantée là, indécise, avant de s'astreindre à dire :

– J'ai l'impression d'être le dindon de la farce…

– Plutôt l'actrice d'un mélodrame ! réplique-t-il en pouffant de rire. Tenez-moi au courant de l'évolution de la représentation…

Léonie fait une moue courroucée, puis tourne les talons en direction de la cuisine. Il n'y a vraiment pas de quoi rire ! Elle n'a pas l'étoffe d'un constable, encore moins d'un juge de paix ! Et la pauvre Monique, même si elle a menti, se débat bel et bien en plein cœur d'une tragédie personnelle… Fort marrie de ce coup de vent qui l'oblige à garder le cap vers un ciel plombé de nuages, Léonie s'absorbe dans son ouvrage, répondant par monosyllabes au bavardage de sa fille.

La journée du lendemain est bien avancée lorsqu'elle réussit à trouver un moment pour s'isoler dans son bureau du refuge afin de compulser le registre. Rapidement, elle repère le texte en question : deux lignes d'une écriture serrée, qui correspondent quasiment mot pour mot à la description de Bastien. Il s'agit de la dernière entrée du mois de février, ce qui constitue un coup de chance pour les auteurs de la mystification. Car déjà ce matin, Léonie s'est réveillée persuadée des malversations de Rousselle. Cela lui semble d'une logique implacable, en droite ligne avec le caractère tortueux des protagonistes impliqués dans cette tragicomédie !

Des doigts, Léonie caresse l'inscription suspecte. Rousselle a dû trafiquer sa calligraphie pour imiter celle d'Esther, mais si elle s'y astreignait, elle pourrait sûrement trouver des indices probants de la supercherie. De même, si elle se mettait à poser des questions, le mensonge finirait sans doute par faire surface. Si aucune patiente n'a le souvenir de cette Antoinette Chicote, si personne d'autre que Rousselle et Esther ne peut confirmer son passage, cela suffirait-il à semer un doute assez puissant ?

Mais semer un doute dans l'esprit de qui ? C'est toute fin seule que Monique est plongée dans son drame. Porter ce cas devant les tribunaux ? Léonie ne peut se bercer d'illusions. C'est un monde d'hommes : des avocats et des juges qui se connaissent tous et qui tiennent autant que les dames patronnesses à protéger leurs réseaux de relations. Parmi eux, bien peu se perchent au-dessus de tout cela... Pour assurer une victoire à Monique, il faudrait un dossier bien davantage étoffé, une preuve flagrante de contrevérité. D'ailleurs, a-t-elle révélé où elle s'est délivrée ? Léonie n'en a aucun souvenir. Il faudra qu'elle lui pose la question tout à l'heure, puisqu'elle viendra avec Suzanne, à qui Léonie a fait porter un mot impérieux.

Dès que les deux femmes font leur entrée, un peu avant huit heures du soir, Monique demande la permission de monter voir son fils, que Léonie lui accorde aussitôt. Le port altier, Suzanne accepte un siège dans le bureau, s'y assoyant du bout des fesses. La maîtresse sage-femme n'a pas le temps d'émettre un son ; Suzanne exige que le petit Hercule soit transporté chez les Sœurs grises. Elle se désintéresse totalement de son sort, déclare-t-elle, et cesse sur-le-champ de payer pour son entretien. Pour la faire taire, Léonie lève une main fatiguée :

– Nous sommes d'accord. Cette mesure d'exception pourrait créer un précédent. Ce soir, si sa mère ne le reprend pas, le petiot sera conduit là-bas.

Satisfaite, Suzanne se cale plus confortablement sur sa chaise, puis elle grommelle :

– Je n'ai pas toute la soirée. Louis m'attend pour souper…

À cet instant, Monique pénètre dans la pièce. Le contraste entre les deux femmes est à briser le cœur : l'opulente et prospère Suzanne d'un côté, imbue de la fierté due à son rang, et la maigrichonne de l'autre, les yeux horriblement cernés, le teint cireux, les vêtements rapiécés… Monique s'adosse au mur, le plus loin possible de Suzanne, refusant d'un geste la chaise que Léonie lui propose.

D'entrée de jeu, cette dernière l'interroge sur les circonstances entourant son accouchement. Aussitôt, une tension presque palpable s'installe entre la jeune servante et son ancienne patronne. Monique reste figée, tête baissée et détournée ; Suzanne écarquille les yeux et pose un regard furieux sur Léonie. D'une voix excessivement maîtrisée, elle laisse tomber :

– Voyons, Léonie ! Ce sujet a été bel et bien réglé ! Vous n'êtes pas au courant ?

– Je veux l'entendre de la bouche de Monique, riposte Léonie, avec obstination. Où étiez-vous lors de votre délivrance ?

– C'est d'un ridicule consommé ! Je ne suis pas venue ici pour réentendre cette histoire *ad vitam æternam* ! Je n'y ai que trop goûté !

– Suzanne ! Si tu la laisses répondre, le sujet sera clos !

Impulsivement, Léonie l'a sermonnée comme la fillette qu'elle était quand elle l'a connue. Elle en rosit, ce qui n'est sans doute rien en comparaison de la mine empourprée de Mme Cibert… qui se tient cependant coite. Sentant deux regards peser sur elle, Monique finit par relever la tête à contrecœur. Elle croise furtivement celui de Suzanne et semble se tasser davantage contre le mur tandis qu'une expression apeurée se peint sur son visage. D'une voix à peine audible, elle dit :

– C'est comme… comme ces dames le savent.

– Où avez-vous accouché, Monique ?

– Ici.

Le mot a été péniblement arraché du tréfonds de sa gorge. Par pitié pour elle, Léonie renonce à pousser l'interrogatoire. Elle a déjà compris que Monique a été victime d'un chantage. On l'a mise au fait de la supercherie, qu'elle a été obligée de faire sienne contre une somme d'argent sans doute, contre une promesse de la laisser tranquille si elle abandonnait toutes ses réclamations auprès de Louis Cibert.

D'une voix blanche, Léonie lui résume la situation concernant son fils, quelques phrases qui semblent plonger la jeune femme dans un trouble puissant. Son visage acquiert la pâleur d'un spectre et elle presse ses mains l'une contre l'autre, leur imprimant des torsions qui font grimacer Léonie intérieurement. Inquiète de la voir réagir ainsi, Suzanne l'interpelle avec agressivité :

– Voyons, ma fille ! Reprenez-vous ! Vous étiez d'accord pour que les religieuses s'occupent de…

– Ferme-la, épaisse !

Quasi chuchotée, la repartie vulgaire a été néanmoins exprimée avec un tel mépris que Suzanne en a le souffle coupé. Le visage de Monique s'est transformé d'un seul coup : ses yeux luisent d'une lueur de démence pendant que, sous l'effet d'un énergique coup de sang, ses joues s'ornent de taches d'un rouge vif. La respiration précipitée, elle quitte son appui pour franchir l'espace qui les sépare, tandis que Suzanne se tasse ostensiblement contre son dossier. Secouée par un si vif émoi qu'elle en tremble, la pauvre mère se penche au-dessus d'elle :

– Je veux… que tu te fermes la trappe. C'est-y clair ? J'en ai assez entendu, de tes jacasseries. Tu piailles pire qu'une basse-cour pis tu me lorgnes comme une mère supérieure !

Essoufflée, Monique se redresse et chancelle, portant sa main à son front. Lentement, Léonie se lève, mais la jeune femme se ressaisit suffisamment pour les toiser, l'une et l'autre, avec une superbe qui frôle le désespoir. S'adressant à la praticienne, elle articule fiévreusement :

– Ça me hante. Hercule chez les bonnes sœurs… loin de moi pour tout de bon… j'en ai le pesant, madame !

Bouleversée par ce cri de détresse, Léonie contourne son pupitre et vient se placer à deux pas d'elle.

– Ma pauvre amie… Vous l'aimez donc tant, votre petiot, malgré tout…

Elle offre sa main et Monique ne peut résister au besoin d'y placer la sienne, glaciale et si rêche que Léonie retient un mouvement de répulsion. Pendant le silence chargé qui suit, elle songe à toutes les mères qui ont fréquenté les lieux ; à toutes celles, la vaste majorité, qui ont dû abandonner leur enfant. Celles qui s'y sont résignées avec insouciance ont été fort rares ! Quelques débraillées, peut-être, si malmenées par la vie qu'elles se sont éteint le cœur. Quelques Irlandaises dévastées par le déracinement de l'immigration, ainsi que par la perte de la plupart de leurs êtres chers. Quelques servantes victimes de viols odieux…

Toutes les autres, selon cette loi souveraine de l'attachement maternel, ont senti le déchirement dans leur chair. Certaines seulement un peu, mais d'autres à profusion, ne pouvant retenir les pleurs et les protestations, et plongeant parfois dans une période prolongée d'abattement. Léonie a l'impression qu'une nuée d'étincelles hantent les pièces du bâtiment. Chacune d'elles a été laissée par ces femmes comme une parcelle d'elles-mêmes et de leur enfant, comme un témoignage de la brisure irrémédiable de cette union suprême…

Son regard se posant sur Suzanne encore stupéfaite, Léonie songe enfin à la différence notable qu'elle a pu constater entre ces mères des classes populaires et le petit nombre de demoiselles bourgeoises qui, depuis l'ouverture de la Société rue Henry, ont occupé les chambres privées des combles. À l'étonnement de Léonie, ces jeunes filles se séparent de leur nouveau-né avec un détachement troublant… Serait-ce parce que le sacrifice leur semble bien mince comparé à celui de leur réputation et de leur vie future de bourgeoise ? Ou parce que, si bien moulées par leur éducation religieuse, elles se sont données à leur séducteur avec moins d'emportement ?

Secouant vivement la tête pour s'éclaircir les idées, Suzanne finit par se mettre péniblement debout, rassemblant autour d'elle les pans de son manteau avec une dignité outragée. D'une mauvaise humeur extrême, elle maugrée :

– Ma charretée déborde de partout ! Me faire bourrasser de la sorte… Vous aviez accepté le marché, ma fille, et prestement à part de ça !

Soudain, Léonie explose d'indignation :

– Par la juifresse ! Ce n'est pas d'une corde de bois qu'il s'agit, mais d'un enfant ! De l'amour d'une mère pour son enfant ! Je n'en reviens pas de ta cruauté, Suzanne !

L'interpellée jette à Léonie un regard égaré, comme si elle cherchait la trace d'un chemin, celui qui remonte jusqu'à sa jeunesse… Enfin, elle se ressaisit, et ses traits se durcissent jusqu'à se recouvrir du masque d'une totale insensibilité. D'une foulée, elle franchit l'espace qui la sépare de la porte et, sans se retourner, elle laisse tomber :

– Peu m'importe. Je n'ai qu'une hâte : que cette affaire dégoûtante soit chose du passé. Je compte sur vous, Léonie, n'est-ce pas ?

Comme une monture éperonnée par une orgueilleuse cavalière, Monique bondit vers celle qui fut sa patronne. Mais plutôt que de la rudoyer, ainsi que les apparences pouvaient le laisser croire, elle la bouscule pour sortir de la pièce et grimpe, quatre à quatre, vers l'étage. Alarmée, Léonie s'empresse de lui emboîter le pas. Au pied de l'escalier, elle entend une exclamation de surprise venant de là-haut. Les premières marches à peine montées, elle doit se ranger vivement sur le côté ; Monique descend à toute vitesse, cachant quelque chose sous son manteau.

Quelques secondes plus tard, elle disparaît dans l'air encore froid de ce tout début de printemps, et le claquement brutal de la porte d'entrée résonne lugubrement. Léonie échange un regard avec Suzanne, en train de se reboutonner tout en marchant à pas tranquilles vers la sortie, qu'elle franchit à son tour, prenant soin de refermer la porte sans bruit. Les dés sont jetés : Monique a repris son bébé avec elle. Dieu sait le sort qui lui sera réservé, mais c'est son choix, que nul ne peut contester. À condition que Louis Cibert se retienne de s'en mêler de nouveau… Selon toute apparence, il lui est excessivement désagréable de ne pas être maître de la situation !

Portée par la sensation d'un incroyable gâchis, Léonie se résout à aller donner quelques explications à la nourrice. Peu à peu, ce sentiment est remplacé par un intense soulagement devant ce dénouement, qui met un point final, espère-t-elle, à son rôle dans cette délicate affaire. Comme Flavie, elle commence à trouver que le sort des Cibert semble inextricablement lié au leur et elle rêve du jour où tout lien sera définitivement rompu ! Dès que possible, elle suggérera à Bastien de diriger Suzanne vers un autre praticien, décision dont il ne pourra que reconnaître la sagesse.

Chapitre XXVII

Au milieu du flot de spectateurs caquetants, Flavie se laisse lentement conduire vers la sortie de la salle, son bras glissé sous celui de Catherine. Elle est encore sous le choc du panorama grandiose auquel elle vient d'assister et qui avait l'histoire des États-Unis comme trame. Quel procédé enchanteur que cette représentation à la mécanique complexe, qui réussit à transmettre une impression de mouvement! L'habileté de l'opérateur à faire se fondre les images, l'une à la suite de l'autre, confine à la virtuosité. À un coucher de soleil succède un lever de lune, un déploiement de troupes s'anime sous les yeux émerveillés de l'auditoire, tout cela agrémenté de sons et de musiques de circonstance! Si elle le pouvait, Flavie couraillerait tous les panoramas qui font étape en ville!

Comme bon nombre des Montréalistes qui les entouraient dans la salle, les deux jeunes femmes s'offrent une pause sur le trottoir. Des hommes allument une pipe, des femmes s'agglutinent en petits groupes, et les commentaires vont bon train, portés par l'air frais aux odeurs printanières de cette soirée de la mi-avril. Posant la main sur son ventre, Flavie grommelle:

– Euplivoisine n'a pas cessé de se trémousser. Pour moi, elle n'appréciait pas le son des canons!

Catherine pouffe de rire.

– Vas-tu cesser de l'affubler de ce prénom ridicule! La pauvre va en faire une jaunisse!

– C'est Bastien qui a commencé, explique Flavie en riant. Il ne cesse de dire Gozime par-ci, Gozime par-là... Il a bien fallu que je m'en mêle. Que je lui rappelle que c'est peut-être une demoiselle que je porte...

Elle raconte ensuite que cette divertissante querelle réjouit énormément son beau-père, mais scandalise sa belle-mère, qui s'empresse de déverser dans leurs oreilles, à chacune de leurs rencontres, une litanie de charmants prénoms ! Ce moment d'hilarité s'interrompt lorsqu'une voix les apostrophe :

– Bien le bonsoir, mesdames. Nous partageons les mêmes amusements, à ce que je vois...

Flavie a l'impression qu'une main lui serre la gorge. Avalant péniblement sa salive, elle se tourne vers Jacques Rousselle, sanglé dans un court manteau de cuir et coiffé d'une casquette, une petite femme voyante suspendue à son bras. Sèchement, Catherine riposte :

– À mon sens, monsieur, c'est bien le seul... Vous avez apprécié ?

– Énormément. Pas vous ? Permettez-moi de vous présenter mademoiselle Marie-Louise Butteau, une charmante dame de ma connaissance.

L'œil coquin, le jeune médecin fait les présentations d'une manière très formelle. Après un échange de salutations, Catherine reprend :

– Il est grandement temps pour nous de rentrer. Ce fut un plaisir...

– Holà ! Vous n'allez pas nous quitter si vite ? Je disais justement à mademoiselle mon amie que, grâce à ce panorama, toutes les beautés du fleuve Mississippi nous sont familières, même sans nous déplacer de Montréal !

– Oui, n'est-ce pas ? renchérit Marie-Louise, d'une voix fluette. Dans les réclames, on disait que ce spectacle a joué à Boston et à New York plus de deux cents fois. On disait que la toile comporte dix-sept mille figures naturelles. Une splendeur!

– Et vous, madame Renaud? Dans votre état, le siège devait vous sembler assez inconfortable…

Mécontente de son propre trouble, Flavie tâche de se dominer:

– Ce souci vous honore, monsieur Rousselle, mais il est superflu. Le spectacle m'a emballée à tel point que j'ai oublié tout ce qui m'entourait.

– À la bonne heure! conclut-il gaiement. Je ne suis pas fâché de vous rencontrer enfin. J'ai entendu dire que votre pratique voguait à toute vapeur?

– On peut l'affirmer, admet-elle à contrecœur. Je n'ai pas à me plaindre.

Elle ne va certes pas lui confier qu'après un départ en flèche les affaires semblent se tranquilliser à outrance. Elle en a jasé abondamment avec Catherine, tout à l'heure, s'avouant très réticente à croire que, malgré toutes leurs précautions, un phénomène comparable à celui des premières années de son association avec Bastien est en train de se répéter. À son avis, quelque chose d'autre, qu'elle est incapable d'identifier, sape leur entreprise.

– Le titre que vous vous êtes attribué est parvenu à mes oreilles, ironise-t-il, l'envisageant enfin franchement. Non point accoucheuse, mais *assistante spécialisée en obstétrique*… C'est du plus bel effet! Vous avez dû chercher longtemps la bonne expression pour remplacer *garde-malade*?

– Je ne vous le fais pas dire, réplique-t-elle, sans retenir une pointe de hargne. Vous savez comme moi à quelles entourloupettes nous en sommes réduits pour séduire la clientèle…

Catherine débite à toute allure:

– Non seulement cette formule recherchée fait son petit effet, puisqu'elle flatte la vanité des bourgeoises dans le sens du poil, mais elle rassure au sujet de la supériorité du docteur.

– Très astucieux, madame Renaud.

Pour l'avoir entendue dans la bouche de Louis Cibert, lorsqu'elle était jeune fille, Flavie a reconnu instantanément la nuance dans le ton de son interlocuteur. Comme si les phrases étaient enveloppées d'une suggestivité subtile, mais bien audible ; comme si, par la magie de cette seule mélopée langoureuse, la femme convoitée était censée se rendre sans condition. Cette inflexion de familiarité, celle d'un séducteur devant sa proie, fait résonner la cloche d'une alarme intérieure. D'une voix sans timbre, elle réplique enfin :

– Lorsque je connais mieux ma cliente, je n'hésite pas à introduire la vérité, ce qui ne semble pas déplaire.

En même temps, Flavie sent une vive incrédulité la gagner. Elle n'arrive pas à croire que Jacques Rousselle l'apprécie d'une quelconque façon. Il lui a donné trop d'indications d'un réel dédain ! Et puis, son ventre proéminent ne devrait-il pas suffire à éteindre, au moins temporairement, tout élan de concupiscence ? Les galants comme lui aiment, par-dessus tout, les jolies tournures... Catherine tâche de mettre un point d'orgue à la discussion :

– Même les plus bigotes prisent une assistante qui démontre la vastitude de son savoir.

Son attention toujours fixée sur Flavie, Rousselle commente :

– Une vastitude que vous serez à même d'appliquer à votre propre cas. Je me suis souvent demandé comment *une spécialiste de l'obstétrique* pouvait envisager la délivrance de son propre enfant...

Comme Flavie abhorre ce ton mielleux, qui n'est pas pour elle un hommage, mais une menace ! Elle a eu la preuve qu'il dissimulait un impitoyable conquérant, paré à immoler sa victime plutôt que de la voir lui échapper ! Comme si une défaite en ce sens signifiait le plus terrible des échecs… Posément, elle répond :

– De la même manière, j'imagine, qu'*un spécialiste du scalpel* envisage une opération sur une tumeur dans son propre corps. Avec un sang-froid mêlé d'appréhension.

– Flavie sera assistée de la meilleure accoucheuse de la colonie, proclame Catherine, avec un débit pressé qui témoigne de sa nervosité. Comme vous, monsieur Rousselle, vous choisiriez votre chirurgien de prédilection !

– Vous êtes une femme d'exception, madame Renaud. J'ai pour mon dire que les futures mères perdent leur sang-froid… Elles sont à ce point dominées par les humeurs fluctuantes de leur matrice qu'il me semblerait périlleux de placer une parturiente sous leurs bons soins. Il ne vous surprendra pas de savoir que la plupart des médecins de la colonie partagent mon avis…

– Certes non. Mais je n'accorde guère de crédit à ces superstitions… ce qui ne vous surprendra point, n'est-ce pas ?

Les lèvres de Rousselle s'étirent en un mince sourire. Les paupières mi-closes, il continue à la contempler, comme hypnotisé, à tel point que sa compagne, les sourcils froncés, pose sur lui un regard scrutateur. Flavie tâche de ne pas s'embarrasser, de demeurer stoïque, plantée droit devant lui. Comme s'ils étaient seuls au monde, il laisse tomber :

– Oui, vraiment, une femme d'exception. Si nos existences avaient pris un cours différent, il ne m'aurait pas déplu… de faire plus ample connaissance avec vous.

– Avec des si, on mettrait Paris en bouteille !

– Parce que vous représentez un formidable défi. S'il ne s'agissait que d'insolence… Une femme insolente, on la mate comme un animal sauvage. On la met à sa main ! J'en ai rencontré plus d'une… Mais il y a bien davantage en vous. Un esprit indomptable qui refuse de plier devant les convenances, devant les lieux communs. Un appétit pour la vie qui n'hésite pas à s'afficher... au point que vous avez fait un long séjour dans une communauté utopiste où l'on remet en question jusqu'aux fondements mêmes de notre organisation sociale! Ce mélange détonnant, madame Renaud, vous donne un pouvoir d'attraction d'autant plus fort que vous n'en jouez d'aucune manière.

– Il se fait tard, jette Catherine en glissant son bras sous celui de Flavie. Mon père va s'impatienter. Tu viens, Flavie? À la revoyure, Dr Rousselle.

Le médecin raille, d'un ton lascif:

– Que voilà une jouvencelle rabat-joie! Le mariage, espérons-le, va vous élargir les idées... Je ne connais M. Coallier que de réputation, mais je prédis qu'il saura vous initier fort adroitement aux félicités charnelles.

La moutarde monte au nez de Flavie, qui le rabroue vertement:

– Je vous interdis d'inclure mon amie dans votre petit jeu!

Il s'incline avec cérémonie:

– J'accepte le blâme d'un cœur léger. À vrai dire, mademoiselle est d'un piètre intérêt, comparée à vous... Daignerez-vous faire quelques pas en tête-à-tête avec moi?

Marie-Louise laisse échapper une exclamation outragée. Estomaquée par cette proposition d'une totale inconvenance, Flavie toise l'arrogant personnage. Enfin, elle réussit à émettre:

– Vous croyez sincèrement que... que je pourrais être tentée d'accepter?

– Ma foi... En effet, la chose m'a effleuré l'esprit. Vous n'aimez rien tant qu'être mise au défi, madame, et votre mari n'est guère un adversaire à votre mesure. Tandis que moi... Moi, je serais un concurrent à votre hauteur. Avec moi, vous atteindriez un sommet dans l'art des joutes au corps à corps.

Catherine inspire brusquement, puis elle agrippe le bras de sa consœur à lui faire mal. À la fois dégoûtée et fascinée par l'expression peinte sur le visage de Rousselle, révélée par le réverbère à proximité, Flavie ne réagit pas. Ce qui la renverse, c'est qu'il s'illusionne en toute bonne foi sur la fascination qu'il exerce sur celles qui le mettent en appétit ! Une boule de frayeur se forme au creux de son estomac, et elle recule d'un pas. Comme s'il était sensible à cette tension, le bébé donne quelques coups rapprochés, tandis qu'elle réplique avec hostilité :

– Vous avez la berlue. Je vous conseille une douche froide, ça replace les yeux en face des trous !

Il ne relève pas sa repartie, se contentant de la boire goulûment des yeux, avec une totale impudicité. Rien de ce qu'elle pourra dire ne le fera changer d'idée. Il fait partie de l'espèce des chasseurs qui pistent leur proie sans relâche ! La résistance de Flavie n'est qu'une coquetterie, le dernier sursaut avant la reddition d'une fierté mal placée... Incapable d'en supporter davantage, elle profère, avec la dernière énergie :

– Je vous défends à l'avenir de m'adresser la parole. Sous aucun prétexte.

– Me défendre ? Personne ne me défend quoi que ce soit, ma jolie. Surtout pas toi.

Abruptement, Flavie fait demi-tour et prend ses jambes à son cou, Catherine accrochée à son bras. Le rire moqueur du médecin les poursuit longtemps, comme si elles en transportaient l'écho... La jeune accoucheuse a eu la nette impression que, s'il avait été seul en sa compagnie, il aurait choisi ce moment pour la saisir dans ses bras et tenter de la soumettre de force ! Après avoir trottiné une bonne minute, Catherine oblige son amie à ralentir.

– Ce n'est pas sage de te presser ainsi, jette-t-elle, hors d'haleine. Il suffit !

Flavie obéit, d'autant plus qu'une crampe lui tenaille le côté. Soudain, un cabrouet en maraude les dépasse ; Catherine lance un appel sonore, et le cocher immobilise prestement sa monture. Avant d'y grimper, elle parlemente avec lui quelques secondes, puis elle rejoint son amie, plaçant la couverture de laine sur leurs épaules. Une illusion bienfaisante de sécurité envahit Flavie, qui adresse un mince sourire de gratitude à sa voisine. Après un temps, cette dernière souffle :

– Eh bien ! Tu m'aurais raconté cet épisode que je n'en aurais pas cru un traître mot !

– C'est là que le bât blesse, réplique Flavie d'une voix vibrante de colère. Les femmes, on les croit menteuses et ratoureuses ! Si je raconte mon histoire, on va s'imaginer que, dans le fond, il n'agirait pas ainsi s'il ne sentait pas un petit quelque chose en moi qui le titille !

– Du calme, ma mie. Tu lui diras, à Bastien ?

– Dès que possible. J'ai besoin d'un protecteur.

– Il te croira ?

– En gros. Il connaît ce malotru... Mais ça me chagrine parce que... parce que... dans son for intérieur, Bastien ne pourra pas s'empêcher de se demander si je suis sensible à ses attentions. Tu vois ? La graine du doute sera semée. Dieu seul sait quand elle viendra à éclore...

– Mais Bastien n'est pas fait de ce bois ! Tu as toute sa confiance !

Flavie ne répond pas. En théorie, c'est vrai. Mais la mauvaiseté est parfois contagieuse... Catherine pousse un soupir de découragement.

– C'est que j'en prends des leçons avec toi, et pas seulement sur la finalité du mariage ! Je n'en reviens pas qu'il... qu'il ait osé malgré la présence de cette dame et la mienne.

– Comme il ne me rencontre jamais seul à seule...

– Il y en a beaucoup, des gourmands comme lui ?

– Gourmands ? Rapaces, plutôt… Ils sont en petit nombre, mais ils prennent toute la place !

Cette déclaration ramène à l'avant-plan de son esprit les faits récents concernant la situation de Monique Guimon, dont elle n'a pas eu le loisir d'entretenir Catherine avant la représentation. Tandis qu'une nouvelle vague de dégoût déferle en elle, Flavie lui narre les soupçons de sa mère et de Bastien au sujet des manœuvres de l'infernal duo de docteurs. Elle conclut :

– Quelle belle paire de grichous, ces deux-là !

Le visage de Catherine est plongé dans l'obscurité ; aussi Flavie reçoit-elle un véritable coup de fouet quand sa compagne s'écrie, la voix étranglée :

– Mais… je l'ai, la preuve que vous recherchez ! Je l'ai, grâce à la confidence de ma meilleure amie là-bas !

Des explications fébriles éclaircissent cette affirmation péremptoire. Catherine a mis la religieuse en question au courant de cette triste affaire, et cette dernière a eu une impression de déjà-vu. Des recherches discrètes dans le registre lui ont remis en mémoire une délivrance récente, au cours de laquelle la parturiente, connue sous le seul prénom de Monique, avait à plusieurs reprises laissé échapper le nom du père. Quelques questions habilement posées à ses compagnes ont confirmé ses soupçons : selon toute vraisemblance, Mlle Guimon a fait un séjour à l'hospice Sainte-Pélagie et sans l'ombre d'un doute, le nom de Louis Cibert, médecin bien en vue, a été entendu.

Le cabrouet fait halte rue Saint-Joseph au moment où Catherine conclut son récit. Tout étourdie par ce nouveau retournement, Flavie presse la main de son amie, lui murmurant qu'elle lui fera signe, puis elle débarque prestement. Catherine attend qu'elle ait installé la barre de la porte d'entrée pour lancer son ordre au cocher, ce qui rappelle à Flavie un moment semblable. C'est en enfilant ses pantoufles qu'elle se souvient de Bastien, qui l'avait reconduite à la suite de la dissection, en 1847, après qu'elle eut repoussé l'assaut de Louis... Comme quoi la vie est une immense roue qui repasse inlassablement au même endroit!

La maisonnée est profondément endormie, même Bastien qui a laissé une chandelle à son intention, mais qui ronfle doucement, vaincu par sa longue journée de travail. Des objets inusités posés sur son meuble de chevet attirent l'attention de Flavie, qui s'y rend sur la pointe des pieds. Une bouteille d'un vin de Bourgogne, un flacon de fruits confits, un pot de moutarde forte... Pour mettre la main sur quelques-unes de ces délicatesses qui arrivaient de France via un port américain, Bastien allait chez Lagrave cette après-dînée. Il n'a pas pu résister à l'envie de les contempler amoureusement...

Lorsqu'elle passe de son côté du lit, elle aperçoit, sur sa table de nuit à elle, une fine bouteille joliment tournée, emplie d'huile d'olive raffinée. Suivant de son doigt le galbe du verre, elle s'attendrit au point d'en avoir les larmes aux yeux... Elle s'empresse de faire ses ablutions et se réfugie bientôt sous les couvertures tièdes, le nez quasiment dans le cou de son mari afin de se repaître de son odeur.

Le lendemain étant un dimanche, leur réveil est un de ces moments délicieux pendant lesquels le jeune médecin profite de l'abandonnement de son épouse pour la cajoler à son aise. Si la montée de sève éloigne les relents de sommeil, elle ne les chasse pas tout à fait... Dans cette circonstance, Flavie se sent souvent comme une chatte ronronnante, partagée entre le désir de se rouler en boule et celui de s'ouvrir pour aller à la rencontre de son homme. Mais ce matin, comme elle apprécie sa proximité! Comme elle voudrait que Bastien devienne son rempart, son antre, sa cuirasse!

Coupant court aux câlineries, il réagit à cette avidité par un sursaut de vigueur amoureuse. Déjà couchée sur son côté, soit la position la plus commode qu'elle a pu trouver, Flavie le laisse entremêler ses jambes aux siennes, puis se placer selon l'angle voulu pour procéder à la fusion qu'il espère, et qu'elle ne refuserait pour rien au monde. Presque à chacune de leurs étreintes, elle s'émerveille du fait que son ventre bombé ne soit, pour lui, ni obstacle ni source de répulsion, mais tout bonnement de somptueuses courbes à caresser. Compte tenu de tout ce qui se dit au sujet des femmes enceintes dans le milieu médical, elle craignait un éloignement… Mais elle avait tort de s'en faire. Il y a longtemps que Bastien oppose une sourde oreille aux racontars des hommes de l'art concernant la mystérieuse nature féminine, pour se concentrer uniquement sur l'échange de propos qui a cours entre sa tendre moitié et lui !

Peu à peu, Geoffroy a abandonné sa coutume de venir, le matin, sauter dans leur lit. Il a fini par comprendre que ses parents à peine réveillés étaient des compagnons ennuyants… Maintenant, il s'attache aux pas de Lucie dès qu'elle passe devant sa chambre, ce qui fait que le couple peut s'adonner à sa danse lascive sans crainte de devoir l'interrompre abruptement. Pour s'abandonner à son tour à une calme chevauchée, Bastien attend la pâmoison de sa belle, à cette heure matinale un relâchement de tension tout plein d'indolence.

Enfin assouvi, il se laisse retomber sur la couche sans changer de position. Le cœur si gonflé d'amour qu'il lui semble paré à exploser, Flavie le saisit à bras-le-corps, le plus étroitement possible malgré sa bedaine. Elle embrasse l'intérieur si doux de son bras, puis elle murmure :

– Je t'aime, mon ange. Gros comme une montgolfière, pour le moins !

Il sourit, tout en ouvrant les yeux. Comme elle aimerait se perdre dans son regard tendre… Puis, dominé par sa langueur, il clôt de nouveau les paupières, et Flavie contemple les traits de son visage, qu'elle connaît pourtant par cœur mais qui lui sont, à l'heure présente, une source inépuisable de contentement. Enfin, elle se laisse emporter par ce moment de somnolence, jusqu'à ce que le claquement sonore de la porte du poêle, en bas, fasse vibrer les cloisons de la maison tout entière. Elle devine qu'il s'agit du tour de main de Geoffroy, à la fois fasciné et apeuré par le spectacle des flammes!

Mue par un irrépressible besoin de s'étirer, Flavie défait le fouillis de leurs jambes et se laisse rouler sur le dos. Son petiot donne alors un coup vigoureux vers son plexus solaire, ce qui lui arrache un grognement. Elle réalise ensuite qu'il vient de lui lancer un message éloquent concernant sa position et elle s'empresse d'en faire part à Bastien. Il fait une moue d'appréciation, tout en marmonnant:

– J'ai fichtrement hâte de voir ça. C'est toi qui vas mener cette délivrance à la trique!

– Je n'avais pas remarqué, mais il est resté tranquille pendant qu'on batifolait. Il ne déteste pas se faire brasser... Tu crois que la matrice se contracte quand... quand j'ai mon orgasme?

Elle a encore de la misère à se mettre ce mot savant en bouche. Il lui semble si technique, si peu poétique! Amusé, Bastien réplique, tout en s'assoyant:

– Possible... Même tes cheveux en tremblotent, alors...

Elle répond par une grimace enjouée, puis elle redevient grave parce que les souvenirs de la veille sont en train d'affluer dans sa mémoire. Avant que Bastien se décide à sauter à bas du lit, elle commence par lui raconter le témoignage de Catherine concernant la présomption de son amie, sœur de Miséricorde. Il ouvre de grands yeux de surprise, avant de s'exclamer, d'un ton découragé:

– Bistouri à ressort! Cette vilaine affaire n'arrête pas de nous rebondir en pleine face!

Flavie lui laisse un instant pour qu'il se pénètre des conséquences de cette quasi-certitude au sujet du lieu réel de l'accouchement, puis elle inspire profondément afin de s'armer de courage. Elle laisse tomber :

– Au panorama, hier soir… il y avait Rousselle.

Comme piqué par une guêpe, Bastien se retourne vivement pour la dévisager. Tranquillement, elle s'assoit en tailleur et redescend sa chemise de nuit, jusque-là retroussée au niveau de son torse, puis elle balbutie :

– C'est un malpoli et je ne veux plus qu'il m'adresse la parole.

Le jeune médecin se met à genoux face à elle, la mine ombrageuse. Il l'encourage à poursuivre, plantant son regard dans le sien :

– Un malpoli ? Explique-moi.

S'imposant un ton monocorde pour contrebalancer son tumulte intérieur, Flavie narre la rencontre et se creuse la cervelle pour lui en rapporter le déroulement le plus exactement possible, du compliment de femme d'exception jusqu'à la proposition d'une promenade à deux. Même si elle tait les allusions les plus explicites, l'attirance manifeste de Rousselle plonge son mari dans la plus profonde incrédulité. Il bégaye :

– Tu me fais marcher… Il n'a pas pu dire ça ?

– J'ai deux témoins, se contente-t-elle de bredouiller.

Cette affirmation presque aussi incroyable le laisse pantois. Elle s'empresse d'ajouter, les nerfs en boule :

– Je veux que tu lui dises… que toi-même, tu lui dises que je ne veux plus jamais, *jamais*, avoir affaire à lui. Sinon, je crie, c'est clair ?

Mécaniquement, il hoche la tête, tandis que son scepticisme est chassé par une bouffée de colère qui le fait s'empourprer à vue d'œil. Il se précipite en bas du lit et, pendant un moment, il tourne furieusement en rond, avant de donner un but à son agitation, s'habillant à coups de gestes emportés. Désolée, Flavie l'observe, puis elle se résout à l'interpeller :

– Bastien ?

D'une voix éraillée, il jette par-dessus son épaule :

– Quoi ?

– Catherine devrait me remplacer tout de bon. Après tout, je suis à un gros mois de mon terme…

– Fort bien. Je l'informe sur-le-champ.

– Sur-le-champ ? Mais c'est dimanche matin…

Il enfouit les pans de sa chemise dans son pantalon, puis fait claquer ses bretelles. Elle n'aime pas comment il répugne à la regarder… Un nœud d'angoisse se forme tout juste au-dessus de l'imposante masse de sa matrice distendue. Elle tâche d'inspirer à pleins poumons, mais a l'impression de suffoquer… Brusquement, son mari se tourne vers elle, les traits déformés par un rictus de hargne, et profère d'un ton cassant :

– On peut compter sur Louis pour s'être vanté de son ancienne intimité avec toi. Des fois, j'apprécierais foutrement que tu sois plus réservée, un peu moins libre de caractère ! Ça nous éviterait une flopée de situations fâcheuses !

Sur ce, il sort de la pièce. Estomaquée, Flavie ravale à grand-peine une envie de pleurer. Ce n'est pas juste ! Il n'a pas le droit de la tancer ainsi, pour quelque chose dont elle n'est pas coupable ! Peu à peu, l'insinuation de Bastien acquiert tout son sens. Ce damné Louis ! Constatant l'intérêt de son collègue pour elle, il n'a pu s'empêcher de se vanter de leurs courtes fréquentations, enjolivant la situation à sa guise, se donnant une importance qu'il n'a jamais eue ! Cela ajouté à la réputation sulfureuse qu'elle traîne, bien malgré elle, depuis son retour…

Consternée, elle se laisse aller au creux du lit, roulée en boule. Comment a-t-elle pu oublier à quel point la vertu des femmes est scrutée à la loupe ? Monsieur le juge, cette péronnelle s'est écartée du droit chemin. Toute sa vie, cette charge sera retenue contre elle ! Un bref épisode de familiarité, monsieur le juge, est l'indice sûr d'une existence dévoyée, placée sous le signe de malsaines passions charnelles !

Soudain, ce n'est plus sa propre personne que Flavie imagine dans la cour de justice, mais Monique Guimon, avec qui elle se sent une puissante parenté d'âme. Le passé de cette pauvre mère – une promenade avec un ouvrier, un goûter servi au livreur de pain, même de simples œillades – serait interprété comme un désir de luxure, comme le signe d'une nature avide. Sa position de faiblesse par rapport à un patron à la réputation de séducteur impénitent, elle, ne compterait en rien ! L'honneur d'un bourgeois est un trésor qu'il faut défendre bec et ongles...

Pour descendre à la cuisine, Flavie attend que Bastien ait quitté la maison. Suspicieuse, Léonie suit subrepticement sa fille des yeux. Sa démarche pesante et son apathie apparente ne sont pas dues au seul poids ajouté... Léonie a constaté que Bastien était hors de lui, ne se maîtrisant qu'à grand-peine, et ce n'était pas à cause de la révélation de Catherine, qu'il lui a jetée en plein visage avant de partir ! Dès que Flavie s'assoit à table, un bol fumant devant elle, Léonie laisse tomber :

– Les Sœurs de Miséricorde tiennent mordicus au secret... Tu crois qu'on pourrait exiger d'elles un aveu écrit ?

– Peut-être... Catherine le saura mieux que moi.

– Bastien se rendait chez elle, si j'ai bien compris... Il n'a même pas pris le temps d'avaler une bouchée.

Flavie relève la tête, pour dire calmement :

– J'ai fini d'effrayer la clientèle avec ma brioche.

Imperturbable, elle avale distraitement ses cuillerées de gruau. Léonie lui laisse le temps de racler son bol, avant d'avancer avec prudence :

– Pauvre Bastien, il était sous le choc... Je ne croyais pas qu'il avait le sort de Monique autant à cœur...

Flavie reste parfaitement immobile. Sans même y penser, elle finit par marmonner :

– C'est que Rousselle… lui a fait un autre affront.

Léonie fixe sa fille avec effarement. S'il s'agissait des horribles soupçons au sujet de la paternité de Bastien, Flavie ne serait certes pas aussi calme !

– Lucie est sortie ? souffle cette dernière.

– À l'office, avec Geoffroy.

Cette fois-ci, la jeune accoucheuse ne se censure en rien. Léonie est inondée d'un tel soulagement que le récit lui semble bien anodin ! Lorsqu'elle entend la formulation pédante au sujet des joutes au corps à corps, elle ne peut retenir un cri d'indignation :

– Le grichou, le méprisable grichou ! Je déteste ces malappris qui profitent lâchement de l'avantage que la nature leur a concédé ! Leur puissance devrait être tempérée par les manières les plus discrètes qui soient !

Flavie lui rapporte l'intuition de Bastien au sujet de Louis, ce à quoi Léonie réagit par une mimique éloquente.

– Par la crosse de l'évêque, comme disait Simon ! Pour moi, ton mari revivait une période difficile de son passé : quand tu fréquentais Louis et qu'il entendait ce fanfaron faire étalage de son tour de main. Il devait en gricher des dents, crois-moi sur parole !

– J'avais oublié, murmure Flavie, tout attendrie. Il ne m'en a jamais reparlé. Faut dire qu'on ne s'est guère appesantis sur cette épreuve…

Les heures qui suivent s'égrènent lentement. Flavie n'a le cœur à rien, malgré tout ce qu'elle avait prévu de faire en cette journée de congé. Elle se sent désorientée, non seulement à cause de la chaîne d'événements troublants depuis la veille, mais aussi parce qu'elle vient de renoncer à sa pratique, du moins tant que ses rejetons la retiendront à la maison. C'est une volte-face d'envergure… Elle n'en est pas marrie outre mesure. Elle se fatigue plus vite, elle supporte moins bien les heures de veille, et puis… elle préfère se tenir loin du loup qui rôde.

Au moment du repas de midi, Bastien n'est toujours pas rentré, et Flavie ne peut contenir son inquiétude. Léonie tente de donner le change, mais elle n'en mène pas large non plus... Du bruit dans la salle d'attente les fait tressaillir, mouvement involontaire auquel s'ajoute un véritable soubresaut lorsque le messager Michael fait retentir sa voix de stentor :

– Je viens vous quérir, madame Léonie !

Elles se jettent un regard entendu, puis se précipitent dans l'entrée, suivies de près par Geoffroy et Lucie. Mlle Navré, la sage-femme, fait mander Léonie de toute urgence pour le cas d'une jeune patiente nommée Ursule Noël. Flavie pose sa main sur sa bouche afin d'étouffer un cri étranglé. Elle balbutie :

– Ursule ! C'était la meilleure amie de Cécile ! Elle a disparu du voisinage à l'époque de mon mariage... Les rumeurs courent qu'elle habite une maison déréglée !

Tandis que Léonie s'habille, Flavie lui rappelle que la mère d'Ursule a trépassé alors que sa fille avait seize ans et que son père, déjà porté sur la bouteille, a perdu le nord, laissant pendant de longues périodes ses trois enfants tout fin seuls, démunis de tout. La jeune fille a gardé le cap pendant deux ans, s'occupant de ses cadets avec ténacité, mais un jour, elle a disparu pour ne plus jamais revenir.

Dans l'alcôve située à l'étage de la Société compatissante, Théotiste se tient debout au pied du lit, pâle comme la mort, le regard fixé sur la patiente, qui bavarde avec la dame patronnesse Émérance Sanspitié. Malgré les apparences de normalité, Léonie remarque immédiatement le mélange d'effroi et de vigilance qui préside à chacun des gestes de cette dernière. Elle ne prend pas la peine de saluer Ursule, qu'elle a bien de la difficulté à reconnaître ; tirant sa consœur par le bras, elle l'entraîne au milieu de la salle commune, à ce moment déserte.

Maîtrisant difficilement le timbre de sa voix, Théotiste décrit une scène qui lui a glacé le sang : un accès de convulsions pendant lequel Ursule, qui avait perdu conscience, était agitée de violentes secousses aux membres. Même son visage, rapporte-t-elle d'une voix tremblante, grimaçait dans tous les sens et ses yeux roulaient dans leurs orbites dans des directions parfois opposées... Les mots de Théotiste se tarissent, et elle se signe d'un geste vif, à plusieurs reprises.

Grâce à un interrogatoire serré, Léonie finit par apprendre que la patiente a connu un second accès de convulsions, une quarantaine de minutes plus tard. Enfin, la maîtresse sage-femme saisit avec impatience sa collègue par l'épaule et la pousse vers l'alcôve. La laissant plantée à l'entrée, elle vient s'asseoir sur le rebord du lit, s'obligeant à sourire. Observant le visage aigu aux joues pleines de la patiente, ainsi que la longue chevelure d'un blond tirant sur le roux, il lui revient des images familières. Son cœur se serre: Ursule était gaie alors, et assez brave pour accompagner Cécile dans toutes ses équipées...

Léonie se présente. Jusque-là monopolisée par les jacasseries d'Émérance, la jeune femme braque son attention sur elle. Aussitôt, elle blêmit, se raidissant comme si le diable en personne se penchait vers elle.

– Je suis contente de te revoir, dit Léonie, d'une voix égale. Je garde de toi de charmants souvenirs...

Ursule se trouble, soudain toute rouge. C'est bien ce que la maîtresse sage-femme croyait: une complexion sanguine à l'excès...

– Si tu le souhaites, nous évoquerons le passé plus tard. Pour l'instant, il y a plus urgent.

Brièvement, Léonie lui résume la situation, vérifiant par le fait même qu'Ursule ne garde aucun souvenir de ses attaques de nature épileptique. Elle s'enquiert de symptômes précurseurs au cours des dernières semaines: en effet, Ursule rapporte une tendance à la migraine, qui s'accompagnait depuis quelques mois d'éblouissements, de vertiges et même, tout récemment, de vomissements. Ce matin, à l'aube, elle a eu une première crise de convulsions, puis une seconde environ une heure et demie plus tard, qui a effrayé la tenancière à ce point qu'elle l'a fait transporter au refuge.

A-t-elle consulté un homme de l'art ? Pour toute réponse, Ursule se contente d'une grimace éloquente. Les seuls praticiens qui mettent le pied dans les maisons déréglées le font en tant que clients ! Léonie presse sa main un bref moment, puis elle tâche de dénicher Michael, à qui elle a demandé de rester sur place. En toute hâte, elle griffonne sur un bout de papier qu'il s'agit d'un cas probable d'éclampsie et qu'il faut apporter le matériel nécessaire pour la saignée, de même que pour une extirpation rapide du fœtus. Cela fait, elle reste indécise. Où se trouve Bastien ? D'un ton bourru, elle donne l'ordre à Michael de retourner prestement rue Saint-Joseph ; en cas d'absence du docteur, qu'il s'empresse de quérir Jacques Rousselle.

Peu après le départ du messager, un appel de Théotiste ramène Léonie à l'étage. Couchée sur le dos, Ursule est en proie à un nouvel épisode de convulsions. C'est un spectacle terrifiant : le visage grimaçant, elle secoue ses membres, puis les raidit à outrance, par secousses répétées et simultanées. Sa respiration est bruyante et désordonnée, et déjà, une écume visqueuse se présente à sa bouche. Elle est baignée de sueur... Constatant que sa langue saille en exécutant des mouvements désordonnés, Léonie se souvient brusquement des recommandations de la sage-femme Marie-Louise Lachapelle, dans son traité... mais trop tard, car soudain, ses mâchoires se referment d'un coup sec, ce qui fait aussitôt jaillir un jet de sang. Léonie crie :

– Une guenille, Émérance, au plus sacrant !

La dame patronnesse, presque en pâmoison, retrouve brusquement ses sens ; elle farfouille autour d'elle, puis tend l'objet requis dont Léonie s'empresse de se servir pour d'abord refouler la langue dans la bouche, puis presser les dents dessus. Tenant la mâchoire fermée, Léonie jette, essoufflée :

– Il paraît que les malades ont assez de force pour fausser une cuillère d'argent !

Une odeur d'excrément envahit la pièce. Une fois la crise terminée, il faudra laver Ursule... Environ trois minutes plus tard, la patiente s'apaise enfin, mais reste plongée dans un état catatonique. Les secondes s'égrènent, et Théotiste s'étonne. Jusque-là, elle se réveillait aussitôt ! Léonie informe ses compagnes que, selon toute probabilité, les symptômes vont aller en s'aggravant : épisodes d'éclampsie qui se rapprochent, glissement progressif dans un profond état comateux... Si les causes précises de cette affection sont inconnues, le remède est éprouvé, soit faire accoucher la patiente le plus rapidement possible. L'expérience a démontré que seule cette promptitude évitait la mort.

Une fois revenue à elle, Ursule se vide la bouche du sang qui, à son grand étonnement, s'y est accumulé. Elle reste assise sur le bord du lit pendant que Théotiste nettoie sommairement les draps ; pendant ce temps, Léonie procède à une palpation rapide, qu'elle accompagne de questions. La conclusion est décourageante. Ursule vient tout juste d'entamer son huitième mois de grossesse, et les chances sont faibles pour que la dilatation soit amorcée. L'examen interne effectué par Théotiste a révélé un col de la matrice refermé et parfaitement rigide ; Léonie procède aussitôt à un nouveau toucher vaginal, qui n'indique aucune évolution.

En prévision de la prochaine crise de convulsions, Ursule est langée et recouchée, puis Léonie donne quelques instructions à l'équipe soignante. Ensuite, elle redescend dans son bureau pour extirper le traité *Pratique des accouchemens* de son rayonnage, et se plonge dans la lecture du chapitre qui porte sur l'éclampsie. Totalement absorbée, elle ne voit pas le temps passer. L'irruption d'un Bastien hors d'haleine la fait tressaillir.

Il se débougrine et jette ses effets sur une chaise. Lorsqu'il lui fait face, elle ouvre de grands yeux stupéfaits : sa lèvre inférieure est boursouflée et son œil gauche, la paupière tuméfiée, ne s'ouvre qu'à moitié. Ces blessures sont toutes fraîches...

Son gendre fait une moue piteuse, aussitôt suivie d'un rictus de douleur, puis il marmonne :

– Vous me résumez le cas ?

Elle ouvre la bouche, mais un branle-bas dans l'entrée l'arrête. Un instant plus tard, Jacques Rousselle pénètre dans la pièce à son tour, et Léonie retient de justesse un éclat de rire. Il a l'œil droit au beurre noir, ainsi qu'une vilaine contusion sur le nez ! Les deux hommes se tiennent à une verge l'un de l'autre, et même si leur attention est fixée sur Léonie, leur hostilité mutuelle est palpable. D'une voix morne, Rousselle laisse tomber :

– Vous avez besoin de moi ?

Elle s'éclaircit la voix :

– C'est la journée du Dr Renaud.

– Le docteur n'était pas chez lui, répond Rousselle, glacial. Michael est venu sonner à ma porte.

Décontenancée par cet enfantillage, Léonie reste sans réaction. Avec une fureur contenue, Bastien réplique, sans regarder son collègue toutefois :

– Michael m'a trouvé *avant* vous.

– *En même temps* que vous, rétorque Rousselle, de la même manière.

Pour éviter que la situation ne se détériore, Léonie intervient, avec fermeté :

– Il suffit. Deux avis ne seront pas superflus. Tenez-vous droits, messieurs, ou je vous sacre dehors.

Sans plus attendre, elle amorce un conciliabule pendant lequel les jeunes praticiens, réussissant à négliger leur différend, s'entendent sur la validité de l'hypothèse de l'éclampsie. Le nœud du problème se présente alors dans toute son amplitude. Faut-il prendre le risque d'attendre tout en appliquant divers remèdes pour diminuer les symptômes ? Léonie estime qu'il serait assez simple de hâter la délivrance : administrer des stimulants, tâcher de dilater manuellement l'orifice, crever la poche des eaux dès que possible, puis saisir l'enfant par les pieds pour l'extirper. Rousselle fait remarquer qu'il s'agit d'un processus de plusieurs heures qui pourrait mettre en danger la vie de l'enfant ; Léonie rétorque que ce dernier, prématuré de plusieurs semaines, est déjà sans doute fort mal en point. À son avis, c'est sur la vie de la mère qu'il faut se concentrer, et une médication énergique devrait suffire à préserver sa vie pendant les manœuvres nécessaires.

– Nous sommes d'accord, conclut Bastien en reculant d'un pas. Je me prépare sur-le-champ pour la saignée.

– La saignée ? s'exclame Rousselle d'un ton extrêmement dédaigneux. Mais il s'agit d'une méthode archaïque, complètement dépassée !

– Une méthode encore parfaitement adaptée à l'éclampsie. Je ne me sers presque jamais de ma lancette à cette fin, mais j'estime que dans ce cas précis…

– Dans ce cas précis, la marche à suivre est claire comme de l'eau de source, mais vous refusez de l'envisager !

Exaspérée, Léonie s'écrie :

– Cessez vos allusions inopportunes, monsieur. Expliquez-vous !

– Une gastrotomie, pardi ! À l'École de médecine, dans l'amphithéâtre !

Un pesant silence accueille ces paroles. Léonie fixe Rousselle, l'air ahuri. Immobile comme une statue, Bastien articule, la voix éraillée :

– Vous perdez la tête ? Une césarienne conduirait la malade au trépas !

– Je me suis déjà amplement expliqué, affirme Rousselle en soutenant le regard de Léonie. Cette fois-ci, personne ne me fera changer d'idée. La matrice est scellée et il faudra trop de temps pour s'y introduire ; je suis vraiment surpris que vous soyez indifférents à cette donnée, pourtant capitale. Il nous reste une seule solution, et je tiens absolument à la tenter. Sinon, j'en garderai des remords éternels.

Bastien fait deux pas, pour se retrouver presque face à lui.

– Je m'y oppose, gronde-t-il, les dents serrées.

Lentement, Rousselle tourne la tête vers lui, l'expression condescendante. Il dépasse son confrère d'une bonne demi-tête, et c'est fortifié par sa taille supérieure qu'il laisse tomber :

– Je m'en balance. Michael est venu chez moi. Depuis que j'ai mis le pied ici, j'ai toute autorité sur les cas médicaux.

– Le dimanche, j'ai toute autorité. Cette entente est écrite noir sur blanc. Voulez-vous que je demande à Léonie de vous la mettre sous le nez ?

Cette allusion à une partie mise à mal de son anatomie provoque une réaction instinctive chez Rousselle, qui recule d'un pas en y portant involontairement la main. Bastien fait une mine narquoise devant le spectacle du nonchalant médecin, blême d'une humiliation rétrospective, qui, à l'évidence, ne faisait pas le poids devant son collègue bien davantage vigoureux… Léonie se creuse désespérément la cervelle pour trouver une issue à cette situation ridicule. Les bouter tous les deux hors du bâtiment, puis faire appel à un autre praticien ? Peter Wittymore ne refuserait pas son secours…

Les traits de Rousselle se couvrent d'une expression d'une extrême dureté, à tel point qu'il semble soudain avoir l'esprit dérangé. Léonie devine qu'il se contient à grand-peine, non pas de frapper son collègue, mais de se laisser aller à l'un de ces accès de colère pendant lesquels il semble perdre toute mesure. Devant le mélange de mépris et de mauvaiseté qui lui déforme le visage, Léonie est traversée par un frisson d'angoisse.

Les sourcils froncés, Bastien le dévisage, incapable d'en croire ses yeux. D'une voix sans timbre, Rousselle émet :

– Votre autorité, *cher ami*, elle ne tient plus qu'à un cheveu. Vous êtes comme un funambule sur son fil. Si vous déviez d'un millimètre du droit chemin...

– Cessez ce charabia, réplique Bastien très sèchement. Il me donne la nausée.

– De vilains commérages sont sur le point de troubler la paix de nos bonnes dames patronnesses...

– Tenez-vous-le pour dit une fois pour toutes : les commérages, *cher ami*, vous pouvez vous les mettre où je pense.

– Celui-là a de quoi rendre hystérique même la plus conciliante.

Léonie s'interpose prestement entre les deux belligérants. Les poings serrés, elle fait face à Rousselle.

– Sortez, monsieur. Je ne veux plus entendre un traître mot.

– Ce qui n'est pas le cas de votre sympathique beau-fils. Je viens d'asticoter sa curiosité... Vous voulez la suite, monsieur Renaud ?

La saisissant fermement par les épaules, Bastien écarte Léonie. Les deux hommes s'affrontent du regard, tandis que Rousselle poursuit, légèrement haletant :

– Vous voulez que je vous dise quel est le ragot qui titille les bavasseuses ? C'est le plus magnifique que j'aie jamais entendu. Pourtant, grâce à ma chère mère, j'en ai entendu de tous les genres ! Voulez-vous savoir, monsieur, ce qu'on dit au sujet de votre tendre moitié ?

Bastien a un haut-le-corps, puis un accès de rage altère ses traits.

– Laissez Flavie tranquille, espèce de rat d'égout !

– Ma foi, j'oubliais ! À votre guise, cher ami.

Révulsée par ce jeu ignoble, Léonie plante ses ongles dans l'avant-bras de Jacques Rousselle. Il sursaute, la toisant avec une surprise outrée.

– Videz votre sac, intime-t-elle. Le mal est fait. Videz-le au plus sacrant, mais vous serez responsable des conséquences !

Elle a presque crié. La superbe du médecin flanche légèrement, mais il se reprend aussitôt. Envisageant Bastien qui, à son corps défendant, est suspendu à ses lèvres, il laisse tomber :

– Fort bien. Compte tenu de tout ce qui est survenu depuis hier, je ne suis pas fâché, cher ami, de vous annoncer que votre tendre moitié n'est pas revenue de l'autre côté de la ligne, mais de l'antre du démon. Un démon qui emprunte les traits de *mister John Humphrey Noyes* lui-même.

Un espoir insensé envahit Léonie. Peut-être que Rousselle n'ira pas plus loin ? Elle le supplie du regard, mais il ne lâche pas Bastien des yeux. Devant le haussement d'épaules de ce dernier, il émet un ricanement et enchaîne :

– Attendez, avant de me jeter avec l'eau du bain ! Ce n'était que les prémisses... Ce qui vient ensuite est positivement magistral. Chacun sait que, là-bas, les femmes se donnent à tout venant, n'est-ce pas ?

– C'est faux, réplique Bastien avec fougue. Elles choisissent, contrairement aux débraillées que vous appréciez tant !

– Donc, logiquement, votre tendre moitié s'est donnée à ce John Noyes. Comme elle a quitté la communauté exactement neuf mois avant sa délivrance prochaine... Logiquement, l'enfant qu'elle porte...

Il ne peut terminer : Bastien lui assène un coup de poing furieux, qui l'envoie contre le mur. Entourant son gendre de ses bras, Léonie coupe court à l'élan qui le précipitait vers son opposant. Le jeune médecin ne lutte que très brièvement pour se libérer de son emprise. Le silence qui suit est uniquement rompu par deux respirations bruyantes et par le marmonnement incohérent de Rousselle. En proie à un désarroi si puissant qu'il irradie de lui comme la chaleur d'un mur de pierre au soleil, Bastien reste prostré. Paralysée de chagrin, Léonie ne peut que balbutier :

– C'est un mensonge, Bastien. Un vil mensonge ! Il ne faut pas le croire. Il ne faut croire personne d'autre que Flavie ! Tous les deux, vous m'êtes si précieux... Ne vous laissez pas dominer, ne vous laissez pas conduire dans l'erreur sans réagir !

Il inspire comme si sa vie en dépendait, puis il murmure, la voix éraillée :

– Laissez-moi.

Elle obéit, mais reste plantée devant lui, le frôlant presque. Il a les yeux si tristes... Sans la regarder, il murmure :

– Vous avez raison. Flavie...

De prononcer ce prénom semble lui écorcher la gorge, mais il se reprend :

– Flavie semblait si sereine...

– Madame Léonie ? lance une voix hésitante, de l'entrée.

L'accoucheuse Théotiste se tient debout dans l'encadrement de la porte, observant la scène d'un air hagard. Léonie jette un rapide coup d'œil à Rousselle qui, toujours appuyé contre le mur, fait jouer sa mâchoire contusionnée, puis elle se dirige vers sa consœur.

– Oui ?

– Une nouvelle crise. Cette fois-ci, Ursule reste sans connaissance.

– J'arrive ! lâche Rousselle d'une voix chevrotante.

Il se redresse et tousse à quelques reprises, puis il traverse la pièce, la tête haute et le port altier, en gratifiant Théotiste d'un prudent sourire.

– Je vais m'assurer que l'état de la patiente est stable, puis nous la ferons transporter à l'École de médecine pour une intervention de dernier recours.

Sur le point de quitter la pièce, il fait une pause, mais comme son confrère ne réagit pas, il sort. Pendant d'interminables secondes, l'écho de son bavardage leur parvient. Enfin, une paix bienfaisante s'installe, uniquement troublée par les bruits de la vie ordinaire : patientes qui reviennent de la messe, qui papotent, qui rigolent... Bastien se détourne et marche vers le fond du bureau, puis il laisse aller son épaule contre le mur, y appuyant ensuite sa tête, les paupières closes. Léonie refuse de le laisser seul, mais elle reste clouée sur place, tâchant de s'accoutumer au revirement de la situation.

Après un temps, envahie de détresse, elle bafouille :

– J'avais déjà ouï la médisance, mais j'espérais que... qu'elle mourrait sans vous atteindre. J'aurais dû prendre sur moi... Ça aurait été moins pire, n'est-ce pas ? J'aurais dû trouver le courage...

– Ne vous torturez pas, souffle-t-il, sans bouger. Inutile d'en rajouter...

– Il ne faut pas être trop dur avec Flavie.

Elle voudrait ajouter que les femmes enceintes sont si sensibles aux chocs émotifs de cette nature ! Elles ont besoin d'être cajolées, réchauffées... D'un seul mouvement, il se redresse pour lui faire face, les traits marqués par son tourment intérieur. Encore vibrant de rancune, il réplique :

– C'est Rousselle qui mérite d'être rudoyé. Lui seul ! Il voudrait nous séparer l'un de l'autre qu'il n'agirait pas autrement. Il sème la haine sur son passage ! C'est terrifiant...

Abruptement, il demande, d'un ton suppliant :

– Vous croyez réellement que... que c'est une médisance sans aucun fondement ?

– Pas le moindre doute ne m'a effleuré l'esprit depuis votre retour, répond Léonie avec ardeur. Je le jure sur la tête de ma mère.

Les poings profondément enfouis dans ses poches, il incline le visage vers le sol et il reste ainsi de longues secondes. Quand il relève enfin la tête, une expression résolue a mis un terme à la valse de ses émotions.

– On verra ça plus tard. Pour l'instant… Pour l'instant, il faut profiter de la chance offerte. Vous venez, Léonie? L'heure du rassemblement des accoucheuses a sonné.

Il sort de la pièce à grandes enjambées. La maîtresse sage-femme, éberluée, s'attache à ses pas.

– Le rassemblement des accoucheuses? C'est quoi, ce micmac?

Négligeant de répondre, il s'approche du pied de l'escalier, où il lance d'une voix sonore:

– Mademoiselle Navré? Si vous n'êtes pas occupée, descendez, je vous prie!

Quelques instants plus tard, l'interpellée est devant lui. Sans prendre garde à l'intensité de sa voix, Bastien s'enquiert auprès d'elle:

– Le branle-bas de combat est commencé?

Interdite, elle hoche la tête. Le regard luisant d'une sorte de fièvre, il se frotte les mains, considérant alternativement les deux femmes, et lance:

– Eh bien, mesdames, je vous emmène à l'École de médecine!

Léonie inspire vivement.

– Pour la césarienne?

– Rien de moins! L'opération est publique, n'est-ce pas? À quelle heure a-t-elle été fixée?

– Cinq heures. Michael est parti…

– Que toutes les accoucheuses qui souhaitent y assister se rassemblent chez moi, rue Saint-Joseph, pour quatre heures et demie. Toutes les accoucheuses, vous m'entendez, mademoiselle? Aucune restriction. Même les gardes-malades peuvent venir. Une telle aubaine ne se répétera pas de sitôt.

– Bastien ! Vous êtes sérieux ?

L'expression défiante, il envisage enfin Léonie, sans détour.

– Extrêmement sérieux. Si on a pu me reprocher une certaine couardise par le temps passé, cette époque est révolue. J'ai promis à Flavie d'encourager l'apprentissage des accoucheuses et je m'en voudrais jusqu'à la fin de mes jours de ne pas sauter sur l'occasion.

– Mais l'amphithéâtre est interdit aux femmes !

– Les règlements injustes sont faits pour être défiés. Plus nombreuses vous serez, plus il sera aisé d'y rester.

Il recule d'un pas.

– Je compte sur vous !

Sur ce, il tourne les talons et disparaît vers la sortie, tandis qu'un brusque sentiment d'exaltation traverse Léonie avec la force d'une haute marée.

Chapitre XXVIII

Après s'être assurée qu'Ursule était traitée selon les règles de l'art, Léonie quitte le refuge. À son grand soulagement, elle n'a pas eu à prétendre quoi que ce soit devant Rousselle, qui a pris son envol après avoir donné ses ordres. La maison est déserte, ce qui n'est pas pour lui déplaire. Elle en profite pour s'offrir une courte sieste, qui lui fait le plus grand bien même si elle est incapable de fermer l'œil. Sitôt relevée, elle se couvre les cheveux de son plus sobre bonnet, puis elle descend à la cuisine afin de casser la croûte.

Lorsqu'elle entend du bruit dans l'ancienne salle de classe, elle se raidit, mais le murmure de voix qui suit lui fait réaliser qu'il s'agit de Lucie et du solide gaillard qu'elle fréquente. Ils traînassent dans l'antichambre... Leur moment d'intimité est interrompu par un brouhaha, celui de Geoffroy qui fait son entrée à son tour, Flavie sur ses talons. Quand les deux femmes et le garçonnet pénètrent dans la cuisine, ce dernier s'écrie d'une voix aiguë :

– Tu soupes de sitôt, grand-mère ?

Léonie n'a pas le temps de répondre, car Flavie s'enquiert vivement :

– Et Bastien ? Tu l'as vu ?

Elle hoche vigoureusement la tête, mais ne peut en dire davantage puisque le jeune médecin surgit, pâle de fatigue mais l'expression butée, ayant pris à peine le temps d'essuyer ses bottes. Il offre un spectacle saisissant, son œil gauche presque complètement fermé, la paupière cramoisie, et sa lèvre inférieure ayant doublé de volume du côté droit. Flavie pousse une exclamation de surprise :

– Mon pauvre chéri ! Qui t'a arrangé comme ça ?

Soudain, l'évidence lui saute aux yeux, et elle reste frappée de stupéfaction, les bras ballants. Il se permet un sourire gouailleur :

– J'avais le dessus. Si Michael n'était pas arrivé pour nous séparer, je l'assommais proprement.

Flavie s'approche dans le but d'examiner les blessures, mais il s'éloigne prestement de plusieurs pas. Sans la regarder, il grommelle :

– Je viens de chez Étienne. Il m'a inspecté sous toutes mes coutures.

Il interpelle Lucie :

– Vous pouvez me garnir une assiette ? Je meurs de faim ! Flavie, il faut aussi que tu manges. Vous lui avez expliqué, Léonie ?

Sans attendre la réponse, il entreprend de résumer lui-même le cas d'Ursule Noël tout en s'assoyant à table, aussitôt rejoint par Geoffroy, qui tient à regarder les tuméfactions de près. Repoussant son assiette, Léonie s'adosse. Elle ne peut croire que Bastien a l'intention d'incorporer Flavie dans cette téméraire équipée ! Cette perspective fait voleter des milliers de papillons dans son estomac. Après tout ce qui s'est passé, il ne peut vouloir la placer dans une situation aussi inconfortable ?

Plantée comme un piquet, la jeune accoucheuse écoute les propos fébriles de son mari, tentant d'en saisir les grandes lignes. Une opération publique à laquelle les praticiennes sont conviées ? Une opération *pratiquée par Jacques Rousselle* ? Des images de l'amphithéâtre éclatent dans sa cervelle. Les gradins disposés en cercle, les myriades de lampes, la table au milieu et Marguerite qui dissèque, placée tout à côté de

Joseph Lainier, sous les regards effarés de dizaines d'hommes de l'art... Des hommes de l'art qui aujourd'hui, voyant Flavie s'avancer avec son gros ventre, éclateront de rire! À moins qu'ils ne hurlent des imprécations?

Tout en discourant, Bastien engloutit des cuillerées de la soupe qui mijotait sur le poêle, et Flavie n'est pas loin de croire qu'il est tombé sur la tête. Dès que possible, Léonie annonce:

– Ton bol est servi, ma fille. Viens t'asseoir.

Comme une automate, elle s'installe face à Bastien qui, remarque-t-elle, évite consciencieusement de croiser ses yeux. Incapable d'avaler une seule bouchée, elle le contemple avec un désespoir muet. Enfin, tandis qu'il racle son bol, elle souffle:

– Je... Je t'assure que... si les circonstances étaient différentes, j'irais avec vous. Mais là... à l'idée d'être dans la même pièce que Rousselle... tu comprends?

Il la fixe de son œil droit largement ouvert et son visage est parcouru par une vague de tendresse, aussitôt chassée par un puissant ressentiment qui se transforme en une moue opiniâtre. D'une voix contenue, il bredouille:

– Je comprends. Mais j'estime quand même que tu devrais venir. Songe à tout le progrès que tu as fait depuis six mois. Songe aux bénéfices que tu en retirerais.

– Je veux bien, mais...

– Rousselle ne peut plus te faire aucun mal. Tout ce qui devait advenir est advenu. Je veux qu'il te voie dans la salle, Flavie. Je veux qu'il te voie parmi le groupe d'accoucheuses, et avec moi. Je veux qu'il sache que tu n'as pas peur de lui.

– C'est faux. J'ai peur de lui. C'est une brute, Bastien. Une brute de la pire espèce. Tu ne peux pas t'imaginer... Il est paré à tout pour avoir ce qu'il convoite. C'est un cœur de pierre...

Sans crier gare, son mari se couvre les yeux de sa main, respirant avec difficulté. Son autre main avance jusqu'à Flavie, qui l'agrippe avec fièvre. Comment lui faire voir ? Seules les femmes ont l'expérience de ce que cela signifie, être l'objet de la concupiscence d'un mâle qui s'enhardit davantage à chaque refus ! Tout en clamant son innocence, sentir les barreaux de la prison qui se resserrent... Son visage encore à moitié masqué, Bastien étreint ses doigts avec une énergie souveraine, puis il dit :

– Il ne faut pas s'en laisser imposer. Si on cède... Si on cède, Flavie, il profitera de son avantage. Il faut se tenir debout devant ce faraud, qui se prend pour le nombril du monde ! Je ne peux pas te promettre une entière protection. Peut-être qu'il te harcèlera encore ! Mais tu es capable de lui résister. Je te connais trop bien. Ne reste jamais seule avec lui, et tout se passera bien. Viens, je t'en conjure. Fais-le pour moi.

Il abaisse son bras, et Flavie reste saisie à la vue de son œil où perle une larme. Elle voudrait être seule avec lui pour le prendre dans ses bras et couvrir son visage de baisers... Elle n'arrive pas à comprendre où il puise sa singulière audace. Certes, il veut se venger de l'affront de Rousselle, et pour tout dire, sa réaction ne manque pas de panache. Certes, il tient vaillamment sa promesse de l'instruire de toutes les façons possibles, tirant une légitime fierté de ses accomplissements. Plutôt que de rougir de honte quand elle manipule le forceps devant autrui, il se rengorge comme un maître comblé ! Mais il y a autre chose qui lui échappe, ou alors elle connaît fort mal son homme...

Sans un mot, Flavie saisit sa cuillère et la plonge dans son écuelle. Bastien fait une dernière pression sur sa main, puis il avale une bouchée de pain avant de sauter sur ses pieds et de grimper quatre à quatre à l'étage. Tous les membres de la maisonnée réunis dans la cuisine, même Geoffroy et Lucie, sont suspendus aux sons qui leur arrivent de là-haut... Des coups retentissent alors à la porte d'entrée. Léonie n'a guère que le temps de songer à se lever : l'appel excité de Catherine Ayotte leur parvient, auquel elle répond de même.

Un groupe de jeunes femmes agitées fait son entrée dans la cuisine. Avec un mince sourire, Flavie contemple les visages animés de ses braves consœurs Marie-Barbe Bridelle et Marie-Julienne Jolicœur... Derrière Catherine, elle remarque enfin, dépassant de sa bougrine, la robe d'une sœur de Miséricorde. Fronçant les sourcils, elle scrute la tête encapuchonnée, notant la coiffe qui enserre ses tempes. L'ex-compagne de Catherine, la même qui assiste aux cours donnés sous l'auspice de la Société compatissante !

Galvanisée, Flavie se dresse sur ses jambes. Elle ne se cachera pas entre les quatre murs de sa maison comme une souris apeurée ! Après une salutation à la cantonade, elle s'empresse d'aller se préparer, tandis que Bastien, tout juste redescendu, accueille les arrivantes. Dix minutes plus tard, Théotiste Navré se présente à son tour, accompagnée par une consœur, ancienne élève de Léonie avec laquelle elle est restée amie. Enfin, au moment où les femmes commencent à sortir en vue du départ, Sally Easton gravit les marches de la galerie, deux praticiennes âgées sur les talons. Elles seront donc onze en tout, sans compter Bastien, ce qui constitue un chiffre somme toute impressionnant.

Dans la fraîcheur de cette fin d'après-dînée de printemps, la petite troupe s'ébranle d'un pas conquérant vers la rue Saint-Urbain. Le caquetage se transforme en chuchotements, puis en un silence tendu à mesure que le groupe approche de sa destination. Flavie devine que plusieurs d'entre elles commencent à branler dans le manche. N'eût été la force du nombre, elles déclareraient forfait... Bastien ouvre la marche, raide comme un militaire, ce qui ne lui ressemble pas le moins du monde. Flavie aimerait fièrement se coller à lui pour glisser sa main dans la sienne, mais les circonstances interdisent les familiarités.

Sans ralentir, son mari grimpe le perron et ouvre la porte d'entrée. Il la tient comme un portier, invitant ses consœurs à franchir le seuil d'un geste grandiloquent du bras. Elles se retrouvent agglutinées toutes les onze, à attendre que leur éclaireur leur montre le chemin… ce qu'il fait aussitôt à longues foulées. Elles croisent quelques hommes éberlués, mais ne leur prêtent aucune attention, à l'instar de Bastien dont l'assurance ne faiblit pas.

Flavie est en plein milieu du groupe, étroitement encadrée par Catherine et son amie religieuse qui, semble-t-il, se sont constituées ses gardes du corps. Elle est profondément émue de revenir dans ce lieu où elle a pris toute la mesure de la force de caractère de Marguerite. Cette visite a été le moment déclencheur de la lente détérioration des relations entre Bastien et elle, ce qui a conduit à son départ pour Oneida…

D'un geste décidé, le jeune médecin ouvre la porte de l'amphithéâtre, mais cette fois-ci, il entre le premier, puis va se planter à la hauteur de la première rangée des gradins, à demi remplis. Une à une, les accoucheuses se postent sans bruit autour de lui. Le Dr Rousselle et un acolyte inconnu sont debout au centre, dominant Ursule étendue sur la table. Considérant ce corps allongé et recouvert d'un drap, Flavie tressaille. Tout ce tumulte lui a fait oublier qu'il s'agit de la gentille Ursule ! Elle scrute le visage exsangue, tâchant de l'accoler à ses souvenirs, mais en vain. Jamais elle n'aurait pu la reconnaître.

Plus morte que vive, la garde-malade Esther Dechardonnet se tient assise près de la tête de la patiente. Il est cinq heures et dix minutes ; Jacques Rousselle, qui leur présente son profil, est en train de résumer son cas. Un murmure croissant attire l'attention du chirurgien-accoucheur, qui se tourne pour leur faire face. Il n'en croit manifestement pas ses yeux. Aimablement, Bastien laisse tomber :

– Nous ne sommes pas en retard, j'en suis ravi ! Votre idée d'organiser cette séance publique et d'y convier ces dames de talent était excellente. Nous prenons place sans plus tarder…

Léonie ouvre de grands yeux. Son gendre a des ressources insoupçonnées ! D'une seule phrase, il vient d'obliger son collègue à se fermer le clapet… Peu à peu, les praticiennes s'installent ; pendant ce temps, tous les hommes de l'audience ne les quittent pas du regard. Bastien prend soin de s'asseoir au centre du groupe éparpillé, mais à côté de Flavie. Une fois installé, il toise Rousselle avec un mélange d'arrogance et de défi. Se sentant dévisagée par ce dernier, Flavie réagit avec toute la grâce dont elle est capable. Elle s'imagine que le médecin, impassible en apparence, est en proie à une furieuse tourmente intérieure, ce qui lui plaît infiniment.

Enfin, au milieu d'un silence à couper au couteau, il se détourne pour reporter son attention sur sa patiente. Il reprend son exposé, s'astreignant à décrire les gestes qu'il s'apprête à poser. Encore ébahie de se trouver dans ce lieu de savoir, Léonie promène son regard sur l'assistance, et son cœur fait une embardée lorsqu'elle reconnaît le visage cramoisi de Louis Cibert, assis de l'autre côté de la salle. Il reluque le jeune couple Renaud, sur lequel Léonie laisse elle aussi errer son regard à la dérobée.

Sa grossesse passant presque inaperçue sous la bougrine, Flavie se tient parfaitement droite, tendue à l'extrême vers le centre de la salle. Mais Bastien est devenu livide, les yeux rivés sur Cibert. Les tempes luisantes de sueur, il lance à sa compagne un rapide coup d'œil, dans lequel Léonie croit déceler un éclair de panique. Elle joint ses mains l'une à l'autre. Son beau-fils vient tout juste de réaliser qu'il a littéralement jeté son épouse dans la gueule du loup ! Il a laissé ses émotions exacerbées l'emporter jusqu'ici, mais il se rend compte que ces deux compères sont de taille à semer la destruction autour d'eux, sans même un vague remords. Leur insensibilité leur donne une puissance démesurée…

Après avoir remonté le drap jusque sous la poitrine de la future opérée, Jacques Rousselle affirme qu'il n'est pas nécessaire d'employer un anesthésiant dans son cas, puisqu'elle est inconsciente, ce qu'il s'empresse de prouver en pratiquant une légère incision à sa cuisse. Dès lors, il mène l'intervention tambour battant. Dix minutes plus tard, il extirpe de son abdomen un fœtus dont Léonie évalue le poids à environ six livres, qui ne donne aucun signe de vie, malgré les efforts acharnés du praticien. Cependant, ce dernier doit prestement remettre l'enfant à son acolyte pour revenir à Ursule qu'il entreprend de recoudre et de panser, avec une réelle adresse.

Soudain, Léonie voudrait tant que l'orgueilleux chirurgien ait raison ! De toute son âme, elle voudrait qu'Ursule recouvre la santé, ne conservant comme séquelle qu'une cicatrice certes fort laide, mais qui ne la handicape d'aucune manière ! Toutefois, ce sont des vœux pieux, ce sont des prétentions de savants ! Si elle se réveille, ce qui est déjà fort improbable, Ursule affrontera mille périls. Sa destinée, courte ou longue, sera marquée au sceau de la souffrance.

Une donnée fondamentale échappe encore aux hommes de l'art, qui s'acharnent pourtant ! Ne voient-ils pas qu'il leur faut comprendre avant d'agir ? Ne voient-ils pas que c'est trop demander à une femme que de s'immoler ainsi ? À quoi sert de conserver un souffle de vie si c'est pour se retrouver diminuée et percluse de douleurs ? D'un regard circulaire, Léonie constate que plusieurs de ses consœurs sont agitées des mêmes sombres pensées. Aucune d'entre elles ne se serait abaissée à cet acte, héroïque en apparence, mais très lâche en réalité ! Elles auraient choisi la voie la plus sûre pour la mère :

sortir prestement l'enfant, quitte même à écorcher ses parties intimes. Que vaut l'ébauche d'une vie, une vie de surcroît fragile, comparée à celle d'un être accompli ?

Léonie ne connaît qu'un seul moyen pour manifester son indignation. Lentement, elle se met debout. Tout aussi délibérément, elle interpelle les sages-femmes des yeux, une à une, les traits empreints d'une triste gravité. La première, Sally Easton réagit en l'imitant, et bientôt, toutes les praticiennes se sont levées, dirigeant leurs reproches muets vers le centre de la salle. Jacques Rousselle finit par s'en apercevoir, et il suspend ses gestes, cherchant à donner une signification à cette scène.

Enfin, Léonie amorce le mouvement d'une retraite qui s'effectue dans le plus profond silence, jusqu'au porche où elle laisse ses consœurs se rassembler autour d'elle. Bastien les a suivies, mais il reste légèrement à l'écart, les mains enfouies dans ses poches. Pendant un moment, aucune ne trouve le courage d'émettre un seul son. Enfin, Léonie réussit à dire :

– Merci, monsieur le docteur. Grâce à vous, nous avons assisté à un spectacle fort édifiant.

Il tourne vers elle un visage tourmenté.

– J'ai l'impression de vous avoir fait un cadeau empoisonné.

– Bien au contraire ! s'exclame Marie-Julienne, avec ferveur. Vous avez ouvert une porte sur un monde, et quel monde !

– Le royaume du scalpel, grommelle Sally. Le royaume du sans-gêne !

– Je m'imaginais à la place de cette pauvre pécheresse, murmure la religieuse, les mains jointes sur son cœur. J'imaginais le calvaire qui l'attend !

– À mon sens, la contredit affectueusement Catherine, elle a déjà atteint le paradis. Priez pour elle, ma douce amie…

– Si ces messieurs vous font des ennuis, interjette Bastien avec plus d'assurance, faites-le-moi savoir. Je prends l'entière responsabilité de notre présence sur les lieux.

Des carillons annoncent six heures, et après un bref échange de salutations émues, le groupe se défait. Tandis que Léonie marche derrière, plongée dans ses pensées, Flavie s'accroche au bras de Bastien pour le chemin du retour. Fière de son exploit, la jeune accoucheuse voudrait bien confier ses impressions à son mari, mais il se cantonne dans une telle réserve qu'elle reste coite. Pourtant, ne devrait-il pas crier victoire? Il a rabattu le caquet à Rousselle, et pas rien qu'un peu!

Dès leur arrivée rue Saint-Joseph, Bastien accorde son entière sollicitude à Geoffroy, qui en a bien besoin au terme de ce dimanche houleux. Pendant ce temps, tout en s'activant paresseusement, Léonie et sa fille partagent leurs impressions sur l'opération, ce qui tire de Lucie, tout au long du repas, exclamations outragées et maints signes de croix. Tandis que Bastien met son fils au lit, les trois femmes expédient les tâches domestiques.

Léonie est envahie par un malaise croissant. Elle rechigne à laisser Flavie monter à sa chambre, de crainte de ce qui pourrait s'y passer… Quand le jeune homme, de retour dans la cuisine, passe à côté d'elle, Léonie saute sur l'occasion. Sans réfléchir, elle murmure vitement:

– Vous allez faire quoi? Concernant le commérage, je veux dire.

Il reste stupide. Elle bredouille encore:

– Le mieux serait de tenir ça mort, non?

Une expression frondeuse se peint sur son visage. Après un temps, Léonie jette:

– Je veux être présente. Vous faites ça ici, devant moi. C'est clair?

Il fait mine de se rebeller, mais Léonie le fusille du regard. S'il ne peut accepter son instinct de protection, tant pis pour lui! Enfin dompté, il se détourne en courbant l'échine. D'une voix égale, il ordonne à Lucie de se retirer, ce qui jette un froid dans la pièce. Jamais encore il ne s'est permis ce ton de commandement! Dès que la servante a disparu à l'étage, Léonie s'approche de Flavie, qui passait un torchon sur la table, mais qui, à présent redressée, observe son mari sans comprendre.

Fermement, Léonie enjoint à son aînée de s'asseoir, puis elle prend place à côté d'elle, les tripes nouées. Debout de l'autre côté de la table, les mains croisées dans son dos, Bastien a la mine de quelqu'un qui, suspendu dans le vide, ne sait trop quel geste faire pour se sortir du pétrin… C'est Flavie qui, vibrante d'inquiétude, l'interpelle:

– Mais enfin, qu'est-ce qui se passe? On croirait que tu vas m'annoncer un décès!

– J'ai une question à te poser, émet-il enfin, le timbre voilé. Une question pour laquelle je veux une réponse franche. J'ai entendu dire…

Il s'interrompt, déglutit avec difficulté. Léonie se jette dans la mêlée:

– Une fausse rumeur mène grand tapage. Elle vous concerne tous les deux.

– Encore? s'exclame Flavie. C'est ce qui fait du tort à notre pratique?

– Possible, répond-il.

– On ne s'en sortira jamais, soupire-t-elle. Je suis désolée. À ce que je vois, ma décision de me retirer était doublement justifiée…

Mais Flavie constate que la rumeur est assez grave pour tracasser sérieusement Bastien, et elle s'oblige à se tenir coite. De plus en plus effrayée, elle attend, les épaules courbées, n'osant même pas l'interroger des yeux. Il reprend, d'une voix blanche:

– Je veux savoir… si tu as le moindre doute sur… sur le fait que le père de l'enfant que tu portes…

Il conclut par un sourd gémissement, puis il fait quelques pas précipités dans la pièce. Éberluée, Flavie cherche désespérément à donner un sens à ce qu'il vient de baragouiner. Le père de l'enfant? Il a un doute sur l'identité du père de leur enfant? Elle se lève, contourne la table et se plante devant lui. Il est si défait… Le saisissant par les bras, elle articule avec peine, plongeant son regard dans le sien:

– C'est toi, son père. C'est notre enfant. Explique-moi…

– La rumeur prétend… que c'est un autre.

– Qui donc?

– John Noyes.

– Father Noyes? s'écrie-t-elle avec un rire incrédule. C'est insensé! Il ne s'est rien passé entre nous: je me suis enfuie avant!

Vivement oppressée, elle lâche Bastien et recule d'un pas. Quelqu'un aurait pris la peine d'inventer une semblable ignominie? Révoltée par cette cruauté, elle sent ses jambes flageoler à tel point qu'elle doit s'appuyer sur la table. La médisance a rebondi comme sur la surface d'un lac, s'amplifiant à chaque fois… Plusieurs ont été trop contents de la répandre, considérant le comportement de Flavie comme un affront personnel, même s'ils ne l'ont même jamais croisée!

– Mais avec d'autres?

Elle lève les yeux vers Bastien. À quoi fait-il allusion? Aux autres mâles de l'Association qui l'ont approchée?… Il tremble d'une telle jalousie rétrospective qu'elle en reste pantoise. Va-t-il comprendre un jour qu'il n'a rien perdu au change? Que la quantité d'amour qu'elle a dans le cœur se multiplie à l'infini? Que c'est lui qui en obtient la plus vibrante part, parce qu'il est le seul à lui donner envie de chanter à pleins poumons? Flavie réalise alors que la calomnie a pris racine dans le cœur de son mari. Malgré tout, il se dit que la chose serait plausible, qu'elle lui a peut-être caché, au moment de leur réunion, un début de grossesse... Ce soupçon lui transperce le cœur, et elle souffre d'être obligée de le considérer. Elle est à la torture de ne pas pouvoir prendre ses jambes à son cou, pour échapper à cette persécution! Mais il lui faut chasser les nuages au plus vite. Elle domine sa terreur et réussit à émettre:

– Je n'étais pas grosse. Pendant deux mois, au moins, je n'avais fréquenté personne. Je le sais, moi, que l'enfant que je porte est le tien. Je le sais comme je respire! Tu te souviens, dans la ruine du moulin au bord de la rivière? À un moment... j'ai senti quelque chose de spécial. Je ne trouve pas les mots... Mais j'ai eu la vision d'une explosion de lumières. J'ai senti... un tel remuement dans mes entrailles...

Confuse, elle se mord les lèvres. Pour un homme, le doute sur sa paternité est impossible à chasser, tant que l'enfant n'exhibe pas sa ressemblance. Chez un mari qui a perdu confiance, la méfiance s'incruste! Terrassée par une brusque montée de chagrin, Flavie chuchote:

– J'ai le tour, hein? J'ai le tour de te causer du mal...

Un bruit la fait sursauter, celui du frottement de la chaise de Léonie sur le plancher. Elle avait oublié sa présence... Sa mère lui entoure les épaules de son bras.

– Viens, ma fauvette. Vous en reparlerez demain. La journée a été chargée... Viens...

– Je préfère m'asseoir ici, réplique-t-elle.

Joignant le geste à la parole, elle se rend jusqu'à la berçante, dans laquelle elle se laisse choir. Elle sent les regards s'appesantir sur elle, mais elle n'en a cure. De terribles pensées s'agitent dans sa tête... Le pas léger de Léonie s'éloigne. Un long moment plus tard, la voix grave de Bastien l'atteint, ce timbre qui d'ordinaire chatouille agréablement ses oreilles, mais qui se pare à l'instant même d'une beauté poignante:

– Tu restes ici ? C'est qu'il se fait tard...

Flavie néglige de répondre. Bientôt, elle se retrouve seule dans la vaste pièce, qu'éclaire une chandelle posée au centre de la table. Le poêle ronronne allègrement, et elle a l'impression de se retrouver à proximité du fleuve à marée montante... Le bébé manifeste sa présence, ce qui suffit pour que sa gorge se serre et que les larmes débordent de ses yeux. Elle se sent comme une condamnée à mort en sursis, comme si elle avait vécu sur un bonheur volé. Ce qu'elle croyait posséder n'était qu'illusion. Le sol sur lequel elle reconstruisait sa vie n'était que marais, que sables mouvants ! Tout à coup, elle n'a plus rien. Son métier, pour la deuxième fois, elle se voit obligée de l'abandonner. Son mari, encore une fois, elle le repousse loin d'elle sans le vouloir, parce que... parce qu'elle n'est pas faite pour rendre un homme heureux. C'est aussi bête, aussi terrifiant que cela : même si le destin avait placé sur son chemin l'homme le plus éclairé de la colonie entière, doté d'un esprit dénué de tout préjugé, elle aurait réussi à se l'aliéner. Bastien n'est-il pas supérieur à bien d'autres en ce domaine ? Et pourtant, elle réussit à le faire pâtir...

Le ciel est témoin qu'elle ne fait pas exprès. Mais on croirait que, par un horrible sortilège, toutes les personnes qu'elle couve de son affection finissent par en souffrir. Elle sème la désolation sur son chemin... À présent, à cause d'elle, Édouard et Archange, de même que Julie et son Casimir, doivent essuyer bien des sous-entendus, bien des œillades vicieuses. À cause d'elle, Catherine va être obligée de défendre sa réputation ! Comme une tache d'encre toute fraîche, la calomnie va se répandre jusqu'à entourer ses proches d'une zone d'ombre, d'un halo de perversité ! Bastien se tient en plein cœur de cette tourmente. Bastien, à qui elle ne veut que du bien, endure pourtant à cause d'elle une puissante rebuffade !

Derrière les yeux de Flavie s'étire une chaîne d'événements dont elle n'avait pas vu, jusqu'à présent, les maillons solides. Une chaîne d'événements funestes, qui tire sa source de son orgueil démesuré… Elle n'a pas voulu se contenter de peu. Dès qu'elle a eu son diplôme d'accoucheuse en main, elle s'est engouffrée dans une spirale infernale qui la portait à exiger toujours davantage. Elle s'est obstinée à bousculer le sort, à faire la nique aux convenances, sans même s'inquiéter des conséquences sur ses proches ! Et quand la triste réalité la rattrape au galop, comme maintenant, il est trop tard.

Elle avait mis sa destinée au défi, et voilà qu'elle se retrouve aussi impuissante qu'un jouet, qu'une marionnette. La fatalité la rejoint au moyen d'une graine de doute semée dans un terreau fertile… Elle croyait qu'elle réussirait à terrasser les esprits bienséants qui veulent emprisonner, dominer, effrayer ? Cette horde se tient aux aguets. Cette horde abhorre les écarts de conduite. Cette horde voit dans la moindre déviation une menace pour l'ordre établi, pour la suite des choses, pour la pérennité de la civilisation !

Peut-être ont-ils raison. Peut-être que ce sont eux qui voient clair quand ils décèlent le monstre en elle… Elle porte préjudice à ses amours. Pas étonnant que Jacques Rousselle la convoite. Il a perçu son aura diabolique ! Puisque Dieu est l'ordonnateur du monde, elle paye le prix de son insubordination. Elle paye pour les nombreux péchés sur sa conscience, des péchés commis sans l'ombre d'un regret. Elle paye pour avoir tiré la langue au sort ! Pour son goût de volupté, pour son ambition, pour son âme rebelle. Pour cet enfant, le premier, dont elle s'est crue autorisée à abréger l'existence… Un enfant légitime, sans conteste ! Alors que celui-ci restera un bâtard dans le cœur de son père. Celui-ci, qui est la punition que le Créateur lui inflige. Sa croix.

Épouvantée par les voix discordantes qui s'agitent en tous sens dans son cerveau, Flavie dresse peu à peu autour de sa personne une bulle aux parois épaisses, que toute la mauvaiseté du monde ne réussirait pas à traverser. C'est son unique moyen de contenir tout ce qui paraît, en elle, vouloir éclater en morceaux... Peu à peu, l'ouragan s'épuise, laissant place à une seule certitude, à sa toute dernière certitude à laquelle elle s'accroche comme au filin qui va lui sauver la vie. Elle ne veut plus aimer. Cette intuition qui avait précipité son départ pour Oneida, elle est devenue sa plus intime conviction. Plus jamais elle ne veut faire souffrir autrui. Plus jamais elle ne veut exposer ceux qu'elle chérit à l'opprobre. À l'évocation du tourment qu'elle cause à Bastien, son cœur éclate en mille miettes, et cela, elle ne peut plus le supporter.

Avec une rage fébrile, elle extirpe du tréfonds de son être, bribe par bribe, tout l'attachement qu'elle éprouve pour son mari. Elle renvoie cet attachement au loin, dans le froid de cette nuit d'avril ! Elle se sent sombrer dans une transe, mais elle accepte de se laisser emporter, parce que s'atténue ainsi la vive douleur que cette opération lui cause... Peu à peu, elle défait chacun des nœuds, se dépouillant de son besoin d'amour, de son goût pour son homme, de son plaisir à bavarder, à rire, à découvrir avec lui. Elle se retrouve, à son infini soulagement, au centre d'un océan de calme, assise dans un esquif dont le bercement l'apaise tant...

Une main qui presse son épaule, une voix qui appelle : Flavie se réveille en sursaut. Bastien est penché sur elle, le visage ensommeillé, mais les yeux soucieux. Sans rien dire, il se redresse et entreprend d'alimenter le feu. Il s'est endormi sans se déshabiller... Pendant ce temps, elle reprend contact avec la réalité, avec la tumultueuse descente de rapides qu'elle vient d'accomplir, puis avec les coups de rames qu'elle a dû se résoudre à donner pour éviter de chavirer. Elle reprend contact avec le détachement bienfaisant qu'elle éprouve et auquel elle s'agrippe comme à sa seule bouée de sauvetage !

Il referme silencieusement la porte du poêle, puis il grommelle :

– Il faut monter. Viens avec moi.

Flavie lève les yeux vers lui. Même s'il se tient tout près, elle a l'impression qu'il est à des lieues de distance et que sa voix lui parvient de très loin. Malgré ses courbatures, elle reste sans bouger. Elle a peur que ses jambes ne soient incapables de la supporter… Il lui tend la main, qu'elle contemple comme s'il s'agissait d'une main anonyme et quelconque. Elle souffle :

– Quand j'aurai mis l'enfant au monde, je partirai.

Bastien la dévisage sans comprendre. D'un ton pondéré, elle poursuit :

– Je n'aurais jamais dû revenir. C'était tenter le diable… J'aurais dû savoir qu'on m'exigerait des comptes pour ma conduite.

Il s'agenouille, empoignant les accoudoirs de la berçante, puis il réplique farouchement :

– Tu dis n'importe quoi. Tu tombes de fatigue… Viens te coucher. Quand le soleil se lèvera, tout s'éclaircira, tu verras !

– Je veux retourner là-bas, s'obstine-t-elle, inébranlable. Je ne veux plus t'exposer aux ragots.

– Je m'en contrefiche, des ragots. En vérité, ce qui m'a fait peur, c'est que tu m'aies menti. Tu vois ? C'est très simple. J'ai pensé à ce que tu as raconté sur… sur ce beau moment dans la ruine près de la rivière. Moi aussi… moi aussi, j'ai cru sentir quelque chose d'extraordinaire. Je ne dirais pas une explosion, mais… un fusionnement… une interpénétration…

Flavie s'est raidie à outrance, repoussant par le fait même l'attendrissement qui menaçait de fissurer son indifférence.

– Sans doute qu'on a imaginé tout ça, le rabroue-t-elle. C'est impossible. On ne sent pas une telle chose.

Désarçonné, il s'assoit sur ses talons pour la considérer en silence. Elle veut impérativement le chasser loin d'elle, le faire fuir à jamais ! Elle répète :

– Je n'aurais jamais dû revenir. J'aurais dû savoir que nos péchés demeurent en nous, comme un poison qui finit par infiltrer tout l'organisme.

– Mais vas-tu cesser de dire des bêtises ? Quels péchés ?

– J'ai péché par excès d'amour-propre. Je me suis crue la plus forte ! J'ai cru que je pouvais manipuler le sort selon ma fantaisie. M'enfuir de l'autre côté de la ligne et te priver de la joie d'être père…

Il reste sans réaction puis, blêmissant, il bredouille :

– La joie d'être père ? Qu'est-ce que tu veux dire ?

Avec désinvolture, elle laisse tomber :

– J'étais grosse. Quand je suis revenue, ce matin où tu avais Geoffroy, j'étais enceinte de toi. Avant de sauter dans le train, j'ai demandé à maman de le faire passer.

Il la fixe d'un air affolé, ce qui fait monter en elle une bouffée d'un singulier plaisir.

– Quand je te dis que je suis mieux de sacrer mon camp… Là-bas, je serai tranquille, et toi aussi. Là-bas, je ne ferai plus de tort à personne.

Il n'a pas écouté sa dernière phrase, parce qu'il s'est redressé d'un bond pour se précipiter vers la salle d'attente. Quelques instants plus tard, la porte d'entrée s'ouvre et se referme. Flavie renverse la tête et clôt les paupières un instant. Le coup d'épée a été tranchant à souhait. Son mari ne pourra plus que la haïr… Pesamment, elle se dresse sur ses jambes pour monter à l'étage, puis s'allonger dans le lit béant et refroidi, où elle se laisse couler dans un profond sommeil.

Comme de coutume, Léonie se réveille à la barre du jour. D'habitude, elle écoute paresseusement les sons du dehors : pépiements d'oiseaux, grognements d'animaux domestiques affamés, chicanes de chats... Elle prête attention aux grincements des matinales charrettes de livraison, de même qu'à ceux des bogheis et cabrouets, tâchant de les reconnaître. Chaque attelage produit un son unique! Souvent, enfin, elle pense à Simon, lui narrant les évènements qui la préoccupent. Elle retire de ce soliloque des clartés singulières...

Mais pour l'heure, l'esprit de Léonie est tout entier tourné vers l'intérieur de son domicile, vers le calme trompeur qui fait un puissant contraste avec l'agitation de la veille. Elle a peine à croire à la réalité de la chaîne d'événements récents : le sans-gêne de Rousselle envers sa fille, l'empoignade entre les deux médecins, la gastrotomie d'Ursule dans l'amphithéâtre et enfin l'irruption de la malfaisante rumeur dans l'intimité de leur foyer... Flavie proclame la paternité de Bastien, et Léonie la croit sur parole. Elle a beau scruter son attitude depuis son retour, elle est incapable de trouver la trace, même infime, d'une dissimulation ! Mais Bastien saura-t-il s'en convaincre ?

Dès que Lucie arpente le corridor, c'est le signal du lever pour Léonie. Sans se presser pour ne pas faire protester ses articulations vieillissantes, elle fait sa toilette, puis elle s'habille chaudement. Il fait frisquet à l'étage, au petit matin... Lorsqu'elle pénètre dans la cuisine, une agréable chaleur l'enveloppe, Lucie ayant pris soin de bourrer le poêle. Léonie remercie la servante d'un large sourire. Elle apprécie cette douceur de l'existence à sa juste valeur !

Emmitouflé dans une superbe veste de laine tricotée par sa grand-mère Archange, Geoffroy se berce avec vigueur près du poêle. Encore un peu endormi, il alterne babillages et bâillements, suivant du regard les deux femmes qui s'activent progressivement. Léonie jouit beaucoup de ce moment de tranquillité à trois. Elle a l'impression que l'atmosphère détendue permet au garçonnet de se livrer davantage. Ce n'est pas qu'il soit particulièrement secret, mais son comportement parfois désordonné indique des préoccupations d'une tout autre nature que celles qui hantaient ses enfants au même âge. Ces derniers n'avaient pas vécu une semblable commotion ! Geoffroy semble parfois possédé par un esprit malin… auquel personne ici, pas même Lucie, n'attribue une origine surnaturelle !

Les minutes s'écoulent, c'est le calme plat à l'étage. Le garçon commence à s'en étonner, mais Léonie lui interdit d'aller sonner le clairon ! Ce n'est que sur le coup de neuf heures, une fois la vaisselle du déjeuner lavée, qu'elle commence à croire qu'il y a anguille sous roche. C'est lundi, et son gendre a sa première consultation dans moins d'une heure ! Lucie est sur le point de monter pour habiller Geoffroy ; Léonie lui demande d'entrebâiller la porte de chambre du jeune couple pour vérifier ce qui s'y passe.

Lorsqu'elle redescend, Lucie affirme qu'il y a une seule personne, qui dort profondément. Une seule ? Qui manque ? Il est devenu urgent de rentrer du bois ; pour ce faire, Lucie et Geoffroy s'habillent et sortent. Léonie n'a pas le temps de s'inquiéter davantage, parce qu'on vient de pénétrer dans la salle d'attente. D'après le bruit, il s'agit de Bastien, qui retire ses bottes. Il a passé la nuit ailleurs ? Lorsqu'il entre lentement dans la cuisine, les traits tirés, elle pose sur lui un regard dérouté. Il parcourt la pièce des yeux, et Léonie laisse tomber :

– Elle dort. Vous avez pris l'air ?

– J'étais chez Philippe, répond-il, la voix cassée. C'est que cette nuit, Flavie m'a appris une nouvelle qui m'a scié.

Léonie le fixe avec alarme. Quoi encore ? Placidement, il ajoute :

– Sa première grossesse.

Elle s'empourpre, luttant pour rassembler ses idées. Il est impératif qu'elle se justifie ! Après un temps, elle balbutie :

– Ce n'était pas de gaieté de cœur ! Ni pour moi, ni surtout pour elle. Mais elle était déterminée. Si j'avais refusé de l'aider…

– Elle aurait sonné chez une autre.

– Elle aurait dû vous le dire avant, poursuit-elle en toute hâte. Mais j'imagine qu'elle n'en trouvait pas le courage.

– J'imagine aussi. Vous me servez une tasse de thé, s'il vous plaît ?

Désarçonnée par son calme apparent, elle obéit en silence. L'irruption de Lucie et de Geoffroy, chargés de bûches, provoque un échange de salutations enjouées, puis la porte de la cour se referme. Lorsqu'elle fait de nouveau face à son gendre, il s'est installé à califourchon sur une chaise. Après avoir enveloppé la tasse de ses mains tout en contemplant le liquide fumant, il murmure :

– J'ai épuisé ma colère auprès de Philippe. Pauvre lui, il en a vu de toutes les couleurs… Depuis, j'ai l'âme en paix. Le geste de Flavie fait partie d'un passé ardu, que je regrette infiniment. Je n'ai pas envie de m'y attarder davantage. J'ai envie de vivre au présent.

Il boit quelques gorgées, tandis que Léonie a le cœur rempli d'une belle chaleur. Elle ne peut s'empêcher de lui sourire, et le visage de Bastien s'éclaire, comme si un discret luminaire venait de s'allumer derrière ses yeux. Pourtant, il grommelle avec une feinte bourrasserie :

– Je vous prie de ne pas trop pavoiser. C'est une fille compliquée en diable que vous avez tricotée, Léonie.

Elle le gratifie d'une grimace pleine de malice, avant de riposter :

– Ça met du piquant, non ?

Elle sait qu'il n'est pas sérieux. Les actions de Flavie sont limpides, quand on les examine avec soin. Elles découlent tout bonnement d'un refus viscéral des compromis et des atermoiements ! De la visite s'annonce, et à la surprise de Léonie, Bastien reste assis, se contentant de s'époumoner :

– Je vous espérais, Catherine !

Peu après, essoufflée et les joues rouges, la jeune femme pénètre dans la cuisine. Après avoir calé sa tasse, Bastien laisse tomber, goguenard :

– À ce que je vois, vous avez fait une petite visite à votre futur ?

– Qui n'avait pas meilleure mine que vous !

Elle se tourne vers Léonie, pour expliquer :

– Si j'ai à sortir de bonne heure, j'en profite pour faire un saut à la Commission géologique.

Bastien se lève et s'étire longuement, d'un geste empreint de lassitude. Enfin, il fait signe à Catherine de le suivre dans son cabinet. Devinant que la manœuvre grossière de Jacques Rousselle concernant la délivrance de Monique Guimon est la raison de cet entretien, Léonie pousse un interminable soupir de contrariété. Quel écheveau emmêlé que leur existence à l'heure actuelle ! Les destins de plusieurs bébés, y compris celui de son petit-enfant jamais né, s'y entrecroisent inextricablement ! Pourvu que les jours suivants démêlent cet embrouillamini, parce que Léonie est à la veille d'y perdre son latin !

Une bonne demi-heure plus tard, le jeune médecin revient trouver Léonie dans la cuisine pour lui faire part des dernières nouvelles. L'amie religieuse de Catherine, la même qui était présente, la veille, à l'opération publique, est formelle : la servante des Cibert a bel et bien accouché à l'hospice Sainte-Pélagie. Si les sœurs seront vraisemblablement réticentes à l'identifier publiquement, vu leur obsession du secret, le clerc en médecine qui suivait la délivrance n'aura peut-être pas cette pudeur ! Bastien ajoute, avec une moue désolée :

– Pauvre petite dame, elle était mal lotie. Ce Benjamin Brouyet est reconnu pour sa grande gueule. Il en fait voir des vertes et des pas mûres aux bonnes sœurs. S'il reconnaît une fille de sa paroisse, il s'empresse d'aller le colporter ! Sauf que ce sans-gêne va peut-être nous servir... Et Flavie, elle a donné signe de vie ? Je voudrais bien changer de chemise.

Désarçonnée par le changement de propos, Léonie indique qu'elle n'en sait pas plus que lui. Il monte quand même, pour revenir en disant qu'elle n'a pas bronché. Enfin, il disparaît dans l'autre pièce. Tout juste après le dîner, Léonie se résout à aller vérifier l'état de sa fille. Si jamais elle était malade ?

Flavie est couchée sur le côté, les yeux grands ouverts sur la lumière du jour qui traverse les rideaux. Elle se sent flotter dans le vide... ou, plus précisément, dans une atmosphère parfaitement translucide, déchargée de la plus infime poussière. Il n'y a pas âme qui vive, et cela lui convient à merveille. Elle n'aspire qu'à voleter ainsi, sans entraves, dans la solitude absolue... Quand sa mère pénètre dans la chambre, après un léger coup au cadre de porte, elle ne réagit pas.

– Tu es réveillée ? As-tu mal quelque part ?

– Non, répond-elle sans bouger. Je suis bien. Je crois que je vais rester au lit encore un peu... Je n'ai pas la force de me lever.

– À ta guise. Tu mérites du repos... Tu as faim ?

– Je prendrais un petit plateau. Mais ne te presse pas...

Léonie la réconforte d'un sourire, qui laisse Flavie de marbre. Perplexe, ne pouvant se défaire d'un léger malaise, elle redescend pour garnir une assiette. Quelle souveraine indifférence sur le visage de sa fille, de même que dans le timbre de sa voix ! Mais Léonie n'est pas fâchée qu'elle se terre ainsi. Il lui faut se remettre de la cruelle gifle qu'elle vient d'essuyer ! Quand elle verra que Bastien lui renouvelle sa confiance...

Mais à ce propos, qu'en est-il au juste ? Tout à l'heure, il a évoqué uniquement l'avortement, pas l'enfant que Flavie porte… Soucieuse, Léonie ne peut s'empêcher d'aborder le sujet dès que l'occasion s'en présente, c'est-à-dire quand il revient en fin d'après-dînée d'une virée en ville de quelques heures. La franche question de sa belle-mère ne semble pas le surprendre le moins du monde, et il se contente de répondre benoîtement :

– Cet enfant est le mien. C'est mathématique.

Il change abruptement de sujet : il a réussi à rencontrer le jeune Brouyet, qui ne voit pas d'objection à livrer son témoignage devant le juge, si c'est nécessaire. Le visage creusé par la fatigue, Bastien ajoute :

– Nous voilà revenus à la case départ. Qu'est-ce que je dois faire ?

– Aller voir Louis Cibert, dit Léonie spontanément. Dévoiler la manigance devant lui.

– À quoi bon ? Monique a disparu.

– Elle resurgira peut-être. Ce serait dommage de laisser ces farauds s'en tirer si facilement… Peut-on les menacer d'intenter une action en justice ?

– Possible. Du moins pour soutirer à Cibert une substantielle somme d'argent, qui pourrait être placée en attendant que la dame se montre le bout du nez.

Il frotte ses sourcils touffus, dont les brins se dressent ensuite en tous les sens.

– J'avoue que je m'en passerais… Je me coucherais à côté de Flavie pour dormir pendant trois jours.

– Une bonne nuit fera l'affaire, cher beau-fils.

– Et ma tendre épouse, que lui advient-il ?

– Elle se repose. Elle en a grandement besoin.

Toujours pelotonnée sous ses couvertures, Flavie entend vaguement une approche, celle de Bastien qui grimpe l'escalier. Peu après, sa voix lui parvient, mais de si loin qu'elle l'ignore superbement… Elle se trouve dans un état de semiconscience, comme si ses forces vitales avaient reflué dans un minuscule espace au centre de son être. Ouvrir les yeux, bouger, réfléchir, tout cela exige d'elle un effort surhumain…

Alors, elle se contente de voguer. Son esprit la ramène constamment à son passé, lui faisant revivre divers épisodes heureux de son enfance, en compagnie de ses parents, de son frère et de sa sœur, de sa parenté élargie, et même de ses meilleures amies. Comme elle aime ce charmant voyage ! Elle se sent légère comme un papillon, se gorgeant du pollen suave de ses souvenirs… Elle ne quitterait pas cette contrée enchantée pour tout l'or du monde.

Chapitre XXIX

Trois jours plus tard, Léonie doit se rendre à l'évidence : Flavie a reçu un choc si sérieux qu'un ressort vital semble cassé en elle. Même si son aînée se lève du lit, même si elle participe aux tâches ménagères, elle ne paraît s'intéresser à rien d'autre qu'à son monde intérieur, qu'à un soliloque mystérieux qui a lieu dans sa tête. Les personnes qui vont et viennent autour d'elle semblent transparentes à ses yeux, et toute tentative de conversation tombe à plat. L'atmosphère, rue Saint-Joseph, en est sinistre...

Geoffroy regarde évoluer celle qui est devenue sa mère avec des points d'interrogation dans les yeux. Flavie est incapable du moindre jeu ; lorsqu'elle s'y astreint, son attention dérive au bout d'une courte minute. Prendre la décision de l'envoyer jouer chez Samuel, ou lui faire travailler sa calligraphie, est au-delà de ses forces ! Mise au courant du nœud du problème, Lucie prend un air horrifié. Quels que soient les torts de sa jeune maîtresse concernant le respect des règles morales, nul n'a le droit de répandre une médisance si cruelle ! Dès lors, rompue à la routine du quotidien, la servante prend Geoffroy sous son aile.

Le matin, Flavie fait semblant d'être endormie même si le jour est levé depuis belle lurette. Elle garde les paupières fermées et se laisse dériver dans le monde de son imagination... Puisque chaque geste lui coûte, elle préfère par-dessus tout rester immobile. Et puis, ainsi, elle n'a pas à affronter

Bastien. Il se prépare pour sa journée de travail en marchant sur la pointe des pieds… Pendant les repas, la présence des autres délivre Flavie de l'obligation de converser avec son mari. Et le soir, à tout coup, elle s'installe dans le lit bien avant lui. Puisque son ventre proéminent lui interdit toute autre position, elle se place sur son côté, les jambes repliées, le dos tourné.

Cependant, le jour du Seigneur finit par survenir. Il semble à Flavie que ces sept jours ont, tout à la fois, duré un siècle et une minute. C'est une sensation de prime abord dérangeante, mais somme toute confortable. Délibérément, Flavie s'est placée à l'écart de la marche du monde. Elle ne veut plus rien savoir de cette agitation sans but, de cette sarabande de pantins. Puisque son existence entière est une succession de gestes malavisés, elle chérit son inertie, elle s'y vautre même, avec délices.

Le dimanche, à moins d'une délivrance, Bastien n'est pas pressé de quitter leur couche. Elle sent qu'il est réveillé, mais qu'il attend le plus petit geste d'elle pour tenter une approche, ce qui l'ennuie prodigieusement. Elle n'a plus aucun goût pour lui. Elle veut être laissée totalement seule! Après un long moment sans bouger, elle est prise d'une crampe au mollet et elle doit se résoudre à s'étirer pour faire jouer ses muscles. Aussitôt, la main de Bastien vient glisser sur sa hanche. Il murmure:

– Tu ne dors plus?

Elle répond par un vague grognement. Il vient plus près dans son dos:

– Nous n'avons guère causé depuis la fin de semaine dernière. Je vois bien que tu m'évites… Remarque bien, je peux comprendre ta fatigue devant les coups portés. Ton écœurement, pour tout dire! Mais je tenais à te dire à quel point j'ai hâte de tenir mon enfant dans mes bras. Notre enfant, Flavie. C'est en toi que j'ai foi. En toi seule.

Ces mots, ainsi que l'accent de tendresse qui les enrobe, rebondissent sur elle sans l'atteindre. Ils sont impuissants à percer la bulle qui la protège d'une souffrance aiguë, parée à se déployer à la moindre occasion. Elle reste coite et immobile, espérant de toute son âme que son insensibilité le décourage. Elle ne veut pas lui causer du mal, mais s'il l'y oblige, elle sera sans pitié! Il pousse un profond soupir :

– Puisque tu ne souhaites pas davantage... laisse-moi seulement rester ainsi contre toi. Ça me fait du bien...

Elle fait un rictus de contrariété, qu'il ne voit pas, puis se contraint à supporter le poids de son bras et la chaleur de son corps. S'il espérait qu'elle s'amollisse à son contact, il en est pour ses frais! Après une quinzaine de minutes d'un mutisme total, il finit par grommeler, avec impatience :

– Quel silence!... Ça ne te ressemble pas. Où te cachestu, Flavie?

– Fiche-moi la paix, répond-elle, irritée. Fiche-moi la paix!

Léonie réalise que son gendre n'est pas dans son état coutumier dès qu'elle entend l'escalier craquer outrageusement sous son poids. Il fait irruption au rez-de-chaussée comme s'il avait fui un danger : pieds nus, les cheveux en bataille, une bretelle pendante... L'air hagard, il jette un regard circulaire dans la cuisine puis, voyant que sa belle-mère y est seule, il franchit en deux enjambées l'espace qui les sépare. Tendu vers elle comme un arc, il profère, d'une voix tremblante et contenue :

– Je suis diablement tracassé, Léonie. Je n'y comprends plus rien!

Et d'un geste large, il désigne le plafond.

– Elle ne veut rien savoir de moi. Bistouri à ressort! Au bout d'une semaine, on serait en droit d'espérer qu'elle ait retrouvé ses esprits?

Jusque-là, Léonie s'était cantonnée dans une patiente indulgence, persuadée que sa fille allait bientôt sortir de sa léthargie. Mais le temps qui passe semble plutôt figer Flavie dans une attitude souverainement défiante… Elle avale sa salive avec difficulté, puis elle répond enfin :

– Mon cher beau-fils, vous me voyez aussi perplexe que vous. C'est clair : elle ne veut rien savoir de nous tous. Faut-il s'alarmer ou bien la laisser… guérir ses plaies ? Je ne sais pas pour vous, mais moi, il me semble qu'on peut lui faire ce cadeau.

– Un cadeau ? Et qui vous dit qu'il ne sera pas empoisonné ?

Léonie fait une grimace impuissante.

– Que faire, alors ? La secouer comme un prunier ? Exiger qu'elle se tire de son apathie ? Les choses ne sont pas si simples, Bastien… N'oubliez pas : elle accouchera bientôt.

Nul besoin d'en dire davantage. Peut-on espérer que ce moment, qui mobilise toutes les ressources de l'organisme, fera fondre son indifférence ? Légèrement rasséréné, le jeune médecin entreprend de se servir à déjeuner. Tandis qu'il mange, absorbé dans ses pensées, Léonie se prépare à aller jeter un coup d'œil au potager. Elle a un urgent besoin de quitter cette atmosphère pesante. La couverture de neige a totalement disparu et sans doute que les germes de bulbes pointent déjà le bout de leur nez !

Même si elle se cuirasse contre le pessimisme, Léonie se sent fragile, le cœur paré à se décrocher comme une feuille d'automne sous le vent. Ce revers de fortune l'angoisse au plus haut point ! Elle ne peut s'empêcher de croire que si elle avait pris soin, avec tout le ménagement requis, d'informer Flavie du commérage, les choses n'en seraient pas là… C'est un lourd poids à porter, d'autant plus qu'elle avait toutes les raisons d'espérer que son futur petit-enfant soit l'indication d'une existence enfin sereine pour ce jeune couple, dont le bonheur est si important à ses yeux!

Les jours qui passent ne diminuent pas son anxiété, bien au contraire. À l'évidence, Flavie refuse de se laisser toucher par quoi que ce soit, et surtout par qui que ce soit, y compris par son pauvre mari qui en éprouve, à chaque déboire, un indéniable chagrin. Bien entendu, il lui répugne de plus en plus à prêter le flanc aux rebuffades... des rebuffades discrètes certes, mais manifestes pour quiconque ayant été témoin de leur intimité d'avant. Flavie est devenue un bout de bois ambulant, s'interdisant le moindre geste d'affection et le moindre sourire de connivence. Elle ne parle que lorsque c'est absolument nécessaire, et toujours pour des banalités. Elle est, à proprement parler, désespérante!

Un soir, alors que Léonie s'est retirée dans sa chambre, elle entend Bastien rentrer. Au bruit qu'il fait, tintements de couverts, raclements de chaise, porte du poêle qui claque, sa colère est palpable. Aussitôt, elle se couvre d'un large châle pour descendre le rejoindre. Il la voit déboucher dans la pièce, ce qui le fait grommeler, avec un étonnement mêlé de rancune:

– Je vous ai réveillée? Désolé...

Après un haussement d'épaules, Léonie s'enquiert le plus naturellement du monde du déroulement de sa journée, amèrement consciente du fait qu'elle se sent obligée de jouer le rôle d'une épouse compatissante... Il saute sur l'occasion pour déballer son sac. Il a fini par coincer Louis Cibert, qui repoussait ses demandes d'entrevue avec persévérance, et par lui dire de but en blanc qu'il n'était pas dupe de la falsification du registre en vue de le soustraire à la requête légitime de son ex-servante.

Immédiatement, Cibert a pris feu. Secoué par un vif courroux, il s'est retenu à grand-peine de réagir à cette accusation par un geste violent. Bastien résume ainsi, la voix tremblante d'indignation, la réaction de son ancien camarade de classe: « Ferme ta gueule, sinon j'ébruite la rumeur au sujet de Flavie, et toutes tes clientes vont te fuir! » Ils ont failli en venir aux poings, explique Bastien piteusement; du moins, lui a eu toute la misère du monde à se maîtriser.

– J'ai les mains liées, belle-maman. Cibert me tient à sa merci...

Léonie ne peut retenir une repartie cinglante:

– Parce que cette rumeur éventée vous inquiète encore?

– Vous prétendez que... que tout le mal est déjà fait?

Elle se penche à travers la table, lui pressant le poignet.

– Il est grandement temps de relever la tête. Il est grandement temps de renvoyer l'odieux de cette calomnie sur les coupables! Ne pas agir en victime, mais en gentilhomme outragé dans son honneur! Si vous êtes persuadé de votre bon droit...

– J'ai compris, se rebiffe-t-il. Vos allusions ne sont pas très subtiles.

Sa main tripotant nerveusement sa fourchette, il reste plongé dans ses pensées, un pli de mécontentement lui barrant le front. Après cette impulsive mais sévère leçon, Léonie ne sait trop quelle attitude adopter. Prendre congé? Pousser son avantage? À vue d'œil, cependant, son gendre détend la corde de son arc. Ses épaules s'affaissent et son visage se couvre d'une expression attendrie. Avec une moue railleuse, il laisse tomber:

– Le duel avait du bon. Maintenant qu'il est passé de mode, il ne me reste qu'à ferrailler avec les phrases! Comment se fait-il, belle-maman... que j'oublie si vite... la promesse de protection que j'ai faite à Flavie?

Il est démoli comme un petit garçon malheureux. De nouveau, mais d'un geste souverainement tendre, elle entoure son poignet de sa main.

– Il y a tout bonnement… confusion de vocabulaire. Je crois que ce mot ne veut pas dire la même chose pour vous deux.

Les femmes n'ont plus guère de protecteurs ardents, de ceux qui leur jurent une foi inaltérable, même devant de compréhensibles faiblesses humaines. Cet ancien sens de l'honneur qui poussait à défendre ses proches ployant sous les insultes, il s'est honteusement distordu ! Dorénavant, il ne s'applique plus qu'à sa propre réputation. Ces messieurs laissent leurs belles se débrouiller avec les règles cruelles du monde, et gare à elles si elles s'égarent…

Bastien ferme les yeux un moment, et quand il les rouvre, Léonie peut y lire une grande vulnérabilité tempérée par une intense détermination. A-t-il enfin compris, dans le plus creux de son cœur, qu'il doit cesser d'évaluer les comportements de Flavie à l'aune des préjugés ambiants ? A-t-il enfin compris *que son épouse seule* est son point de repère et que c'est la seule manière d'aimer vraiment ? Il murmure :

– Leur renvoyer leur mépris en pleine face… Ça me fera un bien fou ! Comme j'aimerais que Flavie réagisse ainsi !

Un silence s'installe, chargé de sous-entendus. Léonie se débat contre une puissante envie de pleurer… Sans la regarder, son gendre souffle :

– Quand je me couche à côté d'elle… quand je me couche, je me retrouve aux côtés d'un bloc de glace. Non, pas de la glace, puisque la glace peut fondre… Aux côtés d'un bloc de granit. Ça me tue… Elle me dédaigne. Je pourrais ne pas exister que ça ne changerait rien à sa vie. Même qu'elle en serait soulagée ! Je ne sais pas combien de temps je pourrai tenir comme ça… Qu'est-ce qui s'est passé, Léonie ? Pourquoi elle est de même ?

– On dirait que… qu'elle a atteint sa limite. Qu'il y a eu une fêlure…

– À cause de ce racontar insensé? Mais elle en a vu bien d'autres! C'est grossier, risible, bête à manger du foin!

– Certain. Mais vous savez comme moi que… ce qui est du domaine de votre progéniture… c'est sacrément compliqué.

Une violente angoisse se peint sur le visage de Bastien. Il fait un effort sur lui-même pour émettre:

– Ces deux garçons que j'avais peut-être engendrés, ils sont devenus comme une obsession. Et plus Flavie me rabrouait, plus je me crispais. J'aurais voulu qu'elle me comprenne… qu'elle me soutienne… mais chaque fois que j'en parlais, ça la mettait en rogne! Alors je lui ai imposé le petit. C'était un peu cavalier…

– Fièrement, même.

– Fièrement cavalier, acquiesce-t-il d'une voix détimbrée. Avant qu'elle parte, je ne voyais pas du tout le problème sous cet angle. J'étais sanglé dans mon bon droit. Mais par après… Mon père m'a passé tout un savon. Je ne l'avais jamais vu dans une telle colère. Même maman compatissait avec Flavie, ce qui n'est pas peu dire!

– Flavie fait tout ce qu'elle peut pour rendre Geoffroy heureux. Je le constate à chaque jour qui passe.

– Moi de même. Le problème n'est pas là. Et puisque l'enfant qu'elle porte est décidément le nôtre, il n'est pas là non plus. Alors, où?

– On lui donne encore un peu de temps? Et après, on tâchera de l'obliger à faire face à la situation… Gentiment, avec des gants blancs… Pour le sûr, la situation ne peut pas s'éterniser.

– Dieu vous entende! fait-il avant de soupirer à s'en déchirer la poitrine. Sur ce, je vous renvoie à votre chambre. C'est un ordre!

Montant lentement les marches, Léonie est envahie par un obsédant regret, celui de ne plus avoir Simon à leurs côtés pour les aider à traverser cette épreuve. Il aurait compris sa fille sans doute bien mieux que chacun d'entre eux... Il faudra donc qu'elle s'entretienne avec lui. Cette perspective l'emplit de joie, et soudain, elle ne peut plus attendre pour se mettre en liaison avec celui qui occupe encore une belle part d'elle-même.

Ses responsabilités à la Société compatissante procurent à Léonie un nécessaire dérivatif à la tension qui règne dans son foyer. Jour après jour, elle y passe davantage de temps, en profitant pour régler divers problèmes d'intendance qui traînassaient. Un matin, alors qu'elle est en train de mettre à jour la liste des médicaments contenus dans la pharmacie, quelqu'un fait son entrée au pas de charge. L'exclamation sonore de Jacques Rousselle, lancée à la cantonade, l'atteint jusque dans le réduit qu'elle occupe.

– Où est le Dr Renaud ? On m'a dit qu'il était ici. Où est-il ?

Léonie ignore si quelqu'un a osé lui répondre, mais au moment où elle arrive au pied de l'escalier, il est en train de le gravir quatre à quatre. Elle s'empresse de monter à sa suite. Pas question de laisser les belligérants en tête-à-tête ! Lorsqu'elle pénètre dans le dortoir, Bastien est en train de prendre le pouls de la femme enceinte admise la veille. Les paupières baissées, les doigts autour du gracile poignet, il fait mine de n'avoir rien perçu de l'irruption sauvage de son confrère. Rousselle est planté à trois pas de lui, rongeant son frein... Enfin, après un silence interminable, Bastien laisse retomber sa main, puis il offre un sourire engageant à la future mère, qui répond par une involontaire toux sèche. Cette très jeune femme est prise de consomption, et il est rare que la gestation diminue les symptômes ; son cas restera préoccupant jusqu'à la toute fin.

– Je vous reviens dans une minute, ma belle dame. Ce monsieur requiert mon attention.

Il se lève et, plutôt que de faire face à Rousselle, il marche jusqu'à l'autre extrémité du dortoir, à cette heure occupé par seulement deux patientes alitées. Rousselle est bien obligé de lui emboîter le pas. Enfin, il se campe devant son collègue, puis il jette un regard courroucé à Léonie, qui s'est adossée au mur à proximité. Elle lui renvoie son œillade sans sourciller, et Bastien laisse tomber, goguenard :

– Cette dame s'est promue notre chien de garde. Je n'en suis pas marri. Autrement, je pourrais poser un geste regrettable. Vous arracher les yeux, par exemple.

Cette tirade nonchalante produit son effet sur Rousselle, qui amorce un mouvement de recul. Aussitôt, il se domine suffisamment pour riposter par un haussement de tête altier. Fort heureusement, songe Léonie, les deux hommes se croisent rarement au refuge. Autrement, la situation serait intenable ! Rousselle profère, d'une voix contenue :

– Je viens de recevoir la visite du Dr Trudel. Il paraît que vous avez fait du magouillage auprès de l'un de ses protégés, le jeune Brouyet. Vous connaissez pourtant la règle ? On laisse ses étudiants tranquilles, et vice versa ! Dorénavant, je vous enjoins de ne pas les approcher pour quelque raison que ce soit…

– J'avais un motif supérieur, réplique Bastien sereinement. Vous n'en avez pas la moindre idée ?

Décontenancé, Rousselle lui glisse un regard méfiant. Le plus succinctement possible, Bastien résume sa visite à l'étudiant en médecine, qui visait à confirmer le lieu de la délivrance de Monique Guimon. Rougissant de déplaisir, son interlocuteur gronde :

– Comment osez-vous y faire allusion devant moi ? Je croyais que Louis vous avait ôté toute envie de creuser l'affaire ?

– Son chantage méprisable produit chez moi le contraire de l'effet voulu.

Abasourdi, Rousselle toise son interlocuteur, qui ajoute, avec l'esquisse d'un sourire :

– J'aime une dame qui le mérite amplement. Je suis paré à défendre son honneur. Alors, vous pouvez proclamer sur tous les toits qu'un illuminé est le père de son enfant, ça ne me fait pas un pli. Moi, je sais que c'est un vil mensonge. Flavie me l'a assuré, et je la crois sur parole. D'ailleurs, seuls les esprits tordus accorderont du crédit à cette saleté. Des esprits tordus tels que le vôtre, collègue, et que je fuis comme la peste.

Un frisson de bonheur traverse Léonie de la tête aux pieds. Comme elle jouit de cette verve chevaleresque ! Campé avec une fierté empreinte d'une paisible assurance, Bastien semble à Léonie rayonner d'une singulière beauté. Il est enfin devenu le mari que Flavie cherchait confusément : un homme qui a conscience de la valeur de sa compagne. Un homme qui aime avec éclat, faisant fi de toutes les autres opinions ! Si elle pouvait être ici, aux côtés de Léonie, Flavie en serait conquise, et peut-être guérie à jamais !

– Parlant d'esprit tordu... Je me suis demandé qui avait bien pu inventer une histoire pareille. Ça prend une personne pervertie en diable... En avez-vous la moindre idée, monsieur Rousselle ?

Bien entendu, l'interpellé ne répond pas. Pour sa part, Léonie fronce outrageusement les sourcils. Le sous-entendu de son gendre est clair comme de l'eau de roche. Se pourrait-il que Rousselle lui-même... ? Une telle fureur l'envahit qu'elle grommelle :

– Espèce de grichou ! Espèce de malappris, de triste sire !

– Ne comptez pas sur moi pour abandonner la partie, affirme encore Bastien. La preuve de votre rouerie est facile à rassembler. Les témoins s'additionnent. Vous étiez aveuglément convaincus de votre immunité! Je vous charge d'un message pour Cibert: je veux une bonne somme d'argent pour Mlle Guimon, et je l'aurai.

Abruptement, Bastien le quitte pour retourner à sa patiente, et Rousselle reste planté là, plongé dans l'indécision. Pour une fois, constate Léonie avec allégresse, il ne sait que dire ni que faire, ce qui est un changement fort apprécié! Enfin, il se résout à quitter l'étage, suivi du regard par les deux patientes, qui se sont faites discrètes comme des souris pour ne pas en rater une... Tout juste avant de partir du refuge, le Dr Renaud entraîne sa belle-mère dans un bref aparté. S'il n'a pas été très explicite avec le jeune Brouyet, il a semé quelques insinuations sur les raisons de son interrogatoire. Louis Cibert et son compère peuvent craindre que Trudel soit au courant, même si de manière fragmentaire. Il faut en profiter...

Ce soir-là, son souper à peine avalé, le jeune médecin se lève de table avec un air concentré, se préparant mentalement à une visite chez Cibert. Il n'a pas le temps de faire un pas de plus: la porte d'en avant s'ouvre avec fracas, ce qui fait sursauter tout le monde, et deux secondes plus tard, Suzanne Cibert entre en catastrophe dans la cuisine. Ébahi, Geoffroy se réfugie dans les jupes de Lucie. Installée dans la berçante, en train de coudre paresseusement des vêtements de bébé, Flavie lève des yeux ennuyés, puis elle se replonge dans son ouvrage.

Léonie reste figée, de même que Bastien qui, irrité par cette intrusion, lance à travers la pièce:

– Holà, madame! Vous vous invitez de manière fort cavalière!

Éplorée, la survenante se précipite vers lui, offrant ses deux mains qu'il fait mine de ne pas voir, nouant les siennes derrière son dos. Devant cette rebuffade, elle fait halte abruptement et reste clouée sur place, tremblante de tous ses membres, une expression suppliante sur le visage.

– Monsieur… Bastien, je vous en conjure… Cette situation me plonge dans un émoi insupportable. Je vous en conjure : cessez votre harcèlement ! Il ne peut que nous conduire… dans un abîme… celui de la déchéance…

– Pour mettre un terme à cette histoire déshonorante, vous n'avez qu'un geste à faire.

– Mais Louis… Louis est inflexible. Son honneur est en jeu…

Presque malgré lui, Bastien lance une œillade narquoise à Léonie, qui la lui rend. Un pesant silence suit, pendant lequel une étonnante transformation s'opère sous leurs yeux à tous. Jusque-là, Suzanne semblait en proie à un intense désarroi ; mais soudain, à la vitesse de l'éclair, une expression résolue et charmeuse s'installe sur son visage. Elle lève vers Bastien des yeux aguichants, à la limite de l'indécent, puis elle minaude :

– Très cher docteur… je viens vous demander protection. Ma santé vous tient à cœur, n'est-ce pas ? Je veux dire… ma santé mentale ? Alors, si vous avez la moindre considération…

Elle s'interrompt brusquement en voyant les traits de Bastien se défaire sous l'assaut d'une puissante émotion, un mélange de rage et de souffrance. Il se tend vers elle, proférant d'une voix épouvantablement rauque :

– Comment osez-vous faire allusion à *votre* santé mentale ? Comment osez-vous, alors que les intrigues de Rousselle sont en train de détruire *la sienne* ?

D'un geste impérieux, il désigne Flavie qui coud tranquillement, plongée dans son monde intérieur. Suzanne la considère sans comprendre. Malgré l'attention générale fixée sur elle, Flavie ne bronche pas d'un poil, comme si rien de tout cela ne l'atteignait. Bastien assène encore :

– Puisqu'il ne peut pas mettre le grappin dessus, Rousselle a pris le parti de la détruire. C'est un vicieux de la pire espèce, et je le hais de toute mon âme !

Plutôt que de compatir, Suzanne esquisse un sourire gourmand, devant lequel Léonie, après un moment d'égarement, a envie de s'enfuir à toutes jambes. À l'évocation d'un personnage qui semble loin de lui déplaire, Suzanne s'absorbe dans une songerie dont la nature agréable crève les yeux ! Avec effarement, Léonie réalise que Marie-Claire avait vu juste. Lasse de se rebeller en vain, sa fille a choisi d'aller rejoindre son mari sur son propre terrain ! De toute évidence, la balade comporte suffisamment d'agréments pour museler à jamais son amour-propre…

Après un haut-le-corps, Bastien jette :

– Il suffit. Je vous ramène chez vous, et que ça saute !

Il la saisit par les épaules, la forçant à retraiter vers la salle d'attente. Une minute plus tard, la porte d'entrée se referme, et une quiétude trompeuse s'installe dans la cuisine. Léonie échange un regard incertain avec Lucie, qui hausse les épaules avec fatalisme pour reprendre son va-et-vient là où elle l'avait laissé. De son côté, Geoffroy va se planter à côté de Flavie, laissant sa tête reposer sur son épaule. Elle le gratifie d'une œillade bienveillante et d'un sourire distrait, mais chaleureux. Seul le garçonnet réussit à percer son indifférence et à obtenir autre chose qu'un refus impatient !

Voyant Flavie glisser son bras derrière son dos pour le presser contre elle, Léonie est envahie par une puissante montée de chagrin. Les propos de Bastien au sujet de sa santé mentale lui ont transpercé le cœur. Pour la première fois, elle est obligée d'envisager le fait que, peut-être, Flavie ne guérisse pas tout à fait… ou même pas du tout… L'éventualité lui est si intolérable qu'elle devient incapable de rester en place. Après avoir enroulé son châle autour de ses épaules, elle se précipite dehors, sur le chemin où l'ombre s'épaissit.

L'agitation ambiante lui fait du bien, de même que l'air printanier frais et vivifiant. Puisqu'elle a une envie souveraine de jaser avec Marie-Claire, elle se rend jusque chez elle, mais elle en est quitte pour une vive déception : son amie est sortie. Osera-t-elle la relancer chez Françoise, où elle se trouve sans doute ? Le geste lui semble audacieux. À qui se confier, alors ? Ses bonnes voisines de la rue Saint-Joseph ? Le risque de commérage est trop grand. La mère d'Agathe, par contre... Un visage s'impose soudain à l'esprit de Léonie sans qu'elle l'ait appelé, celui d'Alexis Ayotte.

Déroutée, elle le contemple un moment, avant de le repousser avec agacement. Qu'est-ce qui lui prend ? Certes, elle ne peut aller solliciter l'amitié d'un homme qu'elle a rencontré à peine quelques fois ! C'est une chose qui s'attirerait, à juste titre, bien des remarques désapprobatrices. Même un ami de longue date comme Cléophas, le père d'Agathe, doit être fréquenté en terrain ouvert. Tous deux peuvent se permettre des apartés, mais seulement au grand jour, sous le regard d'autrui !

Une nuit épaisse est en train de tomber, et Léonie doit se résoudre à retourner au faubourg Sainte-Anne. Elle ne peut ignorer ce qu'il lui en coûte, et combien elle doit combattre l'élan de son imagination, qui lui dépeint une scène touchante, celle d'un Alexis bienveillant lui ouvrant toute grande sa porte et l'invitant à siroter un doigt d'alcool fin, bien à l'aise sur son canapé...

Il faut que son moral soit au plus bas pour divaguer ainsi ! C'est quasiment en courant qu'elle se réfugie finalement chez Léocadie. Une grosse heure plus tard, pénétrant dans sa cuisine, Léonie y trouve un Bastien visiblement lessivé. Planté debout en plein milieu de la pièce, il jette à l'arrivante un regard vide. Sans l'ombre d'un accent de triomphe, il laisse tomber :

– J'ai la somme dans ma poche. Demain, j'irai la déposer à la banque.

– Magnifique ! approuve Léonie avec ferveur.

– Je raye à l'instant le couple Cibert de la liste de mes connaissances.

Elle voit bien qu'il brûle d'y ajouter Rousselle... Le jeune médecin grimpe l'escalier comme on marche vers l'échafaud, et Léonie se crispe jusqu'à ce que les craquements cessent. Flavie les soumet à une épreuve si rude que, sans conteste, elle en deviendra bientôt insupportable!

Le dimanche de mai est radieux, et à force d'insister, Catherine a réussi à faire lever Flavie de la chaise berçante pour aller prendre l'air dans la cour arrière. D'autorité, elle lui a coiffé la tête de son chapeau de paille, et maintenant, toutes deux cheminent lentement sur l'herbe encore rase. Flavie est muette, ce que respecte son amie, mais gentiment, cette dernière l'encourage à ne pas cesser la promenade et à explorer le moindre recoin du terrain qui, au printemps, se pare de subtiles beautés.

À quelque distance, un groupe les suit des yeux. Si Bastien les observe sans vergogne, Philippe et son futur beau-père, Alexis Ayotte, leur coulent des œillades à la dérobée. Quant à Léonie, elle couve les deux jeunes femmes du regard, anxieuse du sort de sa fille, au ventre d'une taille impressionnante, comme si elle faisait ses premiers pas dehors après une longue convalescence. Philippe demande pensivement:

– Avant la délivrance, il lui reste... ?

– Une dizaine, répond Bastien.

Un silence gêné retombe. Après un temps, le géologue s'enquiert encore:

– Et la pauvre servante dont Catherine s'inquiète tant, que lui arrive-t-il?

Bastien le met au courant du dénouement survenu quatre jours plus tôt. Léonie intervient:

– Malheureusement, Monique est introuvable. Vous croyez que Catherine pourrait poser des questions à gauche et à droite? Peut-être qu'une bonne sœur retrouverait sa trace...

– Je lui en parlerai. Avez-vous cherché du côté de sa paroisse natale ?

– On ne connaît rien de ses origines, réplique Bastien avec impatience.

– Ce ne serait pas trop malaisé à trouver... Auprès des domestiques de Cibert, par exemple...

Bastien fait une grimace si horrifiée que son ami envoie un éclat de rire vers le ciel.

– Je m'en charge, va ! À ce que je vois, tu as d'autres chats à fouetter... Tu viens te dégourdir les jambes ?

Le médecin accepte l'offre avec empressement, et tous deux s'éloignent en direction de la rue. Léonie reste en tête-à-tête avec le père de Catherine qui, pendant cet échange, est demeuré planté comme un piquet, les mains nouées derrière le dos, les yeux fixés sur les deux jeunes accoucheuses. Léonie l'a vu arriver avec plaisir, et il lui semble qu'elle aurait une montagne de choses à lui dire, mais plus le temps passe, moins elle se sent à l'aise...

– Je pense souvent à votre Flavie, dit-il soudain. Je me sens quelque peu... impliqué dans toute cette affaire.

– Pas le moins du monde, proteste Léonie. Vous n'avez été qu'un messager !

– Philippe nous raconte parfois des bribes de ce que M. Renaud lui confie, et qui éclairent la situation. Des morceaux de l'histoire de la vie de votre fille et de son mari...

– Je mérite une bien plus grande part de blâme, jette Léonie, sans le regarder. J'ai laissé Flavie dans l'ignorance. Je n'aurais pas dû !

– Bien malin qui peut voir, à rebours, le chemin le plus sûr.

Avec agitation, elle rétorque :

– N'empêche que j'ai eu diablement tort ! C'était présomptueux de ma part. Je me dis que si, dès le lendemain, j'avais pris Flavie à part, et que...

– Je ne vois pas en quoi le choc aurait été moins rude. Vous dites une grosse bêtise.

Ses traits courroucés et son ton péremptoire font un bien souverain à Léonie. Mais comme elle reste coite, il s'embarrasse et finit par balbutier :

– Pardonnez-moi ! Nous nous connaissons à peine et voilà que je vous rabroue... Laissez-moi le répéter plus civilement : peu importe la manière, peu importe le messager, votre Flavie aurait eu de la difficulté à... à avaler la couleuvre. On s'entend ?

– Marché conclu, convient Léonie, avec un mince sourire. La leçon est valable pour vous aussi...

– Je tâcherai de m'en souvenir, concède-t-il, soupirant exagérément. Mais n'êtes-vous pas lasse de rester debout ? Je vois là-bas un charmant banc de jardin...

Il l'entraîne par le coude, puis il époussette les planches disjointes avec son chapeau avant de la laisser s'asseoir. Inaccoutumée à tant d'égards, Léonie en rosit, tout en se laissant couler dans le bonheur d'avoir un homme attentif à ses côtés, et qui entreprend, avec amabilité, de la faire parler du comportement de Flavie au cours des semaines précédentes. Bientôt, Léonie se met à évoquer les amours de son aînée depuis leurs commencements, de même qu'à brosser son caractère à grands traits. À retrouver dans ses souvenirs son impulsive de fille, elle est progressivement envahie d'une douce émotion, à laquelle elle finit par donner voix :

– J'avais oublié, Alexis, la vie qui coulait dans ses veines... Vous pensez que le barrage va bientôt céder ? Parce que si elle restait... ainsi apathique...

– Ce serait une calamité, conclut-il. Je ferais n'importe quoi pour vous l'éviter, Léonie.

Quelle chaleur inusitée dans le ton de sa voix... Elle ne peut se résoudre à poser ses yeux sur lui, parce qu'elle est trop troublée par ce qu'elle pourrait lire sur son visage. Elle a l'impression d'habiter un rêve merveilleux, dans lequel elle côtoie un homme qui se préoccupe plus d'elle que de Flavie. C'est un mirage, Léonie en est persuadée, mais elle n'a aucune envie d'en sortir. Elle resterait là éternellement, les yeux mi-clos, se régalant de cette fugace sensation…

Catherine et Flavie obliquent vers eux. À toute vitesse, Alexis débite :

– Je ne vous ai pas dit, mais j'ai identifié quelques personnes portées à la médisance, et qui ont sûrement joué un rôle décisif… et j'ai tâché de remettre leurs pendules à l'heure. Ce n'est guère aisé : ce ne sont pas des intimes, Dieu m'en préserve, et je marche sur des œufs. Mais j'ai fait mon possible… comme Catherine, qui rencontre bien du monde dans sa pratique.

– C'est très aimable de votre part, murmure Léonie paresseusement.

– De toute façon, grommelle-t-il, je crois que la rumeur est en train de s'éteindre, faute de combustible.

Les deux amies s'installent sur le banc qui leur fait face. Catherine adresse à Léonie un sourire encourageant. La chose serait-elle possible ? Le visage de Flavie semble légèrement plus animé qu'à l'accoutumée. La brise délicate, les odeurs végétales, le spectacle des arbres qui verdissent, tout cela paraît se frayer un chemin jusqu'à sa conscience… Après un temps, l'ex-novice explique qu'elle vient de casser la tête à sa compagne avec les récits de ses récentes délivrances, puis elle se déclare enchantée de son association avec Bastien, dont le comportement lui semble exemplaire en tous points !

Avec une grimace enjouée, Alexis rétorque :

– Heureusement que ton promis n'est pas jaloux, parce qu'il y aurait de quoi !

– Pff… Tu dis n'importe quoi. Ça n'a rien à voir, et Flavie le sait aussi bien que moi. C'est nous faire insulte que de nous croire écervelées à ce point !

– Ralentis ton cheval, ma fille. C'était une pique. De mauvais goût, j'en conviens, mais sois indulgente pour ton vieux père. Ton vieux père qui te permet de marier un… un noceur !

Aussitôt, il gratifie Léonie d'un clin d'œil grivois, avant d'ajouter comme une confidence :

– Un noceur que j'apprécie chaque jour davantage. J'aurais dû le savoir tout de suite, que ma Catherine était trop intelligente pour s'amouracher d'un moins que rien. De plus, même s'il la marie, mon gendre me la laisse à moi tout seul !

– À vous tout seul ? s'étonne Léonie. Qu'est-ce que c'est que ce micmac ?

– Philippe part en exploration deux semaines après la noce, dit Catherine posément. C'est la coutume chez les géologues. Plutôt que de m'ennuyer toute seule dans un meublé, je reste chez nous !

– Dans un meublé ! grogne son père, faussement irrité. Voire si je t'aurais laissé faire ! Plutôt me marcher sur le corps !

Comme un poulain fringuant lancé à toute allure, Geoffroy déboule au milieu d'eux, ce qui leur tire de grandiloquentes exclamations de surprise. Aux anges, il donne à Léonie une brève accolade, puis il s'empresse d'aller se blottir contre Flavie qui, comme toujours, l'entoure de son bras. Le garçonnet semble avoir constamment besoin de se rassurer ainsi, de vérifier si ses attentions suscitent une réponse affectueuse de la part de sa mère adoptive… Mais peut-être s'agit-il d'un élan plus mystérieux encore, une conduite dictée par une sorte d'instinct enfantin ? Dans un cas comme dans l'autre, ses manières de chiot câlin sont comme le dernier câble qui relie Flavie à la terre ferme.

À son tour, un petit bonhomme de deux ans et demi, trottinant aussi vite que ses jambes le lui permettent, fait irruption parmi eux. Sylvain se précipite dans les bras de sa grand-mère, qui l'étreint et pose sur ses joues rondes une rafale de baisers rapides. Enfin, la femme de Laurent les rejoint, son Clément calé contre sa hanche. Âgé de quelques mois, le bébé se tortille furieusement pour se délivrer de l'emprise de sa mère! Catherine tend les bras, et Agathe obtempère tout en prévenant:

– Il va vous salir, belle dame!

Léonie ne peut s'empêcher de rire.

– Si tu savais, ma pauvre! L'accoucheuse ci-présente en voit bien d'autres!

Agathe s'empourpre, et Léonie en profite pour faire les présentations. Tout en laissant Clément, fasciné, tripoter les boutons de son corsage, Catherine dit avec chaleur:

– Je suis ravie de vous rencontrer. Philippe m'a parlé de votre Laurent à plusieurs reprises. Il prétend que, sans lui, la Commission géologique s'écroulerait!

La jeune femme se récrie tout en souriant largement. Comme si de rien n'était, elle est venue se placer derrière Flavie et, tout aussi naturellement, elle pose les mains sur ses épaules. À chacune des tentatives de sa belle-sœur, Flavie a toujours réagi avec agacement; mais présentement, elle reste parfaitement immobile. Aussi surprise que Léonie, Agathe lui adresse un regard saisi. Ensuite, avec des précautions infinies, elle se met à la caresser du bout des doigts. La tête inclinée sur le côté, Flavie subit cet attouchement comme s'il l'étonnait et l'intriguait tout à la fois…

Contemplant sa fille, Léonie se dit que si les hommes de l'art sont en train de percer les mystères de la mécanique du corps humain, ils ont encore du chemin à faire pour en cartographier l'esprit avec autant d'exactitude. Et pourtant, là se trouve la clef de bien des comportements humains! Là se trouvent, semble-t-il, les ressorts qui déterminent l'aptitude au bonheur…

Soudain, Léonie fronce les sourcils. Flavie a une expression bizarre et sa respiration s'accélère insensiblement. Elle repousse gentiment Geoffroy, pour poser ses mains sur son ventre... Le cœur de Léonie fait une embardée, mais elle tente de garder une voix neutre pour s'enquérir :

– Une douleur, Flavie ?

Aussitôt, la conversation générale meurt, et tous les yeux se portent sur la jeune femme, qui répond du ton indolent qui est le sien :

– On dirait... Il y a des jours que j'en ai, des désordonnées... Mais là, c'était plus fort.

Un branle-bas s'ensuit : décrétant qu'il est plus que temps de rentrer, Alexis se lève. À regret, Catherine dépose bébé Clément dans les bras de sa mère, puis tous deux s'éloignent, leur criant de loin que s'ils croisent Bastien en chemin, ils le presseront de revenir ! Mais à toute vitesse, Catherine revient prendre Léonie par les deux mains, pour lui dire, avec un air angoissé :

– Vous êtes sûre que vous n'avez pas besoin de moi ?

– Je vous ferai mander si nécessaire. Ne sautez pas trop vite aux conclusions. Pour une primipare, vous savez comme moi...

Catherine hoche vigoureusement la tête, puis elle repart au pas de course. Sitôt que son père et elle ont disparu, Flavie signale à sa mère qu'une deuxième contraction a lieu, une douleur encore ténue, mais bien présente. Dès qu'elle cesse, Léonie oblige sa fille à rentrer se mettre à l'abri dans la maison. Elle la fait asseoir dans la berçante, puis elle ranime le feu dans le poêle tout en laissant béer toutes les ouvertures de la pièce. Pendant ce temps, Agathe surveille les deux plus grands garçons, qui jouent dans un coin, de même que son cadet qui, s'agrippant à une chaise, se dresse sur ses jambes en poussant de petits cris de satisfaction.

Une heure plus tard, le doute n'est plus possible : Flavie est dans les douleurs de l'enfantement. Agathe est retournée dans son foyer, prenant charge de Geoffroy qu'elle gardera pour la nuit. Les cousins n'aiment rien autant que dormir étroitement enlacés dans le petit lit de Sylvain... Subitement, Lucie fait son entrée, suivie par son cavalier, un homme costaud mais de petite taille, aux cheveux roux très courts. Mis au courant de la situation, il soulève sa casquette, avant de déguerpir prestement ! Lucie remet son tablier et s'occupe du souper, au grand soulagement de Léonie, qui peut se concentrer sur ses préparatifs.

Se berçant mollement, Flavie est insensible à l'agitation dans la pièce. Toute son attention se porte sur la sensation qui va et vient dans sa matrice, cette douleur étrange, à la fois précise et diffuse, qu'elle n'est pas fâchée d'expérimenter enfin. Depuis le temps qu'elle accompagne des femmes pour leurs couches, sans savoir ! À chaque contraction, elle en surveille la montée, puis la descente, analysant sa propre réaction corporelle : le souffle qui s'emballe et qu'il faut contrôler, la paroi de l'abdomen qui se durcit, le bébé qui ne bouge plus d'un poil.

Une autre heure passe, et Bastien reste invisible, mais Léonie n'en a cure. Maintenant que les douleurs sont bien installées, elle presse Flavie d'aller se préparer : revêtir sa chemise de nuit et se couvrir d'un châle, puis faire un arrêt sur le pot de chambre. Lorsqu'elle redescend de l'étage, soutenue par Lucie, Léonie lui offre quelques mets légers accompagnés de tisane. Obligeamment, Flavie avale tout ce qu'on lui donne. Enfin, Léonie l'encourage à marcher dans la pièce à pas lents, toujours au bras de Lucie.

Un sifflotement dans l'antichambre signale l'arrivée de Bastien. Léonie devine qu'une longue conversation avec Philippe lui a allégé l'âme... Il pénètre dans la cuisine, puis reste stupéfait devant le spectacle de son épouse qui, les bras noués autour du cou de Lucie, halète comme un petit chien.

– Bistouri à ressort ! L'heure est venue ?

Son effarement est plutôt comique, et Léonie, sérieuse comme un pape, l'informe de la progression.

– Je monte me changer et j'arrive !

Il grimpe l'escalier à toute vitesse. Maîtresse et servante échangent un sourire : que croit-il donc pouvoir accomplir ? Une fois redescendu, vêtu de ses vêtements les plus usés, il relève Lucie de sa tâche, plaçant d'autorité le bras de Flavie sous le sien afin de la soutenir pendant la promenade. Passant près de la table, il saisit une tranche de pain, puis un morceau de fromage, qu'il engloutit. Après avoir bu une rasade d'eau, il concentre toute son attention sur Flavie, dont il surveille l'état avec une anxiété voilée. Épisodiquement, il lui pose une question, à laquelle elle répond précisément, mais de façon très succincte. Entre ces brefs moments, un pesant silence règne dans la pièce. Les derniers rayons du soleil couchant frôlent les murs, puis Lucie allume les luminaires.

Tout en mangeant son ragoût, Léonie est traversée par un éclair de panique à la pensée qu'une chaude complicité devrait, normalement, lier le couple à ce moment crucial, mais qu'elle n'existe pas… Flavie combat une sourde angoisse. La proximité de Bastien l'épuise. Elle était bien tout à l'heure, avec Lucie, mais dès qu'il s'est imposé, elle a eu envie de fuir à toutes jambes, loin de lui, le plus loin possible ! Elle ne peut supporter qu'il la touche, mais pourtant, elle doit bien s'appuyer sur quelqu'un pour s'empêcher de tomber ! Car à présent, l'intensité de la contraction lui scie les jambes, lui donne envie de se laisser tomber sur le sol comme un chiffon… Au plus vite, elle doit l'éloigner d'elle. C'est impératif ; autrement, quelque chose, elle ne sait quoi, va se casser en elle !

Sur le point d'appeler Lucie à son secours, Flavie se ravise. La présence de la servante à ses côtés n'y changera rien. Dans les heures suivantes, elle va perdre ses moyens, elle va être livrée pieds et poings liés à la force souveraine qui prend possession de tout son être. Dans ce contexte, elle ne pourra plus interdire à Bastien de l'approcher! Il va pouvoir la toucher, l'embrasser, la câliner. Sous l'emprise de son ouragan intérieur, elle devra subir ces contacts, les dents serrées! Cette éventualité terrifiante, Flavie est incapable de l'accepter. Cet homme représente une menace qu'elle refuse avec la dernière énergie. Si un problème survenait? Bien certainement, il répugnera à opérer sur elle. Mais s'il le faisait? S'il s'estimait le plus qualifié pour cela? Elle en mourrait. Elle se réduirait en poussière...

Du coin de l'œil, Léonie observe sa fille. A-t-elle la berlue? Il lui semble que la dernière contraction remonte à... Tandis que les minutes s'écoulent, la maîtresse sage-femme doit se rendre à l'évidence: les douleurs ont cessé. Comme elles reviendront sans doute, et avec plus de force, elle se tient coite, laissant le jeune couple marcher encore. Cependant, après une dizaine de minutes, Bastien tourne un visage étonné vers sa belle-mère. Celle-ci se lève pour venir à eux. Avec un sourire à l'intention de Flavie, elle dit:

– Je crois qu'un peu de repos sera nécessaire... La nature a décrété une pause. Va te coucher, Flavie. Tu nous appelleras, si nécessaire... Vous l'aidez, Lucie?

L'affolement de Flavie reflue; elle est transie comme une quasi-noyée sur la plage. Remplie de gratitude, elle agrippe la main de leur servante et s'attache aveuglément à ses pas. C'est ainsi, comme un animal tout tremblant d'avoir échappé à la curée, qu'elle se laisse conduire jusqu'à son lit.

Chapitre xxx

Au creux de son lit, Flavie se laisse flatter par le temps qui passe. Elle n'est pas fâchée de cette pause nocturne. Elle ne ressent plus aucune douleur, à peine un léger inconfort lorsque le fœtus gigote à répétition, ce qu'il fait à présent. Les yeux grands ouverts dans le noir, une main sur sa bedaine, elle est comme suspendue dans l'espace. Elle s'imagine être le bébé flottant dans son liquide, insouciant des mesures que les hommes ont inventées pour régenter l'existence humaine, parce que le seul bruit régulier qui rythme sa vie, c'est celui des battements du cœur à proximité.

Elle a manqué de s'endormir, mais au dernier moment, un sursaut de tout son être l'a réveillée. Il est trop dangereux de baisser la garde! Il lui faut rester aux aguets. Jusqu'à présent, pour être protégée d'autrui, et surtout de son mari, il lui suffisait de plonger en elle-même; mais puisqu'elle n'a pas le choix de s'ouvrir, elle est dans une position de vulnérabilité extrême tant que cet enfant n'est pas expulsé. À cette pensée, elle se raidit outrageusement. Pas encore, pas maintenant! Plus tard…

Demain, quand elle aura repris des forces et quand Bastien se sera résigné à s'absorber dans son travail, elle demandera à Léonie de l'assister dans le secret de sa chambre. Mais si sa mère était incapable de s'y résoudre? Si, pour une niaiserie, elle appelait son gendre à la rescousse? Aussitôt, Flavie comprend qu'il lui faudra se débrouiller seule. Après tout, elle possède suffisamment son métier pour faire face à toutes les situations. Oui, c'est la seule voie!

Les charnières de la porte de la chambre grincent, et la lueur d'une chandelle valse sur le mur. Au pas et au respir, elle reconnaît Bastien, qui dépose le chandelier sur sa table de chevet. Puis, plus rien, comme s'il s'était évanoui en fumée. Elle retient son souffle et finit par percevoir le sien, lent et ténu… Enfin, il inspire profondément et se laisse tomber assis sur leur couche, prenant garde de trop faire de bruit. De longues minutes plus tard, il s'allonge, et il reste immobile au point qu'elle a l'impression qu'il est tombé instantanément endormi.

Soulagée par le calme qui règne, Flavie essaie de se détendre et de se laisser de nouveau dériver. Néanmoins, elle ne sait trop pourquoi, cela lui est fort malaisé… Elle veut se concentrer sur des évocations insouciantes, mais quelque chose la retient sur place, au creux de ce large lit dans lequel se trouvent deux êtres, écartés le plus possible l'un de l'autre. Entre eux, dans le large fossé qui s'est créé, rampent des sensations confuses et troublantes. Flavie voudrait les repousser au loin, mais elles la frôlent!

Pour y échapper, il lui faudrait sauter en bas de la couche, mais ce geste lui demanderait un courage surhumain, en plus d'attirer sur elle une vigilance indue. Alors, elle reste sans bouger, tentant furieusement de défaire le lien qui la rattache à la réalité. Cela lui était si facile auparavant! Que se passe-t-il? Serait-ce le poids de l'enfant qui la retient clouée au sol? Ou peut-être… oui… cette détresse qui l'envahit, une détresse muette, mais dont les vagues roulent jusqu'à elle avec la puissance d'un ressac.

Cessant de lutter, elle reste les sens en éveil. Un frémissement presque imperceptible la traverse, qui lui laisse le cœur transi, lourd de tristesse… Énervée, elle se rebelle encore, cherchant frénétiquement la porte d'entrée du chemin de l'oubli et du dépaysement, mais plus elle se crispe, plus le voyage se dérobe à elle ! Dès lors, malgré elle, son attention se fixe sur le fossé qui occupe le centre de la couche. De cet espace immense, qu'elle entretenait soigneusement jusqu'alors, lui parviennent de subites risées, des chuchotements et même des grincements, comme sur un navire qui tangue et qui gîte…

– Tu veux me punir, c'est ça ?

L'interpellation s'est élevée au-dessus de la rumeur obsédante. Aux oreilles de Flavie, elle résonne comme le tonnerre dans le lointain, d'abord ténu, mais qui enfle démesurément…

– Parce que, pendant quelques heures, j'ai douté de toi, tu veux me le faire regretter jusqu'à la fin de mes jours ?

La voix rocailleuse s'incarne alors, intégrant le corps de l'homme qui gît de l'autre côté du fossé. Flavie ne prête aucune attention au sens des mots, mais seulement à leur musique si expressive : un chant désolé, d'une tonalité presque tragique !

– Tu es trop dure. Je veux être ici, avec toi, pendant la délivrance. Je veux être sûr qu'il ne t'arrive rien de fâcheux… Je veux te sourire, prendre ta main, t'embrasser. Mais j'ai l'impression que je te dégoûte ! Regarde-moi, Flavie. Regarde-moi !

Elle a le net sentiment qu'il est sur le point de l'agripper pour la faire rouler vers lui, alors elle se déplie avec une grimace d'inconfort, puis elle se tourne. Comme il lui est impossible de se mettre sur le dos, elle poursuit sur sa lancée. Avec la sensation d'être une baleine en train de s'échouer, elle laisse son ventre se déposer de l'autre côté. Appuyé sur son coude, son mari lui fait face. Elle est surprise de voir qu'en réalité l'espace entre eux est minuscule !

La chandelle posée sur la table de chevet nimbe sa tête de lumière, mais laisse son visage dans la pénombre. Avec une colère toute rentrée qui trahit un intense désarroi, il articule :

– Je t'ai laissée tranquille. J'ai cru qu'il te fallait tout ce temps pour récupérer. Mais là, tu dépasses les bornes ! J'avais quelque raison de douter de ma paternité, tu ne crois pas ? Tu venais de passer une année loin de moi ! Une année à jouer les dévergondées parmi des libertins notoires ! J'ai des circonstances atténuantes, non ? Dès que j'ai pu te poser la question, je l'ai fait, et j'ai cru ta réponse. Alors, à quoi ça rime ? Pourquoi tu me punis encore ?

De toute la tirade, seule la dernière phrase la fait tressaillir. Le punir ? Mais elle n'en a aucune intention ! Au contraire, elle veut le protéger ! Comme de l'écorce de bouleau posée sur des braises, une flamme de souffrance se rallume en elle, aussitôt suivie par un éclair d'exaspération. Tout cela l'importune si fortement qu'elle laisse tomber, d'une voix sans timbre :

– Semence de soupçon devient forêt de suspicion.

– Au diable les proverbes bancals ! Comment je pourrais avoir le moindre soupçon puisque tu n'as pas… disons-le crûment : puisque tu n'as pas accueilli d'homme en toi pendant les deux mois qui ont précédé notre réunion ? À moins que la conception de cet enfant soit l'œuvre du Saint-Esprit ?

Ces mots sont comme une volée de flèches, dont elle essaie de se protéger tant bien que mal. Frénétiquement, elle cherche son bouclier habituel afin de le placer entre eux…

– Il y a autre chose, et je veux que tu me dises de quoi il s'agit. Le geste que tu as posé tout juste avant de partir pour Oneida ? C'est un détail. Je veux dire… c'était le résultat de… de la confusion qui nous entourait alors…

– C'est fièrement pire, le coupe-t-elle avec impétuosité. Je t'ai volé ton enfant. N'importe quel mari… haïrait sa femme pour bien moins.

– Je ne sais pas ce que ferait n'importe quel mari, mais moi, je suis plutôt bien placé pour te comprendre, non ? Moi, je ne te range pas au même niveau que les meubles et les biens fonciers dans mon patrimoine personnel. Tu as jugé que de porter cet enfant, c'était trop pour toi, point à la ligne. Oui, la tradition veut, du moins dans un certain milieu, qu'un fœtus tout juste éclos soit la propriété du mari. De même que celle qui le couve. Mais je suis surpris que tu accordes du crédit à cette coutume abusive. D'habitude, tu es prompte à dénoncer…

– C'est que… j'ai eu mal…

Flavie fait une grimace de dépit, mais peine perdue, son sentiment de perte se déploie. En pensée, elle retourne en arrière jusqu'à ce moment cruel où, allongée sur le lit surélevé de l'alcôve de la Société compatissante, elle serrait les dents pour ne pas gémir. Il tâtonne pour prendre sa main, et d'une voix changée, il balbutie :

– C'est si souffrant ?

– Le col qui… qui doit se dilater et… comme des spasmes… J'aurais tellement préféré le garder. J'ai un horrible crime sur la conscience.

– C'est du moins ce que les dévots voudraient te faire avaler. Je croyais que les dévots et leur prêchi-prêcha, tu les vomissais ?

Devant la dureté de la réprimande, elle écarquille les yeux, puis elle réplique avec indignation, en retirant ostensiblement sa main de la sienne :

– Tu peux bien parler ! Ce n'est pas toi qui vis avec le remords…

– Un peu, quand même. Le remords de ne pas t'avoir bien regardée. De t'avoir, d'une certaine manière, poussée à ce geste… J'ai de la peine, parce que tu as subi cette épreuve toute seule, sans moi. À cause de moi. Le voilà, mon seul vrai regret. Tu me crois ?

Le regard fixé sur son visage aux traits indiscernables, elle finit par opiner fugacement du bonnet.

– À la bonne heure ! murmure-t-il. En fin de compte, c'est rassurant : je n'ai pas été le seul de nous deux à commettre de vilaines bêtises. Tu m'as pardonné mes excès, et moi je fais de même pour les tiens.

Le silence tombe entre eux. Flavie a la conscience soulagée d'un poids notable, mais comme elle voudrait que ce jeu du chat et de la souris prenne fin ! Elle a l'impression que le tremblement qui l'agite intérieurement va devenir irrépressible. Elle va bégayer, hoqueter, trémuler de la tête aux pieds ! Elle souffle :

– Je veux dormir...

– À ta guise. Mais dans mes bras !

Elle a le souffle coupé par un éclair de désarroi.

– Non ! Laisse-moi seule. Je suis mieux...

Comme s'il se vidait de sa force, Bastien se laisse retomber sur le dos et reste sans bouger, respirant fortement. Devant son profil tourmenté révélé par la lueur de la chandelle, elle ferme ses paupières et les presse opiniâtrement l'une contre l'autre. Elle est en train de rassembler l'énergie nécessaire pour se retourner lorsqu'il dit :

– Je te dégoûte, Flavie ? Dis-le-moi franchement.

Elle ne réagit pas, parce qu'elle refuse, de tout son être, de se laisser entraîner sur ce terrain. Pourquoi ne veut-il pas comprendre ? Le lit tangue, et son souffle lui caresse la joue :

– Ouvre les yeux. Le temps des cachettes est terminé. Ouvre les yeux !

Son ton est si chargé de menace qu'elle n'ose pas désobéir. Une fois encore, la pénombre lui dérobe son expression, mais il s'est dangereusement rapproché d'elle, et pendant un moment d'affolement, elle songe à hurler à pleins poumons, comme si elle était en danger.

– Je veux l'entendre de ta bouche. Je veux t'entendre dire : tu me dégoûtes et je ne t'aime plus. Dis-le.

– Non…

– Pourquoi non ? C'est pourtant vrai ?

– Ce qui est vrai, s'écrie-t-elle avec désespoir, c'est que je porte malheur !

Avant de retomber, l'exclamation tournoie dans la quasi-obscurité de leur chambre. Frappé de stupeur, Bastien répète :

– Tu portes malheur ? Qu'est-ce que tu me chantes là ?

– Je fais souffrir tous ceux que j'aime. Ne proteste pas, c'est vrai ! Depuis que je te connais… je te mets dans le trouble ! Tes parents et ta sœur aussi ! Chaque décision que je prends, ça tourne mal. Tu ne vois pas ? Comme une chaîne de conséquences funestes… Je suis construite toute croche. Je… je… Oh ! Bastien, je ne voulais pas parler de tout ça… Ça me déchire !

Soudain, le désarroi indicible de Flavie est chassé par un ouragan de rage mauvaise, qui la fait s'asseoir d'un brusque mouvement. Aussi rapidement, Bastien se met sur ses genoux, pour lui saisir le bras d'une poigne de fer.

– Il faut. C'est invivable autrement…

Secouée par un accès de fureur, elle le foudroie du regard, avant de vociférer :

– Non, il ne faut pas ! Tu n'as qu'à me laisser partir, et tout sera terminé ! Plus personne ne pourra parler contre moi ! Vous aurez la sainte paix, la maudite paix !

– Qu'est-ce qui te dit que je la veux, la paix ? Qu'est-ce qui te dit que je ne préfère pas être dans le trouble avec toi plutôt que mener une vie pépère sans toi ?

– Je suis si fatiguée… Quand j'ai su ce qui se disait sur l'enfant… Je ne veux plus. On dirait que chaque pas que je fais… Je te jure, je porte malheur ! Ceux que j'aime, je leur fais du mal ! À toi, Bastien, à toi…

Elle est obligée de s'interrompre, parce que sa gorge est outrageusement serrée. Des larmes débordent de ses yeux, qu'elle essuie d'un geste vif avant de reprendre, dans un chuchotement :

– À cause de moi, encore une fois… J'ai ressenti un coup terrible. Cette affreuse médisance… je ne peux plus endurer. Je ne peux plus endurer ce que vous, vous endurez à cause de moi. Il m'a fallu du temps pour comprendre, mais là, ce coup du sort m'indique la porte de sortie…

Comme si une vanne s'était ouverte, Flavie poursuit son explication dans un débit haché, tandis que son mari agenouillé l'écoute. Remontant jusqu'à leurs fréquentations, elle tâche de lui faire comprendre ce qui, selon elle, saute aux yeux : depuis cette époque, elle se moque allègrement des conventions, elle accumule les bravades, au point que le Grand Ordonnateur du monde a fini par voir rouge !

– Tu crois vraiment ? l'interrompt-il sans ménagement. Tu ne crois pas que le Grand Ordonnateur, comme tu dis, a des millions d'autres chats à fouetter ? Des sacrilèges qui en sont des vrais : viols, trahisons, meurtres ?

Faisant la sourde oreille, Flavie affirme en guise de conclusion que le seul moyen de mettre un terme à la malédiction, c'est de rompre leur promesse mutuelle ! Il accuse le coup en faisant une grimace de souffrance, puis il se penche vers elle :

– Et l'autre, la dernière, celle que tu m'as faite à Oneida ? Tu veux la rompre aussi ?

Il a parlé très doucement, mais Flavie a l'impression d'avoir été violemment giflée. Elle avait oublié cette promesse de ne plus jamais le quitter… Elle balbutie :

– Tu vois ? Je n'en vaux pas la peine. Je n'ai pas de parole… Laisse-moi partir. Tu ne seras jamais heureux avec moi. Je ne suis pas celle qu'il te faut…

Il tend le bras et caresse sa joue mouillée du revers des doigts. Avec un pauvre sourire, il murmure :

– On m'avait dit que les femmes grosses étaient émotives. Mais à ce point, je ne l'aurais jamais cru !

Soudain, il vient lui dérober un baiser impérieux, à pleine bouche, et ce geste plonge Flavie dans l'effarement. Lorsqu'il se remet droit, il lui fait face, et la flamme de la chandelle éclaire de biais son visage.

– Ce que ça fait du bien...

Il la couve des yeux. Refusant de se laisser attendrir par cette promesse de joie, Flavie redresse les épaules et réplique avec irritation :

– Ne t'avise pas de recommencer !

– Je ne te laisserai jamais partir, ma toute belle. Enfonce-toi ça dans la caboche. Premièrement, il s'agit aussi de mon enfant, et je ne pourrais pas supporter d'en être séparé.

– Alors, dès qu'il sera sevré...

Pour la faire taire, il plaque sa main sur sa bouche pendant un court moment, puis il reprend, avec gravité :

– Secondement et suprêmement, je t'aime comme un fou. Me semble que c'était clair ?

– La question n'est pas là...

– Est-ce que tu m'estimes encore, Flavie ? Est-ce que ta froidure des dernières semaines, elle est pour tout de bon ?

Comme Flavie doit se raidir contre la tentation ! Elle savait que, pour lui résister, elle devait se couvrir d'une carapace de glace, elle ne devait pas lui laisser entrevoir la moindre faille ! Atterrée, elle articule :

– Mais je t'assure ! Je porte malheur...

– Cesse de radoter. La médisance, c'est l'œuvre d'une seule personne, et je parierais mon meilleur forceps qu'il s'agit de notre Rousselle adoré. Bien sûr, ce morceau de choix s'est promené de bouche en bouche... Mais il est rongé jusqu'à l'os.

Brisée, Flavie laisse son regard se mêler au sien. Une brume opaque s'est installée dans sa pauvre cervelle, et elle a l'impression de se cogner aux parois... Impulsivement, elle saisit la main de Bastien qui reposait sur son genou et s'y accroche avec l'énergie du désespoir.

– Ceux que j'aime, bredouille-t-elle, je les blesse.

– Bien malgré toi. Tu veux bien me laisser le soin de choisir ma destinée ? D'accord, avant Oneida, je n'avais pas... tout à fait conscience. Mais depuis... De l'autre côté de la ligne, je t'ai mariée de nouveau. Pour vrai. Tu l'as senti ?

– Oui, souffle-t-elle. Mais peut-être que... je t'ai ensorcelé et que, dans le fond, tu préférerais te passer de moi. Rousselle, c'est ce qu'il prétend : c'est de ma faute s'il m'a dans la peau et s'il ne peut faire autrement que de me poursuivre !

– Foutaises, grommelle Bastien férocement. C'est faire trop d'honneur à ce triste sire que de lui accorder le moindre crédit ! Comme, d'ailleurs, à tous les empêcheurs de tourner en rond. Flavie de mon cœur... je suis fatigué d'être à genoux. On peut s'étendre ? Tu dois te reposer...

Vaincue, elle se laisse retomber. Gentiment, il l'invite à se déplacer jusqu'au milieu de la couche. Avec appréhension, elle le sent s'allonger derrière elle, tout contre son dos. Exhalant un souverain soupir de contentement, il glisse une main jusqu'au ventre de Flavie.

– Je m'ennuyais tant de vous deux...

Elle se laisse happer par sa chaleur. Lutter davantage, c'est au-dessus de ses forces ! Mais tandis qu'elle s'abandonne, l'impression d'un échec funeste enfle démesurément. Ne représente-t-elle pas, pour ses proches, un poids, un boulet, une épine au pied ? La boule de chagrin se reforme dans sa gorge et remonte comme un vomi jusqu'à ses lèvres. Et tandis que Bastien la serre étroitement contre lui, elle se met à pleurer à chaudes larmes et à coup de gémissements plaintifs.

Dès que le ruissellement se tarit un tant soit peu, elle ferme les yeux pour affronter, cette fois, un surprenant cortège de chagrins jusque-là tapis dans le fin fond de son être. Tout d'abord, le sourd regret de son ancienne complicité avec Marguerite, et ensuite, venant tout juste derrière, le deuil d'une existence qu'elle avait imaginée affranchie de l'arbitraire... dégagée du conventionnel... libre de ces entraves qui sont comme des chaînes aux pieds des femmes. Le deuil des valeurs communautaires auxquelles elle a cru avec une telle intensité! Le deuil d'une bonté innée de l'homme.

Oui, l'homme est faible, parfois dominé par de barbares instincts... Le visage de John Humphrey Noyes passe derrière ses paupières, aussitôt suivi par celui de Jacques Rousselle. Les comportements déréglés de ces deux mâles, pourtant d'un abord si différent, acquièrent une étrange parenté... Délibérément, Flavie choisit de s'en dissocier. Elle s'extirpe de l'emprise qu'à son grand étonnement ils conservaient sur elle, pour les chasser jusqu'aux confins de la ville et du continent. Elle n'a rien à voir avec eux; leurs obsessions sont à l'opposé des siennes.

Dès lors, Flavie est envahie par une sensation qu'elle repoussait farouchement, son bonheur incertain d'être mère. Elle l'envisage franchement, et c'est avec un intense soulagement qu'elle se pardonne cette entorse à la moralité ambiante. Elle se sentait bizarre, étrangement conformée, à la limite de l'inhumain... Rien de neuf sous le soleil, n'est-ce pas? Une bonne quantité de ses goûts, et la plupart de ses appétits inextinguibles, semblent la placer à l'écart de ses semblables! Résolument, tandis qu'une vive chaleur se répand dans son corps tout entier, elle se réconcilie avec cette encombrante part d'elle-même.

Enfin, son insoumission devant la disparition de Simon lui apparaît dans toute son amplitude. Cette rébellion est plus ardue à affronter, mais Flavie sait qu'elle n'a pas le choix, si elle veut finir par vivre en paix... Nul n'est responsable de ce funeste enchaînement d'événements, et surtout pas elle-même. Le hasard seul est coupable ! Il lui a infligé un terrible coup, mais comment en vouloir au hasard sans devenir une personne aigrie par la vie ? Simon est mort sans qu'elle ait pu l'embrasser une dernière fois. Cette pensée lui serre outrageusement le cœur, mais elle s'interdit de la repousser. Peu à peu, à force de la remâcher, elle s'y habituera...

À l'endroit exact où la main de Bastien repose, le bébé donne un puissant coup de pied. Flavie grogne d'inconfort, tandis qu'il s'exclame, à mi-voix :

– Bistouri à ressort ! Il a soulevé la matrice d'au moins un pouce ! Ce sera un costaud, notre Gozime !

Elle s'attendrit tant que ses larmes repartent de plus belle. Bastien la réconforte d'une étreinte énergique :

– Si tu continues, je vais m'y mettre, moi aussi ! Là, c'est fini. Tu es revenue pour tout de bon. J'ai eu chaud ! J'ai craint que... que tu ne divagues à jamais, tu sais ? Ça arrive parfois. Comme si la réalité devenait si insupportable que la personne doive s'en couper... Mais tu es trop forte. J'ai eu tort de l'oublier !

Flavie se tourne à demi vers lui, et il vient enfouir son visage dans son cou, joue contre joue. Envahie par un sentiment d'exaltation si vif qu'il en est douloureux, elle murmure :

– C'est grâce à toi. Tu n'as pas battu en retraite... Je te dois la vie.

– Foutaises, grogne-t-il de nouveau, mais plus tendrement. Il m'a suffi d'insister deux petites minutes.

– Je t'aurai prévenu, chuchote-t-elle. C'est fièrement risqué de m'aimer.

– Oui, mais fièrement plaisant !

Il lève la tête pour l'embrasser. Après un temps, elle se dégage pour souffler :

– Mais les autres… tes parents, ta sœur… ils n'ont pas cette récompense…

– Arrête de croire qu'ils souffrent le martyre à cause de toi. C'est exagérer sacrément ton importance.

Elle pouffe de rire. Comme elle se sent alerte, tout à coup, légère comme une plume, parée à voler au vent ! Elle glisse sa main derrière le cou de Bastien pour le forcer à revenir poser ses lèvres sur les siennes. Son goût de volupté explose ! Leurs bouches se goûtent comme si le fruit le plus exquis leur était offert, comme s'ils voulaient l'englober d'un seul coup pour, ensuite, le savourer à loisir. La main de Bastien glisse sous sa chemise, et la pétrit avidement des hanches jusqu'au ventre. Enfin, elle se concentre sur les seins gonflés et si sensibles que Flavie a l'impression qu'à chacun de ses attouchements une fulgurance d'énergie descend jusqu'à son entrejambe…

Essoufflée, elle met un terme au baiser, puis elle repousse sa main pour se redresser à moitié afin de se débarrasser de son vêtement de nuit. Il l'imite, puis revient s'installer face à elle, cette fois-ci. À son tour, elle le caresse des deux mains et même de la plante de pieds, affamée de le toucher sur toutes ses coutures, de reprendre contact avec les textures diverses de ce corps qui lui semble d'une beauté indicible. Sans plus attendre, elle s'installe dans la position d'accouplement, le tirant vers elle. À mi-chemin, il hésite :

– Tu crois que… c'est sage ?

– Je te l'avais bien dit, se gausse-t-elle suavement. Avec moi, tu prends des risques…

S'approchant pour la frôler de toutes parts, un sourire goguenard sur les lèvres, il saisit ses jambes et les noue autour de ses hanches, se plaçant selon cet angle précis qui évite des pressions indues sur le ventre de Flavie. Elle clôt les paupières pour mieux savourer la pénétration. A-t-elle vraiment cru qu'elle aurait la force de quitter cet homme ? Il fallait qu'elle ait perdu la raison ! Plus tard, elle replongera au plus creux d'elle-même pour tenter de comprendre cette fuite du réel. Pour l'instant, Bastien est d'une suprême douceur, et elle n'en veut rien manquer... Pourtant, les mots s'échappent de sa bouche sous forme de balbutiements :

– Oh ! mon ange, je t'aime tant... Je suis désolée de t'avoir fait endurer tout ça. Je vois bien que j'ai été dure... si fermée...

– Je t'absous volontiers, réplique-t-il benoîtement, tant que tu m'accueilles ainsi, comme si on t'avait construite... exactement pour moi.

– C'est le cas, murmure-t-elle avec ferveur. Je le crois de toute mon âme.

– Tu vois ? Le Grand Ordonnateur du monde, il est plutôt chouette...

Dès lors, le temps devient fluctuant comme le rythme d'un désir parfois délicat, et parfois torrentueux, jusqu'au jaillissement final pendant lequel Flavie, malgré l'encombrement de sa bedaine, s'arque énergiquement pour se presser de toute sa force contre son homme, à plusieurs reprises. Elle se laisse choir comme une loque, vidée de toute son énergie ; c'est Bastien qui tue la chandelle et qui les recouvre de la courtepointe. Pour ne pas rompre le contact, elle entremêle ses doigts aux siens, mais elle est totalement incapable de résister au sommeil qui l'emporte en moins de deux.

Lorsqu'elle ouvre les yeux, il fait jour, et elle est seule dans le lit. Pendant un bref moment, elle se demande si le souvenir saisissant qu'elle conserve de sa nuit n'est pas du domaine du rêve, puis elle aperçoit sa robe de nuit, tapon informe au mitan du lit... Soudain, son corps en entier vibre d'exultation. Elle est pleinement réveillée ! Elle a soif et faim, elle a envie de chanter, de vagabonder à travers champs et, par-dessus tout, de se couler de nouveau entre les bras de Bastien pour frotter sa peau nue contre la sienne !

Pour l'instant, il lui faut de toute urgence aller s'accroupir sur le pot de chambre. Elle veut se lever d'un mouvement preste, mais son état la ramène à l'ordre, et elle rit silencieusement. Elle avait oublié sa bedaine de baleine ! La soutenant des deux mains, elle se met debout comme une femme enceinte jusqu'aux yeux, c'est-à-dire avec circonspection. Elle n'a même pas le temps de se rendre sur le pot qu'une goutte coule le long de sa jambe… ce qui, de nouveau, la met en joie. Si elle s'était réveillée trois minutes plus tard, c'était cuit !

Elle se relève en s'encourageant d'une grimace, puis elle songe à s'habiller. Sa chemise de nuit ou de jour ? La poignée de la porte tourne lentement, puis la porte s'entrebâille et la tête de Bastien se glisse dans l'ouverture. Apercevant Flavie plantée debout près du lit, nue comme à son premier jour, il fait un sourire béat. Elle lui répond de même ; il se glisse dans la pièce, refermant soigneusement derrière lui.

– Comment tu vas, ce matin ?

– Comme un charme. Et toi, mon ange ?

– J'avais peur de… d'avoir fabulé, dit-il en venant jusqu'à elle.

– À ta place, j'aurais honte, douter ainsi de ton chat sauvage !

– Moque-toi, cruelle ! Moque-toi de ton pauvre mari…

Il l'enlace tendrement, et elle s'appuie de tout son corps contre lui. Elle reste le regard dans le vague, puis elle se secoue pour dire pensivement :

– J'ai repris mes sens. Avant, je crois que… j'étais revenue à moitié seulement. Je me retenais pour ne pas fuir de l'autre côté de la ligne… C'est toi qui me retenais.

– Encore heureux…

Tous deux restent ainsi un long moment, sans parler, puis elle glisse une main sous son pantalon, dans le bas de son dos. Il tressaille et grommelle indistinctement, puis sa main à lui suit la courbe de son ventre, de bas en haut jusqu'aux seins qui profitent de cet appui temporaire pour s'étaler sans vergogne. Il insinue sa main dans la suggestive moiteur de ce repli de chairs, et Flavie murmure :

– Le temps nous est compté... Tu viens te coucher quelques minutes ?

– Ce serait indécent...

La bouche déjà entrouverte, elle va l'embrasser. De la main, elle tâte son devant dont la saillie lui prouve que, comme elle, il a une toute-puissante envie de luxure. Une brusque émotion la saisit, le goût de rire et de sangloter tout à la fois, qu'elle laisse s'évaporer en s'abandonnant au baiser lascif. Enfin, elle chuchote :

– Je veux te dire encore à quel point je t'aime...

Pour toute réponse, il la fait reculer jusqu'au pied du lit où tous deux se laissent tomber. Il l'embrasse et la lèche partout, des orteils aux oreilles, puis il revient s'attarder aux mamelons dressés. Encore une fois, elle s'émerveille de l'attrait irrésistible que ressentent les hommes, du moins ceux qu'elle a connus, pour la poitrine féminine. Comme la nature est adorablement ordonnée ! Et comme elle a envie d'être chevauchée, non pas comme à l'accoutumée, mais de cette façon un peu perverse qu'ils osent de temps à autre...

Elle se dégage, se coule en bas du lit et s'installe à quatre pattes, écartant largement les jambes. Il se place à genoux derrière elle, puis la saisit aux hanches pour, après quelques tâtonnements, l'empaler sur lui. Elle se redresse à moitié, comme si elle voulait s'asseoir à califourchon sur ses cuisses, et elle imprime le rythme tandis que les mains de Bastien pétrissent le devant de son corps. Enfin, elle se laisse aller de nouveau vers l'avant, affalant le haut de son torse sur les fraîches lattes de bois. Tout en s'arc-boutant sur son bras, il suit son mouvement. Elle jouit intensément de la pression de son abdomen sur ses fesses, du frottement accru de son membre en elle, de cette copulation au parfum de sauvagerie, comme les animaux en rut…

Elle constate qu'il est en train de se laisser emporter, alors elle glisse sa main jusqu'à son bouton de plaisir. Quelques pressions suffisent pour la faire se pâmer, non pas avec la fougue de cette nuit, mais comme si une vaguelette faisait frissonner nerfs et fluides… De son côté, Bastien enfonce ses doigts dans sa chair pour imprimer quelques ultimes coups de boutoir qui la font grimacer de douleur, puis il inspire brusquement et se laisse secouer par un tremblement de terre qui lui tire des gémissements contenus.

Dès qu'il s'apaise, elle se redresse et s'installe assise sur lui, soutenue par ses bras qui la ceignent. Ils restent ainsi, en silence, prenant conscience des bruits habituels : Lucie qui nettoie tout en bavardant avec Léonie, mais surtout, rumeurs de la rue, éclats de voix, hennissements des chevaux, aboiements des chiens… L'estomac de Flavie gargouille et une vague crampe vient confirmer son appétit. Elle se libère de Bastien, qui en profite pour déplier ses jambes et pour s'adosser aux montants du lit. Incapable de s'éloigner de lui, elle se cale entre ses cuisses et se laisse aller contre son torse, la tête sur son épaule. Il grommelle, sarcastique :

– Si je racontais ça à mes collègues, ils me prendraient pour un timbré… Pour eux, une épouse perd tout intérêt dès le cinquième mois de grossesse ! Alors, imagine, une bourgeoise sur le point d'accoucher, à quatre pattes par terre…

– Ce sont des goujats, murmure-t-elle paresseusement. Et puis, je ne suis pas une bourgeoise. Je suis juste une Flavie fièrement ramollie.

– Ramollie ? Tu veux dire que je te fais perdre la tête ?

– Je passerais la journée à te donner du plaisir.

– Fichtre… De voir tes yeux qui brillent, de pouvoir te voler un bec, c'est déjà beaucoup.

Il ajoute, avec une moue comique :

– En tout cas, à nous deux, on en produit du liquide ! C'est tout trempé sous toi…

Flavie ne réagit pas, attentive à la légère crampe qui, de nouveau, la traverse. Enfin, elle se résigne à le délester de son poids en se mettant sur ses genoux. Aussitôt, elle est chatouillée par quelque chose qui glisse à l'intérieur, vers la sortie de son vagin. Instinctivement, elle contracte ses muscles. Si elle est habituée aux rejets aqueux après les étreintes pendant lesquelles la semence de Bastien a été émise librement, elle s'étonne de la quantité inhabituelle.

S'appuyant sur le lit, elle se met debout et, aussitôt, du liquide coule le long de sa cuisse. Elle redresse le torse et un bruit sec la surprend ; reculant d'un pas, elle voit au sol une petite flaque transparente. Elle échange un regard avec Bastien, toujours assis par terre. De nouveau, elle sent un glissement dans son conduit, puis quelques larges gouttes s'écrasent sur le plancher. Il s'exclame :

– Bistouri à ressort ! Il mouille !

– La poche des eaux, bredouille-t-elle.

Il fait une grimace, puis il avance, tout déconfit :

– Tu crois que c'est moi qui… ?

Flavie pouffe de rire, ce qui fait gicler de nouvelles gouttes. Elle sait que c'est impossible, que l'extrémité du membre mâle est si douce et si ronde qu'elle n'écraserait même pas un maringouin, mais elle ne peut s'empêcher d'imaginer le gland recouvert d'un engin barbare en métal, hérissé de pics… Son hilarité augmente à tel point qu'elle revient en toute hâte vers Bastien, pour s'appuyer sur son épaule. Mortifié, il grommelle :

– Vas-tu cesser ? On pourrait te suivre à la trace !

Flavie est secouée d'un tel fou rire qu'elle en tressaute de tout le corps. Elle répugne à s'asseoir sur le lit, mais elle n'a pas le choix tellement elle craint de tomber ! Dès qu'elle le délivre, Bastien saute sur ses pieds et s'empresse d'approcher une chaise sur laquelle il l'encourage à prendre place. Cela fait, elle se crispe, perdant du coup toute envie de se gausser : une brutale contraction la transperce et la fait haleter. Bastien s'accroupit devant elle pour la soutenir du regard. Dès qu'elle se détend, il se précipite pour quérir sa chemise de nuit et l'aider à l'enfiler. Enfin, il se rhabille sommairement. Il n'a pas le temps de boutonner son pantalon que Flavie se cambre de nouveau et il doit lui consacrer toute son attention.

– Plutôt rapprochées, marmonne-t-il enfin. La douleur ?

– Assez vive. Plus qu'hier. J'ai très soif, Bastien.

– Ça s'en vient. Ta mère devait partir. J'espère que…

Il ouvre la porte de la chambre à la volée, puis il appelle Léonie à pleins poumons. Elle grimpe aussitôt à l'étage, un châle léger sur ses épaules, le bonnet dénoué sur la tête. Dès que Flavie a bu tout son content, ils font le bilan de la situation : elle a perdu, lentement mais sûrement, une bonne partie du liquide de l'amnios. Donc, la poche ne doit être que fissurée. Cependant, les contractions sont puissantes et rapprochées, ce qui augure une délivrance rapide.

Laissant sa fille sous les soins de Bastien, Léonie ressort pour se préparer. Le jeune médecin couvre les épaules de Flavie d'un châle, puis à sa demande il ouvre tout grand le battant de la fenêtre. Il pleut, une averse chaude et obstinée qui emplit la pièce d'une odeur suave d'humidité. Enfin, il va quérir une chaise dans une autre pièce, puis il s'assoit très près d'elle.

Après avoir frappé quelques coups, Lucie entre, un chiffon à la main. L'air fort intimidée, elle entreprend d'essuyer le plancher. Lorsque Flavie se met à gémir doucement, elle lui jette un regard farouche et apeuré. Dès que possible, Bastien la rassure d'un sourire :

– Tout va bien. Dans quelques heures, vous serez encombrée d'un nourrisson…

Il se trouble, luttant pour garder son calme. Flavie agrippe sa main, qu'elle serre très fort. Elle se sent incroyablement sereine. Nulle trace des angoisses qui la tenaillaient pendant la gestation ; elle est intimement persuadée de mener cette délivrance à bon port. Elle n'a qu'à s'abandonner. S'ouvrir ! Songeant à son effroi de la veille au soir, ainsi qu'à sa résolution d'accoucher seule, elle est prise de sueurs froides. Elle l'a échappé belle ! Peut-être aurait-elle réussi, mais au prix de quelle souffrance muette, de quelle solitude abjecte ? Elle n'en revient pas encore d'avoir sérieusement considéré cette possibilité. En elle, il y a quelques sombres recoins qu'elle devra explorer de fond en comble…

De toute évidence, le col de la matrice de Flavie se dilate à fringante allure. Elle aurait préféré une randonnée plus tranquille et surtout moins souffrante, mais elle n'y peut rien ! Les vagues de contractions se succèdent, et voyant sa fille accueillir cette douleur envahissante avec une agitation croissante, Léonie propose à Bastien de prendre place sur une chaise profonde, afin de tenir Flavie contre lui, bien serrée dans ses bras. Ainsi, elle n'aura même pas besoin de se déplacer pour l'expulsion qui, assure-t-elle, est imminente !

Cette position réconforte grandement Flavie, qui peut se laisser aller de tout son poids et fermer les yeux. Bastien lui murmure des mots tendres à l'oreille qu'elle entend à moitié, mais qui l'émeuvent. Rassérénée par cet ancrage solide, libérée du plus gros de sa peur de perdre pied sous la puissance souveraine des contractions, elle tâche de ne pas se rebeller contre ce coup d'épée dans les entrailles qui, à coup sûr, va bientôt être chose du passé. Bientôt, très bientôt…

Pendant ce temps, Léonie installe le nécessaire à leurs pieds. Lorsqu'elle commence à souffrir du dos, Flavie veut se lever pour se dérouiller les membres, mais un tel poids lui encombre le bas-ventre qu'elle se rassoit hâtivement. Léonie s'accroupit pour un examen visuel accompagné de palpations du ventre. Elle finit par marmonner, pince-sans-rire :

– Crée fauvette ! Je n'ai plus à te convaincre de la valeur des remèdes de bonne femme... pour remettre une délivrance en branle, je veux dire...

Devant cette allusion explicite aux jeux amoureux, Flavie ne peut retenir un sourire leste. Bastien pousse un grognement d'incompréhension, ce qui la met dans une telle joie qu'elle éclate d'un rire en cascade. Un bruit sourd d'explosion se fait entendre, aussitôt suivi d'un jaillissement de liquide amniotique qui éclabousse le tablier de Léonie. Abasourdie, Flavie contemple la scène sans comprendre, puis elle se confond en excuses enjouées. Les mots s'étranglent dans sa gorge ; une telle douleur la cisaille qu'elle ahane et se cambre à outrance. Elle agrippe les mains de Bastien posées sur le haut de sa bedaine, les serrant à s'en faire blanchir les jointures.

En moins de deux heures, la dilatation est complétée, et Flavie pousse pour la première fois. En fait, théorise-t-elle à voix haute pendant le bref moment de lucidité qui suit, c'est sa matrice qui agit de son propre chef ! Elle constate de même que la douleur, légèrement moins aiguë, est plus supportable. Néanmoins, le répit qu'elle espérait est de courte durée. L'effort souverain d'expulsion, combiné à l'élargissement progressif de son vagin, mobilise ses ressources au grand complet. Elle ne peut s'empêcher de grincer, de criailler, de rugir !

Comme il s'agit de son premier accouchement, la voie n'est pas encore balisée ; c'est donc avec une lenteur décourageante que l'enfant se fraye un chemin. Il semble avancer d'un pas pour reculer de deux... Léonie s'empresse de réconforter sa fille éprouvée. Cette allure de tortue est idéale pour ne pas malmener les fragiles organes ! Brusquement, Flavie ressent une étrange sensation, qu'elle attribue à la vulve qui commence à se dilater, ce qui lui donne un regain de courage.

Il faut plus d'une heure et presque deux dizaines de poussées pour que la tête du fœtus émerge à la sortie, maintenant béante, d'où irradie une douleur cuisante, comme une coupure. Même si Léonie lui enjoint de prendre son temps, Flavie a diablement hâte d'éjecter cette masse solide qui risque, elle en est persuadée, de faire éclater ses organes génitaux tellement elle les distend et les compresse ! S'aiguillonnant au moyen d'un long cri plaintif, elle se recroqueville au-dessus de son ventre en bandant tous ses muscles. Léonie s'écrie :

– La tête est boutée dehors !

Flavie laisse échapper une exclamation soulagée, mélange de gémissement et de gloussement. Exténuée, elle relâche la tension. Déposant sa tête sur l'épaule de Bastien, elle ferme les yeux. Elle a l'impression d'avoir parcouru des lieues dans une carriole brimbalée par une violente tempête de neige. Il lui faut reprendre son souffle après la tourmente, retrouver sa dimension normale, se rappeler qu'elle n'est pas uniquement une matrice en furie !

Bastien inspire brusquement, et elle se redresse. Dans les mains de sa grand-mère, un bébé tout maculé ouvre et referme ses poings minuscules, l'expression concentrée, les bras repliés contre sa poitrine... Le cœur de Flavie fait un bond prodigieux. Sa fille, sa magnifique fille ! Elle tend les bras, mais Léonie prend un bref moment pour s'assurer que sa gorge est libre d'obstacles. La toute première inspiration de la nouveau-née est vigoureuse et bruyante !

Émue, Léonie vient placer sa petite-fille sur la poitrine de sa mère. Tout réjoui, Bastien met la main sur la tête couverte d'un sombre duvet. Flavie contemple le petit visage... et au même moment, la petiote ouvre de grands yeux étonnés. Mère et fille se fixent gravement, amoureusement. Ce moment de grâce n'est que fugitif ; bébé plisse le nez, fronce les sourcils et lance un vagissement vers le ciel. Flavie presse sa fille contre elle en lui chuchotant des mots doux, et elle s'apaise aussitôt.

Cependant, les trois praticiens ne peuvent faire autrement que de remarquer sa respiration sifflante. Manifestement, ses voies respiratoires sont encombrées de sécrétions! Flavie fronce les sourcils et se tourne à moitié vers Bastien, qui murmure:

– Ce n'est pas grave. Ça arrive de temps en temps, tu le sais… De l'eau ou un autre liquide, dont elle mettra quelques jours à se débarrasser…

– Nous la surveillerons attentivement, la rassure Léonie à son tour, mais selon mon expérience un bébé en bonne santé n'en pâtit aucunement.

Flavie reporte son attention sur sa fille, et pendant quelques minutes, comme Bastien, elle se concentre sur le mouvement de l'air jusqu'aux poumons tout neufs. À part le bruit dérangeant, tout semble normal: son torse bombe bellement et selon un rythme parfait… Elle sent un tiraillement dans ses entrailles, de même qu'un léger spasme tandis que sa matrice se contracte en expulsant peu à peu l'arrière-faix. Proprement, Léonie coupe le cordon à quelques pouces du futur nombril, puis elle le ligature.

Derrière Flavie, Bastien s'agite:

– J'ai des crampes dans les jambes… les boutons de ma chemise imprimés sur la peau…

Il réussit à se lever en se contorsionnant. Il fait quelques pas en grimaçant, puis il va se poster devant la fenêtre, les mains derrière le dos. Flavie devine qu'il a besoin, lui aussi, de se retrouver… Tout ce temps, il lui a été entièrement dévoué, il s'est oublié pour ne vivre que pour elle! Léonie se penche au-dessus de Flavie pour tripoter la nouveau-née des pieds à la tête, faisant jouer ses articulations, passant sa main partout. Enfin, elle la couvre d'une couverture chaude.

Avec un bruit mat, l'arrière-faix tombe sur le sol, accompagné d'une bonne quantité d'un liquide brunâtre. Flavie se laisse aller contre le dossier de la chaise, qu'elle commence à trouver extrêmement dure. Elle se sent molle comme une poupée de chiffon, rompue comme si elle s'était livrée à une séance de pugilat avec un colosse ! Elle rouspète distinctement :

– Pour la sensation de légèreté, il faudra repasser !

Maintenant installée à ses pieds, Léonie rit de bon cœur.

– Je me souviens... On a mal partout pendant deux jours... Mon gendre, accourez !

Le jeune médecin obéit. Léonie prend la fillette emmitouflée et la dépose d'autorité dans ses bras. Avant que Flavie puisse s'allonger, il faut mettre des guenilles épaisses entre ses jambes flageolantes. Enfin, elle grimpe sur sa couche et s'y étend avec un contentement souverain. Seuls les bijoux de la Couronne placés à portée de main pourraient la faire mouvoir. Et encore ! On frappe discrètement à la porte. Léonie crie, enjouée :

– Entrez, Lucie ! Et laissez ouvert !

Empourprée, la domestique fait un pas timide dans la pièce. Elle parcourt la scène du regard, et son visage s'éclaire considérablement. S'adressant à Bastien, elle dit :

– Monsieur, une visite pour vous, en bas.

– Zut de zut !

Il donne un baiser empreint de ferveur sur la joue de sa fille, ce qui lui laisse une tache sur le coin de la bouche, puis il remet le petit paquet à Lucie avant de sortir en toute hâte. Émue, cette dernière contemple béatement ce cadeau du ciel. Flavie a peur qu'elle ne l'échappe, ce qui est absurde, mais elle ne peut s'empêcher de lui commander de venir s'asseoir à côté d'elle, sur le lit. Toutes deux s'extasient pendant quelques minutes sur la peau si douce, la ligne élégante des sourcils, l'ourlet fin de la lèvre...

Tout ce temps, la petiote reste stoïque, mais soudain, elle est emportée par un immense et comique bâillement. Léonie déclare qu'il faut la laver de suite, et les deux femmes partent en direction du rez-de-chaussée. Ce qui ennuie Flavie : elle n'aime pas voir s'éloigner sa fille toute neuve et si fragile… Quelques minutes plus tard, Bastien revient. Les yeux brillants, l'expression émue, il annonce avec difficulté :

– Elle est parfaite. Je l'ai vue en entier…

Incapable d'en dire davantage, il vient s'asseoir tout près pour lui étreindre la main et la couver d'un regard reconnaissant. Flavie répond par une légère grimace. Il n'a pas à la remercier. Tout cela est dans l'ordre des choses ! Tout de même, sa gratitude lui fait un petit velours…

– J'en ai senti des choses dans ton corps, pendant que je te ceinturais… Je ne verrai plus jamais les parturientes du même œil.

Il vient poser sa joue contre la sienne, puis il glisse jusqu'à sa bouche qu'il effleure de ses lèvres.

– Je dois te laisser. Quelques patients à voir… Et Catherine qui m'attend en bas pour régler certaines affaires…

– Plus tard cette après-dînée, si elle veut monter, ça me ferait plaisir.

Au moment où il se redresse, un vagissement leur parvient d'en bas. Flavie sent ses entrailles se nouer et ses seins fourmiller d'une étrange chaleur. Elle bredouille :

– Je veux ma petite…

– Elles ont presque fini. Espère-la…

Il saute du lit, se change en silence, puis disparaît. Flavie se laisse emporter par une vague d'indolence jusqu'à ce que Léonie vienne déposer entre ses bras sa fille, toute rouge d'avoir pleuré. Elle murmure :

– Entrebâille ta chemise. Place-la contre ton sein. Rien de plus réconfortant…

De fait, la petiote s'apaise et se met à chercher le mamelon. Émerveillée, Flavie la guide, et bientôt, elle tète avidement, les paupières closes. La jeune mère se cale contre les oreillers. Elle se sent à la fois comblée et drainée, enchantée et lessivée, et surtout, les émotions sur la corde raide, risquant de basculer d'un côté comme de l'autre! Il lui faut impérativement une bonne dose de repos... Toutefois, la respiration râpeuse de sa fille l'empêche de se détendre, et une demi-heure plus tard, elle se résout à lancer un appel à l'aide.

C'est Catherine qui fait son entrée et qui, après quelques minutes de jasette, repart avec la petiote ensommeillée dans ses bras. Flavie est plutôt mécontente de devoir s'en séparer, même si elle a une entière confiance dans les dames qui l'entourent! Au cours des heures qui suivent, jusqu'à ce que Lucie revienne replacer la fillette agitée tout contre sa peau, elle glisse dans une belle période de somnolence.

De nouveau, Flavie lui donne à boire, tout en réclamant un en-cas. Lorsque la servante monte un plateau, Geoffroy se cache dans ses jupes; Flavie l'invite à venir s'asseoir sur le lit, et tous deux devisent pendant une dizaine de minutes. Enfin, elle chasse tout le monde, sauf son petit paquet précieux qu'elle garde au creux du lit. Il lui semble que, déjà, sa respiration est moins bruyante...

L'heure du souper approche à grands pas lorsque Bastien vient s'allonger à leurs côtés. Bien réveillée, Flavie offre un large sourire à son mari. Il dépose sa tête sur son bras et il observe longuement le bébé endormi. Son visage a perdu son aspect boursouflé: elle est mignonne comme tout! Il place son doigt sur sa paume, et automatiquement, elle referme sa main. Ravi, il lance une œillade à Flavie, dont la gorge se serre de bonheur.

Insensiblement, le jeune médecin tombe endormi, toujours relié à sa fille, et Flavie en profite pour repasser dans sa tête toutes les étapes de la preste délivrance. L'acuité de ses souffrances commence à s'estomper, et elle s'émerveille de leur amplitude toute relative, compte tenu du chambardement puissant qu'elles accompagnent. Une malédiction divine, les douleurs de l'enfantement? Vraiment, les dévots font flèche de tout bois…

Après un long soupir, Bastien ouvre les yeux. Aussitôt, Flavie dit paresseusement:

– Quand j'étais petite, ma poupée préférée s'appelait Brigitte. En fait, c'était Bridget, parce que ça faisait plus chic, mais je m'en voudrais de l'encombrer d'un tel prénom…

Il faut de longues secondes à Bastien, le temps de s'étirer de tout son long, pour réagir.

– Brigitte? Plutôt joli… Mais c'est de la vente sous pression que tu fais!

– Tu as une autre suggestion?

Il secoue piteusement la tête.

– Les prénoms de mes aïeules sont ampoulés au possible.

Il se redresse, puis il caresse fugacement la joue de sa fille.

– Longue vie, petite Brigitte de mon cœur…

Enfin, il croise le regard de Flavie. Comme elle, il lutte pour ne pas s'attacher trop solidement à la petiote, mais il est bien près de déclarer forfait… Tant d'enfants meurent pendant leurs premières années de vie! Il murmure:

– Elle sera baptisée demain. Mes parents ont très hâte de la voir…

– Il faut que ce soit très court. Jure-le-moi.

– Le curé expédie le tout en cinq minutes.

– Oui, mais il y a souvent des queues devant les fonts!

– Ne crains rien. Je sais que c'est près de toi, dans ta chaleur, qu'elle est le mieux.

Réduite au silence, Flavie se laisse aller contre les oreillers. Ce qu'elle est impressionnable! Elle en tremble presque…

D'un ton neutre, Bastien fait une remarque sur l'aisance nouvelle dans la respiration de leur fille, et tous deux se retrouvent à gloser comme les praticiens expérimentés qu'ils sont. La conversation se transporte ensuite sur le terrain de la pratique de Bastien et de son associée. Flavie a un sacré retard dans les nouvelles, et c'est avec une avidité contrite qu'elle écoute son mari lui raconter les faits notables des dernières semaines.

Pour des raisons pratiques évidentes, le jeune médecin s'installe une couche de fortune dans la chambre de Geoffroy. Flavie passe une nuit entrecoupée par les tétées, par les changements de langes et de guenilles, et surtout par l'agitation de sa fille qui n'aime rien tant que d'être peau contre peau avec sa mère. Dès l'aube, Léonie s'installe avec elle dans la berçante, ce qui donne à Flavie un repos bien mérité.

Cette dernière est réveillée par des vagissements sonores. Désorientée, elle met quelques secondes à en déterminer la provenance. De l'autre côté de la cloison, Brigitte proteste à pleins poumons! Le sang de Flavie ne fait qu'un tour et, se laissant glisser en bas du lit, elle quitte sa chambre pour pénétrer dans celle de sa mère, où Léonie et Lucie sont en train de préparer la nouveau-née pour le baptême, lui passant la délicate robe blanche que Bastien et sa sœur ont portée. Perché sur le lit, Geoffroy s'amuse grandement du spectacle.

D'une voix claire, Flavie lance à la cantonade:

– Ma toute petite, ce que tu es fâchée!

Brigitte cesse de pleurer tout net et tourne la tête dans sa direction. Avec saisissement, Flavie réalise que sa fille a reconnu le son de sa voix! Subjuguée, elle va placer son doigt dans sa main, qui se referme avec vigueur. Léonie grommelle, d'un ton qui masque son attendrissement:

– Par la juifresse! Cette demoiselle est loin d'être sotte... Flavie, retourne te coucher!

– Quand vous aurez fini, répond-elle d'une voix éraillée.

Ce n'est pas la fatigue qui lui serre la gorge, mais un vif émoi. Désormais, entre sa fille et elle, c'est à la vie, à la mort. Flavie n'aurait jamais pu l'envisager, mais après avoir passé neuf mois dans son ventre, Brigitte pourrait identifier sa génitrice entre cent mille femmes ! Ce n'était pas un fœtus sourd et aveugle qu'elle portait, mais un être sensible, aux aguets, qui faisait corps avec celle qui le nourrissait ! Quelle merveille... Et quelle tristesse lorsque ce lien vital doit être rompu brutalement, comme cela arrive trop souvent en ce Canada aux mœurs cruelles !

Chapitre XXXI

Le surlendemain de la naissance de Brigitte, à l'aube, Léonie entre dans la chambre de sa fille sur la pointe des pieds et, sans un mot, elle lui vole la petiote qui commençait à s'agiter. Après l'avoir chaudement emmitouflée, elle descend dans la cuisine fraîche et s'installe dans la berçante où, vaincue par le fringant bercement, sa petite-fille sombre peu à peu dans ce sommeil des nourrissons, si profond qu'un tir de canon faillirait presque à les réveiller !

Léonie se coule dans la béatitude d'avoir un bébé endormi contre soi, un bonheur dont il ne faut, sous aucun prétexte, priver les grands-parents... Elle en profite pour méditer sur le cours des récents événements, et surtout pour s'épater du changement dans l'attitude de Flavie. L'atmosphère qui règne dans leur foyer s'est modifiée du tout au tout ! La vie y triomphe, regain qui ragaillardit tous les membres de la maisonnée. Ce moment d'intimité avec sa petite-fille est d'autant plus précieux à Léonie qu'il est moins fréquent qu'elle ne le souhaiterait. Son travail à la Société compatissante requiert qu'elle y passe plusieurs journées par semaine, et cela hormis les cas difficiles !

En l'espace de quelques jours, cette vigile collective devient un véritable rituel. À son tour, Lucie descend pour rallumer le feu dans le poêle éteint. Depuis que Bastien s'est installé avec lui, Geoffroy préfère rester couché, attendant sagement que son père ouvre un œil... Lorsqu'elle finit par avoir des fourmis dans les jambes, Léonie propose à la servante de prendre sa place. Toute pâle d'émotion, la jeune femme met Brigitte à l'abri de ses bras, la contemplant comme un trésor inestimable. Enfin, peu après, c'est le jeune médecin qui se pointe en compagnie de son fils et qui réclame sa fille toujours endormie.

Ce n'est que lorsqu'il l'a cajolée tout son content qu'il cesse de faire la sourde oreille aux demandes incessantes de Geoffroy. Le garçonnet s'assoit dans la berçante, Lucie place un coussin sur ses genoux, et Bastien y cale le bébé. Sans se lasser, il contemple le petit visage, s'amusant des changements d'expression. Patiemment, il attend qu'elle daigne se réveiller, événement qui le met en joie! Lorsque Brigitte finit par prendre conscience des gargouillements impérieux de son estomac, elle est prestement lavée et langée; c'est Bastien qui la rapporte à sa mère, qui a ainsi pu bénéficier de deux heures d'un calme souverain.

Un soir, le jeune médecin profite d'une rencontre impromptue avec Léonie, sur le seuil de leur logis, pour l'informer à mi-voix du tout dernier développement concernant l'affaire Monique Guimon, qu'il a appris grâce à la patiente enquête de son ami Philippe auprès des domestiques des Cibert. La veille au matin, la servante est venue déposer le cadavre de son enfant sur le perron de la maison du couple, sans se cacher le moins du monde, puis elle a tourné les talons pour se rendre chez les Sœurs de Miséricorde, afin d'être admise comme pénitente.

Léonie et son gendre échangent un regard attristé. Une si vilaine affaire ne pouvait guère se conclure autrement! Bastien a chargé Catherine d'aller visiter la pauvre femme et de lui remettre la somme, qu'elle a acceptée comme un cadeau du ciel, comme une dot aussitôt donnée aux religieuses, et qui lui évitera d'avoir à travailler d'arrache-pied pour mériter le gîte et le couvert. Pour Bastien et sa belle-mère, cette consolation est augmentée d'une deuxième : toute la ville est maintenant au courant des mauvais traitements que Louis Cibert a réservés à la mère de son bâtard !

Trois jours plus tard, à la Société compatissante, Léonie reçoit la visite d'un vicaire, qui explique, très vaguement, que la paroisse a reçu des plaintes d'immoralité concernant le refuge. Il refuse d'en dire davantage, et elle se résout à lui faire voir les lieux. La tournée faite, il demande de rester seul en compagnie des cinq patientes, ce à quoi elle consent aussitôt. Enfin, il lui pose quelques questions très générales sur le fonctionnement administratif et sur le rôle qui est dévolu au confesseur, puis il prend congé.

Inquiète, Léonie s'empresse d'en informer la présidente, qui se perd en conjectures au sujet des raisons de cette démarche. Elles conviennent qu'il serait sage de mettre tout le conseil au courant, et surtout de demander à Marie-Thérèse Jorand, qui a ses entrées au presbytère, d'ouvrir toutes grandes ses oreilles ! En son for intérieur, Léonie ne peut s'empêcher de penser que cette nouvelle donne fait partie d'un ensemble beaucoup plus vaste qu'elle a de la misère à saisir, centré sur le tourbillon occasionné par la présence de Jacques Rousselle en ces murs. Se pourrait-il qu'il mijote une vengeance ? Pourtant, tout ce qui nuit à la réputation du refuge nuit forcément à son avancement personnel...

Dès le lendemain, un autre événement inusité jette Léonie dans la plus vive perplexité. Pénétrant dans son bureau, elle a la surprise d'y trouver Françoise plongée dans une intense discussion avec un homme de taille moyenne, dont la silhouette lui est familière. Lorsqu'il se tourne vers elle, elle reconnaît Eugène-Hercule Trudel, le médecin résident de l'hospice Sainte-Pélagie, en principe leur pire ennemi ! Avant que Françoise ne lui demande l'usage exclusif de la pièce pour encore quelques minutes, Léonie a le temps de contempler ses traits poupins, surmontés de sourcils excessivement froncés.

Ce soir-là, en compagnie de sa fille et de son gendre, Léonie conjecture sur tous ces événements. Les jeunes praticiens abondent dans son sens. Il y a du Rousselle là-dessous! Puisque la maîtresse sage-femme a résolu de ne plus jamais rien cacher d'important à Flavie, cette dernière est au courant du trépas du petit Hercule. Bien sûr, la jeune mère encore impressionnable en a frissonné pendant de longues minutes, mais Léonie a jugé qu'il s'agissait d'un moindre mal!

Bastien en profite pour avouer que sa coupe est pleine et qu'il déteste tant son collègue que le jour est proche où il ne pourra même plus supporter sa proximité. Les deux femmes le reconnaissent volontiers: cette situation pourrie est fort malsaine et il faut y mettre un terme! Le nœud du problème, c'est de trouver la manière... Est-ce parce que Flavie est prise tout entière par son rôle accaparant de mère ou bien parce que la crise a été salutaire? À ses yeux, Rousselle ne constitue plus une menace. Elle est totalement libérée de la peur qu'il lui inspirait! Même la grossière rumeur ne lui dicte plus qu'un vague mépris.

Une grosse semaine après sa délivrance, elle n'a pas encore mis le pied dehors, sauf dans la cour arrière, mais elle va et vient tranquillement dans la maison, alternant les tâches simples et les périodes de repos. À part les cernes sous les yeux, qui indiquent un sommeil régulièrement interrompu, son ventre encore distendu est la seule trace visible de sa récente grossesse. Mais c'est un leurre: sa réserve d'énergie, encore dégarnie depuis l'accouchement, est presque entièrement consacrée à l'allaitement, qu'elle n'aurait jamais cru si exigeant!

Il faut dire qu'elle est novice en la matière et qu'elle a tendance à s'en faire outrageusement pour le bien-être de sa fille. Ses seins sont chauds et durs, et si Brigitte tarde à les vider, c'est la congestion assurée! La sensibilité de ses mamelons ajoute à l'inconfort. Comme cela se produit maintes fois, ces derniers doivent s'habituer à la succion fréquente ; en attendant, ils se révèlent assez douloureux, surtout pendant les premières minutes de chaque tétée. Ses aînées ont affirmé à Flavie qu'elle serait à jamais délivrée ce relatif supplice dans une dizaine de jours. N'était la présence rassurante de ces quelques femmes expérimentées, elle se ferait un souci constant.

C'est ainsi que, la bulle de son apathie à peine éclatée, une autre s'est créée, celle d'une relation exclusive, celle d'une animalité de tous les instants ! Elle est devenue mère nourricière et il lui semble que ce rôle très prenant anéantit toutes les autres capacités de son être. Elle sait qu'il ne sert à rien de lutter, et d'ailleurs elle ne pourrait réprimer son instinct de tigresse protectrice envers sa fille chérie, mais il lui tarde d'être délivrée de sa fatigue et de retrouver son ancienne légèreté d'être. La retrouver ? Impossible : elle s'est enfuie à jamais. Désormais, une jeune âme, celle de Brigitte, s'est fusionnée à la sienne…

Par un magnifique lundi de la fin du mois de mai, Léonie est sur le point de franchir le porche de la Société compatissante lorsque se fait entendre le canon de l'île Sainte-Hélène, alors qu'il n'est ni midi, ni six heures du soir. Étonnée, elle tergiverse quelques secondes, avant de céder à l'envie de descendre la rue McGill, comme plusieurs dizaines de citoyens curieux de savoir la raison de cette canonnade à un moment indu. Serait-ce enfin la prise de Sébastopol, cette ville assiégée de Crimée, que l'on célèbre ?

Point du tout, comme le lui apprennent ses voisins accoudés au parapet du port ; il s'agit plutôt du gouverneur militaire du Canada-Uni qui s'embarque au quai de l'île à destination de l'Angleterre, via Boston. Une bien maigre escorte l'accompagne, six policiers montréalais et une douzaine d'employés du commissariat et de l'Ordonnance. Vaguement, Léonie se souvient de l'annonce, par les papiers-nouvelles, du rapatriement par la mère patrie de ce haut gradé, le « dernier général que l'Angleterre nous enverrait peut-être ». Pour son effort de guerre en Orient, elle a besoin de toutes ses troupes ! Il ne reste maintenant qu'une seule compagnie de carabiniers en poste à Montréal.

Après avoir observé le navire s'éloignant du quai, de l'autre côté du chenal, Léonie retrace son chemin vers le refuge. Elle se dit que Simon aurait pavoisé, lui qui rageait tant contre la mainmise des représentants de la mère patrie, le gouverneur en tête, sur les institutions civiles ; dans ce contexte, les soldats de l'armée anglaise étaient autant de pions que les autorités pouvaient jouer contre les aspirations nationales et démocratiques légitimes des Canadiens de souche française ! De plusieurs milliers au tournant des années 1840, la présence militaire anglaise se résume aujourd'hui à quelques centaines.

D'accord, l'élite de ces Britanniques a rehaussé le niveau de la vie culturelle et sociale du Bas-Canada. De plus, les fantassins ont constitué, pendant longtemps, le seul corps organisé pour faire face à la gueusaille et pour prêter main-forte à la population en cas de catastrophe ! Mais cette époque est révolue. La municipalité met sur pied divers services professionnels qui devraient, sous peu, répondre aux besoins d'une cité moderne comme la leur. Oui, Simon aurait été fier de voir la tutelle coloniale s'amenuiser à ce point. Ce que la révolte armée n'a pas réussi, le temps l'accomplit !

Lorsque Léonie fait son entrée à la Société compatissante, elle constate qu'un nombre inhabituel de conseillères s'y trouve. Elle apprend alors que, ce matin même, Jacques Rousselle a demandé une réunion d'urgence de toutes les instances administratives pour l'après-dînée. Il n'a pas voulu en justifier la pertinence, se contentant de prétendre que le moment était venu de donner une impulsion décisive à leur organisme. Croisant Françoise, Léonie voit que cette dernière est de fort mauvaise humeur; à juste titre, elle déteste qu'on organise son temps ainsi, sans savoir de quoi il retourne.

Quelques heures plus tard, les conseillères caquettent dans le salon d'où les patientes ont été gentiment chassées. Émérance Sanspitié, Céleste d'Artien et Priscille Grenelle sont présentes, de même que Marie-Thérèse Jorand, récemment cooptée à la place de Delphine Coallier; seule Marie-Onésime Charbonneau n'a pu répondre à cet appel de dernière minute. La présidente, Marie-Claire, converse benoîtement avec l'une ou l'autre, tandis que la vice-présidente fait grise mine dans un coin.

Puisque les membres du bureau médical ont également été convoqués, Bastien arrive à son tour. Jacques Rousselle se fait attendre, et les suppositions vont bon train jusqu'à ce que la porte du refuge s'ouvre à la volée, ce qui réduit toute l'assemblée au silence. Trente secondes plus tard, une haute silhouette masculine s'encadre dans l'entrée du salon, suivie par Vénérande Rousselle et par deux jeunes femmes intimidées : Théotiste Navré, la jeune accoucheuse, de même que la garde-malade Esther Dechardonnet.

Le médecin lance, à la cantonade :

– Bonne après-midi à toutes. J'ai cru bon inviter ces dames à la réunion. J'espère que vous n'y voyez pas d'inconvénient.

– Si nous en savions l'objet, réplique Françoise avec acidité, nous pourrions en juger.

– Votre patience sera récompensée, croyez-moi.

– Dans ce cas, intervient Marie-Claire, vous voulez bien rester, Léonie ?

L'interpellée hésite un bref moment. Non seulement elle n'a aucunement envie d'une assemblée assommante, mais elle préfère laisser une bonne distance entre elle et l'épouse de feu

Nicolas Rousselle. C'est uniquement par solidarité avec son gendre, qui doit lui aussi se faire violence, qu'elle finit par s'asseoir ! Les arrivantes prennent place vaille que vaille, puis l'attention générale se tourne vers Rousselle. Croisant ses mains derrière son dos, il redresse le menton pour proférer :

– Avant de procéder, il me faut faire entrer quelques témoins, qui attendent dehors, dans un cabriolet.

– Des témoins ! raille Françoise. Vous parlez comme un juriste !

Ignorant le sarcasme, il tourne les talons. Un silence malaisé tombe dans la pièce, et toutes les femmes poireautent stoïquement, de même que Bastien qui, les bras croisés, est absorbé dans ses pensées. Enfin, plusieurs pas se font entendre. Le sulpicien Mathurin Laugier, en chapeau noir et soutane de même couleur, fait une entrée feutrée, suivi du vicaire inquisiteur venu plusieurs jours auparavant. Le couple qui leur succède, Louis Cibert et son épouse, ajoute à la stupéfaction générale.

Marchant sur les talons d'une Suzanne blême, mais à l'expression déterminée, Jacques Rousselle revient enfin. Il installe ses « témoins » le plus commodément possible, c'est-à-dire au centre de la pièce remplie à pleine capacité, puis il promène un long regard circulaire dans le salon, tout en évitant soigneusement de croiser les yeux de Léonie et de Bastien. Cette dernière, sur le qui-vive, fait une mine ébahie à son gendre, qui y répond par une grimace d'ignorance. Rousselle se met à discourir :

– Si j'ose abuser de votre temps, c'est que nous avons à régler aujourd'hui une affaire de la plus haute importance. Une affaire qui traîne depuis trop longtemps et qui empêche cet organisme de se développer selon sa véritable envergure, celle d'un chef de file en matière de soins obstétricaux. Une affaire qui intéresse au plus haut point les chiens de garde des bonnes mœurs, soit l'élite du clergé !

Réfléchissant à toute vitesse, Léonie tente de prévoir le coup. La réputation de Flavie ne peut être en cause ? À moins que Bastien soit celui dont Rousselle veut se débarrasser à tout prix... Mais Laugier aurait-il daigné se déplacer pour si peu ?

– En l'absence de notre évêque, encore retenu en Europe pour de mystérieux mais nobles desseins, j'ai choisi de m'adresser à notre pasteur. Avec moi, il a convenu qu'il était impératif de venir mettre un terme à un abus innommable.

Léonie aperçoit l'expression effarée de Françoise et elle est tout entière secouée par un tourbillon de frayeur. Rousselle n'oserait pas ? Il n'aurait pas ce culot ?

– Cet abus entraîne une série de conséquences funestes. Tout d'abord, il empêche des candidates bien intentionnées et dévouées à la religion catholique de trouver leur place au sein du groupe des dames patronnesses. Ce qui prive notre organisme, vous le réalisez, d'un bataillon précieux d'organisatrices. Même si elles ignorent précisément de quel abus il s'agit, elles ne peuvent faire fi du climat pervers qui règne en ce lieu.

Sous le regard implacable et triomphant de Louis Cibert, Françoise est passée de l'ébahissement à la panique. De son côté, Marie-Claire n'a pas encore saisi de quoi il retourne ; tournant le dos à son amante, elle ne peut voir ses œillades désespérées. Affolée, Léonie tente d'attirer le regard de Suzanne, qui fixe le sol à ses pieds. La fille doit voler au secours de sa mère ! Soudain, Léonie est terrassée par l'évidence. Suzanne est ici pour l'accabler ! Pour prouver sa culpabilité !

– Donc, la Société compatissante est frustrée d'une série d'appuis concrets, lesquels pourraient même se traduire par une augmentation des contributions financières ! Elle est condamnée à végéter, à être privée des meilleurs éléments de notre élite féminine montréalaise !

Léonie chasse son hébétude et se propulse vers l'avant. Fichant son regard dans celui de Mathurin Laugier, elle proteste :

– Monsieur, je demande un arrêt des procédures. Je demande que toutes les personnes autres que la présidente, la vice-présidente, vous et moi-même sortent sur-le-champ !

– Je m'y oppose farouchement, riposte aussitôt Rousselle. Cette affaire est d'intérêt commun !

– Foutaises ! Elle est uniquement privée !

– Tout ce qui constitue un pied de nez à la solidité de nos mœurs catholiques doit être matière à sanction populaire. C'est un attentat à l'ordre public, une menace d'insurrection !

– Mot honni, raille Françoise faiblement, depuis les événements que l'on sait…

Le sulpicien a prestement détourné les yeux. La tête inclinée de côté, il oppose à Léonie un mur de flegme, qui lui fait articuler avec affabilité, l'expression imperturbable :

– Procédez, docteur Rousselle.

– Vous ne me ferez pas accroire que vous considérez monsieur le docteur comme un modèle de vertu ? s'indigne Léonie, tentant désespérément de percer son armure.

Elle sent une présence à ses côtés, et la voix posée de Bastien résonne alors :

– Je me permets d'insister, monsieur le curé. J'ignore de quoi il s'agit, mais si ma belle-mère estime qu'il y a un risque d'offense…

– En matière d'outrage à sa réputation, M. Renaud s'y connaît !

C'est Louis Cibert qui a susurré cette insulte gouailleuse. Nullement démonté, Bastien réplique calmement, comme s'il était en tête-à-tête avec le sulpicien :

– Mon collègue a parfaitement raison, monsieur Laugier. Vous connaissez certainement l'affreuse médisance qui a circulé sur le compte de mon épouse, mais je prends la liberté de vous en rappeler la teneur: le père de l'enfant qu'elle portait, c'était le fondateur de la communauté où elle a séjourné. Bref, elle avait été engrossée par le diable incarné.

– Pauvre fou! le gourmande Rousselle avec irritation. Personne, ici, ne s'intéresse à votre femme!

Dans le silence total, sa voix forte a résonné comme un coup de fusil. Rebutées par sa dureté, plusieurs dames lui jettent des regards réprobateurs.

– La seule raison pour laquelle j'aborde ce sujet, c'est pour rappeler à cette assemblée, et à vous en particulier, que les calomnies de ce type sont extrêmement dangereuses. Ma femme a failli en perdre la raison. Vous le saviez, monsieur Laugier?

– En perdre la raison? s'ébahit Marie-Claire. Vous... vous êtes sérieux, Bastien?

– Tout s'est bien terminé, la rassure Léonie, mais l'alerte a été chaude.

– On ne démolit pas impunément une réputation, surtout celle d'une femme, articule froidement Bastien.

Même s'il tente de maîtriser l'émoi qui, à l'évocation de cette période trouble, l'habite encore, personne ne peut ignorer l'intensité des émotions qui s'agitent en lui.

– Si mon épouse a un caractère hors du commun, elle a également une vive sensibilité, monsieur Rousselle. À force de tripoter cette sensibilité, de la traîner dans la boue, on court le risque de la blesser à jamais! La chose vous a-t-elle jamais passé par l'esprit, collègue?

L'interpellé ouvre de grands yeux dédaigneux. Le ton condescendant, Vénérande se porte à la défense de son fils:

– Pff! Comment une créature qui se livre tout entière au démon pourrait-elle conserver une miette d'humanité? Son âme est plongée dans la noirceur la plus totale!

– Monsieur Renaud, je vous entends parfaitement, intervient soudain Mathurin Laugier. Néanmoins, j'estime que l'affaire dont veut nous entretenir M. Rousselle mérite d'éclater au grand jour. Il ne s'agit pas d'une mesquinerie ni d'une querelle entre esprits indépendants, mais de la conduite obscène de personnes qui occupent des fonctions prestigieuses, conduite qui devrait pourtant être exemplaire. Plus la honte est forte, monsieur Renaud, plus le repentir est sincère.

Pendant cette dernière tirade, Françoise s'est faufilée jusqu'à venir se poster face à Rousselle, et l'attention générale se tourne alors vers elle. Bien campée sur ses jambes, elle l'affronte avec une telle superbe que Léonie en reste pantoise. Dans le maintien de cette femme qui s'apprête à encaisser un terrible soufflet, nulle obséquiosité, ni même un soupçon de frayeur, mais uniquement cet orgueil de bon aloi qui a fait de Françoise ce qu'elle est devenue : une résistante, une rebelle !

– Je vous remets le crachoir, articule-t-elle. Servez-vous-en.

Rousselle en perd momentanément contenance. Hagard, il la considère sans mot dire, et Françoise ne peut retenir un mince sourire en ajoutant :

– Vous voyez ? Nous sommes suspendus à vos lèvres.

– Pardi ! grommelle Émérance Sanspitié. Je n'ai pas que ça à faire, moi !

– Nous sommes venus dénoncer une situation scandaleuse, interjette soudain Louis Cibert. Mon ami Jacques Rousselle m'a fait venir ici pour appuyer ses dires, et je n'ai pas hésité une seconde à collaborer avec lui.

– En matière de scandale, M. Cibert s'y connaît…

La repartie de Bastien suscite des gloussements vite étouffés. Cramoisi, son ancien camarade d'étude jette, avec un semblant de dignité :

– Oui, je n'ai pas hésité une seconde, même s'il s'agit de ma belle-mère !

Cette prise de position fait souffler une bise glaciale dans la pièce. Ce n'est pas avec sympathie, ni même avec curiosité, que les dames toisent l'impertinent, mais avec dégoût! Oser accabler sa belle-mère en public? Quelle outrecuidance! Toutes les conseillères évitent de tourner les yeux vers Marie-Claire qui, avec une extrême lenteur, est en train de se mettre debout. Prestement, Léonie va se placer à ses côtés, tandis que Mathurin Laugier lance à Rousselle, avec agacement:

– Pour l'amour de Dieu, qu'on en finisse!

– La Société compatissante de Montréal est dirigée par deux gouines notoires.

Devant ce mot si injurieux, Léonie grimace sans retenue. Comme au ralenti, Marie-Claire se couvre le visage de ses mains, puis elle vacille sur ses jambes; Léonie s'empresse de lui offrir son soutien. Néanmoins, projetée d'un ton moins péremptoire que Rousselle ne l'aurait souhaité, l'annonce est accueillie par un silence confus. Françoise pivote nonchalamment, pour faire face à ses consœurs plongées dans un mélange d'incompréhension et d'embarras. La tête haute, le regard altier, elle a le maintien d'une souveraine qui ignore les affres du doute et de l'atermoiement. Même s'il n'en est rien, Léonie sait qu'il s'agit de sa meilleure parade!

De sa voix sereine, Françoise laisse tomber:

– Mes chères amies… Je ne serai pas fâchée de pouvoir me montrer au grand jour. La nécessité constante de se dissimuler, vous le savez comme moi, finit par peser lourd… Mais monsieur le docteur est renseigné sur de prétendues flétrissures dont vous ignorez peut-être l'existence. Une flétrissure qui est, pour moi, occasion de bonheur… C'est avec le vil terme de « gouine » que l'on crache sur une réalité: celle de deux femmes qui s'aiment. Qui s'aiment d'amour.

À mesure que les dames de l'assemblée réalisent la signification de l'accusation de Rousselle, elles demeurent pantoises, le souffle coupé. L'expression exaltée de Vénérande Rousselle se transforme en un rictus de mépris :

– Qui s'aiment d'amour ? C'est d'une prétention à faire vomir ! Des femmes ne peuvent avoir ce sentiment l'une pour l'autre ! Ce n'est qu'une basse envie de luxure, qu'un dérèglement des sens provoqué par l'esprit du mal !

– Qu'en savez-vous ? rétorque Françoise en se tournant vers elle. Vous l'avez expérimenté personnellement ?

Cette insinuation la fait pâlir de rage. Françoise la délaisse aussitôt, pour s'adresser de nouveau aux conseillères :

– Mesdames, j'aime une femme. J'ai envie de passer tout mon temps avec elle. Je n'y peux rien. Je crois que je suis née ainsi… Le Créateur m'a rendue gouine, monsieur Laugier, et c'est à lui que vous devriez exiger des comptes, pas à moi.

– Je vous interdis de prononcer de telles paroles impies, réplique le curé à toute vitesse. Des paroles que vous devrez vous faire pardonner au confessionnal !

– Je m'arrange toute seule avec la justice divine. Mais vous avez peut-être raison : vu la manière dont les hommes traitent leurs compagnes, je le serais devenue en deux temps, trois mouvements ! Je suis une âme fière. Je ne peux supporter les leçons arrogantes que ces messieurs infligent constamment aux dames !

– Une abomination de la nature, profère Rousselle d'un ton railleur, que cette personnalité mâle dans un corps de femelle !

– Grossière erreur, objecte-t-elle, sans se retourner. Cet amour-propre se retrouve en chaque être humain. Mais tandis qu'on le flatte outrageusement chez l'homme, on l'écrase sans pitié chez la femme !

– Madame Archambault, je vous prie de cesser…

– Monsieur le curé, je ne vous reconnais aucune autorité sur moi.

Devant cette franche riposte, le sulpicien laisse échapper une exclamation indignée, en chœur avec quelques dames. Posément, Françoise reprend :

– C'est mon procès que l'on fait ici. J'ai le droit de me défendre.

La voix pondérée de Céleste d'Artien s'élève :

– Ce droit, je vous l'accorde amplement, quelle que soit l'opinion dominante. Je vous écoute, Françoise.

– Point du tout ! jette Rousselle avec hargne. Cette furie nous a suffisamment vicié l'esprit avec son discours flagorneur ! Il n'est pas question de défense ou de plaidoirie lorsque le droit divin entre en ligne de compte. Les rapports étroits entre personnes du même sexe doivent être causes d'opprobre. Il est impensable de laisser de telles vipères à la tête de notre organisme ! Comment pourriez-vous accepter de côtoyer ces abominations de la nature pendant une seconde de plus ?

Si deux ou trois dames claironnent leur approbation, les autres restent claquemurées dans un mutisme défiant, empreint de malaise. Outragée par les propos offensants de leur médecin associé, Léonie balbutie :

– Votre haine m'indispose. Je ne la partage aucunement.

S'avançant de nouveau dans l'espace central, Bastien sollicite l'attention de son collègue.

– À quoi rime votre mise en scène ? Cette humiliation publique est malvenue. En quoi était-elle nécessaire ?

À sa place, Françoise répond tranquillement :

– C'est d'abord pour nous débouter, et ensuite pour débarrasser la place de toutes celles qui discutent ses privilèges d'homme de l'art.

– Votre avis, on s'en contrefout, profère Rousselle d'un air mauvais. Pourquoi vous obstinez-vous à nous le garrocher en pleine face ?

– C'est un comportement typique de ce genre d'individus, poursuit la vice-présidente, sans se démonter. Même s'ils prétendent le contraire, ils ont une morne opinion d'eux-mêmes. Donc, ils se sentent obligés de frapper de grands coups, d'exiger une adhésion totale à leurs principes. Rousselle veut une équipe soignante et un conseil à son image. Installer sa mère à la place de notre présidente, par exemple.

Tous les regards convergent vers Vénérande qui, stoïque, en rougit toutefois jusqu'à la racine de ses cheveux.

– Une présidente qui est la deuxième moitié du couple infernal ! rugit soudain Louis Cibert, faisant sursauter tout le monde. Personne n'a encore mentionné son nom, mais je remplis l'office dont je suis chargé : j'accuse Mme Garaut de complicité au premier degré concernant le crime dont Mme Archambault est accusée !

Encore sous le choc, Marie-Claire en titube littéralement. Impétueusement, Marie-Thérèse Jorand s'exclame :

– Vous me voyez choquée, monsieur, de la manière dont vous accablez votre belle-mère. J'aurais préféré que cette révélation soit faite tout autrement !

– J'abonde en ce sens, renchérit Céleste d'Artien, frémissante de colère. J'ai été conviée à mon corps défendant à une mise au pilori !

– Pour ma part, proclame Émérance Sanspitié, je suis ravie d'être au courant de ce fait capital. Je refuse désormais de travailler aux côtés de telles dégénérées !

Balançant entre l'indignation, l'effroi et la répulsion, son visage trahit la valse furieuse de ses émotions.

– Et vous, madame Cibert ? intervient de nouveau Bastien. Quelle est la triste raison de votre présence ?

Jusque-là, Suzanne n'a pas bronché d'un cil, et c'est à contrecœur qu'elle lève les yeux. Tout son sang semble s'être retiré de son visage, mais elle paraît en relative possession de ses moyens. Elle dirige lentement son regard vers Jacques

Rousselle, qui s'est tourné à demi vers elle, et un dialogue muet s'établit entre eux. À vue d'œil, mais subtilement, tout le corps de Suzanne semble se ramollir, comme si elle était en train de se laisser envelopper par une étreinte mâle, et ses traits prennent un air alangui. D'une voix sans timbre, sans quitter Rousselle des yeux, elle chuchote :

– On m'a demandé de... de confirmer le fait que ma mère... ma mère et Françoise Archambault... sont des tribades, des amantes.

Louis Cibert fait une moue prononcée de satisfaction, et le sourire suggestif qu'il échange avec son ami provoque chez Léonie un intense frisson. Ce qu'elle soupçonnait se voit confirmé : Suzanne est au cœur d'un ménage à trois, au caractère nettement plus satanique que la relation dénoncée, mais au sujet duquel personne ne songerait à causer un esclandre ! Les pires abus d'un homme envers une femme pâlissent en comparaison des accusations de saphisme ou de pédérastie, que Dieu réprouve explicitement parce que de telles conduites n'ont pas la procréation comme fin première !

– Maintenant que c'est fait, déclare froidement Bastien, votre présence n'est plus requise, ni celle de votre mari.

– Tu me brises le cœur, gémit soudain Marie-Claire, le visage inondé de larmes. Suzanne, tu viens de m'envoyer une flèche en plein cœur !

Même si elle s'est murée dans l'indifférence, la jeune femme tressaille comme si on l'avait pincée. Rousselle jette à Cibert :

– En effet, il vaudrait mieux déguerpir.

Le couple s'esquive sans demander son reste. Dans le silence désolé qui suit, le seul bruit qui résonne est celui des sanglots déchirants de Marie-Claire, soutenue d'un côté par Léonie et de l'autre par Céleste d'Artien. Avec l'énergie du désespoir, cette dernière s'écrie :

– Cette réunion déplaisante a déjà trop duré ! J'exige que l'on y mette un terme sur-le-champ !

– Je m'en charge, déclare Françoise d'une voix blanche. À titre de vice-présidente, je prends les rênes de l'assemblée.

– Une assemblée que j'ai convoquée, se récrie Rousselle, et que je voudrais bien mener…

– Fermez-vous le clapet ! glapit Céleste, furibonde. Vous avez déjà causé assez de dégâts !

– En plein dans le mille ! se réjouit Léonie, dans un chuchotement allègre adressé à ses voisines.

– Ce qu'on exige de nous, reprend Françoise, c'est une démission en bonne et due forme. Je laisserai la présidente s'exprimer plus tard sur ce point, mais pour ma part, j'abandonne mon poste. Jusqu'ici, j'avais l'impression de contribuer à l'essor de cet organisme, mais dès à présent, il est clair que je ne peux que lui nuire.

– Ce sera une perte, commente Céleste lugubrement. La prospérité de ce refuge vous est attribuable en bonne partie.

– Grâce à mon travail, j'avais réellement l'impression de faire le bien autour de moi. J'en tirais une grande satisfaction. En cela, mesdames, nous sommes bâties pareillement…

Elle interpelle ses consœurs du regard, mais la plupart se dérobent, préférant rester murées dans leur répugnance. Elle pousse un profond soupir de regret, puis elle rassemble ses esprits, pour dire encore :

– Avant de quitter, il me faut remplir ma tâche jusqu'au bout. Je ne comptais pas vous l'annoncer tout de suite, mais les événements m'y obligent. Le conseil a reçu, il y a quelques jours, une lettre officielle de l'École de médecine et de chirurgie.

Comme piqué par une guêpe, Rousselle a un sursaut de tout le corps, aussitôt réprimé. Avec allégresse, Léonie réalise qu'il ignore ce qui lui pend au nez ! D'une voix monocorde,

Françoise déclare que le conseil d'administration de ladite école retire son appui à la Société compatissante. Il place la totalité de ses étudiants chez les Sœurs de Miséricorde, sous la supervision d'Eugène-Hercule Trudel.

Un silence consterné accueille cette annonce, pendant lequel Jacques Rousselle reste interdit. Effaré, Bastien réagit le premier:

– Les étudiants nous quittent? Vous en êtes tout à fait persuadée?

– Le texte ne laisse planer aucune équivoque. Pour plusieurs raisons que vous connaissez aussi bien que moi, l'École de médecine abandonne notre refuge.

Fatigués de courir deux lièvres à la fois et d'éparpiller leurs maigres ressources, ces messieurs du conseil d'administration ont donné le coup de barre qui s'imposait. Léonie serre les dents: leur choix aurait dû s'arrêter sur la Société compatissante, où les compétences professionnelles sont portées à un niveau supérieur! Mais l'influence indue de Trudel, couplée à la bonasserie des religieuses, a fait tomber le couperet. C'est bête à en pleurer. Si, par un concours de circonstances, Trudel s'était intéressé à leur refuge plutôt qu'à l'hospice Sainte-Pélagie, le cours des choses en aurait été complètement différent! Mais il aurait fallu qu'il soit bâti différemment de ses anciens camarades d'étude devenus théologiens, puis évêques…

– C'est de votre faute, espèce d'innocent! rugit Rousselle, tendant un index vengeur vers Bastien. Vous avez commis deux bourdes coup sur coup: entraîner les accoucheuses du refuge avec vous dans l'amphithéâtre de l'École, puis approcher un étudiant de ce compétiteur!

– Seule la suprême arrogance des Rousselle père et fils est en cause, objecte agressivement Françoise. Cette arrogance qui non seulement leur fait croire que tout leur est dû, mais qui les empêche de considérer les dames patronnesses comme des alliées naturelles, comme des sœurs d'armes! Plutôt que de travailler de concert avec nous, vous magouillez!

– Mensonge! tonne le médecin, cramoisi. Si vous aviez cessé de vous rebeller contre mon autorité, rien de tout cela ne serait arrivé! J'aurais fait régner la science entre les murs de ce refuge et nul n'aurait pu contester notre domination! Comme de grotesques mégères, vous avez contrecarré toutes mes entreprises!

Haussant les épaules, Françoise fait volte-face et s'adresse aux conseillères ahuries:

– Là-dessus, je vous tire ma révérence. Que fais-tu, Marie-Claire?

En train de se tamponner les yeux de son mouchoir, l'interpellée fige et reste immobile comme une statue. Enfin, ses bras retombent, révélant un visage défait et une bouche aux lèvres frémissantes. Elle inspire profondément, renifle un bon coup, puis balbutie:

– Je démissionne, bien sûr. Pour les mêmes raisons que toi.

– Moi de même, enchaîne Céleste d'Artien avec aigreur. Je ne peux rester au sein d'un conseil qui tolère des manœuvres aussi indélicates!

– Si Suzanne ne m'avait pas humiliée ainsi... je ne sais pas si j'aurais trouvé le courage... d'une profession de foi envers toi.

Ses traits s'animent d'un rictus désolé, auquel Françoise répond par un sourire à la fois navré et tendre. Ni souffle, ni murmure ne trouent l'atmosphère tendue qui règne dans la pièce. Marie-Claire marque une pause, puis elle reprend:

– J'aurais cru que ma loyauté devait d'abord aller à ma fille. Oui, je l'aurais cru... Mais Suzanne m'a prouvé que je ne compte en rien pour elle. Suzanne n'a plus de mère, et je n'ai plus de fille.

Une moue penaude se dessine sur ses lèvres, d'autant plus touchante qu'elle masque un intense désarroi intérieur.

– Je sais que je vais être damnée à vos yeux, monsieur Laugier. J'en suis réellement peinée. Je trouvais du réconfort dans l'amour de Dieu. Mais comme je trouve un réconfort plus puissant encore dans celui de Françoise... Adieu, monsieur le curé.

Elle marche jusqu'à son amante, glissant sa main dans la sienne. Ainsi liées, toutes deux sortent de la pièce, soutenues par un pesant silence. Sans même un regard en arrière, Céleste d'Artien leur emboîte le pas.

– Bon débarras! se réjouit Vénérande d'un ton revanchard. Vous conviendrez avec moi que ces pommes pourries devaient être envoyées loin de l'arbre! Lorsque la gangrène menace, l'ère des tergiversations est révolue. Pour conserver le patient en vie, il faut couper dans le vif!

– Gardez pour vous ces comparaisons déplacées, jette Bastien avec hargne. Alors, monsieur Laugier? Votre rôle de gardien de la vertu est terminé?

– Je recevrai l'une de ces dames en privé, si le besoin d'un entretien se fait sentir. La réalité qui s'est révélée sous nos yeux peut troubler les âmes naïves...

– Message reçu, l'interrompt Bastien. À la revoyure, curé.

Se drapant dans le prestige de leur fonction, l'homme de robe et son vicaire tournent les talons. Dès qu'ils ont quitté la pièce, un Bastien fébrile se tourne vers Théotiste et Esther qui, serrées l'une contre l'autre, sont restées stoïques dans la tempête, et leur donne sèchement congé à elles aussi. Elles déguerpissent sans demander leur reste! Enfin, il fait face à Rousselle, qui le considère avec une extrême défiance. Un sourire dédaigneux aux lèvres, il articule, appuyant sur chacun des mots:

– L'arroseur a été arrosé, n'est-ce pas, collègue? La victoire n'a-t-elle pas un goût amer de défaite? Je n'avais rien planifié en rendant visite à l'étudiant de Trudel, mais je suis ravi de l'avoir fait. Juste pour le plaisir de vous voir vous enfarger dans une crotte de chien…

– Tas de fumier! Vous êtes un salaud de la pire espèce. Une ordure, une… un…

– Un abcès purulent à exciser, conclut philosophiquement Bastien. Le langage médical, ça me connaît aussi.

Abruptement, il se tourne vers Mme Rousselle et lui susurre d'un ton doucereux:

– Alors, madame? La position de présidente vous intéresse toujours? Pourtant, ce refuge désargenté n'offrira guère de chance d'avancement. Je parie que les trois quarts des messieurs du comité de financement vont claquer la porte.

Vénérande ouvre la bouche pour répondre, mais elle reste sans voix, et elle glisse un regard suppliant vers son fils. Ce dernier lui offre son bras, auquel elle s'accroche comme à une bouée de sauvetage. Avec un surcroît de raideur, Bastien revient à Rousselle, pour émettre brusquement:

– Et vous? Vous tenez toujours à votre poste de médecin associé? Vous avez grandement tort. La Société ne va pas à la cheville de votre ambition. À votre place, je m'expatrierais. À Paris, par exemple. Ici, votre immense talent flétrira comme une rose privée d'eau! Vous hésitez? Pourtant, ça crève les yeux! Tandis que Sainte-Pélagie va croître en vigueur et en beauté, la Société ne sera jamais qu'un avorton. Tandis que Sainte-Pélagie va se tenir à la fine pointe de la science grâce à l'appui des plus grands cerveaux, la Société…

– Fermez-vous la trappe, gronde Rousselle. Arrêtez votre cirque! Je connais aussi bien que vous les conséquences de cette trahison. Je me fais fort de convaincre mes collègues…

– Vous vous prenez pour un monarque, le coupe Bastien avec un intense mépris, alors que vous n'êtes qu'un minable. Ces messieurs de l'École vous éclateront de rire au nez. Comptez-vous chanceux s'ils ne vous dépouillent pas de votre poste de professeur de troisième ordre!

– Professeur de... Salopard!

Hors de lui, Rousselle a un geste de tout le corps vers lui, qu'il réprime cependant. Sous la menace, Bastien n'a pas bronché; après un temps, il recule d'un pas, tout en considérant avec un contentement voilé l'expression maintenant irrésolue de son collègue. La gorge serrée par un vif chagrin causé par les récents départs, Léonie a assisté à la scène comme dans un rêve. Se pourrait-il que le clou ait été solidement enfoncé par Bastien? Si oui, elle lui en sera éternellement reconnaissante. Car elle ne peut envisager de rester maîtresse sage-femme si le conseil est dirigé par cette harpie et si son fils s'accroche à sa charge. Si eux demeurent, elle part à la seconde même!

Fortifiée par cette résolution, elle reprend pied, pour lancer avec dédain à Rousselle:

– Un cirque: vous ne croyez pas si bien dire! Ces messieurs du conseil de l'École de médecine ont dû bien rigoler en vous voyant faire le pitre! Combien vous pariez qu'ils n'ont *jamais* considéré sérieusement la candidature de la Société compatissante? Combien vous pariez que c'est seulement nous, pauvres innocentes, qui avons été leurrées? Nous et la seule autre oreille qui daigne vous écouter, celle de notre saint évêque!

Avec un sursaut, Vénérande retrouve l'usage de la parole:

– Monsieur Laugier s'empressera de lui faire part des nouvelles. Monseigneur sera positivement ravi de cette purge!

– Je m'en balance, riposte aussitôt Léonie. Tout ce qui m'importe présentement, c'est que la Société cesse d'être mise en gage, prise en otage! Dorénavant, j'exige que l'on se retrouve entre nous, sans personne pour nous dicter notre conduite! Ne voyez-vous pas, mesdames? Depuis que Rousselle père a mis le pied ici, il y a une dizaine d'années, les ennuis se sont succédé, les uns après les autres!

– Ne salissez pas la mémoire de mon mari ! glapit son épouse. Votre jugement est honteusement faussé, vu que…

– Que j'ai fréquenté Nicolas pendant une escousse ? Que je l'ai laissé par mésestime ? Ma rancune a duré trois jours. Trois jours, il y a plus de trente ans de cela ! Votre accusation ne tient pas la route. Ce qui est flagrant, par contre, c'est que deux misérables ont tiré parti de leur prétendue ascendance, de la position d'autorité des hommes sur les femmes, uniquement pour leur promotion personnelle. L'un après l'autre, ils se sont servis de nous, avec une insolence grandissante ! Je n'en supporterai pas davantage. Si ce faraud et sa mère ne décanillent pas pour tout de bon, c'est moi qui remets mon tablier, c'est clair ?

Tremblante de rage, Léonie se détourne pour tenter de retrouver son calme. La voix craintive de Marie-Thérèse Jorand s'élève alors :

– À mon sens, cette délibération devrait se poursuivre sans le Dr Rousselle et Mme sa mère, de même que sans Mme l'accoucheuse et le Dr Renaud. Ces gens ne font pas partie du conseil élu.

– À votre guise, jette Léonie, leur faisant face. Mais tenez-vous-le pour dit : j'ai été bonasse trop longtemps ! Pour ne pas nuire au progrès du refuge, j'ai rongé mon frein, j'ai temporisé ! J'ai accepté les tracasseries, le dénigrement, les décisions à l'emporte-pièce et même les actes criminels, parce qu'il y avait le bout de la queue d'une possibilité que monsieur le docteur Rousselle serve à notre avancement !

– Les actes criminels ? répète Priscille Grenelle.

– La gastrotomie, laisse tomber Rousselle avec sarcasme. Mme Montreuil n'a pas digéré ce qu'elle considère comme une gifle à ses prérogatives !

– Je parlais de la falsification des registres.

Léonie sent que l'attention des conseillères se braque sur elle, mais elle ne lâche pas son interlocuteur du regard.

– Expliquez-vous, madame ! s'exclame Émérance Sans-pitié.

– Inutile ! éructe Rousselle. Je donne ma démission. J'ai assez ramé pour le bien commun ! Mais plutôt que de m'en manifester de la reconnaissance, on m'accable avec une épouvantable dureté de cœur !

Avec acrimonie, l'auteur de ses jours renchérit :

– Le Créateur vous en exigera des comptes !

– Ma mère et moi, nous offrions nos services avec bonté d'âme, mais ce cadeau est foulé aux pieds, dans le mépris le plus total !

Et Rousselle se met à claironner à quel point il se sent rudoyé par les « suffisantes » qui composent le conseil. Heureusement, d'autres reconnaîtront la valeur de ce qu'il leur apporte ! Il s'acharne ensuite à rabaisser le Dr Renaud qui saura se contenter d'une médiocre position, laquelle n'a rien pour satisfaire un homme ambitieux, animé par un idéal ! Son fiel enfin projeté à toute volée hors de lui, il sort de la pièce à longues enjambées, Vénérande trottinant derrière lui.

Sidérée par cette finale autant abrupte qu'inespérée, Léonie accroche le regard de son gendre. Après l'avoir gratifiée d'un clin d'œil guilleret, il se tourne vers les conseillères, pour glisser avec un geste d'excuse :

– Désolé pour cette escarmouche un peu… cinglante. Croyez-moi, Rousselle n'est pas un mauvais praticien, loin de là. Disons que… il m'a fallu exagérer un tantinet…

– La falsification des registres ? ânonne Priscille Grenelle, qui n'en revient visiblement pas.

– On vous expliquera en long et en large. Vous comprendrez pourquoi il s'agissait d'une lutte à finir. Ensuite, si vous voulez le réembaucher, libre à vous ! Madame l'accoucheuse et moi, on s'éclipsera…

Une grosse heure plus tard, après une discussion tumultueuse, Léonie et Bastien laissent ces dames délibérer. Même si Émérance a fait preuve d'une singulière mauvaise foi, elle n'a pu influer sur le sentiment de Marie-Thérèse et de Priscille, fort choquées par les preuves qui s'accumulent et qui brossent le portrait d'un Rousselle porté à la goujaterie. Sa totale insensibilité devant le sort de la servante des Cibert, de même que son acte de mystification qui met en péril la réputation d'intégrité du conseil tout entier, ont été la goutte qui a fait déborder le vase !

La sage-femme et le médecin cheminent pensivement dans la tiédeur de cette fin d'après-dînée de printemps. L'évincement de Marie-Claire de l'organisme qu'elle a fondé frappe Léonie de plein fouet et un intense sentiment d'amertume se déploie en elle. Elle a presque envie, par solidarité, de jeter l'éponge ! Devinant le cours de ses pensées, son gendre laisse tomber qu'il en est mieux ainsi, que les deux femmes jouaient à un jeu dangereux. On ne peut braver l'opinion publique tout en se mettant sciemment en avant ! Léonie songe que de même, l'avertissement sied parfaitement à Flavie, et c'est avec une résurgence d'indignation qu'elle rétorque :

– Ah bon ? Et les curés qui entretiennent des maîtresses au su de tous ? Et les évêques qui engendrent des enfants ? Et les bureaucrates qui se placent constamment en conflit d'intérêts ? C'était une engeance dans mon jeune temps, et c'est loin d'être une époque révolue !

Après avoir lancé un bref éclat de rire vers le ciel, le jeune homme saisit la main de sa belle-mère pour la placer sous son bras, d'un geste devenu coutumier.

– En tous les cas, vous et moi, nous entrons dans une nouvelle ère ! N'est-ce pas réjouissant d'être débarrassés de ce malotru et de sa sorcière ?

Léonie esquisse un mince sourire. Allègre, il poursuit :

– Je m'en fous, de l'École de médecine, des clercs et de tout le bataclan. Tant qu'à ne pas recevoir un sou pour mes services, autant que ce soit le moins compliqué possible! Un jour, peut-être, quelqu'un de haut placé reconnaîtra mon expérience. En attendant... nous allons faire notre petite affaire, tous les deux, sans être dérangés par personne. Je vous assure, Léonie, j'en bondirais de joie!

– Faites, cher beau-fils. Je prétendrai que vous m'êtes inconnu...

Cette fois-ci, ils s'esclaffent à l'unisson, de bon cœur, liés par une œillade complice. Léonie se tient coite pour ne pas rabattre la bonne humeur de son gendre, mais elle n'en pense pas moins. Pour lui, c'est une libération; mais pour elle, une défaite. Si leur modeste refuge poursuit son petit bonhomme de chemin, il n'atteindra jamais l'envergure rêvée. Il ne fera guère rayonner ce savoir complexe, à la fois ancien et moderne, qui est l'apanage des accoucheuses! Il végétera dans l'oubli, parce que c'est la condition première de sa survie. Ni étudiants en médecine, ni élèves sages-femmes n'en profiteront plus pour se perfectionner...

Car les conseillères, menées en cela par Émérance, ont été formelles: le cours sur l'art des accouchements est voué à une mort imminente. Marcher dans les plates-bandes des médecins-accoucheurs, cela suffit! Tout ce pour quoi Léonie a lutté s'en va à la débandade. Elle est rabaissée au rang d'une vulgaire matrone, d'une ignorante placée sous les ordres du docteur tout-puissant. Si ce n'est pas ainsi que Bastien la traite, c'est ainsi qu'elle est considérée dans l'esprit du public! Peut-être réussira-t-elle à transmettre ses connaissances à quelques apprenties sages-femmes, peut-être saura-t-elle leur inculquer la fierté du métier... Point à la ligne.

Qui saura comprendre l'ampleur de son deuil? Qui saura compatir réellement, de toute son âme, avec elle? Nul être vivant, elle en a bien peur. Mais Simon, oui... Simon, qui n'est plus qu'un fantôme, qu'un souvenir précieux qu'elle entretient, mais qui est sa seule consolation. La gorge nouée par le chagrin, luttant contre la marée de larmes qui menace de l'engloutir, elle ne peut que s'accrocher au bras solide de son gendre et se laisser emporter vers la douceur de leur logis.

La lumière dorée du soleil couchant envahit la pièce. Brigitte roupille dans les bras de sa mère, une goutte de lait à la commissure des lèvres, et Flavie savoure ce moment de calme, agrémenté du bonheur de sentir ses seins allégés. Installée sur son lit, le dos soutenu par des coussins, elle observe la fenêtre aux battants largement ouverts et dont le très fin rideau de voile ondule sous la brise tiède. Même si l'époque des maringouins et des mouches est à son apogée, leurs moustiquaires flambant neuves constituent une barrière infranchissable. Cette nouveauté plonge Flavie dans l'émerveillement chaque fois qu'elle passe devant l'une d'elles !

Un doigt parcourt la rondeur de son sein, et elle tourne la tête pour considérer Bastien, allongé tout près sur la couche, torse nu puisqu'il fait très chaud. Il suit son propre geste du regard, et de même, elle sourit devant le spectacle de sa peau colorée contre la sienne, si blanche, aux veines bleutées apparentes. Il adore toucher ainsi ces boules de chair, s'étonnant de l'augmentation de volume, de la chaleur qui semble haussée de plusieurs degrés, de la largeur et de la couleur prononcée des aréoles.

Quelques jours plus tôt, alors que la petiote dormait, Flavie a séduit son mari, une première étreinte depuis la délivrance, un mois auparavant. Ç'a été un acte précautionneux pendant lequel tout son être, au physique comme au moral, lui a semblé encore trop chambardé pour qu'elle s'abandonne vraiment, mais elle tenait à reprendre ainsi contact avec Bastien, à lui signifier qu'elle n'était pas seulement une mère obsessive doublée d'une vache à lait.

Tout à l'heure, après que Bastien a fermé son bureau pour la fin de semaine, ils ont profité de la sieste pour s'acoquiner langoureusement. Cette fois-ci, Flavie s'est offerte sans arrière-pensée. Dans son ber placé tout à côté du lit, leur fille rêvait en oscillant ; la porte de leur chambre était soigneusement fermée à clef. Alors que leur parvenait la rumeur de la rue, il a parcouru des mains son corps en entier, pétrissant au passage l'abdomen encore moelleux, puis il s'est penché sur la généreuse poitrine, finissant par déguster quelques gouttes de ce nectar que Brigitte apprécie tant. Surpris du goût riche et sucré, il a fait la grimace, et tous deux se sont esclaffés sans bruit.

Malgré son désir encore vague, Flavie a joui intensément de cette nudité mâle, qui la tirait de la bulle charnelle dans laquelle elle est plongée depuis l'accouchement, pour la faire pénétrer dans une autre, celle de leur passion mutuelle. L'amour déjà puissant qu'elle porte à cet homme se renforce jour après jour devant son affection sans bornes pour sa nouveau-née, sentiment qui rejaillit en abondance sur Geoffroy, ainsi que devant sa tendresse prouvable pour elle, même lorsqu'elle est éreintée ou bourrassière... Ce cadeau du plaisir des sens remplaçait toutes les déclarations qu'elle aurait le goût de lui faire, mais qui sont emportées, avant d'être dites, par l'encombrement des journées.

L'optimisme contagieux du jeune médecin face à son avenir est une autre raison de pavoiser. Comme lui, Flavie estime que la fuite de Rousselle est une bénédiction ; l'horizon vient de s'éclaircir subitement, et le chemin qui s'élance sous leurs yeux, une pratique privée prospère couplée à une charge publique offrant de multiples occasions de perfectionnement, leur paraît rempli de promesses. Sa propre carrière mise en veilleuse pour une période indéterminée, Flavie n'a plus le choix que de s'accrocher à celle de son mari. Heureusement, elle sait qu'elle en tirera, même par procuration, de vives satisfactions professionnelles !

Un jour, dans maintes années, elle reviendra à son métier. Elle ne se fait guère d'illusions : ce métier aura changé, d'une manière sans doute regrettable. Chassées des villes où les médecins occupent tout le terrain, les accoucheuses devront se replier dans les paroisses reculées. Néanmoins, elle saura tirer son épingle du jeu. Elle a trop confiance en ses propres ressources pour envisager une défaite décisive ! Les accoucheuses sont en déroute, mais partout, toujours, des parturientes auront besoin du soutien des femmes de leur entourage. Comme Léonie, elle sera à portée de voix.

Brigitte s'étire et cligne de l'œil au terme de son court repos de digestion. Le cœur si plein qu'il lui paraît paré à exploser, Flavie se penche pour poser un baiser sur sa joue soyeuse. Elle poursuit son mouvement vers Bastien et vient mordiller l'ourlet de sa lèvre inférieure. Se redressant légèrement, elle le gratifie d'une moue attendrie.

– Bonne soirée, mon ange.

– Bistouri à ressort ! Les invités sont sur le point d'arriver !

Il l'embrasse prestement avant de se jeter en bas du lit pour enfiler sa chemise. Flavie dépose dans son ber la petiote, qui se met à s'étirer et à agiter ses membres avec délices, tandis qu'elle se vêt, soutenant sa poitrine au moyen d'une chemise ajustée, un peu chaude mais indispensable. Par-dessus ses minces pantalettes, elle enfile sa jupe la plus légère. Ce sera tout : par cette chaleur, tous seront débougrinés à la limite de l'indécence !

Même si Bastien a prétendu, pince-sans-rire, qu'il s'agissait des débuts de Brigitte dans le monde, c'est à une veillée bien informelle qu'il a convié leurs proches. Peu à peu, la cuisine rafraîchie par un salutaire courant d'air se peuple de Laurent et de sa famille élargie, puis d'Archange et d'Édouard, accompagnés par Julie, Casimir et bébé Louis-Damien, né trois semaines et demie avant sa minuscule cousine. Des arrivantes timides se pointent ensuite, Marie-Claire et Françoise, que Léonie a tenu à inviter, finalement suivies par l'exubérant Philippe Coallier, sa fiancée à un bras et son beau-père à l'autre.

Des rafraîchissements sont servis, et les petiots passent d'un bras à l'autre pendant que la plus jeune des filles de Léocadie et de Cléophas, Clémence, se joint au duo grouillant formé par Geoffroy et Sylvain. Tandis que le serein tombe et que les luminaires sont allumés, on commente allègrement les récentes naissances et les futures unions matrimoniales, non seulement celle de Catherine et de Philippe, mais aussi celle de Lucie et de son promis. Même mariée, la jeune servante restera avec eux jusqu'à ce que ses propres enfants la retiennent au foyer conjugal. Tant qu'à faire, on cancane au sujet des amours d'Olivier Sénéchal, maintenant âgé de dix-huit, ainsi que de sa sœur Émérine, qui en a seize!

Léonie rentre du caveau, deux bouteilles de cidre sous le bras, et arrive nez à nez avec Alexis Ayotte, qui l'attendait manifestement. Elle lui sourit avec plaisir. Très vite, il dit:

– Je vous propose une promenade sur le chemin, si vous n'avez pas peur des bibittes…

Elle acquiesce avec empressement et, après avoir déposé sa charge entre les mains de son gendre, elle couvre ses épaules d'un châle. L'obscurité est presque complète, mais une lune brillante monte sur l'horizon; Alexis lui offre son bras, qu'elle accepte avec reconnaissance. Une conversation détendue s'engage au sujet de ses affaires à lui, qui sont au beau fixe, mais qu'il détourne adroitement vers les récents événements qui ont secoué la Société compatissante, et dont Catherine le tient informé.

Touchée par sa sollicitude, Léonie se laisse aller, insensiblement, sur la voie des confidences. Elle lui décrit ses aspirations au moment de la fondation de la Société compatissante, puis la façon dont elle a dû, à son corps défendant, les abandonner au profit des médecins. À voix haute, elle regrette son École de sages-femmes, le cercle d'études des accoucheuses, tout ce qui faisait rayonner un auguste savoir... Plus jamais une telle occasion ne se présentera ; elle sent, jusqu'à la plus intime de ses fibres, que les mœurs ne pardonneront plus une telle audace.

Le silence tombe entre eux. Peu à peu, le chemin s'est vidé de ses promeneurs. Seules quelques âmes errent dans la noirceur, maintenant totale et trouée par la lueur des fanaux occasionnels. Après un temps, Alexis déclare, d'une voix changée :

– Je compatis sincèrement avec vous, chère Léonie, mais je ne peux m'empêcher de croire que la tâche était trop lourde pour vos frêles épaules.

Elle ne répond pas. Quelque chose dans son timbre lui chatouille la colonne vertébrale...

– Je saisis ma chance d'un moment de solitude avec vous... Il y a un certain temps que je veux vous dire... à quel point j'apprécierais passer davantage de temps avec vous.

Léonie est estomaquée. C'est une déclaration d'intérêt amoureux qu'il vient de faire ! Hâtivement, il ajoute :

– Je ne suis pas trop inopportun ?

– Pas le moins du monde.

– À la bonne heure, se réjouit-il, encouragé par son ton chaleureux. Le sentiment que je vous porte, Léonie, il dépasse la simple amitié. Me permettez-vous de... de vous faire la cour ?

Charmée par la jolie tournure de phrase et par cette attention qu'elle n'osait plus espérer, du moins de la part d'un homme si aimable, Léonie devient molle comme de la cire. De son autre main, il presse celle de Léonie qui entoure son bras, puis il se lance dans un discours haché dont elle peine d'abord à saisir le propos. Sans ambages, il affirme qu'il fait partie de ceux qui apprécient la compagnie des dames, au point de les entourer de prévenances. Par contre, depuis son tout jeune âge, il se voit affligé d'une incapacité physique dont la cause demeure inconnue, mais dont la conséquence est flagrante : une virilité moins éclatante que chez ses congénères.

Il s'empresse de préciser que ce n'est pas un défaut de convoitise, mais tout bonnement un problème mécanique fréquent, qu'il sait compenser par un déploiement d'inventivité. Il conclut, piteux et défiant :

– Il me fallait vous le confier. Autrement, j'ai l'impression de tricher...

Léonie tombe en arrêt et se tourne pour lui faire face. Elle dit à mi-voix :

– J'imagine que... vous ne prenez pas ce risque souvent ?

– Il y a bien une huitaine d'années... Alors, je me suis fait rabrouer vertement !

Elle avance jusqu'à le frôler. D'une voix changée, il balbutie :

– J'ai donc cessé de me dévoiler ainsi. Je suis devenu moine. Mais vous... vous exercez sur mon âme une véritable tyrannie...

Il passe un bras derrière sa taille et elle s'appuie légèrement sur lui. Il est confortable, rembourré là où il faut, mais sans excès... Il s'approche de son oreille pour chuchoter, le ton plein d'allégresse :

– Je m'en doutais... Je me disais que vous auriez la curiosité d'aller voir derrière les apparences !

Elle lui clôt la bouche. Après ce baiser rempli de promesses, tous deux reviennent vers la maison, prenant rendez-vous pour une promenade sur le port dès le lendemain, dimanche. Une scène divertissante les accueille dans la cuisine. Debout sur un tabouret, un livre à la main, Philippe est en train de déclamer comme un mauvais acteur de tragédie ; tout autour de lui, l'auditoire en pleure de rire. Sérieux comme un pape, il glose à haute voix sur *L'art de péter*, ce substantiel traité de science médicale grâce auquel il souhaite édifier l'assemblée.

Abordant le sujet des pets vocaux, ou pétards, il ergote sur le pet qui est diphtongue « lorsque l'orifice est bien large, les parties inégales, mêlées à la fois d'humeurs chaudes et ténues, froides et épaisses ». Ne pouvant se résoudre d'une seule fonte, ni se contenir dans les mêmes cellules intestinales, ni être chassée d'un seul effort, la matière s'échappe avec éloquence, à intervalles variés et égaux.

– « Si le pet diphtongue est plus terrible que le tonnerre, et s'il est constant que la foudre qui le suit a écrasé une infinité de personnes, a rendu sourds les uns et hébété les autres, il est donc hors de doute qu'un pet diphtongue, s'il ne foudroie pas, est capable non seulement de causer tous les accidents du tonnerre, mais encore de tuer sur-le-champ les gens faibles, d'un génie pusillanime et susceptible de préjugés. »

Des éclats de rire entremêlés d'exclamations faussement outrées ponctuent la tirade. Sans se démonter, Philippe poursuit :

– « Nous portons ce jugement en raison des ingrédients dont le pet est formé, et de l'extrême compression de l'air qui, devenu libre, ébranle tellement en sortant les colonnes de l'air extérieur, qu'il peut détruire, déchirer et arracher en un clin d'œil les fibres les plus délicates du cerveau, donner suite à un mouvement de rotation rapide de la tête, la faire tourner sur les épaules comme une girouette, briser à la septième vertèbre l'étui de la moelle allongée et par cette destruction, donner la mort. »

La liesse est à son comble, et les commentaires vont bon train pour encenser cette réjouissante bêtise pseudo-scientifique qui, de l'avis général, rappelle le discours pontifiant d'une bonne partie de la gent médicale ! Plusieurs dames, affectant la plus vive indignation, prient le « butor bêtifiant », c'est-à-dire

Philippe, de mettre fin à ce langage inélégant. Sautant sur ses pieds, Bastien lui arrache le livre des mains, le feuillette à toute vitesse et le lui remet en désignant un passage. Le parcourant des yeux, Philippe s'exclame :

– Ah ! Voilà qui devrait plaire à toutes les personnes constipées... L'auteur distingue le pet affecté de celui qui est involontaire. Le premier, dit-il, « ne se passe guère parmi les honnêtes gens, si ce n'est parmi ceux qui logent ensemble et qui couchent dans le même lit. Alors on peut affecter d'en lâcher quelques-uns, soit pour se faire rire, soit pour se faire pièce et les pousser, même si dodus et si distincts qu'il n'y ait personne qui ne les prenne pour des coups de couleuvrines. J'ai connu une dame qui, se couvrant l'anus avec sa chemise, s'approchait d'une chandelle récemment éteinte, et pétant et vessant lentement et par gradation, la rallumait avec la dernière adresse ; mais une autre, qui la voulut imiter, ne réussit point, et réduisit la mèche en une poudre ardente qui se dissipa bientôt dans l'air et lui brûla le derrière. »

Bien entendu, la dernière phrase égaye les hommes au plus haut point ! Assise dans un recoin de la cuisine pour donner la tétée à sa fille, Flavie se contente d'observer béatement le tableau, se retenant de rigoler pour ne pas tressauter indûment. Même le strict Casimir, tout en affectant un air supérieurement détaché, prend du bon temps ! Elle a l'impression d'être dans la cabine d'un navire, au milieu d'une chaleureuse équipée, tandis qu'une souveraine risée leur fait survoler une mer traîtresse.

Elle voudrait que cette risée en provenance d'un siècle gai et folâtre balaie sur son passage toute la componction dont les érudits s'enrobent, et toute la dureté dans laquelle les dévots se drapent. Elle voudrait la voir souffler en tourbillon sur toute la mauvaiseté dont les mortels sont capables ! Soudain bouleversée, Flavie ferme les yeux. Elle aimerait tant que cette risée devienne une sorcière de neige aux parois opaques, protégeant à jamais sa descendance des malveillances et des rosseries ! Mais à défaut, avec la seule force de ses bras, elle fera lever de terre cette tempête protectrice. Elle jure qu'elle y mettra ses enfants à l'abri, parole de Flavie !

FIN

Note de l'auteure

La science et le parfum de l'Histoire (3)

Puisque certaines personnes se sont interrogées sur la part de véridique dans cette fresque historique, je profite de l'occasion offerte par cette chronique pour apporter quelques précisions. Ce n'est pas la trame générale de l'époque, de même que l'état des mœurs ainsi que les événements marquants, qui était à la source de ce questionnement, mais plutôt les nombreux détails (y compris les archaïsmes de vocabulaire) que je prends soin d'insérer dans mon récit pour l'ancrer solidement dans la réalité telle que je tente, après une longue recherche, de la reconstruire.

D'entrée de jeu, une précision : tous les personnages sont fictifs, sauf Rosalie Cadron-Jetté et Émilie Gamelin, fondatrices de communautés religieuses, Mgr Ignace Bourget, évêque de Montréal, Eugène-Hercule Trudel, médecin chez les Sœurs de Miséricorde, John Humphrey Noyes, fondateur de la communauté d'Oneida, ainsi que divers personnages à peine évoqués, mais manifestement réels. Cependant, l'« habillage » de tous les personnages, quels qu'ils soient, est fortement documenté. Bien des répliques, des attitudes et des décisions m'ont été inspirées par les documents d'époque. Même fertile, mon imagination aurait eu du mal à inventer de toutes pièces le discours onctueux d'un prélat, les répliques assassines d'un médecin libéral ou la réaction violente d'un bourgeois atteint dans son honneur. Le spectacle de l'histoire est une mine d'or !

Tout en tenant compte du caractère particulier de chaque personnage, je prends grand soin de m'assurer que son comportement est plausible, comme j'insère son existence dans un passé le plus près de la réalité possible. Lorsqu'il me faut inventer pour enrichir la trame romanesque, cela reste, à mon sens, dans le domaine du vraisemblable. C'est donc ainsi qu'il faut interpréter l'Histoire telle qu'elle se retrouve dans cette série : de réels lieux, mœurs, coutumes et événements collectifs (du moins telle que cette vérité nous parvient), dans lesquels évoluent des personnages inventés, mais ancrés dans l'authenticité.

Pour conclure sur ce sujet, je me permets de vous donner quelques exemples. Si la Société compatissante de Montréal n'a pas existé, une semblable fut en activité à Québec pendant au moins soixante ans ; elle fut mon modèle. À Montréal, on trouve également la trace d'un refuge mis sur pied dans les années 1840 par un professeur de l'École de médecine et de chirurgie. Après avoir constaté ce qui se faisait en France à la Maternité Port-Royal, j'ai cru que l'École de sages-femmes de Montréal, une pure invention, cadrerait dans la logique du propos et des ambitions de Léonie. De même, les tentatives de Flavie et de Marguerite pour étudier la médecine sont calquées sur celles d'une poignée d'Américaines.

Parfois, ce qui est pur hasard (ou peut-être intuition ?) se voit confirmé d'une fort étrange façon. Le nom de famille de Léonie après son mariage, soit Montreuil, m'a été inspiré par une branche de l'arbre généalogique de mon conjoint. Plus tard, après l'écriture du premier tome, quelqu'un m'a mis sous le nez une page de l'annuaire Lovell 1845-1846, où était inscrit le nom d'une Mrs Montreuil, *midwife*, habitant pour sa part dans le faubourg Saint-Laurent… Je vous le jure, je n'ai pas fait exprès !

Pour ce troisième et dernier tome, j'ai pigé amplement dans la documentation amassée pour les deux premiers, tout en la bonifiant de diverses façons. Mon principal défi fut d'affiner ma compréhension de la communauté perfectionniste d'Oneida, ce fascinant groupement d'utopistes au sein duquel Flavie passe une année de sa vie. La source documentaire la plus précieuse fut *Free Love in Utopia : John Humphrey Noyes and the Origin of the Oneida Community*, une compilation de textes présentée par Lawrence Foster, qui donne un éclairage riche et surprenant aux mœurs et coutumes, ainsi qu'à la vie quotidienne, dans la communauté. *Communal Love at Oneida : A Perfectionnist Vision of Authority, Property and Sexual*

Order, de Richard De Maria, fut également d'un grand secours, de même que *Male Continence*, de J. H. Noyes, et *Bible Communism*, signé Oneida Community.

Pour cerner le personnage complexe du fondateur, je me suis fondée principalement sur *The Man Who Would Be Perfect: John Humphrey Noyes and the Utopian Impulse*, de Robert David Thomas, mais également sur *A Yankee Saint: John Humphrey Noyes and the Oneida Community*, de Robert Allerton Parker. Les témoignages des membres ont été glanés dans tous les ouvrages consultés, mais plusieurs de ces derniers en sont constitués en totalité : *Special Love/Special Sex: An Oneida Community Diary* et *Desire and Duty at Oneida: Tirzah Miller's Intimate Memoir*, tous deux présentés par Robert S. Fogarty ; *My Father's House: An Oneida Boyhood*, de Pierrepont Noyes ; *The Oneida Community: A Record*, de Allan Estlake. Enfin, les arguments des pourfendeurs de cette hérésie m'ont été soufflés par le pasteur Hubbard Eastman, dans son livre *Noyesism Unveiled*.

Pour replacer cette communauté perfectionniste au sein de l'histoire plus globale de la ferveur religieuse américaine et de l'agitation sociale à cette époque, plusieurs livres m'ont été utiles : *Religion and Sexuality: Three American Communal Experiments of the Nineteenth Century*, ainsi que *Women, Family and Utopia: Communal Experiments of the Shakers, the Oneida Community and the Mormons*, tous deux de Lawrence Foster ; *Ordered Love: Sex Roles and Sexuality in Victorian Utopias: the Shakers, the Mormons and the Oneida Community*, de Louis J. Kern ; *The Burned-Over District: The Social and Intellectual History of Enthusiastic Religion in Western New York, 1800-1850*, de Whitney R. Cross ; *The Disappointed*, sous la direction de Jonathan M. Butler et Ronald M. Numbers.

Puisqu'il me fallait polir mes connaissances (et ce n'est pas encore fini !) au sujet de la religion catholique telle qu'elle était vécue au Bas-Canada, je me suis plongée dans *La spiritualité de Mgr Bourget de 1850 à 1860*, mémoire de maîtrise de Benoît Caron, de même que dans un vaste et fascinant traité, *Des eunuques pour le royaume de Dieu*, de Uta Ranke-Heinemann. Enfin, les grandes lignes du puritanisme américain sont esquissées dans *The Puritan Experiment*, de Francis J. Bremer.

En matière de recherche documentaire d'envergure, la question de l'épidémie de choléra de 1854 vient tout juste derrière les perfectionnistes d'Oneida. Plusieurs livres ambitieux ont été fort appréciés : *A Darkened House : Cholera in Nineteenth-Century Canada*, de Geoffrey Bilson ; *Histoire du choléra en France, 1832-1854 : une peur bleue*, de Patrice Bordelais et Jean-Yves Raulot ; *King Cholera : The Biography of a Disease*, de Norman Longmate ; *The Cholera Years*, de Charles Rosenberg ; *Peurs et terreurs face à la contagion : choléra, tuberculose, syphilis, XIXe-XXe siècles*, sous la direction de Jean-Pierre Bardet.

Concernant spécifiquement l'année en question, j'ai pigé dans *Report of the Central Board of Health*, produit par le Central Board of Health of Canada, de même que dans *History and Observations on Asiatic Cholera in Brooklyn, N. Y., in 1854*, de Joseph C. Hutchison. Deux traités médicaux, signés par des frères, médecins montréalais à l'époque, m'ont été d'une valeur inestimable pour déterminer non seulement le traitement à appliquer lors de l'attaque que subit Simon, le père de Flavie, mais aussi les croyances, les peurs et les médications fantaisistes concernant cette affection : *Asiatic Cholera*, de Robert Nelson, et *Notions pratiques sur le choléra*, de Wolfred Nelson.

Une série d'articles m'ont renseignée au sujet des découvertes du médecin anglais John Snow : « A Rivalry of Foulness : Official and Unofficial Investigations of the London Cholera Epidemic of 1854 », de Nigel Paneth, *American Journal of Public Health*, 1998, 88 ; « Commentary : Behind the Broad Street Pump : Aetiology, Epidemiology and Prevention of Cholera in Mid-19th Century Britain », de George Davey Smith, *International Journal of Epidemiology*, 2002, 31 ; « Assessing the Contributions of John Snow to Epidemiology », de Nigel Paneth, *Epidemiology*, vol. 15, nº 5, septembre 2004 ; « John Snow, MD : Anaesthetist to the Queen of England and Pionner Epidemiologist », de Michael A. E. Ramsay, *Baylor University Medical Center Proceedings*, 2006, 19 ; « Pioneers in Infection Control : John Snow, Henry Whitehead, the Broad Street Pump, and the Beginnings of Geographical Epidemiology », de S. W. B. Newson, *Journal of Hospital Infection*, 2006, 64.

L'essentiel des renseignements au sujet des Sœurs de Miséricorde et de leur fondatrice a été trouvé dans le recueil en plusieurs tomes préparé par la communauté, intitulé *Positio*, qui retrace en détail les débuts de la communauté, de même que dans quelques documents d'archives qui ont été aimablement mis à ma disposition par la coordonnatrice du Centre Rosalie-Cadron-Jetté, Sylvie Bessette, que je tiens à remercier sincèrement.

Deux articles de Marie-Aimée Cliche m'ont servi pour construire le personnage de Monique Guimon, la servante engrossée par le Dr Louis Cibert : « Filles-mères, familles et sociétés sous le Régime français », *Histoire sociale*, vol. 21, n° 41 ; « Les filles-mères devant les tribunaux de Québec, 1850-1969 », *Recherches sociographiques*, vol. 32, n° 1, 1991.

Le journal personnel d'Amédée Papineau, *Journal d'un Fils de la liberté*, m'a été précieux pour prendre le pouls de l'air du temps… et des aléas de la température ! Les travaux publics après l'incendie de Montréal de 1852 sont décrits dans *Conflagration et réaménagement urbain : le cas de Montréal en 1852*, mémoire de maîtrise de Nathalie Lavictoire. Les débuts de la construction de ce spectaculaire ouvrage d'ingénierie qu'est le pont ferroviaire du Grand Tronc sont clairement expliqués dans *Le pont Victoria : un lien vital*, de Stanley Triggs, Brian Young, Conrad Graham et Gilles Lauzon. Enfin, l'opuscule *L'art de péter*, de Pierre-Thomas-Nicolas Hurtaut, a été réédité il y a quelques années, au grand plaisir des dévergondées de mon espèce !

Lettre aux lectrices et aux lecteurs

Chères lectrices, chers lecteurs,
D'entrée de jeu, je me confesse : je caresse l'espoir fou qu'après avoir refermé ce roman, vous ayez l'envie et la curiosité de poursuivre vos lectures en ma compagnie. Pour vous éviter une fastidieuse recherche, laissez-moi vous raconter en quelques mots des livres que j'ai signés depuis que, à l'âge de dix ans, j'ai commencé à pondre de petits romans d'aventures… J'ai dû cependant (et heureusement pour le public lecteur !) noircir des milliers de pages avant de me retrouver sur les rayons des librairies.

Depuis longtemps, je suis fascinée par l'histoire, qui nous fournit un extraordinaire recul pour observer les actes humains. Mais comme l'envie d'écrire était plus forte que tout, il m'a fallu combiner ces deux passions en me consacrant d'abord à des publications et à des guides historiques, puis à une première et fort ambitieuse biographie en deux tomes du dramaturge et producteur de spectacles Gratien Gélinas. En 1995 paraissait ainsi *Gratien Gélinas : la ferveur et le doute*.

Selon ce même désir de mettre les richesses et les enseignements du passé à la portée du grand public, je signais en 2004 un recueil intitulé *Quartiers ouvriers d'autrefois*, qui raconte en images l'industrialisation des villes de Sherbrooke, Québec et Montréal. Sollicitant nos sens et nos émotions, les vieilles photographies évoquent l'« ancien temps » de manière agréablement vivante et éveillent à la science historique comme peu d'ouvrages savants peuvent le faire.

Mais l'appel de la biographie résonnait de nouveau en moi et j'ai réalisé un jour que l'une des plus importantes féministes québécoises était honteusement ignorée, notamment parce que le récit de sa vie dormait encore dans de nombreuses boîtes de documents d'archives ! J'ai donc sauté à pieds joints dans la recherche et la rédaction de ce qui est devenu une monumentale biographie, *Marie Gérin-Lajoie : conquérante de la liberté*, qui a paru en 2005.

Tout récemment, en 2007, je récidivais dans le même sens avec deux livres, *Femmes de lumière : les religieuses québécoises avant la Révolution tranquille* et *Les années pieuses, 1860-1970.* L'idée de ces ouvrages m'est venue au cours de mes recherches sur la place de la religion et du discours « sacré » dans l'histoire de notre province. J'ai réalisé qu'il était impossible d'écrire l'histoire des femmes en niant le rôle majeur qu'y ont joué les religieuses, comme nous avons eu tendance à le faire depuis la fin de la « grande noirceur », et que, de même, il était impossible de plonger dans l'histoire du Québec sans retrouver l'odeur de l'encens. Mes livres sont une modeste tentative pour remettre ces images dans la mémoire collective.

Pendant tout ce temps, je vous l'avoue, j'aspirais à retrouver une liberté créatrice quelque peu ensevelie sous des montagnes de documents et de notes... L'appel de la fiction murmurait en moi comme le ressac de la marée depuis ma prime jeunesse, mais surtout depuis 1992, alors qu'une de mes nouvelles remportait le grand prix du concours annuel du journal *Voir* (nouvelle qui a été reproduite dans l'ouvrage collectif *Circonstances particulières*).

Ce désir profond, je l'ai d'abord assouvi en écrivant deux courts récits biographiques romancés : *Gratien Gélinas : du naïf Fridolin à l'ombrageux Tit-Coq* et *Justine Lacoste-Beaubien : au secours des enfants malades.* Constatant que ma prose romanesque n'effrayait personne, j'ai remis en chantier un roman dont j'avais esquissé la trame une quinzaine d'années d'auparavant, soit un huis clos pendant lequel une jeune femme se rebelle devant les silences et les fuites de ses parents qui l'ont laissée grandir dans une immense solitude. C'est ainsi qu'en 2003 était finalement publié mon premier roman, *Les amours fragiles.*

Mon deuxième roman, un roman jeunesse intitulé *Le lutin dans la pomme*, a pris forme quelques mois après les événements tragiques de septembre 2001, à New York. J'ai eu envie de raconter la guerre aux enfants et, en même temps, de leur faire ressentir le changement historique. J'ai incarné ces deux thèmes dans l'histoire d'un lutin séparé de sa famille par la guerre et qui, devenu très âgé, demande à une fillette, Ernestine, de l'aider à la retrouver.

Je vous remercie de m'avoir lue jusqu'ici et j'espère de tout mon cœur que vous en redemanderez, à votre bibliothécaire ou à votre libraire... Le sort des écrivaines et des écrivains, en tant que professionnels, dépend beaucoup de votre intérêt. Si la motivation pour écrire vient bien souvent de l'intérieur de soi, seule la reconnaissance publique peut faire de nous de véritables auteurs, s'inscrivant dans la durée.

Merci de vivre avec moi ce doux bonheur de plonger dans une histoire... et dans l'Histoire!

AUTRES TITRES PARUS
DANS LA MÊME COLLECTION

Barcelo, François, *J'enterre mon lapin*
Barcelo, François, *Tant pis*
Borgognon, Alain, *Dérapages*
Borgognon, Alain, *L'explosion*
Bouchard, Roxanne, *Whisky et paraboles* (Prix Robert-Cliche 2005)
Boulanger, René, *Les feux de Yamachiche*
Boulanger, René, *Trois p'tits chats*
Breault, Nathalie, *Opus erotica*
Caron, Pierre, *Thérèse. La naissance d'une nation. T. I*
Caron, Pierre, *Marie. La naissance d'une nation. T. II*
Caron, Pierre, *Émilienne. La naissance d'une nation. T. III*
Cliff, Fabienne, *Kiki*
Cliff, Fabienne, *Le nid du Faucon*
Cliff, Fabienne, *Le royaume de mon père. T. I : Mademoiselle Marianne*
Cliff, Fabienne, *Le royaume de mon père. T. II : Miss Mary Ann Windsor*
Cliff, Fabienne, *Le royaume de mon père. T. III : Lady Belvédère*
Collectif, *Histoires d'écoles et de passions*
Côté, Jacques, *Les montagnes russes*
Côté, Reine-Aimée, *Les bruits* (Prix Robert-Cliche 2004)
Désautels, Michel, *La semaine prochaine, je veux mourir*
Désautels, Michel, *Smiley* (Prix Robert-Cliche 1998)
Dufresne, Lucie, *L'homme-ouragan*
Dupuis, Gilbert, *Les cendres de Correlieu*
Dupuis, Gilbert, *La chambre morte*

Dupuis, Gilbert, *L'étoile noire*
Dussault, Danielle, *Camille ou la fibre de l'amiante*
Fauteux, Nicolas, *Comment trouver l'emploi idéal*
Fauteux, Nicolas, *Trente-six petits cigares*
Fortin, Arlette, *C'est la faute au bonheur*
(Prix Robert-Cliche 2001)
Fortin, Arlette, *La vie est une virgule*
Fournier, Roger, *Les miroirs de mes nuits*
Fournier, Roger, *Le stomboat*
Gagné, Suzanne, *Léna et la société des petits hommes*
Gagnon, Madeleine, *Lueur*
Gagnon, Madeleine, *Le vent majeur*
Gagnon, Marie, *Des étoiles jumelles*
Gagnon, Marie, *Emma des rues*
Gagnon, Marie, *Les héroïnes de Montréal*
Gagnon, Marie, *Lettres de prison*
Gélinas, Marc F., *Chien vivant*
Gevrey, Chantal, *Immobile au centre de la danse*
(Prix Robert-Cliche 2000)
Gilbert-Dumas, Mylène, *1704*
Gilbert-Dumas, Mylène, *Les dames de Beauchêne. T. I*
(Prix Robert-Cliche 2002)
Gilbert-Dumas, Mylène, *Les dames de Beauchêne. T. II*
Gilbert-Dumas, Mylène, *Les dames de Beauchêne. T. III*
Gilbert-Dumas, Mylène, *Lili Klondike. T. I*
Gill, Pauline, *La cordonnière*
Gill, Pauline, *Et pourtant elle chantait*
Gill, Pauline, *Les fils de la cordonnière*
Gill, Pauline, *La jeunesse de la cordonnière*
Gill, Pauline, *Le testament de la cordonnière*
Girard, André, *Chemin de traverse*
Girard, André, *Zone portuaire*
Grelet, Nadine, *La belle Angélique*
Grelet, Nadine, *Les chuchotements de l'espoir*
Grelet, Nadine, *La fille du Cardinal. T. I*
Grelet, Nadine, *La fille du Cardinal. T. II*
Grelet, Nadine, *La fille du Cardinal. T. III*

Gulliver, Lili, *Confidences d'une entremetteuse*
Gulliver, Lili, *L'univers Gulliver 1. Paris*
Gulliver, Lili, *L'univers Gulliver 2. La Grèce*
Gulliver, Lili, *L'univers Gulliver 3. Bangkok, chaud et humide*
Gulliver, Lili, *L'univers Gulliver 4. L'Australie sans dessous dessus*
Hébert, Jacques, *La comtesse de Merlin*
Hétu, Richard, *Rendez-vous à l'Étoile*
Hétu, Richard, *La route de l'Ouest*
Jasmin, Claude, *Chinoiseries*
Jasmin, Claude, *Des branches de jasmin*
Jobin, François, *Une vie de toutes pièces*
Lacombe, Diane, *La châtelaine de Mallaig*
Lacombe, Diane, *Gunni le Gauche*
Lacombe, Diane, *L'Hermine de Mallaig*
Lacombe, Diane, *Nouvelles de Mallaig*
Lacombe, Diane, *Sorcha de Mallaig*
Laferrière, Dany, *Cette grenade dans la main du jeune Nègre est-elle une arme ou un fruit?*
Laferrière, Dany, *Le goût des jeunes filles*
Lalancette, Guy, *Il ne faudra pas tuer Madeleine encore une fois*
Lalancette, Guy, *Les yeux du père*
Lamothe, Raymonde, *L'ange tatoué* (Prix Robert-Cliche 1997)
Lamoureux, Henri, *L'infirmière de nuit*
Lamoureux, Henri, *Journées d'hiver*
Lamoureux, Henri, *Le passé intérieur*
Lamoureux, Henri, *Squeegee*
Landry, Pierre, *Prescriptions*
Lapointe, Dominic, *Les ruses du poursuivant*
Lavigne, Nicole, *Les noces rouges*
Massé, Carole, *Secrets et pardons*
Maxime, Lili, *Éther et musc*
Messier, Claude, *Confessions d'un paquet d'os*
Moreau, Guy, *L'Amour Mallarmé* (Prix Robert-Cliche 1999)
Nicol, Patrick, *Paul Martin est un homme mort*
Ouellette, Sylvie, *Maria Monk*
Racine, Marcelle, *Éva Bouchard. La légende de Maria Chapdelaine*

Robitaille, Marc, *Des histoires d'hiver, avec des rues, des écoles et du hockey*
Roy, Danielle, *Un cœur farouche* (Prix Robert-Cliche 1996)
Saint-Cyr, Romain, *Belle comme un naufrage*
Saint-Cyr, Romain, *L'impératrice d'Irlande*
Sicotte, Anne-Marie, *Les accoucheuses. T. I : La fierté*
Sicotte, Anne-Marie, *Les accoucheuses. T. II : La révolte*
Sicotte, Anne-Marie, *Les accoucheuses. T. III : La déroute*
St-Amour, Geneviève, *Passions tropicales*
Thibault, Yvon, *Le château de Beauharnois*
Tremblay, Allan, *Casino*
Tremblay, Françoise, *L'office des ténèbres*
Turchet, Philippe, *Les êtres rares*
Vaillancourt, Isabel, *Les mauvaises fréquentations*
Vignes, François, *Les compagnons du Verre à Soif*
Villeneuve, Marie-Paule, *Les demoiselles aux allumettes*
Villeneuve, Marie-Paule, *L'enfant cigarier*
Yaccarini, Antoine, *Meurtre au* Soleil

Achevé d'imprimer au Canada en août 2008
sur les presses de Quebecor World Saint-Romuald